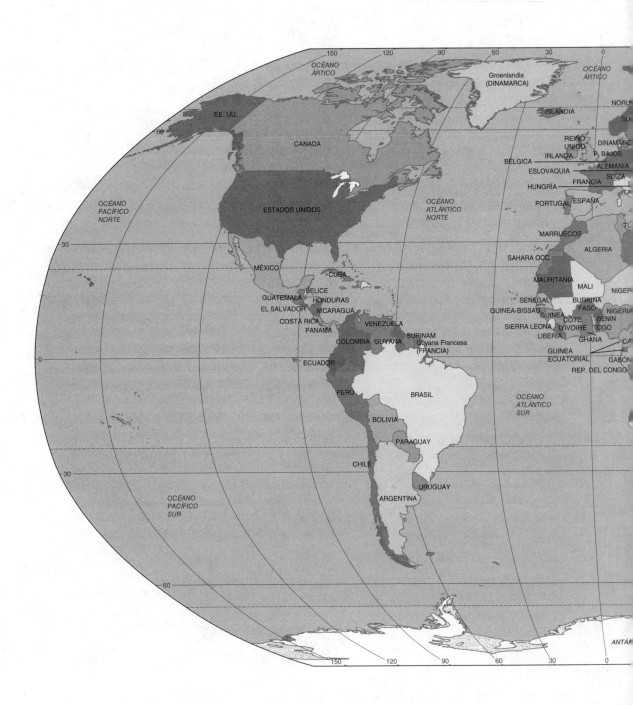

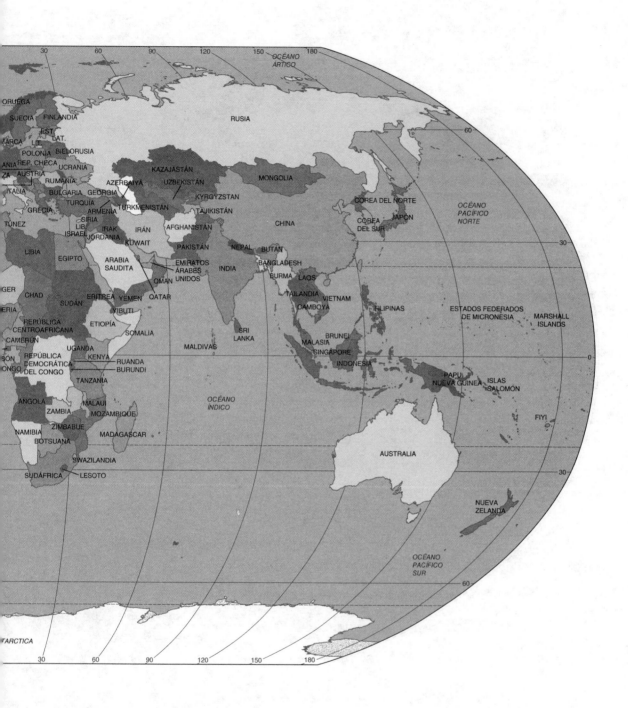

Economía internacional

Economía internacional

13a edición en español

ROBERT J. CARBAUGH

Central Washington University

Traducción:

Juan Carlos Rodríguez Aguilar

Traductor profesional

Revisión técnica:

Dr. Jorge David Quintero Otero

Departamento de Economía

Universidad del Norte, Instituto de Estudios

Económicos del Caribe, Barranquilla, Colombia

CENGAGE
Learning®

Australia · Brasil · Corea · España · Estados Unidos · Japón · México · Reino Unido · Singapur

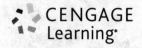
CENGAGE
Learning·

Economía internacional
13a edición en español
Robert J. Carbaugh

Director Editorial para Latinoamérica:
Ricardo H. Rodríguez

Editora de Adquisiciones para Latinoamérica:
Claudia C. Garay Castro

Gerente de Manufactura para Latinoamérica:
Antonio Mateos Martínez

Gerente Editorial en Español para Latinoamérica:
Pilar Hernández Santamarina

Gerente de Proyectos Especiales:
Luciana Rabuffetti

Coordinador de Manufactura:
Rafael Pérez González

Editor:
Omegar Martínez

Diseño de portada:
Indra Ortiz

Composición tipográfica:
Ediciones OVA

© D.R. 2017 por Cengage Learning Editores, S.A. de C.V.,
una Compañía de Cengage Learning, Inc.
Corporativo Santa Fe
Av. Santa Fe núm. 505, piso 12
Col. Cruz Manca, Santa Fe
C.P. 05349, México, D.F.
Cengage Learning® es una marca registrada
usada bajo permiso.

Traducido del libro International Economics,
Fifteenth Edition
Robert J. Carbaugh
Publicado en inglés por Cengage Learning
© 2015
ISBN: 978-1-285-85435-9

Datos para catalogación bibliográfica:
Robert J. Carbaugh
Economía internacional
13a edición en español
ISBN: 978-607-526-308-3

Visite nuestro sitio en:
http://latinoamerica.cengage.com

Impreso en Grupo Art Graph S.A. de C.V.,
Fracc. Agroindustrial La Cruz, Calle Retorno 1 L-37,
C.P. 76249, El Marqués,Qro. Tels.: (442) 220 8969 / 290 3400.

Impreso en México
1 2 3 4 5 6 7 18 17 16 15

Sumario

PREFACIO xv

CAPÍTULO **1** Economía internacional y globalización 1

PARTE 1 Relaciones de comercio internacional 27

CAPÍTULO **2** Fundamentos de la teoría moderna del comercio:
ventaja comparativa 29

CAPÍTULO **3** Fuentes de ventaja comparativa 69

CAPÍTULO **4** Aranceles 107

CAPÍTULO **5** Barreras no arancelarias al comercio 149

CAPÍTULO **6** Regulaciones comerciales y políticas industriales 181

CAPÍTULO **7** Políticas comerciales de los países en desarrollo 227

CAPÍTULO **8** Acuerdos comerciales regionales 267

CAPÍTULO **9** Movimientos internacionales de los factores de la
producción y las empresas multinacionales 295

PARTE 2 Relaciones monetarias internacionales 327

CAPÍTULO **10** La balanza de pagos 329

CAPÍTULO **11** Divisas 357

CAPÍTULO **12** Determinación de los tipos de cambio 393

CAPÍTULO **13** Mecanismos internacionales de ajuste 419

CAPÍTULO **14** Ajustes al tipo de cambio y la balanza
de pagos 427

CAPÍTULO **15** Sistemas cambiarios y crisis monetarias 445

CAPÍTULO **16** Política macroeconómica en una economía abierta 479

CAPÍTULO **17** Banca internacional: reservas, deuda y riesgo 495

GLOSARIO 513

ÍNDICE 527

Sumario

Prefacio XV

CAPÍTULO 1

Economía internacional y globalización 1

Globalización de la actividad económica 2

Olas de globalización 3

La política de la reserva federal de los estados unidos provoca violenta reacción global 4

Primera ola de globalización: 1870-1914 4
Segunda ola de globalización: 1945-1980 5
Ola de globalización más reciente 5

Los motores diesel y las turbinas de gas como impulsores de la globalización 8

Estados unidos como una economía abierta 9
Patrones comerciales 9
Trabajo y capital 11

¿Por qué es importante la globalización? 12

Globalización y competencia 15

Kodak se reinventa recurriendo al capítulo 11 de la ley de quiebras de eua 15
Las importaciones de bicicletas fuerzan a schwinn a desacelerar 16
Element electronics sobrevive ubicando su producción de televisores en eua 17

Falacias comunes del comercio internacional 18

¿Está perdiendo estados unidos su ventaja innovativa? 19

¿Es aplicable el libre comercio a los cigarros? 20

¿Es el comercio internacional una oportunidad o una amenaza para los trabajadores? 21

Reacción violenta contra la globalización 22

El plan de este libro 24

Resumen 24

Conceptos y términos clave 25

Preguntas para análisis 25

PARTE 1 Relaciones de comercio internacional   **27**

CAPÍTULO 2

Fundamentos de la teoría moderna del comercio: ventaja comparativa 29

Desarrollo histórico de la teoría moderna del comercio 29
Los mercantilistas 29
Por qué comercian las naciones: la ventaja absoluta 30
Por qué comercian las naciones: ventaja comparativa 31

David Ricardo 32

Curvas de posibilidades de producción 35

El comercio en situación de costos constantes 36
Base y dirección para el comercio 36
Ganancias de producción de la especialización 37
Ganancias de consumo del comercio 38

Babe Ruth y el principio de la ventaja comparativa 39

Distribución de las ganancias del comercio 40
Términos de intercambio de equilibrio 41
Estimación de los términos de intercambio 42

Ganancias dinámicas del comercio 43
Cómo la competencia global ocasionó ganancias de productividad para los trabajadores estadunidenses del hierro 44

Cambio de la ventaja comparativa 45

Comercio en condiciones de costos crecientes 46

El auge del gas natural enciende el debate 47

Caso de comercio con costos crecientes 48
Especialización parcial 50

Impacto del comercio en los empleos.............................. 51

Wooster, ohio se ve afectado por la globalización......................... 52

La ventaja comparativa extendida a muchos productos y países.. 53

Más de dos productos.. 53

Más de dos países... 54

Barreras a la salida... 55

Evidencia empírica acerca de la ventaja comparativa................ 56

La ventaja comparativa y las cadenas globales de suministro 57

Ventajas y desventajas del outsourcing 59

*El outsourcing y la industria automotriz
estadunidense*... 60

*La economía de iphone y las cadenas
de suministro globales*....................................... 60

*La subcontratación resulta contraproducente
para el boeing 787 dreamliner*............................. 61

Reubicación de la producción en estados unidos 63

Resumen 64

Conceptos y términos clave 65

Preguntas para análisis 65

CAPÍTULO 3
Fuentes de ventaja comparativa **69**

La dotación de factores como fuente de ventaja comparativa   69

Teoría de la dotación de factores............................. 70

Visualización de la teoría de la dotación de factores........... 72

*Aplicación de la teoría de la dotación de factores
al comercio entre estados unidos y china* 73

*Los fabricantes chinos sufren por el alza en los sueldos
y en el yuan* 74

La globalización provoca cambios para los fabricantes estadunidenses de automóviles. **75**

Nivelación de los precios de los factores...................... 76

*¿Quién gana y quién pierde en el comercio? El teorema
stolper-samuelson*... 78

¿El comercio internacional es un sustituto para la migración?........ 79

*Factores específicos: el comercio y la distribución del ingreso
a corto plazo*.. 80

¿El comercio hace a los pobres aún más pobres? 81

¿La teoría de dotación de factores explica los patrones
comerciales reales? 83

La especialización como fuente de la ventaja comparativa........... 84

Economías de escala y ventaja comparativa 85

Economía de escala internas................................. 86

Economías de escala externas............................... 87

Demandas coincidentes como base para el comercio 88

¿Un "mundo plano" hace que ricardo se haya equivocado? **89**

El comercio intraindustrial 90

La tecnología como fuente de ventaja comparativa: el ciclo
de vida del producto....................................... 92

*Radios, calculadoras de bolsillo y el ciclo internacional
del producto*.. 94

Japón se debilita en la industria electrónica................. 95

Ventaja comparativa dinámica: política industrial 96

La omc resuelve que los subsidios gubernamentales a boeing
y airbus son ilegales 97

¿Sofocan los sindicatos obreros la competitividad? **99**

Políticas de regulación gubernamental y ventaja comparativa 99

Costos de transporte y ventaja comparativa 101

Los efectos comerciales..................................... 101

La caída de los costos de transporte fomenta el auge comercial... 103

Resumen 104

Conceptos y términos clave 105

Preguntas para análisis 105

CAPÍTULO 4
Aranceles... **107**

El concepto de arancel 108

Tipos de aranceles 109

Arancel específico.. 109

Arancel ad valorem... 110

Arancel compuesto.. 111

Tasa de protección efectiva................................... 111

El proteccionismo se intensifica conforme la economía global cae en la gran recesión. **112**

Escalada arancelaria.. 114

Outsourcing y cláusula de ensamble en el extranjero............. 115

Escapatorias a los aranceles sobre la importación: elusión
y evasión de aranceles 116

*Ford desbalija sus propias camionetas para evitar
arancel altos*... 117

*El contrabando de acero como evasión
de aranceles estadunidenses* 117

Ganancias por la eliminación de aranceles de importación. **118**

Pago diferido de los aranceles a la importación 119

Recinto fiscal.. 119

Zona de libre comercio..................................... 120

*Los zonas de libre comercio benefician
a los importadores de vehículos motorizados* 121

Efectos de los aranceles: panorama general 121

Efectos de los aranceles en el bienestar: excedente
del consumidor y excedente del productor.................... 122

Efectos de los aranceles en el bienestar: modelo
    de la nación pequeña..123

Efectos de los aranceles en el bienestar:
    modelo de nación grande...............................126
    Arancel óptimo y represalias...........................128

Ejemplos de aranceles estadunidenses....................129
    Los aranceles de obama a los neumáticos chinos......129
    ¿Habría que eliminar de una patada los aranceles
    al calzado?...131

**¿Podría una tasa arancelaria
más elevada recortar la deuda
federal de estados unidos?**.....................**132**

Cómo un arancel es una carga para los exportadores.........132

Aranceles y pobreza..134

Argumentos para las restricciones comerciales............135
    Protección al empleo.......................................136
    Protección contra la mano de obra extranjera barata.....137
    Equidad en el comercio: un campo de juego nivelado.....139
    Mantenimiento del estándar de vida nacional.........139
    Igualación de los costos de producción..............140
    Argumento de las industrias incipientes.............140

Petición de los fabricantes de velas.........**142**

La economía política del proteccionismo...................142
    Un punto de vista del proteccionismo
    desde la oferta y la demanda..........................144

Resumen..145

Conceptos y términos clave....................................146

Preguntas para análisis..146

CAPÍTULO 5

Barreras no arancelarias al comercio 149

Cuota de importación absoluta.................................149
    El comercio y los efectos sobre el bienestar.......150
    Asignación de licencias de cuota....................152
    Las cuotas frente a los aranceles...................153

Cuota arancelaria: un arancel a dos niveles..............154
    La cuota arancelaria resulta agridulce
    para los consumidores de azúcar.....................156

Cuotas de exportación..156
    Las restricciones de automóviles japoneses
    frenan a los conductores estadunidenses...........157

Requerimientos de contenido nacional......................158

¿Qué tan "extranjero" es su automóvil?.......**160**

Subsidios...161
    Subsidio a la producción nacional...................161
    Subsidio a la exportación.............................162

Dumping..163
    Formas de dumping.....................................163
    Discriminación internacional de precios...........164

Regulaciones antidumping......................................166

**Nadar contra la corriente:
el caso del barbo vietnamita**...................**167**

    Whirlpool genera un remolino para imponer
    aranceles antidumping a las lavadoras.............168
    Los canadienses presionan a los productores
    de manzana de washington para nivelar
    el campo de juego.......................................169

¿Es injusta la ley antidumping?...............................169
    ¿Un costo variable promedio debe ser la medida
    estándar para definir el dumping?...................170
    ¿Debe la ley antidumping reflejar las fluctuaciones
    monetarias?...171
    ¿Se usan excesivamente los impuestos antidumping?.....171

Otras barreras no arancelarias al comercio................172

**El estímulo fiscal estadunidense
y la legislación buy american**...................**173**

    Regulaciones sociales..................................174
    Normas café..174
    Europa muge por las hormonas en la producción
    de carne de eua...174
    Restricciones al transporte marítimo y los fletes.....175

Resumen..176

Conceptos y términos clave....................................177

Preguntas para análisis..177

CAPÍTULO 6

Regulaciones comerciales y políticas industriales 181

Políticas arancelarias estadunidenses antes de 1930.......181

Ley smoot-hawley..183

Ley de acuerdos comerciales recíprocos...................184

Acuerdo general de comercio y aranceles..................185
    Comercio sin discriminación.........................185
    Promoción del libre comercio........................186
    Previsibilidad: compromisos vinculantes
    y transparencia..187

    Negociaciones multilaterales del comercio.......187
    Organización mundial de comercio..................189

**Se evitan las barreras comerciales
durante la gran recesión**.........................**190**

    Resolución de disputas comerciales................191
    ¿Reduce la omc la soberanía nacional?.............192
    ¿Se deben utilizar los aranceles como represalia
    para el cumplimiento de las resoluciones de la omc?.....193

¿Daña la omc al ambiente? 194
Daño al ambiente 194
Protección del ambiente 195
La omc resuelve en contra de china por
    el acaparamiento de tierras raras 195
El futuro de la organización mundial del comercio 197
Facultades para la promoción del comercio
    (facultades de vía rápida o fast track) 198
Salvaguardas (la cláusula de extinción): protección
    de emergencia contra las importaciones 199
Las salvaguardas estadunidenses limitan
    las importaciones incipientes de los textiles de china 200
Derechos compensatorios: protección contra
    subsidios en exportaciones extranjeras 201
Impuestos antidumping: protección contra
    el dumping extranjero 202

¿Ayudaría un arancel sobre las emisiones de carbono a solucionar el problema del clima? 203

Recursos contra las importaciones con dumping
    y subsidiadas 204
Las compañías acereras estadunidenses pierden
    un caso de comercio desleal y aún así ganan 206

Sección 301: las prácticas de comercio desleales 207
Protección de los derechos de propiedad intelectual 208

La globalización de las ideas y los derechos de propiedad intelectual 210

Microsoft menosprecia la piratería
    de software de china 210
Asistencia para ajustarse al comercio 212
Políticas industriales de estados unidos 212
Las aerolíneas estadunidenses y boeing
    discuten por el crédito del eximbank 214
La industria de energía solar estadunidense se apaga
    conforme la política industrial de china se enciende 215
Políticas industriales de japón 216
Política comercial estratégica 217
Sanciones económicas 219
Factores que influyen en el éxito de las sanciones 220
Sanciones económicas y armas de la destrucción
    masiva: corea del norte e irán 221
Resumen 223
Conceptos y términos clave 224
Preguntas para análisis 224

CAPÍTULO 7

Políticas comerciales de los países en desarrollo 227

Características del comercio de los países en desarrollo 227
Tensiones entre los países en desarrollo
    y los países avanzados 229
Problemas comerciales de los países en desarrollo 229
Mercados de exportación inestables 230
La caída de los precios amenaza el crecimiento
    de las naciones exportadoras 232
Deterioro de los términos de intercambio 232
Acceso restringido al mercado 233
Subsidios a la exportación agrícola en los países avanzados 235
Bangladesh y su reputación de fábrica explotadora 235
Estabilizar los precios de los productos primarios 237
Producción y controles de exportación 237
Existencias reguladas 237
Contratos multilaterales 239
¿El movimiento a favor del comercio justo
    ayuda a los cafetaleros pobres? 239
La opep: el cártel del petróleo 240
Maximizar las utilidades del cártel 240
La opep como cártel 242

¿La inversión extranjera directa obstaculiza o promueve el desarrollo económico? 244

Ayuda a los países en desarrollo 244
El banco mundial 245
Fondo monetario internacional 246
Sistema generalizado de preferencias 247

¿La ayuda promueve el crecimiento
    de los países en desarrollo? 248
Cómo sacar del congelador a los países
    en desarrollo 248
Estrategias para el crecimiento económico:
    sustitución de importaciones frente al crecimiento
    basado en las exportaciones 250
Sustitución de importaciones 250
Las leyes para la sustitución de importaciones
    resultan contraproducentes para brasil 251
Crecimiento basado en las exportaciones 252
¿Es benéfico para los pobres
    el crecimiento económico? 253
¿Pueden todos los países en desarrollo alcanzar
    un crecimiento impulsado por las exportaciones? 253
Economías de asia oriental 254
Patrón de crecimiento de "vuelo de gansos" 255

¿Está ganando el capitalismo de estado? .. 256

El gran salto adelante de china 257
Desafíos para la economía de china 258
El auge de las exportaciones chinas tiene
    un costo: cómo hacer que las fábricas jueguen limpio 260
India: salir del tercer mundo 261
El despegue de brasil 263
Resumen 264
Conceptos y términos clave 265
Preguntas para análisis 265

CAPÍTULO 8

Acuerdos comerciales regionales **267**

Integración regional frente a multilateralidad 267

Tipos de acuerdos comerciales regionales 268

El ímpetu en pro del regionalismo 270

Efectos de un acuerdo comercial regional 270
Efectos estáticos *270*
Efectos dinámicos *273*

¿Es benéfico para los estadunidenses un tratado de libre comercio entre eu y corea del sur? **274**

Unión europea 274
Búsqueda de una integración económica *275*
Política agrícola *276*
¿Es la unión europea en realidad un mercado común? *278*

Costos y beneficios económicos de una moneda común: la unión monetaria europea 280
Zona monetaria óptima *280*
Problemas y desafíos de la eurozona *281*

La "desunión" monetaria europea **282**

¿Sobrevivirla la eurozona? *283*

Tratado de libre comercio de américa del norte 284
Beneficios y costos del tlcan para méxico y canadá *284*
Beneficios y costos del tlcan para estados unidos *286*
La disputa entre estados unidos y méxico por los camiones de carga *288*
La disputa entre eua y méxico por el jitomate *289*
¿Es el tlcan un zona monetaria óptima? *290*

Resumen 291

Conceptos y términos clave 292

Preguntas para análisis 292

CAPÍTULO 9

Movimientos internacionales de los factores de la producción y las empresas multinacionales **295**

La empresa multinacional 295

Motivos de la inversión extranjera directa 297
Factores de la demanda *298*
Costos de los factores *298*

Ofrecer productos a los compradores extranjeros:
la decisión de producir en el interior del país
o en el extranjero 299
Exportación directa frente a inversión extranjera directa/licencias *300*
Inversión extranjera directa frente a licencias *301*

Análisis del riesgo país 302

¿Las multinacionales de estados unidos explotan a los trabajadores extranjeros? **303**

Teoría del comercio internacional y empresa
multinacional 305

La industria automotriz japonesa se trasplanta
a estados unidos 305

Empresas conjuntas internacionales 307
Efectos sobre el bienestar *308*

Empresas multinacionales como una fuente de conflicto 310

Empleo *310*
Caterpillar arrolla a los trabajadores de trenes canadienses *311*
Transferencia de tecnología *312*
Soberanía nacional *314*
Balanza de pagos *315*
Fijación de precios de transferencia *316*

Movilidad internacional del trabajo: migración 316

Apple se vale de la ley fiscal para eludir impuestos **317**

Efectos de la migración *318*
La migración como problema *320*
¿Debería ser la política migratoria canadiense un modelo para estados unidos? *322*

¿Daña la política estadunidense De migración a los trabajadores nacionales? **323**

Resumen 324

Conceptos y términos clave 324

Preguntas para análisis 324

PARTE 2   Relaciones monetarias internacionales   **327**

CAPÍTULO 10

La balanza de pagos **329**

Contabilidad de partida doble 329
Ejemplo 1 .... *330*

Ejemplo 2 .... *330*

Estructura de la balanza de pagos 331

Cuenta corriente *331*
Cuenta de capital y financiera *332*

Proceso de pagos Internacionales **333**

Transacciones oficiales de liquidación *334*
Derechos especiales de giro *335*
Discrepancia estadística: errores y omisiones *336*

Balanza de pagos estadunidense 337

¿Qué significa un déficit (superávit)
   de la cuenta corriente? 339
La inversión extranjera neta y el saldo
   de la cuenta corriente *340*
Impacto de los flujos financieros en la cuenta corriente *340*
¿Se debe considerar un déficit en la cuenta corriente
   como un problema? *341*

La complicada cadena de suministro del iphone revela las limitaciones de las estadísticas de comercio **342**

Ciclos de negocios, crecimiento económico
   y la cuenta corriente *343*
Cómo estados unidos ha pedido préstamos
   con costos extremadamente bajos *344*
¿Los déficits de la cuenta corriente cuestan
   empleos estadunidenses? *345*
Falta traducción en tabla *346*
¿Puede estados unidos continuar, año tras año,
   con déficits de cuenta corriente? *346*

Balanza de la deuda internacional 348
Estados unidos como nación deudora *349*

Desequilibrios mundiales **350**

El dólar como moneda de reserva mundial 351
Beneficios para estados unidos *351*
¿Una nueva moneda de reserva? *352*

Resumen 353

Conceptos y términos clave 354

Preguntas para análisis 354

CAPÍTULO 11

Divisas **357**

Mercado de divisas 357

Tipos de transacciones de divisas 359

Operaciones interbancarias 361

Lectura de las cotizaciones de divisas 363

La depreciación del yen dispara las ganancias de toyota **366**

Mercados a futuro y mercados de futuros 366

Opciones de divisas 368

Cómo se determinan los tipos de cambio 369
Demanda de divisas *369*
Oferta de divisas *369*
Tipos de cambio de equilibrio *370*

Índices del tipo de cambio del dólar: tipo de cambio
   nominal y real 371

Arbitraje 373

El mercado a futuro (forward) 374
El tipo de cambio a futuro *375*
Relación entre el tipo de cambio a futuro y el tipo
   de cambio spot *376*
Manejo del riesgo cambiario: contrato de divisas
   a futuro *377*
Caso 1 .... *378*
Caso 2 .... *378*
Cómo sobrellevan markel, volkswagen y nintendo
   las fluctuaciones en los tipos de cambio *379*

¿Vale la pena cubrirse contra el riesgo cambiario? *380*

El riesgo cambiario y los peligros de la inversión en el extranjero **381**

Arbitraje de intereses, riesgo cambiario y protección
   contra fluctuaciones cambiarias 382
Arbitraje de intereses sin cobertura *382*
Arbitraje de intereses cubierto
   (reducción del riesgo cambiario) *383*

Especulación en el mercado de divisas 384
Posición a largo plazo y posición a corto plazo *384*
Andy krieger vende en corto el dólar neozelandés *385*
George soros vende en corto el yen *385*
El people's bank of china amplía
   su banda de fluctuación para castigar a los
   especuladores de divisas *386*
Especulación estabilizadora y desestabilizadora *386*

El comercio de divisas como carrera profesional 387
Operadores de bolsa en bancos comerciales,
   empresas y bancos centrales *387*

Cómo manejar el dólar a la baja (alza) **388**

Los mercados de divisas atraen a los operadores del día *389*

Resumen 390

Conceptos y términos clave 390

Preguntas para análisis 390

CAPÍTULO 12

Determinación de los tipos de cambio **393**

¿Qué determina los tipos de cambio? 393

Determinación de los tipos de cambio a largo plazo 395

Niveles de precios relativos *396*
Niveles de productividad relativos *396*

Preferencias por bienes nacionales o extranjeros 396
Barreras al comercio 398

Tasa de inflación, paridad del poder de compra
y tipos de cambio a largo plazo 398
Ley del precio único 398
El índice "big mac" y la ley del precio único 399
Paridad del poder adquisitivo 400

Cómo manejar el dólar a la baja (alza) 401

Determinación de los tipos de cambio a corto plazo:
el enfoque del mercado de activos financieros 404
Niveles relativos en las tasas de interés 405
Fluctuaciones en el tipo de cambio esperado 407
*Diversificación, paraísos fiscales y flujos
de inversión* 408

Comparaciones internacionales
de pib: la paridad de poder
adquisitivo 409

Reacción exagerada de los tipos de cambio 410
Pronóstico de los tipos de cambio 411
Pronósticos basados en juicios de opinión 412
Pronósticos técnicos 413
Análisis de los fundamentos 414

Comercial mexicana se quema con la especulación 415

Resumen 416
Conceptos y términos clave 416
Preguntas para análisis 417

CAPÍTULO 13
Mecanismos de ajuste internacional 419

Ajustes de los precios 420
El patrón oro 420
Teoría cuantitativa del dinero 420
Ajuste de la cuenta corriente 421
Flujos financieros y diferenciales de las tasas de interés 422
Ajustes del ingreso 423

Desventajas de los mecanismos de ajuste automático 424
Ajustes monetarios 425
Resumen 425
Conceptos y términos clave 426
Preguntas para análisis 426

CAPÍTULO 14
Ajustes al tipo de cambio y a la balanza de pagos 427

Efectos de las variaciones del tipo de cambio
en los costos y los precios 427
*Caso 1. Sin abasto externo: todos los costos
están nominados en dólares* 428
*Caso 2. Con abasto externo: algunos costos están
nominados en dólares y otros en francos* 428
Estrategias de los fabricantes para abatir costos ante
la apreciación de su moneda 430
Apreciación del yen: los fabricantes japoneses 430

Las empresas japonesas trasladan su producción al exterior para contrarrestar los efectos de un yen fuerte 432

Apreciación del dólar: los fabricantes estadunidenses 432
¿La depreciación de una moneda reduce el déficit
comercial? El enfoque de la elasticidad 433

Efecto de la curva j: senda temporal de la depreciación 436
Relación del traslado cambiario 438
Repercusión parcial del traslado cambiario 438

¿Ofrece la depreciación De la moneda una oportunidad a los países débiles para salir de su crisis? 441

Enfoque de la absorción de la depreciación
de una moneda 441
El enfoque monetarista para la depreciación
de una moneda 442
Resumen 443
Conceptos y términos clave 444
Preguntas para análisis 444

CAPÍTULO 15
Sistemas cambiarios y crisis monetarias 445

Prácticas cambiarias 445
Cómo elegir un sistema cambiario: limitaciones
impuestas por el libre flujo de capitales 447
Sistema de tipos de cambio fijos 448
Uso de tipos de cambio fijos 448

Valor par y tipo de cambio oficial 450
Estabilización del tipo de cambio 450
Devaluación y revaluación 451
El sistema de tipos de cambio fijos bretton woods 452
Tipos de cambio flotantes 453

Cómo alcanzar el equilibrio del mercado 454
*Restricciones al comercio, el empleo y tipos
   de cambio flotantes* 455
*Argumentos a favor y en contra de los tipos
   de cambio flotantes* 455
Sistemas de tipos de cambio controlados 456
*Los tipos de cambio flotantes controlados a corto
   y a largo plazos* 457
Estabilización cambiaria y política monetaria 459
¿Resulta efectivo estabilizar el tipo de cambio? 461
El deslizamiento 461
Manipulación de moneda y guerras monetarias 462
¿Es china un manipulador de moneda? 464
Crisis monetarias 465

La crisis financiera mundial de 2007-2009 466
Fuentes de las crisis monetarias 468
*Los especuladores atacan las monedas de
   los países de asia oriental* 469
Controles de capital 470
¿Se deberían gravar las operaciones de divisas? 471
Mayor credibilidad para los tipos de cambio fijos 472
Consejo monetario 472
El consejo monetario no es panacea para argentina 474
Dolarización 475
Resumen 477
Conceptos y términos clave 478
Preguntas para análisis 478

CAPÍTULO 16
Política macroeconómica en una economía abierta 479

Objetivos económicos de las naciones 479
Instrumentos políticos 480
Demanda agregada y oferta agregada:
   un breve repaso 480
Las políticas monetaria y fiscal en una economía
   cerrada 481
Las políticas monetaria y fiscal en una economía abierta 483
*Efecto de las políticas monetaria y fiscal con tipos
   de cambio fijos* 484
*Efecto de las políticas fiscal y monetaria con tipos
   de cambio flotantes* 485
Estabilidad macroeconómica y cuenta corriente:
   políticas que coinciden frente a políticas q
   ue se contraponen 486

**Las políticas monetaria
y fiscal responden a la agitación
financiera en la economía** **487**
Inflación con desempleo 488
Coordinación de la política económica internacional 488
La coordinación de las políticas en la teoría 489
¿Sirve de algo coordinar las políticas? 491
**¿La exclusión ocurre en una
economía abierta?** **492**
Resumen 492
Conceptos y términos clave 493
Preguntas para análisis 493

CAPÍTULO 17
Banca internacional: reservas, deuda y riesgo 495

Naturaleza de las reservas internacionales 495
Demanda de reservas internacionales 496
Flexibilidad de los tipos de cambio 496
Otros determinantes 498
Oferta de reservas internacionales 499
Divisas extranjeras 499
El oro 500
El patrón internacional del oro 501
El patrón de cambio del oro 501
Desmonetización del oro 502
¿Debería estados unidos regresar al patrón oro? 503
Derechos especiales de giro 503
Facilidades para tomar reservas a préstamo 504
Giros del fmi 504

Convenios generales de crédito 504
Acuerdos swap 505
Riesgo de crédito internacional 505
El problema de la deuda internacional 506
*Cómo afrontar la dificultad para pagar
   el servicio de la deuda* 507
Reducir la exposición de los bancos ante la deuda
   de los países en desarrollo 508
Reducción y condonación de la deuda 509
El mercado del eurodólar 509
Resumen 511
Conceptos y términos clave 511
Preguntas para análisis 51

Glosario **513**

Índice **527**

Prefacio

Mi creencia es que la mejor forma de motivar a los estudiantes para aprender un tema es demostrar cómo se usa en la práctica. Las primeras catorce ediciones de *Economía Internacional* reflejaron esta idea y fueron escritas para brindar una presentación seria de la teoría económica internacional con un énfasis en aplicaciones actuales. Quienes adoptaron estas ediciones respaldaron fuertemente la integración de la teoría económica con los sucesos actuales.

Esta decimoquinta edición ha sido revisada con la intención de mejorar su presentación y actualizar las aplicaciones, así como para incluir los más recientes acontecimientos teóricos. Al igual que las anteriores ediciones, la actual tiene la intención de ser utilizada en un curso de un trimestre o un semestre para estudiantes que no tienen más antecedentes que su curso de introducción a la economía. Las fortalezas de este libro son su claridad y organización, así como sus aplicaciones, que demuestran al lector la utilidad de la teoría. El material revisado y actualizado en esta edición enfatiza las aplicaciones actuales de la teoría económica e incorpora los acontecimientos recientes de teoría y políticas en el comercio y las finanzas internacionales.

TEMAS DE ECONOMÍA INTERNACIONAL

En esta edición destacan cinco temas actuales que están en el primer plano de la economía internacional:

■ GLOBALIZACIÓN DE LA ACTIVIDAD ECONÓMICA

- Wooster, Ohio se ve afectado por la globalización – cap. 2
- Japón se desvanece en la industria electrónica – cap. 3
- La ventaja comparativa y las cadenas de suministro globales – cap. 2
- Caterpillar avasalla a los trabajadores de trenes canadienses – cap. 9
- Apple aprovecha lagunas de la legislación fiscal para eludir impuestos – cap. 9
- Los motores diesel y las turbinas de gas como impulsores de la globalización – cap. 1
- Olas de globalización – cap. 1
- ¿La globalización ha ido demasiado lejos? – cap. 1
- El ensamblado de la H-P Pavilion – cap. 1
- ¿Está perdiendo Estados Unidos su ventaja innovativa? – cap. 1
- El alza en los costos de transporte inhibe la globalización – cap. 3
- La compleja cadena de suministro del iPhone ejemplifica las limitaciones de las estadísticas de comercio – cap. 10
- Limitaciones impuestas por el libre flujo de capitales en la elección de un sistema cambiario – cap. 15

- **LIBRE COMERCIO Y PROTECCIONISMO**
  - Whirlpool gana un caso de *dumping* – cap. 5
  - Incremento en los salarios y el comercio de China – cap. 3
  - ¿Deberían eliminarse a pisotadas los aranceles a los zapatos? – cap. 4
  - El auge del gas natural enciende debate comercial – cap. 2
  - Element Electronics regresa su producción de televisores a Estados Unidos – cap. 1
  - Aranceles al carbón – cap. 6
  - Evitar las barreras al comercio durante la Gran Recesión – cap. 6
  - Bangladesh y su reputación de fábrica explotadora – cap. 7
  - ¿Es válido el principio de la ventaja comparativa frente al *outsourcing* de empleos? – cap. 2
  - Boeing subcontrata el trabajo, pero protege sus secretos – cap. 2
  - ¿El comercio hace a los pobres aún más pobres? – cap. 3
  - La OMC resuelve que lo subsidios gubernamentales a Boeing y Airbus son ilegales – cap. 3
  - ¿El seguro salarial hace que el libre comercio sea mejor aceptado por los trabajadores? – cap. 6
  - La OMC resuelve en contra de China por el acaparamiento de tierras raras – cap. 6
  - Ambiente y libre comercio – cap. 6

- **CONFLICTOS COMERCIALES ENTRE LOS PAÍSES EN DESARROLLO Y LOS PAÍSES INDUSTRIALIZADOS**
  - La disputa del jitomate entre EUA y México – cap. 8
  - ¿Está ganado el capitalismo de Estado la batalla? – cap. 7
  - La política de migración de Canadá – cap. 9
  - ¿El comercio internacional es un sustituto para la migración? – cap. 3
  - Estrategias de crecimiento económico: sustitución de las importaciones frente al crecimiento impulsado por las exportaciones – cap. 7
  - ¿La ayuda extranjera promueve el crecimiento de los países en desarrollo? – cap. 7
  - La globalización de los derechos de propiedad intelectual – cap. 7
  - ¿Cómo sacar del congelador a los países en desarrollo? – cap. 7
  - Microsoft desdeña la piratería china de software – cap. 6
  - La Ronda Doha de negociaciones multilaterales del comercio – cap. 6
  - Los aumentos salariales funcionan contra la competitividad china – cap. 7
  - El auge de las exportaciones chinas tiene un costo: cómo hacer que las fábricas jueguen limpio – cap. 7
  - ¿Rebasarán las economías emergentes pronto a las economías ricas? – cap. 7
  - ¿Las multinacionales estadunidenses explotan a los trabajadores extranjeros? – cap. 9

- **LIBERALIZACIÓN DEL COMERCIO: LA OMC FRENTE A LOS ACUERDOS COMERCIALES REGIONALES**
  - ¿La OMC reduce la soberanía nacional? – cap. 6
  - Integración regional frente a multilateralidad – cap. 8
  - ¿La Unión Europea es en realidad un mercado común? – cap. 8
  - El tratado de libre comercio entre EUA y Corea del Sur – cap. 8
  - El TLCAN y la disputa de camioneros entre EUA y México – cap. 8
  - ¿Sobrevivirá el euro? – cap. 8

- **TURBULENCIA EN EL SISTEMA FINANCIERO GLOBAL**
  - La depreciación del yen conduce a Toyota a mayores ganancias – cap. 11
  - El People's Bank of China castiga a los especuladores – cap. 11
  - ¿Puede el euro sobrevivir? – cap. 8
  - ¿La depreciación de la moneda ofrece a los países débiles una salida de la crisis? – cap. 14
  - Manipulación monetaria y guerras monetarias – cap. 15
  - Paradoja de la deuda externa: cómo Estados Unidos solicita préstamos a bajo costo – cap. 10

- La traducción equivocada de las noticias enturbia los mercados de divisas – cap. 12
- ¿Por qué la depreciación del dólar no cierra el déficit comercial de Estados Unidos? – cap. 14
- Las empresas japonesas envían el trabajo al extranjero porque el yen hace sus productos menos competitivos – cap. 14
- Evitar las crisis monetarias: Consejos monetarios frente a la dolarización – cap. 15
- ¿Deberían los derechos especiales de giro reemplazar al dólar como divisa de reserva mundial? – cap. 17
- ¿Debería Estados Unidos regresar al patrón oro? – cap. 17

Además de enfatizar los temas económicos actuales, la decimoquinta edición de este libro contiene muchos temas contemporáneos nuevos como la subcontratación (*outsourcing*) y la industria automotriz estadunidense, las salvaguardas estadunidenses que limitan las importaciones de textiles de China, por qué los fabricantes italianos de calzado quieren expulsar al euro, las importaciones de bicicletas que forzaron a Schwinn a desacelerar y los mercados de divisas que atraen a los operadores del día. Profesores y alumnos apreciarán cómo esta edición brinda un enfoque contemporáneo de la economía internacional.

MARCO ORGANIZACIONAL: SECCIONES DE EXPLORACIÓN DETALLADA

Aunque los profesores por lo general están de acuerdo con el contenido básico del curso de economía internacional, las opiniones varían ampliamente acerca de cuál es el orden apropiado del material. Este libro está estructurado para brindar una flexibilidad organizacional considerable. El tema de las relaciones comerciales internacionales se presenta antes que el de las relaciones monetarias internacionales, pero el orden puede ser invertido por los profesores que deseen comenzar con la teoría monetaria. El profesor puede empezar con los capítulos 10 a 17 y concluir con los capítulos 2 a 9. Quienes no deseen abarcar todo el material del libro pueden omitir todo o parte de los capítulos 6 a 9, y 15 a 17 sin perder la continuidad.

Esta decimoquinta edición agiliza su presentación de la teoría con el fin de brindar una mayor flexibilidad a los profesores. Esta edición remite a secciones en línea tituladas *Exploración detallada* al final de los capítulos para discutir temas teóricos más avanzados. Al ubicar estas secciones en línea y no en el interior del libro (como ocurría en las ediciones previas) hemos podido dedicar un mayor espacio del manual a las aplicaciones contemporáneas de la teoría. Las secciones *Exploración detallada* son las siguientes:

- La ventaja comparativa en términos de dinero – cap. 2
- Comercio y curvas de indiferencia – cap. 2
- Curvas de oferta y términos de equilibrio del comercio – cap. 2
- La teoría de los factores específicos – cap. 3
- Curvas de oferta y aranceles – cap. 4
- Efectos de la cuota arancelaria en el bienestar – cap. 5
- Efectos de la cuota de exportación en el bienestar – cap. 5
- Efectos de la política comercial estratégica en el bienestar – cap. 6
- La Unión Europea y la política de adquisición gubernamental – cap. 8
- El TLCAN y las economías de escala – cap. 8
- Técnicas de especulación en el mercado de divisas – cap. 11
- Manual elemental del operador de divisas – cap. 11
- Análisis fundamental de predicción-regresión – cap. 12
- Mecanismo de ajuste del ingreso – cap. 13
- Repercusión del traslado cambiario – cap. 14

Para acceder a las secciones *Exploración detallada*, disponibles únicamente en inglés, ingrese a: www.cengagebrain.com.mx

MATERIALES SUPLEMENTARIOS

Los recursos adicionales tanto para estudiantes como profesores están disponibles únicamente en inglés y para grupos académicos que adopten el libro como base para sus cursos. Contacte a su agente de ventas de Cengage Learning Latinoamérica para obtener más información:

Cengage Learning México y Centroamérica clientes.mexicoca@cengage.com
Cengage Learning Caribe clientes.caribe@cengage.com
Cengage Learning Cono Sur clientes.conosur@cengage.com
Cengage Learning Pacto Andino clientes.pactoandino@cengage.com
Los recursos que estén disponibles en español e inglés se encuentran detallados en el sitio web:
http://latinoamerica.cengage.com/

Las direcciones de los sitios web referidas en el libro no son administradas por Cengage Learning Latinoamérica, por lo que ésta no es responsable de los cambios o actualizaciones de las mismas.

Recursos para el alumno

International Economics CourseMate (www. cengagebrain.com.mx)

En esta era de tecnología, ningún libro estaría completo sin herramientas complementarios en red. Junto con esta decimoquinta edición se ofrece el CourseMate de *Economía internacional*. A través de esta herramienta de estudio en línea los alumnos encontrarán una enorme cantidad de recursos autodidácticos como: versión electrónica del libro, glosarios, cuestionarios en línea, videos, juegos del taller de gráficas, EconApps y tarjetas de memorización. Los estudiantes pueden adquirir el CourseMate a través del portal www.cengagebrain.com.mx

Guía de estudio

Como complemento a esta decimoquinta edición de *Economía Internacional*, Jim Hanson (profesor emérito de Willamette University) ha preparado una Guía de Estudio en línea para los estudiantes Esta guía refuerza los conceptos clave mediante una revisión de los temas principales, el planteamiento de problemas prácticos y la formulación de cuestionarios (de opción múltiple, de falso-verdadero y de respuestas breves). La Guía de Estudio está disponible en línea y los alumnos la pueden adquirir en el portal www.cengagebrain.com.mx

Recursos para el profesor

International Economics CourseMate (www. cengagebrain.com.mx)

A través de CourseMate los profesores pueden tener acceso al Engagement Tracker que está diseñado para monitorear que los alumnos hayan leído los materiales o empleado los recursos electrónicos que usted les haya solicitado. Este Engagement Tracker evalúa la preparación y la dedicación d elos estudiantes y, así, le permite a usted apreciar el progreso del grupo o de individuos aislados, identificar con buen tiempo a estudiantes que requieren de más atención y descubrir qué temas han resultado más difíciles para el grupo.

Este libro cuenta con una serie de recursos para el profesor, los cuales están disponibles en inglés y sólo se proporcionan a los docentes que lo adopten como libro de texto en sus cursos. Para mayor información, comuníquese a las oficinas de nuestros representantes o a las siguientes direcciones de correo electrónico:

Aplia

Aplia es otra novedad de esta decimoquinta edición. Con Aplia lo estudiantes de economía internacional llevan a cabo tareas y tutoriales interactivos por capítulo para hacer los temas de economía más relevantes y atractivos. Los estudiantes completan tareas específicas en línea para mejorar su capacidad de comprensión de la teoría económica y reciben explicaciones inmediatas y detalladas para cada respuesta. Los tutoriales de matemáticas y gráficas ayudan a los estudiantes a resolver sus dificultades en estas áreas cruciales.

Diapositivas en Power-Point

La decimoquinta edición también incluye diapositivas en Power Point diseñadas por Syed H. Jafri de la Tarleton State University. Estas diapositivas pueden descargarse sencillamente del portal de red Carbaugh que está disponible sólo para los profesores en: http://login.cengage.com. Las diapositivas puede editarse para acomodarse a las necesidades individuales de cada profesor y también podrían ofrecérseles a los alumnos como herramienta de estudio.

Manual del Profesor

Para ayudar a los profesores en la didáctica de la economía internacional el *Instructor's Manual with Test Bank* disponible sólo en inglés, acompaña esta decimoquinta edición. Este manual contiene: *a)* breves respuestas a las preguntas con que se finalizan los capítulos, *b)* cuestionarios de opción múltiple y *c)* cuestionarios de tipo falso-verdadero para cada capítulo. El *Instructor's Manual with Test Bank* está disponible para los profesores calificados y se puede descargar del portal Carbaugh para profesores en: www.cengagebrain.com.

Guía de Estudio

Como complemento a esta decimoquinta edición de *Economía internacional*, Jim Hanson (profesor emérito de la Willamette University) ha preparado una *Guía de estudio* para los estudiantes. Esta guía refuerza los conceptos clave mediante una revisión de los temas principales, el planteamiento de problemas prácticos y la formulación de cuestionarios (de opción múltiple, de falso-verdadero y de respuestas breves). La Guía de Estudio sólo está disponible en inglés y en línea y los alumnos la pueden adquirir en el portal www.cengagebrain.com.mx

AGRADECIMIENTOS

Me complace reconocer a quienes me ayudaron a preparar la edición actual y las anteriores de este libro. Las siguientes personas proporcionaron sugerencias útiles y a menudo revisiones detalladas:

- Sofyan Azaizeh, University of New Haven
- J. Bang, St. Ambrose University
- Burton Abrams, University of Delaware
- Abdullah Khan, Kennesaw State University
- Richard Adkisson, New Mexico State University
- Richard Anderson, Texas A & M
- Brad Andrew, Juniata College
- Richard Ault, Auburn University
- Mohsen Bahmani-Oskooee, University of Wisconsin—Milwaukee
- Kevin Balsam, Hunter College Online
- Kelvin Bentley, Baker College Online
- Robert Blecker, Stanford University

- Scott Brunger, Maryville College
- Jeff W. Bruns, Bacone College
- Roman Cech, Longwood University
- John Charalambakis, Asbury College
- Mitch Charkiewicz, Central Connecticut State University
- Xiujian Chen, California State University, Fullerton
- Miao Chi, University of Wisconsin—Milwaukee
- Howard Cochran, Jr., Belmongt University
- Charles Chittle, Bowling Green University
- Christopher Cornell, Fordham University
- Elanor Craig, University of Delaware
- Manjira Datta, Arizona State University
- Ann Davis, Marist College
- Earl Davis, Nicholls State University
- Juan De la Cruz, Fashion Institute of Technology
- Firat Demir, University of Oklahoma
- Gopal Dorai, William Paterson College
- Veda Doss, Wingate University
- Seymour Douglas, Emory University
- Carolyn Fabian Stumph, Indiana University—Purdue University Fort Wayne
- Farideh Farazmand, Lynn University
- Daniel Falkowski, Canisius College
- Patrice Franko, Colby College
- Emanuel Frenkel, University of California—Davis
- Norman Gharrity, Ohio Wesleyan University
- Sucharita Ghosh, University of Akron
- Jean-Ellen Giblin, Fashion Institute of Technology (SUNY)
- Leka Gjolaj, Baker College
- Thomas Grennes, North Carolina State University
- Darrin Gulla, University of Kentucky
- Li Guoqiang, University of Macau (China)
- William Hallagan, Washington State University
- Jim Hanson, Willamette University
- Bassam Harik, Western Michigan University
- Clifford Harris, Northwood University
- John Harter, Eastern Kentucky University
- Seid Hassan, Murray State University
- Phyllis Herdendorf, Empire State College (SUNY)
- Pershing Hill, University of Alaska—Anchorage
- David Hudgins, University of Oklahoma
- Ralph Husby, University of Illinois—Urbana/Champaign
- Robert Jerome, James Madison University
- Mohamad Khalil, Fairmont State College
- Wahhab Khandker, University of Wisconsin—La Crosse
- Robin Klay, Hope College
- William Kleiner, Western Illinois University
- Anthony Koo, Michigan State University
- Faik Koray, Louisiana State University
- Peter Karl Kresl, Bucknell University
- Fyodor Kushnirsky, Temple University
- Daniel Lee, Shippensburg University
- Edhut Lehrer, Northwestern University

- Jim Levinsohn, University of Michigan
- Martin Lozano, University of Manchester, UK
- Benjamin Liebman, St. Joseph's University
- Susan Linz, Michigan State University
- Andy Liu, Youngstown State University
- Alyson Ma, University of San Diego
- Mike Marks, Georgia College School of Business
- Michael McCully, High Point University
- Neil Meredith, West Texas A&M University
- John Muth, Regis University
- Al Maury, Texas A&I University
- Tony Mutsune, Iowan Wesleyan College
- Jose Mendez, Arizona State University
- Roger Morefield, University of St. Thomas
- Mary Norris, Southern Illinois University
- John Olienyk, Colorado State University
- Shawn Osell, Minnesota State University—Mankato
- Terutomo Ozawa, Colorado State University
- Peter Petrick, University of Texas at Dallas
- Gary Pickersgill, California State University, Fullerton
- William Phillips, University of South Carolina
- John Polimeni, Albany College of Pdarmacy and Health Sciences
- Rahim Quazi, Prairie View A&M University
- Chuck Rambeck, St. John's University
- Elizabeth Rankin, Centenary College of Louisiana
- Teresita Ramirez, College of Mount Saint Vincent
- Surekha Rao, Indiana University Northwest
- James Richard, Regis University
- Suryadipta Roy, High Point Univesity
- Daniel Ryan, Temple University
- Manabu Saeki, Jacksonville State University
- Nindy Sandhu, California State University, Fullerton
- Jeff Sarbaum, University of North Carolina, Greensboro
- Anthony Scaperlanda, Northern Illinois University
- Juha Seppälä, University of Illinois
- Ben Slay, Middlebury College (ahora en PlanEcon)
- Gordon Smith, Anderson University
- Sylwia Starnawska, Empire State College (SUNY)
- Steve Steib, University of Tulsa
- Robert Stern, University of Michigan
- Paul Stock, University of Mary Hardin—Baylor
- Laurie Strangman, Univeristy of Wisconsin—La Crosse
- Hamid Tabesh, Univeristy of Wisconsin—River Falls
- Manjuri Talukdar, Northern Illinois University
- Nalitra Thaiprasert, Ball State University
- William Urban, University of South Florida
- Jorge Vidal, The University of Texas Pan American
- Adis M. Vila, Esq., Winter Park Institute Rollins College
- Grace Wang, Marquette University
- Jonathan Warshay, Baker College
- Darwin Wassink, University of Wisconsin—Eau Claire
- Peter Wilamoski, Seattle University

- Harold Williams, Kent State University
- Chong Xiang, Purdue University
- Elisa Quennan, Taft College
- Afia Yamoah, Hope College
- Hamid Zangeneh, Widener University

Me gustaría agradecer a mis colegas en Central Washington University: Tim Dittmer, David Hedrick, Koushik Ghosh, Roy Savoian, Peter Saunders, Toni Sipic y Chad Wassell por sus consejos y asistencia cuando preparé el manuscrito. También estoy en deuda con Shirley Hood, quien aportó consejos para la preparación del manuscrito.

Ha sido un placer trabajar con el personal de Cengage Learning, especialmente con Steven Scoble, quien proporcionó numerosas sugerencias valiosas y apoyo para llevar esta edición hasta su conclusión. Gracias también a Jeffrey Hahn, quien coordinó la producción de este libro en conjunto con Tintu Thomas, gerente de proyectos de Integra Software Services. También aprecio los esfuerzos meticulosos del personal de Hyde Park Publishing Services en la edición y corrección del material. Por último, estoy agradecido con mis estudiantes, así como con los profesores y estudiantes de otras universidades, quienes aportaron comentarios útiles sobre el material contenido en esta nueva edición.

Agradeceré cualquier comentario, corrección o sugerencia que los profesores o estudiantes deseen hacer para poder continuar la mejora del libro en los años por venir. Favor de contactarme. Gracias por permitir que la obra evolucione hasta su decimoquinta edición.

Bob Carbaugh
Department of Economics
Central Washington University
Ellensburg, Washington 98926
Teléfono: (509) 963-3443
Fax: (509) 963-1992
Correo electrónico: carbaugh@cwu.edu

Economía internacional y globalización

En el mundo actual ninguna nación existe en aislamiento económico. Todos los aspectos de la economía de una nación (sus industrias, sectores de servicio, niveles de ingreso y empleo, así como estándares de vida) se vinculan con las economías de sus socios comerciales. Esta interdependencia toma la forma de movimientos internacionales de productos y servicios, trabajo, empresas comerciales, fondos de inversión y tecnología. De hecho, las políticas económicas nacionales no se pueden formular sin evaluar sus impactos en las economías de otros países.

El alto grado de **interdependencia económica** entre las economías actuales refleja la evolución histórica del orden económico y político del mundo: al final de la Segunda Guerra Mundial, Estados Unidos era la nación con mayor poder económico y político en el mundo, una situación que se expresó con la frase: "cuando Estados Unidos estornuda, las economías de otros países se resfrían". Pero con el paso del tiempo, la economía estadunidense se integró a las actividades económicas de los demás países. La formación de la Comunidad Europea (conocida ahora como Unión Europea) en la década de los cincuenta, la creciente importancia de corporaciones multinacionales en la década de los sesenta, el poder en los mercados petroleros que disfrutaba la Organización de Países Exportadores de Petróleo (OPEP) en la década de los setenta, la creación del euro en el cambio hacia el siglo XXI y el surgimiento de China como potencia económica en los primeros años de este siglo han llevado a la comunidad mundial hacia un sistema complicado de interdependencia entre las naciones.

La recesión global de 2007-2009 es un claro ejemplo de esta interdependencia económica. La causa inmediata de la recesión fue el colapso del mercado inmobiliario estadunidense y el resultante aumento en la suspensión de pagos de los créditos hipotecarios. Cientos de miles de millones de dólares en pérdidas por estos créditos minaron a las instituciones financieras que los originaron y que habían invertido en ellos. Se congelaron, entonces, los mercados de crédito, los bancos no estaban dispuestos a prestarse entre sí y, en consecuencia, ni los negocios ni los hogares podían obtener créditos para financiar sus actividades cotidianas. La economía cayó en recesión y muy pronto, la crisis se extendió a Europa. Los bancos europeos se vieron arrastrados hacia esta crisis financiera en parte porque estaban expuestos al problema de las hipotecas vencidas en Estados Unidos. Conforme estos bancos se veían en la necesidad de cancelar deudas que se habían vuelto incobrables, comenzó a esparcirse el temor y la incertidumbre de si los bancos tendrían suficiente capital para cumplir con sus obligaciones de débito. La crisis financiera también se extendió a las economías emergentes, como Islandia y Rusia, que carecían de recursos sólidos para restaurar la confianza en sus sistemas económicos. Así visto, no sorprende que "cuando Estados Unidos estornuda, las economías de otros países se resfrían".

Al reconocer que la interdependencia económica mundial es compleja y sus efectos desiguales, la comunidad económica busca avanzar hacia la cooperación internacional. Las conferencias dedicadas a temas económicos globales han explorado las rutas a través de las que se podría fomentar la cooperación entre los países industrializados y los países en desarrollo. Los esfuerzos de los países en desarrollo por lograr mayores ganancias en el comercio internacional y por participar más activamente en las instituciones internacionales se han acelerado por el impacto de la recesión global, por la inflación industrial y por la carga de los altos precios de la energía.

Durante los últimos 50 años, las economías del mercado mundial se han vuelto cada vez más integradas. Las exportaciones y las importaciones como porcentaje de la producción nacional han aumentado para la mayoría de los países industrializados, mientras que la inversión extranjera y los préstamos internacionales se han ampliado. Este vínculo más cercano entre las economías puede ser de ventaja mutua para las naciones que ejercen el comercio. Permite que los fabricantes de cada nación aprovechen la especialización y las eficiencias de la producción a gran escala. Una nación puede consumir una variedad más amplia de productos a un costo menor del que podría lograr ante la ausencia de comercio. A pesar de estas ventajas, han crecido los reclamos de protección frente a las importaciones. Las presiones proteccionistas han sido más fuertes durante los periodos de creciente desempleo ocasionados por la recesión económica. Es más, los países en desarrollo con frecuencia sostienen que el sistema comercial liberalizado que aplican los países industrializados sirve para mantener a los países en desarrollo en la pobreza.

La interdependencia económica también tiene consecuencias directas para un estudiante estadunidense que toma un curso introductorio de economía internacional. En cuanto consumidor, le afectan los cambios en la paridad de las monedas internacionales. Si el yen japonés o la libra británica se aprecian frente al dólar, le costará más comprar un televisor japonés o un automóvil británico. Como inversionista, preferirá comprar valores suizos si las tasas de interés suizas se incrementaran por encima de los niveles estadunidenses. Como miembro de la fuerza de trabajo, podría querer saber si el presidente planea proteger el acero estadunidense y a los trabajadores de la industria automotriz frente a la competencia extranjera.

En pocas palabras, la interdependencia económica es un tema complejo en los últimos tiempos, con frecuencia resulta en impactos fuertes y desiguales entre los países y los sectores de una misma nación. Los negocios, el trabajo, los inversionistas y los consumidores sienten las repercusiones de las condiciones económicas cambiantes y las políticas comerciales en otras naciones. La economía global actual requiere cooperación en un nivel internacional para lidiar con el gran número de temas y problemas.

GLOBALIZACIÓN DE LA ACTIVIDAD ECONÓMICA

Al escuchar las noticias con frecuencia se habla acerca de la globalización. ¿Qué significa este término? **Globalización** es el proceso de mayor interdependencia entre los países y sus ciudadanos. Consiste en una mayor integración de mercados de productos y servicios entre las naciones por medio del comercio, migración e inversión extranjera; es decir, por medio de los flujos internacionales de productos y servicios, de personas y de inversión, como en el caso de equipo, fábricas, acciones y bonos. La cultura también es un elemento económico. En términos sencillos, la globalización es política, tecnológica y cultural, así como económica.

En términos de la vida diaria de las personas, la globalización significa que ahora es más probable que hace cincuenta años, que los residentes de un país consuman productos de otros países, hagan inversiones en otros países, reciban ingresos de otros países hablen por teléfono con personas de otros países, visiten otros países, sepan que les afecta el desarrollo económico de otros países y conozcan cómo se desarrollan otros países.

¿Qué fuerzas impulsan a la globalización?[1] La primera y tal vez más profunda influencia es el cambio tecnológico. Desde la Revolución Industrial a finales del siglo XVIII, las innovaciones técnicas han llevado a una explosión de productividad y a una reducción de los costos de transporte. La máquina de vapor precedió a la llegada de los trenes y a la mecanización de un número creciente de actividades que hasta entonces se habían confinado a la energía muscular. Los descubrimientos posteriores y las invenciones como la electricidad, el teléfono, el automóvil, los barcos con contenedores y los ductos alteraron la producción, la comunicación y el transporte de formas nunca imaginadas por las generaciones anteriores. En tiempos más recientes, los rápidos avances en las tecnologías de información, cómputo y comunicaciones han reducido aún más la influencia del tiempo y la geografía en la capacidad de los individuos y las empresas para interactuar y hacer transacciones alrededor del mundo. Para los servicios, el aumento en el uso de Internet ha sido un factor determinante para la reducción de los costos de comunicación y para un mayor comercio. Conforme el progreso técnico ha extendido el alcance de lo que puede producirse y dónde puede producirse y conforme los avances en la tecnología de transporte han acercado y unido cada vez más a las personas y a las empresas, la frontera de los productos y servicios comercializables se ha extendido enormemente.

Asimismo, la liberalización del comercio y la inversión continuas también son resultado de negociaciones comerciales multilaterales. Por ejemplo, los aranceles en los países industrializados han disminuido de porcentajes de dos dígitos en la década de 1940 a aproximadamente sólo 4% en 2014. Al mismo tiempo la mayoría de los impuestos al comercio, excepto los impuestos por razones de salud, seguridad y política públicas, han sido retirados. La liberalización de las transacciones de inversión y el desarrollo de los mercados financieros internacionales también promovieron la globalización. Estos factores facilitaron el comercio internacional a través de una mayor disponibilidad y accesibilidad del financiamiento.

Las menores barreras comerciales y la liberalización financiera permitieron a más y más empresas globalizar las estructuras de producción a partir de inversiones en el extranjero que, a su vez, generaron mayores estímulos para el comercio. Por el lado tecnológico, los mayores flujos de información y una mayor capacidad de comercialización de productos y servicios influyen profundamente en las decisiones de ubicación de la producción. Las empresas tienen, cada vez más, la capacidad para ubicar distintos componentes de sus procesos de producción en diversos países y regiones y aún así, mantener una sola identidad corporativa. Conforme las empresas subcontratan parte de sus procesos de producción con sus afiliados u otras empresas en el extranjero, los empleos, las tecnologías, el capital y las habilidades se transfieren por todo el mundo.

¿Qué tan significativa es la participación de la producción segmentada internacionalmente han estimado en el comercio mundial? Los investigadores han estimado los niveles de participación parcial de la producción segmentada calculando la proporción de los componentes y partes en el comercio mundial. Sus estimaciones demuestran que la por participación de la producción segmentada representa 30 por ciento del comercio mundial de todos los productos manufacturados. Es más, el comercio de componentes y partes crece mucho más rápidamente que el comercio de productos terminados, hecho que no hace sino subrayar la creciente dependencia de los países a través de la producción y el comercio.[2]

OLAS DE GLOBALIZACIÓN

En las dos últimas décadas, ha habido una integración económica global pronunciada. La integración económica ocurre a través del comercio, de la migración laboral y de los flujos de capital (inversión) tales como acciones de corporativos y valores gubernamentales. Consideremos a continuación las principales olas de globalización que han tenido lugar en la historia reciente.[3]

---

[1] World Trade Organization, *Annual Report*, 1998, pp. 33-36.
[2] A. Yeats, *Just How Big Is Global Production Sharing?*, World Bank, Policy Research Working Paper No. 1871, 1998, Washington, DC.
[3] Esta sección se basa en el World Bank, *Globalization, Growth and Poverty: Building an Inclusive World Economy*, 2001.

CONFLICTOS COMERCIALES LA POLÍTICA DE LA RESERVA FEDERAL DE LOS ESTADOS UNIDOS PROVOCA VIOLENTA REACCIÓN GLOBAL

La interdependencia económica es parte de nuestra vida cotidiana. Cuando las políticas económicas nacionales repercuten en las economías de otros países, los responsables de dichas políticas deben tener en consideración tales repercusiones. Esta es la razón de por qué los países más importantes económicamente se reúnen con frecuencia para discutir el impacto de sus políticas en la economía mundial. Considere los efectos que las políticas de la Reserva Federal de Estados Unidos ha tenido en otras economías, como se ejemplifica a continuación.

Durante décadas, la Reserva Federal de los Estados Unidos (conocida como Fed en inglés) ha intentado cumplir su encomienda de promover empleo total, estabilidad de precios, y crecimiento económico para la economía de EUA. La búsqueda de estos objetivos puede provocar repercusiones adversas en las economías de otras naciones, como veremos en el siguiente ejemplo.

Al enfrentarse con un crecimiento económico lento durante 2010, la Reserva Federal tomó la polémica decisión de propiciar el crecimiento económico comprando $600 mil millones de bonos del Tesoro de los EUA. La idea consistía en inyectar dinero adicional a la economía para que las tasas de interés a largo plazo cayeran. Esto animaría a los estadunidenses a invertir más y a gastar más en artículos de precios elevados, estimulando así la economía. Sin embargo, los críticos dudaban que el programa funcionara y aseguraban que podría causar un aumento en las expectativas inflacionarias, lo que podría desestabilizar la economía.

Por otro lado, esta política de la Reserva Federal fue criticada severamente por socios comerciales de EUA, como Alemania y Brasil, que la calificaron como un intento por mejorar la competitividad estadunidense en perjuicio de ellos. Subrayaban que la emisión de más dólares, o la re-ducción de las tasas de interés de EUA tiende a causar una depreciación en el tipo de cambio del dólar (fenómeno que explicaremos en el capítulo 11 de este libro). Si el valor del dólar disminuye, las exportaciones de otros países se vuelven más caras para los consumidores estadunidenses y, por lo tanto, se reduce automáticamente el volumen de productos que Estados Unidos importa del resto del mundo. El aumento en el tipo de cambio de las monedas de otros países que acompaña a este fenómeno hace que los artículos estadunidenses sean más baratos para los consumidores extranjeros y esto provoca un incremento en el volumen de exportaciones de EUA. Esta política beneficia claramente a los productores estadunidenses que, muy probablemente, tendrían que incrementar su contratación para satisfacer los requisitos de una mayor producción por el incremento global en la demanda mundial de sus exportaciones. Por si fuera poco, el resto de los productores del mundo sufrirían una caída en sus exportaciones y esto provocaría un alza de desempleo entre sus trabajadores. Así, los productores en Estados Unidos ganarían a costas de los productores extranjeros.

Por su parte, los funcionarios de la Reserva Federal cuestionaron estos argumentos y afirmaban que el propósito de su programa no era una depreciación del dólar que perjudicara a los socios comerciales de EUA, sino, más bien, un esfuerzo por propiciar el crecimiento de la economía, lo que era beneficioso no sólo para Estados Unidos, sino también para el resto del mundo como un todo. En su argumento, la depreciación del dólar era sólo un efecto secundario de una política de crecimiento económico, mas no el objetivo y propósito principal de la política. Este argumento no disipó, naturalmente, el recelo de los extranjeros ante la política monetaria de la Reserva Federal y sus críticas continuaron.

Primera ola de globalización: 1870-1914

La primera ola de integración global ocurrió entre 1870 y 1914. La desencadenaron la disminución de las barreras arancelarias y las nuevas tecnologías que resultaron en la reducción de los costos de transporte, como el cambio de barcos de vela por barcos de vapor y la llegada de los trenes. El principal agente impulsor del proceso de globalización era cuánto músculo, caballos de fuerza, energía eólica o, más adelante, energía de vapor, tenía un país y cuán creativo podía mostrarse para desplegar esa energía. Esta ola de globalización la impulsaron, sobre todo, empresas e individuos europeos y estadunidenses. Así, la proporción de las exportaciones en el ingreso mundial casi se duplicaron hasta alcanzar aproximadamente 8 por ciento, mientras que los ingresos per cápita, que habían aumentado 0.5 por ciento por año en los últimos 50 años, aumentaron un promedio anual de 1.3 por ciento. Los países impulsores de la globalización, como Estados Unidos, se convirtieron en los países más ricos del mundo.

Sin embargo, la primera ola de globalización vio su término con el advenimiento de la Primera Guerra Mundial. Paralelamente, durante la Gran Depresión de la década de los treinta, los gobiernos respondieron con la práctica del proteccionismo: un intento inútil por aplicar aranceles a las importaciones para trasladar la demanda hacia sus mercados domésticos y así promover las ventas de empresas nacionales y empleos para los trabajadores nacionales. Este aumento del proteccionismo ocasionó en la economía mundial que las exportaciones, como proporción del ingreso nacional, cayeran 5 por ciento, con lo que dieron al traste con 80 años de progreso tecnológico en el transporte.

Segunda ola de globalización: 1945-1980

Después de la Segunda Guerra Mundial, los horrores del aislamiento que produjo el nacionalismo impulsaron incentivos renovados para fomentar el internacionalismo. El resultado fue una segunda ola de globalización que tuvo lugar entre 1945 y 1980. Al desplome de los costos de transporte, continuó el fomento de un mayor comercio; los países persuadieron a sus gobiernos a cooperar para reducir las barreras comerciales previamente establecidas.

Sin embargo, la liberalización comercial fue discriminatoria, lo mismo en cuanto a qué países participaban en ella como en cuanto a qué productos incluía. Para 1980, el comercio de productos manufacturados entre los países desarrollados había sido liberado en gran medida. No obstante, las barreras que enfrentaban los países en desarrollo habían sido eliminadas sólo para aquellos productos agrícolas que no competían con la agricultura de los países desarrollados. Para productos manufacturados, los países en desarrollo enfrentaban barreras considerables; mientras que, entre los países desarrollados, la reducción de dichas barreras produjo un notable incremento del intercambio de productos manufacturados, con lo que los ingresos de los países desarrollados se incrementaron también notablemente en relación con los del resto de los países.

La segunda ola de globalización presentó un nuevo tipo de comercio: la especialización de los países ricos en nichos de manufactura que mejoraban su productividad a través de **economías de aglomeración**. Cada vez más las empresas se agrupaban, algunos grupos fabricaban el mismo producto y otros se conectaban por vínculos verticales. Por ejemplo, las compañías automotrices japonesas se volvieron famosas por insistir en que sus fabricantes de refacciones se ubicaran a una corta distancia de su planta principal de ensamblaje. Para empresas como Toyota y Honda, esto disminuía los costos de transporte, coordinación, supervisión y contratación. Aunque las economías de aglomeración benefician a los que perteneces a los *clusters*, son una mala noticia para los que quedan excluidos. Una región entera puede volverse poco competitiva simplemente porque no hay suficientes empresas que hayan elegido ubicarse ahí. Así, puede surgir un mundo dividido, en el que una red de empresas manufactureras conformadas en *clusters* en alguna región mantienen salarios altos, mientras que los salarios en las regiones restantes permanecen bajos. Las empresas no cambiarán a una nueva ubicación hasta que la discrepancia en los costos de producción se vuelva suficientemente grande para compensar la disolución de las economías de aglomeración.

Durante la segunda ola de globalización, la mayoría de los países en desarrollo no participó en el crecimiento del comercio de productos y servicios globales. La combinación de las barreras comerciales impuestas en los países desarrollados, el clima desfavorable a la inversión y las políticas contra el comercio exterior en los países en desarrollo, obligaron a estos últimos a depender enteramente de los productos agrícolas y los recursos naturales.

Aunque la segunda ola de globalización aumentó exitosamente el ingreso per cápita en los países desarrollados, los países en desarrollo, como grupo, se quedaron rezagados. La desigualdad mundial alimentó, en los países en desarrollo, una desconfianza en el sistema comercial internacional que parecía favorecer a los países desarrollados. Por tanto, los países en desarrollo se volvieron cada vez más explícitos en su deseo de tener acceso a los mercados de los países desarrollados para productos y servicios manufacturados, con lo que fomentarían empleos adicionales y mayores ingresos para sus ciudadanos.

Ola de globalización más reciente

La última ola de globalización, que comenzó alrededor de 1980, ha tenido sus características distintivas. En primer lugar, un gran número de países en desarrollo, como China, India y Brasil, ingresaron a los mercados mundiales de manufactura. En segundo lugar, otros países en desarrollo fueron quedándose cada vez más marginados de la economía mundial, lo que provocó para su población menores ingresos y un aumento de la pobreza. En tercer lugar, los movimientos de capital internacional, que fueron modestos durante la segunda ola de globalización, de nuevo adquirieron gran importancia.

Un aspecto de fundamental importancia para la tercera ola de globalización es que algunos países en desarrollo consiguieron, por primera vez, utilizar su abundancia de mano de obra para obtener una ventaja competitiva como fabricantes de productos de trabajo intensivo. Algunos ejemplos de países en desarrollo que se han especializado en el comercio de manufactura son: Bangladesh, Malasia, Turquía, México, Hungría, Indonesia, Sri Lanka, Tailandia y Filipinas. Este cambio se debe en parte a las reducciones arancelarias que han hecho los países desarrollados en las importaciones de productos manufacturados. Por otro lado, muchos países en desarrollo redujeron sus barreras a la inversión extranjera, lo que impulsó a empresas como Ford Motor Company a ubicar plantas de ensamblaje en su territorio. Por otro lado, el progreso tecnológico en el transporte y las comunicaciones han permitido a los países en desarrollo participar en redes de producción internacional. A pesar de todo esto, el drástico aumento en las exportaciones de los fabricantes de los países en desarrollo ha generado políticas de proteccionismo en los países desarrollados. Con tantos países en desarrollo que surgen como países comerciales importantes, llegar a mayores acuerdos en la liberalización comercial multilateral se ha vuelto cada vez más complicado.

Aunque el mundo se ha tornado más globalizado en términos de comercio internacional y flujos de capital comparado con los 100 años anteriores, está menos globalizado en términos de flujos laborales. Por ejemplo, Estados Unidos tenía una política migratoria muy liberal a finales de 1800 y principios de 1900 y grandes cantidades de personas llegaban al país, principalmente de Europa. Como un país grande con abundante espacio para absorber a los recién llegados, Estados Unidos también atrajo la inversión extranjera durante gran parte de este periodo, lo que significó que los altos niveles de migración iban de la mano de salarios altos y en aumento. Sin embargo, desde la Primera Guerra Mundial, la migración se convirtió en un tema muy complejo en Estados Unidos y las restricciones a la misma aumentaron. A diferencia de la migración en gran medida europea de la ola de globalización de 1870-1914, la migración contemporánea hacia Estados Unidos proviene en su mayoría de Asia y América Latina.

Otro aspecto de la ola más reciente de globalización es el *outsourcing* o subcontratación en el extranjero, en la que ciertas partes de la fabricación de un producto se manufacturan en más de un país. Conforme los viajes y las comunicaciones se volvieron más accesibles en las décadas de los setenta y ochenta, la producción se fue reubicando cada vez más en lugares donde fueran más bajos los costos. Por ejemplo, las empresas estadunidenses reubicaron el ensamblaje de automóviles y la producción de calzado, electrónica y juguetes en los países en desarrollo con salarios bajos. Esto resultó en pérdidas de empleos para los obreros que fabricaban estos productos y reclamos para la implantación de leyes que restringieran el *outsourcing*.

Cuando un cliente estadunidense hace un pedido en línea de una *laptop* de HewlettPackard (HP), éste se transmite a Quanta Computer Inc., en Taiwán. Para reducir los costos de mano de obra, la empresa subcontrata la producción en Shanghai, China, donde combinan refacciones de distintas partes del mundo para ensamblar la *laptop* que se envía por flete a Estados Unidos y luego se hace llegar al cliente. Alrededor de 95 por ciento de las *laptops* se producen mediante subcontratación en otros países. El *outsourcing* ocupa cerca de 100 por ciento de la producción en el caso de otros fabricantes de computadoras estadunidenses, incluidos Dell, Apple y Gateway. En la tabla 1.1, se muestra cómo la *laptop* de HP se arma mediante el trabajo subcontratado en diferentes países.

Para inicios del 2000, la era de la información dio como resultado el *outsourcing* de empleos administrativos en el extranjero (conocido como trabajadores de cuello blanco). En la actualidad prácticamente no importa la ubicación de las empresas. El trabajo se conecta a través de la digitalización, Internet y las redes de datos de alta velocidad en todo el mundo.

Las empresas ahora pueden enviar trabajo de oficina a cualquier parte y eso incluye lugares como la India, Irlanda y Filipinas, donde los empleados reciben un sueldo muy inferior al de los empleados estadunidenses. Una nueva ronda de globalización envía actualmente los trabajos de alto nivel al extranjero, incluidos entre ellos: contabilidad, diseño de chips, ingeniería, investigación básica y

TABLA 1.1	
Fabricación de una computadora portátil HP Pavilion, ZD8000	
Componente	**Principal país de fabricación**
Drives del disco duro	Singapur, China, Japón, Estados Unidos
Suministros de energía	China
Estuches de magnesio	China
Chips de memoria	Alemania, Taiwán, Corea del Sur, Estados Unidos
Pantalla de cristal líquido	Japón, Taiwán, Corea del Sur, China
Microprocesadores	Estados Unidos
Procesadores gráficos	Diseñados en Estados Unidos y Canadá, producidos en Taiwán

Fuente: Tomado de "The Laptop Trail", *The Wall Street Journal*, 9 de junio de 2005, pp. B1 y B8.

TABLA 1.2		
La globalización de los puestos administrativos		
Empresa en Estados Unidos	**País**	**Tipo de trabajo reubicado**
Accenture	Filipinas	Contabilidad, *software*, trabajo de oficina
Conseco	India	Procesamiento de reclamación de seguros
Delta Air Lines	India, Filipinas	Reservaciones de aerolíneas, servicio al cliente
Fluor	Filipinas	Planos arquitectónicos
General Electric	India	Finanzas, tecnología de la información
Intel	India	Diseño de *chips*, soporte técnico
Microsoft	China, India	Diseño de *software*
Philips	China	Electrónica de consumo, investigación y desarrollo
Procter & Gamble	Filipinas, China	Contabilidad, soporte técnico

Fuente: Tomado de "Is Your Job Next?", *BusinessWeek*, 3 de febrero de 2003, pp. 50-60.

análisis financiero, como se puede observar en la tabla 1.2. Los analistas estiman que el *outsourcing* en el extranjero puede permitir que las empresas reduzcan sus costos por un servicio dado de 30 a 50 por ciento.

Por ejemplo, Boeing emplea especialistas en aeronáutica en Rusia para diseñar sus contenedores de equipaje y las refacciones de las alas en sus aeronaves. Estos especialistas cuentan con maestría o doctorado en matemáticas o aeronáutica y reciben un pago de 700 dólares al mes, mientras que el salario del mismo especialista en EUA es de 7,000 dólares. De manera similar, los ingenieros de China e India, que ganan 1,100 dólares al mes, desarrollan *chips* para Texas Instruments e Intel; sus contrapartes estadunidenses reciben 8,000 dólares al mes. Sin embargo, las empresas tienden a mantener la investigación y desarrollo cruciales y la mayor parte de las operaciones de oficina cerca de casa. Muchos empleos no pueden desplazarse porque requieren de un contacto cara a cara con los clientes. Los economistas señalan que la gran mayoría de los empleos en Estados Unidos consiste de servicios como venta minorista, atención en restaurantes y hoteles, servicios de cuidados personales y similares. Estos servicios son necesariamente producidos y consumidos en la localidad y no se pueden subcontratar en el extranjero.

Además de ahorrar dinero, el *outsourcing* en el extranjero permite a las empresas hacer cosas que antes simplemente no podían. Por ejemplo, para una compañía de productos de consumo en Estados Unidos era muy poco práctico dar seguimiento a la cartera vencida de los clientes morosos que compraban productos con un valor menor a 1,000 dólares. Sin embargo, cuando este servicio se manejó desde la India, el costo disminuyó tanto que la empresa podía dar seguimiento rentable a facturas de montos tan bajos como 100 dólares.

Aunque Internet facilita a las empresas estadunidenses seguir siendo competitivas en un mercado global cada vez más espectacular, ¿es bueno el *outsourcing* en el extranjero para los trabajadores administrativos? Es posible argumentar que los estadunidenses se benefician de este proceso: en las últimas dos décadas, las empresas estadunidenses tuvieron que importar cientos de miles de migrantes para cubrir sus faltantes de ingeniería. Ahora, al enviar los servicios rutinarios y las tareas de ingeniería a los países con excedentes de trabajadores calificados, el trabajo y el capital estadunidenses se aplican a industrias de mayor valor y a investigación y desarrollo de tecnología de punta.

No obstante, queda la interrogante: ¿qué pasa si los trabajadores administrativos no encuentran mejores horizontes? La verdad es que el crecimiento de la industria del conocimiento global es tan reciente que la mayoría de los economistas no ha empezado a descifrar las implicaciones. La gente en los países en vías de desarrollo, como la India, ven el *outsourcing* como una ventaja que ayuda a propagar la riqueza de las naciones opulentas hacia los países pobres. Podría ocurrir que, entre sus muchas otras virtudes, el Internet resulte un gran generador de equidad. El *outsourcing* se analizará con mayor detalle al final del capítulo 2.

CONFLICTOS COMERCIALES LOS MOTORES DIESEL Y LAS TURBINAS DE GAS COMO IMPULSORES DE LA GLOBALIZACIÓN

Cuando se piensa en motores de combustión interna, muy probablemente se piense en el motor de la cajuela de un automóvil o un camión, es decir, en el motor de gasolina. Aunque este motor es bueno para transportar a la mayoría, no es suficiente para transportar grandes cantidades de productos y personas en grandes distancias; el transporte global requiere de motores mucho más potentes.

¿Qué nos permite transportar miles de millones de toneladas de materias primas y productos manufacturados de país a otro? ¿Cómo es que podemos volar en un avión comercial Boeing o Airbus en veinticuatro horas a casi cualquier lugar del mundo? Dos innovaciones técnicas notables han sido las grandes impulsoras de la globalización: el motor diesel, que propulsa embarcaciones de carga, locomotoras y camiones de gran tamaño, y las turbinas de gas natural que propulsan aviones y otros medios de transporte.

En la década de 1890, Rudolf Diesel perfeccionó el motor que lleva su nombre hasta el punto de hacerlo exitosamente comercializable. Tras titularse del Politécnico de Múnich en Alemania, Diesel se convirtió en ingeniero de refrigeración pero su verdadera pasión era el diseño de máquinas. Desarrolló un motor que podía convertir la energía química disponible en el combustible diesel en energía mecánica capaz de propulsar camiones, embarcaciones de carga, etc. Hoy, más de 90 por ciento del comercio mundial de productos manufacturados y materias primas se transporta con motores diesel.

La turbina de gas natural es otra impulsora de la globalización. Una turbina de gas es un motor rotativo que extrae energía de un flujo de gas combustible. Esta energía produce una fuerza de empuje capaz de levantar un avión por los cielos. También es el motor que hace girar los ejes o las hélices que impulsan a las locomotoras y los barcos. La turbina de gas fue inventada por Frank Whittle, un ingeniero británico, a principios del siglo XX. Aunque Wilbur y Orville Wright son los padres del vuelo, no hay que subestimar el impacto que Whittle ha tenido en la aeronáutica mundial.

Estas dos máquinas, el motor diesel y la turbina de gas se ha convertido en factores fundamentales del transporte de productos y de personas en todo el mundo. Han reducido los costos de transporte a tal grado que la distancia entre el sitio de producción y el mercado para un producto o el lugar de origen de las materias primas importadas se han convertido en factores de mucha menor importancia para los productores. De hecho, ni el comercio internacional ni los vuelos intercontinentales hubieran alcanzado tal velocidad, tal grado de confiabilidad o tal accesibilidad financiera de no haber sido por los motores diesel y las turbinas de gas. Aunque los motores diesel y las turbinas de gas causan serios problemas ambientales, como la contaminación del aire y del agua, es muy poco probable que estas máquinas desaparezcan pronto.

Fuente: Vaclav Smil, *Prime Movers of Globalization*, MIT Press, Cambridge, Massachusetts, 2010 y Nick Schulz, "Engines of Commerce", *Wall Street Journal*, 1 de diciembre de 2010.

iStockphoto.com/photosoup

ESTADOS UNIDOS COMO UNA ECONOMÍA ABIERTA

Por lo general, se acepta que en décadas recientes la economía estadunidense se ha integrado cada vez más a la economía mundial (convirtiéndose así en una economía abierta). Dicha integración involucra diversos aspectos que incluyen el comercio de productos y servicios, los mercados financieros, la fuerza de trabajo, la propiedad de instalaciones de producción y la dependencia de materiales importados.

Patrones comerciales

Para apreciar la globalización de la economía estadunidense, vaya a un supermercado local. Casi cualquier supermercado parece bazar de comida internacional. Junto a las papas de Idaho y la carne de Texas, las tiendas ofrecen melones de México, aceite de olivo de Italia, café de Colombia, canela de Sri Lanka, vino y queso de Francia y plátanos de Costa Rica. La tabla 1.3, muestra una canasta internacional de frutas que se halla típicamente disponible para los consumidores estadunidenses.

La tienda de abarrotes no es el único lugar en que los estadunidenses satisfacen su gusto por los productos elaborados en el extranjero. Compran automóviles y cámaras de Japón, camisas de Bangladesh, aparatos de DVD de Corea del Sur, productos de papel de Canadá y flores frescas de Ecuador. Obtienen petróleo de Kuwait, acero de China, programas de cómputo de India y semiconductores de Taiwán. La mayoría de los estadunidenses está consciente de esta disposición de su país para importar, pero podrían no percatarse de que Estados Unidos es el mayor exportador del mundo: vende computadoras personales, máquinas excavadoras, aviones comerciales, servicios financieros, películas y miles de otros productos en casi todas las regiones del planeta. Dicho de manera sencilla, el comercio y las inversiones internacionales son un hecho de la vida cotidiana.

Como medida aproximada de la importancia del comercio internacional en la economía de un país, podemos considerar las exportaciones e importaciones de una nación como porcentaje de su producto interno bruto (PIB). Esta razón se conoce como grado de **apertura**.

$$Grado\ de\ apertura = \frac{(exportaciones + importaciones)}{PIB}$$

En la tabla 1.4 se muestran las mediciones del grado de apertura de países selectos según datos de 2013. En ese año, Estados Unidos exportó 14 por ciento de su PIB, mientras que las importacio-

TABLA 1.3			
Las frutas del libre comercio: una canasta internacional			
En una visita a la tienda de abarrotes, los consumidores pueden encontrar productos de todo el mundo.			
Fruta	**País**	**Fruta**	**País**
Manzanas	Nueva Zelanda	Limas	El Salvador
Melocotones	China	Naranjas	Australia
Plátanos	Ecuador	Peras	Corea del Sur
Zarzamoras	Canadá	Piñas	Costa Rica
Moras	Chile	Ciruelas	Guatemala
Cocos	Filipinas	Frambuesas	México
Toronjas	Bahamas	Fresas	Polonia
Uvas	Perú	Tangerinas	Sudáfrica
Kiwis	Italia	Sandías	Honduras
Limones	Argentina		

Fuente: Tomado de "The Fruits of Free Trade", *Annual Report*, Federal Reserve Bank of Dallas, 2002, p. 3.

	TABLA 1.4		

Exportaciones e importaciones de productos y servicios como porcentaje del producto interno bruto (PIB), 2013

País	Exportaciones como porcentaje del PIB	Importaciones como porcentaje del PIB	Exportaciones más importaciones como porcentaje del PIB
Holanda	87	79	166
Corea del Sur	56	54	110
Alemania	52	46	98
Noruega	41	27	68
Reino Unido	32	34	66
Canadá	30	32	62
Francia	27	30	57
Estados Unidos	14	18	32
Japón	15	16	31

Fuente: Tomado de The World Bank Group, *Country Profiles*, 2014, disponible en http://www.worldbank.org.

nes fueron de 18 por ciento del PIB; por tanto, el grado de apertura de la economía estadounidense al comercio fue de 32 por ciento. Aunque la economía estadounidense está notablemente vinculada al comercio internacional, esta tendencia es aún más impactante para muchos países más pequeños, como se puede ver en la tabla. En términos sencillos, los países grandes tienden a depender menos del comercio internacional porque muchas de sus empresas pueden lograr un tamaño de producción óptimo sin tener que exportar a naciones extranjeras. Por tanto, los países pequeños tienden a tener medidas más altas de grado de apertura que los grandes.

En la figura 1.1, se muestra la apertura de la economía estadounidense de 1890 a 2013. Una tendencia significativa es que Estados Unidos se volvió menos abierto al comercio internacional entre 1890 y 1950. La apertura era relativamente alta a finales del siglo XIX debido al aumento en el comercio mundial, que resultó de las mejoras tecnológicas en el transporte (barco de vapor) y las comunicaciones (telégrafo trasatlántico). Sin embargo, dos guerras mundiales y la Gran Depresión de 1930 ocasionaron que Estados Unidos redujera su dependencia en el comercio, en parte por razones de seguridad nacional y en parte para proteger sus industrias nacionales de la competencia internacional. Después de la Segunda Guerra Mundial, Estados Unidos y otros países negociaron reducciones a las barreras comerciales, lo que contribuyó a aumentar el comercio mundial. Las mejoras significativas en los embarques y las comunicaciones también impulsaron el comercio e incrementaron la apertura de la economía estadounidense.

La importancia relativa del comercio internacional para Estados Unidos ha aumentado notablemente durante el siglo pasado, como se puede ver en la figura 1.1. No obstante, estos datos no muestran algo fundamental: en 1890, la mayor parte del comercio estadounidense era de materias primas y productos agrícolas; en la actualidad, los productos manufacturados y los servicios dominan los flujos comerciales de Estados Unidos. Por lo tanto, a los fabricantes estadounidenses de productos manufacturados les afecta más la competencia extranjera hoy que hace cien años.

La importancia del comercio internacional para la economía estadounidense es aún más notable cuando se consideran ciertos productos específicos. Por ejemplo, tendrían menos computadoras personales si no importaran componentes, no tendrían aluminio si no importaran bauxita, ni latas de estaño si no importaran estaño, ni parachoques de cromo si no importaran cromo. Los estudiantes de un curso de economía internacional de las 9 a.m. podrían dormirse en clase (¿lo puede creer?) si no importaran café o té. Es más, muchos de los productos que compran de los extranjeros serían mucho más costosos si dependieran de su producción nacional.

¿Con qué países comercia Estados Unidos? Como se puede ver en la tabla 1.5, la lista la encabezan Canadá, China, México y Japón.

FIGURA 1.1

Grado de apertura de la economía estadunidense, 1890-2013

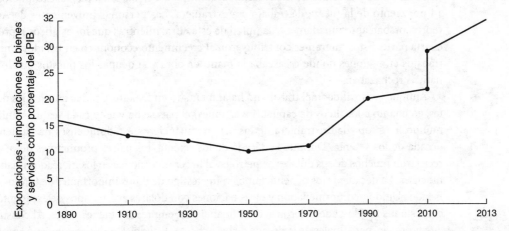

En la figura se muestra que para Estados Unidos la importancia del comercio internacional ha aumentado notablemente de 1890 a 2013.

Fuente: Datos de U.S. Census Bureau, Foreign Trade Division, *U.S. Trade in Goods and Services*, en http://www.census.gov/foreign-trade/statistics y *Economic Report of the President*, varios números.

TABLA 1.5

Los diez principales socios comerciales de Estados Unidos, 2012

País	Valor de exportaciones estadunidenses de bienes (miles de millones de dólares)	Valor de importaciones estadunidenses de bienes (miles de millones de dólares)	Valor total de bienes comerciados (miles de millones de dólares)
Canadá	292.5	323.9	616.4
China	110.5	425.6	536.1
México	215.9	277.6	493.5
Japón	70.0	146.4	216.4
Alemania	48.8	108.7	157.5
Reino Unido	54.9	55.0	109.9
Corea del Sur	42.3	58.9	101.2
Francia	30.1	41.7	71.8
Brasil	43.8	32.1	75.9
Taiwán	24.4	38.9	63.3

Fuente: Tomado de U.S. Department of Commerce, U.S. Census Bureau, *Foreign Trade: U.S. Trade in Goods by Country*, 2013.

Trabajo y capital

Además del comercio de productos y servicios, los movimientos en los factores de producción son una medida de la integración económica. Conforme los países se vuelven más interdependientes, el trabajo y el capital deben moverse más libremente entre ellos.

Sin embargo, durante los últimos 100 años, la movilidad del trabajo no ha aumentado para Estados Unidos. En 1900, aproximadamente 14 por ciento de la población estadunidense había nacido en el extranjero. Sin embargo, de la década de los veinte a la década de los sesenta, Estados Unidos cortó abruptamente la inmigración. Esto ocasionó que la población estadunidense nacida en el extranjero declinara hasta representar sólo el 6 por ciento de la población total. Durante la década de los sesenta, las restricciones fueron liberalizadas y el flujo de migrantes aumentó. Para 2014, aproximadamente 12 por ciento de la población estadunidense había nacido en el extranjero, mientras que 14 por ciento de la fuerza de trabajo era extranjera. Las personas provenientes de América Latina representaban aproximadamente la mitad de esta cifra, mientras que los asiáticos representaban otra cuarta parte. Estos migrantes contribuyeron al crecimiento económico en Estados Unidos al aceptar trabajos en regiones donde escaseaba la mano de obra y al ocupar los puestos que los trabajadores nativos rechazaban.

Aunque la movilidad del trabajo no ha aumentado en Estados Unidos durante las décadas recientes, en cuanto a los flujos de capital (inversiones) el país se ha vuelto cada vez más unido al resto del mundo. La propiedad extranjera de los activos financieros estadunidenses ha aumentado desde la década de los sesenta. Durante la década de los setenta, los países productores de petróleo (OPEP) reciclaron muchos de sus dólares de petróleo al hacer inversiones en los mercados financieros estadunidenses. La década de los ochenta también fue testigo de flujos importantes de fondos de inversión a Estados Unidos, conforme Japón y otras naciones con dólares acumulados de excedentes comerciales con Estados Unidos, adquirieron activos financieros, empresas y bienes raíces. Al consumir más de lo que producía, para finales de la década de los ochenta, Estados Unidos se convirtió en un deudor neto del resto del mundo para pagar por esta diferencia. Surgieron cada vez más preocupaciones acerca del costo de los intereses de esta deuda para la economía estadunidense y acerca del impacto de esta carga de deuda en los estándares de vida de las generaciones estadunidenses futuras. Esta preocupación sigue viva al momento de escribir este texto en 2014.

La globalización también se ha incrementado en la banca internacional. El promedio diario de rotación en el mercado cambiario extranjero actual (donde las monedas se compran y venden) se calcula en casi cuatro billones de dólares, en comparación con los 205,000 millones de dólares en 1986. El día de comercio global comienza en Tokio y Sydney y, en un ciclo prácticamente ininterrumpido de 24 horas, se mueve por todo el mundo pasando por Singapur y Hong Kong, por Europa y finalmente por Estados Unidos antes de culminar de nuevo en Japón y Australia. Londres sigue siendo el mercado de divisas más grande, seguido por Estados Unidos; también se comercializan importantes volúmenes de monedas en Asia, Alemania, Francia, Escandinavia, Canadá y otros lugares.

En la banca comercial, los bancos estadunidenses han desarrollado redes a nivel mundial para préstamos, pagos y comercio de divisas. Los bancos extranjeros también incrementaron su presencia en Estados Unidos, lo que refleja la base de población multinacional de Estados Unidos, el tamaño e importancia de los mercados estadunidenses y el papel del dólar estadunidense como medio internacional de cambio y moneda de reserva. En la actualidad, más de 250 bancos extranjeros operan en Estados Unidos; en particular, los bancos japoneses son el grupo dominante entre los bancos extranjeros que operan en Estados Unidos. Al igual que los bancos comerciales, las casas de bolsa también han globalizado sus operaciones.

Para la década de 1980, los valores gubernamentales estadunidenses ya se comercializaban en una base prácticamente de 24 horas. Los inversionistas extranjeros compraban letras del tesoro estadunidense, certificados y bonos y muchos deseaban comerciar durante sus horas de trabajo más que durante las de Estados Unidos. Los principales corredores de valores del gobierno de Estados Unidos establecieron oficinas en Tokio y Londres. Los mercados accionarios se volvieron cada vez más internacionales, con empresas que listaban sus acciones en distintas bolsas a lo largo del mundo. Los mercados de futuros financieros también se dispersaron por todo el mundo.

¿POR QUÉ ES IMPORTANTE LA GLOBALIZACIÓN?

Debido al comercio, los individuos, empresas, regiones y países se pueden especializar en la producción de aquello que hacen bien, y utilizar las ganancias de estas actividades para comprar a terceros esos artículos que resultan costosos en su producción. Por tanto, los socios comerciales pueden generar una mayor producción conjunta y alcanzar un estándar de vida más alto del que sería posible de otra forma. Los economistas se refieren a esto como la ley de la ventaja comparativa, que se analizará con mayor detalle en el capítulo 2.

De acuerdo con la **ley de la ventaja comparativa**, los ciudadanos de cada país pueden ganar al gastar más de su tiempo y recursos en hacer cosas sobre las que tienen una ventaja relativa. Si la obtención de un producto o servicio es más económica a través del comercio, tiene sentido comerciarlo en lugar de producirlo de forma local. Enfocarse en si un artículo será producido de forma nacional o en el extranjero es un error. El tema central es cómo se pueden utilizar los recursos disponibles para obtener cada producto al costo más bajo posible. Cuando los socios comerciales usan más de su tiempo y recursos en producir las cosas que hacen mejor, son capaces de lograr una mayor producción conjunta, lo que brinda una fuente de ganancia mutua.

El comercio internacional también resulta en ganancias del proceso competitivo. La competencia es esencial para la innovación y la producción eficiente. La competencia internacional ayuda a mantener a los fabricantes nacionales listos y les brinda un fuerte incentivo para mejorar la calidad de sus productos. El comercio internacional, por lo general, también debilita los monopolios. Conforme los países abren sus mercados, los fabricantes de monopolios nacionales enfrentan la competencia de las empresas extranjeras.

Con la globalización y la competencia de las importaciones, los precios estadunidenses han disminuido para muchos productos como: aparatos de televisión, juguetes, vajillas, ropa y demás. Sin embargo, los precios han aumentado para muchos productos que no han sido tocados por la globalización, como la televisión por cable, los servicios hospitalarios, las entradas a eventos deportivos, las rentas, las reparación de automóviles y otros. Las ganancias de los mercados globales no se restringen a los productos que se comercian a nivel internacional. Se extienden a bienes no comerciados como casas, que contienen alfombrado, cableados y otros insumos que ahora enfrentan una mayor competencia internacional.

Durante la década de los cincuenta, General Motors (GM) produjo 60 por ciento de todos los automóviles estadunidenses de pasajeros. Aunque los directivos de GM celebraban el inmenso tamaño de la empresa porque permitía organizar economías de escala en operaciones de plantas individuales, los más escépticos se preocupaban por el poder de monopolio que resultaba del dominio de GM en el mercado automotriz. Algunos afirmaban que la empresa debía dividirse en varias compañías independientes para inyectar más competencia al mercado. Sin embargo, en la actualidad, la fuerte competencia extranjera ha ocasionado que la participación de mercado de GM se ubique en menos del 24 por ciento.

No sólo las economías abiertas tienen más competencia, sino que también tienen más rotación de empresas. Estar expuesto a la competencia de todo el mundo puede obligar a fabricantes nacionales con altos costos de producción a abandonar el mercado. Si estas empresas eran menos productivas que las empresas restantes, entonces su salida representa mejoras en la productividad de la industria. El aumento de las salidas es sólo parte del ajuste. La otra parte del ajuste consiste en que nuevas empresas ingresen en el mercado, a menos que haya barreras significativas. Con estas nuevas empresas se produce entonces un cambio en el mercado laboral, pues los trabajadores que antes se empleaban con empresas obsoletas ahora deben encontrar trabajo en las que están en surgimiento. Sin embargo, una deficiente educación o la carencia de capacitación pueden hacer que algunos de los trabajadores no sean susceptibles de contratación porque las empresas en surgimiento suelen crean puestos nuevos que exigen perfiles que, con frecuencia, no se pueden anticipar. Quizás ésta sea la causa clave de por qué los trabajadores encuentran que la globalización es controversial. En términos sencillos, la rotación más alta de las empresas es una fuente importante de los beneficios dinámicos de la globalización. En general, las empresas moribundas tienen una caída en la productividad y las empresas nuevas tienden a incrementar su productividad al paso del tiempo.

También los economistas, por lo general, han encontrado que las tasas de crecimiento económico están muy relacionadas con la apertura al comercio, la educación y la infraestructura de comunicaciones. Los países que abren sus economías al comercio internacional tienden a beneficiarse de nuevas tecnologías y otras fuentes de crecimiento económico. Como se muestra en la figura 1.2, parece haber cierta evidencia de una relación inversa entre el nivel de barreras comerciales y el crecimiento económico de los países. Es decir, las naciones que mantienen altas barreras comerciales tienden a tener un nivel bajo de crecimiento económico.

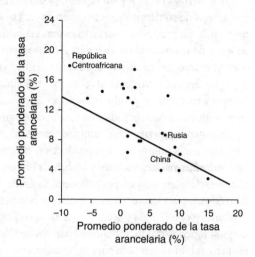

FIGURA 1.2

Barreras arancelarias frente a crecimiento económico

En la figura se presenta el promedio ponderado de la tasa arancelaria y el crecimiento per cápita en el PIB de 23 naciones en 2002. Con base en esta figura, hay evidencia de una relación inversa entre el nivel de barreras arancelarias y el crecimiento económico de los países.

Fuente: Datos tomados de The World Bank Group, *World Development Indicators*, disponible en http://www.worldbank.org/data/.

El comercio internacional también puede proporcionar estabilidad para los productores, como se ha visto en el caso de Invacare Corporation, un fabricante con sede en Ohio de sillas de ruedas y equipo para servicios de salud. Para las sillas de ruedas que vende en Alemania, los controladores electrónicos vienen de las fábricas de la empresa en Nueva Zelanda; el diseño es en gran medida estadunidense, y el ensamble final se hace en Alemania, con partes embarcadas de Estados Unidos, Francia y el Reino Unido. Al comprar partes y componentes a nivel mundial, Invacare elude los impactos de proveedores que aumentan precios del aluminio, el acero, el hule y otros materiales. Al vender sus productos en 80 naciones, Invacare puede mantener una fuerza de trabajo más estable en Ohio que si dependiera por completo del mercado estadunidense; si las ventas disminuyen en cualquier momento en Estados Unidos, Invacare tiene un as bajo la manga: las exportaciones.

Por otro lado, el rápido crecimiento en países como China e India ha ayudado a aumentar la demanda de productos como petróleo crudo, cobre y acero. Por tanto, los consumidores y las empresas estadunidenses pagan precios más altos por productos como la gasolina. Los precios crecientes de gasolina, a su vez, estimulan las iniciativas gubernamentales y del sector privado para aumentar el suministro de sustitutos de gasolina como el biodiesel o el etanol. Una mayor demanda de estas formas alternas de energía provoca que aumente el precio de la soya y el maíz, insumos clave para la producción de productos alimenticios derivados de pollo, cerdo, res y otros.

Más aún, la globalización hace vulnerable a la economía nacional frente a los disturbios iniciados en el extranjero, como se puede ver en el caso de la India. En respuesta a la crisis agrícola en la India, unos 1,200 agricultores de algodón de este país cometieron suicidio entre 2005 y 2007 para escapar de las deudas con sus acreedores. Los agricultores pidieron dinero prestado a tasas exorbitantes para perforar pozos y comprar costosas semillas de algodón de biotecnología. Pero las semillas resultaron ser inadecuadas para pequeñas parcelas, lo que arruinó las cosechas. Aún más, los agricultores sufrieron por el bajo precio mundial de las semillas de algodón, que cayó más de un tercio de 1994 a 2007. Los precios eran bajos debido a que el algodón tenía fuertes subsidios por parte de los países ricos, principalmente Estados Unidos. De acuerdo con el Banco Mundial, los precios del algodón se hubieran incrementado 13 por ciento de haberse eliminado los subsidios.

Aunque el gobierno de la India podía imponer un arancel por el algodón importado para contrarrestar el subsidio extranjero, las fibras baratas eran bienvenidas por los fabricantes de textiles que deseaban mantener la producción con costos bajos. Así, el arancel de algodón de la India era de sólo 10 por ciento, mucho más bajo que sus aranceles en la mayoría de los demás productos.

La solución simple al problema de los agricultores de la India sería que dejaran de cosechar algodón y más bien, se dedicaran a tejerlo en las fábricas, pero las leyes laborales restrictivas de este país desalentaban el empleo industrial y la falta de una red de seguridad ocasionó que los agricultores se aferraran a sus parcelas marginales.

Hay además una terrible ironía detrás de la situación apremiante de los agricultores de algodón de la India: el algodón de fibra larga en la India fue introducido por los británicos en el siglo XIX para suministrar a las fábricas de tejidos de algodón británicas. Como su tela de bajo costo expulsó del negocio a los tejedores de la India, éstos se vieron forzados a trabajar la tierra. Para principios de la primera década del siglo XXI, los fabricantes indios de textiles experimentaron un resurgimiento, pero sus agricultores ya no podían dejar la tierra para trabajar en las fábricas.[4]

GLOBALIZACIÓN Y COMPETENCIA

Aunque los economistas reconocen que la globalización y el libre comercio pueden traer beneficios a muchas empresas, trabajadores y consumidores, también pueden infligir onerosas cargas a otros. Considere los casos de Eastman Kodak Company, de Schwinn Bycicle Company y de Element Electronics Inc. que se exponen a continuación.

Kodak se reinventa recurriendo al capítulo 11 de la Ley de Quiebras de EUA

El político ruso Vladimir Lenin afirmó: "un capitalista nos venderá la soga con la que lo ahorcaremos". Esa cita podría contener un elemento de la verdad. Los capitalistas a menudo invierten en la tecnología que destruye su empresa, como se ve en el caso de Eastman Kodak Company.

Kodak es una compañía multinacional de equipo fotográfico y de imágenes con sede en Rochester, Nueva York. Su historia se remonta a 1889 cuando fue fundada por George Eastman. Durante la mayor parte del siglo XX, Kodak dominó el mercado de equipo fotográfico. En 1976 dominaba el 90% de ventas de rollos fotográficos y 85 % de ventas de cámaras fotográficas en el mercado estadunidense. Su lema era: "usted oprime el botón y nosotros nos ocupamos del resto". Sin embargo, esta posición de casi monopolio de Kodak produjo una cultura de autocomplacencia entre sus miembros directivos que se resistieron a cambiar sus estrategias cuando la competencia mundial y la nuevas tecnologías surgieron.

En la década de 1980, el rival japonés Fuji Photo Film Co. ingresó al mercado norteamericano con rollos fotográficos y suministros más baratos. Kodak se negó entonces a creer que los consumidores estadunidenses fueran a abandonar alguna vez su tan popular marca. Kodak dejó pasar la oportunidad de ser el patrocinador oficial de las Olimpíadas de Los Ángeles de 1984. Fuji obtuvo los derechos de dicho patrocinio y esto le abrió un lugar permanente en el mercado estadunidense. Fuji inauguró entonces una fábrica de película fotográfica en Estados Unidos y, gracias a una agresiva mercadotecnia y a sus reducidos precios, empezó a captar para sí una parte del mercado que antes pertenecía a Kodak. Para mediados de la década de 1990, Fuji había asegurado el 17% del mercado norteamericano de venta de rollos fotográficos mientras que la participación de Kodak se redujo al 75%. Kodak, por su parte, logró muy pocos avances para su inserción en el mercado japonés (el segundo mercado más grande, después de los Estados Unidos) para sus películas y papeles fotográficos. Evidentemente, Kodak había subestimado la competitividad de su rival japonés.

---

[4] "Cotton Suicides: The Great Unraveling", *The Economist*, 20 de enero de 2007, p. 34.

Otro factor que contribuyó al desplome de Kodak fue el surgimiento de las cámaras digitales y teléfonos celulares que funcionan como cámaras. Por más extraño que parezca, Kodak desarrolló una de las primeras cámaras digitales en 1975, pero se mostró muy lenta en lanzar una producción de cámaras digitales. Puesto que los competidores de Kodak no contaban con dicha tecnología en aquel momento, Kodak no sintió ninguna presión para cambiar su estrategia de vender cámaras baratas a clientes que luego comprarían grandes cantidades de sus costosos rollos fotográficos. Todo esto cambió en la década de 1990 con el desarrollo de cámaras digitales por compañías como Sony. Cuando sus ventas lucrativas de película fotográfica se desplomaron, Kodak empezó a producir cámaras digitales. Para 2005 Kodak se hallaba ya a la cabeza del mercado de cámaras digitales en Estados Unidos. Sin embargo, a pesar de su alto crecimiento, Kodak no supo prever cuán rápido estas cámaras digitales se convertirían en productos con muy bajo margen de ganancia; al mismo tiempo, muchas otras compañías ingresaron a este mercado. Las ventas de cámaras digitales de Kodak cayeron rápidamente debido a los competidores asiáticos cuya producción de cámaras digitales era más barata. Por otro lado, los nuevos teléfonos celulares inteligentes se iban desarrollando para reemplazar a las cámaras, de manera que Kodak tampoco supo entender correctamente los mercados emergentes. En su momento, Kodak esperaba que la nueva clase media china comprara grandes cantidades de su película fotográfica, y así lo hizo pero por breve tiempo; después, esta clase media prefirió las cámaras digitales.

Kodak nos ofrece un ejemplo sorprendente de cómo un gigante de la industria se tambalea ante la competencia mundial y el avance tecnológico. Ya para 2012 Kodak sufría carencias de efectivo, de manera que se declaró en quiebra bajo la modalidad del capítulo 11 de la Ley de Quiebras de EUA que permite la reestructuración de una compañía bajo la supervisión de un juez del Tribunal de Quiebras. Tras su declaración de quiebra, Kodak vendió muchas de sus empresas y patentes y cerró la fábrica de cámaras fotográficas que la había hecho famosa. Muchos de los empleados de Kodak perdieron su jubilación y sus beneficios de atención médica por consecuencia de la quiebra. En 2013, Kodak recibió la aprobación de la corte para reaparecer en el mercado como una mucho más pequeña compañía de procesamiento digital de imágenes. Está por verse cómo Kodak funcionará en los años por venir.

Las importaciones de bicicletas fuerzan a Schwinn a desacelerar

La compañía de bicicletas Schwinn ilustra la noción de globalización y cómo los productores reaccionan ante la presión competitiva extranjera. Fundada en Chicago en 1895, llegó a producir bicicletas que se convirtieron en el estándar de la industria. Aunque la Gran Depresión llevó a la quiebra a la mayoría de las compañías de bicicletas, Schwinn sobrevivió al producir bicicletas duraderas y modernas que eran vendidas por concesionarios que entendían de esos vehículos y estaban ansiosos por promover la marca. Schwinn siempre privilegió la innovación continua que produjo ciertas características en sus productos como soportes incluidos de fábrica, llantas inflables, salpicaderas de cromo, luces delanteras y traseras y más. Para 1960, la Schwinn Sting-Ray se convirtió en la bicicleta que casi todos los niños querían. Celebridades como Captain Kangaroo y Ronald Reagan lanzaron anuncios que afirmaban "las bicicletas Schwinn son las mejores".

Aunque Schwinn dominaba la industria estadounidense de las bicicletas, la naturaleza del mercado estaba cambiando. A los ciclistas ya no les entusiasmaban las bicicletas pesadas y durables que habían sido el producto principal de la empresa durante décadas. Surgieron competidores como Trek, que fabricaba bicicletas de montaña, y Mongoose, que las producía para carreras de campo traviesa.

Más aún, los decrecientes aranceles para las bicicletas importadas alentaban a los estadounidenses a comerciar con empresas de Japón, Corea del Sur, Taiwán y eventualmente China. Estas empresas ofrecían a los estadounidenses desde refacciones hasta bicicletas completas, bajo nombres de marcas estadounidenses o con marcas propias. Las empresas extranjeras usaron las técnicas de producción inicialmente desarrolladas por Schwinn, pero contrataban trabajadores de bajo sueldo y fabricaban bicicletas competitivas a sólo una fracción del costo de Schwinn.

Conforme se intensificó la competencia extranjera, Schwinn trasladó su producción a una planta en Greenville, Mississippi en 1981. La ubicación era estratégica: al igual que otros fabricantes estadunidenses, la reubicación de su producción hacia el sur del país tenía la finalidad de contratar trabajadores no sindicalizados con salarios más bajos. Schwinn también fabricaba partes producidas por trabajadores de salarios bajos en países extranjeros. Sin embargo, la planta de Greenville mantuvo una calidad desigual y baja eficiencia, de manera que produjo bicicletas que no eran mejores que las importadas del lejano Oriente. Conforme se acumularon las pérdidas para Schwinn, la empresa se declaró en bancarrota en 1993.

Al final Pacific Cycle Company compró a Schwinn y subcontrató la producción de las bicicletas Schwinn con empleados de bajo salario en China. Ahora la mayoría de las bicicletas de esta marca se fabrican en las plantas chinas y se venden en las tiendas Wal-Mart y otras tiendas de descuento; los ciclistas pagan menos por una Schwinn nueva desde que es propiedad de Pacific. Puede que no cumplan el estándar industrial que tenía la vieja Schwinn, pero se venden en Wal-Mart por aproximadamente 180 dólares, un tercio del precio original en dólares actuales. Aunque los ciclistas pueden lamentar que Schwinn ya no sea la bicicleta que antes era, los funcionarios de Pacific Cycle no dejan de advertir que tampoco es tan costosa como lo era en el pasado.[5]

Element Electronics sobrevive ubicando su producción de televisores en EUA

Pocas industrias estadounidenses se han tambaleado tanto como la manufactura de televisores. Durante las décadas de 1950 y 1960, había aproximadamente 150 productores nacionales y la planta de empleados era de aproximadamente 100,000 trabajadores. Luego empezaron a llegar las importaciones, primero de Japón y después de China, Corea del Sur y otros países asiáticos. La introducción del televisor de pantalla plana inclinó la balanza todavía más en favor de Asia, porque la ligereza del producto y el esbelto estilo de diseño hacían los gastos de envío más baratos que los de los pesados y voluminosos televisores de tubo de rayos catódicos (CRT) que antes habían dominado las ventas. Para comienzos del siglo XXI la fabricación estadounidense de televisores era prácticamente inexistente.

Ahora bien, recientemente, los gastos en China se han estado elevando y los sueldos de trabajadores y otros costos, como el transporte, han estado aumentando. Paralelamente, la lentitud de los aumentos de sueldo en Estados Unidos y las ganancias por rápida productividad han reconfigurado muchas fábricas estadounidenses que, por ende, se han convertido recientemente en competidores más robustos.

Un competidor de este tipo es Element Electronics Inc. con sede en Eden Prairie, Minnesota. En 2012, Element Electronics se convirtió en la única compañía de montaje de televisores en todo Estados Unidos. Todas los partes de sus televisores son importadas. En una misma línea de montaje ubicada en Detroit, Michigan, la empresa produce toda una serie de modelos de pantalla plana que vende Walmart, Target y otros minoristas. Element Electronics tomó la decisión de manufacturar sus productos en EUA para acortar su cadena de suministro y reducir el tiempo de espera de surtido de una orden, de manera que se ha convertido en una compañía con una mejor capacidad de respuesta para sus consumidores estadounidenses. Esto permite a la empresa hacer llegar los productos correctos, de precio correcto, al lugar correcto y en el momento correcto así como a reducir merma y asegurar la calidad de la experiencia del consumidor al estrenar su producto.

La decisión de Element Electronics de ubicar una fábrica en Detroit le permitió aprovechar ciertas ventajas como: acceso a mano de obra calificada y disponible, y eficacia en la distribución gracias a esta ubicación en relación con la población de Estados Unidos. La empresa ha afirmado, por otra parte, que al producir en Detroit en vez de Asia, ha podido evitar el arancel de 5% sobre televisores importados y el costo más alto de envío de los televisores a minoristas estadounidenses. En 2013, la empresa calculó que el ahorro promedio de aranceles era de $27 para cada televisor de 46 pulgadas, cifra que bastaba para contrarrestar la contratación de trabajadores de mayor sueldo de Detroit. Además, la empresa automatizó completamente el ensamblado de sus televisores y así ha podido reducir la cantidad de mano de obra requerida para manufacturar cada televisor.

---

[5] Judith Crown y Glenn Coleman, *No Hands: The Rise and Fall of the Schwinn Bicycle Company, an American Institution*, Nueva York, Henry Hold and Co., 1996, y Jay Pridmore, *Schwinn Bicycles*, Osceola, WI, Motorbooks International, 2002. Vea también Griff Wittee, "A Rough Ride for Schwinn Bicycle", *The Washington Post*, 3 de diciembre de 2004.

Por otro lado, los funcionarios de Element Electronics afirman que la ubicación de la producción en Estados Unidos ha sido también una decisión de carácter emocional. En vez de contribuir a que los empleos se vayan de EUA hacia otros países, querían ser pioneros en el resurgimiento de la creación de empleos de manufactura de calidad en Estados Unidos. Los televisores de Element Electronics se envían en empaques que tienen una colorida bandera roja, blanca y azul en el costado para enfatizar la imagen de "Hecho en EUA". Las cajas también muestran imágenes de trabajadores estadunidenses montando los televisores en la fábrica de Detroit.[6]

FALACIAS COMUNES DEL COMERCIO INTERNACIONAL

A pesar de las evidentes ganancias derivadas del comercio internacional, abundan las ideas erróneas al respecto.[7] Una de ellas es que el comercio es una actividad de suma cero (si uno de los participantes gana, el otro debe perder). De hecho, ocurre justo lo contrario, ambas partes ganan.

Considere el caso del comercio entre Colombia y Canadá. Estos países pueden lograr una producción conjunta más cuantiosa cuando los canadienses suministran gas natural y los colombianos suministran plátano. La producción más cuantiosa hace posible que los colombianos ganen al usar los ingresos de sus exportaciones de plátano para comprar gas natural canadiense. A su vez, los canadienses ganan al usar los ingresos de sus exportaciones de gas natural para comprar plátano colombiano. Así pues, la producción conjunta más grande brinda ganancias para ambos países. De acuerdo con el principio de la ventaja comparativa, si los países se especializan en lo que comparativamente son mejores en producir, importarán productos que sus socios comerciales producen mejor y esto genera ganancias para ambos.

Otra falacia es que las importaciones causan desempleo y actúan como un lastre en la economía, mientras que las exportaciones promueven el crecimiento y el empleo. Esta falacia se produce cuando no se considera correctamente el vínculo entre importaciones y exportaciones. Las importaciones estadunidenses de maquinaria alemana traerán bajas en las ventas, la producción y los empleos en la industria estadunidense de maquinaria. Sin embargo, al incrementarse las ventas de maquinaria alemana a EUA, los alemanes tendrán mayor poder adquisitivo para comprar *software* de computadora estadunidense. Así, la producción y el empleo se incrementarán en la industria estadunidense del *software* de computadora. La carga que sobre la economía estadunidense representa el alza de importaciones de maquinaria tiende a verse compensada por el estímulo que, en la misma economía, genera el alza en las exportaciones de *software*.

Las personas sienten con frecuencia que los aranceles, los impuestos y las demás restricciones a las importaciones redundarán en mayores empleos para los trabajadores nacionales. Al pensar así no se dan cuenta de que toda reducción en las importaciones no ocurre en aislamiento. Cuando se implantan barreras comerciales que restringen la capacidad de los extranjeros para exportarnos sus productos, también se restringe su capacidad para obtener los dólares necesarios para comprar los productos que ellos importan de EUA. Por lo tanto, las restricciones comerciales que reducen el volumen de las importaciones también reducirán el volumen de las exportaciones. Como resultado, los empleos salvados por las barreras a la importación se verán contrarrestados por empleos perdidos debido a la reducción en las exportaciones.

Si los aranceles e impuestos fueran tan beneficiosos, ¿por qué no se utilizan para restringir el comercio al interior de todo EUA? Después de todo, piense en todos los empleos que se pierden cuando, por ejemplo, Wisconsin compra toronjas de Florida, algodón de Alabama, jitomates de Texas y

---

[6] Ashok Bindra, "Element Electronics Brings TV Manufacturing Back to the United States", *TMCNet*, 11 de enero de 2012; "Element Electronics: USA Made TV is Bringing Jobs Back Home", *American Made Insider*, 17 de febrero de 2013; Timothy Aeppel, "Detroit's Wages Take on China's", *The Wall Street Journal*, 23 de mayo de 2012; Matt Roush, "Element Electronics: America Matters", *CBS Detroit*, 11 de enero de 2012.

[7] Esta sección se basa en: James Gwartney y James Carter, *Twelve Myths of International Trade*, U.S. Senate, Joint Economic Committee, junio de 2000, pp. 4-11.

CONFLICTOS COMERCIALES ¿ESTÁ PERDIENDO ESTADOS UNIDOS SU VENTAJA INNOVATIVA?

La próxima vez que se encuentre en una tienda de aparatos electrónicos, levante un iPhone del mostrador. Abra la caja y descubrirá que el dispositivo fue diseñado por Apple Inc. en California. Luego, mire en la parte trasera del iPhone y verá que fuera ensamblado en China.

En el pasado, los Estados Unidos han sido testigos de cómo numerosas industrias abandonan su territorio y se establecen en otros países. Muchas industrias —que incluyen desde los teléfonos inteligentes hasta las turbinas de viento, o desde la tecnología de paneles solares hasta los altamente sofisticados circuitos de computadora—, que nacieron en Estados Unidos, ahora se ubican en otros lugares. Aún más: al abandonar una industria, Estados Unidos podría también estar perdiendo tecnologías que pueden ayudar a desarrollar futuras industrias.

Considere el caso del Kindle de Amazon. En 2007, en un centro de investigación de Silicon Valley, los ingenieros y diseñadores de Amazon desarrollaron el lector electrónico Kindle, un dispositivo que permite a los usuarios descargar y leer periódicos, revistas, libros de texto y otros productos digitales en una pantalla de computadora portátil. Amazon lanzó el Kindle en noviembre de 2007, con un precio de $399 y se había agotado completamente en cinco horas y media; no hubo existencias del dispositivo durante cinco meses, hasta fines de abril del 2008. En 2011 el Kindle se vendía por menos de $140 toda vez que la competencia de otros fabricantes se había intensificado notablemente.

Para producir la tinta electrónica para el Kindle, Amazon se asoció con E-Ink Co., una compañía estadunidense; pero como E-Ink no tenía la tecnología para producir la pantalla de computadora para el Kindle, Amazon tuvo que buscar un socio adicional. Buscó primero en Estados Unidos pero no tuvo éxito porque las compañías estadunidenses carecían de la capacidad y experiencia para producir la pantalla del Kindle. Al final, Amazon recurrió a Prime View, un fabricante taiwanés, para que produjera la pantalla. Poco tiempo después, Prime View compró a E-Ink Co. y trasladó la producción de E-Ink de Estados Unidos a Taiwán. Así pues, aunque la innovación clave del Kindle, su tinta electrónica, había sido inventada en Esta-

dos Unidos, el grueso del valor agregado en la producción del Kindle terminó en manos de los taiwaneses.

Algunos economistas sostienen que los Estados Unidos han estado perdiendo su ventaja de innovación tecnológica porque los fabricantes estadunidenses deciden ubicar su producción en el extranjero. Señalan que la producción es uno de los impulsos clave para la investigación y el desarrollo que son los que genera las invenciones que alimentan el crecimiento económico. Los Estados Unidos no pueden mantener el nivel de crecimiento económico que necesita sin un sector manufacturero fuerte. Según estos economistas, para generar un más fuerte sector manufacturero, los Estados Unidos necesitan políticas públicas que alienten la inversión.

Otros economistas no están de acuerdo: señalan que desde la perspectiva de la competitividad de EUA, todas las tecnologías de punta y las actividades de alto valor agregado siguen quedándose en territorio estadunidense y que Estados Unidos dirige el mundo en cuanto a desarrollo científico y tecnológico. También señalan que el comercio y la ventaja comparativa producen, con el tiempo una evolución en las industrias de un país. En el mercado de los televisores, la manufactura comenzó inicialmente en Estados Unidos, cuando las tecnologías se estandarizaron, la producción de televisores se mudó a países con sueldos y costos de producción muy inferiores y, así, los precios se redujeron para el beneficio de los consumidores.

La economía mundial es dinámica y las empresas que han sobrevivido son las que han sido capaces de transformar su modelos de negocio para enfrentarse a sus competidores. Las empresas estadunidenses seguirán enfrentándose a una fiera competencia cuando los otros países dominen las técnicas de producción de la siguiente generación y se conviertan en expertos en esa innovación. En el capítulo 2, aprenderemos más sobre la subcontratación de la producción y de los empleos en otros países.

Fuente: Andrew Liveris, *Make It In America: The Case for Re-Inventing the Economy*, John Wiley & Sons, Inc., Hoboken, New Jersey, 2011, y James Hagerty, "U.S. Manufacturers Gain Ground," *The Wall Street Journal*, 18 de agosto de 2013.

iStockphoto.com/photosoup

uvas de California. Todos estos productos podrían producirse en Wisconsin, sólo que a un costo más elevado. Es decir, los residentes de Wisconsin encuentran que es menos costoso "importar" estos productos. Wisconsin se beneficia al usar sus recursos para producir y "exportar" leche, cerveza, productos electrónicos y otras mercancías que puede producir con mucha eficiencia. De hecho, la mayoría de las personas reconoce que el libre comercio a todo lo largo y lo ancho de EUA es una fuente importante de prosperidad para cada uno de los estados. Las implicaciones son idénticas para el comercio entre los países. El libre comercio entre los estados de EUA promueve la prosperidad; también, de igual manera, lo hace el libre comercio entre las naciones.

¿ES APLICABLE EL LIBRE COMERCIO A LOS CIGARROS?

Cuando el presidente George W. Bush presionó a Corea del Sur en 2001 para dejar de aplicar un arancel de 40 por ciento a los cigarros extranjeros, los funcionarios de la administración decían que el caso no tenía que ver con asuntos de salud pública. En lugar de eso, se trataba, más bien, de un caso contra el proteccionismo de la industria local de los competidores extranjeros. Sin embargo, los críticos mantenían que nada es tan simple cuando se trata del tabaco. Reconocieron que, como regla, el libre comercio aumenta la competencia, reduce los precios y pone a disposición de los consumidores mejores productos, lo que lleva a un mayor consumo. Por lo general eso es bueno. Sin embargo, en el caso de los cigarros, el resultado es que se fume más y, por ende, haya más enfermedades y muertes.

A nivel mundial unos 4 millones de personas mueren cada año a causa de cáncer pulmonar, enfisema y otras enfermedades relacionadas con el tabaquismo, lo que hace que los cigarros sean la causa más grande de muerte prevenible. Para 2030, el número anual de fallecimientos podría llegar a los 10 millones, de acuerdo con la Organización Mundial de la Salud. Eso hace que los activistas en contra del tabaquismo y hasta algunos economistas afirmen que los cigarros no son bienes normales, sino que de hecho son "malos bienes" que requieren su propio tipo de regulaciones. Afirman que los beneficios del libre comercio no aplican a los cigarros: deberían ser tratados como una excepción a las reglas comerciales.

Este punto de vista encuentra adeptos en algunos gobiernos. En conversaciones recientes de la Organización Mundial de la Salud con miras a un tratado global de control del tabaco, varios países expresaron su apoyo a provisiones que fortalezcan medidas de antitabaquismo por encima de las reglas del libre comercio. Sin embargo, Estados Unidos se opuso a tales medidas. De hecho, la nación norteamericana, que al interior ha demandado a las compañías tabacaleras por falsear los riesgos a la salud de los cigarros, promueve siempre un comercio más libre para este producto. Por ejemplo, el presidente Bill Clinton puso a China por condición una fuerte reducción en sus aranceles (incluidos los del tabaco) a cambio de recibir el respaldo de Estados Unidos para ingresar a la Organización Mundial de Comercio. Tales acciones, en combinación con los acuerdos de libre comercio que han reducido los aranceles y otras barreras al comercio, han estimulado las ventas internacionales de cigarros.

Estados Unidos, primero durante la administración del presidente Clinton y luego durante la del presidente Bush, ha desafiado medidas que fueron implementadas para favorecer a los productores locales de cigarros, mas no medidas de carácter no discriminatorio que busquen proteger la salud pública. Así, de acuerdo con sus funcionarios de comercio, Estados Unidos se opuso a la decisión de Corea del Sur de aplicar un arancel de 40 por ciento en los cigarros importados, porque era una política diseñada no para proteger la salud y seguridad de la población coreana sino más bien una política discriminatoria que buscaba proteger a los productores locales. Sin embargo, los activistas contra el tabaquismo mantienen que ésta es una falsa distinción: cualquier cosa que haga que los cigarros estén más fácilmente disponibles y a un menor precio es dañina para la salud pública. Naturalmente, los productores de cigarros se oponen a las limitaciones al comercio internacional del tabaco; mantienen que no hay fundamentos suficientes para crear, en el caso del tabaco, nuevas regulaciones que debiliten el principio del comercio abierto que protege la Organización Mundial de Comercio.

Las compañías de tabaco argumentan que si bien las reglas comerciales actuales permiten a los países tomar medidas para proteger la salud y seguridad de sus ciudadanos, estas reglas también establecen que todos los productos deben ser tratados de la misma manera. Por ejemplo, una comisión de disputa comercial notificó a Tailandia que, aunque no podía prohibir los cigarros extranjeros, sí podía prohibir los anuncios publicitarios tanto para los cigarros nacionales como para los extranjeros. Pero los activistas que abogan por el control del tabaco se preocupan de que las reglas comerciales pueden ser usadas para impedir que los gobiernos apliquen medidas antitabaco. Su argumento es que los productos especiales requieren de reglas especiales, señalan el caso de los químicos peligrosos y de las armas (productos que ya se encuentran fuera de las políticas comerciales regulares). El cigarro mata a más personas cada año que el SIDA. Los activistas creen que es tiempo de que, también en el caso del tabaco, las cuestiones de salud pública se conviertan en el argumento de primer orden.

¿ES EL COMERCIO INTERNACIONAL UNA OPORTUNIDAD O UNA AMENAZA PARA LOS TRABAJADORES?

- Tom vive en Chippewa Falls, Wisconsin. Su anterior empleo como contador para una compañía de calzado, donde estuvo empleado durante muchos años, era inseguro. Aunque ganaba 100 dólares al día, las promesas de promociones nunca se hicieron realidad y eventualmente la empresa quedó en bancarrota, ya que las importaciones baratas de México produjeron una caída en los precios de los zapatos. Entonces Tom acudió a una universidad local, obtuvo un título en sistemas de información gerencial y fue contratado por una compañía de herramientas de maquinaria que exporta a México. Ahora tiene una vida económicamente más desahogada, aun después de hacer los pagos mensuales de su préstamo estudiantil subsidiado por el gobierno.

- Rosa y su familia recién se mudaron del sur de México, donde trabajaban en el campo, a la frontera norte del país. Ella ahora trabaja para una compañía de electrónica, propiedad de estadunidenses, que exporta a Estados Unidos. Su esposo, José, tiene un taller de servicio de mantenimiento y en ocasiones cruza la frontera para trabajar de manera ilegal en California. Rosa, José y su hija han mejorado su nivel de vida desde que dejaron la agricultura. Sin embargo, el salario de Rosa no ha aumentado en el último año, ella aún gana unos 3 dólares por hora sin ningun aumento visible a futuro.

Los trabajadores en todo el mundo viven cada vez más vidas entrelazadas. La mayor parte de la población mundial ahora vive en países que ya se están integrando a los mercados mundiales de productos y finanzas o que se están integrando con rapidez. ¿Es mejor la situación de los trabajadores como resultado de estas tendencias de globalización? En los periódicos a menudo se publican historias sobre trabajadores que resultan perdedores a causa del comercio internacional: por ejemplo, la forma en que Tom perdió su empleo debido a la competencia de los mexicanos pobres; pero Tom en la actualidad tiene un mejor empleo y la economía estadunidense se beneficia de las exportaciones de su empresa a México. Fabricar productos para la exportación ha llevado a una mejora en el nivel de vida de Rosa, y su hija puede esperar un mejor futuro. José espera con ilusión el día en que ya no tenga que viajar de manera ilegal a California.

El comercio internacional beneficia a muchos trabajadores. Les permite comprar los productos de consumo más baratos y facilita que los empleadores adquieran las tecnologías y equipo que mejor complementen las habilidades de sus trabajadores. El comercio también permite que los trabajadores se vuelvan más productivos conforme los productos que fabrican aumentan su valor. Es más, fabricar productos para exportación genera empleos e ingresos para los trabajadores nacionales. Los trabajadores en las industrias de exportación aprecian los beneficios de un sistema de comercio abierto.

Ahora bien, no todos los trabajadores ganan con el comercio internacional. El sistema de comercio mundial, por ejemplo, ha sido atacado por algunos grupos en los países industriales donde el desempleo creciente y las desigualdades salariales han hecho que las personas estén seriamente consternadas por su futuro. Algunos trabajadores en los países industriales viven amenazados con perder sus puestos de trabajo debido a las exportaciones baratas fabricadas por trabajadores extranjeros que reciben salarios inferiores. Otros se preocupan porque las empresas podrían reubicarse en el extranjero en busca de salarios bajos y normas ambientales más flexibles o temen que grupos de migrantes pobres se presenten en la acera principal de su empresa y se ofrezcan para hacer el mismo trabajo por salarios más bajos. El comercio con los países en desarrollo de salarios bajos resulta particularmente amenazador para los trabajadores no capacitados en los sectores de los países industriales en los que hay nueva competencia por las importaciones.

Conforme una economía se abre al comercio internacional, los precios nacionales se alinean más con los precios internacionales; los salarios tienden a aumentar para los trabajadores cuyas habilidades son más escasas internacionalmente que en la región local y a disminuir para los trabajadores que enfrentan una mayor competencia de los trabajadores extranjeros. A medida que las economías de los países extranjeros se abren al comercio, la escasez relativa de diversas habilidades en el mercado mundial cambia aún más y daña a los países con abundancia de trabajadores que tienen las habilidades que son menos escasas. El aumento en la competencia también sugiere que, a menos que los países igualen las ganancias de productividad de sus competidores, los salarios de sus trabajadores se deteriorarán. No es de sorprender que los trabajadores de industrias que compiten en importaciones con frecuencia aboguen por restricciones a la importación de productos para neutralizar la amenaza de la competencia extranjera. Las frases del tipo de: "compre productos de Estados Unidos" y "los productos estadunidenses crean empleos estadunidenses" se han vuelto verdaderas consignas entre muchos trabajadores de Estados Unidos.

Sin embargo, tenga en mente que lo que es cierto para algunos no es necesariamente cierto para todos. Es totalmente cierto que las importaciones de acero o automóviles pueden eliminar empleos estadunidenses del mismo ramo, pero no es cierto que las importaciones disminuyan el número total de empleos en un país. Un aumento grande en las importaciones de EUA inevitablemente llevará a un aumento en sus exportaciones o en la inversión extranjera en Estados Unidos. En otras palabras, si los estadunidenses de pronto quisieran más automóviles europeos, al final las exportaciones estadunidenses se tendrían que incrementar para pagar por esos productos. Los empleos perdidos en una industria siempre significan nuevos empleos en otra industria. El efecto a largo plazo de las barreras comerciales, por tanto, no es aumentar el empleo nacional total, sino en el mejor de los casos, reubicar a los trabajadores lejos de las industrias eficientes de exportación y dirigirlos hacia las industrias menos eficientes que compiten en importaciones. Esta reubicación lleva a un uso menos eficiente de los recursos.

En términos sencillos, el comercio internacional es sólo otro tipo de tecnología. Piense en la forma en que una máquina suma valor a sus insumos. En Estados Unidos el comercio es la máquina que convierte el software de cómputo y lo que Estados Unidos hace muy bien, en aparatos para reproducir CD, pelotas de béisbol y otras cosas que también quiere, pero que no hace tan bien. El comercio internacional hace esto produciendo una ganancia neta para la economía como un todo. Si alguien inventara un aparato que pudiera hacer esto, sería considerado un milagro. Por fortuna, se ha desarrollado el comercio internacional.

Si el comercio internacional presiona los salarios de los menos capaces, también lo hace el avance de la tecnología, y a mayor nivel. "Sí —usted podría decir—, pero gravar el progreso tecnológico o poner restricciones a la inversión que asegura empleos sería absurdo: eso sólo empeoraría todo." De hecho, así sería y exactamente lo mismo sucede con el comercio internacional, ya sea que se trate de gravar esta tecnología superior (por medio de aranceles) o excesivamente regulada (en la forma de esfuerzos internacionales para armonizar los estándares de trabajo).

Esto no es algo fácil de explicar a los trabajadores estadunidenses de la industria textil que compiten con los trabajadores de salarios bajos de China, Malasia, etc. Sin embargo, los acuerdos de libre comercio se alcanzarán con mayor facilidad si aquellos que pueden resultar perdedores por el nuevo comercio fueran ayudados por el resto, que resultan ganadores gracias a esa nueva actividad comercial.

REACCIÓN VIOLENTA CONTRA LA GLOBALIZACIÓN

Quienes proponen el libre comercio y la globalización subrayan cómo han ayudado a Estados Unidos y a otros países a prosperar. Las fronteras abiertas permiten que las nuevas ideas y tecnología fluyan con libertad por todo el mundo, impulsan el crecimiento de la productividad y aumentan los estándares de vida. Es más, el incremento en el comercio ayuda a restringir los precios al consumidor, así que es menos probable que la inflación afecte el crecimiento económico. Sin comercio, los consumidores de café en Estados Unidos pagarían precios mucho más altos, porque el suministro de la nación dependería sólo de Hawai y Puerto Rico.

Los críticos de la globalización mantienen que las políticas estadunidenses benefician sobre todo a las grandes corporaciones y casi no al ciudadano promedio, de Estados Unidos o de cualquier otro país. Los ambientalistas argumentan que las organizaciones de comercio elitistas, como la Organización Mundial de Comercio, toman decisiones no democráticas que minan la soberanía nacional en las regulaciones ambientales. También los sindicatos mantienen que el comercio sin restricciones permite una competencia injusta de los países que carecen de normas laborales. Más aún, los activistas de los derechos humanos afirman que el Banco Mundial y el Fondo Monetario Internacional respaldan a los gobiernos que permiten lugares de trabajo explotadores y esclavizantes y que implementan políticas que sacan de apuros a los funcionarios públicos a costa de las economías locales. En términos sencillos, una sensación molesta de injusticia y frustración ha surgido en torno a las políticas comerciales que ignoran la preocupación por el medio ambiente, a los trabajadores estadunidenses o los estándares de trabajo internacionales.

Los aspectos no económicos de la globalización son al menos tan importantes para moldear el debate internacional como lo son los aspectos económicos. Muchos de quienes objetan contra la globalización resienten el dominio político y militar de Estados Unidos y también resienten la influencia de la cultura extranjera (principalmente estadunidense) que, como la ven, socava las culturas nacionales y locales.

Las encuestas de opinión pública han demostrado que muchos estadunidenses están conscientes tanto de los beneficios como de los costos de la interdependencia con la economía mundial, pero consideran que los costos son mayores que los beneficios. Los trabajadores menos capacitados tienden a oponerse a un comercio más libre y a la inmigración más que sus homólogos capacitados que tienen mayor movilidad de trabajo. Si bien la preocupación sobre el efecto que la globalización puede tener en el medio ambiente, en los derechos humanos y en otros asuntos son parte importante del debate político en torno a la globalización, en realidad, en Estados Unidos, la relación entre políticas de liberalización e intereses de trabajadores es lo que ha determinado fundamentalmente la reacción violenta que se ha dado contra el liberalismo.

Algunos críticos señalan que los ataques terroristas del 11 de septiembre de 2001 en Estados Unidos son un ejemplo de lo que puede ocurrir cuando la globalización hace caso omiso de la gente pobre del mundo. El ataque terrorista resultó en la trágica pérdida de miles de vidas. También fue un duro golpe para la edad dorada de prosperidad norteamericana y su promesa de crecimiento mundial que había prevalecido durante la década de 1990. Debido a la amenaza del terrorismo, los estadunidenses se muestran cada vez más alarmados por su seguridad y por sus medios de subsistencia. En la tabla 1.6, se resumen algunas ventajas y desventajas de la globalización.

La manera de reducir el temor a la globalización consiste en ayudar a las personas a desplazarse hacia empleos diferentes conforme la ventaja comparativa se desplaza rápidamente de una actividad a la siguiente. Este proceso implica la necesidad de un mercado laboral más flexible y un sistema de regulaciones que promueva la inversión; implica también un sistema educativo que brinde a las

TABLA 1.6

Ventajas y desventajas de la globalización

Ventajas	Desventajas
La productividad incrementa con más rapidez cuando los países fabrican productos y servicios en los que tienen una ventaja comparativa. Los estándares de vida se incrementan más rápidamente.	Millones de estadunidenses han perdido su empleo debido a las importaciones o a la reubicación de la producción en el extranjero. La mayoría encuentra nuevos empleos con un menor salario.
La competencia global y las importaciones de bajo costo mantienen una restricción en los precios, así es menos probable que la inflación altere el crecimiento económico.	Millones de estadunidenses temen ser despedidos, en especial quienes están en empresas que pertenecen a industrias que compiten con importaciones.
Una economía abierta promueve el desarrollo tecnológico y la innovación, con ideas frescas del extranjero.	Los trabajadores se enfrentan a exigencias de concesiones en los salarios por parte de sus empleadores, quienes, con frecuencia, amenazan con exportar los puestos de trabajo si no se aceptan esas concesiones laborales.
Los trabajos en las industrias de exportación tienden a pagar 15 por ciento más que los trabajos en las industrias que compiten con importaciones.	Además de los puestos de obreros, gradualmente los empleos administrativos y de servicios son también vulnerables a que sus operaciones sean reubicadas en el extranjero.
Los movimientos irrestrictos de capital proporcionan a Estados Unidos acceso a la inversión extranjera y mantienen tasas de interés bajas.	Los empleados estadunidenses pueden perder su competitividad cuando las empresas construyen fábricas muy modernas en países de salarios bajos, que se vuelven tan productivas como las que están en Estados Unidos.

Fuente: "Backlash Behind the Anxiety over Globalization", *BusinessWeek*, 24 de abril de 2000, p. 41.

personas las habilidades para volverse más móviles. También implica deslindar los seguros médicos y las pensiones del empleo, para que cuando usted se tenga que cambiar a un trabajo nuevo, no corra el riesgo de perderlo todo. Para aquellos que pierden su empleo, implica fortalecer las políticas de capacitación para ayudarles a encontrar trabajo. Estas actividades son costosas y puede tomar años hacer que funcionen, pero una economía que encuentra que su ingreso nacional aumenta debido a la globalización puede también encontrar con mayor facilidad el dinero para pagarlas.

EL PLAN DE ESTE LIBRO

En este libro se examina el funcionamiento de la economía internacional. Aunque enfatiza los principios teóricos que regulan el comercio internacional, también da una cobertura considerable de muestras empíricas de los patrones comerciales mundiales y de las políticas comerciales tanto de los países industrializados como de los países en desarrollo. El libro se divide en dos partes. En la Primera Parte, se analiza el comercio internacional y las políticas comerciales; en la Segunda Parte, se discute con detalle la balanza de pagos y su ajuste.

En los capítulos 2 y 3, se analiza la teoría de la ventaja comparativa, así como las consecuencias teóricas y las muestras empíricas de este modelo. A este tema, le sigue un tratamiento detallado de los aranceles, las barreras comerciales no arancelarias y las políticas comerciales contemporáneas de Estados Unidos en los capítulos 4 a 6. Los capítulos 7 a 9, completan la primera parte de la obra con un análisis de las políticas comerciales de los países en desarrollo, los acuerdos comerciales regionales y los movimientos de factores internacionales.

El análisis de las relaciones financieras internacionales comienza con una visión general de la balanza de pagos, el mercado cambiario extranjero y la determinación del tipo de cambio, en los capítulos 10 a 12. El ajuste de la balanza de pagos bajo los regímenes de tipos de cambio alternos se analiza en los capítulos 13 a 15. En el capítulo 16, se considera la política macroeconómica en una economía abierta y en el 17, se analiza el sistema bancario internacional.

RESUMEN

1. Después de la Segunda Guerra Mundial las economías del mundo se han vuelto cada vez más interdependientes en cuanto al movimiento de los productos y los servicios, las empresas de negocios, el capital y la tecnología.

2. Estados Unidos ha visto una creciente interdependencia con el resto del mundo en el sector comercial, en los mercados financieros, en cuanto a la propiedad de plantas de producción y en cuanto a la fuerza de trabajo.

3. Debido en gran medida a la inmensidad y a la amplia diversidad de su economía, Estados Unidos se mantiene entre los países para los que las exportaciones constituyen una pequeña fracción de la producción nacional.

4. Quienes proponen un sistema comercial abierto afirman que el comercio internacional genera mayores niveles de consumo e inversión, precios más bajos de los productos y una gama más amplia de alternativas de productos para los consumidores. Los argumentos contra el libre comercio tienden a expresarse en periodos de capacidad excesiva de producción y alto desempleo.

5. La competitividad internacional puede analizarse en términos de una empresa, una industria y una nación. La clave para el concepto de competitividad es la productividad o la producción por hora del trabajador.

6. Los investigadores han demostrado que la exposición a la competencia con el líder mundial en una industria mejora el desempeño de la empresa en esa industria. La competitividad global es un poco como los deportes: mejoras al jugar con personas mejores que tú.

7. Aunque el comercio internacional ayuda a los trabajadores en las industrias de exportación, los trabajadores en las industrias que compiten con las importaciones sienten la amenaza de la competencia extranjera. Con frecuencia ven sus puestos y niveles salariales afectados por la mano de obra barata extranjera.

8. Entre los desafíos más apremiantes que enfrenta el sistema de comercio internacional está la implementación de normas laborales justas y el cuidado del medio ambiente.

CONCEPTOS Y TÉRMINOS CLAVE

Grado de apertura (p. 9)

Economías de aglomeración (p.5)

Globalización (p. 2)

Interdependencia económica (p. 1)

Ley de la ventaja comparativa (p. 13)

PREGUNTAS PARA ANÁLISIS

1. ¿Qué factores explican por qué los países con comercio mundial se han vuelto cada vez más interdependientes, desde un punto de vista económico y político tras la Segunda Guerra Mundial?
2. ¿Cuáles son los principales argumentos a favor y en contra de un sistema de comercio abierto?
3. ¿Qué importancia tiene la interdependencia económica creciente para un país como Estados Unidos?
4. ¿Qué factores influyen en la tasa de crecimiento del volumen del comercio mundial?
5. Identifique las falacias más importantes del comercio internacional.
6. ¿Qué significa competitividad internacional? ¿Cómo aplica este concepto a una empresa, una industria y una nación?
7. ¿Qué han descubierto los investigadores acerca de la relación entre la productividad de una empresa y su exposición a la competencia global?
8. ¿Cuándo es el comercio internacional una oportunidad para los trabajadores? ¿Cuándo resulta una amenaza?
9. Identifique algunos de los principales desafíos que confronta el sistema de comercio internacional.
10. ¿Qué problemas plantea el terrorismo para la globalización?

PRIMERA PARTE

Relaciones de comercio internacional

1

Fundamentos de la teoría moderna del comercio: ventaja comparativa

En el capítulo anterior se analizó la importancia del comercio internacional. En éste se da respuesta a las siguientes preguntas: *1)* ¿Qué constituye la **base del comercio**?, es decir: ¿por qué las naciones exportan e importan ciertos productos? *2)* ¿En qué **términos de intercambio** se comercian los productos en el mercado mundial? *3)* ¿Cuáles son las **ganancias del comercio internacional** en términos de producción y consumo? En este capítulo se abordan estas preguntas primero a través de un resumen del desarrollo histórico de la teoría moderna del comercio y luego mediante la presentación de los principios teóricos contemporáneos utilizados para analizar los efectos del comercio internacional.

DESARROLLO HISTÓRICO DE LA TEORÍA MODERNA DEL COMERCIO

La teoría moderna del comercio es el fruto de la evolución de ideas del pensamiento económico: en particular, de los escritos de los mercantilistas y, más adelante, de los economistas clásicos, Adam Smith, David Ricardo y John Stuart Mill, que resultan fundamentales para proporcionar el marco de referencia de la teoría moderna del comercio.

Los mercantilistas

Durante el periodo de 1500-1800, apareció en Europa un grupo de escritores preocupados por el proceso de construcción de la nación. De acuerdo con los **mercantilistas**, la pregunta central era cómo una nación podía regular sus asuntos internos e internacionales con el fin de promover sus intereses. La solución residía en un fuerte sector del comercio exterior. Si un país podía lograr una *balanza comercial favorable* (un excedente de exportaciones sobre las importaciones) obtendría pagos netos recibidos del resto del mundo en forma de oro y plata. Esos ingresos contribuirían a un mayor gasto y a un aumento en la producción nacional y el empleo. Para promover una balanza comercial favorable, los mercantilistas abogaron por una regulación gubernamental del comercio. Propusieron aranceles, cuotas y otras políticas comerciales para minimizar las importaciones con el fin de proteger la posición comercial de una nación.[1]

---

[1] Vea E. A. J. Johnson, *Predecessors of Adam Smith*, Nueva York, Prentice-Hall, 1937.

En el siglo XVIII las políticas económicas de los mercantilistas se hallaron bajo fuertes ataques. De acuerdo con la **doctrina del flujo de mercancías-precios** de David Hume, una balanza comercial favorable era posible sólo a corto plazo, ya que con el tiempo se eliminaría de forma automática. Para ilustrar esta doctrina, suponga que Inglaterra fuera a alcanzar un excedente comercial que resultara en un flujo de entrada de oro y plata. Como estos metales preciosos constituirían parte de la oferta de dinero de Inglaterra, su entrada incrementaría la cantidad de dinero en circulación. Esto llevaría a un aumento en el nivel de precios de este país en comparación con el de sus socios comerciales. Por tanto, los residentes británicos se sentirían animados a comprar productos hechos en el extranjero, mientras que las exportaciones británicas declinarían. Como resultado, el excedente comercial del país eventualmente sería eliminado. Así, el mecanismo de flujo de mercancía-precio demuestra que las políticas mercantilistas proporcionan, en el mejor de los casos, sólo ventajas económicas a corto plazo.[2]

Los mercantilistas también fueron atacados por su *punto de vista estático* de la economía mundial. Para ellos, la riqueza del mundo era fija. Esto significaba que las ganancias por el comercio de una nación sólo se daban a costa de sus socios comerciales; no todas las naciones podían disfrutar, de forma simultánea, de los beneficios del comercio internacional. Este punto de vista fue desafiado en 1776 por la publicación de *La riqueza de las naciones* de Adam Smith. De acuerdo con Smith (1723-1790), la riqueza del mundo no es una cantidad fija. El comercio internacional permite a las naciones aprovechar la especialización y la división del trabajo que aumentan el nivel general de productividad dentro de un país y, por tanto, incrementan la producción mundial (riqueza). El punto de vista dinámico de Smith acerca del comercio sugirió que *ambos* socios comerciales podrían disfrutar al mismo tiempo de mayores niveles de producción y consumo con el comercio. La teoría comercial de Smith se explica con mayor detalle en la siguiente sección.

Aunque los fundamentos del mercantilismo han sido refutados, el mercantilismo aún vive hoy en día. Sin embargo, ahora enfatiza el empleo más que las reservas de oro y plata. Los neomercantilistas afirman que las exportaciones son benéficas porque generan empleos para los trabajadores nacionales, mientras que las importaciones son malas porque quitan los empleos de los trabajadores nacionales para darlos a los trabajadores extranjeros. Por tanto, el comercio se considera una actividad de suma cero, en la que un país debe perder para que el otro gane. No hay un reconocimiento de que el comercio pueda brindar beneficios a todos los países (incluyendo múltiples beneficios en el empleo conforme aumenta la prosperidad en todo el mundo).

Por qué comercian las naciones: la ventaja absoluta

Adam Smith, un economista clásico, fue siempre un destacado defensor del libre comercio (mercados abiertos) bajo el argumento de que promovía la división internacional del trabajo. Con el libre comercio las naciones podían concentrar su producción en los productos que podían hacer de forma más económica, con todos los beneficios consecuentes de esta división del trabajo.

Al aceptar la idea de que las *diferencias de costos* gobiernan el movimiento internacional de productos, Smith intentó explicar por qué los costos difieren entre las naciones. Sostuvo que las *productividades* de los insumos representan el principal determinante del costo de la producción. Dichas productividades se sustentan en ventajas naturales y adquiridas. Las primeras incluyen factores relacionados con el clima, la tierra y la riqueza mineral, mientras que las segundas incluyen las habilidades y técnicas especiales. Dada una ventaja natural o adquirida en la fabricación de un producto, Smith razonaba que una nación fabricaría ese producto a un costo menor y así se volvería más competitiva que su socio comercial. Smith visualizó la determinación de la competitividad desde el *lado de la oferta* del mercado.[3]

El concepto de Smith del costo se fundaba en la **teoría del valor del trabajo**, que asume que dentro de cada nación el trabajo es el único factor de producción y es homogéneo (de una sola calidad)

---

[2] David Hume, "Of Money", Essays, vol. 1, Green and Co., Londres, 1912, p. 319. Los escritos de Hume también están disponibles en: Eugene Rotwein, The Economic Writings of David Hume, Edimburgo, Nelson, 1955.
[3] Adam Smith, The Wealth of Nations, Nueva York, Modern Library, 1937, pp. 424-426.

y el costo o precio de un producto depende exclusivamente de la cantidad de trabajo requerida para fabricarlo. Por ejemplo, si Estados Unidos utiliza menos trabajo para fabricar una yarda de tela que el Reino Unido, entonces el costo de producción de Estados Unidos será menor.

El principio comercial de Smith era el **principio de la ventaja absoluta**: en un mundo de dos naciones y dos productos, la especialización internacional y el comercio serían benéficos cuando una nación tenga una ventaja de costo absoluta (es decir, utilice menos trabajo para fabricar una unidad de producción) en un producto y la otra nación tenga una ventaja de costo absoluta en el otro producto. Para que el mundo se beneficie de la especialización, cada nación debe tener un producto en el que sea absolutamente más eficiente en su producción que su socio comercial. Una nación *importará* los productos en los que tenga una *desventaja* de costo absoluta y *exportará* los productos en los que tenga una *ventaja* de costo absoluta.

Un ejemplo aritmético ayuda a ilustrar el principio de la ventaja absoluta. Observe la tabla 2.1 y suponga que los trabajadores en Estados Unidos pueden producir 5 botellas de vino ó 20 yardas de tela en una hora, mientras que los trabajadores del Reino Unido pueden producir 15 botellas de vino ó 10 yardas de tela en una hora. Es claro que Estados Unidos tiene una ventaja absoluta en la producción de tela; la productividad de sus trabajadores de tela (producción por hora del trabajador) es más alta que la del Reino Unido, lo que lleva a costos menores (menos trabajo requerido para producir una yarda de tela). De igual manera, el Reino Unido tiene una ventaja absoluta en la producción de vino.

De acuerdo con Smith, cada nación se beneficia al especializarse en la producción del producto que elabora a un costo menor que la otra nación, mientras que importa el producto que fabrica a un costo mayor. Como el mundo utiliza sus recursos de forma más eficiente, como resultado de la especialización, ocurre un aumento en la producción mundial que se distribuye entre las dos naciones a través del comercio. Todas las naciones se pueden beneficiar del comercio, de acuerdo con Smith.

Los escritos de Smith establecieron una defensa del libre comercio que sigue siendo influyente en la actualidad. Según Smith, el libre comercio aumentaría la competencia en el mercado interno y reduciría el poder de mercado de las empresas locales debido a la disminución en su capacidad de tomar ventaja de los consumidores mediante el cobro de precios altos un mal servicio al cliente. Además, el país se beneficiaría con la exportación de bienes que deseados en el mercado mundial a cambio de importaciones que resultarían baratas en el mercado mundial. Smith sostiene que la riqueza de una nación depende de esta división del trabajo que está limitada por la extensión del mercado. Las economías más pequeñas y aisladas no pueden soportar el grado de especialización necesario para aumentar significativamente la productividad y reducir los costos, y por lo tanto tienden a ser relativamente pobres. El libre comercio permite a los países, especialmente a los más pequeños, disfrutar más plenamente las ventajas de la división del trabajo, logrando así mayores niveles de productividad y de ingresos reales.

Por qué comercian las naciones: ventaja comparativa

En el año de 1800, un adinerado hombre de negocios londinense llamado David Ricardo (1772-1823) leyó, como por accidente, mientras estaba de vacaciones, *La riqueza de las naciones* de

TABLA 2.1

Un caso de ventaja absoluta cuando cada nación es más eficiente en la fabricación de un producto

Posibilidades de producción mundial en ausencia de especialización

Nación	PRODUCCIÓN POR HORA DE TRABAJO	
	Vino	Tela
Estados Unidos	5 botellas	20 yardas
Reino Unido	15 botellas	10 yardas

CONFLICTOS COMERCIALES DAVID RICARDO

David Ricardo (1772-1823) fue el principal economista británico de principios de comienzos del siglo xix. Ayudó a desarrollar las teorías de la *economía clásica*, que enfatizan la libertad económica a través del libre comercio y la competencia. Ricardo fue un exitoso financiero, especulador y hombre de negocios que amasó una considerable fortuna.

Ricardo fue el tercero de 17 hijos y nació en una acaudalada familia judía en la que su padre era banquero mercantil. Primero vivieron en Holanda y luego se mudaron a Londres. Al tener poca educación formal y no haber asistido nunca a la universidad, Ricardo empezó a trabajar para su padre a la edad de 14 años. Cuando tenía 21, se casó con una cuáquera en contra de la voluntad de sus padres. Después de que su familia lo desheredó por casarse fuera de la fe judía, Ricardo se convirtió en corredor de bolsa y de préstamos. Tuvo mucho éxito en los negocios y pudo retirarse a los 42 años, acumuló bienes por un valor superior a los 100 millones de dólares en valor actual. Después de su retiro, compró una hacienda y se estableció como un caballero hacendado. En 1819 compró un asiento en el Parlamento Británico y mantuvo el puesto hasta el año de su muerte en 1823. Como miembro del Parlamento abogó por la derogación de las *Corn Laws* (*Leyes del grano*) que establecían barreras comerciales para proteger a los terratenientes británicos productores de grano de la competencia extranjera. Sin embargo, no pudo hacer que el Parlamento aboliera la ley, que duró hasta su revocación en 1846.

El interés de Ricardo en la economía se inspiró por una lectura accidental de *La riqueza de las naciones* de Adam Smith cuando estaba por cumplir treinta años. Por insistencia de sus amigos, Ricardo comenzó a escribir artículos periodísticos sobre temas económicos. En 1817 publicó su innovador *Principios de economía política y tributación* que estableció la teoría de la ventaja comparativa como se analiza en este capítulo.

Al igual que Adam Smith, Ricardo fue defensor del libre comercio y oponente del proteccionismo. Creía que el proteccionismo llevaba a los países al estancamiento económico. Sin embargo, confiaba menos que Smith en la capacidad de una economía de mercado para beneficiar a la sociedad. En lugar de eso, sentía que la economía tiende a moverse hacia un punto muerto. Sin embargo, afirmaba que si el gobierno se entrometía con la economía, el resultado sería sólo un mayor estancamiento económico.

Las ideas de Ricardo influyeron enormemente a otros economistas. Su teoría de la ventaja comparativa ha sido una piedra angular de la teoría del comercio internacional durante casi 200 años y ha influido a generaciones enteras de economistas, convenciéndolos de que el proteccionismo es malo para cualquier economía.

Fuente: Mark Blaug, Ricardian Economies, New Haven, CT, Yale University Press, 1958; Samuel Hollander, The Economics of David Ricardo, Cambridge, Cambridge University Press, 1993 y Robert Heilbronner, The Worldly Philosophers, Nueva York, Simon and Schuster, 1961.

Adam Smith y la lectura despertó su interés. Ricardo estaba de acuerdo con el espíritu persuasivo de los argumentos de Adam Smith en favor del libre comercio, pero consideraba que su análisis ameritaba mayores precisiones. De acuerdo con Smith, el comercio mutuamente benéfico requiere que cada nación sea el *productor de menor costo* de al menos un producto que pueda exportar a su socio comercial, pero ¿qué pasa si una nación es más eficiente que su socio comercial en la producción de *todos* los productos? Insatisfecho con la falta de discusión de esta suposición en la teoría de Smith, Ricardo desarrolló un principio para mostrar que el comercio mutuamente benéfico puede ocurrir ya sea que los países tengan o no una ventaja absoluta. La teoría de Ricardo se conocería posteriormente como el **principio de la ventaja comparativa**.[4]

Al igual que Smith, Ricardo enfatizó el lado de la oferta del mercado. La base inmediata para el comercio se derivaba de las diferencias de costos entre las naciones, causadas por sus ventajas naturales y adquiridas. No obstante, a diferencia de Smith, quien subrayaba la importancia de las diferencias de costo absolutas entre las naciones, Ricardo subrayó las diferencias de costo *comparativas* (relativas).

---

[4] David Ricardo, *The Principles of Political Economy and Taxation*, Londres, Cambridge University Press, 1966, capítulo 7, originalmente publicado en 1817.

TABLA 2.2	
Ejemplos de ventajas comparativas en el comercio internacional	
País	**Producto**
Canadá	Madera
Israel	Cítricos
Italia	Vino
Jamaica	Aluminio
México	Jitomates
Arabia Saudita	Petróleo
China	Textiles
Japón	Automóviles
Corea del Sur	Acero, barcos
Suiza	Relojes
Reino Unido	Servicios financieros

Es un hecho que los países con frecuencia desarrollan ventajas comparativas, como se muestra en la tabla 2.2.

Con base en la ventaja comparativa de Ricardo, aun cuando una nación tiene una desventaja de costo absoluta en la producción de *ambos* productos, todavía puede existir una base para un comercio de mutuo beneficio. La nación *menos eficiente* debe especializarse en el producto en el que es relativamente menos ineficiente y exportarlo (es decir, el producto en el que su desventaja absoluta sea menor). La nación *más eficiente* debe especializarse en el producto en el que es relativamente más eficiente y exportar (es decir, el producto en el que su ventaja absoluta sea mayor).

Para demostrar el principio de la ventaja comparativa, Ricardo elaboró un modelo simplificado con base en los siguientes *supuestos*:

1. El mundo consiste en dos naciones, cada una utiliza un solo insumo para fabricar dos productos.
2. En cada nación el trabajo es el único insumo (la teoría del valor-trabajo). Cada nación tiene una dotación fija de trabajo y éste se emplea por completo y de forma homogénea.
3. El trabajo se puede mover con libertad entre las industrias dentro de una nación pero es incapaz de moverse entre las naciones.
4. El nivel de tecnología es fijo para ambas naciones. Diferentes naciones pueden utilizar distintas tecnologías, pero todas las empresas dentro de cada nación utilizan un método de producción común para cada producto.
5. Los costos no varían con el nivel de producción y son proporcionales a la cantidad de trabajo empleado.
6. La competencia perfecta prevalece en todos los mercados. Como ningún productor o consumidor es lo suficientemente grande para influir en el mercado, todos son tomadores de precio. La calidad del producto no varía entre las naciones, es decir, todas las unidades de cada producto son idénticas. Hay entrada y salida libre de la industria y el precio de cada producto es igual al costo marginal de fabricación del producto.
7. El libre comercio ocurre entre las naciones; es decir, no existen barreras gubernamentales al comercio.
8. Los costos de transportación equivalen a cero; por lo tanto, los consumidores no tendrán una preferencia previa entre la versión del producto producida de nacionalmente o la versión importada de un producto porque los precios nacionales de ambos productos son idénticos.
9. Las empresas toman decisiones de producción que buscan maximizar las utilidades y los consumidores maximizan su satisfacción a través de sus decisiones de consumo.

10. No hay ilusión del dinero; es decir, cuando los consumidores toman sus decisiones de consumo y las empresas sus decisiones de producción, consideran el comportamiento de todos los precios.
11. El comercio está equilibrado (las exportaciones deben pagar por las importaciones), lo cual elimina la posibilidad de flujos de efectivo entre las naciones.

En la tabla 2.3 se ilustra el principio de la ventaja comparativa de Ricardo cuando una nación tiene una ventaja absoluta en la fabricación de dos productos. Asuma usted que en una hora los trabajadores estadunidenses pueden producir 40 botellas de vino o 40 yardas de tela, mientras que los trabajadores del Reino Unido pueden producir 20 botellas de vino o 10 yardas de tela. De acuerdo con el principio de Smith de la ventaja absoluta, no hay ninguna base para una especialización y comercio mutuamente benéficos, porque los trabajadores estadunidenses son más eficientes en la manufactura de ambos productos.

Sin embargo, el principio de la ventaja comparativa de Ricardo toma en consideración que los trabajadores estadunidenses son cuatro veces más eficientes en la producción de tela (40/10 = 4) pero sólo dos veces más en la producción de vino (40/20 = 2). Por tanto, Estados Unidos tiene una *mayor ventaja absoluta* en la tela que en el vino, mientras que el Reino Unido tiene una *menor desventaja absoluta* en el vino que en la tela. Cada nación se especializa y exporta el producto en el que tenga una ventaja *comparativa*; Estados Unidos en tela y el Reino Unido en vino. Las ganancias de producción de la especialización serán distribuidas a las dos naciones a través del proceso comercial. Ricardo aseveró que también para este caso, al igual que Smith había aseverado para el caso de la ventaja absoluta, que ambas naciones pueden ganar del comercio.

En términos sencillos, el principio de Ricardo de la ventaja comparativa sostiene que el comercio internacional se debe sólo a las diferencias internacionales en la productividad del trabajo. La predicción básica del principio de Ricardo es que los países tenderán a exportar aquellos productos en los que su productividad del trabajo sea relativamente alta.

En los años recientes, Estados Unidos ha tenido grandes déficits comerciales (las importaciones exceden a las exportaciones) con países como China y Japón. Algunos de los que han presenciado la inundación de importaciones que llegan a Estados Unidos parecen sugerir que Estados Unidos no tiene ventaja comparativa en nada. Es posible que una nación no tenga una ventaja absoluta en nada, pero no es posible que una nación tenga una ventaja comparativa en todo y que la otra nación no tenga una ventaja comparativa en nada. Esto se debe a que la ventaja comparativa depende de los costos *relativos*. Como ya se ha visto, una nación que tiene una desventaja absoluta en todos los productos encontraría ventajoso especializarse en la fabricación del producto en el que su desventaja comparativa sea *menor*. No hay ninguna razón para que Estados Unidos se rinda y permita que China produzca todo de todo. Estados Unidos perdería y también China, porque la producción mundial se reduciría al dejar ociosos los recursos de Estados Unidos. La idea de que una nación no tiene nada que ofrecer sólo resulta de la confusión entre ventaja absoluta y ventaja comparativa.

Aunque el principio de la ventaja comparativa se usa para explicar los patrones de comercio internacional, las personas por lo general no están preocupadas por qué nación tiene una ventaja comparativa cuando compran algo. Una persona en una tienda de dulces no observa un chocolate suizo y uno estadunidense y se pregunta: "¿qué nación tendrá la ventaja comparativa en la producción de chocolate?"

TABLA 2.3

Un caso de ventaja comparativa cuando Estados Unidos tiene una ventaja absoluta en la fabricación de ambos productos

Posibilidades de producción mundial en ausencia de especialización

Nación	PRODUCCIÓN POR HORA DE TRABAJO	
	Vino	Tela
Estados Unidos	40 botellas	40 yardas
Reino Unido	20 botellas	10 yardas

El comprador se basa en el precio, después de evaluar las diferencias de calidad, para deducir qué nación tiene la ventaja comparativa. Resulta útil, por lo tanto, ilustrar cómo funciona el principio de la ventaja comparativa en términos de precios, como se puede ver en el recuadro de *Exploración detallada 2.1* que se puede consultar en: www.cengage.com/economics/Carbaugh.

CURVAS DE POSIBILIDADES DE PRODUCCIÓN

La ley de la ventaja comparativa de Ricardo sugería que la especialización y el comercio pueden llevar a ganancias para ambas naciones. Sin embargo, su teoría dependía del supuesto restrictivo de la teoría del valor-trabajo, en la que se asume que el trabajo es el único factor de producción. Sin embargo, en la práctica, el trabajo es sólo uno de varios factores de producción.

Al reconocer las deficiencias de la teoría del valor-trabajo, la teoría del comercio moderno ha planteado una versión más generalizada de la teoría de la ventaja comparativa. Explica la teoría por medio de una **frontera de posibilidades de producción**, también llamada curva de transformación. Esta curva muestra diversas combinaciones alternas de dos productos que una nación puede elaborar cuando *todos* sus factores de producción (tierra, trabajo, capital, habilidad empresarial) se utilizan de la forma más eficiente. Por tanto, la frontera de posibilidades de producción ilustra la posibilidad máxima de producción de una nación. Observe que ya no se asume que el trabajo sea el único factor de producción, como lo hizo Ricardo.

En la figura 2.1 se ilustran las curvas de producción hipotéticas para Estados Unidos y Canadá. Al utilizar todos los insumos disponibles con la mejor tecnología utilizable durante un periodo determinado, Estados Unidos podría producir ya sea 60 fanegas de trigo o 120 automóviles o ciertas combinaciones de los dos productos. De manera similar, Canadá podría producir ya sea 160 fanegas de trigo u 80 automóviles o ciertas combinaciones de los dos productos.

¿Cómo ilustra una frontera de posibilidades de producción el concepto de costo comparativo? La respuesta reside en la pendiente de la frontera de posibilidades de producción, que se conoce como

---

FIGURA 2.1

El comercio en situación de costos de oportunidad constantes

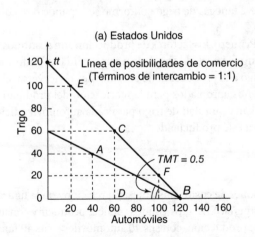
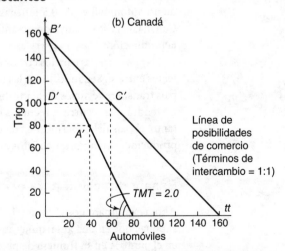

Con costos de oportunidad constantes, una nación se especializa en el producto de su ventaja comparativa. El principio de la ventaja comparativa implica que con la especialización y el libre comercio, una nación disfruta de ganancias de producción y ganancias de consumo. El triángulo del comercio de una nación denota sus exportaciones, importaciones y términos de intercambio. En un mundo de dos naciones y dos productos, el triángulo del comercio de un país iguala al de la otra nación; las exportaciones de una nación igualan a las importaciones de la otra y hay un equilibrio en los términos de intercambio.

tasa marginal de transformación (TMT). La TMT muestra la cantidad de un producto que una nación debe sacrificar para obtener una unidad adicional del otro producto:

$$TMT = \frac{\Delta Trigo}{\Delta Automóviles}$$

Esta tasa de sacrificio en ocasiones se llama *costo de oportunidad* de un producto. Como esta fórmula también se refiere a la pendiente de la frontera de posibilidades de producción, la TMT iguala el valor absoluto de la pendiente de la frontera de posibilidades de producción.

En la figura 2.1, la TMT del trigo en automóviles da la cantidad de trigo que debe sacrificarse para cada automóvil adicional producido. En relación con Estados Unidos, el movimiento desde el extremo superior de su frontera de posibilidades de producción hasta el extremo inferior muestra que el costo relativo de producir 120 automóviles adicionales equivale a sacrificar 60 fanegas de trigo. Esto significa que el costo relativo de cada automóvil producido es 0.5 fanegas de trigo sacrificadas (60/120 = 0.5), esto es, la TMT = 0.5. En forma similar, el costo relativo para Canadá de cada automóvil producido es de 2 fanegas de trigo, es decir, el TMT de Canadá = 2.0.

EL COMERCIO EN SITUACIÓN DE COSTOS CONSTANTES

En esta sección se ilustra el principio de la ventaja comparativa bajo **costos de oportunidad constantes**. Aunque el caso de costos constantes puede ser de pertinencia limitada para el mundo real, sirve como una herramienta pedagógica útil para analizar el comercio internacional. La discusión se enfoca en dos preguntas: primero, ¿cuáles son *las bases para el comercio* y la *dirección del comercio*?; segundo, ¿cuáles son las *ganancias del comercio* potenciales para una sola nación y para el mundo como un todo?

En relación con la figura 2.1, observe que las curvas de posibilidades de producción para Estados Unidos y Canadá se dibujan como líneas rectas. El hecho de que estas curvas sean lineales indica que los costos relativos de los dos productos no cambian conforme la economía cambia su producción de todo el trigo a todos los automóviles o algún lugar intermedio. Para Estados Unidos, el costo relativo de un automóvil es de 0.5 fanegas de trigo conforme se expande o se contrae la producción; para Canadá, el costo relativo de un automóvil es de 2 fanegas de trigo conforme se expande o se contrae la producción.

Hay *dos razones* para los costos constantes. Primero, los factores de producción son sustitutos perfectos entre sí. Segundo, todas las unidades de un factor dado son de la misma calidad. Conforme un país transfiere recursos de la producción de trigo a la producción de automóviles o viceversa, el país no tendrá que recurrir a recursos que sean menos apropiados para la fabricación del producto. Por tanto, el país debe sacrificar exactamente la misma cantidad de trigo para cada automóvil adicional producido, sin importar cuántos automóviles ya esté produciendo.

Base y dirección para el comercio

Ahora examinaremos el comercio bajo condiciones de costo constantes. En relación con la figura 2.1 suponga que en una **autarquía** (ausencia de comercio) Estados Unidos prefiere producir y consumir en el punto *A* en su frontera de posibilidades de producción, con sus 40 automóviles y sus 40 fanegas de trigo. Suponga también que Canadá produce y consume en el punto *A'* en su frontera de posibilidades de producción, con 40 automóviles y 80 fanegas de trigo.

Las pendientes de las curvas de posibilidades de producción de los dos países dan el costo relativo de un producto en términos del otro. El costo relativo de producir un automóvil adicional es de sólo 0.5 fanegas de trigo para Estados Unidos, pero es de 2 fanegas de trigo para Canadá. De acuerdo con el principio de la ventaja comparativa, esta situación proporciona la base para una especialización y comercio mutuamente favorable debido a las diferencias en los costos relativos de los países. En cuanto a la dirección del comercio, Estados Unidos se especializa en automóviles y los exporta y Canadá se especializa en el trigo y lo exporta.

Ganancias de producción de la especialización

La ley de la ventaja comparativa asevera que con el comercio, cada país encontrará favorable especializarse en la fabricación del producto de su ventaja comparativa y comercializar parte de esto por el producto de su desventaja comparativa. En la figura 2.1, Estados Unidos se mueve del punto de producción *A* al punto de producción *B*, al especializarse por completo en la producción de automóviles. Canadá se especializa totalmente en la producción de trigo al moverse del punto de producción *A'* al punto de producción *B'* en la figura. Aprovechar la especialización puede ocasionar **ganancias de producción** para ambos países.

Así, antes de la especialización, Estados Unidos produce 40 automóviles y 40 fanegas de trigo. Pero con la especialización completa, Estados Unidos produce 120 automóviles y nada de trigo. En cuanto a Canadá, su punto de producción en la ausencia de especialización está en 40 automóviles y 80 fanegas de trigo, mientras que su punto de producción bajo la especialización completa es de 160 fanegas de trigo y ningún automóvil. Al combinar estos resultados, ambas naciones experimentan una ganancia de producción neta de 40 automóviles y 40 fanegas de trigo bajo condiciones de completa especialización. En la tabla 2.4(a) se resumen estas ganancias de producción. Porque estos aumentos de la producción surgen de la reasignación de recursos existentes, también son llamados ganancias estáticas de la especialización: a través de la especialización, un país puede usar su suministro actual de recursos más eficientemente y así conseguir un nivel más alto de producción del producto de lo que conseguiría sin la especialización.

La apertura de Japón a la economía mundial es un ejemplo de las ganancias estáticas de la ventaja comparativa. En respuesta a la presión de Estados Unidos, en 1859 Japón abrió sus puertos al comercio internacional después de más de doscientos años de aislamiento económico autoimpuesto. En la autarquía, Japón advirtió que tenía una ventaja comparativa en algunos productos y una desventaja comparativa en otros. Por ejemplo, el precio del té y la seda era mucho más alto en los mercados mundiales que en Japón antes de su apertura al comercio internacional, mientras que el precio de artículos de lana y algodón era mucho baja en los mercados mundiales. Japón respondió según el principio de la ventaja comparativa: exportó té y seda a cambio de importaciones de ropa. Al usar sus

TABLA 2.4						

Ganancias de la especialización y el comercio: costos de oportunidad constantes

(a) Ganancias de producción de la especialización

	ANTES DE LA ESPECIALIZACIÓN		DESPUÉS DE LA ESPECIALIZACIÓN		GANANCIA NETA (PÉRDIDA)	
	Automóviles	**Trigo**	**Automóviles**	**Trigo**	**Automóviles**	**Trigo**
Estados Unidos	40	40	120	0	80	−40
Canadá	40	80	0	160	−40	80
El mundo	80	120	120	160	40	40

(b) Ganancias de producción del comercio

	ANTES DEL COMERCIO		DESPUÉS DEL COMERCIO		GANANCIA NETA (PÉRDIDA)	
	Automóviles	**Trigo**	**Automóviles**	**Trigo**	**Automóviles**	**Trigo**
Estados Unidos	40	40	60	60	20	20
Canadá	40	80	60	100	20	20
El mundo	80	120	120	160	40	40

recursos más eficientemente y al comerciar con el resto del mundo, Japón pudo obtener ganancias estáticas de la especialización que resultaron equivalentes al ocho o nueve por ciento de su producto interno bruto en aquel entonces. Por supuesto que las ganancias a largo plazo para Japón, al mejorar su productividad y adquirir mejor tecnología, fueron un múltiplo mucho mayor a esta cifra.[5]

Sin embargo, cuando un país que inicialmente se abrió al comercio luego ve, por alguna razón, ese comercio eliminado, sufre pérdidas estáticas, como puede apreciarse en el caso de Estados Unidos. A comienzos del siglo xix, Gran Bretaña y Francia se hallaban en guerra, como parte del conflicto, ambos países intentaron bloquear el envío de productos entre sí a través de países neutrales, especialmente Estados Unidos. Esta política resultó en la confiscación de embarcaciones y mercancía estadunidenses por parte de las marinas británica y francesa. Para evitar este tipo de acoso, en 1807 el presidente Thomas Jefferson ordenó el cierre de los puertos estadunidenses al comercio internacional: las embarcaciones estadunidenses tenían prohibido cargar artículos de puertos extranjeros y las embarcaciones extranjeras tenían prohibido recibir cualquier carga de artículos en Estados Unidos. La intención del embargo era infligir penurias a los británicos y los franceses para desanimarlos a interferir en los asuntos de EUA. Aunque el embargo no eliminó el comercio totalmente, Estados Unidos estuvo lo más cerca de una autarquía que ha estado en toda su historia. Así las cosas, los estadunidenses desplazaron la producción de artículos agrícolas antes exportados (los artículos de la ventaja comparativa) e incrementaron la producción de productos manufacturados en remplazo de las importaciones (los artículos de la desventaja comparativa). El resultado fue una utilización menos eficiente de los recursos: en términos globales, el embargo costó aproximadamente ocho por ciento del producto nacional bruto de EUA en 1807. No es sorprendente que el embargo resultó sumamente impopular para los estadunidenses y, en consecuencia, se terminó en 1809.[6]

Ganancias de consumo del comercio

En la ausencia de comercio, las alternativas de consumo de Estados Unidos y Canadá se limitan a puntos *a lo largo* de su frontera de posibilidades de producción nacional. El punto de consumo exacto para cada nación será determinado por los gustos y preferencias de cada país. Pero con la especialización y el comercio, las dos naciones pueden alcanzar puntos de consumo posteriores al comercio *fuera de* su frontera de posibilidades de producción nacional; es decir, pueden consumir más trigo y automóviles de los que consumirían en ausencia del comercio. Por lo tanto, el comercio puede ocasionar **ganancias de consumo** para ambos países.

El conjunto de los puntos de consumo posteriores al comercio que una nación puede alcanzar, se determina por la tasa a la que su producto de exportación se comercializa por el producto de exportación del otro país. Esta tasa se conoce como términos de intercambio. Los términos de intercambio definen los precios relativos en los que dos productos se comercializan en el mercado.

Bajo condiciones de costos constantes, la pendiente de la frontera de posibilidades de producción define la tasa nacional de transformación (términos de intercambio nacionales), que representa los precios relativos en los que se pueden intercambiar dos productos en el país. Para que un país consuma en cierto punto fuera de su frontera de posibilidades de producción, debe ser capaz de intercambiar su producto de exportación de forma internacional en términos de intercambio más favorables que los términos de intercambio nacionales.

Asuma que Estados Unidos y Canadá alcanzan una razón de términos de intercambio que permite que ambos socios comerciales consuman en cierto punto fuera de su frontera de posibilidades de producción respectiva (figura 2.1). Suponga que los términos de intercambio acordados son una razón 1:1, donde 1 automóvil se intercambia por 1 fanega de trigo. Con base en estas condiciones, la línea *tt* representa los términos de intercambio internacionales para ambos países. Esta línea se

---

[5] D. Bernhofen and J. Brown, "An Empirical Assessment of the Comparative Advantage Gains from Trade: Evidence from Japan", *The American Economic Review*, marzo de 2005, pp. 208–225.
[6] D. Irwin, *The Welfare Cost of Autarky: Evidence from the Jeffersonian Trade Embargo*, 1807–1809, Cambridge, MA, documento de trabajo núm. W8692, diciembre de 2001.

CONFLICTOS COMERCIALE BABE RUTH Y EL PRINCIPIO
DE LA VENTAJA COMPARATIVA

Babe Ruth fue el primer gran bateador de cuadrangulares en la historia del béisbol. Su talento para batear y su personalidad vivaz atraían enormes multitudes dondequiera que jugaba. Hizo que el béisbol fuera más emocionante al convertir esos cuadrangulares en un elemento regular de cada juego. Ruth estableció muchos récords de las ligas mayores, incluyendo: 2,056 carreras de bases por bola y 72 juegos en los que asestó dos o más cuadrangulares. Tuvo un porcentaje de bateo de por vida de 0.342 y consiguió 714 cuadrangulares a lo largo de su carrera.

George Herman Ruth (1895-1948) nació en Baltimore. Después de jugar béisbol en las ligas menores, inició su carrera en las grandes ligas como lanzador zurdo de los Medias Rojas de Boston en 1914. En 158 juegos para los Medias Rojas estableció un récord de 89 juegos ganados y 46 perdidos, incluyendo dos temporadas de 20 triunfos (23 victorias en 1916 y 24 en 1917).

El 2 de enero de 1920, casi un año después de que Babe Ruth había lanzado dos victorias en el triunfo de la Serie Mundial de los Medias Rojas frente a Chicago, Ruth se enfermó de gravedad. La mayoría sospechaba que Ruth, famoso por sus excesos en las fiestas, sencillamente tenía una cruda de Serie Mundial por sus celebraciones de Año Nuevo, pero la verdad era que había ingerido salchichas Frankfurt en mal estado en un evento con jóvenes el día anterior y sus síntomas se habían diagnosticado erróneamente como de amenaza de muerte. La administración de los Medias Rojas, muy escasa de dinero, vendió a su jugador enfermo a los Yankees al día siguiente por 125,000 dólares y un préstamo de 300,000 dólares para el dueño de los Medias Rojas.

Eventualmente Ruth sumó cinco victorias más como lanzador de los Yankees de Nueva York y terminó su carrera como pitcher con un promedio de carreras ganadas de 2.28. Ruth también tuvo tres victorias y ninguna derrota en una competencia de la Serie Mundial, incluido un partido alargada hasta 29 2/3 entradas consecutivas sin anotación. En ese momento Ruth era uno de los mejores lanzadores zurdos de la Liga Americana.

Aunque Ruth tenía una ventaja absoluta como lanzador, tenía un talento aún mayor en el plato de bateo. Puesto de otro modo: la ventaja comparativa de Ruth era el bateo. Como lanzador, tenía que descansar su brazo entre cada intervención y, por lo tanto, no podía batear en todos los juegos. Para asegurar su presencia diaria en la alineación, abandonó los lanzamientos para jugar exclusivamente en el jardín exterior del campo de juego.

En sus 15 años con los Yankees, Ruth dominó el béisbol profesional. Hizo equipo con Lou Gehrig para formar lo que se convirtió en la mejor mancuerna de bateo de 1-2 en el béisbol. Ruth fue el corazón de los Yankees de 1927, un equipo considerado por algunos expertos como el mejor en la historia del juego de pelota. Ese año estableció un récord de 60 cuadrangulares (considérese que en aquel entonces una temporada constaba de 154 juegos, en vez de los 162 juegos de la actualidad). Atraía a tantos fanáticos que el Yankee Stadium, que abrió en 1923, recibió el apodo de "la casa que Ruth construyó". Se separó de los Yankees después de la temporada de 1934 y terminó su carrera como jugador en 1935 con los Bravos de Boston. En su partido final pegó tres cuadrangulares.

Las ventajas de hacer que Ruth cambiara de lanzar a batear fueron enormes. No sólo los Yankees ganaron cuatro Series Mundiales durante su estancia, sino que también se convirtieron en la franquicia de béisbol más renombrada. Ruth fue inducido al Salón de la Fama en Cooperstown, Nueva York, en 1936.

Fuente: Edward Scahill, "Did Babe Ruth Have a Comparative Advantage as a Pitcher?", *Journal of Economic Education*, vol. 21, 1990. Vea también: Paul Rosenthal, "America At Bat: Baseball Stuff and Stories", *National Geographic*, 2002; Geoffrey Ward y Ken Burns, *Baseball: An Illustrated History*, Knopf, 1994; y Keith Brandt, *Babe Ruth: Home Run Hero*, Troll, 1986

conoce como la **línea de posibilidades de comercio** (observe que se dibuja con una pendiente que tiene un valor absoluto de 1).

Suponga ahora que Estados Unidos decide exportar unos 60 automóviles a Canadá. Si se empieza en un punto *B* de producción posterior a la especialización en la figura, Estados Unidos se deslizará a lo largo de su línea de posibilidades de intercambio hasta que se alcance el punto *C*. En el punto *C*, 60 automóviles se habrán intercambiado por 60 fanegas de trigo, a la razón de términos de intercambio de 1:1. Entonces el punto *C* representa el *punto de consumo posterior al comercio* de Estados Unidos. En comparación con el punto de consumo *A*, el punto *C* genera una ganancia de consumo para Estados Unidos de 20 automóviles y 20 fanegas de trigo. El triángulo *BCD* que muestra las exportaciones estadounidenses (a lo largo del eje horizontal), las importaciones (a lo largo del eje vertical) y los términos de intercambio (la pendiente) se llama **triángulo del comercio**.

¿Ofrece esta situación comercial resultados favorables para Canadá? Si se empieza en el punto B' de producción posterior a la especialización en la figura, Canadá puede importar 60 automóviles de Estados Unidos al sacrificar 60 fanegas de trigo. Canadá se deslizaría por su línea de posibilidades de intercambio hasta llegar al punto C'. Está claro que es un punto de consumo más favorable que el punto A'. Con el comercio, Canadá experimenta una ganancia de consumo de 20 automóviles y 20 fanegas de trigo. El triángulo del comercio de Canadá se delimita por $B'C'D'$. Observe que en este modelo de dos países, los triángulos del comercio de Estados Unidos y Canadá son idénticos; las exportaciones de un país igualan a las importaciones del otro, que se comercian en los términos de intercambio de equilibrio. En la Tabla 2.4(b) se resumen las ganancias de consumo del comercio para cada país y el mundo como un todo.

Una implicación del ejemplo comercial antes citado es que Estados Unidos fabricó sólo automóviles mientras que Canadá producía sólo trigo; es decir, ocurrió una **especialización completa**. Conforme Estados Unidos aumenta y Canadá reduce la producción de automóviles, los costos de producción unitarios de ambos países siguen constantes. Debido a que los costos relativos nunca se vuelven iguales, Estados Unidos no pierde su ventaja comparativa, ni Canadá su desventaja comparativa. Por lo tanto, Estados Unidos produce sólo automóviles. En forma similar, conforme Canadá produce más trigo y Estados Unidos reduce su producción de trigo, los costos de producción de ambas naciones permanecen iguales. Canadá produce sólo trigo sin perder su ventaja con Estados Unidos.

La única excepción para una especialización completa ocurriría si uno de los países, Canadá, es demasiado pequeño para satisfacer todas las necesidades de trigo de Estados Unidos. Entonces Canadá estaría completamente especializado en su producto de exportación, el trigo, mientras que Estados Unidos (un país grande) produciría ambos productos; sin embargo, Estados Unidos aún exportaría automóviles e importaría trigo.

Distribución de las ganancias del comercio

Este ejemplo comercial ha supuesto que los términos de intercambio acordados por Estados Unidos y Canadá ocasionarán que ambos socios comerciales se beneficien del comercio. Pero ¿dónde en realidad residirán estos términos?

Una deficiencia del principio de ventaja comparativa de Ricardo es su incapacidad para determinar los términos de intercambio reales. La mejor descripción que Ricardo podía brindar fueron los *límites externos* dentro de los cuales recaerían los términos de intercambio. Esto se debe a que la teoría ricardiana se basaba sólo en las razones de costo nacionales (condiciones de oferta) para explicar los patrones del comercio; ignoraba completamente la función de la demanda.

Para visualizar el análisis de Ricardo de los términos de intercambio, recuerde el ejemplo de la Figura 2.1, donde se asumió que para Estados Unidos el costo relativo de fabricar un automóvil adicional era de 0.5 fanegas de trigo, mientras que para Canadá el costo relativo de producir un automóvil adicional era de 2 fanegas de trigo. Por lo tanto, Estados Unidos tenía una ventaja comparativa en automóviles, mientras que Canadá tenía una ventaja comparativa en trigo. En la Figura 2.2 se ilustran estas condiciones de costo nacionales para los dos países. Sin embargo, para cada país se ha traducido la razón de costo nacional, dada por la frontera de posibilidades de producción negativamente inclinada, en una línea de razón de costos de *pendiente positiva*.

De acuerdo con Ricardo, las razones de costos nacionales establecen los **límites externos para los términos de intercambio de equilibrio**. Si Estados Unidos va a exportar automóviles, no debe aceptar ningún término de intercambio menor a 0.5:1, indicado por su línea de razón de costos nacional. De otra manera, el punto de consumo posterior al comercio estadounidense residiría dentro de su frontera de posibilidades de producción y entonces Estados Unidos claramente estaría mejor sin comercio que con él. Por lo tanto, la línea de razón de costo nacional estadounidense se convierte en su **frontera sin comercio**. De manera similar, Canadá requeriría de un mínimo de 1 automóvil por cada dos fanegas de trigo exportadas, como lo indica su línea de razón de costos nacional; cualquier término comercial menor a esta tasa sería inaceptable para Canadá. Por lo tanto, la línea de frontera no comercial para Canadá se define por su línea de razón de costos nacional.

FIGURA 2.2

Límites de los términos de intercambio de equilibrio

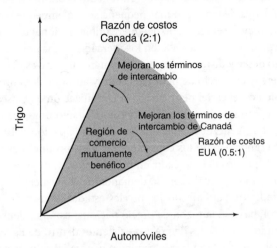

Desde la óptica de la oferta, el análisis de Ricardo describe los límites externos entre los cuales deben situarse los términos de intercambio de equilibrio. La razón de los costos nacionales determinan los límites externos para los términos de intercambio de equilibrio. La región de comercio mutuamente benéfica para ambas naciones ocurre si los términos de intercambio de equilibrio caen ante las razones de los costos nacionales de ambos países. De acuerdo con la teoría de la demanda recíproca, los términos de intercambio reales bajo los cuales se comercia dependen de las demandas de los socios comerciales que interactúan.

Para que exista un comercio internacional rentable, una nación debe alcanzar una ubicación de consumo posterior al comercio al menos equivalente a un punto a lo largo de su frontera de posibilidades de producción nacional. Cualquier término de intercambio internacional aceptable tiene que ser más favorable o igual a la tasa definida por la línea de precio nacional. Así pues, la **región del comercio mutuamente benéfico** está delimitada por las razones de costos de los dos países.

Términos de intercambio de equilibrio

Como se señaló, Ricardo no explicó cómo se determinarían los términos de intercambio reales en el comercio internacional. Esta laguna la llenó otro economista clásico, John Stuart Mill (1806-1873). Al considerar la intensidad de las demandas de los socios comerciales, Mill hubiera podido determinar los términos reales del comercio para la figura 2.2. La teoría de Mill se conoce como **teoría de la demanda recíproca**.[7] Asevera que dentro de los límites externos de los términos de intercambio, los términos de intercambio reales se determinan por la fuerza relativa de la demanda de cada país por el producto del otro país. En términos sencillos, los costos de producción determinan los límites externos de los términos de intercambio, mientras que la demanda recíproca determina cuáles serán los términos de intercambio reales dentro de esos límites.

En relación con la figura 2.2, si los canadienses estuvieran más deseosos de automóviles estadunidenses de lo que los estadunidenses están por el trigo canadiense, los términos de intercambio terminarían cerca de la razón de costo canadiense de 2:1. Así, los términos de intercambio mejorarían para Estados Unidos. Sin embargo, si los estadunidenses están más deseosos de trigo canadiense de lo que los canadienses están de automóviles estadunidenses, los términos de intercambio quedarían cerca de la razón de costo estadunidense de 0.5:1 y los términos de intercambio mejorarían para los canadienses.

---

[7] John Stuart Mill, *Principles of Political Economy*, Nueva York, Longmans, Green, 1921, pp. 584-585.

La teoría de la demanda recíproca funciona mejor cuando ambas naciones son de igual tamaño económico, para que la demanda de cada nación tenga un efecto notable en el precio del mercado. Sin embargo, si dos naciones son de un tamaño económico desigual, es posible que la fuerza de la demanda relativa de la nación más pequeña se vea empequeñecida por la de la nación más grande. En este caso prevalecerá la razón del intercambio nacional de la más grande. Si se supone la ausencia total de elementos de monopolio en los mercados, la nación pequeña puede exportar tanto del producto como desee y disfrutar de grandes ganancias a través del comercio.

Considere el comercio de petróleo crudo y automóviles entre Venezuela y Estados Unidos antes del surgimiento del cartel petrolero de la Organización de Países Exportadores de Petróleo (OPEP). Venezuela, como nación pequeña, representaba sólo una participación muy pequeña del mercado Estados Unidos-Venezuela, mientras que la participación del mercado estadunidense era abrumadoramente grande. Como los consumidores y los productores venezolanos no tenían influencia en los niveles de precios del mercado, en realidad eran tomadores de precio. Al comerciar con Estados Unidos, sin importar cuál fuera la demanda de Venezuela de petróleo y automóviles, no era suficientemente fuerte para afectar los niveles estadunidenses de precios. Como resultado, Venezuela comerció con base en la razón de precio nacional estadunidense, y compró y vendió automóviles y petróleo crudo a los niveles de precios existentes dentro de Estados Unidos.

El ejemplo anterior implica la siguiente generalización: si dos naciones de aproximadamente *el mismo tamaño* y con los mismos patrones de gustos participan en el comercio internacional, las ganancias del comercio serán compartidas *equitativamente* entre ellas. Sin embargo, si una nación es significativamente más grande que la otra, la nación *más grande* consigue *menores* ganancias del comercio mientras que la nación *más pequeña* logra *la mayoría* de las ganancias del comercio. Esta situación se conoce como la **importancia de no ser importante**. Lo que es más, cuando las naciones son muy disímiles en tamaño, hay una fuerte posibilidad de que la nación más grande continúe su fabricación del producto de desventaja comparativa debido a que la nación más pequeña es incapaz de suministrar toda la demanda del mundo de este producto.

Estimación de los términos de intercambio

Como se ha visto, los términos de intercambio afectan las ganancias de un país por el comercio. ¿Cómo se miden en realidad los términos de intercambio?

Los **términos de intercambio del producto** (también llamados *términos de intercambio por trueque*) son una medida de uso frecuente de la razón de comercio internacional. Miden la relación entre los precios que una nación consigue para sus exportaciones y los precios que paga por sus importaciones. Esto es calculado dividiendo el índice de precios de exportaciones de una nación por su índice de precios de importaciones y luego multiplicando por 100 para expresar los términos de intercambio en porcentajes:

$$\text{Términos de intercambio} = \frac{\text{Índice de precios de exportaciones}}{\text{Índice de precios de importaciones}} \times 100$$

Una *mejora* en los términos de intercambio de un país requiere que los precios de sus exportaciones aumenten en relación con los precios de sus importaciones durante un periodo determinado. Se requiere de una cantidad más pequeña de productos exportados que se venden en el extranjero para obtener una cantidad de importaciones determinada. El *deterioro* en los términos de intercambio de una nación se debe a un aumento en sus precios de importación en relación con sus precios de exportación durante cierto periodo. La compra de una cantidad dada de importaciones requeriría el sacrificio de una cantidad mayor de exportaciones.

En la tabla 2.5 se dan los términos de intercambio de productos para algunos países seleccionados. Con 2005 como año base (igual a 100), en la tabla se muestra que para 2013 el índice estadunidense de precios de exportación aumentó a 124, un incremento de 24 por ciento. Durante el mismo periodo, el

TABLA 2.5			
Términos de intercambio de productos, 2013 (2005 = 100)			
País	Índice de precios de exportación	Índice de precios de importación	Términos de intercambio
Australia	194	143	136
Argentina	166	153	108
Canadá	132	125	106
Suiza	148	142	104
Estados Unidos	124	127	98
China	127	130	98
Brasil	156	184	85
Japón	108	145	74

Fuente: Tomado de International Monetary Fund, *IMF Financial Statistics*, Washington, DC, diciembre de 2013.

índice estadunidense de precios de importación aumentó 27 por ciento, a un nivel de 127. Si usamos la fórmula de términos de intercambio, obtenemos que los términos de intercambio estadunidenses *empeoraron* 2 por ciento [$(124/127) \times 100 = 98$] durante el periodo 2005-2013. Esto significa que para comprar una cantidad determinada de importaciones, Estados Unidos tuvo que sacrificar 2 por ciento *más* de exportaciones; o, expresado de otro modo: por un número determinado de exportaciones, Estados Unidos pudo obtener 2 por ciento *menos* importaciones.

Aunque los cambios en los términos de intercambio de los productos indican la dirección de movimiento de las ganancias del comercio, sus implicaciones deben interpretarse con cautela. Suponga que ocurre un aumento en la demanda extranjera por exportaciones estadunidenses que lleva a precios e ingresos más altos para los exportadores estadunidenses. En este caso, los términos de intercambio mejorados implican que las ganancias estadunidenses del comercio han aumentado. Sin embargo, suponga que la causa del aumento en los precios de exportación y los términos de intercambio es la *productividad* a la baja de los trabajadores estadunidenses. Si esto resulta en ventas de exportación reducidas y menos ingresos ganados de las exportaciones, difícilmente podría decirse que el bienestar de Estados Unidos ha mejorado. No obstante, a pesar de sus limitaciones, los términos de intercambio de los productos son un concepto útil. Durante un periodo largo, los términos de intercambio ilustran la forma en que un país participa de las ganancias mundiales a través del intercambio comercial y da una medición aproximada de las fortunas de una nación en el mercado mundial.

GANANCIAS DINÁMICAS DEL COMERCIO

Los análisis previos de las ganancias del comercio internacional enfatizaron la especialización y la reasignación de los recursos *existentes*. Sin embargo, estas ganancias pueden verse disminuidas por el efecto del comercio en la tasa de crecimiento del país y por tanto, en el volumen de recursos adicionales disponibles o utilizados por el país que ejerce el comercio. Esto se conoce como **ganancias dinámicas del comercio internacional** en contraste con los efectos estáticos de reasignar una cantidad fija de recursos.

Hemos aprendido que el comercio internacional tiende a lograr un uso más eficiente de los recursos de una economía, lo que lleva a una mayor producción e ingresos. Con el paso del tiempo, un mayor ingreso tiende a resultar en más ahorro y, por tanto, más inversión en equipo y plantas de manufactura. Esta inversión adicional por lo general resulta en una tasa de crecimiento económico más alta. Por otro lado, abrir una economía al comercio puede llevar a productos de inversión importados, como maquinaria, que fomentan una mayor productividad y crecimiento económico. En forma indirecta, las ganancias del comercio internacional se hacen más grandes con el paso del tiempo. La evidencia empírica ha demostrado que los países que están más abiertos al comercio internacional tienden a crecer con mayor rapidez que las economías cerradas.[8]

El libre comercio también aumenta la posibilidad de que una empresa que importe un producto capital sea capaz de localizar a un proveedor que le proporcione un producto que cumpla mejor con sus especificaciones. Entre mejor sea la compaginación, mayor será el aumento en la productividad de la empresa, lo cual promueve un crecimiento económico.

Las grandes economías de escala de producción representan otra ganancia dinámica del comercio. El comercio internacional permite que países pequeños y de tamaño moderado establezcan y operen muchas plantas de tamaño eficiente, lo cual sería imposible si la producción estuviera limitada al mercado nacional. Por ejemplo, el libre acceso que las empresas mexicanas y canadienses tienen al mercado estadunidense, bajo el Tratado de Libre Comercio de América del Norte (TLCAN), les permite expandir su producción y emplear mano de obra y equipo más especializado. Esto ha llevado a una mayor eficiencia y a menores costos unitarios para estas empresas.

Asimismo, la competencia creciente puede ser fuente de ganancias dinámicas en el comercio. Por ejemplo, cuando Chile abrió su economía a la competencia global en la década de los setenta, sus productores con desventaja comparativa que se retiraron de la industria tenían una eficiencia aproximadamente ocho por ciento menor a la de los productores que continuaron operando. La eficiencia de las plantas que competían contra las importaciones se incrementó entre tres y diez por ciento más que en la economía nacional donde los artículos no estaban sujetos a la competencia exterior. Una economía cerrada protege a las compañías de la competencia internacional y permite que susciten una baja de eficiencia general en una industria. El comercio abierto obliga a las empresas ineficientes a retirarse de la industria y permite que las empresas más productivas crezcan. Por lo tanto, el comercio provoca un reajuste que eleva el promedio de eficiencia industrial tanto en las industrias exportadoras como en las que compiten con importaciones.[9]

En términos sencillos, además de brindar ganancias estáticas que se incrementan por la reasignación de recursos productivos existentes, el comercio también genera ganancias dinámicas al estimular el crecimiento económico. Quienes están a favor del libre comercio señalan las muchas historias de éxito de crecimiento a través del comercio. Sin embargo, el efecto del comercio en el crecimiento no es igual para todos los países. En general, las ganancias tienden a ser menores para un país grande, como Estados Unidos, que para un país pequeño como Bélgica.

Cómo la competencia global ocasionó ganancias de productividad para los trabajadores estadunidenses del hierro

Las ganancias dinámicas del comercio internacional se pueden ver en la industria estadunidense del hierro, ubicada en el Oeste Medio. Como el hierro es pesado y costoso de transportar, los fabricantes estadunidenses suministran el mineral sólo a los fabricantes estadunidenses de acero ubicados en la región de los Grandes Lagos. Durante el inicio de la década de los ochenta, las condiciones de recesión económica en la mayor parte del mundo industrial ocasionaron una disminución en la demanda de acero y por tanto cayó la demanda de hierro. Los productores de hierro de todo el mundo lucharon por encontrar nuevos clientes. A pesar de las enormes distancias y costos de transporte, las minas en Brasil comenzaron a embarcar hierro a los productores de acero en el área de Chicago.

La aparición de la competencia extranjera llevó a una mayor presión competitiva en los productores estadunidenses de hierro. Para ayudar a mantener en operación las minas de hierro nacionales, los trabajadores estadunidenses estuvieron de acuerdo con los cambios en las reglas de trabajo que aumentaran la productividad de la mano de obra. En la mayoría de los casos, estos cambios incluían una

---

[8] D. Dollar y A. Kraay, "Trade, Growth and Poverty", *Finance and Development*, septiembre de 2001, pp. 16-19 y S. Edwards, "Openness, Trade Liberalization and Growth in Developing Countries", en *Journal of Economic Literature*, septiembre de 1993, pp. 1358-1393.

[9] Nina Pavcnik, "Trade Liberalization, Exit, and Productivity Improvements: Evidence from Chilean Plants", *Review of Economic Studies*, vol. 69, enero de 2002, pp. 245–276.

expansión en el conjunto de tareas que a un trabajador se le pedía realizar. Por ejemplo, los cambios requirieron que manejadores de equipo realizaran el mantenimiento de rutina en su equipo. Antes, este mantenimiento era responsabilidad de los empleados a cargo de las reparaciones. También las nuevas reglas de trabajo ocasionaron una asignación de trabajo flexible para que un trabajador fuera requerido ocasionalmente a hacer tareas asignadas a otro trabajador. En ambos casos, las reglas del nuevo trabajo llevaron a un mejor uso del tiempo del trabajador.

Antes de la llegada de la competencia extranjera, la productividad de la mano de obra en la industria estadounidense del hierro estaba estática. Debido al aumento de la competencia extranjera, la productividad de la mano de obra comenzó a aumentar con rapidez a principios de la década de los ochenta; para finales de esta década, la productividad de los fabricantes de hierro estadounidenses se había duplicado. En términos sencillos, el aumento en la presión competitiva extranjera ocasionó que los trabajadores estadounidenses adoptaran nuevas reglas de trabajo que mejoraron su productividad.[10]

CAMBIO DE LA VENTAJA COMPARATIVA

Aunque el comercio internacional puede promover las ganancias dinámicas en términos de una mayor productividad, los patrones de la ventaja comparativa pueden cambiar y de hecho cambian al paso del tiempo. Por ejemplo, a principios de 1800, el Reino Unido tenía una ventaja comparativa en la manufactura textil. Luego esa ventaja cambió a los estados de Nueva Inglaterra en Estados Unidos. Pronto la ventaja comparativa cambió una vez más a Carolina del Norte y Carolina del Sur. Ahora la ventaja comparativa reside en China y otros países de salarios bajos. Conviene ver cómo cambiar la ventaja comparativa se relaciona con el modelo comercial.

En la figura 2.3 se ilustran las fronteras de posibilidades de producción para las computadoras y los automóviles de Estados Unidos y Japón bajo las condiciones de costo de oportunidad constante. Observe que el TMT de los automóviles en las computadoras inicialmente iguala 1.0 para Estados Unidos y 2.0 para Japón. Por tanto, Estados Unidos tiene una ventaja comparativa en la producción de computadoras y una desventaja comparativa en la producción de automóviles.

FIGURA 2.3

Cambiar la ventaja comparativa

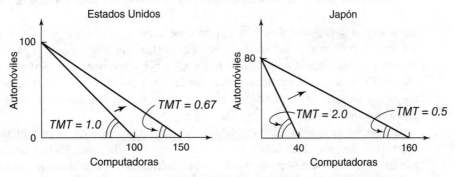

Si la productividad en la industria japonesa de computadoras crece más rápido que la de la industria estadounidense de computadoras, el costo de oportunidad de cada computadora producida en Estados Unidos aumenta en relación con el costo de oportunidad de los japoneses. Para Estados Unidos, la ventaja comparativa cambia de las computadoras a los automóviles.

---

[10] Satuajit Chatterjee, "Ores and Scores: Two Cases of How Competition Led to Productivity Miracles", *Business Review*, Federal Reserve Bank of Philadelphia, Primer trimestre, 2005, pp. 7-15.

Suponga que ambas naciones experimentan aumentos en su productividad de computadoras, pero que no hay ningún cambio en la productividad de automóviles. Además suponga que Estados Unidos aumenta 50 por ciento su productividad de computadoras (de 100 a 150 computadoras) pero que Japón la aumenta 300 por ciento (de 40 a 160 computadoras).

Debido a estas ganancias de productividad, la frontera de posibilidades de producción de cada país gira hacia fuera y se vuelve más plana. Más producción ahora puede alcanzarse en cada país con la misma cantidad de recursos. Al ver las nuevas fronteras de producción, la TMT de los automóviles en las computadoras iguala a 0.67 para Estados Unidos y a 0.5 para Japón. Por tanto, el costo comparativo de una computadora en Japón ha caído por debajo del precio en Estados Unidos. Para los estadounidenses, la consecuencia de retrasar el crecimiento en la productividad es que pierde su ventaja comparativa en la producción de computadoras. Pero incluso después de que Japón alcanza una ventaja comparativa en computadoras, Estados Unidos aún tiene una ventaja comparativa en automóviles; por tanto, el cambio en la productividad de la manufactura resulta en un cambio en la dirección del comercio. La lección de este ejemplo es que los productores que se retrasan en la investigación y desarrollo, tecnología y equipo tienden a encontrar que su competitividad se reduce.

Sin embargo, se debe señalar que todos los países tienen una ventaja comparativa en algún producto o servicio. Para Estados Unidos el crecimiento de la competencia internacional en industrias como el acero puede hacer olvidar que aún es un importante país exportador de aeronaves, papel, instrumentos, plásticos y químicos.

Para enfrentar las ventajas comparativas cambiantes, los productores están bajo presión para reinventarse. Considere cómo la industria de semiconductores de Estados Unidos respondió a la competencia de Japón a finales de la década de los ochenta. Las empresas japonesas rápidamente se volvieron dominantes en sectores como chips de memoria. Esto forzó a los grandes fabricantes estadounidenses de chips a reinventarse. Empresas como Intel, Motorola y Texas Instruments abandonaron el negocio de memoria de acceso aleatorio dinámico (DRAM) e invirtieron más fuertemente en la manufactura de los microprocesadores y en los productos de lógica, la siguiente ola de crecimiento en los semiconductores. Intel se volvió un jugador incluso más dominante en los microprocesadores mientras que Texas Instruments desarrolló una posición fuerte en los procesadores de señal digital, el "cerebro" en los teléfonos móviles. Motorola ganó fuerza en los microcontroladores y semiconductores automotrices. Un hecho de la vida económica es que ningún productor puede permanecer por siempre como el productor de menor costo del mundo. Conforme cambian las ventajas comparativas, los productores necesitan perfeccionar sus habilidades para competir en áreas más rentables.

COMERCIO EN CONDICIONES DE COSTOS CRECIENTES

En la sección anterior se ilustró el principio de la ventaja comparativa bajo condiciones de costos constantes. Pero en el mundo real, el costo de oportunidad de un producto puede aumentar cuando se produzca más de él. Con base en estudios de muchas industrias, los economistas piensan que los costos de oportunidad de producción aumentan con la producción en lugar de permanecer constantes para la mayoría de los productos. El principio de la ventaja comparativa debe ser ilustrado como una forma modificada.

Los **costos de oportunidad crecientes** dan lugar a una frontera de posibilidades de producción que parece cóncava o inclinada hacia fuera del origen del diagrama. En la figura 2.4 con movimiento a lo largo de la frontera de posibilidades de producción de A a B, el costo de oportunidad de producir automóviles se vuelve más y más grande en términos del trigo sacrificado. Los costos crecientes significan que la TMT del trigo en automóviles aumenta conforme más automóviles se produzcan. Recuerde que la TMT se mide por la pendiente absoluta de la frontera de posibilidades de producción en un momento determinado. Con movimiento del punto de producción A al punto de producción B, las líneas tangentes respectivas se vuelven *más inclinadas*; sus pendientes aumentan en valor absoluto. La TMT del trigo frente a los automóviles aumenta, lo que indica que cada automóvil adicional producido requiere el sacrificio de aumentar cantidades de trigo.

CONFLICTOS COMERCIA L AUGE DEL GAS NATURAL ENCIENDE EL DEBATE

El gas natural ofrece un buen ejemplo de la ventaja comparativa, como se detalla a continuación. El gas natural no es un producto nuevo. Sus orígenes se remontan a aproximadamente 1000 a.C. cuando un cabrero en Grecia encontró una llama que emanaba de una fisura en una roca en el monte Parnaso. Los griegos, creyendo que se trataba de una manifestación divina o sobrenatural, edificaron un templo en el lugar. No fue sino hasta aproximadamente 500 a.C., sin embargo, que los chinos descubrieron que el origen de la llama era gas natural que filtrado a la superficie terrestre. Los chinos fabricaron gasoductos rudimentarios con bambú para transportar el gas a un lugar donde lo emplearon para hervir el agua de mar y separar la sal, haciendo el agua potable. Alrededor de 1785 Gran Bretaña se convirtió en el primer país en comercializar el uso del gas natural que producían con carbón y podía ser utilizado para alumbrar las casas y las calles.

En Estados Unidos, la industria del gas natural ha existido por más de 100 años. Estados Unidos exportó algo de gas natural en este periodo de tiempo pero importó más de lo que exportó (principalmente de Canadá). Esta tendencia, no obstante, empezó a cambiar 2010 cuando nuevos se hallaron nuevos yacimientos de gas natural en Estados Unidos, particularmente del gas de esquisto. Se desarrollaron tecnologías (de fracturación hidráulica y perforación horizontal) que usaban agua, arena y químicos para crear fisuras en el esquisto, permitiendo la extracción de gas natural a costo eficiente. Así, Estados Unidos incrementó vertiginosamente su capacidad de producción de gas natural.

Esta bonanza de gas natural redujo los precios de la energía en EUA y los productores estaban prestos a exportar cantidades inmensas del gas al extranjero. Sin embargo, la ley federal exige que el Ministerio de Energía de EUA evalúa si los proyectos de gas natural convienen al interés público antes de conceder permisos de exportación a países que no tienen acuerdos de libre comercio con Estados Unidos. Cuando productores como Exxon Mobil solicitó permisos federales para proyectos de exportación, se suscitó un debate sobre si se le debía permitir aumentar sus exportaciones.

Los defensores de la industria argumentan que las exportaciones de gas natural ofrecen una fuente de energía muy urgente para algunos socios comerciales de EUA y, por otro lado, incentivan el crecimiento económico y la generación de empleos en Estados Unidos. Buscan, especialmente aprovechar las enormes diferencias de precio entre Estados Unidos y los mercados extranjeros. Por ejemplo, los precios de EUA son de alrededor de $3 por MMBtu (mi-

llón de unidades métricas térmicas británicas 1 MMBtu = 27.096m³), mientras que los precios en Europa son $11 a $13 por MMBtu y pueden llegar hasta $18 por MMBtu en el Sureste Asiático. Los expertos de la industria reconocen que aunque muchos países cuentan con grandes reservas de esquisto, la mayoría están, en comparación con Estados Unidos, muchos años atrasados en cuanto a extracción y exploración. Por otro lado, los defensores sostienen que un incremento de exportaciones de gas natural sería un impulso para aliados clave de EUA (especialmente Japón, ahora que está en una transición por alejarse de la energía nuclear).

Sin embargo, los ambientalistas arguyen que el gas natural también deja una considerable huella de carbono: un interés generalizado en el gas natural de EUA representaría una dependencia aún más prolongada en combustibles fósiles y una mayor demora para la transición a energías de tecnología limpia como la energía solar o la energía eólica. También advierten que la técnica de perforación a la extracción del gas puede producir daños ambientales como la contaminación del agua potable.

El efecto que la exportación de gas natural podría tener sobre los precios en EUA es otra cuestión esencial del debate. Un aumento importante en las exportaciones de gas natural estadounidense muy probablemente empujaría a la alza los precios nacionales, pero de ninguna manera sería claro cuál sería la magnitud de ese aumento. Hay toda una variedad de factores que repercute en los precios, como las tasas de crecimiento económico, las diferencias en los mercados locales y las normas gubernamentales. Los productores insisten en que el incremento de las exportaciones no elevará los precios significativamente porque hay suministro suficiente para cubrir holgadamente la demanda nacional y, por el contrario, habrá beneficios adicionales con el incremento de ingresos, de comercio y de empleo. los consumidores de gas natural que se benefician de los bajos precios temen que, si el gas natural es exportado, los precios subirán.

Al momento de escribir de este texto, aún está por verse cuál será el futuro de las exportaciones de gas natural.

Fuente: Michael Ratner *et al.*, *U.S. Natural Gas Exports: New Opportunities, Uncertain Outcomes*, *Congressional Research Service*, Washington, DC, 8 de abril de 2013; Gary Hufbauer, Allie Bagnall y Julia Muir, *Liquified Natural Gas Exports: An Opportunity for America*, Peterson Institute for International Economics, febrero de 2013, y Robert Pirog y Michael Ratner, *Natural Gas in the U.S. Economy: Opportunities for Growth*, *Congressional Researc Service*, Washington, DC, 6 de noviembre de 2012.

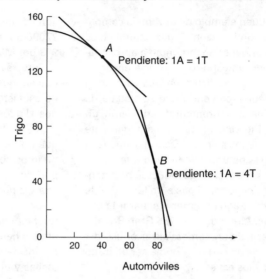

FIGURA 2.4

Frontera de posibilidades de producción bajo condiciones de costos crecientes

Aumentar los costos de oportunidad lleva a una frontera de posibilidades de producción que es cóncava, vista desde el origen del diagrama. La tasa marginal de transformación iguala a la pendiente (absoluta) de la frontera de posibilidades de producción a un punto en particular a lo largo de la curva.

Los costos crecientes representan un caso usual en el mundo real. En la economía general, los costos crecientes pueden resultar cuando los insumos son sustitutos imperfectos entre sí. Conforme aumenta la producción de automóviles y la producción de trigo cae en la figura 2.4, los insumos que son menos y menos adaptables a los automóviles se presentan en esa línea de producción. Producir más automóviles requiere cada vez más de esos recursos y por tanto un sacrificio cada vez mayor de trigo. Para un *producto en particular*, como automóviles, aumentar el costo se explica por el principio de reducir la productividad marginal. La adición de unidades de trabajo sucesivas (producción variable) al capital (insumo fijo) más allá de cierto punto ocasiona disminuciones en la producción marginal de automóviles que es atribuible a cada unidad de trabajo adicional. Por tanto, los costos de producción unitaria aumentan conforme se producen más automóviles.

Bajo costos crecientes, la pendiente de la frontera cóncava de posibilidades de producción cambia conforme una nación se ubica en distintos puntos de la curva. Como la TMT iguala la pendiente de la frontera de posibilidades de producción, también será diferente para cada punto en la curva. Además de considerar los *factores de oferta* subyacentes a la pendiente de la frontera de posibilidades de producción, deben considerarse los factores de la demanda (gustos y preferencias) porque determinarán el punto a lo largo de la frontera de posibilidades de producción en el que un país elige consumir.

Caso de comercio con costos crecientes

En la figura 2.5 se muestran las curvas de posibilidades de producción de Estados Unidos y Canadá bajo condiciones de costos crecientes. En la figura 2.5(a), suponga que en la ausencia de comercio Estados Unidos se ubica en el punto *A* a lo largo de su frontera de posibilidades de producción; fabrica y consume 5 automóviles y 18 fanegas de trigo. En la figura 2.5(b), suponga que en la ausencia de comercio Canadá está ubicada en el punto *A'* a lo largo de su frontera de posibilidades de producción al producir y consumir 17 automóviles y 6 fanegas de trigo. Para Estados Unidos el costo relativo del trigo en automóviles lo indica la pendiente de la línea t_{EUA} tangente a la frontera de posibilidades de

FIGURA 2.5

Comercio bajo costos de oportunidad crecientes

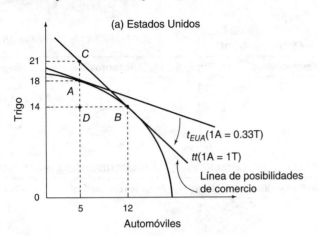

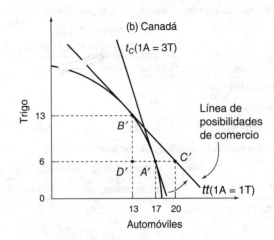

Con los costos de oportunidad crecientes, los precios comparativos de los productos en cada país se determinan por los factores de la oferta y la demanda. Un país tiende a especializarse parcialmente en el producto de su ventaja comparativa bajo condiciones de costos crecientes.

producción en el punto A (1 automóvil = 0.33 fanegas de trigo). De igual manera, el costo relativo de Canadá del trigo en automóviles se denota por la pendiente de la línea t_C (1 auto = 3 fanegas de trigo). Como la línea t_{EUA} es *más plana* que la línea t_C, los automóviles son relativamente más baratos en Estados Unidos y el trigo es relativamente más barato en Canadá. De acuerdo con la ley de la ventaja comparativa, Estados Unidos exportará automóviles y Canadá trigo.

Conforme Estados Unidos se especializa en la producción de automóviles, se desliza hacia abajo a lo largo de su frontera de posibilidades de producción desde el punto A hacia el punto B. El costo relativo de automóviles (en términos de trigo) aumenta, como se implica por el aumento en la pendiente (absoluta) de la frontera de posibilidades de producción. Al mismo tiempo, Canadá se especializa en el trigo. Conforme Canadá se mueve hacia arriba a lo largo de su frontera de posibilidades de producción desde el punto A' hasta el punto B', el costo relativo de automóviles (en términos de trigo) disminuye, como se demostró por la disminución en la pendiente (absoluta) de su frontera de posibilidades de producción.

El proceso de especialización continúa en ambas naciones hasta: 1) el costo relativo de automóviles es idéntico en ambas naciones y 2) las exportaciones estadunidenses de automóviles igualan precisamente a las importaciones canadienses de automóviles y de la misma forma con el trigo. Suponga que esta situación ocurre cuando las tasas de transformación nacionales (términos de intercambio nacionales) de ambas naciones convergen en la tasa dada por la línea tt. En este punto de convergencia, Estados Unidos produce al punto B, mientras que Canadá produce al punto B'. La línea tt se vuelve la línea de términos de intercambio internacionales para Estados Unidos y Canadá; coincide con los términos de intercambio de cada nación. Los términos de intercambio internacionales son favorables para ambas naciones porque tt es más inclinada que t_{EUA} y más plana que t_C.

¿Cuáles son las *ganancias de producción* de la especialización para Estados Unidos y Canadá?

Al comparar la cantidad de automóviles y trigo producidos por las dos naciones en sus puntos previos a la especialización con la cantidad producida en sus puntos de producción posteriores a su especialización, se observa que hay ganancias de 3 automóviles y 3 fanegas de trigo. Las ganancias por la producción de la especialización se muestran en la tabla 2.6(a).

¿Cuáles son las *ganancias de consumo* del comercio de las dos naciones? Con el comercio Estados Unidos puede elegir un punto de consumo a lo largo de la línea tt de los términos de in-

---

TABLA 2.6

Ganancias de la especialización y el comercio: costos de oportunidad crecientes

a) Ganancias de producción de la especialización

	ANTES DE LA ESPECIALIZACIÓN		DESPUÉS DE LA ESPECIALIZACIÓN		GANANCIA NETA (PÉRDIDA)	
	Automóviles	Trigo	Automóviles	Trigo	Automóviles	Trigo
Estados Unidos	5	18	12	14	7	–4
Canadá	17	6	13	13	–4	7
El mundo	22	24	25	27	3	3

b) Ganancias de producción del comercio

	ANTES DEL COMERCIO		DESPUÉS DEL COMERCIO		GANANCIA NETA (PÉRDIDA)	
	Automóviles	Trigo	Automóviles	Trigo	Automóviles	Trigo
Estados Unidos	5	18	5	21	0	3
Canadá	17	6	20	6	3	0
El mundo	22	24	25	27	3	3

---

tercambio internacionales. Suponga que Estados Unidos prefiere consumir el mismo número de automóviles que consumió durante la ausencia del comercio. Exportará 7 automóviles por 7 fanegas de trigo y logrará un punto de consumo posterior al comercio en C. Las ganancias de consumo de Estados Unidos por el comercio son 3 fanegas de trigo como se muestra en la figura 2.5(a) y también en la tabla 2.6(b). El triángulo del comercio de Estados Unidos que muestra sus exportaciones, importaciones y términos de intercambio, se denota por el triángulo *BCD*.

De la misma forma, Canadá puede elegir consumir en cierto punto a lo largo de la línea *tt* de los términos de intercambio internacionales. Si se supone que Canadá mantiene constante su consumo de trigo, exportará 7 fanegas de trigo por 7 automóviles y terminará con un consumo posterior al comercio en *C'*. Su ganancia de consumo de 3 automóviles también se muestra en la tabla 2.6(b). El *triángulo del comercio* de Canadá se describe en la figura 2.5(b) por el triángulo *B'C'D'*. Observe que el triángulo del comercio de Canadá es idéntico al de Estados Unidos.

En este capítulo se analizan los puntos de la autarquía y los puntos de consumo posteriores al comercio para Estados Unidos y Canadá al asumir gustos y preferencias "dados" (condiciones de demanda) de los consumidores en ambos países. En el recuadro de *Exploración detallada 2.2 y 2.3*, disponibles en: www.cengage,com/economics/Carbaugh, presentamos las curvas de indiferencia para mostrar el papel de los gustos y preferencias de cada país para determinar los puntos de autarquía y la forma en que se distribuyen las ganancias del comercio.

Especialización parcial

Una característica del modelo de costos crecientes analizado aquí es que el comercio por lo general lleva a cada país a especializarse sólo en forma parcial en la fabricación del producto en el que tiene una ventaja comparativa. La razón para la **especialización parcial** es que los costos crecientes constituyen un mecanismo que obliga a que converjan los costos en dos naciones que practican el comercio. Cuando se eliminan los diferenciales de costos, la base para una mayor especialización deja de existir.

En la figura 2.5 se asume que antes de la especialización, Estados Unidos tiene una ventaja de costos comparativa al producir automóviles, mientras que Canadá es relativamente más eficiente en la producción de trigo. Con la especialización, cada país produce más del producto de su ventaja comparativa y menos del producto de su desventaja comparativa. Dadas las condiciones de costos crecientes, los costos unitarios aumentan conforme ambas naciones producen más de sus productos de exportación. Eventualmente, los diferenciales de costos son eliminados y en ese punto la base para una mayor especialización deja de existir.

Cuando se elimina la base para la especialización, existe una fuerte probabilidad de que ambas naciones produzcan algo de cada producto. Esto es porque con frecuencia los costos aumentan con tal rapidez que un país pierde su ventaja comparativa frente al otro país antes de alcanzar el punto final de su frontera de posibilidades de producción. En el mundo real, de condiciones de costos crecientes, una especialización parcial es un resultado probable del comercio.

Otra razón para la especialización parcial es que no todos los bienes y servicios se comercian internacionalmente. Por ejemplo, aunque Alemania tiene una ventaja comparativa en servicios médicos, sería muy difícil que Alemania se especializara completamente en servicios médicos y los exportara. Sería muy difícil que los pacientes estadunidenses que requirieran operaciones de la espalda las recibieran de cirujanos en Alemania.

Los diferentes gustos por los productos también generan especialización parcial. La mayoría de los productos son diferenciados. Los reproductores de discos compactos, los de música digital, los automóviles y muchos otros productos ofrecen una inmensa variedad de características. Cuando se compra un automóvil, algunos buscan capacidad para transportar siete pasajeros mientras otros buscan un buen kilometraje por combustible y otros más un diseño atractivo. Así pues, algunos compradores prefieren los Ford Expedition, mientras que otros prefieren CRVs de Honda. En pocas palabras, Estados Unidos y Japón tienen ventajas comparativas al fabricar diferentes tipos de automóviles.

IMPACTO DEL COMERCIO EN LOS EMPLEOS

Si los estadunidenses ven las noticias nocturnas por la televisión y observan a los trabajadores chinos fabricar productos que ellos antes producían, podrían concluir que el comercio internacional ocasiona una pérdida de empleos para los estadunidenses ¿Es esto cierto?

La teoría del comercio estándar sugiere que el grado en que una economía esté abierta influye en la *mezcla* de empleos dentro de una economía y puede ocasionar una dislocación en ciertas áreas de las industrias, pero tiene poco efecto en el nivel *general* del empleo. Los principales determinantes del empleo total son factores como la fuerza de trabajo disponible, el gasto total en la economía y las regulaciones que gobiernan el mercado laboral.

De acuerdo con el principio de la ventaja comparativa, el comercio tiende a llevar a un país a especializarse en la fabricación de productos y servicios en los que es excelente. El comercio influye en la mezcla de empleos porque se esperaría que los trabajadores y el capital se alejen de las industrias en las que son menos productivos en relación con los fabricantes extranjeros y hacia las industrias en las que tienen una ventaja comparativa.

La conclusión de que el comercio internacional tiene poco impacto en el número general de empleos la respaldan datos de la economía estadunidense. Si el comercio fuera un determinante importante en la capacidad de la nación para mantener un empleo completo, las medidas de la cantidad del comercio y del desempleo se moverían al unísono, pero de hecho, por lo general no es así. Como se puede ver en la figura 2.6, el aumento de las importaciones en Estados Unidos como un porcentaje del PIB a lo largo de varias décadas no ha llevado a ninguna tendencia significativa en la tasa de desempleo general para los estadunidenses. De hecho, Estados Unidos ha podido alcanzar un desempleo relativamente bajo al tiempo que las importaciones han crecido en forma considerable.

En términos sencillos, el aumento del comercio no ha inhibido la creación general de empleos ni contribuido a un aumento en la tasa general de desempleo. Este tema se analizará con mayor detalle en el capítulo 10 en el ensayo titulado "¿Los déficits de cuentas corrientes cuestan empleos estadunidenses?"

FIGURA 2.6

Impacto del comercio en los empleos

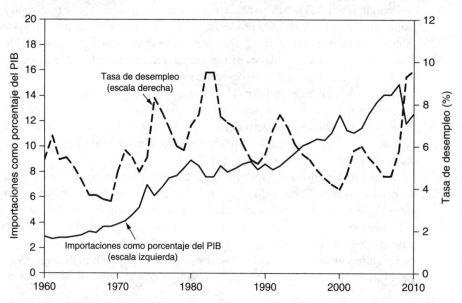

El aumento en el comercio internacional tiende a no inhibir la creación general de empleos ni a contribuir a un aumento en la tasa general de desempleo. Como se puede ver en la figura, el aumento en las importaciones estadunidenses como porcentaje del PIB durante varias décadas pasadas no ha llevado a una tendencia significativa en el desempleo general para los estadunidenses.

WOOSTER, OHIO SE VE AFECTADO POR LA GLOBALIZACIÓN

De acuerdo con el principio de la ventaja comparativa, aunque el libre comercio tiende a llevar los recursos de una productividad baja a una productividad alta, algunas personas siempre pueden quedarse relegadas, fuera del juego. Considere el caso de la compañía Rubbermaid que tuvo que abandonar la ciudad de Wooster, Ohio.

Rubbermaid es un fabricante estadunidense de artículos domésticos de plástico, como contenedores de alimentos, botes de basura, cestos para la ropa sucia, etc. La compañía fue fundada en 1933 en la ciudad de Wooster cuando James Caldwell obtuvo la patente de su célebre recogedor de basura de plástico rojo. Pronto, la compañía empezó a producir, bajo la marca Rubbermaid, toda una variedad de artículos de plástico para cocina.

Como corporativo sólido y cívicamente participativo, Rubbermaid hacía donaciones a las artes, infundió nuevo impulso al centro de la ciudad de Wooster con la inauguración de un centro comercial y coordinó una campaña para convertir un viejo cine en centro cultural. En su momento, fue considerada como una de las compañías más admiradas de EUA. Aunque los empleados en la fábrica de Rubbermaid no se hacían ricos, había abundante trabajo y era muy común encontrar hasta tres generaciones de una misma familia en la nómina de la compañía.

Rubbermaid empezó a tener dificultades en 1995, cuando la firma tuvo que afrontar precios exorbitantes de la resina, una materia prima indispensable en la fabricación de productos de plástico. En ese año, la compañía perdió $250 millones, principalmente debido al alza en el precio de este insumo. Cuando Rubbermaid intentó cotizar sus productos de plástico a precios más altos con Walmart (cliente que representaba aproximadamente el 20 por ciento de la totalidad de su negocio), Walmart amenazó con que si los precios aumentaban sacaría de sus estantes los productos Rubbermaid. Hubo negociaciones pero no tuvieron éxito; Walmart puso fin a la relación comercial con Rubbermaid y recurrió a otros proveedores: compañías en general extranjeras cuyos costos de mano de obra eran muy inferiores. Como consecuencia, las ganancias de Rubbermaid se desplomaron hasta 30 por ciento en 1995. Rubbermaid cerró 9 de sus plantas y despidió al 10 por ciento de sus empleados (el primer recorte de tales magnitudes en la historia de la empresa).

En 1999 Newell Corporation, una corporación multinacional de productos de consumo, célebre por su capacidad para abatir costos, adquirió Rubbermaid por 6 mil millones de dólares; la corporación recién formada se llamó Newell Rubbermaid Inc. y transfirió de inmediato la manufactura de la división de productos de goma de Wooster a México para aprovechar los costos inferiores de la mano de obra. Previamente, Rubbermaid había fundado plantas en Polonia, Corea del Sur y México, pero la mayor parte de su producción siempre había permanecido en EUA. Además, el personal corporativo fue trasladado a Atlanta, Georgia, a las oficinas centrales de Newell Rubbermaid. Por consiguiente, el personal en Wooster se recortó por 1,000 y los empleados que permanecieron se ocuparon de un centro de distribución de productos Rubbermaid Newell. Cuando los ex trabajadores de Rubbermaid agotaron su modesta indemnización por despido, trataron de encontrar nuevos empleos. Algunos pudieron encontrar, con muchos trabajos, nuevos empleos: a menudo temporales y sin prestaciones, y con un sueldo 30% a 40 % inferior al que antes percibían.

Los empleados de la clase media de Wooster creían fervientemente en el sueño americano de que si uno trabaja duro y sigue las reglas del juego en EUA siempre prosperará y sus hijos pueden aspirar a una vida con más oportunidades. Sin embargo, en un mundo globalizado, la dramática desaparición de su empleador los despertó a la realidad.[11]

LA VENTAJA COMPARATIVA EXTENDIDA A MUCHOS PRODUCTOS Y PAÍSES

Hasta ahora se han utilizado modelos comerciales en los que sólo dos productos fueron fabricados y consumidos y en los que el comercio se confina a dos países. Este enfoque simplificado ha permitido analizar muchos puntos esenciales acerca de la ventaja comparativa y el comercio. Pero el mundo real del comercio internacional incluye más de dos productos y dos países; cada país produce miles de productos y comercia con muchos países. Para mover el análisis hacia el realismo, es necesario entender cómo funciona la ventaja comparativa en un mundo de muchos productos y muchos países. Como se verá, las conclusiones de la ventaja comparativa se mantienen cuando se encuentran situaciones más realistas.

Más de dos productos

Cuando un número grande de productos se fabrica por dos países, la operación de la ventaja comparativa requiere que los productos se clasifiquen por el grado de costo comparativo. Cada país exporta los productos en los que tiene la mayor ventaja comparativa. Por el contrario, cada país importa los productos en los que tiene la mayor desventaja comparativa.

En la figura 2.7 se ilustra el arreglo hipotético de seis productos (químicos, aviones, computadoras, automóviles, acero y semiconductores) en el orden de clasificación de la ventaja comparativa de Estados Unidos y Japón. El arreglo implica que los costos de los químicos son los más bajos en Estados Unidos en relación con Japón, mientras que la ventaja de costos estadounidense en aviones no es lo bastante pronunciada. Por el contrario, Japón disfruta su mayor ventaja comparativa en semiconductores.

---

[11] Donald Barlett and James Steel, *The Betrayal of the American Dream*, Public Affairs-Perseus Books Group, New York, 2012; Huang Qingy et. al., "Wal-Mart's Impact on Supplier Profits", *Journal of Marketing Research*, vol. 49, núm. 2, 2012; Richard Freeman and Arthur Ticknor, "Wal-Mart Is Not a Business: It's An Economic Disease", Executive Intelligence Review, 14 de noviembre de 2003.

FIGURA 2.7

Espectro hipotético de ventajas comparativas para Estados Unidos y Japón

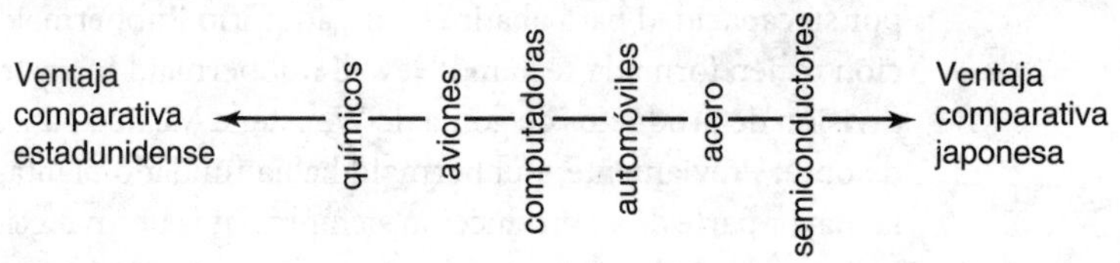

Ventaja comparativa estadunidense ← químicos ← aviones ← computadoras ← automóviles ← acero ← semiconductores → Ventaja comparativa japonesa

Cuando un gran número de productos lo fabrican dos países, la operación del principio de la ventaja comparativa requiere que los productos estén clasificados por el grado del costo comparativo. Cada país exporta los productos en los que su ventaja comparativa es más fuerte. Cada país importa los productos en los que su ventaja comparativa es más débil.

Este arreglo de productos claramente indica que, con el comercio, Estados Unidos producirá y exportará químicos y que Japón producirá y exportará semiconductores. ¿Pero en dónde residirá la línea divisoria entre lo que se exporta y lo que se importa? ¿Entre computadoras y automóviles? ¿O Japón producirá computadoras y Estados Unidos sólo químicos y aviones? ¿O la línea divisoria se encontrará a lo largo de uno de los productos más que entre ellos, para que, por ejemplo, las computadoras puedan ser producidas tanto en Japón como en Estados Unidos?

La línea divisoria entre lo que se exporta y lo que se importa depende de la fuerza relativa de la demanda internacional de los diversos productos. Uno puede visualizar los productos como cuentas arregladas en un cordel de acuerdo con la ventaja comparativa. La fuerza de la demanda y la oferta determinará la línea divisoria entre la producción estadunidense y la japonesa. Por ejemplo, un aumento en la demanda de acero y de semiconductores lleva a aumentos de precio que se mueven en favor de Japón. Esto lleva a un aumento en la producción en las industrias japonesas de semiconductores y de acero.

Más de dos países

Cuando muchos países están incluidos en un ejemplo comercial, Estados Unidos encontrará venta en ingresar a *relaciones comerciales multilaterales*. En la figura 2.8 se ilustra el proceso de comercio multilateral para Estados Unidos, Japón y la OPEP. Las flechas en la figura denotan la dirección de las exportaciones. Estados Unidos exporta aviones a la OPEP, Japón importa petróleo de la OPEP y Japón exporta semiconductores a Estados Unidos. El mundo real del comercio internacional incluye relaciones comerciales aún más complejas que este ejemplo triangular.

En este ejemplo se plantean dudas acerca de la idea de que el equilibrio bilateral debe aplicarse a cualquiera de los dos socios comerciales. De hecho, no hay más razón para esperar que el comercio bilateral se equilibre entre naciones, como sería entre individuos. El resultado predecible es que una nación tendrá un excedente comercial (las exportaciones exceden a sus importaciones) con socios comerciales que compran muchas de las cosas que suministra a un bajo costo. También, un país tendrá un déficit comercial (las importaciones de productos exceden a las importaciones de los productos) con socios comerciales que son proveedores de bajo costo de productos que importa de forma intensiva.

Considere los "déficits" y los "excedentes" de un dentista al que le gusta esquiar en nieve. Es de esperar que tenga un déficit comercial con los centros vacacionales de esquí, con las tiendas de productos deportivos y sus proveedores favoritos de artículos como reparación de calzado, carpintería y recolección de basura ¿Por qué? Es muy probable que el dentista compre estos artículos a otras personas. Por otro lado, se podría esperar que tuviera excedentes comerciales con sus pacientes y los

FIGURA 2.8

Comercio multilateral entre Estados Unidos, Japón y la OPEP

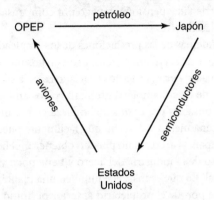

Cuando muchos países participan en el comercio internacional, el país anfitrión encontrará ventajas en ingresar a las relaciones comerciales multilaterales con diversos países. En esta figura se ilustra el proceso del comercio multilateral para Estados Unidos, Japón y la OPEP.

aseguradores médicos. Estos socios comerciales son importantes compradores de los servicios proporcionados por el dentista. Es más, si él tiene una alta tasa de ahorro, sus excedentes serán mayores que sus déficits.

Los mismos principios funcionan entre los países. Un país puede esperar que maneje excedentes considerables con socios comerciales que compran muchas cosas que el país exporta, mientras que los déficits comerciales estarán presentes con los socios comerciales que son proveedores de bajo costo de los productos importados.

¿Cuál sería el efecto si todos los países entraran a acuerdos comerciales bilaterales que equilibraran las exportaciones y las importaciones entre cada par de países? El volumen de comercio y de especialización se reduciría en gran medida y se impediría que los recursos se movieran de su nivel de productividad más alto. Aunque las exportaciones se llevarían a un equilibrio con las importaciones, las ganancias del comercio disminuirían.

BARRERAS A LA SALIDA

De acuerdo con el principio de la ventaja comparativa, un sistema comercial abierto provoca una canalización de recursos de usos de baja productividad a aquéllos de alta productividad. La competencia fuerza a las plantas de altos costos a salir y dejar a las plantas de menores costos a que operen a largo plazo. En la práctica, la restructuración de las empresas ineficientes puede llevar mucho tiempo porque con frecuencia se aferran a la capacidad al mantener plantas anticuadas. ¿Por qué las empresas retrasan el cierre cuando las utilidades son subnormales y cuando existe un exceso de capacidad? Parte de la respuesta reside en la existencia de las barreras a la salida o diversas condiciones de costos que hacen que una salida prolongada sea una respuesta racional por parte de las empresas.

Considere el caso de la industria estadunidense del acero. A lo largo de las últimas tres décadas, los analistas de la industria han sostenido que el exceso de capacidad ha sido un problema clave que enfrentan las compañías acereras estadunidenses. El exceso de capacidad ha sido ocasionado por factores como importaciones, demanda reducida de acero e instalación de tecnología moderna que permitió una mayor productividad y un aumento de producción de acero con menos insumos de capital y trabajo.

La teoría económica tradicional visualiza al trabajo por horas como un costo variable de la producción. Sin embargo, los contratos de las compañías acereras estadunidenses con United Steelworkers of America, el sindicato, hacen que el trabajo por hora sea un costo fijo en lugar de un costo variable, al menos en parte. Los contratos requieren de muchas prestaciones para empleados, como seguro médico y de vida, pensiones y pago por compensación cuando se cierra una planta así como prestaciones de desempleo.

Además de las prestaciones de los empleados, otros costos de salida tienden a retrasar el cierre de plantas de acero anticuadas. Estos costos incluyen penalidades para terminar contratos de suministro de materia prima y gastos asociados con la escritura de activos de plantas no depreciadas. Las compañías de acero también enfrentan costos ambientales cuando cierran las plantas. Son potencialmente responsables por costos de limpieza en sus instalaciones abandonadas por costos de tratamiento, almacenamiento y desecho que fácilmente pueden sumar cientos de millones de dólares. Más aún, las compañías acereras no pueden obtener mucho por la venta de los activos de sus plantas. El equipo es único de la industria del acero y tiene poco valor para cualquier fin distinto a la producción de este metal. Lo que es más, el equipo en una planta cerrada por lo general necesita una renovación importante porque el propietario anterior permitió que la planta se volviera anticuada antes del cierre. En términos sencillos, las barreras a la salida evitan los ajustes del mercado que ocurren de acuerdo con el principio de la ventaja comparativa.

EVIDENCIA EMPÍRICA ACERCA DE LA VENTAJA COMPARATIVA

Hemos aprendido que la teoría de Ricardo de la ventaja comparativa implica que cada país exportará productos para los cuales su trabajo es relativamente productivo en comparación con el de sus socios comerciales. ¿Esta teoría pronostica con precisión a los socios comerciales? Diversos economistas han sometido la teoría de Ricardo a pruebas empíricas.

La primera lección del modelo ricardiano fue hecha por el economista británico G.D.A. MacDougall en 1951. Al comparar los patrones de exportación de 25 industrias para Estados Unidos y Reino Unido para 1937, MacDougall probó la predicción ricardiana de que los países tienden a exportar productos en los que su productividad de trabajo tiende a ser relativamente alta. De las 25 industrias estudiadas, 20 encajan en el patrón pronosticado. Por tanto, la investigación MacDougall ha respaldado la teoría ricardiana de la ventaja comparativa. Por medio de distintos conjuntos de datos, los estudios subsiguientes de Balassa y Stern también respaldaron las conclusiones de Ricardo.[12]

Una prueba más reciente del modelo ricardiano viene de Stephen Golub quien examinó la relación entre los costos laborales unitarios relativos (la razón de los salarios frente a la productividad) y el comercio para Estados Unidos frente al Reino Unido, Japón, Alemania, Canadá y Australia. Encontró que el costo laboral unitario relativo ayuda a explicar los patrones comerciales para estas naciones. Los resultados estadunidenses y japoneses brindan un respaldo particularmente fuerte para el modelo ricardiano, como se muestra en la figura 2.9. La figura muestra un plano de los datos comerciales entre Estados Unidos y Japón y establece una clara correlación negativa entre los exponentes relativos y los costos laborales unitarios relativos para las 33 industrias investigadas.

Aunque hay evidencia para apoyar el modelo ricardiano, éste no carece de limitaciones. El trabajo no es el único factor de la producción. Se debe hacer una asignación cuando sea apropiado para los costos de producción y de distribución distintos que el trabajo directo. Las diferencias en la calidad de productos también explican los patrones comerciales en industrias como las de automóviles y zapatos.

---

[12] G.D.A. MacDougall, "British and American Exports: A Study Suggested by the Theory of Comparative Costs", *Economic Journal*, 61, 1951. Vea también B. Balassa, "An Empirical Demostration of Classic Comparative Cost Theory", *Review of Economies and Statistics*, agosto de 1963, pp. 231-238 y R. Stern, "British and American Productivity and Comparative Costs in International Trade", *Oxford Economic Papers*, octubre de 1962.

FIGURA 2.9

Exportaciones relativas y costos laborales unitarios relativos: Estados Unidos/Japón, 1990

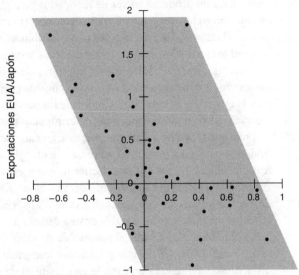

Costos laborales unitarios estadunidenses/japoneses

En la figura se muestra un diagrama de puntos de los datos de exportación de Estados Unidos/ Japón para 32 industrias, la cual muestra una clara correlación negativa entre las exportaciones relativas y los costos laborales unitarios relativos. Un movimiento hacia la derecha a lo largo del eje horizontal de la figura indica un aumento en los costos laborales unitarios relativos japoneses; esto se correlaciona con una declinación en las exportaciones relativas estadunidenses en relación con las exportaciones japonesas, un movimiento hacia abajo a lo largo del eje vertical de la figura.

Fuente: Stephen Golub, *Comparative and Absolute Advantage in the Asia-Pacific Region*, Center for Pacific Basin Monetary and Economic Studies, Economic Research Department, Federal Reserve Bank of San Francisco, octubre de 1995, p. 46.

Por tanto, se debe proceder con cuidado al explicar la competitividad de un país sólo con base en la productividad del trabajo y los niveles salariales. En el siguiente capítulo se analiza más este tema.

LA VENTAJA COMPARATIVA Y LAS CADENAS GLOBALES DE SUMINISTRO

Durante décadas la mayoría de los economistas ha insistido en que los países, de manera general, ganan en el libre comercio. Su optimismo se funda en la teoría de la ventaja comparativa desarrollada por David Ricardo La teoría dice que si cada país produce lo que hace mejor y si permite el comercio internacional, todos alcanzarán menores precios y mayores niveles de producción, de ganancias y de consumo de los que se podrían alcanzar en aislamiento comercial. Cuando Ricardo formuló su teoría los factores más importantes de la producción no podían trasladarse a otras naciones. Sin embargo, en el mundo de hoy, hay recursos de suma importancia —empleos, tecnologías, capital e ideas—a menudo se desplazan alrededor del mundo.

Desde equipo electrónico y automóviles hasta ropa o *software*, muchos artículos hoy se proveen a través de cadenas de suministro globales. En vez de llevar a cabo todo, desde la investigación y desarrollo hasta la entrega y la venta a minoristas en un sólo país, muchas industrias han dividido este proceso en etapas o tareas que se llevan a cabo en muchos otros países. Las redes de producción internacionales que permiten que las empresas trasladen bienes y servicios eficientemente más allá de las fronteras nacionales son conocidas como cadenas de suministro globales.

Las cadenas de suministro globales aprovechan la subcontratación o *outsourcing* (también conocida en inglés como *off shoring*) que consiste en subcontratar el trabajo a otra firma o en comprar componentes para un producto en vez de fabricarlos para ahorrar gastos de producción. La ubicación de la producción en lugares cercanos a los clientes es otra motivación para la subcontratación.

Con el tiempo, diversos factores han contribuido al desarrollo de cadenas de suministro globales: los cambios tecnológicos que permiten que los procesos de producción se fragmenten, la eliminación de barreras comerciales, los costos inferiores de transportación, las mejoras en las telecomunicaciones, una mayor seguridad en los derechos de propiedad intelectual y los recursos más eficientes para la ejecución de contratos. Conforme los países se integran más a estas cadenas, se vuelven más especializados en tareas específicas determinadas por su ventaja comparativa.

En lo que toca a la ventaja comparativa, las cadenas de suministro globales promueven nuevos patrones de comercio, porque las empresas de un país se especializan en etapas de producción o en tareas específicas. En los equipos electrónicos, por ejemplo las manufacturas intermedias se producen a menudo en Corea del Sur, Japón, Taiwán y Hong Kong, mientras que las actividades de ensamblaje final se contratan con compañías chinas. El iPhone, el iPod y el iPad de Apple son ejemplos típicos de artículos manufacturados a través de una cadena de suministro global.[13]

La habilidad para dividir el proceso de producción en tareas que pueden ser llevadas a cabo en ubicaciones diferentes tiene implicaciones importantes para los patrones de comercio mundial. En primer lugar, representa un cambio en la naturaleza de la especialización: tradicionalmente, las exportaciones de un país se concentraban en productos finales o servicios en los que ese país tenía una ventaja comparativa; sin embargo, con las cadenas de suministro globales, la especialización ahora se refiere a aspectos mucho más precisos, pues los países se especializan más bien en tareas o etapas de un producto, según su ventaja comparativa. Asimismo, la naturaleza de los flujos de comercio se ve alterada por las cadenas de suministro globales: cuando las cadenas de suministro se expanden, el comercio entre países industriales y países en desarrollo tiende a aumentar, ya que la ubicación de las tareas depende de las diferencias existentes en la ventaja comparativa. Además, los patrones generales del comercio se ven dominados por el comercio en bienes y servicios intermediarios (como partes, refacciones, componentes y servicios de cómputo) conforme se expanden las cadenas de suministro.

La industria de los semiconductores brinda un buen ejemplo de estas repercusiones. En el pasado, los Estados Unidos habrían exportado semiconductores terminados a China; ahora EUA se encarga de los procesos de investigación y desarrollo, diseño, así como de los pasos iniciales de la fabricación, luego exporta el circuito integrado semiterminado a un país del Sureste Asiático, como Malasia, que lleva a cabo las pruebas del final del proceso de fabricación, el ensamblado y el embalaje; posteriormente, Malasia exporta el semiconductor embalado a China donde se añade a los diversos productos electrónicos, como televisores, y luego de ahí se exporta a los consumidores de todo el mundo. Las cadenas de suministro globales impulsan las ganancias de comercio de un país porque permiten que un artículo se produzca más eficientemente que si el proceso entero tuviera que completarse en una sola ubicación.

Las cadenas de suministro globales también significan beneficios para los países en desarrollo debido a que les presentan la oportunidad de participar en una o más etapas de la producción de tecnología o de productos que requieren una alta capacitación en vez de tener que adquirir antes el dominio de todo el proceso de producción. Las compañías que al principio llevan a cabo las tareas de mínima capacitación pueden aprender a través de la interacción con empresas más avanzadas en la cadena y acaban avanzando, posteriormente, hacia actividades de producción de más alto.

---

[13] U.S. International Trade Commission, "Global Supply Chains", en The Economic Effects of Significant U.S. Import Restraints, agosto de 2011; Judith Dean y Mary Lovely, "Trade Growth, Production Fragmentation and China's Environment", en China's Growing Role in World Trade, ed. de R. Feenstra y S. Wei, National Bureau of Economic Research y University of Chicago Press, 2010; Premachandra Athukorala y Nobuaki Yamashita, "Production Fragmentation and Trade Integration: East Asia in a Global Context", North American Journal of Economics and Finance, vol. 17, 2006.

India es un caso ejemplar de este fenómeno. Durante la década de los noventa, las empresas indias de software solían ocuparse sólo de las etapas inferiores o medias de la cadena de desarrollo de *software* y se especializaban en la programación contractual, la codificación y las pruebas. Para la década del 2000, estas empresas ya participaban en la consultoría tecnológica y de negocios, la integración de sistemas, la ingeniería de producto y las otras actividades más alta especialización y capacitación ya que aprendieron a través de su interacción con empresas más experimentadas.

Aunque las cadenas de suministro globales producen la eficiencia económica, pueden también estar sujetas a las fluctuaciones mundiales. Por ejemplo, si un país pasa por una contracción de su actividad económica o experimenta un conflicto interno o desastres naturales, los otros países en la cadena de suministro se ven afectados de manera adversa. Durante la Gran Recesión de 2007-2009, la demanda estadunidense de equipo electrónico chino se redujo y provocó, por lo tanto, una caída en la demanda china de piezas y componentes electrónicos de los otros proveedores asiáticos. Otro ejemplo lo constituye el terremoto y tsunami del 2011 que abatió a Japón y afectó gravemente las cadenas de suministro de Toyota y Honda que fabrican automóviles en las plantas de Estados Unidos.

Ventajas y desventajas del outsourcing

Quienes apoyan el *outsourcing* sostienen que pueden crear una situación de ganar-ganar para la economía global. Es evidente que el *outsourcing* beneficia a los países receptores como la India. Tomemos un ejemplo: algunos habitantes de la India trabajan para una subsidiaria de Southwestern Airlines de Estados Unidos y hacen reservaciones telefónicas para los viajeros de Southwestern. A través de estas actividades, además, los ingresos aumentan para los proveedores que brindan productos y servicios a la subsidiaria y el gobierno de la India recibe ingresos fiscales adicionales. Estados Unidos también se beneficia del *outsourcing* en diversas formas, a continuación exponemos algunas ventajas para el caso de Southwestern:

- *Costos reducidos y mayor competitividad, cuando Southwestern contrata a los trabajadores de bajo salario en la India para hacer reservaciones de aerolíneas*. En Estados Unidos, muchos empleos subcontratados en el extranjero son vistos como relativamente indeseables o de bajo prestigio, mientras que en la India, con frecuencia se les considera atractivos. Por tanto, los empleados en India pueden tener una mayor motivación y tener un mejor desempeño que sus contrapartes estadunidenses. Una mayor productividad de los trabajadores indios lleva a una disminución en los costos unitarios de Southwestern.
- *Nuevas exportaciones*. Conforme se expande el producto, la subsidiaria india de Southwestern puede comprar productos adicionales de Estados Unidos, tales como computadoras y equipo de telecomunicaciones. Estas compras resultan en mayores ingresos para empresas estadunidenses como Dell y AT&T, así como empleos adicionales en EUA.
- *Ganancias repatriadas*. La subsidiaria india de Southwestern regresa sus ganancias a la empresa matriz, las cuales se devuelven a la economía estadunidense. Numerosos proveedores en el extranjero son, de hecho, empresas estadunidenses que repatrian sus ganancias.

En términos sencillos, quienes están a favor del *outsourcing* afirman que si las empresas estadunidenses no pueden ubicar trabajo en el extranjero se volverán menos competitivas en la economía global porque sus competidores sí reducen costos por medio de la subcontratación. Esto debilitará la economía y amenazará más empleos estadunidenses. También señalan que las pérdidas de empleos tienden a ser temporales y que la creación de nuevas industrias y productos en Estados Unidos provocará empleos más lucrativos para sus habitantes. Mientras que la fuerza de trabajo estadunidense retenga su alto nivel de capacitación y demuestre flexibilidad cuando las empresas se reposicionan para mejorar productividad, los empleos de alto valor no desaparecerán en Estados Unidos.

Por supuesto que lo que es bueno para la economía como un todo podría no ser bueno para un individuo en particular. Los beneficios de la subcontratación en Estados Unidos no contrarrestan el perjuicio de los estadunidenses que pierden sus trabajos o sólo encuentran trabajos de sueldo más bajo debido a la subcontratación en el extranjero. Los sindicatos obreros estadunidenses a menudo presionan al Congreso para que impida la subcontratación y algunos estados de EUA han considerado promulgar leyes para impedir que sus gobiernos firmen contratos con compañías que reubican empleos en países en vías de desarrollo donde se pagan sueldos más bajos.[14]

El outsourcing y la industria automotriz estadunidense

Los acontecimientos en la industria automotriz estadunidense durante el siglo pasado ilustran las fuerzas subyacentes detrás del *outsourcing*. A principios del siglo pasado, se requirieron sólo de 700 partes para que los trabajadores en Ford Motor Company fabricaran un Modelo T. Con este número de partes relativamente pequeño, Ford mezcló las ganancias de una producción en masa a gran escala con las de un alto grado de especialización dentro de una sola planta. Los trabajadores estaban altamente especializados y por lo general desempeñaron una sola tarea a lo largo de una línea de ensamble automatizada, mientras que la planta estaba integrada de forma vertical y fabricaba los vehículos desde las materias primas.

Cuando los consumidores se volvieron más ricos e insistieron en vehículos más lujosos y surgieron los competidores, Ford fue forzado a desarrollar una familia de modelos, cada uno equipado con asientos cómodos, radios y numerosos aparatos para mejorar la seguridad y el desempeño. Conforme los automóviles se volvieron más sofisticados, Ford ya no pudo producirlos de forma eficiente con una sola planta. Conforme el número de tareas superó al de operaciones que podían ser realizadas de forma eficiente en una planta, Ford comenzó a subcontratar la producción. La empresa ha intentado mantener las tareas y la producción estratégicamente importantes en la oficina matriz, mientras que las tareas no centrales se compran a los proveedores externos. Conforme transcurrió el tiempo, aumentar el número de partes y de servicios ya se considera algo no central y Ford ha subcontratado la producción a un número creciente de proveedores externos, muchos de los cuales están fuera de Estados Unidos. En la actualidad, alrededor de 70 por ciento de un vehículo típico de Ford proviene de partes, componentes y servicios adquiridos por los proveedores externos. Es claro que sin el desarrollo hacia mayor especialización y *outsourcing*, los automóviles de la actualidad estarían más cerca de la tecnología del Modelo T en calidad o estarían más allá del presupuesto de las personas ordinarias. Para el año 2000, los sectores de servicios como tecnología de información y procesamiento de facturas, pasaron por desarrollos similares como el de la industria automotriz en el pasado.[15]

La economía de iPhone y las cadenas de suministro globales

Apple Inc. es una compañía multinacional que produce artefactos electrónicos de consumo, *software* de computadoras y servidores comerciales. Con sede en Cupertino, California, la compañía fue fundada por Steve Jobs y Steve Wozniak en 1976. Aunque Apple solía manufacturar sus productos en América, hoy la mayoría se manufactura en el extranjero. Casi la totalidad de los iPhones, iPads, iMacs y demás productos de Apple se producen en Asia, Europa o algún otro lugar. Apple emplea a 40,000 trabajadores en Estados Unidos pero tiene 700,000 trabajadores en China; sublicencia la producción de sus dispositivos a Foxconn Technology Group, que está asentado en Taiwán y es el fabricante más grande de productos de electrónica de consumo en el mundo. ¿Qué se necesitaría para producir iPhones en Estados Unidos?

Al inicio, Apple generalmente no miraba hacia el extranjero para ubicar sitios convenientes de producción. Por ejemplo, durante varios años después de que empezó a producir el Macintosh en 1983, la compañía se jactó de que el Mac era una computadora "Hecha en EUA". Sin embargo, esto empezó a cambiar cuando Apple, a principios del nuevo siglo, se perfiló por la manufactura extranjera. El atractivo de Asia consistía en buena parte en sus trabajadores menos remunerados y semicalificados, pero esa no fue la motivación principal para Apple porque los costos de empleo eran insignificantes

---

[14] Jagdish Bhagwati et. al., "The Muddles Over Outsourcing," Journal of Economic Perspectives, otoño de 2004, pp. 93–114. Vea también: McKinsey Global Institute, Offshoring: Is It a Win-Win Game?, : McKinsey Global Institute, Washington, DC, 2003.
[15] World Trade Organization, World Trade Report 2005, Ginebra, Suiza, pp. 268–274.

comparados con el costo de la compra de piezas y la operación de cadenas de suministro que combinan componentes y servicios de cientos de compañías. Apple sostiene que el amplio espectro de fábricas extranjeras así como su flexibilidad y perseverancia, aunados a la destreza de los trabajadores extranjeros se han vuelto tan superiores a los de sus homólogos estadunidenses que la manufactura en Estados Unidos no es una alternativa objetiva para la mayoría de los productos de Apple.

Por ejemplo, Apple subcontrató a una compañía china para dar nuevo impulso a la producción del iPhone apenas unas semanas antes de que fuera lanzado al mercado. Apple había rediseñado la pantalla del iPhone a última hora, y requería de una revisión de la cadena de montaje. Las nuevas pantallas empezaron a llegar a la planta alrededor de la medianoche. Para garantizar la más rápida implementación posible, el capataz de la planta despertó a los trabajadores que dormían en los atestados dormitorios de la misma compañía y la revisión comenzó de inmediato. En sólo un lapso de cuatro días, la revisión había quedado concluida y la planta empezó a manufacturar 10,000 iPhones por día con una pantalla nueva de vidrio a prueba de rayaduras. Los empleados de esta planta trabajan hasta 12 horas diarias, seis días a la semana. Los ejecutivos de Apple han señalado que la velocidad y la flexibilidad de la planta eran excelentes y que sencillamente ninguna planta estadunidense rivaliza con ella. Sin embargo, los críticos sostienen que estos costos de recursos humanos en China se incorporan al precio del iPhone y de los otros productos de Apple. Advierten que el deseo de Apple de incrementar la calidad del producto y reducir los costos de producción han provocado que la empresa y sus proveedores ignoren a menudo las condiciones elementales de seguridad para los empleados, el traspaso de residuos peligrosos, el empleo de menores de edad, las excesivamente largas jornadas laborales y otras agravantes similares. Las terribles condiciones de trabajo en las fábricas chinas que manufacturan para Hewlett Packard, Dell, IBM, Sony y otras compañías también han sido documentadas.

Ahora bien, algunos elementos del iPhone son estadunidenses. El *software* del producto, por ejemplo, y sus innovativas características de mercadotecnia se contratan principalmente en Estados Unidos. Apple ha construido, por otro lado, un centro de información electrónica en Carolina del Norte y los principales circuitos integrados en el interior del iPhone se producen en Austin, Texas a través de Samsung, una compañía de Corea del Sur. Sin embargo, esas instalaciones no suministran muchos empleos para estadunidenses. El centro de información electrónica de Carolina del Norte de Apple da empleo a solamente 100 trabajadores de tiempo completo y la planta de Samsung emplea a aproximadamente 2,400 trabajadores. Dicho en pocas palabras, si el crecimiento consiste en ampliar la producción de un millón de teléfonos a 25 millones de teléfonos, sencillamente no se necesitan muchos más programadores.

En la defensa de su estrategia de subcontratar la producción, Apple señala que no hay suficientes trabajadores estadunidenses con las habilidades que la compañía necesita o fábricas en EUA con la flexibilidad y velocidad que requiere su cadena de producción. Según Apple, el desafío crucial para ubicar plantas en Estados Unidos consiste en encontrar personal técnico suficiente. En particular, Apple y otras compañías de tecnología arguyen que necesitan ingenieros con una educación superior a la preparatoria, pero no necesariamente con una licenciatura. Los estadunidenses capacitados con ese nivel de educación son difíciles de encontrar. En pocas palabras, la decisión de Apple de subcontratar no depende simplemente de la mano de obra barata de China.[16]

La subcontratación resulta contraproducente para el Boeing 787 Dreamliner

Aunque la subcontratación pudo contribuir a alcanzar altos niveles de eficiencia en la industria automotriz, dio, por el contrario, muchos problemas a Boeing en la fabricación de sus aviones. En 2007 las primeras alas del nuevo avión Boeing de 150 millones de dólares, el 787 Dreamliner, aterrizaron

---

[16] Charles Duhigg and Keith Bradsher, "How the U.S. Lost Out on iPhone Work", The New York Times, 21 de enero de 2012; "In China, Human Costs Are Built Into an iPad", The New York Times, 25 de enero de 2012, disponible en http://www.nytimes.com.; Rich Karlgaard, "In Defense of Apple's China Plants", The Wall Street Journal, 2 de febrero de 2012, p. A-13; Greg Linden, Kenneth Kraemer y Jason Dedrick, "Innovation and Job Creation in a Global Economy: The Case of Apple's iPod", Journal of International Commerce and Economics, 2011.

TABLA 2.7	
La producción de los Boeing 787: ejemplos de cómo Boeing subcontrata su trabajo	
País	**Componente/actividad**
Japón	Ala, sección de medio fuselaje, borde fijo trasero de la superficie aérea, caja de alas
China	Timón de dirección, aleta vertical, cubierta aerodinámica
Corea del Sur	Punta del ala, cono de la cola
Australia	Alerón interno, borde trasero móvil de la superficie aérea
Canadá	Transmisión del motor, puerta principal del tren de aterrizaje
Italia	Estabilizador horizontal
Reino Unido	Motor del tren de aterrizaje principal, nariz del tren de aterrizaje

Fuente: "Boeing 787: Parts from Around the World Will Be Swiftly Integrated", *The Seattle Times*, 11 de septiembre de 2005 y "Boeing Shares Work, But Guards Its Secrets", *The Seattle Times*, 15 de mayo de 2007 y "Outsourcing at Crux of Boeing Strike", *The Wall Street Journal*, 8 de septiembre de 2008.

en Seattle, Washington, ya completamente fabricadas en Japón. Boeing asignó a tres compañías japonesas 35 por ciento del diseño y la manufactura del 787 y la empresa llevaría a cabo el ensamblaje final en sólo tres días. Otras naciones, como Italia, China y Australia, habían sido subcontratadas para producir partes del 787, como se aprecia en la tabla 2.7. Boeing mantenía que, al encargar a proveedores de todo el mundo la construcción de grandes partes de sus aviones, la empresa podía reducir en un 50 por ciento el tiempo requerido para construir sus aviones y, así, reducir los costos de desarrollo de las aeronaves de 10 mil millones de dólares a seis mil millones. En términos simples: Boeing manufacturó sólo el 35% del avión antes de ensamblarlo en su planta en las afueras de Seattle; el 65% de la manufactura provenía del extranjero.

Para reducir costos, Boeing requería que los socios extranjeros absorbieran parte de los costos de inicio para desarrollar el avión. Para poder asegurar los contratos de manufactura de las secciones del 787, los socios extranjeros invirtieron miles de millones de dólares y buscaron cualquier subsidio que estuviera disponible. Por ejemplo, el gobierno japonés proporcionó préstamos de hasta 2,000 millones de dólares a los tres socios japoneses de Boeing mientras que Italia facilitó infraestructura regional para la empresa asociada con Beoing. Esta dispersión del riesgo permitió a Beoing reducir sus costos de desarrollo inicial y, así, convertirse en un competidor más efectivo frente a Airbus.

La necesidad de encontrar talento de ingeniería y capacidad técnica fue otra motivación detrás de la estrategia de globalización de Boeing. De acuerdo con sus directivos, la complejidad de diseñar y producir el 787 requiere el trabajo conjunto del talento y las habilidades de muchas personas de todas partes del mundo. Por otro lado, la política de compartir el trabajo con extranjeros ayuda a Boeing a fortalecer relaciones con sus mejores clientes. Por ejemplo, Japón ha invertido más dinero en comprar aviones de esta empresa que cualquier otro país: al compartir el trabajo con los japoneses Boeing asegura un monopolio virtual de ventas de aviones a Japón.

Pero esta ambiciosa estrategia de Boeing resultó contraproducente porque los proveedores se atrasaron en el cumplimiento de sus tareas, de manera que la producción del 787 acabó retrasándose más de cuatro años. Los problemas de los proveedores iban desde las barreras del idioma hasta los conflictos que se producían cuando los proveedores mismos subcontrataban partes del trabajo. Boeing se vio obligado a recurrir a su propia fuerza laboral para ensamblar os primeros aviones cuando las partes principales habían llegado a su planta en Seattle, con miles de partes menores aún faltantes. Esto trajo consigo ansiedad y enojo entre los trabajadores sindicalizados quienes aseguraban que si Boeing les hubiera permitido a ellos construir el 787 desde un principio, lo hubieran tenido a tiempo para el calendario inicial de producción. Los empleados de Boeing temían, además, que la compañía permitiera a los proveedores extranjeros, posteriormente, dar un paso adelante e instalar directamente los componentes en el 787. Aunque los directivos insistían en que no tenían ninguna intención de hacer eso, se negaban a asegurarlo a los trabajadores sindicalizados por escrito.

Al soltar el control de su cadena de suministro, Boeing había perdido la capacidad para supervisar cada paso de la producción: muchos problemas sólo salieron a la luz sólo cuando se juntaban las partes en la planta de Seattle. Los arreglos o rediseños de estas partes no eran nada sencillos y a menudo había desencuentros culturales entre los diferentes proveedores. Los ejecutivos de Boeing se lamentaban porque los italianos sólo parecían trabajar tres días a la semana (siempre estaban de vacaciones) mientras que los japoneses trabajan seis días a la semana. Por otro lado, los empleados de Boeing pensaban que estaban entregando los secretos de su industria a los japoneses y chinos y ellos luego se convertirían en sus competidores.

Se suponía que la subcontratación iba a generar grandes ahorros para la compañía pero en el caso de Boeing resultó completamente contraproducente. Se requirieron varios miles de millones de dólares por arriba del presupuesto y más de tres años de retraso para que el 787 hiciera su primer vuelo en 2011. Incluso después, las baterías de litio del avión se sobrecalentaban y la corrección de este problema costó tiempo adicional. Al final, los ejecutivos admitieron que subcontrataron tareas a gente que había demostrado no estar suficientemente calificada y esto había traído como resultado componentes mal hechos, problemas con los sistemas eléctricos y con las regulaciones ambientales, así como retrasos en las fechas programadas de manera que el calendario de producción del avión entero se había visto afectado. En pocas palabras, Boeing gastó mucho más dinero para recuperarse de estos problemas que si hubiera mantenido muchas de las etapas clave dela producción más cerca de su planta.[17]

Reubicación de la producción en Estados Unidos

Por varias décadas, muchas firmas con altos costos de mano de obra descubrieron que podían ahorrar enormes cantidades enviando el trabajo a países donde los sueldos eran inferiores. Sin embargo, para 2013 muchos productores estaban reconsiderando cada vez más sus estrategias de subcontratación. Algunas compañías importantes como Caterpillar, Ford Motor Company, Google, Apple y General Electric estaban devolviendo una parte de su producción a Estados Unidos. ¿Por qué?

La razón más importante era que sueldos en China e India empezaron a incrementarse un 10 a 20 por ciento cada año, mientras que el salario de los obreros en Estados Unidos y Europa se elevaba muy lentamente. Así, la diferencia de sueldos se estaba reduciendo. Si bien es cierto que otros países, como Vietnam y Bangladesh, están empezando a reemplazar a China como regiones de salarios bajos. Carecen aún de la eficiencia, volumen de empleados y cadenas de suministro chinas.

Las compañías estadunidenses también empezaron a reconsiderar los aspectos negativos de la producción a distancia. Los costos de transportación de mercancías alrededor del mundo por buques de carga habían aumentado vertiginosamente y a menudo las mercancías pasaban semanas en tránsito. Cuando los costos de envío marítimos, ferroviarios o por carretera aumentan, resulta muy perjudicial para las compañías que producen artículos de valor relativamente bajo, como bienes de consumo y aparatos. Por otro lado, la reubicación de la producción lejos de los clientes en mercados grandes y nuevos hace difícil adaptar los productos a ese mercado y responder rápidamente a una demanda local cambiante. Finalmente, las compañías empiezan a considerar los factores de riesgo producidos por los desastres naturales o las conmociones geopolíticas que pueden afectar cada vez más su cadena de suministro.

Así por ejemplo, Emerson, un fabricante de equipo eléctrico, ha mudado sus fábricas de Asia a EUA para estar más cerca de sus clientes. Lenovo, una compañía china de tecnología, ha empezado a hacer computadoras personales en Carolina del Norte para atender directamente las necesidades de sus clientes estadunidenses. IKEA, una empresa sueca de muebles y otros productos domésticos, ha abierto una fábrica en Estados Unidos para reducir gastos de entrega. Desa, una compañía de herramientas de motor, ha regresado su producción de China a Estados Unidos porque el ahorro de transporte y materias primas que esto supone ahora compensa los costos de una mano de obra más cara. Considere, asimismo, los siguientes casos de regreso de la producción al lugar original.[18]

---

[17] Steve Denning, "What Went Wrong At Boeing?", Forbes, 21 de enero de 2013.
[18] "Here, There and Everywhere: Outsourcing and Offshoring", The Economist, 19 de enero de 2013; James Hagerty, "Whirlpool Jobs Return to U.S.", The Wall Street Journal, 20 de diciembre de 2013, p. B-4.; James Hagerty, "America's Toilet Turnaround", The Wall Street Journal, 25 de septiembre de 2013, pp. B-1 and B-8.

- En 2014, Whirlpool Corp. mudó parte de su producción de lavadoras de su planta en Monterrey, México, a una planta en la ciudad de Clyde, Ohio; ésta es ahora la fábrica más grande de lavadoras de la compañía. Aunque los sueldos promedio de los empleados en Clyde son de $18 a $19 por hora (aproximadamente cinco veces más alto que en Monterrey), la compañía asegura que el cambio reduciría gastos de manera global. ¿Por qué? La planta de Clyde está más automatizada y los gastos de electricidad son muy inferiores por comparación con Monterrey. Además, Whirlpool ahorra en transporte porque las lavadoras no tienen que cruzar una frontera antes de entrar en la red de distribución estadunidense de la compañía. Whirlpool también anunció que incrementaría la producción de lavadoras para el mercado de México en la planta de Monterrey y no necesitaría reducir su personal mexicano. De forma similar a las otras compañías, Whirlpool está tratando de producir artículos más cerca de donde los vende, reduciendo así su tiempo de respuesta a los cambios en la demanda.

- Después de varias décadas de ubicación de la producción en el extranjero, los productores estadunidenses de retretes empezaron a aumentar la producción en Estados Unidos desde 2014. Entre estas compañías están Kohler Co., American Standard Brands y Mansfield Plumbing Co. Sus razones para el regreso de la producción a EUA incluyen el deseo de hacer llegar sus productos más rápidamente a los clientes estadunidenses, la reducción de los gastos de envío, la capacidad para responder rápidamente a los cambios en las preferencias del consumidor y la posibilidad de presentarse como una marca "Hecha en EUA", detalle que las compañías consideran cada vez más popular.

Ahora bien, es prudente no exagerar la magnitud del movimiento de reubicación de la producción a EUA. La mayoría de las compañías involucradas han estado trayendo solamente una parte de su producción destinada al mercado estadunidense. Una gran parte de la producción que ubicaron en el extranjero durante las últimas décadas se ha quedado en el extranjero. Al momento de escribir este texto, no se ve claro aún hasta qué grado continuará está tendencia de reubicación de la producción en Estados Unidos.

RESUMEN

1. Para los mercantilistas las existencias de metales preciosos representaban la riqueza de una nación. Ellos afirmaban que el gobierno debía adoptar los controles comerciales para limitar las importaciones y promover las exportaciones. Una nación podría ganar del comercio sólo a costa de sus socios comerciales porque las existencias de la riqueza mundial estaban fijas en un momento determinado en el tiempo y porque no todas los países podían tener, de forma simultánea, una balanza comercial favorable.

2. Smith desafió los puntos de vista de los mercantilistas acerca del comercio al afirmar que con el libre comercio, la especialización internacional de los factores de producción podría aumentar la producción mundial, que podría ser compartida por los países que comercian. Todos los países podrían disfrutar de forma simultánea de las ganancias del comercio. Smith sostuvo que cada país encontraría ventaja en especializarse en la fabricación de esos productos en los que tuviera una ventaja absoluta.

3. Ricardo afirmó que el comercio mutuamente benéfico es posible incluso si una nación tiene una desventaja absoluta en la producción de ambos productos en comparación

con la otra nación. La nación menos productiva debe especializarse en la producción y la exportación del producto en el que tenga una ventaja comparativa.

4. Los costos comparativos se pueden ilustrar con la frontera de posibilidades de producción. En esta curva se indica la cantidad máxima de cualquiera de dos productos que una economía puede producir bajo el supuesto de que todos los recursos se utilizan en su manera más eficiente. La pendiente de la frontera de posibilidades de producción mide la tasa marginal de la transformación, que indica la cantidad de un producto que debe sacrificarse por el incremento unitario de otro producto.

5. Bajo condiciones de costo constantes, la frontera de posibilidades de producción es una línea recta. Los precios relativos nacionales se determinan de forma exclusiva por las condiciones de oferta de una nación. La especialización completa de un país en la producción de un solo producto puede ocurrir en el caso de costos constantes.

6. Debido a que la teoría comercial ricardiana confiaba sólo en los análisis de la oferta, no podía determinar los términos de intercambio reales. Mill abordó esta limitante en su

teoría de demanda recíproca, la cual asevera que dentro de los límites de los términos de intercambio, los términos de intercambio reales se determinan por la intensidad de la demanda de cada país por el producto del otro país.

7. La ventaja comparativa que se acumula para los fabricantes de un producto en particular en un país específico se puede desvanecer al paso del tiempo cuando el crecimiento en la productividad se retrasa respecto al de los competidores extranjeros. Las ventajas comparativas perdidas en los mercados extranjeros reducen las ventas y las utilidades de las empresas nacionales así como los empleos y los salarios de los trabajadores nacionales.

8. En el mundo real las naciones tienden a experimentar condiciones de costos crecientes. Así, las curvas de posibilidades de producción se dibujan en forma cóncava al origen del diagrama. Los precios relativos del producto en cada país se determinan por los factores de la oferta y la demanda. La especialización completa en la producción es poco probable en el caso de los costos crecientes.

9. De acuerdo con el principio de la ventaja comparativa, la competencia fuerza a los productores de altos costos a salir de la industria. En la práctica, la restructuración de una industria puede tomar mucho tiempo porque los productores de altos costos con frecuencia se aferran a la capacidad al mantener plantas obsoletas. Las barreras de salida se refieren a diversas condiciones de costos que hacen de una salida prolongada una respuesta racional por parte de los productores de altos costos.

10. La primera prueba empírica de la teoría de la ventaja comparativa de Ricardo la hizo MacDougall; al comparar los patrones de exportación de Estados Unidos y del Reino Unido, encontró que las tasas salariales y la productividad del trabajo eran determinantes importantes de los patrones comerciales internacionales. Una prueba más reciente del modelo ricardiano fue realizada por Golub y también respalda a Ricardo.

CONCEPTOS Y TÉRMINOS CLAVE

Autarquía (p. 36)

Barreras a la salida (p. 55)

Base del comercio (p. 29)

Costos de oportunidad constantes (p. 36)

Costos de oportunidad crecientes (p. 46)

Doctrina del flujo de las mercancías-precios (p. 30)

Especialización completa (p. 40)

Especialización parcial (p. 50)

Frontera de posibilidades de producción (p. 35)

Frontera sin comercio (p. 41)

Ganancias de consumo (p. 38)

Ganancias de producción (p. 37)

Ganancias del comercio internacional (p. 29)

Ganancias dinámicas del comercio internacional (p. 43)

La importancia de no ser importante (p. 42)

Libre comercio (p. 30)

Límites externos para los términos de intercambio de equilibrio (p. 40)

Línea de posibilidades de comercio (p. 39)

Mercantilistas (p. 29)

Principio de la ventaja absoluta (p. 31)

Principio de la ventaja comparativa (p. 32)

Región del comercio mutuamente benéfico (p. 41)

Subcontratación (*outsourcing*) (p. 58)

Tasa marginal de transformación (TMT) (p. 36)

Teoría de la demanda recíproca (p. 41)

Teoría del valor del trabajo (p. 30)

Términos de intercambio (p. 38)

Términos de intercambio de productos (p. 42)

Triángulo del comercio (p. 40)

PREGUNTAS PARA ANÁLISIS

1. Identifique las preguntas básicas que se plantea la teoría comercial moderna.

2. ¿En qué difieren los puntos de vista acerca del comercio internacional de Smith con los de los mercantilistas?

3. Desarrolle un ejemplo aritmético que ilustre cómo un país puede tener una desventaja absoluta en la fabricación de dos productos y aún así tener una ventaja comparativa en la producción de uno de ellos.

4. Tanto Smith como Ricardo afirmaban que el patrón del comercio mundial se determina sólo por las condiciones de la oferta. Explique.

5. ¿Cómo se relaciona el concepto de costo comparativo con la frontera de posibilidades de producción de un país? Ilustre en qué forma las curvas de posibilidades de producción de distintas formas dan pie a costos de oportunidad diferentes.

6. ¿Qué expresan los costos de oportunidad constantes y los costos de oportunidad crecientes? ¿Bajo qué condiciones un país experimentará costos constantes o crecientes?

7. ¿Por qué los puntos de producción previos al comercio tienen una carga en los costos comparativos bajo condiciones de costos crecientes, pero no bajo condiciones de costos constantes?

8. ¿Qué factores subyacen en saber si la especialización en la producción será parcial o completa en una base internacional?

9. Las ganancias de la especialización y el comercio se analizan en términos de *ganancias de producción* y *ganancias de consumo*. ¿Qué significan esos términos?

10. ¿Qué significa el término *triángulo del comercio*?

11. Con un nivel dado de recursos mundiales, el comercio internacional puede traer un aumento en la producción mundial total. Explique.

12. La máxima cantidad de acero o aluminio que Canadá y Francia pueden producir si utilizan por completo todos los factores de producción a su disposición con la mejor tecnología disponible para ellos se muestra (en forma hipotética) en la tabla 2.8.

TABLA 2.8
Producción de acero y aluminio

	Canadá	Francia
Acero (toneladas)	500	1200
Aluminio (toneladas)	1500	800

Asuma que la producción ocurre bajo condiciones de costos constantes. En papel milimétrico, dibuje las curvas de posibilidades de producción para Canadá y Francia; localice el aluminio en el eje horizontal y el acero en el eje vertical de la gráfica de cada país. En ausencia del comercio, asuma que Canadá produce y consume 600 toneladas de aluminio y 300 toneladas de acero y que Francia produce y consume 400 toneladas de aluminio y 600 toneladas de acero. Denote estos puntos de autarquía en la frontera de posibilidades de producción de cada nación.

a. Determine la TMT de acero en aluminio para cada nación. De acuerdo con el principio de la ventaja comparativa, ¿se deben especializar las dos naciones? Si es así, ¿qué producto debe fabricar cada país? ¿El grado de especialización será completo o parcial? Denote el punto de especialización de cada nación en su frontera de posibilidades de producción. En comparación con la producción de acero y de aluminio que ocurre en la ausencia del comercio, ¿la especialización arroja aumentos en la producción? Si es así, ¿por cuánto?

b. ¿Dentro de qué límites residen los términos de intercambio si ocurre especialización y comercio? Suponga que Canadá y Francia acordaron una razón de términos de intercambio de 1:1 (1 tonelada de acero = 1 tonelada de aluminio). Dibuje la línea de términos de intercambio en el diagrama de cada nación. Si se asume que 500 toneladas de acero se intercambian por 500 toneladas de aluminio ¿los consumidores canadienses están mejor como resultado del comercio? Si es así, ¿por cuánto?, ¿y qué pasa con los consumidores franceses?

c. Describa los triángulos del comercio de Canadá y Francia.

13. Las cifras hipotéticas en la tabla 2.9 dan cinco combinaciones alternadas de acero y de automóviles que Japón y Corea del Sur pueden producir si utilizan por completo todos los factores de producción a su disposición con la mejor tecnología disponible. En papel milimétrico dibuje las curvas de posibilidades de producción de Japón y de Corea del Sur. Ubique el acero en el eje vertical y los automóviles en el eje horizontal de la gráfica de cada nación.

TABLA 2.9
Producción de acero y automóviles

JAPÓN		COREA DEL SUR	
Acero (toneladas)	Autos	Acero (toneladas)	Autos
520	0	1200	0
500	600	900	400
350	1100	600	650
200	1300	200	800
0	1430	0	810

a. Las curvas de posibilidades de producción de los dos países aparecen cóncavas o encorvadas hacia fuera a partir del origen. ¿Por qué?

b. En autarquía, se asume que los puntos de producción y de consumo de Japón a lo largo de su frontera de posibilidades de producción son 500 toneladas de acero y 600 automóviles. Dibuje una línea tangente al punto de autarquía de Japón y de ahí calcule la TMT de Japón de acero en automóviles. En autarquía se asume que la producción y puntos de consumo de Corea del Sur a lo largo de su frontera de posibilidades de producción son 200 toneladas de acero y 800 automóviles. Dibuje una línea tangente al punto de autarquía de Corea del Sur y a partir de él calcule la TMT de Corea del Sur de acero en automóviles.

c. Con base en la TMT de cada nación, ¿las dos naciones se deben especializar de acuerdo con el principio de la ventaja comparativa? Si es así, ¿en qué producto deben hacerlo?

d. El proceso de especialización en la producción de acero y de automóviles continúa en Japón y en Corea del Sur hasta que sus precios de productos relativos o TMT se vuelvan iguales. Con la especialización, suponga que las TMT de las dos naciones convergen en TMT = 1. Empiece en el punto de autarquía de Japón, deslícese a lo largo de su frontera de posibilidades de producción hasta que la pendiente de la línea tangente iguale a 1. Este se vuelve el punto de producción de Japón bajo una especialización parcial. ¿Cuántas toneladas de acero y cuántos automóviles producirá Japón en este punto? De igual manera, determine el punto de producción de Corea del Sur bajo una especialización parcial. ¿Cuántas toneladas de acero y cuántos automóviles producirá Japón en este punto? De igual manera determine el punto de producción de Corea del Sur bajo una especialización parcial. ¿Cuántas toneladas de acero y cuántos automóviles producirá Corea del Sur? Para los dos países, ¿su producción combinada de acero y automóviles con especialización parcial excede su producción en la ausencia de la especialización? Si es así, ¿por cuánto?

e. Con los precios de producto relativo en cada nación ahora en equilibrio a 1 tonelada de acero igual a 1 automóvil (TMT = 1), suponga que 500 automóviles se intercambian en estos términos.

1) Determine el punto a lo largo de la línea de términos de intercambio en el que Japón se ubicará después de que ocurra el comercio. ¿Cuáles son las ganancias de consumo de Japón por el comercio?

2) Determine el punto a lo largo de la línea de términos de intercambio en el que Corea del Sur se ubicará después de que ocurra el comercio. ¿Cuáles son las ganancias de consumo de este país por el comercio?

14. En la tabla 2.10 se dan índices de precios de exportación e índices de precios de importación hipotéticos (1990 = 100) para Japón, Canadá e Irlanda. Calcule los términos de intercambio para los productos de cada país para el periodo 1990-2006. ¿Qué términos de intercambio de los países mejoraron, empeoraron o no mostraron ningún cambio?

TABLA 2.10

Índices de precios de exportación e importación

| | ÍNDICE DE PRECIOS DE EXPORTACIÓN | | ÍNDICE DE PRECIOS DE IMPORTACIÓN | |
País	1990	2006	1990	2006
Japón	100	150	100	140
Canadá	100	175	100	175
Irlanda	100	167	100	190

15. ¿Por qué las ganancias del comercio no pudieron determinarse de forma precisa bajo el modelo ricardiano de comercio?

16. ¿A qué se refiere el término teoría de la demanda recíproca? ¿Cómo brinda una explicación significativa de los términos de intercambio internacionales?

17. ¿En qué forma el concepto de términos de intercambio de producto intenta medir la dirección de las ganancias comerciales?

EXPLORACIÓN DETALLADA

Para una presentación de *La ventaja comparada en términos de dinero*, consulte *Exploring Further 2.1*, disponible en: at **www.cengage.com/economics/Carbaugh**.

Para una presentación de curvas de indiferencia que muestran el papel que los gustos y las preferencias de cada país tiene en la determinación de los puntos de autarquía y cómo se distribuyen las ganancias del comercio, consulte *Exploring Further 2.2*, disponible en: **www.cengage.com/economics/Carbaugh**.

Para una presentación de *La curvas de oferta y los términos de equilibrio del comercio*, consulte *Exploring Further 2.3*, disponible en: at **www.cengage.com/economics/Carbaugh**.

Fuentes de ventaja comparativa

En el capítulo 2 aprendimos cómo aplicar el principio de la ventaja comparativa a los patrones comerciales de los países. Por ejemplo, Estados Unidos tiene una ventaja comparativa y, por tanto, exporta considerables cantidades de químicos, semiconductores, computadoras, equipo generador, aviones, productos agrícolas y demás. Tiene desventajas comparativas y por ello, depende de otros países para obtener cacao, café, té, seda cruda, especies, estaño y hule natural. Los productos importados también compiten con productos estadunidenses en sus mercados: automóviles y televisores japoneses, queso suizo y esquís para nieve austriacos son algunos ejemplos. Incluso el pasatiempo estadunidense del béisbol depende en buena manera de las pelotas y los guantes importados.

Ahora bien, ¿qué determina la ventaja comparativa de un país? No hay una respuesta única para esta pregunta: a veces la ventaja comparativa se determina por los recursos naturales o el clima, por la abundancia de mano de obra barata, por la acumulación de capital y especialización, así como por los apoyos gubernamentales concedidos a ciertas industrias específicas. Algunas fuentes de ventaja comparativa duran mucho tiempo, como los inmensos yacimientos petrolíferos de Arabia Saudita; otras fuentes de ventaja comparativa pueden desarrollarse a través el tiempo, como la especialización de los trabajadores, la educación y la tecnología.

En este capítulo, discutiremos las fuentes más importantes de ventaja comparativa: las diferencias en la tecnología, la dotación de recursos y la demanda del consumidor, así como la existencia de políticas gubernamentales, economías de escala en la producción y economías externas. También consideraremos el impacto que los costos de transporte tienen sobre los patrones de comercio.

LA DOTACIÓN DE FACTORES COMO FUENTE DE VENTAJA COMPARATIVA

Cuando Ricardo elaboró el principio de la ventaja comparativa nunca abordó el problema de qué es lo que, en última instancia, determina la ventaja comparativa. Simplemente, dio por hecho que la productividad relativa del trabajo y, por tanto, los costos de trabajo relativos y los precios de productos relativos, diferían entre dos países antes de entablar el comercio. Es más, el supuesto de Ricardo del trabajo como único factor de la producción dejaba fuera una explicación de la forma en que el comercio afecta la distribución del ingreso entre diversos factores de producción dentro de una nación y por qué ciertos grupos favorecen el libre comercio, mientras que otros grupos se oponen a él. Como veremos, la propia teoría del comercio establece que algunas personas han de sufrir pérdidas con el libre comercio.

En las décadas de 1920 y 1930, los economistas suecos Eli Heckscher y Bertil Ohlin formularon una teoría que abordaba dos cuestiones que quedaron sin explicación por parte de Ricardo: ¿qué determina la ventaja comparativa?, y ¿qué efecto tiene el comercio internacional en las ganancias de diversos factores de producción en las naciones que comercian? Como Heckscher y Ohlin sostuvieron que la dotación de factores (recursos) determina la ventaja comparativa de una nación, su teoría se conoce como la **teoría de la dotación de factores**. También se conoce como la **teoría Heckscher-Ohlin**.[1] Ohlin recibió el Premio Nobel de Economía en 1977 por sus contribuciones a la teoría del comercio internacional.

Teoría de la dotación de factores

La teoría de la dotación de factores afirma que la base inmediata del comercio es la diferencia entre los precios de producto relativos previos al comercio de las naciones que comercian. Estos precios dependen de las fronteras de posibilidades de producción y de los gustos y preferencias (condiciones de demanda) de los países que practican el comercio. Como las fronteras de posibilidades de producción, a su vez, dependen de la tecnología y de la dotación de recursos, los determinantes finales de la ventaja comparativa son la tecnología, la dotación de recursos y la demanda. La teoría de la dotación de factores asume que la tecnología y la demanda son aproximadamente las mismas entre los países y, en consecuencia, enfatiza las diferencias relativas en cuanto a la dotación de factores como determinante de última instancia de la ventaja comparativa.[2] Observe que es la razón de dotación de factores, más que la cantidad absoluta de cada factor disponible, lo que determina la ventaja comparativa.

De acuerdo con la teoría de la dotación de factores, una nación exportará el producto para el que utiliza una gran cantidad del factor relativamente abundante. Importará el producto en cuya producción utilice el factor relativamente escaso. Por tanto, la teoría de la dotación de factores pronostica que la India, con su abundancia relativa de trabajo, debe exportar zapatos y camisas, mientras que Estados Unidos, con su abundancia relativa de capital, debe exportar maquinaria y químicos.

¿Qué significa tener una abundancia relativa en un factor? En la tabla 3.1, se ilustra la dotación de factores hipotética en Estados Unidos y China que se utiliza en la producción de aviones y textiles. La **razón capital/trabajo** de Estados Unidos es igual a 0.5 (100 máquinas/200 trabajadores = 0.5), lo que significa que hay 0.5 máquinas por trabajador. En China, la razón capital/trabajo es 0.02 (20 máquinas/1 000 trabajadores = 0.02), lo que implica que hay 0.02 máquinas por trabajador. Como la razón estadunidense de capital/trabajo excede la razón china de capital/trabajo, Estados Unidos es el país de abundancia relativa de capital y China el país de escasez relativa de capital. Por el contrario, a China se le llama el país de abundancia relativa de trabajo y a Estados Unidos el país de escasez relativa de trabajo.

---

[1] La explicación de Eli Heckscher de la teoría de la dotación de factores se presenta en el artículo "The Effects of Foreign Trade on the Distribution of Income", *Economisk Tidskrift* 21, 1919, pp. 497-512. El testimonio de Bertil Ohlin se resume en su *Interregional and International Trade*, Cambridge, MA, Harvard University Press, 1933; véase también Edward Leamer, *The Heckscher–Ohlin Model in Theory and Practice*, Princeton Studies in International Finance, núm. 77, febrero de 1995.

[2] La teoría de la dotación de factores también asume que la fabricación de productos se realiza en el contexto de una competencia perfecta, sugiere que las empresas individuales no ejercen un control significativo sobre el precio del producto; que cada producto se fabrica bajo condiciones de producción idénticas en los dos países; que si un productor aumenta el uso de ambos factores en una proporción determinada, la producción aumentará en la misma proporción; que los factores son libres de moverse dentro de un país, así que el precio de cada factor es el mismo en las dos industrias dentro de cada país; que los factores no son libres de moverse entre los países, así que los pagos de autarquía para cada factor pueden diferir internacionalmente y que no hay costos de transporte ni barreras comerciales.

TABLA 3.1		
Producción de aviones y textiles: dotación de factores en Estados Unidos y China		
Recurso	**Estados Unidos**	**China**
Capital	100 máquinas	20 máquinas
Trabajo	200 trabajadores	1000 trabajadores

© Cengage Learning®

¿En qué forma la abundancia relativa de un factor determina la ventaja comparativa de acuerdo con la teoría en estudio? Cuando un factor es relativamente abundante, su costo relativo es menor que en los países donde es relativamente escaso. Esto significa que antes de que los dos países comercien, sus ventajas comparativas son que el capital es relativamente barato en Estados Unidos y el trabajo es relativamente barato en China. Por tanto, Estados Unidos tiene un precio relativamente más bajo en aviones, que se producen al usar más capital y menos trabajo. El precio relativo de China es más bajo en textiles que se producen al usar más trabajo y menos capital. El efecto de la dotación de factores en la ventaja comparativa se resume a continuación:

Diferencias en la dotación relativa de factores → Diferencias en los precios relativos de factores → Diferencias en los precios relativos de productos → Patrón de ventaja comparativa

Los resultados de la teoría de la dotación de factores se pueden aplicar a los datos de la tabla 3.2, en la que se ilustran las razones capital/trabajo en 2011 para ciertos países seleccionados. Para permitir comparaciones internacionales útiles, las existencias de capital se muestran en precios en dólares de 2005, para reflejar el poder de compra real del dólar en cada país. Estados Unidos tenía menos capital por trabajador que muchos de los demás países industriales, pero más capital por trabajador que los países en desarrollo. De acuerdo con la teoría de la dotación de factores, se concluiría que Estados Unidos tiene una ventaja comparativa en los productos intensivos en capital en relación con los países en desarrollo, pero no en relación con muchos otros países industriales.

TABLA 3.2			
Existencias de capital por trabajador de países seleccionados en 2011*			
País industrial		**País en desarrollo**	
Japón	$297,565	Corea del Sur	$233,959
Estados Unidos	292,658	México	85,597
Alemania	251,468	Colombia	67,292
Australia	250,949	Brasil	64,082
Canadá	198,930	China	57,703
Suecia	190,793	Filipinas	34,913
Rusia	107,182	Vietnam	24,721

* Precios en dólares de 2005.

Fuente: Tomado de Robert Feenstra, Robert Inklaar y Marcel Timmer, University of Groningen, Groningen Growth and Development Center, *Penn World Table*, 2013, versión 8.0, disponible en www.rug.nl/research/ggdc/data/penn-world-table.

Visualización de la teoría de la dotación de factores

En la figura 3.1, se proporciona una ilustración gráfica de la teoría de la dotación de factores. Esta figura muestra las fronteras de posibilidades de producción de Estados Unidos, que se supone el país de abundancia relativa de capital, mientras que China es el país de abundancia relativa en trabajo. En la figura también se asume que los aviones son relativamente intensivos en capital en su proceso de producción y que los textiles son relativamente intensivos en capital en su proceso de producción.

Como Estados Unidos es el país de abundancia relativa en capital y los aviones son el producto intensivo en capital relativo, Estados Unidos tiene una mayor capacidad para producir aviones que China. Por tanto, la frontera de posibilidades de producción de Estados Unidos está sesgada hacia los aviones, como se muestra en la figura 3.1. En forma similar, como China es el país de abundancia relativa en trabajo y los textiles son el producto intensivo en trabajo relativo, China tiene mayor capacidad para producir textiles que Estados Unidos. Así, la frontera de posibilidades de producción de China está sesgada hacia los textiles.

Suponga que en autarquía ambos países tienen la misma demanda de textiles y de aeronaves, lo que ocasiona que ambos países produzcan y consuman en el punto *A* en la figura 3.1(a).[3] En este punto, la pendiente absoluta de la línea tangente a la frontera de posibilidades de producción estadunidense es más pequeña (TMT, tasa marginal de transformación, de Estados Unidos = 0.33) que la pendiente absoluta de la línea tangente a la frontera de posibilidades de producción de China (TMT de China = 4.0). Así, Estados Unidos tiene un precio relativo más bajo del avión que China. Esto significa que tiene una ventaja comparativa en aviones, mientras que China tiene una ventaja comparativa en textiles.

FIGURA 3.1

Teoría de la dotación de factores

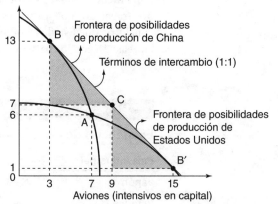

Un país exporta el producto cuya producción sea intensiva en su factor abundante relativo. Importa el producto cuya producción sea intensiva en su factor escasamente relativo.

---

[3] Observe que la teoría de dotación de factores no requiere que los gustos y preferencias sean idénticos para Estados Unidos y China. Sólo requiere que sean aproximadamente iguales. Esto significa que las curvas de indiferencia de la comunidad tengan aproximadamente la misma forma y posición en todos los países, como se analiza en el recuadro de *Exploración detallada* 2.2 en el capítulo 2. Por simplicidad, en la figura 3.1 se asume una igualdad exacta en gustos y preferencias.

Aunque la figura 3.1(a) ayuda a visualizar el patrón de ventaja comparativa, no identifica la causa final de la ventaja comparativa. En este ejemplo de comercio, el capital es relativamente barato en el país de abundancia relativa de capital (Estados Unidos) y el trabajo es relativamente barato en el país de abundancia relativa de trabajo (China). Debido a esta diferencia en los precios relativos de los factores, Estados Unidos tiene una ventaja comparativa en el producto intensivo en capital (avión) y China tiene una ventaja comparativa en el producto intensivo en trabajo (textiles). En términos sencillos, la teoría de la dotación de factores asevera que la diferencia en la abundancia relativa de factores es la causa de las diferencias previas al comercio en los precios relativos de productos entre los dos países.

La mayoría de los análisis de las ganancias del comercio en el capítulo 2 se aplican al modelo de dotación de factores, como se puede ver en la figura 3.1(b). Con el comercio, cada país continúa su especialización en la fabricación del producto de su ventaja comparativa hasta que el precio de su producto es igual al del otro país. La especialización continúa hasta que Estados Unidos alcanza el punto B' y China alcanza el punto B, puntos en que la frontera de posibilidades de producción de cada país es tangente a la línea de precio relativo común, que se asume tiene una pendiente en términos absolutos de 1.0. Esta línea de precio relativo se convierte en los términos de intercambio de equilibrio. Por último, se asume que en el comercio ambas naciones prefieren una combinación de consumo posterior al comercio de aviones y textiles dada por el punto C. Para alcanzar este punto, Estados Unidos exporta 6 aviones por 6 unidades de textiles y China exporta 6 unidades de textiles por 6 aviones. Como el punto C está más allá del punto A de consumo en autarquía, cada país obtiene ganancias del comercio.

El modelo de la dotación de factores explica adecuadamente por qué los países abundantes en trabajo, como China, exportarían productos intensivos en trabajo como tejidos y juguetes, mientras que los países abundantes en capital, como los Estados Unidos, exportarían aviones y maquinaria. Sin embargo, no explica adecuadamente el comercio bidireccional que existe de manera generalizada: muchos países exportan acero y automóviles, pero también los importan. Asimismo, la teoría de la dotación de factores no explica de manera satisfactoria por qué los países ricos, como Estados Unidos y Europa, que cuentan con una similar dotación de trabajo y de capital, comercian más intensamente con aquellos países que tienen una dotación muy distinta de estos factores. En este capítulo, aprenderemos más sobre otras teorías de comercio.

Aplicación de la teoría de la dotación de factores al comercio entre Estados Unidos y China

La esencia de la teoría de la dotación de factores se aprecia en el comercio entre Estados Unidos y China. En Estados Unidos el capital humano (las habilidades), el talento científico y el talento en ingeniería son relativamente abundantes, pero el trabajo no especializado es relativamente escaso. Por el contrario, China es relativamente rica en trabajo no especializado mientras que es relativamente pobre en talento científico e ingeniería. Por tanto, la teoría de la dotación de factores pronostica que Estados Unidos exportará a China productos que abarcan cantidades relativamente grandes de trabajo y tecnología especializadas, como aviones, *software*, productos farmacéuticos y componentes de alta tecnología de maquinaria y equipo eléctrico; China exportará a Estados Unidos productos para los cuales utiliza una cantidad relativamente grande de trabajo no especializado como ropa, zapatos, juguetes y ensamble final de maquinaria electrónica y equipo.

En la tabla 3.3, se muestran las 10 principales exportaciones de Estados Unidos a China y las 10 principales exportaciones a Estados Unidos desde China en 2012. El patrón del comercio entre Estados Unidos y China parece encajar bastante bien con las predicciones de la teoría de la dotación de factores. La mayoría de las exportaciones estadunidenses a China se concentraron en industrias de alta especialización, como computadoras, productos químicos y equipo de transporte (incluidos los aviones). Por el contrario, las exportaciones chinas a Estados Unidos tendieron a recaer en las industrias de menos especialización como las de electrónica, juguetes, equipo deportivo y ropa. Sin embargo, observe que estos datos comerciales sólo proporcionan un panorama general aproximado de los patrones comerciales entre Estados Unidos y China y no demuestran la validez de la teoría de la dotación de factores.

TABLA 3.3

Comercio entre Estados Unidos y China: 2012 (miles de millones de dólares)

EXPORTACIONES DE ESTADOS UNIDOS A CHINA			EXPORTACIONES A ESTADOS UNIDOS DESDE CHINA		
Producto	**Valor**	**Porcentaje**	**Producto**	**Valor**	**Porcentaje**
Productos agrícolas	20.7	18.7	Productos electrónicos	158.4	37.2
Computadoras y aparatos electrónicos	13.9	12.6	Juguetes, equipo deportivo	36.6	8.6
Equipo de transporte	15.7	14.2	Ropa	32.1	7.5
Productos químicos	12.9	11.7	Equipo eléctrico	30.5	7.2
Maquinaria	9.9	8.9	Productos de cuero	24.6	5.8
Otros	37.4	33.9	Otros	143.4	33.7
Total	110.5	100.0	Total	425.6	100.0

Fuente: Tomado de U.S. Department of Commerce, Administración de Comercio Internacional, disponible en http://www.ita.doc.gov. Baje hasta la sección TradeStats Express (http://tse.export.gov/) y a *National Trade Data*. Véase también División de Comercio Exterior, Departamento del Censo de EUA.

Los fabricantes chinos sufren por el alza en los sueldos y en el yuan

Durante varias décadas, la gran abundancia de mano de obra barata impulsó el auge de manufactura china. Los trabajadores de China trabajaban por sola una pequeña fracción del sueldo de los trabajadores de sus países competidores, como Estados Unidos o Europa. Sin embargo, conforme se ha expandido la economía de China, se ha vuelto cada vez más difícil encontrar y retener trabajadores, especialmente en las costas donde se conglomeran las fábricas chinas. La política demográfica del hijo único en China ha traído como consecuencia la notable reducción del número de adultos jóvenes disponibles y esto ha resultado en una escasez de mano de obra. Por otro lado, aunque las aldeas y los pueblos de las provincias más internas del país contienen millones de potenciales trabajadores para las fábricas ubicadas en las costas, la políticas chinas de posesión de la tierra y el estricto sistema de registro provincial restringen la emigración hacia las grandes ciudades. Los habitantes de las provincias se arriesgan a perder su parcela familiar si no la cultivan directamente. No pueden inscribir a sus hijos en las escuelas de las ciudades o beneficiarse de otros servicios del gobierno hasta que han obtenido un registro oficial como residentes urbanos permanentes, cosa que puede tomar muchos años, de manera que el suministro de trabajadores para las fábricas no es infinito, ni siquiera en China.

La disminución de empleados que puedan dirigirse a las zonas industriales de China trae como resultado una presión para incrementar los sueldos. Así, en China ha aumentado el descontento de los trabajadores, que se manifiestan por sueldos más altos: huelgas, paros y suicidios han afectado últimamente a compañías como Honda que tienen fábricas en las costas industriales de China. El alza de sueldos al interior del país y la competencia de países, como Vietnam, que ofrecen sueldos más baratos, hacen que sea cada vez más difícil para China mantener su rápido crecimiento en exportaciones. Muchos economistas sostienen que la fase de alto crecimiento se acabará pronto. China tendrá que depender cada vez más de la tecnología, la infraestructura y la educación como fuentes para su crecimiento económico.

Aunque estos sueldos más elevados contribuirán a mejorar la vida de los trabajadores urbanos, harán más difícil para los exportadores chinos de mercancía barata (como juguetes y ropa) mantener precios competitivos. Los exportadores tendrán que incrementar la productividad para compensar los sueldos más altos y empezarán a producir productos más especializados que se ven menos afectados por las alzas de precios. Si los sueldos aumentan en China, sus trabajadores tendrán más dinero para gastar y una parte de ese dinero se gastará en artículos importados. Este gasto traerá consigo aún mayor presión para el comercio, que es un factor fundamental del crecimiento económico de China.

Considere, por ejemplo, la compañía china Lever Style Inc., que produce blusas y camisas. En 2013, esta compañía empezó a desplazar la producción de ropa a Vietnam, donde los sueldos eran inferiores a la mitad de los sueldos chinos; la compañía esperaba desplazar a Vietnam hasta 40% de su producción de ropa en unos cuantos años. La alta dirección de Lever Style Inc. vio este traslado de su producción como un asunto de supervivencia elemental: tras una década de aumentos anuales continuos en los sueldos de hasta casi 20% en China, Lever Style Inc. llegó a la conclusión de que era cada vez más difícil obtener ganancia alguna produciendo en China. Cuando la producción se trasladó a Vietnam, Lever Style Inc. afirmó que podía ofrecer descuentos a sus clientes de hasta 10% en cada prenda de vestir. Eso resultaba atractivo para los minoristas estadunidenses, cuyos márgenes de ganancias tienden a ser, en promedio, de 1% a 2%. Ahora bien, aunque esta acción ha tenido por objeto mantener los precios de Lever Style Inc. relativamente estables, ahora la competencia que se está generando en lugares como Vietnam y Camboya por acceder a su mano de obra barata también empieza a empujar los sueldos a la alza en esos países.[4]

Otro factor que contribuye a los crecientes apuros de los exportadores chinos es el fortalecimiento (apreciación) del *yuan*. Como se verá en el capítulo 15, Estados Unidos ha acusado durante mucho tiempo a China de mantener el *yuan* artificialmente bajo para impulsar las exportaciones chinas;

CONFLICTOS COMERCIALES LA GLOBALIZACIÓN PROVOCA CAMBIOS PARA LOS FABRICANTES ESTADUNIDENSES DE AUTOMÓVILES.

La historia de la industria automotriz estadunidense puede dividirse en épocas muy precisas: el surgimiento de Ford Motor Company como productor dominante a comienzos del siglo xx; la transferencia de este papel dominante a General Motors en la década de 1920, y el aumento de la competencia exterior a partir de la década de 1970.

Los productores extranjeros se han convertido en rivales eficaces de los Tres Grandes (GM, Ford y Chrysler) quienes solían estar protegidos de presiones competitivas en cuanto a costos y calidad de los productos. El resultado ha sido un continua disminución en la proporción del mercado automotriz estadunidense dominado por los Tres Grandes: de más de 70% en 1999 a aproximadamente sólo 45% en 2011. Por décadas, la amenaza competitiva de las compañías extranjeras era mucho mayor en el segmento de mercado correspondiente a los automóviles pequeños. No obstante, ahora los Tres Grandes también enfrentan férrea competencia en el lucrativo segmento de camionetas de carga, minivans y vehículos deportivos.

Varios fueron los factores que, durante la primera década del siglo xxi, afectaron la competitividad de costos de los Tres Grandes. En primer lugar, éstos se vieron afectados por la obligación de mantener costosas pensiones y prestaciones de salud para sus trabajadores, que habían sido negociadas por el sindicato United Auto Workers (UAW) y los Tres Grandes en una época de bonanza para estas compañías. Estos costos de beneficio eran mucho más altos que los de los trabajadores estadunidenses de compañías no sindicalizadas como Toyota y Honda, con personal más joven y menos jubilados. Por otro lado, los sueldos relativamente altos representaban otra desventaja de costos para los Tres Grandes. En 2008, por ejemplo, los sueldos para trabajadores de producción de los Tres Grandes eran en promedio aproximadamente 33%

más altos que para los trabajadores estadunidenses de producción en Toyota y Honda. Los analistas industriales calculan que el costo de mano de obra representa aproximadamente el 10% de los costos totales de fabricación de un automóvil. Además, Toyota y Honda son considerados ampliamente como los productores más eficaces de automóviles en el mundo entero.

Cuando la competencia mundial se intensificó y la economía de EUA cayó en la fenomenal recesión de 2007-2009, las ventas, participación en el mercado y rentabilidad de los Tres Grandes se deterioraron notablemente. En 2009, GM y Chrysler se declararon en quiebra. Así, el UAW accedió a una serie de concesiones para salvar el empleo de sus trabajadores afiliados: aceptaron primas y copagos más altos para las prestaciones de salud y establecieron un segundo tabulador de sueldos para los trabajadores de nuevo ingreso que correspondía aproximadamente a la mitad del sueldo de los trabajadores actuales. Los trabajadores del UAW también acordaron suspender los bonos y los aumentos basados en el costo de vida. Estos ajustes acercaron el sueldo de los trabajadores de producción de los Tres Grandes al de sus competidores japoneses. Aún así, los empleados de producción en Estados Unidos reciben un sueldo mucho más alto y mayores prestaciones que los empleados de producción en China, India y Latinoamérica.

Conforme la competencia en el mercado automotriz estadunidense se va tornando verdaderamente internacional, es muy poco probable que los Tres Grandes lleguen a recuperar el dominio que antes les permitió establecer qué vehículos compraban los estadunidenses y a qué precios. Toyota y Honda seguirán siendo, con toda probabilidad, las amenazas más notables para su estabilidad financiera.

---

[4] Deborah Kan, *China Inc. Moves Offshore*, Reuters Video Gallery, 20 de julio de 2011, en www.reuters.com/video/; Kathy Chu, "China Manufacturers Survive by Moving to Asian Neighbors", *The Wall Street Journal*, 1 de mayo de 2013 y "China Grapples With Labor Shortage as Workers Shun Factories" *The Wall Street Journal*, 1 de mayo de 2013.

el *yuan*, pues, ha estado infravalorado por largo tiempo. No obstante, de 2011 a 2014 (durante la redacción de este libro de texto), el valor de intercambio del *yuan* en relación con el dólar se ha ido apreciando gradualmente; así, los productos chinos se han vuelto más caros en el extranjero y las ganancias se han reducido en términos de la moneda local. Por esta razón, algunos fabricantes chinos de productos baratos han abandonado China para buscar otras ubicaciones en el extranjero.

Ahora bien, el alza en los sueldos y un yuan más fuerte no son suficientes factores para obligar a las compañías a salir de China. El país cuenta con las mejores cadenas de suministro en el mundo para refacciones y componentes industriales y su infraestructura funciona bien. Además, China se ha convertido en un mercado inmenso por sí misma. Por lo tanto, es muy probable que China siga siendo una ubicación atractiva para muchos fabricantes.

Nivelación de los precios de los factores

En el capítulo 2, se vio que el comercio internacional tiende a igualar los precios de los productos entre los socios comerciales. ¿Se puede decir lo mismo de los precios de los factores?[5]

Para responder esta pregunta, considere la figura 3.2. Continúa el ejemplo de la ventaja comparativa en aviones y textiles para ilustrar el proceso de la nivelación de los precios de los factores.

FIGURA 3.2

Teoría de nivelación del factor precio

(a) El comercio altera la combinación de factores (recursos) utilizada en la producción

(b) El comercio promueve el movimiento de los precios de los factores hacia la nivelación entre las naciones

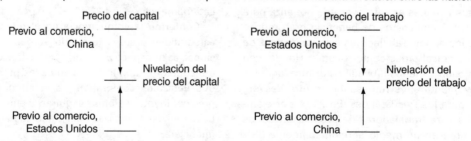

Al forzar una nivelación de precios del producto, el comercio internacional también tiende a forzar la nivelación en los precios de los factores entre los países.

© Cengage Learning®

---

[5] Vea Paul A. Samuelson, "International Trade and Equalization of Factor Prices", *Economic Journal*, junio de 1948, pp. 163-184 e "International Factor-Price Equalization Once Again", *Economic Journal*, junio de 1949, pp. 181-197.

Recuerde que la demanda china de aviones estadunidenses de bajo precio ocasiona una demanda creciente estadunidense de su recurso abundante, el capital; por tanto, el precio del capital aumenta en Estados Unidos. Conforme China produce menos aviones, la demanda de capital disminuye y el precio del capital cae. Así, el efecto del comercio es nivelar el precio del capital en las dos naciones. De forma similar, la demanda estadunidense de textiles chinos económicos lleva a que China demande más trabajo, su recurso abundante; en consecuencia, el precio del trabajo aumenta en China. Como Estados Unidos produce menos textiles, su demanda de trabajo disminuye y el precio del trabajo cae. Con el comercio, el precio del trabajo tiende a nivelarse en los dos socios comerciales. La conclusión es que al redireccionar la demanda lejos de los recursos escasos y hacia los recursos abundantes de cada nación, el comercio lleva a una nivelación del precio de los factores. En cada nación, el recurso más económico se vuelve relativamente más caro y el recurso caro se vuelve relativamente más barato, hasta que ocurre una nivelación.

Los ingenieros de cómputo indios proporcionan un ejemplo de la igualación del precio de los factores. Sin restricciones de migración, los ingenieros de cómputo podrían migrar a Estados Unidos donde los salarios son mucho más altos, por lo que incrementan la oferta relativa de habilidades de ingeniería de cómputo y disminuyen la presión ascendente en los salarios de ingeniería de cómputo en Estados Unidos. Aunque dicha migración, de hecho, ha ocurrido, ha sido limitada por las restricciones migratorias. ¿Cuál fue la respuesta del mercado a las restricciones? Las habilidades de ingeniería de cómputo que ya no podrían ser suministradas mediante la migración ahora llegan a través del comercio en los servicios. Los servicios de ingeniería de cómputo ocurren en la India y son transmitidos por medio de Internet a los clientes de negocios en Estados Unidos y en otros países. De esta manera, el comercio sirve como sustituto para la migración.

Sin embargo, las fuerzas de la globalización empiezan a equilibrar las cosas entre Estados Unidos y la India. Conforme más compañías de tecnología estadunidenses se fueron hacia la India a principios de 2000, absorbieron al grupo de ingenieros en computación de alto nivel que ganaban aproximadamente 25 por ciento de lo que ganaban sus contrapartes en Estados Unidos. El resultado fue una mayor competencia para los ingenieros de cómputo indios más hábiles y un acortamiento de la brecha de compensación de Estados Unidos-la India. Para 2007, la asociación de software y servicio de la India calculó que la inflación de salarios en su industria era de 10 a 15 por ciento al año, mientras que algunos ejecutivos en tecnología dijeron que estaba cerca de 50 por ciento. En Estados Unidos, la inflación salarial en el sector del software fue menor a 3 por ciento. Para ingenieros indios experimentados de alto nivel, los salarios aumentaron entre 60,000 y 100,000 dólares al año y presionan así contra los salarios ganados por los ingenieros de cómputo en Estados Unidos. En términos simples, ocurría una nivelación salarial entre la India y Estados Unidos. Al considerar las diferencias de tiempo con la India, algunas empresas de Silicon Valley concluyeron que ya no ahorraban ningún dinero al ubicarse ahí y por tanto, regresaban los empleos de vuelta para los trabajadores estadunidenses.

Aunque la tendencia hacia la nivelación de los precios de los factores puede sonar plausible, en el mundo real no hay una nivelación completa de los precios de los factores. En la tabla 3.4, se muestran los índices de una compensación por hora en 10 países en 2003. Observe que los salarios difirieron por un factor de más de 13 considerando a los trabajadores en el país de salario más alto (Noruega) a los trabajadores de menor salario (México). Hay varias razones por las que existen diferencias en los precios de los factores.

Gran parte de la desigualdad entre los países resulta de una propiedad heterogénea del capital humano. El modelo de la dotación de factores asume que todo el trabajo es idéntico. Sin embargo, el trabajo entre los distintos países difiere en términos de capital humano, que incluye educación, capacitación, habilidad y demás. No se espera que un ingeniero en computación en Estados Unidos con doctorado y 25 años de experiencia reciba el mismo salario que un graduado universitario que acepta su primer empleo como ingeniero de cómputo en Perú.

También, el modelo de dotación de factores asume que todos los países utilizan la misma tecnología para fabricar un producto en particular. Cuando se desarrolla una tecnología más nueva y mejor, tiende a reemplazar a las tecnologías más viejas. Pero este proceso puede tomar mucho tiempo, en especial entre los países avanzados y los países en desarrollo. Por tanto, los rendimientos pagados a

TABLA 3.4	
Índices de compensación por hora para los trabajadores de manufactura en 2003 (Estados Unidos = 100)	
Noruega	181
Alemania	133
Austria	121
Países Bajos	119
Canadá	103
Japón	101
Corea del Sur	53
Brasil	33
México	18

Fuente: Fuente: Tomado del U.S. Department of Labor, Bureau of Labor Statistics, disponible en http://www.bls.gov. Avanzar en la página web hasta la sección Comparaciones de Trabajo y a los Índices de Compensación por Hora en Dólares Norteamericanos (EUA=100)

los propietarios de factores entre los países no serán iguales cuando dos países fabriquen algún producto por medio de distintas tecnologías. Los trabajadores de maquinarias que utilizan tecnologías de producción superior en Alemania tienden a recibir un pago más alto que los trabajadores que utilizan tecnologías de producción inferiores en Argelia.

Es más, los costos de transporte y las barreras comerciales pueden evitar que los precios de los productos se igualen. Esas imperfecciones del mercado reducen el volumen del comercio, limitan el grado al que los precios de los productos y, por tanto, los precios de los factores se pueden igualar.

En términos sencillos, el que los precios de los recursos puedan no nivelarse por completo a través de las naciones se explica en parte porque los supuestos subyacentes de la teoría de la dotación de factores no se confirman por completo en el mundo real.

¿Quién gana y quién pierde en el comercio? El teorema Stolper-Samuelson

Recuerde que en la teoría de Ricardo un país, como un todo, se beneficia de la ventaja comparativa. También, el trabajo como el único factor de producción, supuesto de Ricardo, deja fuera una explicación de cómo afecta el comercio a la distribución del ingreso entre diversos factores de producción dentro de una nación y por qué ciertos grupos favorecen el libre comercio, mientras que otros se oponen a él. En contraste, la teoría de la dotación de factores es una forma más exhaustiva de analizar las pérdidas y ganancias del comercio, gracias a que brinda los resultados de cómo el comercio afecta el ingreso de los grupos que representan los distintos factores de producción, como los trabajadores y los propietarios del capital.

Los efectos del comercio en la distribución del ingreso se resumen en el **teorema Stolper-Samuelson**, una extensión de la teoría de nivelación de los precios de los factores.[6] De acuerdo con este teorema, la exportación del producto que abarca grandes cantidades del factor abundante y relativamente barato hace que este factor sea más escaso en el mercado nacional. Por tanto, el aumento de la demanda por el factor abundante resulta en un aumento en su precio y un aumento en su ingreso. Al mismo tiempo, el ingreso del factor utilizado de forma intensiva en el producto que compite en las importaciones (al principio el factor escaso) disminuye al tiempo que su demanda cae. El aumento en el ingreso del factor abundante de cada país viene a costa del ingreso del factor escaso. En términos sencillos, el teorema Stolper-Samuelson afirma que un aumento en el precio de un producto aumenta el ingreso ganado por los factores que se utilizan intensivamente en su producción. Por el

---

[6] W.F. Stolper y P.A. Samuelson, "Protection and Real Wages", *Review of Economic Studies*, vol. 9, 1941, pp. 58-73.

contrario, una disminución en el precio de un producto reduce el ingreso de los factores que se usan intensivamente en su producción.

Observe que el teorema Stolper-Samuelson no afirma que todos los factores utilizados en las industrias de exportación estén mejor, ni que todos los factores utilizados en las industrias que compiten en importaciones se hayan dañado. En lugar de eso, el factor abundante que fomenta la ventaja comparativa obtiene un aumento en los ingresos y el factor escaso obtiene una disminución en su ingreso, sin importar la industria.

Aunque el teorema Stolper-Samuelson proporciona algunas perspectivas en relación con los efectos de distribución de ingresos del comercio, sólo cuenta una parte de la historia. Una extensión del teorema Stolper-Samuelson es el efecto de magnificación, que sugiere que el cambio en el precio de un factor es mayor el cambio en el precio del producto que utiliza el factor en forma intensiva y relativa en su proceso de producción. Suponga que, así como Estados Unidos empieza a comerciar, el precio del avión aumenta 6 por ciento y el precio de los textiles disminuye 3 por ciento. De acuerdo con el efecto de magnificación, el precio del capital debe aumentar en más de 6 por ciento y el precio del trabajo debe disminuir por más de 2 por ciento. Así, si el precio del capital aumenta 8 por ciento, los propietarios del capital están mejor debido a que aumenta su capacidad para consumir aviones y textiles (es decir, su verdadero ingreso). Sin embargo, los trabajadores están peor, debido a que disminuye su capacidad para consumir los dos productos (cae su ingreso real). Por tanto, en Estados Unidos los propietarios del capital ganan del libre comercio mientras que los trabajadores pierden.

El teorema Stolper-Samuelson tiene importantes implicaciones políticas. Sugiere que, aunque el libre comercio puede proporcionar ganancias generales para un país, hay ganadores y perdedores. Dada esta conclusión, no sorprende que los propietarios de recursos relativamente abundantes tiendan a favorecer el libre comercio, mientras que los propietarios de factores relativamente escasos tiendan a favorecer las restricciones comerciales. Por ejemplo, la economía estadounidense tiene una abundancia relativa de trabajo especializado, así que su ventaja comparativa está en fabricar productos intensivos en trabajo especializado. El modelo de la dotación de factores sugiere que Estados Unidos tenderá a exportar productos que requieran cantidades relativamente grandes de trabajo especializado y a importar productos que requieran grandes cantidades de trabajo no especializado. En efecto, el comercio internacional aumenta la oferta de trabajo no especializado a la economía estadounidense, lo que reduce el salario de los trabajadores estadounidenses no especializados en relación con el de los trabajadores especializados. Los trabajadores especializados (que ya están en el extremo superior de la distribución de ingresos) encuentran que sus ingresos aumentan conforme las exportaciones se expanden, mientras que los trabajadores no especializados incluso son forzados a aceptar salarios menores con el fin de competir con las importaciones. Entonces, de acuerdo con la teoría de la dotación de factores, el comercio internacional agrava la inequidad de ingresos, al menos en un país como Estados Unidos donde el trabajo especializado es relativamente abundante. Esto explica por qué los trabajadores no especializados en Estados Unidos respaldan las restricciones comerciales.

¿El comercio internacional es un sustituto para la migración?

Los migrantes proporcionan importantes contribuciones a la economía estadounidense. Ayudan a la economía a crecer al aumentar el tamaño de la fuerza de trabajo, asumen puestos en el extremo inferior de la distribución de habilidades donde pocos ciudadanos estadounidenses están dispuestos a trabajar y tomar empleos que contribuyen a que Estados Unidos sea líder en innovación tecnológica. A pesar de estas ventajas, los críticos mantienen que los inmigrantes quitan los empleos a los estadounidenses, eliminan salarios nacionales y consumen considerables cantidades de servicios públicos. Afirman que se requiere de barreras legales para disminuir el flujo de inmigrantes a Estados Unidos. Si la meta de política es reducir la inmigración, ¿el comercio internacional podría ser utilizado para alcanzar este resultado en lugar de adoptar barreras legales? El modelo de la dotación de factores de Heckscher y Ohlin aborda esta pregunta.

De acuerdo con la teoría de la dotación de factores, el comercio internacional proporciona un sustituto para el movimiento de recursos de un país a otro en sus efectos sobre los precios de los factores. De hecho, las dotaciones de factores entre los países del mundo no son iguales. Un posible efecto en el mercado serían movimientos de capital y de trabajo de países en donde son abundantes y poco costosos hacia los países donde son escasos y más costosos, con lo que disminuyen las diferencias de precio.

La teoría de la dotación de factores respalda la idea de que no son esenciales dichos movimientos internacionales en factores, porque el comercio internacional en productos puede alcanzar el mismo resultado. Los países que tienen capital abundante se especializan en productos intensivos en capital y los exportan a países donde el capital es escaso. En cierto sentido, el capital toma la forma de productos y se redistribuye a través del comercio internacional. La misma conclusión se refiere a la tierra, trabajo y otros factores.

Un efecto clave del movimiento internacional de un factor es cambiar la escasez relativa o la abundancia de ese factor y, por tanto, alterar su precio: es decir, aumentar el precio del factor abundante al hacerlo más escaso en comparación con otros factores. Por ejemplo, cuando los trabajadores polacos emigran a Francia, los salarios tienden a aumentar en Polonia porque el trabajo, de alguna manera, se vuelve más escaso ahí; también, los salarios en Francia tienden a disminuir (o al menos a aumentar de manera más lenta en que lo haría de otra manera) debido a que la escasez relativa del trabajo disminuye. El mismo resultado se tiene cuando los franceses compran productos polacos que son fabricados por métodos intensivos en trabajo: las industrias de exportación polaca demandan más trabajadores y los salarios polacos tienden a aumentar. De esta forma el comercio internacional puede servir como sustituto de movimientos internacionales de recursos a través de su efecto en los precios de los factores.[7]

Un ejemplo del comercio internacional como sustituto de emigración de trabajo es el Tratado de Libre Comercio de Norteamérica de 1995. Firmado por Canadá, México y Estados Unidos, el acuerdo eliminó las restricciones comerciales entre las tres naciones. En ese tiempo, el anterior presidente Bill Clinton señaló que el NAFTA ocasionaría un cierre todavía más rápido de la brecha entre los salarios de México y de Estados Unidos. Y conforme en México los beneficios del crecimiento se difunden a la gente trabajadora, tendrán más ingresos para comprar más productos estadunidenses y habrá menos inmigración ilegal porque más mexicanos podrán mantener a sus hijos al quedarse en casa. Aunque el NAFTA habría ayudado a disminuir el flujo de emigrantes de México a Estados Unidos, otros factores continuaron para alentar la emigración (altas tasas de natalidad en México, el colapso del peso que ocasionó una recesión y la pérdida de empleos hacia otros países, en especial China, donde los salarios promedio son aproximadamente la mitad que los de México). Aunque es probable que el crecimiento económico y el comercio internacional disminuyan el flujo de mexicanos a Estados Unidos, alcanzar este resultado tomaría años, tal vez décadas.

Sin embargo, el comercio internacional y la migración del trabajo no son necesariamente sustitutos, pueden ser complementarios, en especial a corto y mediano plazos. Conforme el comercio se expande y la economía intenta competir con las importaciones, algunos de sus trabajadores pueden quedarse sin empleo. El desarraigo de estos trabajadores puede forzar a algunos a buscar empleo en el extranjero donde los prospectos laborales sean mejores. De esta forma, un aumento en el comercio puede resultar en un aumento en los flujos de migración. Por ejemplo, a principios del 2000, México perdió miles de empleos que se fueron a China, cuyos promedios salariales estaban a la mitad de los de México y cuyas exportaciones a otros países iban en aumento. Esto proporcionó un incentivo adicional para que los trabajadores mexicanos migraran hacia Estados Unidos para encontrar empleos. El tema de la inmigración se analiza con mayor detalle en el capítulo 9.

Factores específicos: el comercio y la distribución del ingreso a corto plazo

El supuesto clave del modelo de la dotación de factores y su teorema Stolper-Samuelson es que los factores, como el trabajo y el capital, se pueden mover sin esfuerzo entre las industrias dentro de un

---

[7] Robert Mundell, "International Trade and Factor Mobility", *American Economic Review*, junio de 1957.

país mientras que están completamente inmovibles entre los países. Por ejemplo, se supone que los trabajadores japoneses, en su país, son capaces de laborar tanto en la producción de automóviles como en la de arroz, aunque no pueden moverse a China para fabricar estos productos.

Aunque esa movilidad de factores entre las industrias puede ocurrir a largo plazo, muchos factores son inmovibles a corto plazo. El capital físico (como fábricas y maquinaria) por ejemplo, generalmente se utiliza para propósitos específicos; una máquina diseñada para producción de computadoras de pronto no puede utilizarse para fabricar aviones. En forma similar, los trabajadores con frecuencia adquieren habilidades apropiadas para ocupaciones específicas y no pueden ser asignados de inmediato a otras ocupaciones. Estos tipos de factores son conocidos en la teoría comercial como factores específicos. Los factores específicos no se pueden mover con facilidad entre una industria y otra. Por tanto, la teoría de los factores específicos analiza los efectos de la distribución de ingresos del comercio a corto plazo, cuando los recursos son inmovibles entre las industrias. Esto va en contraste con la teoría de dotación de factores y su teorema de Stolper-Samuelson, que aplica a la movilidad de largo plazo de los factores en respuesta a las diferencias en los rendimientos (pagos).

Para entender los efectos que tienen los factores específicos y el comercio, considere la producción de acero en Estados Unidos. Suponga que el capital es específico para producir acero, el trabajo es móvil entre la industria de acero y otras industrias y el capital no es sustituible del trabajo en la producción de acero. También suponga que Estados Unidos tiene una desventaja comparativa en acero. Con el comercio, la producción disminuye en la industria de competencia en importaciones. Conforme disminuye el precio relativo del acero, el trabajo se mueve afuera de la industria del acero para tomar empleo en las industrias de exportación que tienen una ventaja comparativa. Esto ocasiona que las existencias fijas de capital se vuelvan menos productivas para las compañías de acero de Estados Unidos. Conforme declina la producción por máquina, los rendimientos del capital invertido en la industria de acero disminuyen. Al mismo tiempo, conforme aumenta la producción en las industrias de exportación, el trabajo se mueve hacia estas industrias y comienza a trabajar. Por tanto, la producción por máquina aumenta en las industrias de exportación y aumenta el rendimiento de capital. Puesto en forma simple, la teoría de los factores específicos concluye que los recursos que son específicos de las industrias de competencia de importaciones tienden a perder como resultado del comercio, mientras que los recursos específicos de las industrias de exportación tienden a ganar como resultado del comercio. Este análisis ayuda a explicar por qué compañías estadunidenses de acero, desde la década de los sesenta, han cabildeado por restricciones a las importaciones para proteger sus factores específicos que sufren por la competencia extranjera.

La teoría de los factores específicos ayuda a explicar la política de arroz de Japón. Japón permite que sólo pequeñas cantidades de arroz sean importadas, aunque la producción de arroz en Japón es más costosa que en otras naciones, como Estados Unidos. Se reconoce ampliamente que el bienestar general de Japón se elevaría si se permitieran importaciones libres de arroz. Sin embargo, el libre comercio dañaría a los agricultores japoneses. Aunque los agricultores de arroz desplazados por las importaciones podrían encontrar empleos en otros sectores de la economía, encontrarían que el cambio de empleo es tardado y costoso. Es más, los precios de arroz disminuyen con el libre comercio y también lo haría la tierra de cultivo japonesa. No sorprende que los agricultores y terratenientes japoneses objeten fuertemente al libre comercio del arroz; su oposición política unificada ha influido en el gobierno japonés más que los intereses de los consumidores japoneses. La sección *Exploración Detallada 3.1* proporciona una presentación más detallada de la teoría de los factores específicos; se puede consultar en: www.cengage.com/economics/Carbaugh.

¿El comercio hace a los pobres aún más pobres?

Antes de dejar la teoría de la dotación de factores, considere esta pregunta: ¿El ingreso de los estadounidenses lo disminuyen los trabajadores de México o de China? Esa pregunta ha subrayado muchos temores de los estadounidenses acerca de su futuro económico. Les preocupa que el crecimiento del comercio con las naciones en desarrollo con salarios bajos reduzca la demanda de trabajadores no especializados en Estados Unidos y cause desempleo y disminuciones de salario para los trabajadores estadounidenses.

La brecha salarial entre los trabajadores especializados y los no especializados se amplió en Estados Unidos durante los últimos 40 años. Durante el mismo periodo, las importaciones aumentaron como un porcentaje del producto interno bruto. Estos factores plantean la siguiente pregunta: ¿él comercio daña a los trabajadores no especializados? Si es así, ¿este es un argumento para aumentar las barreras comerciales?

Los economistas concuerdan en que alguna combinación de comercio, tecnología, educación, migración y debilidad sindical ha mantenido bajos los salarios de los trabajadores estadunidenses no especializados; pero asignar la culpa es difícil, en parte porque la inequidad de ingresos es tan dominante. Los economistas han intentado aislar las contribuciones relativas del comercio y de otras influencias en la discrepancia salarial entre los trabajadores especializados y los no especializados. Sus enfoques comparten el marco de referencia analítico que se muestra en la figura 3.3. Este marco considera a los salarios de los trabajadores especializados "en relación" con los de los trabajadores no especializados como el resultado de la interacción entre la oferta y la demanda en el mercado laboral.

El eje vertical de la figura 3.3 muestra la razón salarial, que es igual al salario de los trabajadores especializados dividida por el salario de los trabajadores no especializados. El eje horizontal de la figura muestra la razón laboral, que es igual a la cantidad de los trabajadores especializados disponibles dividida entre la cantidad de los trabajadores no especializados. En principio, se supone que la curva de oferta de los trabajadores especializados en relación con los trabajadores no especializados es fija y se denota por O_0. La curva de demanda de trabajadores especializados en relación con los trabajadores no especializados se denota por D_0. La razón salarial de equilibrio es 2.0, encontrada en la intersección de las curvas de oferta y demanda: lo que sugiere que los salarios de los trabajadores especializados son el doble que los salarios de los trabajadores no especializados.

En la figura, un cambio en la curva de la oferta o la curva de la demanda de los trabajadores especializados disponibles en relación con los trabajadores no especializados inducirá un cambio en

FIGURA 3.3

Inequidad salarial entre trabajadores especializados y no especializados

Al incrementar la demanda de trabajadores especializados en relación con los trabajadores no especializados, expandir el comercio o las mejoras tecnológicas provoca una mayor inequidad de salarios entre los trabajadores especializados y los no especializados. Además, la migración de los trabajadores no especializados intensifica la inequidad al disminuir la oferta de trabajadores especializados en relación con los trabajadores no especializados. Sin embargo, expandir las oportunidades para una educación universitaria ocasiona un aumento en la oferta de trabajadores especializados en relación con los trabajadores no especializados, con lo que se reduce la inequidad salarial. En la figura, la razón salarial es igual al salario de los trabajadores especializados/el salario de los trabajadores no especializados. La razón laboral es igual a la cantidad de trabajadores especializados/la cantidad de trabajadores no especializados.

la razón salarial de equilibrio. Considere los recursos que puedan afectar la inequidad salarial para Estados Unidos:

- *Comercio internacional y cambio tecnológico*. La liberalización comercial y los costos decrecientes de transporte y comunicación resultan en un aumento en la curva de la demanda de los trabajadores especializados en relación con los no especializados, por ejemplo, a D_1 en la figura. Si supone una curva de oferta constante, la razón salarial de equilibrio aumenta a 2.5, lo que sugiere que los salarios de los trabajadores especializados sean 2½ veces tanto como los salarios de los no especializados. En forma similar, las mejoras tecnológicas con sesgos de habilidades llevan a un aumento en la demanda por trabajadores especializados en relación con no especializados, promoviendo así grados más altos de inequidad salarial.
- *Migración*. La migración de los trabajadores no especializados ocasiona una disminución en la oferta de trabajadores especializados en relación con los no especializados. Si supone que la curva de la demanda es constante, conforme cambia la curva de oferta de O_0 a O_2, la razón salarial de equilibrio aumenta a 2.5, por tanto, intensifica la inequidad salarial.
- *Educación y capacitación*. Conforme aumenta la disponibilidad de la educación y la capacitación, también lo hace la razón de los trabajadores especializados con los no especializados, como se puede ver por el aumento en la curva de oferta de O_0 a O_1. Si la curva de la demanda sigue siendo constante, entonces la razón salarial de equilibrio se aplanará de 2.0 a 1.5. Así, las oportunidades adicionales de educación y capacitación sirven para reducir la inequidad salarial entre los trabajadores especializados y los no especializados.

Hemos visto cómo el comercio y la migración promueven la inequidad salarial. Sin embargo, los economistas han encontrado que sus efectos en la distribución salarial han sido pequeños. De hecho, la vasta mayoría de la inequidad salarial se debe a los recursos nacionales, en especial la tecnología. Un estudio citado con frecuencia, de William Cline, estimó que durante las últimas tres décadas el cambio tecnológico ha impulsado la inequidad salarial en Estados Unidos cuatro veces más que el comercio y que éste representó sólo 7 puntos porcentuales de todas las fuerzas no niveladoras en funcionamiento durante ese periodo. Sus conclusiones se han visto confirmadas con una investigación de Robert Lawrence que llegó a la conclusión de que la desigualdad en el alza de sueldos durante la primera década del siglo xx corresponde más bien al comportamiento bienes-mercado y a las innovaciones tecnológicas e institucionales antes que al comercio internacional en bienes y servicios. La importancia menor del comercio sugiere que cualquier política que se concentra específicamente en el comercio para resolver la desigualdad de sueldos será muy probablemente inútil.[8]

Los economistas por lo general están de acuerdo en que el comercio ha sido poco importante para ampliar la desigualdad salarial. Además, el impacto comercial en dicha desigualdad es abrumado no sólo por la tecnología sino también por la educación y la capacitación. De hecho, los cambios en la demanda de trabajo, lejos de los trabajadores menos educados, son los factores más importantes detrás de los salarios erosionados de los menos educados. Esos cambios parecen ser el resultado de los cambios tecnológicos a lo ancho de la economía y los cambios organizacionales acerca de la forma en que se desempeña el trabajo.

¿LA TEORÍA DE DOTACIÓN DE FACTORES EXPLICA LOS PATRONES COMERCIALES REALES?

Después del desarrollo de la teoría de la dotación de los factores, poca evidencia empírica se ha conseguido para fundamentar su validez. Todo lo que se obtuvo fueron ejemplos intuitivos en exportación de textiles o zapatos en la India, con mano de obra abundante; Alemania y Estados Unidos, con

---

[8] William Cline, *Trade and Income Distribution*, Washington, DC, Institute for International Economics, 1997, p. 264, y Robert Lawrence, *Blue Collar Blues: Is Trade to Blame for Rising U.S. Income Inequality?*, Washington DC, Institute for International Economics, 2008, pp. 73–74.

capital abundante, exportan maquinaria y automóviles o Australia y Canadá con tierra abundante exportan trigo y carne. Para algunos economistas esos ejemplos bastan para ilustrar la validez de la teoría de la dotación de factores. Sin embargo, otros demandan una evidencia más sólida.

El primer intento por investigar la teoría de dotación de la factores en forma empírica lo realizó Wassily Leontief en 1954.[9] Entonces ya se había reconocido ampliamente que en Estados Unidos el capital era relativamente abundante y el trabajo era relativamente escaso. De acuerdo con la teoría de la dotación de factores, Estados Unidos debería exportar los productos intensivos en capital y sus productos de competencia de importación debían ser intensivos en trabajo. Leontief probó esta propuesta al analizar las razones de capital/trabajo para 200 industrias de exportación e industrias de competencia en importaciones en Estados Unidos, con base en datos comerciales de 1947. Leontief encontró que la razón capital/trabajo para las industrias de exportación estadunidenses era más baja (aproximadamente 14,000 dólares por año de trabajador) que el de las industrias que compiten en importaciones (alrededor de 18,000 dólares por año de trabajador). Leontief concluyó que las exportaciones eran *menos* intensivas en capital que los productos de competencia de importación. Estos resultados, que contradijeron los resultados de la teoría de la dotación de factores, se conocen como **paradoja de Leontief**. Para reforzar su conclusión, Leontief repitió su investigación en 1956 y volvió a encontrar que los productos estadunidenses que competían con las importaciones eran más intensivos en capital que las exportaciones. El descubrimiento de Leontief fue que la ventaja comparativa de EUA no se basaba realmente en los productos intensivos en capital.

El cuestionamiento que Leontief había hecho a la teoría de la dotación de factores provocó muchos estudios empíricos. Los resultados de estas investigaciones han sido muy variados: se ha llegado gracias a ellos a la conclusión de que la teoría de la dotación de factores es relativamente acertada para explicar el comercio entre países industrializados y en vías de desarrollo: los países industrializados exportan productos intensivos en capital (e intensivos de territorio de clima templado) a los países en desarrollo, e importan mano de obra y productos intensivos de territorios tropicales. Sin embargo, una gran parte del comercio internacional no ocurre entre países industrializados y países en desarrollo, sino entre países industrializados con dotación de factores similares. Esto indica que los determinantes del comercio son más complicados que los que presenta la teoría básica de la dotación de factores. Factores como la tecnología, las economías de escala, las condiciones de la demanda, la competencia imperfecta y una dimensión temporal en la ventaja comparativa también deberían ser considerados. En las secciones siguientes, revisaremos estos factores.

LA ESPECIALIZACIÓN COMO FUENTE DE LA VENTAJA COMPARATIVA

Una solución a la paradoja de Leontief depende de la definición de capital. Las exportaciones de los Estados Unidos no son intensivas en capital, si por capital se entiende herramientas y fábricas. Más bien son intensivas en especialización, es decir son intensivas en "capital humano". Las industrias exportadoras estadunidenses usan una proporción significativamente más alta de trabajadores especializados en relación con otro tipo de trabajadores que las industrias estadunidenses que compiten con las importaciones. Boeing representa una de las compañías exportadoras más grandes de EUA. En relación con el número de trabajadores manuales, Boeing emplea un altísimo número de ingenieros mecánicos y de ingenieros en sistemas de cómputo que cuentan con posgrado universitario concluido. A la inversa, los estadunidenses importan muchos zapatos y textiles fabricados por empleados que, a menudo, tienen muy poca formación académica.

En general, los países dotados con trabajadores altamente especializados concentran sus exportaciones en productos intensivos en especialización, mientras que los países con trabajadores menos educados exportan productos que requieren poco trabajo especializado. La figura 3.4 ofrece un ejem-

---

[9] Wassily W. Leontief, "Domestic Production and Foreign Trade: The American Capital Position Reexamined," *Proceedings of the American Philosophical Society*, 97, septiembre de 1953.

FIGURA 3.4

Educación, intensidad en especialización y proporción captada en las importaciones estadunidenses, 1998

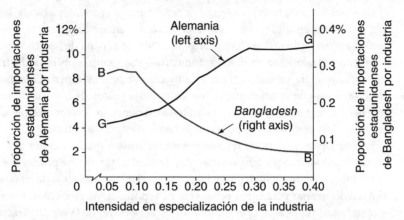

La figura muestra que los países que abundan en trabajo especializado captan una proporción mayor de las importaciones estadunidenses en las industrias que usan intensamente esos factores, mientras que, por el contrario, los países que abundan en trabajo no especializado capturan una proporción mayor de las importaciones estadunidenses que usan intensamente esos factores.

Adaptado de John Romalis, "Factor Proportions and the Structure of Commodity Trade", *American Economic Review*, vol. 94, núm. 1, 2004, pp. 67–97s.

---

plo de esta tendencia. Compara los artículos que los Estados Unidos importan de Alemania, donde el adulto corriente tiene más de diez años de formación académica, con los artículos que los Estados Unidos importan de Bangladesh, donde el promedio que el adulto tiene de formación académica es sólo de 2.5 años. Para cada país las industrias se clasifican de acuerdo con su intensidad en especialización: la intensidad en especialización es creciente de izquierda a derecha a lo largo del eje horizontal de la figura. La figura muestra que Alemania domina una muy amplia proporción de la importaciones estadunidenses de artículos intensivos en especialización y una mucha menor proporción de artículos que requieren poca mano de obra especializada. Esto se ve claramente por la curva que representa a Alemania (GG) que tiene una clara pendiente ascendente: según una industria alemana sea más intensiva en especialización, su proporción de las exportaciones a Estados Unidos incrementan. A la inversa, Bangladesh muestra un patrón de comercio opuesto en cuanto a sus exportaciones a Estados Unidos, que se concentran en artículos que requieren poca mano de obra especializada. Dada la pendiente descendiente de la curva de Bangladesh (BB), conforme una industria de Bangladesh es menos intensiva en especialización, la proporción que le corresponde de las exportaciones que llegan a Estados Unidos aumenta. La figura demuestra que los países captan una proporción mayor del comercio mundial de productos que usan más intensivamente los factores que les son más abundantes.

ECONOMÍAS DE ESCALA Y VENTAJA COMPARATIVA

Para ciertos productos las economías de escala pueden ser una fuente de ventaja comparativa. Las **economías de escala** (rendimientos crecientes a escala) se dan cuando la expansión de la escala de la capacidad de producción de una empresa o una industria provoca que los costos totales de producción se incrementen menos en proporción con la producción; así, el promedio de costos de producción a largo plazo disminuye. Las economías de escala se clasifican en economías internas y externas. [10]

---

[10] Paul Krugman, "New Theories of Trade Among Industrial Countries", *American Economic Review* 73, núm. 2, mayo de 1983, pp. 343-347 y Elhanan Helpman, "The Structure of Foreign Trade", *Journal of Economic Perspectives* 13, núm. 2, primavera de 1999, pp. 121-144

Esta teoría se funda en la noción de rendimientos crecientes a escala, también conocida como economías de escala. La explicación de los rendimientos crecientes del comercio no intenta reemplazar la explicación de la ventaja comparativa; sólo la complementa.

De acuerdo con la teoría comercial de rendimientos crecientes a escala, las naciones con una dotación de factores similar y, por tanto, diferencias de ventaja comparativa insignificantes, sin embargo, pueden encontrar benéfico comerciar porque toman ventaja de las economías de escala masivas, un fenómeno prevaleciente en diversas industrias. Por ejemplo, en las industrias automotriz y farmacéutica, la primera unidad siempre es muy cara de producir, pero cada unidad subsecuente cuesta mucho menos que la anterior, porque los grandes costos de instalación se dividen entre todas las unidades. Compañías como Toyota y Honda reducen los costos al especializarse en maquinaria y trabajo y obtener descuentos por cantidad en la compra de insumos.

La teoría principal de los rendimientos crecientes a escala asegura que una nación puede desarrollar una industria que tenga economías de escala, fabricar ese producto en una cantidad grande a costos unitarios promedio bajos, y luego comerciar los productos de bajo costo con otras naciones. Al hacer lo mismo para otros productos de rendimientos crecientes, todos los socios comerciales pueden tomar ventaja de las economías de escala a través de la especialización y el intercambio.

Economía de escala internas

Las **economías de escala internas** surgen en el seno de una empresa y se integran al contorno de su curva de costos promedio a largo plazo. Para un fabricante de automóviles el primer automóvil es muy caro de producir, pero cada automóvil posterior cuesta mucho menos que el anterior porque los enormes costos iniciales de instalación se distribuyen entre todas las unidades. Las compañías como Toyota reducen los costos unitarios gracias a la especialización de la mano de obra, la especialización gerencial, el capital eficiente y otros factores. Conforme la empresa expande su producción al incrementar el tamaño de su fábrica, también se desliza hacia abajo en la curva de sus costos promedio a largo plazo gracias a las economías de escala internas.

En la figura 3.5 se ilustra el efecto de las economías de escala en el comercio. Asuma que una compañía automotriz estadunidense y una compañía automotriz mexicana son capaces, cada una, de vender 100,000 vehículos en sus países respectivos. También asuma que las condiciones de costos idénticas resultan en la misma curva de costos promedio a largo plazo para las dos empresas, CMe.

FIGURA 3.5

Las economías de escala como base para el comercio

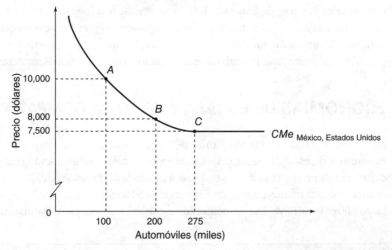

Al sumar el tamaño del mercado nacional, el comercio internacional permite mayores cantidades de producción por parte de las empresas nacionales, lo que puede llevar a una mayor eficiencia y reducciones en costos unitarios.

Observe entonces que las economías de escala resultan en costos unitarios decrecientes por los primeros 275,000 automóviles producidos.

Al principio no hay una base para el comercio, porque cada empresa obtiene un costo de producción de 10,000 dólares por automóvil. Suponga que el ingreso creciente en Estados Unidos resulta en una demanda de 200,000 automóviles, mientras que la demanda del automóvil mexicano permanece constante. La demanda más grande permite a la empresa estadounidense fabricar más producción y aprovechar las economías de escala. Las curvas de costos de la empresa se desplazan hacia abajo hasta que su costo es igual a 8,000 dólares por automóvil. En comparación con la empresa mexicana, la empresa estadounidense puede producir automóviles a un costo más bajo. Con el libre comercio, Estados Unidos ahora exportará automóviles a México.

Las economías de escala proporcionan incentivos de costos adicionales por la *especialización* en producción. En lugar de fabricar sólo unas cuantas unidades de todos y cada uno de los productos que los consumidores nacionales desean comprar, un país se especializa en la fabricación de cantidades grandes de un número limitado de productos y comercializa los productos restantes. La especialización en unos cuantos productos permite a un fabricante beneficiarse de corridas de producción más largas, lo que lleva a una disminución de los costos promedio.

Un aspecto clave de la teoría del comercio de rendimientos crecientes a escala es el **efecto de mercado interno**: los países se especializarán en productos que tienen una demanda nacional fuerte ¿Por qué? Al ubicarse cerca de su mercado más grande, una industria creciente a escala puede minimizar el costo de embarcar sus productos a sus clientes mientras aprovecha las economías de escala. Es decir, las compañías automotrices se ubicarán en Alemania más que en Francia si es evidente que es más probable que los alemanes compren más automóviles. De esa forma, la empresa puede producir automóviles de bajo costo y no tener que pagar demasiado para embarcarlos a su mercado más grande.

Pero el efecto del mercado interno también tiene una implicación preocupante. Si las industrias crecientes a escala tienden a ubicarse cerca de sus mercados más grandes, ¿qué pasa con las áreas de mercado pequeñas? Con las demás cosas sin cambio, es probable que se vuelvan no industrializadas al tiempo que las fábricas y las industrias se mudan para aprovechar las economías de escala y los costos bajos de transporte. Por tanto, el comercio podría llevar a que los países pequeños y las áreas rurales se vuelvan periféricos al centro económico, los proveedores lejanos de productos. Como lo han expresado los críticos canadienses, "con el libre comercio, los canadienses se volverían trabajadores forestales y supervisores de agua". Sin embargo, otras cosas no son estrictamente iguales: los efectos de la ventaja comparativa existen a lo largo de la influencia de los rendimientos crecientes a escala, así que el resultado final del libre comercio no se conoce de antemano.

Economías de escala externas

La sección previa consideró cómo las economías de escala internas *dentro* del control de una empresa pueden ser origen de ventaja comparativa. Las economías de escala también pueden surgir *fuera de* una empresa, pero dentro de una industria. Por ejemplo, cuando el alcance de las operaciones de una industria se amplía gracias a un mejor sistema de transporte, disminuyen los costos necesarios para que una compañía pueda operar dentro de esa industria.

Las **economías de escala externas** existen cuando los costos promedio de una *empresa* disminuyen conforme aumenta la producción de la *industria* a la que pertenece. Esta reducción de costos podía provenir de un descenso en los precios de los recursos empleados por la empresa o un descenso en la cantidad de recursos requeridos para cada unidad de producción. Este efecto se refleja en un cambio descendente de la curva de costos promedio a largo plazo de la empresa. Las economías de escala externas pueden surgir por varias circunstancias:

- La creciente conglomeración de las empresas de una misma industria en una área geográfica determinada atrae mayores concentraciones del tipo de trabajadores especializados que requiere esa industria y reduce, por lo tanto, los costos de contratación de una empresa.
- Conocimientos novedosos para la tecnología de la producción se transfieren entre las distintas empresas de la zona a través de contactos directos entre ellas o cuando los empleados se trans-

fieren de una empresa a otra. En vez de tener que contratar a un consultor, una empresa puede adquirir conocimientos técnicos útiles directamente de sus trabajadores, pues éstos se relacionan con los trabajadores de otras empresas.

- Cuando un país tiene una industria en expansión, se origina crecimiento económico para ese país y, gracias a esto, el gobierno puede recaudar mayores contribuciones tributarias. En reconocimiento de esto, el gobierno puede invertir en mejores instalaciones para la investigación y el desarrollo en las universidades locales con el propósito de que algunas empresas de esa área se beneficien.

- El fácil acceso a insumos especializados aumenta cuando los proveedores de tales componentes se conglomeran cerca del centro de producción. Muchos proveedores de componentes para automóviles se ubican en la zona de Detroit-Windsor, donde General Motors, Ford y Chrysler producen sus automóviles. Con el aumento en el número de proveedores se incrementa la competencia y bajan los precios de los componentes para una compañía automotriz.

Las economías a escala externas ayudan a explicar por qué Nueva York tiene una ventaja comparativa en servicios financieros, el Silicon Valley de California tiene una ventaja comparativa en semiconductores y Hollywood tiene una ventaja comparativa en películas.

Las economías de escala externas han hecho de Dalton, Georgia la capital mundial de la fabricación de alfombras. La ubicación de la industria de las alfombras en Dalton se remonta a un regalo de bodas que una adolescente, Catherine Whitener, obsequió, en 1895, a su hermano y a su nueva cuñada. El obsequio era una colcha especialmente mechuda: imitando un modelo de colcha de parches, Catherine cosió hilazas gruesas de algodón con una costura recta sobre muselina cruda, luego cortó las hilazas de modo que produjeran una mechuda felpa y lavó la colcha en agua caliente para asegurar las hilazas de algodón al encoger la tela. Las colchas de Catherine fueron atrayendo interés y, en 1900, vendió una primera colcha por $2.50. Posteriormente, la demanda se hizo tan grande que para la década de 1930 las mujeres de la localidad contrataban a transportistas para que llevaran a los frontispicios y patios frontales de las casas los lienzos y las hilazas para que las trabajaran empleados locales. A menudo, familias enteras trabajaban produciendo a mano el mechudo por un pago de entre $0.10 y $0.25 por cada colcha. Alrededor de 10,000 hombres, mujeres, y niños de la localidad estaban involucrados en la industria. Cuando, después de la Segunda Guerra Mundial, se mecanizó la producción de la alfombra, Dalton se convirtió en el centro de la nueva industria porque se requerían habilidades especializadas para producir el acabado de mechudo y la ciudad ya contaba un cúmulo disponible de trabajadores que poseían esa habilidad, lo que, naturalmente, reducía los gastos de contratación.

Dalton es ahora la sede de 170 diferentes fábricas de alfombras, 100 tiendas de fábrica de alfombras y más de 30,000 empleados que trabajan para estas compañías. En apoyo a esta industria, la zona cuenta con fabricantes locales de hilazas textiles, proveedores de maquinaria, plantas de teñido, tiendas de estampado y empresas de mantenimiento. Los empleados de la localidad han adquirido habilidades especializadas para operar el equipo y la maquinaria que produce las alfombras. Las compañías productoras de alfombras que no se ubican en Dalton no puedan aprovechar a estos proveedores ni a estos empleados especializados que las fábricas de Dalton tienen a su disposición y tienden a tener costos de producción mucho más altos. Aunque no una hay razón especial por la que Dalton se haya convertido en la capital mundial de la producción de alfombras, las economías de escala externas otorgaron a la zona una ventaja comparativa en la producción de alfombras cuando las empresas se empezaron a establecer allí.

DEMANDAS COINCIDENTES COMO BASE PARA EL COMERCIO

El efecto de mercado interno tiene implicaciones para otra teoría del comercio, la **teoría de demandas coincidentes**. Esta teoría fue elaborada en la década de los sesenta por Staffan Linder, un economista sueco.[11] De acuerdo con Linder, la teoría de la dotación de factores puede explicar considerablemente

---

[11] Staffan B. Linder, *An Essay on Trade and Transformation*, Nueva York, Wiley, 1961, capítulo 3.

CONFLICTOS COMERCIALES ¿UN "MUNDO PLANO" HACE QUE RICARDO SE HAYA EQUIVOCADO?

La posibilidad de que Estados Unidos pierda por el libre comercio ha sido el motor de algunos de los ataques recientes contra la globalización. Una crítica común es la que sostiene que el mundo se ha vuelto más "plano" porque las ventajas comparativas se han ido contrayendo o extinguiendo. Quienes defienden este punto de vista señalan que conforme países como China e India experimentan un desarrollo económico y se vuelven más similares a Estados Unidos, surge un campo de juego nivelado. El aplanamiento del mundo se debe en gran medida a que los países se vuelven interconectados como resultado de la Internet, la tecnología inalámbrica, los motores de búsqueda y otras innovaciones. En consecuencia, el capitalismo se ha extendido como fuego por toda China, India y otros países donde a los trabajadores de las fábricas, a los ingenieros y a los programadores de *software* se les paga una fracción de lo que se les paga a sus contrapartes estadounidenses. Así pues, conforme China y la India se desarrollen y se vuelvan más similares a Estados Unidos, éste podría empeorar con el comercio.

Sin embargo, no todos los economistas están de acuerdo con este punto de vista. Encuentran varios problemas en esta crítica. Primero, el punto de vista general sobre la globalización reconoce que es un fenómeno marcado por un aumento en la integración económica internacional. Ahora bien, la crítica anterior propone una situación en la que el desarrollo de China e India llevan a menos comercio, no a más. Si China y Estados Unidos tienen diferencias que permiten ganancias en el comercio (por ejemplo, las diferencias en las tecnologías y las capacidades productivas), entonces al eliminar esas diferencias puede disminuir la cantidad del comercio y por tanto, disminuir las ganancias en ese comercio. El peor escenario en semejante situación sería una eliminación completa del comercio. Esto es lo opuesto de la interpretación típica que percibe la globalización como un ritmo acelerado y preocupante de integración económica internacional.

El segundo problema detrás de la crítica es que ignora las formas en que el comercio internacional difiere del modelo simple de Ricardo. Las naciones avanzadas del mundo tienen tecnología y factores de producción sustan-

cialmente similares, y al parecer productos similares como automóviles y aparatos electrónicos se producen en muchos países, con comercio sustancial de ida y vuelta. Esto entra en conflicto con el pronóstico más simple del modelo ricardiano, bajo el cual el comercio debe desaparecer una vez que cada país sea capaz de hacer productos similares a precios comparables. En lugar de eso, el mundo ha observado un comercio sustancialmente mayor desde el final de la Segunda Guerra Mundial. Este incremento demuestra que hay ganancias para el *comercio intraindustrial*, en el que productos razonablemente similares se comercian en ambas direcciones entre las naciones; por ejemplo, Estados Unidos importa y exporta componentes de cómputo. El comercio intraindustrial refleja las ventajas que adquieren los consumidores y las empresas gracias a una mayor diversidad de productos similares disponibles para el comercio, así como una mayor competencia y una productividad más alta estimulada por el mismo comercio. Dada la experiencia histórica de que los flujos comerciales continúan aumentando entre las economías avanzadas, incluso cuando las tecnologías de producción son similares, se esperaría que el potencial para un comercio mutuamente ventajoso permaneciera parejo si China e India se desarrollan tan rápido como para tener tecnologías y precios similares a los de Estados Unidos.

Finalmente, se puede argumentar contra esa crítica que el mundo no es plano en absoluto. Aunque India y China pueden tener fuerzas laborales muy grandes, sólo una fracción de los indios está preparada para competir con los estadounidenses en industrias tales como las tecnologías de información, mientras que el régimen autoritario chino no es amigable con la computadora personal. El problema real es que la ventaja comparativa puede cambiar con mucha rapidez en una economía dinámica. Boeing puede ganar hoy, Airbus mañana y luego Boeing puede entrar de nuevo a la jugada.

Fuentes: Thomas Friedman, *The World Is Flat*, Nueva York, Farrar, Straus y Giroux, 2005; Jagdish Bhagwati, *In Defense of Globalization*, Nueva York, Oxford University Press, 2004; Martin Wolf, *Why Globalization Works*, New Haven, CT, Yale University Press, 2004 y *Economic Report of the President*, 2005, pp. 174-175.

bien el comercio en los productos principales (recursos naturales) y productos agrícolas, pero es incapaz de explicar el comercio en *productos manufacturados*, porque la fuerza principal que influye en el comercio de productos manufacturados es la *condición de demanda* interna. Puesto que gran parte del comercio internacional incluye productos manufacturados, las condiciones de demanda juegan un papel importante para explicar el patrón comercial general.

Linder afirma que las empresas dentro de un país por lo general están motivadas para fabricar productos para los que hay un mercado nacional grande. Este mercado determina el conjunto de productos que estas empresas tendrán que vender cuando empiecen a exportar. Los mercados extranjeros con un mayor potencial de exportación se encontrarán en las naciones donde los consumidores tengan gustos similares a los de los consumidores internos. Las exportaciones de una nación son, por lo tanto, una extensión de la producción originalmente manufacturada para el mercado interno.

Más aún, Linder afirma que los gustos de los consumidores están fuertemente condicionados por su nivel de ingresos. En consecuencia, el promedio de ingresos un país o *ingreso per cápita* generará patrones particulares de demanda. Las naciones con altos ingresos per cápita demandarán productos manufacturados de alta calidad (lujos), mientras que las naciones con un ingreso per cápita bajo demandarán productos de menos calidad (necesidades).

La hipótesis de Linder explica qué tipos de naciones tienen mayor probabilidad de comerciar con cada nación. Las naciones con ingresos per cápita similares tendrán estructuras de demandas coincidentes y es probable que consuman tipos similares de productos manufacturados. Es probable que las naciones ricas (industriales) comercien con otras naciones ricas y que las naciones pobres (en desarrollo) comercien con otras naciones pobres.

Linder no descarta del todo el comercio de productos manufacturados entre las naciones ricas y las pobres. Debido a una distribución de ingreso desigual dentro de las naciones, siempre habrá cierta coincidencia en las estructuras de demanda; algunas personas en las naciones pobres son ricas y algunas personas en las naciones ricas son pobres. Sin embargo, el potencial del comercio de productos manufacturados es pequeño cuando el grado de coincidencia de demanda es menor.

La teoría de Linder se aproxima a los hechos. Una alta proporción del comercio internacional en los productos manufacturados se realiza entre las naciones (industriales) de ingresos relativamente altos: Japón, Canadá, Estados Unidos y las naciones europeas. Es más, gran parte de este comercio incluye el intercambio de productos similares: cada nación exporta productos que son, en gran medida, como los productos que importa. Sin embargo, la teoría de Linder no se corrobora para el comercio de los países en desarrollo. En general, los países de ingresos bajos tienden a tener más comercio con países de altos ingresos que con otros países de bajos ingresos.

EL COMERCIO INTRAINDUSTRIAL

Los modelos de comercio considerados hasta ahora han tratado con el comercio **interindustrial**: el intercambio entre naciones de productos de distintas industrias; algunos ejemplos incluyen computadoras y aviones comerciados por textiles y zapatos o productos manufacturados terminados, comerciados por materias primas. El comercio interindustrial incluye el intercambio de productos con *distintos* requerimientos de factores. Las naciones que tienen grandes cantidades de trabajo especializado tienden a exportar productos manufacturados sofisticados, mientras que las naciones con suministros grandes de recursos naturales exportan productos intensivos en recursos naturales. Gran parte del comercio interindustrial es entre las naciones que tienen una dotación de recursos muy distinta (como los países en desarrollo y los industriales y se explica por el principio de la ventaja comparativa (el modelo Heckscher-Ohlin).

El comercio interindustrial se sustenta en una **especialización interindustrial**: cada nación se especializa en una industria particular (acero, por ejemplo) en la que disfruta una ventaja comparativa. Como los recursos cambian a la industria con una ventaja comparativa, otras industrias, que tienen desventajas comparativas (electrónica, por ejemplo), hacen contratos. Así, los recursos se mueven en la geografía hacia la industria donde los costos comparativos son los más bajos. Como resultado de la especialización, una nación experimenta *disimilitud* creciente entre los productos que exporta y los que importa.

Aunque ocurre alguna especialización interindustrial, no es del tipo que las naciones industrializadas han realizado en la era posterior a la Segunda Guerra Mundial. Más que enfatizar industrias completas, los países industriales han adoptado una forma más angosta de especialización. Han practicado una **especialización intraindustrial**, que se enfoca en la producción de productos particulares o grupos de productos dentro de una industria determinada (por ejemplo, los automóviles subcompactos más que sólo automóviles). Con una especialización intraindustrial, la apertura del comercio no resulta en la eliminación o la contracción de industrias completas dentro de una nación; sin embargo, la gama de productos fabricados y vendidos por cada nación cambia.

TABLA 3.5

**Ejemplos de comercio intraindustrial: exportaciones e importaciones estaduniden-
ses seleccionadas, 2012 (en millones de dólares)**

Categoría	Exportaciones	Importaciones
Petróleo	2,504	312,799
Acero	19,787	19,458
Químicos (inorgánicos)	35,537	24,763
Aviones para uso civil	94,366	10,289
Juguetes, juegos, artículos deportivos	10,450	33,466
Televisores	5,054	33,466
Computadoras	16,942	65,759
Equipo de telecomunicaciones	38,551	52,796

Fuentes: Tomado de U.S. Census Bureau, *US International Trade in Goods and Services: FT 900*, 2013. Vea también U.S. Census Bureau, *Statistical Abstract of the U.S.*

Las naciones industriales avanzadas cada vez más han enfatizado el **comercio intraindustrial**; comercio de dos vías en un producto similar. Por ejemplo, las computadoras fabricadas por IBM se venden en el extranjero mientras que Estados Unidos importa computadoras producidas por Hitachi de Japón. En la tabla 3.8, se proporcionan ejemplos del comercio intraindustrial para Estados Unidos. Como se indica en la tabla, Estados Unidos participa en un comercio de dos vías en muchos productos manufacturados como automóviles y acero.

La existencia del comercio intraindustrial parece ser *incompatible* con los modelos de ventaja comparativa previamente analizados. En los modelos ricardiano y de Heckscher-Ohlin, un país no podría exportar e importar en forma simultánea el mismo producto. Sin embargo, California es un importador significativo de vinos franceses así como un exportador grande de sus propios vinos; Holanda importa cerveza Lowenbrau y exporta Heineken. El comercio intraindustrial incluye flujos de productos con requerimientos de factores *similares*. Las naciones que son exportadoras netas de productos manufacturados que toman forma de tecnología sofisticada también compran productos de otras naciones. Gran parte del comercio intraindustrial se realiza entre los países industriales, en especial de Europa occidental, cuya dotación de recursos es similar. Las empresas que fabrican estos productos tienden a ser oligopolios, con unas cuantas empresas grandes que constituyen cada industria.

El comercio intraindustrial incluye el comercio en productos homogéneos así como en productos diferenciados. Para *productos homogéneos*, las razones para un comercio intraindustrial son más fáciles de definir. Una nación puede exportar e importar el mismo producto debido a los *costos de transporte*. Por ejemplo, Canadá y Estados Unidos comparten una frontera cuya longitud es de varios miles de kilómetros. Para minimizar los costos de transporte (y por tanto los costos totales), un comprador en Albany, Nueva York, puede importar cemento de una empresa en Montreal, Quebec, mientras que un fabricante en Seattle, Washington, vende cemento a un comprador en Vancouver, British Columbia. Ese comercio se explica porque es menos costoso transportar cemento de Montreal a Albania que embarcar cemento de Seattle a Albany.

Otra razón para el comercio intraindustrial en productos homogéneos es un factor *estacional*. Las estaciones en el hemisferio sur son opuestas a las del hemisferio norte. Brasil puede exportar productos de temporada (como productos agrícolas) a Estados Unidos en un momento del año e importarlos de Estados Unidos en otro momento durante el mismo año. La diferenciación en el tiempo también afecta los suministros de electricidad. Debido a los fuertes costos fijos en la producción de electricidad, los productores intentan mantener las plantas en operación cercana a su capacidad total, lo que significa que puede ser menos costoso exportar electricidad en tiempos que no son temporadas pico, cuando la demanda nacional es inadecuada para asegurar una utilización de capacidad completa e importar la electricidad en tiempos pico.

Aunque cierto comercio intraindustrial ocurre en productos homogéneos, la evidencia disponible sugiere que la mayor parte del comercio intraindustrial ocurre en *productos diferenciados*. Dentro de la manufactura, los niveles del comercio intraindustrial parecen ser especialmente altos en maquinaria, químicos y equipo de transporte. Una porción significativa de la producción de las economías modernas consiste en los productos diferenciados dentro del mismo grupo amplio de producto. Dentro de la industria automotriz, un Ford no es idéntico a un Honda, un Toyota o un Chevrolet. Los flujos de dos vías pueden ocurrir en productos diferenciados dentro del mismo grupo amplio de producto.

Para los países industriales, el comercio intraindustrial en productos manufacturados diferenciados, con frecuencia, ocurre cuando los fabricantes en cada país producen para la "mayoría" de los gustos del consumidor dentro de su país, mientras que ignoran los gustos de la "minoría" de los consumidores. Esta necesidad insatisfecha se compensa con los productos importados. Por ejemplo, la mayoría de los consumidores japoneses prefiere vehículos Toyota que General Motors; sin embargo, algunos consumidores japoneses compran vehículos de General Motors, mientras que se exportan vehículos Toyota a Estados Unidos. El comercio intraindustrial aumenta la gama de alternativas disponibles para los consumidores en cada país, así como el grado de competencia entre los fabricantes de la misma clase de producto en cada país.

El comercio intraindustrial en los productos diferenciados también se explica por segmentos de demanda que coinciden en las naciones que comercian. Cuando los fabricantes estadunidenses buscan en el extranjero mercados para vender, con frecuencia los encuentran en países que tienen segmentos de mercado similares a los segmentos de mercado en los que venden en Estados Unidos, por ejemplo, los automóviles de lujo que se venden a los compradores de ingresos altos. Se puede esperar que las naciones con niveles de ingresos similares tengan gustos similares y, por tanto, segmentos de mercado que coinciden de tamaño similar, como lo visualizó la teoría de Linder de las demandas coincidentes; se esperaría que participaran fuertemente en un comercio intraindustrial.

Además de los factores de marketing, las economías de escala asociadas con productos diferenciados, también explican el comercio intraindustrial. Una nación puede disfrutar de una ventaja de costos sobre su competidor extranjero al especializarse en unas cuantas variedades y estilos de un producto (por ejemplo, los automóviles subcompactos con transmisión estándar y equipo opcional) mientras que su competidor extranjero disfruta de una ventaja de costos al especializarse en otras variantes del mismo producto (los automóviles subcompactos con transmisión automática, aire acondicionado, reproductor de DVD y otro equipo opcional). Esa especialización permite líneas de producción más grandes, economías de escala y costos unitarios más bajos. Cada nación exporta su tipo de automóvil a la otra nación, lo que resulta en un comercio de automóviles en dos direcciones. En contraste con el comercio interindustrial, que se explica por el principio de la ventaja comparativa, el comercio intraindustrial se explica por la *diferenciación de producto* y de las *economías de escala*.

Con la especialización intraindustrial, es probable que ocurran menos problemas de ajuste que con la especialización interindustrial, debido a que esta última requiere de un cambio de recursos dentro de una industria en lugar de entre industrias. La especialización interindustrial resulta en una transferencia de recursos de competencia en importaciones a sectores de expansión de exportaciones de la economía. Pueden ocurrir dificultades de ajustes cuando los factores productivos, notablemente el trabajo, son ocupacionales y geográficamente inmovibles a corto plazo; puede resultar en un desempleo estructural masivo. En contraste, la especialización intraindustrial con frecuencia ocurre sin que se requiera que los trabajadores salgan de una región o industria en particular (como cuando los trabajadores son transferidos de la producción de automóviles de gran tamaño a los subcompactos); la probabilidad de un desempleo estructural se reduce.

LA TECNOLOGÍA COMO FUENTE DE VENTAJA COMPARATIVA: EL CICLO DE VIDA DEL PRODUCTO

Las explicaciones del comercio internacional presentadas hasta ahora son similares en cuanto a que presuponen un estado de tecnología *dado* y no cambiante. La base para el comercio fue finalmente atribuida a factores como diferentes productividades de trabajo, dotaciones de factores y estructuras de demanda nacional. Sin embargo, en un mundo dinámico ocurren cambios tecnológicos en diferentes naciones a distintas tasas de velocidad. Las innovaciones tecnológicas comúnmente resultan en nuevos métodos para fabricar productos existentes, en la fabricación de productos nuevos o en las mejoras de productos. Estos factores pueden afectar la ventaja comparativa y el patrón comercial.

Las compañías automovilísticas japonesas como Toyota y Honda han alcanzado su éxito gracias a que han mejorado enormemente los procesos de diseño y fabricación de automóviles. Estas mejoras permitieron a Japón convertirse en el mayor exportador mundial de automóviles y vender un número muy elevado de automóviles a los estadounidenses y a otros países. La ventaja comparativa en automóviles de Japón ha sido respaldada por las técnicas de producción superiores desarrolladas por los fabricantes de ese país, que les permitieron producir más vehículos con un volumen dado de capital y mano de obra, que sus homólogos europeos o estadunidenses. Por lo tanto, la ventaja comparativa de Japón en automóviles proviene de las diferencias en la tecnología; es decir, en las técnicas empleadas durante la producción.

Aunque las diferencias en la tecnología son una fuente importante de ventaja comparativa en un punto determinado del tiempo, la ventaja tecnológica es a menudo efímera. Un país podría perder su ventaja comparativa tan pronto como su ventaja tecnológica desaparece. El reconocimiento de la importancia de los cambios dinámicos ha hecho surgir otra explicación del comercio internacional en los productos manufacturados: la **teoría del ciclo de vida del producto**. Esta teoría se enfoca en el papel de la innovación tecnológica como un determinante clave de los patrones comerciales en los productos manufacturados.[12]

De acuerdo con esta teoría, muchos productos manufacturados como productos electrónicos y maquinaria de oficina pasan por un *ciclo comercial* predecible. Durante este ciclo, el país de origen es un exportador inicialmente, luego pierde su ventaja competitiva frente a sus socios comerciales y eventualmente se puede volver un importador del producto. Las etapas por las que pasan muchos productos manufacturados incluyen las siguientes:

1. El producto manufacturado se presenta al mercado de origen.
2. La industria nacional muestra una fortaleza de exportación.
3. Comienza la producción para el extranjero.
4. La industria nacional pierde ventaja competitiva.
5. Comienza la competencia de importación.

La etapa de producción del ciclo comercial comienza cuando un innovador establece un descubrimiento tecnológico en la fabricación de un producto manufacturado. Al principio, el mercado local, relativamente pequeño para el producto y las incertidumbres tecnológicas implican que la producción en masa no es factible. El fabricante quizás operará cerca del mercado local para ganar una retroalimentación rápida en la calidad y el atractivo general del producto. La producción ocurre en una escala pequeña por medio de trabajadores de alta capacidad relativa. El precio un tanto alto del producto nuevo también ofrecerá rendimientos relativamente altos para las existencias de capital especializado que se necesitan para fabricar el producto nuevo.

Durante la siguiente etapa del ciclo comercial, el fabricante nacional comienza a exportar su producto a mercados extranjeros que tienen gustos y niveles de ingresos similares. El fabricante local encuentra que, durante esta etapa de crecimiento y expansión, su mercado se vuelve lo suficientemente grande para expandir las operaciones de producción e identificar las técnicas de producción ineficiente. El fabricante del país de origen, por tanto, es capaz de abastecer cada vez más cantidades en los mercados mundiales.

Conforme madura el producto y su precio cae, la capacidad para una producción estandarizada ocasiona la posibilidad de que una producción más eficiente pueda ocurrir al utilizar un trabajo de salarios bajos y una producción en masa. En esta etapa de la vida del producto, es probable que la

---

[12] Vea Raymond Vernon, "International Investment and International Trade in the Product Life Cycle", *Quarterly Journal of Economics*, 80, 1966, pp. 190-207.

producción se mueva hacia economías que tengan una dotación de recursos relativamente grande en trabajo de bajo salario, como China o Malasia. La industria nacional entra a su etapa de madurez conforme las empresas innovadoras establecen sucursales en el extranjero y cuando ocurre el *outsourcing* de empleos.

Aunque la posición de monopolio de una nación innovadora se puede prolongar por las patentes legales, es probable que se pierda con el paso del tiempo, ya que el conocimiento, a la larga, tiende a ser un producto libre. Los beneficios que alcanza una nación innovadora de su brecha tecnológica se disfrutan poco tiempo, ya que comienza la competencia de importaciones de los productores extranjeros. Una vez que la tecnología innovadora se vuelve común, los productores extranjeros comienzan a imitar el proceso de producción. La nación innovadora gradualmente pierde su ventaja comparativa y su ciclo de exportación ingresa en una fase de declinación.

El ciclo comercial está completo cuando el proceso de producción se vuelve tan estandarizado que puede utilizarse con facilidad por otras naciones. Por tanto, el descubrimiento tecnológico ya no beneficia sólo a la nación innovadora. De hecho, la nación innovadora puede convertirse en un importador neto del producto conforme la competencia extranjera elimina su posición de monopolio.

La teoría del ciclo de vida del producto tiene implicaciones para los países innovadores como Estados Unidos. Las ganancias del comercio para este país las determinan el balance dinámico entre su tasa de innovación tecnológica y la tasa de su difusión tecnológica a otros países. A menos que Estados Unidos pueda generar un paso de innovación para igualar el paso de la difusión, su participación en las ganancias del comercio disminuirá. También se puede argumentar que el avance de la globalización acelera la tasa de difusión tecnológica. Lo que esto sugiere es que para preservar o aumentar las ganancias de la economía del comercio frente a la globalización se requerirá una aceleración del ritmo de innovación en bienes y actividades de producción de servicios.

La teoría del ciclo de vida del producto también proporciona lecciones para una empresa que desee mantener su competitividad: para evitar que los rivales la alcancen, continuamente debe innovar para volverse más eficiente. Por ejemplo, Toyota Motor Corporation se considera líder de la industria en eficiencia de producción. Para mantener esta posición, la empresa supervisa continuamente sus operaciones y sus prácticas laborales. Por ejemplo, en 2007 Toyota trabajaba para reducir a la mitad el número de componentes que utiliza en un vehículo típico y desarrollar plantas más rápidas y flexibles para ensamblar estos automóviles simplificados. Esto permitiría a los trabajadores producir en serie casi una docena de automóviles distintos en la misma línea de producción a una velocidad de cada 50 segundos, en comparación con la planta más rápida actual de Toyota que producía un vehículo cada 56 segundos. La reducción incrementaría la producción por trabajador y reduciría los costos en unos 1,000 dólares por vehículo. Al impulsar la meta de eficiencia, Toyota intentaba evitar que ocurrieran las últimas etapas del ciclo de producto.

Radios, calculadoras de bolsillo y el ciclo internacional del producto

La experiencia de los fabricantes estadunidenses y japoneses de radios ilustra el modelo del ciclo de vida del producto. Después de la Segunda Guerra Mundial, el radio era un producto bien establecido. Los fabricantes estadunidenses dominaban el comercio internacional para radios porque los tubos de vacío primero se desarrollaron en Estados Unidos. Pero conforme se difundieron las tecnologías de producción, Japón utilizó trabajo más barato y capturó una participación grande del mercado de radios en el mundo. Entonces las empresas estadunidenses desarrollaron el transistor. Por algunos años, los fabricantes de radios estadunidenses pudieron competir con los japoneses, quienes continuaron con el uso de tecnologías pasadas de moda. De nuevo, los japoneses imitaron las tecnologías estadunidenses y pudieron vender radios a precios más competitivos.

Las calculadoras de bolsillo proporcionan otra ilustración de un producto que se ha movido a través de las etapas del ciclo internacional del producto. Este producto fue inventado en 1961 por ingenieros en Sunlock Comptometer, Inc., y se comercializó poco después a un precio de aproximadamente 1,000 dólares. La calculadora de bolsillo de Sunlock era más precisa que las reglas deslizables (ampliamente utilizadas por estudiantes de bachillerato y universidad en ese tiempo) y más portátil que las grandes calculadoras mecánicas y las computadoras que desempeñaban muchas de las mismas funciones.

Para 1970, varias empresas estadunidenses y japonesas habían ingresado al mercado con calculadoras de bolsillo en competencia; estas empresas incluían a Texas Instruments, Hewlett-Packard y Casio (de Japón). El aumento en la competencia forzó que disminuyera el precio a unos 400 dólares. Conforme avanzó la década de los setenta, empresas adicionales entraron al mercado. Varias comenzaron por ensamblar sus calculadoras de bolsillo en países extranjeros como Singapur y Taiwán para aprovechar los costos más bajos de trabajo. Entonces estas calculadoras eran enviadas a Estados Unidos. Las tecnologías que mejoraban de forma constante resultaron en mejoras de producto y en precios más bajos; para mediados de 1970, las calculadoras de bolsillo se vendían entre 10 y 20 dólares, algunas veces hasta menos. Parece ser que las calculadoras de bolsillo habían alcanzado, hacia el final de la década de los setenta, la etapa de producto estandarizado del ciclo del producto, con tecnología de producto disponible en toda la industria, una competencia en precios (y por tanto costos) de mayor significado y una diferenciación de producto ampliamente adoptada. En un periodo de menos de dos décadas, el ciclo internacional del producto para las calculadoras de bolsillo estaba completo.

Japón se debilita en la industria electrónica

La esencia de la teoría de ciclo de producto también puede ejemplificarse con el caso de la industria electrónica japonesa.[13] A fines de la década de 1980, Japón parecía encaminado a dominar el mercado mundial de equipo electrónico. Los japoneses habían formulado, al parecer, un modelo de negocio de gran calidad donde la activa intervención del gobierno en las industrias orientadas a la exportación, aunada a la protección de las empresas japonesas de la competencia exterior, generaba altas tasas de crecimiento y superávits en la balanza comercial. Los avances y logros en cuanto al equipo electrónico de Japón eran verdaderamente notables: Sharp, Panasonic, Sony y otras compañías japonesas inundaban el mercado mundial con sus cámaras, aparatos de televisión, videograbadoras y otros aparatos similares.

La industria electrónica japonesa se debilitó durante la primera década del siglo XXI; las exportaciones disminuyeron y las pérdidas aumentaron. Los ejecutivos japoneses echaban la culpa de sus problemas a la apreciación del tipo de cambio del yen, que hacía sus productos más costosos y menos atractivos para los compradores extranjeros. No obstante, un yen fuerte no podía ser la causa total y absoluta de los problemas de Japón. De acuerdo con los analistas, el origen principal del problema era que las compañías japonesas ignoraban dos principios básicos. Primero, cuando los países maduran, sus fuentes de ventaja comparativa cambian. Aunque la abundancia de trabajo especializado, el capital y los precios no costosos pueden ser factores determinantes cruciales en la competitividad al inicio, cuando el tiempo pasa, la innovación en los productos y los procesos de producción se convierten en factores aún más importantes. Segundo, la competitividad no consiste sólo en la determinación de qué productos hay que ofrecer en el mercado, sino también en la determinación de qué productos no hay que ofrecer.

Haciendo caso omiso de estos principios, las compañías japonesas intentaron competir con compañías electrónicas nuevas como Samsung (Corea del Sur) basándose sólo en su capital no costoso y su eficiencia de producción, en vez de enfocarse a la innovación del producto. Los japoneses continuaron manufacturando productos que antes eran rentables (como semiconductores y productos de consumo de audio y video) que perdieron su mercado debido a la llegada de productos extranjeros de reciente invención. Por otro lado, cuando las compañías japonesas fracasaban, su solución eran las fusiones. Su razonamiento consistía en que al combinar varias compañías fallidas en una sola, ésta se convertiría en una compañía exitosa como resultado de las economías de escala de gran producción. Sin embargo, la fusión de compañías electrónicas japonesas no podía mantenerle el paso al mundo,

---

[13] Richard Katz, "What's Killing Japanese Electronics?" *The Wall Street Journal*, 22 de marzo de 2012, disponible en: http://online.wsj.com/; Michael Porter, "The Five Competitive Forces That Shape Strategy", *Harvard Business Review*, enero de 2008, pp. 79–93; Ian King, "Micron Biggest Winner as Elpida Bankruptcy Sidelines Rival", *Bloomberg News*, 27 de febrero de 2012, disponible en: http://www.bloomberg.com/.

rápidamente cambiante, de la industria electrónica digital. Compañías como Intel y Texas Instruments abandonaron los productos estandarizados, donde el precio es la clave para la competitividad, e inventaron productos más sofisticados y rentables, aventajando, así, notablemente a los japoneses.

Hoy casi cuatro quintas partes de la producción electrónica de Japón consiste en refacciones y componentes para los productos de otras compañías, como el iPad de Apple. Sin embargo, la mayor parte de la ganancia la obtiene Apple, que inventa nuevos productos populares, y no las compañías que producen sus componentes. Lo mismo en cuanto a teléfonos inteligentes que en cuanto a computadoras personales las compañías japonesas ya no son líderes del mercado.

VENTAJA COMPARATIVA DINÁMICA: POLÍTICA INDUSTRIAL

La teoría de David Ricardo de la ventaja comparativa ha influido en la teoría y políticas comerciales internacionales por casi 200 años. Implica que las naciones están mejor al promover el libre comercio y permitir que los mercados competitivos determinen lo que se debe producir y cómo.

La teoría ricardiana enfatiza la especialización y la reasignación de los recursos existentes que se encuentran en forma nacional. Es esencialmente una teoría estática que no permite un cambio dinámico en la ventaja comparativa de las industrias o una desventaja sobre el curso de varias décadas. La teoría pasa por alto el hecho de que los recursos adicionales pueden tenerse disponibles en la nación que practica el comercio porque pueden crearse o importarse.

El sobresaliente crecimiento económico de la posguerra en los países de Asia del Este parece estar sustentado en una modificación del concepto estático de la ventaja comparativa. Los japoneses estuvieron entre los primeros en reconocer que la ventaja comparativa en una industria en particular se puede crear a través de la movilización del trabajo especializado, la tecnología y el capital. También se dieron cuenta de que además del sector de negocios, el gobierno puede establecer políticas para promover oportunidades para el cambio al paso del tiempo. Ese proceso se conoce como **ventaja comparativa dinámica**. Cuando el gobierno participa activamente en crear una ventaja comparativa, aplica el término **política industrial**.

En su forma más simple, la política industrial es una estrategia para revitalizar, mejorar y desarrollar una industria. Los defensores mantienen que el gobierno debe promulgar políticas que estimulen el desarrollo de industrias emergentes, "nacientes" (como de alta tecnología). Esta estrategia requiere que los recursos sean dirigidos a industrias en las que la productividad sea la más alta, los vínculos con el resto de la economía sean fuertes (como en el caso de los semiconductores) y la competitividad futura sea importante. Presumiblemente, la economía nacional disfrutará de un nivel promedio más alto de productividad y será más competitiva en los mercados mundiales como resultado de dichas políticas.

Se puede utilizar una diversidad de políticas gubernamentales para fomentar el desarrollo y la revitalización de las industrias; ejemplos como la inmunidad antimonopolio, incentivos fiscales, subsidios para investigación y desarrollo, garantías de préstamos, préstamos a tasas de interés bajas y protección comercial. Crear una ventaja comparativa requiere que el gobierno identifique a los "ganadores" e impulse a los factores productivos hacia industrias con mayores probabilidades de crecimiento.

Para entender mejor el significado de ventaja comparativa, piense en él en términos del ejemplo clásico de la teoría de Ricardo de la ventaja comparativa. Su ejemplo mostró que, en el siglo XVIII, Portugal e Inglaterra hubieran ganado al especializarse respectivamente en la producción de vino y tela, aunque Portugal pudiera producir tanto tela como vino de forma más barata que Inglaterra. De acuerdo con la teoría de la ventaja comparativa estática, ambas naciones estarían mejor al especializarse en el producto en el que tenían una ventaja comparativa.

Sin embargo, al adherirse a esta prescripción, Portugal sacrificaría el crecimiento a largo plazo por las ganancias a corto plazo. Si Portugal, en vez de eso adoptara una teoría dinámica de ventaja comparativa, se especializaría en la industria de crecimiento de ese tiempo (tela). Por tanto, el gobierno portugués (o los fabricantes textiles portugueses) iniciaría políticas para fomentar el desarrollo de su industria de telas. Esta estrategia requeriría que Portugal pensara en términos de adquirir o crear fuerza en un sector "naciente" en lugar de simplemente aceptar la oferta existente de recursos y usar esa dotación tan productivamente como sea posible.

Los países han usado políticas industriales para desarrollar o revitalizar las industrias básicas, incluso el acero, los automóviles, los químicos, el transporte y otros fabricantes importantes. Cada una de estas políticas industriales difiere en carácter y enfoque; algo común a todas es un papel activo del gobierno en la economía. Por lo general, la política industrial es una estrategia desarrollada de forma colectiva por el gobierno, los negocios y el trabajo a través de algún tipo de proceso de consulta tripartita.

Los defensores de la política industrial citan a Japón como una nación que ha sido muy exitosa para penetrar en los mercados extranjeros y alcanzar un crecimiento económico rápido. Después de la Segunda Guerra Mundial, los japoneses eran los productores de alto costo en muchas industrias básicas (como el acero). En esta situación, una noción estática de ventaja comparativa requeriría que los japoneses atendieran áreas con menos desventajas que eran intensivas en trabajo (como los textiles). Dicha estrategia hubiera forzado a Japón hacia industrias de baja productividad que eventualmente competirían con otras naciones de Asia del Este al tener un trabajo abundante y estándares de vida modestos.

En lugar de eso, los japoneses invirtieron en industrias básicas (acero, automotriz y después en electrónica y computadoras) que requerían un empleo intensivo en capital y trabajo. Desde una perspectiva a corto plazo y estática, Japón parecía elegir las industrias equivocadas. Pero desde una perspectiva a largo plazo, eran las industrias en que el progreso tecnológico era rápido, la productividad del trabajo aumentaba con rapidez y los costos unitarios disminuían con la expansión de la producción. También eran industrias en las que uno esperaría un rápido crecimiento en demanda conforme aumentara el ingreso nacional.

Estas industrias combinaban el potencial para expandirse rápidamente, y así agregaban una nueva capacidad, con la oportunidad de utilizar la más reciente tecnología y promover una estrategia de reducción de costos fundada en una productividad creciente. Japón, colocado en una posición similar a la de Portugal en el famoso ejemplo de Ricardo, se rehusó a especializarse en "vino" y escogió "tela" en su lugar. Al paso de tres décadas, Japón se convirtió en el principal productor de bajo costo en el mundo de muchos de los productos para los que inicialmente comenzó en una posición de alto costo.

Sin embargo, los críticos de la política industrial, afirman que el factor causal en el éxito industrial japonés es poco claro. Admiten que algunas de las industrias enfocadas por el gobierno japonés (como semiconductores, acero, construcción de barcos y herramientas de maquinarias) son más competitivas de lo que serían con la ausencia de la ayuda del gobierno. Pero aseveran que Japón también enfocó a algunas perdedoras como las de los petroquímicos y el aluminio, para los cuales los rendimientos de inversión fueron decepcionantes y la capacidad tuvo que ser reducida. Más aún, varias industrias japonesas exitosas no recibieron ayuda del gobierno como motocicletas, bicicletas, papel, vidrio y cemento.

Los críticos de la política industrial afirman que si todas las naciones comerciantes tomaran la ruta de usar una combinación de restricciones comerciales en las importaciones y subsidios en las exportaciones, resultaría un proceso de "empobrece a tu vecino" con un proteccionismo inhibidor del comercio. También señalan que la instrumentación de las políticas industriales puede provocar el patronazgo político, es decir que las industrias que tienen poder político reciban la asistencia gubernamental. Finalmente, se afirma que en el libre mercado, los negocios que maximizan beneficios tienen el incentivo para desarrollar nuevos recursos y tecnologías que cambien la ventaja comparativa del país. Esto plantea la pregunta de si el gobierno hace un mejor trabajo que el sector privado al crear una ventaja comparativa.

LA OMC RESUELVE QUE LOS SUBSIDIOS GUBERNAMENTALES A BOEING Y AIRBUS SON ILEGALES

Un ejemplo notable de política industrial consiste en los subsidios gubernamentales que se aplican a la industria de aviones comerciales, como se puede apreciar en el caso de Boeing y Airbus. Los fabricantes mundiales de aviones comerciales operan en un mercado de oligopolio que ha sido dominado por Boeing de Estados Unidos y la compañía europea Airbus, aunque ahora empieza a surgir competencia de fabricantes en Canadá, Brasil, China y otros países. Durante la década de 1970 Airbus vendió menos de 5 por ciento de los aviones del mundo; en la actualidad, representa más de la mitad del mercado mundial.

Estados Unidos se ha quejado repetidamente de que Airbus recibe subsidios injustos por parte de los gobiernos europeos. Los funcionarios estadunidenses afirman que estos subsidios colocan a su empresa en una desventaja competitiva. Airbus supuestamente recibe préstamos para el desarrollo de nuevas aeronaves; estos préstamos se realizan por debajo de las tasas de interés en el mercado y pueden llegar de 70 a 90 por ciento del costo de desarrollo de un avión. En vez de pagar los préstamos de acuerdo con la curva prescrita, como sería lo típico en un mercado competitivo, a Airbus se le permite pagarlos cuando entrega una aeronave. Airbus también puede evitar el pago de los préstamos por completo si las ventas de su aeronave son más bajas de lo esperado. Aunque Airbus dice que esto nunca ha ocurrido, Boeing afirma que Airbus tiene una ventaja al reducir su riesgo comercial, lo que facilita la obtención del financiamiento. Estados Unidos sostiene que estos subsidios permiten a Airbus establecer precios bajos poco reales, ofrecer concesiones y términos atractivos de financiamiento a las aerolíneas y eliminar los costos de desarrollo.

Airbus ha defendido sus subsidios a partir de que evitan que Estados Unidos tenga un monopolio a nivel mundial en aviones comerciales. Ante la ausencia de Airbus, las aerolíneas tendrían que depender exclusivamente de Boeing como proveedor. Los temores de dependencia y la pérdida de autonomía en el ámbito de la tecnología avanzada motivaron a los gobiernos europeos a subsidiar a Airbus.

Airbus también afirma que Boeing se beneficia del apoyo gubernamental. Más que recibir subsidios directos como Airbus, Boeing recibe subsidios indirectos. Por ejemplo, las organizaciones de investigación gubernamental respaldan la aeronáutica y la investigación de propulsión que se comparte con Boeing. El respaldo para una innovación de aviones comerciales también proviene de la investigación patrocinada por los militares y adquisiciones militares. La investigación financiada por los servicios de la armada tiene excedentes tecnológicos indirectos pero también importantes derrames tecnológicos (spillovers) para la industria de aviones comerciales, más notablemente en motores de aviones y en diseños de aeronaves. También Boeing subcontrata parte de la producción de sus aviones con naciones como Japón y China, cuyos productores reciben sustanciales subsidios gubernamentales. Por último, el estado de Washington proporciona exenciones fiscales a Boeing, que tiene grandes instalaciones de producción en el estado. De acuerdo con Airbus, estos subsidios resaltan la competitividad de Boeing.

Como resultado del conflicto de subsidios entre Boeing y Airbus, en 1992 Estados Unidos y Europa negociaron un acuerdo que frena los subsidios para los dos fabricantes. El elemento principal del acuerdo fue un tope de 33 por ciento en la cantidad de los subsidios gubernamentales que estos fabricantes podían recibir para el desarrollo de productos. Además, los subsidios indirectos estaban limitados a 4 por ciento de los ingresos de una empresa de aviones comerciales.

Aunque el acuerdo del subsidio ayudó a calmar las tensiones entre Estados Unidos y Europa, para principios de 2000, la disputa del subsidio se volvió a caldear. Estados Unidos criticó a la Unión Europea por otorgar subsidios a Airbus y pidió que la Unión Europea renegociara el acuerdo de subsidios de 1992. En 2005, Boeing y Airbus presentaron demandas ante la Organización Mundial de Comercio en las que cada una afirmaban que la otra empresa recibía subsidios ilegales de los gobiernos de Europa y de Estados Unidos.

En 2010-2011, la Organización Mundial del Comercio resolvió que tanto Boeing como Airbus recibían subsidios ilegales por parte de sus gobiernos. La OMC determinó que Airbus había recibido alrededor de $20,000 millones en apoyos ilegales y que Boeing había recibido $2,700 millones en apoyos ilegales similares. En respuesta, Boeing declaró que estaba dispuesto a avenirse a esta resolución y, por lo tanto, ya no recibir subsidios ilegales. Airbus, sin embargo, se ha resistido a abandonar los apoyos de los gobiernos de Europa.

Al finalizar la redacción de este manual, aún continúa la disputa sobre los subsidios. Boeing y Airbus se acusan mutuamente de no acatar las resoluciones que la OMC ha dictado sobre sus subsidios ilegales y está aún por verse como se resolverá ese acatamiento.

CONFLICTOS COMERCIALES ¿SOFOCAN LOS SINDICATOS OBREROS LA COMPETITIVIDAD?

Durante más de un siglo, los sindicatos obreros han intentado mejorar los sueldos, las prestaciones y las condiciones de trabajo de sus afiliados. En Estados Unidos, en la década de 1950, los sindicatos representaban aproximadamente un tercio de todos los empleados del país. Para 2011, los sindicatos representaban aproximadamente sólo el 12% de la fuerza laboral estadounidense (8% de la fuerza laboral en el sector privado y 36% en el sector público). Muchos sindicalizados del sector privado pertenecían a sindicatos industriales, como el United Auto Workers (UAW), que representa a los trabajadores de las compañías automotrices estadounidenses, a los de las compañías productoras de tractores y de equipo de roturación de tierra como Caterpillar y John Deere, y a los trabajadores de Boeing en la industria aérea.

Durante las décadas de 1950 y 1960, el movimiento sindical en Estados Unidos aceptaba, de manera general, el libre comercio: era una época en que los productores estadunidenses eran muy fuertes en los mercados internacionales. Sin embargo, los líderes sindicales empezaron a expresar su preocupación en cuanto al libre comercio en la década de 1970, cuando sus empleados se enfrentaron a la creciente competencia de los productores de Japón y Europa Occidental. A partir de entonces, los dirigentes sindicales estadunidenses se han opuesto, de manera general, a todos los esfuerzos de liberalización del comercio.

Algunos analistas han señalado que los sindicatos pueden tener efectos adversos sobre la competitividad de las empresas cuando imponen sueldos y beneficios superiores a los de un mercado competitivo. Los sindicatos también pueden imponer reglas laborales restrictivas que reducen la productividad y sofocan la innovación. Por otro lado, el énfasis que los sindicatos ponen en la antigüedad laboral por encima del mérito para los ascenso y la determinación de sueldos puede contrarrestar los incentivos para el esfuerzo laboral. Finalmente, las huelgas pueden restringir la habilidad de una empresa para mantener su participación en el mercado.

Una importante investigación de Hirsch llegó a la conclusión de que los sindicatos tendían a provocar que la remuneración aumentara más rápido que la productividad, disminuyendo las ganancias y, a la vez, disminuyendo la habilidad de las empresas para mantener precios competitivos. Esto ha causado que las compañías sindicalizadas pierdan su porción del mercado frente a compañías no sindicalizadas tanto en los mercados nacionales como internacionales: los ejemplos clásicos de esta tendencia incluyen a las compañías automovilísticas y a las compañías productoras de acero estadunidenses. Hirsch descubrió que los sindicatos normalmente elevan los costos de mano de obra de una compañía de 15% a 20% y, este aumento no produce ninguna alza significativa en cuanto a productividad. Por lo tanto, las ganancias de las empresas sindicalizadas tienden a ser 10% a 20% inferiores a las de las empresas no sindicalizadas similares. Asimismo, la empresa sindicalizada típica tiene 6% menos inversión de capital que una empresa no sindicalizada similar y un 15% menos de inversión en investigación y desarrollo. Hirsch encontró, sin embargo, que no hay evidencia de que esto implique una más alta proporción de fracaso en las compañías sindicalizadas.

Otros analistas, por su parte, arguyen que los sindicatos pueden incrementar el sentido de lealtad que el empleado siente por la compañía y, así, reducir la rotación constante de empleados; esto, a su vez, incrementa la productividad laboral y reduce los costos de contratación y capacitación de la empresa. También indican que los sindicatos son una fuerza muy importante para alcanzar una mayor equidad social y es prácticamente imposible tener acceso a un buen servicio médico, a una pensión justa y a otras prestaciones laborales sin un fuerte movimiento sindical. Por otro lado, señalan que Estados Unidos, que tiene una tasa de sindicalización muy inferior a muchos otros países desarrollados, ha mantenido constantemente enormes déficits comerciales. Si un grado bajo de sindicalización condicionara realmente la competitividad del comercio, ¿no debería Estados Unidos ubicarse más cerca de la cima?

Fuentes: Daniel Griswold, "Unions, Protectionism, and U.S. Competitiveness", *Cato Journal*, vol. 30, núm. 1, invierno de 2010, pp. 181–196. Véase también Barry Hirsch, "Sluggish Institutions in a Dynamic World: Can Unions and Industrial Competition Coexist?" *Journal of Economic Perspectives*, 2008, vol. 22, núm. 1 y Richard Freeman and James Medoff, *What Do Unions Do?*, Basic Books, Nueva York, 1984.

iStockphoto.com/photosoup

POLÍTICAS DE REGULACIÓN GUBERNAMENTAL Y VENTAJA COMPARATIVA

Además de proporcionar subsidios para mejorar la competitividad, los gobiernos instrumentan regulaciones sobre los negocios con objetivos tales como la seguridad laboral, seguridad del producto y un ambiente limpio. En Estados Unidos, dichas regulaciones las imponen la oficina de la Occupational Safety and Health Administration (OSHA), la Consumer Product Safety Commission (CPSC) y la Environmental Protection Agency (EPA). Aunque las regulaciones gubernamentales pueden mejorar el bienestar del público, ocasionan costos más altos para las empresas nacionales. De acuerdo con el American Iron and Steel Institute, en la actualidad, los productores estadunidenses de acero son tecnológicamente avanzados, con bajo costo, ambientalmente responsables y enfocados a los clientes. Sin embargo, continúan enfrentando cargas regulatorias del gobierno estadunidense que impiden su competitividad y perspectivas comerciales.

Las regulaciones gubernamentales estrictas aplicadas a la fabricación de productos y servicios tienden a incrementar los costos y a erosionar la competitividad de una industria. Esto es relevante para empresas que compiten en exportaciones e importaciones. Incluso si las regulaciones gubernamentales están justificadas en función del bienestar social, el impacto adverso sobre la competitividad comercial y la pérdida de trabajo asociada han sido durante mucho tiempo una causa de preocupación política. Examine cómo las regulaciones gubernamentales sobre los negocios pueden afectar en la ventaja comparativa.

En la figura 3.6, se ilustran los efectos comerciales de las regulaciones de contaminación impuestas en el proceso de producción. Suponga un mundo de dos productores de acero, Corea del Sur y Estados Unidos. Las curvas de oferta y demanda de Corea del Sur y las de Estados Unidos se indican por O_{CS0} y D_{CS0}, y por O_{EU0} y D_{EU0}. En la ausencia del comercio, los productores de Corea del Sur venden 5 toneladas de acero a 400 dólares por tonelada, mientras que 12 toneladas de acero se venden en Estados Unidos a 600 dólares por tonelada. Así, Corea del Sur disfruta de una ventaja comparativa en la producción de acero.

Con el libre comercio, Corea del Sur se mueve hacia una especialización en la producción de acero y Estados Unidos produce menos acero. Bajo condiciones de costos crecientes, los costos y los precios de Corea del Sur aumentan, mientras que los precios y los costos en Estados Unidos disminuyen. La base para un mayor crecimiento se elimina cuando los precios en los dos países se igualan en 500 dólares por tonelada. Corea del Sur produce 7 toneladas, consume 3 y exporta 4, mientras que Estados Unidos produce 10 toneladas, consume 14 e importa 4.

Suponga que la producción de acero realiza descargas en los canales navegables de Estados Unidos, lo que lleva a la Environmental Protection Agency a imponer regulaciones de contaminación

---

FIGURA 3.6

Efectos comerciales de las regulaciones gubernamentales

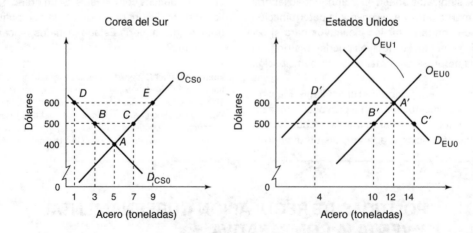

La imposición de las regulaciones gubernamentales (ambiente limpio, seguridad laboral, seguridad de producto) en las compañías acereras estadunidenses llevan a costos más altos y a una disminución en la oferta del mercado. Esto reduce la competitividad de las compañías acereras estadunidenses y reduce su participación del mercado de acero estadunidense.

en los productores de acero nacionales. Cumplir con estas regulaciones provoca más costos de producción, lo que ocasiona que la curva de oferta estadunidense cambie a O_{EU1}. Así, las regulaciones ambientales proporcionan una ventaja adicional en costos para las compañías acereras de Corea del Sur. Conforme las compañías de Corea del Sur expanden la producción de acero, a 9 toneladas, los costos de producción más altos generan un aumento en precios a 600 dólares. A este precio, los consumidores de Corea del Sur demandan sólo 1 tonelada. El exceso de oferta de 8 toneladas se destina para venta en Estados Unidos. En cuanto a Estados Unidos, se demandan 12 toneladas de acero al precio de 600 dólares, como lo determina Corea del Sur. Dada la curva de oferta O_{EU1}, las empresas estadunidenses ahora producen sólo 4 toneladas de acero al precio de 600 dólares. El exceso de demanda de 8 toneladas se cubre con las exportaciones de Corea del Sur. Para las compañías acereras estadunidenses, el costo impuesto por las regulaciones de contaminación lleva a una mayor desventaja comparativa y a una menor participación del mercado estadunidense.

La regulación ambiental, por tanto, resulta en una concesión de política para Estados Unidos. Al sumar a los costos de las compañías acereras nacionales, las regulaciones ambientales hacen que Estados Unidos sea más dependiente del acero producido en el extranjero. Sin embargo, las regulaciones proporcionan a los hogares estadunidenses agua y aire más limpios y, por tanto, una mejor calidad de vida. También la competitividad de las otras industrias estadunidenses, como productos forestales, puede beneficiarse de tener aire y agua más limpios. Estos efectos se deben considerar cuando se forma una política regulatoria ambiental óptima. El mismo principio aplica a la regulación de la seguridad laboral por parte de la Occupational Safety and Health Administration y la regulación de la seguridad del producto por parte de la Consumer Product Safety Commission.

COSTOS DE TRANSPORTE Y VENTAJA COMPARATIVA

Además de tomar forma de costos de producción, el principio de la ventaja comparativa incluye los costos de trasladar los productos de una nación a otra. Los **costos de transporte** se refieren a los costos de trasladar los productos, incluyendo los costos de fletes, gastos de empaques y manejos y primas de seguro. Estos costos son un obstáculo para el comercio e impiden la obtención de ganancias de la liberalización del comercio. En términos sencillos, las diferencias a través de los países en los costos de transporte son una fuente de ventaja comparativa y afectan el volumen y la composición del comercio.

Los efectos comerciales

Los efectos comerciales de los costos de transporte se pueden ilustrar con un modelo convencional de oferta y demanda basado en condiciones de costos crecientes. En la figura 3.7 (*a*) se ilustran las curvas de la oferta y la demanda de automóviles para Estados Unidos y Canadá. Al reflejar la suposición de que Estados Unidos tiene una ventaja comparativa en la producción de automóviles, las ubicaciones de equilibrio entre Estados Unidos y Canadá están en los puntos *E* y *F*, respectivamente. En autarquía, el precio de automóviles estadunidenses, 4,000 dólares, es más bajo que el de Canadá, de 8,000 dólares.

Cuando el comercio es permitido, Estados Unidos se moverá hacia una mayor especialización en la producción de automóviles, mientras que Canadá producirá menos automóviles. Bajo condiciones de costos crecientes, el costo y los precios estadunidenses aumentan y el precio de Canadá disminuye. La base para un crecimiento mayor del comercio se elimina cuando los precios de los dos países son iguales, en 6,000 dólares. A este precio, Estados Unidos produce 6 automóviles, consume 2 y exporta 4; Canadá produce 2 automóviles, consume 6 e importa 4. Por tanto, 6,000 dólares es el precio de equilibrio para ambos países, debido a que el exceso de oferta de automóviles en Estados Unidos apenas es igual al exceso de demanda de automóviles en Canadá.

La introducción de los costos de transporte en el análisis modifica las conclusiones de este ejemplo. Suponga que el costo por unidad de transporte de un automóvil de Estados Unidos a Canadá

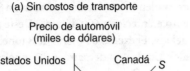

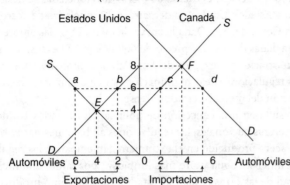

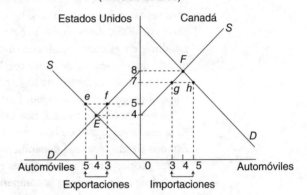

Ante la ausencia de costos de transporte, el libre comercio ocasiona la nivelación de los precios de los productos comerciados, así como en los precios de factores de producción, en las naciones que practican el comercio. Con la introducción de costos de transporte, la nación de exportación de bajo costo produce menos, consume más y exporta menos; la nación de importación de alto costo produce más, consume menos e importa menos. El grado de especialización entre las dos naciones disminuye como lo hacen las ganancias del comercio.

es de 2,000 dólares, como se muestra en la figura 3.7 (*b*). Estados Unidos encontraría ventajoso producir automóviles y exportarlos a Canadá hasta que se elimine su ventaja de precios. Pero cuando los costos de transporte se incluyen en el análisis, el precio de exportación estadunidense refleja los costos nacionales de producción más el costo de transportar los automóviles a Canadá. Así, la base para el comercio deja de existir cuando el precio de automóviles de Estados Unidos más el costo de transporte se aumenta para igualar el precio de automóviles en Canadá. Esta nivelación ocurre cuando los precios de automóviles estadunidenses aumentan a 5,000 dólares y los precios de automóviles canadienses disminuyen a 7,000 dólares, la diferencia entre ellos son los 2,000 dólares de costo de transporte por unidad. En lugar de que un solo precio se establezca en ambos países, habrá dos precios de automóviles nacionales, que difieren por el costo de transporte.

En comparación con el libre comercio en la ausencia de costos de transporte, cuando se incluyen los costos de transporte, el país importador de productos de costos elevados producirá más, consumirá menos e importará menos. El país exportador de productos de costos bajos producirá menos, consumirá más y exportará menos. Por tanto, los costos de transporte tenderán a reducir el volumen del comercio, el grado de especialización en la producción entre las naciones involucradas y, en consecuencia, las ganancias del comercio.

La inclusión de los costos de transporte en el análisis modifica las conclusiones del modelo comercial. Un producto se comercializará a nivel internacional siempre y cuando el diferencial del precio previo al comercio entre los socios comerciales sea mayor que el costo de transporte del producto entre ellos. Cuando el comercio está en equilibrio, el precio del producto comerciado en la nación exportadora es menor al precio en el país importador por una cantidad equivalente al costo de transporte.

Los costos de transporte también tienen implicaciones para la teoría de nivelación de los precios de los factores presentada antes en este capítulo. Recuerde que esta teoría sugiere que el libre comercio tiende a nivelar los precios de productos y los precios de los factores para que todos los trabajadores ganen el mismo salario y todas las unidades de capital ganen el mismo rendimiento en ambas naciones. El libre comercio permite que ocurra la nivelación del precio de los factores productivos, porque los insumos que no se pueden mover a otro país, son implícitamente transportados en forma de productos. Sin embargo, al observar el mundo real, los trabajadores de automóviles de Estados

Unidos ganan más que los trabajadores de automóviles en Corea del Sur. Una razón posible para este diferencial son los costos de transporte. Al hacer que los automóviles de bajo costo de Corea del Sur sean más caros para los consumidores estadunidenses, los costos de transporte reducen el volumen de automóviles embarcados de Corea del Sur a Estados Unidos. Este volumen de comercio reducido detiene el proceso de nivelación de los precios del producto y de los factores productivos antes de que se complete. En otras palabras, los precios de los automóviles y los salarios de los trabajadores estadunidenses no caen a los niveles de los de Corea del Sur. Así, los costos de transporte proporcionan un alivio a los trabajadores nacionales de alto costo que fabrican productos sujetos a la competencia en importaciones.

El costo de embarcar un producto de un punto a otro se determina por diversos factores, incluso la distancia, el peso, el tamaño, el valor y el volumen de comercio entre los dos puntos en cuestión. En la tabla 3.10, se muestra la importancia promedio de los costos de transporte para las importaciones de Estados Unidos y de otros países. Desde la década de los sesenta, el costo del transporte internacional ha disminuido de forma significativa en comparación con el valor de las importaciones estadunidenses. Desde 1965, hasta principios de 2000, los costos de transporte como porcentaje del valor de todas las importaciones estadunidenses disminuyeron de 10 por ciento a menos de 4 por ciento. Esta declinación en el costo relativo del transporte internacional ha hecho que las importaciones sean más competitivas en el mercado estadunidense y ha contribuido a un mayor volumen de comercio para Estados Unidos. La caída de los costos de transporte ha sido en gran medida debido a mejoras tecnológicas, incluso el desarrollo de grandes contenedores para manejo de productos a granel (*dry-bulk*), tanques a gran escala, y aviones de anchos fuselajes. Es más, los avances tecnológicos en las telecomunicaciones han reducido las distancias económicas entre las naciones.[14]

La caída de los costos de transporte fomenta el auge comercial

Si los comerciantes en cualquier parte parecen vender productos de importación, hay una razón. El comercio internacional ha crecido a un ritmo sorprendente. ¿Qué hay detrás de la expansión del comercio internacional? La disminución a nivel mundial de las barreras comerciales como aranceles y cuotas, ciertamente es una razón. La apertura económica de las naciones que han sido tradicionalmente jugadores menores, como México y China, es otra. Pero un factor detrás del auge del comercio ha sido pasado por alto en gran medida: los costos a la baja de llevar productos al mercado.

En la actualidad, los costos de transporte son un obstáculo menos severo de lo que antes eran. Una razón es que la economía global se ha vuelto mucho menos intensiva en transporte de lo que antes era. Por ejemplo, a principios del siglo pasado, la manufactura y la agricultura eran las dos industrias más importantes en la mayoría de las naciones. Por tanto, el comercio internacional enfatizaba las materias primas, como el hierro y el trigo o los productos procesados como el acero. Éstos eran tipos de productos costosos y voluminosos, lo que resultaba en un costo relativamente alto de transporte en comparación con el valor de los propios productos. Como resultado, los costos de transporte tenían mucho que ver con el volumen del comercio. Sin embargo, al paso del tiempo, la producción mundial ha cambiado a productos cuyo valor no tiene relación con su tamaño ni su peso. Los productos terminados manufacturados, y no las materias primas, son los que dominan el flujo del comercio. Por tanto, se requiere menos transporte por el valor de cada dólar de exportaciones o importaciones.

Las mejoras de productividad para transportar productos también han ocasionado que caigan los costos de transporte. A principios del siglo pasado, el proceso físico de importar o exportar era difícil. Imagine una compañía de textiles británica que deseaba vender sus productos en Estados Unidos. Primero, en el puerto de carga de la empresa, los trabajadores tenían que haber cargado

---

[14] Jean-Paul Rodrigue, *Transportation, Globalization and International Trade*, Routledge, Nueva York, 2013; Alberto Behar y Anthony Venables, "Transportation Costs and International Trade", *Handbook of Transport Economics*, ed. de Andre de Palma *et al.*, Northampton [Massachusetts], Edward Elgar, 2010; David Hummels, "Transportation Costs and International Trade in the Second Era of Globalization", *Journal of Economic Perspectives*, vol. 21, núm. 3, verano de 2007, pp. 131–154.

los rollos de tela en la parte trasera de un camión, que se tenía que dirigir a un puerto y descargar su contenido, rollo por rollo en un almacén del puerto. Cuando un barco se preparaba para zarpar, los estibadores del puerto tenían que retirar los rollos del almacén y colocarlos en espera, donde otros estibadores los colocarían en su lugar. Cuando la carga llegaba a Estados Unidos, el proceso se revertía. De hecho, este tipo de embarques eran una tarea complicada, que requería mucho esfuerzo y gastos. Con el paso del tiempo, llegaron las mejores tecnológicas como los cargueros oceánicos modernos, los contenedores estándar para embarque de productos, puertos de carga computarizados y compañías de mensajería como United Parcel Service y Federal Express, que se especializan en usar una combinación de aeronaves y camiones para entregar las cargas con rapidez. Éstos y otros factores ocasionaron la caída de los costos de transporte y aumentaron el comercio entre las naciones.

Las décadas recientes han presenciado un aumento en el comercio mundial, que se ha visto respaldado por la reducción de los costos de transporte y de las barreras al comercio. Sin embargo, cuando los precios del petróleo se dispararon en 2008 y 2011, el correspondiente aumento en los costos de transporte se volvió un reto notable para el comercio mundial. Por ejemplo, los economistas han calculado que, cuando el precio del barril de petróleo aumentó a $145 en 2008, los costos de transporte fueron equivalentes a un arancel de 10-11 % sobre los productos que arribaban a puertos de EUA. Esto debe compararse con el equivalente de sólo 3% cuando el petróleo se vendía a $20 por barril en 2000.

Los costos de transporte crecientes indican que el comercio ha de menguar y ha de desviarse mientras los mercados buscan rutas de transporte más cortas y, por lo tanto, menos caras. Cuando los costos de transporte aumentan, los mercados tienden a sustituir los productos, prefiriendo los que provienen de regiones más cercanas sobre los que provienen de la otra mitad del mundo y que traen consigo costos de transporte elevadísimos. Por ejemplo, Emerson Electric Co., un fabricante con sede en St. Louis que produce motores para aparatos electrodomésticos y otros productos eléctricos, desplazó una parte de su producción de Asia a México y Estados Unidos en 2008 para, al menos parcialmente, compensar los costos crecientes de transporte al estar más cerca de sus clientes en Norteamérica.

RESUMEN

1. La base inmediata para el comercio se deriva de las diferencias de precio de producto relativas entre las naciones. Como los precios relativos se determinan por las condiciones de la oferta y la demanda, elementos tales como la dotación de recursos, la tecnología y el ingreso nacional son los determinantes finales de la base para el comercio.

2. La teoría de la dotación de factores sugiere que las diferencias en la dotación relativa de factores entre las naciones son la base del comercio. La teoría asevera que una nación exportará un producto en cuya producción se utilice una cantidad relativamente grande de su recurso abundante y barato. Por el contrario, importará productos en cuya producción se utilice un recurso relativamente escaso y costoso. La teoría también afirma que con el comercio, las diferencias relativas en los precios de los recursos entre las naciones tenderán a ser eliminadas.

3. De acuerdo con el teorema de Stolper-Samuelson, los aumentos en ingresos ocurren para el recurso abundante

que se utiliza para determinar la ventaja comparativa. Por el contrario, el factor escaso obtiene una disminución en el ingreso.

4. La teoría de los factores específicos analiza los efectos de la distribución del efecto ingreso por el comercio a corto plazo cuando los recursos son inmovibles entre las industrias. Concluye que los recursos específicos de las industrias de exportación tienden a ganar como resultado del comercio.

5. Contrario a los resultados del modelo de la dotación de factores, las pruebas empíricas de Wassily Leontief demostraron que para Estados Unidos las exportaciones son intensivas en trabajo y las importaciones son intensivas en capital. Sus resultados se volvieron conocidos como la paradoja de Leontief.

6. Al ampliar el tamaño del mercado nacional, el comercio internacional permite a las empresas aprovechar las líneas de producción más grandes y aumentar las eficiencias (como la producción en masa). Dichas economías de escala de la

producción se pueden traducir en precios de productos más bajos, que mejoran la competitividad de una empresa.

7. Staffan Linder ofrece dos explicaciones de los patrones del comercio mundial. El comercio en los productos primarios y los productos agrícolas concuerda bien con la teoría de la dotación de factores. Pero el comercio en los productos manufacturados se explica mejor con las estructuras de demandas coincidentes entre las naciones. Para los productos manufacturados, la base del comercio es más fuerte cuando la estructura de la demanda en las dos naciones es más similar, es decir, cuando los ingresos per cápita de las naciones son similares.

8. Además del comercio interindustrial, el intercambio de productos entre las naciones incluye el comercio intraindustrial, un comercio de dos vías de un producto similar. El comercio intraindustrial ocurre en los productos homogéneos así como en los productos diferenciados.

9. Una teoría dinámica del comercio internacional es la teoría del ciclo de vida del producto. Esta teoría visualiza una diversidad de productos manufacturados que transitan a través del ciclo comercial, durante el cual una nación al principio es un exportador, luego pierde sus mercados de exportación y finalmente se convierte en un importador del producto. Los estudios empíricos han demostrado que los ciclos comerciales sí existen para productos manufacturados en algunas ocasiones.

10. La ventaja comparativa dinámica se refiere a la creación de una ventaja comparativa a través de la movilización del trabajo especializado, la tecnología y el capital; puede ser iniciada ya sea por el sector privado o el público. Cuando el gobierno intenta crear una ventaja comparativa, aplica el término *política industrial*. La política industrial busca alentar el desarrollo de industrias en surgimiento, incipientes, a través de medidas como incentivos fiscales y subsidios de investigación y desarrollo.

11. Las regulaciones de negocios pueden afectar la posición competitiva de las industrias. Estas regulaciones con frecuencia provocan mediciones de cumplimiento que aumentan los costos, como la instalación del equipo de control de contaminación, que va en detrimento de la competitividad de las industrias nacionales.

12. El comercio internacional incluye el flujo de los servicios entre los países, así como el intercambio de los productos manufacturados. Al igual que con el comercio de los productos manufacturados, el principio de la ventaja comparativa aplica al comercio en los servicios.

13. Los costos de transporte tienden a reducir el volumen del comercio internacional al aumentar los precios de los productos comercializados. Un producto será comercializado sólo si el costo de transportarlo entre las naciones es menor a la diferencia previa al comercio entre sus precios relativos de productos.

CONCEPTOS Y TÉRMINOS CLAVE

Comercio interindustrial (p. 90)
Comercio intraindustrial (p. 90)
Costos de transporte (p. 101)
Economías de escala (p. 85)
Economías de escala externas (p. 87)
Economías de escala internas (p. 86)
Efecto de magnificación (p. 79)
Efecto del mercado interno (p. 87)

Especialización interindustrial (p. 90)
Especialización intraindustrial (p. 90)
Nivelación de los precios de los factores (p. 76)
Paradoja de Leontief (p. 84)
Política industrial (p. 96)
Razón capital/trabajo (p. 70)
Teorema de Stolper-Samuelson (p. 78)

Teoría de la dotación de factores (p. 70)
Teoría de las demandas coincidentes (p. 88)
Teoría de los factores específicos (p. 81)
Teoría del ciclo de vida del producto (p. 93)
Teoría Heckscher-Ohlin (p. 70)
Ventaja comparativa dinámica (p. 96)

PREGUNTAS DE REVISIÓN

1. ¿Cuáles son los efectos de los costos de transporte en los patrones comerciales internacionales?

2. Explique de qué forma el movimiento internacional de productos y de insumos de factores promueve una nivelación de los precios de los factores entre las naciones.

3. ¿En qué forma difiere la teoría de la dotación de factores de la teoría ricardiana para explicar los patrones de comercio internacional?

4. La teoría de la dotación de factores demuestra cómo el comercio afecta la distribución del ingreso dentro de los patrones comerciales. Explique.

5. ¿De qué manera la paradoja de Leontief pone en tela de juicio la aplicación general del modelo de dotación de factores?

6. De acuerdo con Staffan Linder, hay dos explicaciones de los patrones comerciales internacionales, uno para las manufacturas y otro para los productos primarios (agrícolas). Explique.

7. ¿Las estadísticas recientes del comercio mundial respaldan o refutan la noción de un ciclo de vida del producto para los productos manufacturados?

8. ¿Cómo las economías de escala de la producción pueden afectar los patrones del comercio mundial?

9. Distinga entre el comercio intraindustrial y el comercio interindustrial. ¿Cuáles son algunos de los determinantes importantes del comercio intraindustrial?

10. ¿A qué se refiere el término *política industrial*? ¿Cómo intentan los gobiernos crear una ventaja comparativa en las industrias incipientes de la economía? ¿Cuáles son algunos problemas detectados cuando se intenta implementar la política industrial?

11. ¿Cómo afectan las políticas regulatorias gubernamentales la competitividad internacional de una industria?

12. ¿Qué factores determinan el comercio internacional en los servicios?

13. En la tabla 3.6 se ilustran las curvas de oferta y demanda para calculadoras en Suecia y Noruega. En papel milimétrico dibuje las curvas de oferta y demanda de cada país.

   a. En autarquía, ¿cuál es el precio de equilibrio y la cantidad de calculadoras producidas en Suecia y Noruega? ¿Qué país tiene la ventaja comparativa en calculadoras?

   b. Asuma que no hay costos de transporte. Con el comercio, ¿qué precio lleva a un equilibrio en las exportaciones y las importaciones? ¿Cuántas calculadoras se comercian a este precio? ¿Cuántas calculadoras se producen y se consumen en cada país con el comercio?

   c. Suponga que el costo de transportar cada calculadora de Suecia a Noruega es de 5 dólares. Con el comercio, ¿cuál es el impacto del costo de transporte en el precio de las calculadoras en Suecia y en Noruega? ¿Cuántas calculadoras producirá, consumirá y comerciará cada país?

   d. En general, ¿qué se puede concluir acerca del impacto de los costos de transporte en el precio del producto comercializado en cada nación que practica el comercio, el grado de especialización, el volumen comercializado?

TABLA 3.6

Curvas de oferta y demanda para calculadoras

| | SUECIA | | | NORUEGA | |
Precio	Cantidad ofrecida	Cantidad demandada	Precio	Cantidad ofrecida	Cantidad demandada
$0	0	1200	$0	–	1800
5	200	1000	5	–	1600
10	400	800	10	–	1400
15	600	600	15	0	1200
20	800	400	20	200	1000
25	1000	200	25	400	800
30	1200	0	30	600	600
35	1400	–	35	800	400
40	1600	–	40	1000	200
45	1800	–	45	1200	0

EXPLORACIÓN DETALLADA

Para una presentación más detallada de la teoría de los factores específicos, consulte *Exploración Detallada 3.1* en: **www.cengage.com/economics/Carbaugh**.

Aranceles

El argumento del libre comercio establece que los mercados abiertos, basados en la ventaja comparativa y la especialización, llevan al máximo de eficiencia en el uso de los recursos mundiales. El libre comercio y la especialización no sólo fomentan el bienestar mundial, sino que también benefician a cada nación participante. Cada nación puede superar las limitaciones de su capacidad productiva para consumir una combinación de productos que exceden lo mejor que pueden producir en aislamiento.

Sin embargo, las políticas de libre comercio a menudo encuentran una fuerte resistencia por parte de las empresas y los trabajadores que enfrentan pérdidas en ingresos y empleos debido a la competencia en las importaciones. Quienes elaboran las políticas están divididos entre el atractivo de una mayor eficiencia global que, a largo plazo, posibilita el libre comercio y las necesidades del público votante, cuyo principal deseo es preservar los intereses a corto plazo como su empleo y su ingreso. Puede tomar años alcanzar los beneficios del libre comercio y que se difundan a lo largo de amplios segmentos de la sociedad, mientras que los costos del libre comercio son inmediatos y recaen en grupos específicos, como los trabajadores de las industrias que compiten con las importaciones.

Cuando se diseña una política de comercio internacional, un gobierno debe determinar dónde ubicarse en el siguiente espectro:

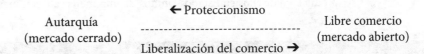

Autarquía   ← Proteccionismo   Libre comercio
(mercado cerrado)   ---------------------   (mercado abierto)
           Liberalización del comercio →

Si un gobierno protege a sus productores de la competencia exterior, provoca que su economía se dirija hacia un estado del aislamiento o autarquía. Algunas naciones como Cuba y Corea del Norte han constituido economías tradicionalmente muy cerradas y, por lo tanto, se hallan más cercanas a la autarquía. Por el contrario, si un gobierno no impone regulaciones en el intercambio de bienes y servicios entre las naciones, se dirige hacia una política de libre comercio. Países como Hong Kong (ahora parte de la República Popular China) y Singapur son en gran medida países de libre comercio. Los demás países del mundo se ubican en algún lugar entre estos dos extremos. Antes que decidir cuál de estos dos extremos debe perseguir un gobierno, las discusiones para la adopción de una política normalmente se enfocan en decidir dónde a lo largo de este espectro se debe ubicar un país, es decir: "a cuánta" liberalización de comercio o "a qué grado" de proteccionismo debe aspirar.

En este capítulo se consideran las barreras al libre comercio. En particular, el papel que tienen los aranceles en el sistema de comercio global.

EL CONCEPTO DE ARANCEL

Un arancel es sencillamente un impuesto que grava un producto cuando cruza las fronteras de una nación. El arancel más difundido es el *arancel a la importación*, que grava a un producto importado. Este impuesto se recauda antes de que el cargamento sea depositado en un puerto nacional; el dinero recaudado se denomina derecho de aduana. Un arancel menos común es el *arancel a la exportación*, que grava a un producto exportado. Los aranceles a la exportación son comunes en los países en desarrollo. Por ejemplo, las exportaciones de cacao han sido gravadas en Ghana y las de petróleo han sido gravadas por la Organización de Países Exportadores de Petróleo (OPEP) con el fin de recaudar ingresos o provocar escasez en los mercados globales y, así, aumentar el precio mundial del producto.

¿Sabía usted que Estados Unidos no puede imponer aranceles a la exportación? Cuando se escribió la Constitución estadunidense, los estados del sur, productores de algodón, temían que los estados del norte, manufactureros de textiles, presionaran al gobierno federal para imponer aranceles a la exportación y así rebajar el precio del algodón: un impuesto a la exportación llevaría a menos exportaciones y así a una caída en el precio del algodón en Estados Unidos. Como resultado de las negociaciones y para evitar los impuestos a las exportaciones, la Constitución estadunidense establece: "Ningún impuesto o derecho de aduana se impondrá en artículos exportados de ningún estado".

Los aranceles pueden implantarse para obtener protección o ingresos. Un **arancel proteccionista** está diseñado para reducir la cantidad de importaciones que ingresan a un país y así aislar a los productores que compiten con las importaciones de la competencia extranjera. Esto permite un aumento en la producción de aquellos fabricantes que operan en las industrias que compiten con las importaciones, cosa que no hubiera sido posible sin esta protección. Por otro lado, un **arancel como mecanismo recaudatorio** se impone con el fin de generar ingresos fiscales y puede aplicarse tanto a las exportaciones como a las importaciones.

Al paso del tiempo, en las naciones industrializadas (incluyendo a Estados Unidos) los ingresos arancelarios han disminuido como fuente de ingresos gubernamentales. En 1900, los ingresos arancelarios superaban el 41% de las recaudaciones del gobierno estadunidense; en 2010, la cifra se mantuvo alrededor del 1%. Por el contrario, muchas naciones en desarrollo actualmente derivan de los aranceles una fuente considerable de sus ingresos gubernamentales. En la tabla 4.1, se muestra el porcentaje del ingreso gubernamental que algunas naciones seleccionadas obtienen de los aranceles.

En Estados Unidos algunos aranceles varían según la época en que ingresan al país, como ocurre con ciertos productos agrícolas como las uvas, la toronja y la coliflor. Este arancel refleja la temporada de cosecha de estos productos: cuando estos productos están fuera de temporada en Estados Unidos, el arancel es bajo, mientras que durante la temporada de cosecha en que se incrementa la producción de ellos en Estados Unidos, se imponen aranceles más altos.

TABLA 4.1			
Ingresos arancelarios como porcentaje de los ingresos gubernamentales, 2011: países seleccionados			
Países en desarrollo	**Porcentaje**	**Países desarrollados**	**Porcentaje**
Bahamas	43.3	Nueva Zelanda	2.8
Etiopía	29.7	Australia	1.8
Liberia	28.5	Japón	1.6
Bangladés	26.5	Estados Unidos	1.3
Granada	25.6	Suiza	1.0
Federación Rusa	25.6	Noruega	0.2
Filipinas	19.5	Irlanda	0.1
India	14.3	Promedio mundial	3.9

Fuente: Tomado de *World Bank Data* en http://data.worldbank.org. Véase también: Fondo Monetario Internacional, *Government Finance Statistics, Yearbook*, Washington, D. C.

No todos los artículos que ingresan a Estados Unidos están sujetos a aranceles. En 2013, sólo aproximadamente un 30% de las importaciones eran gravables (sujetas a derechos de importación), el otro 70% de las importaciones estaban libres de los aranceles. El hecho de que estas importaciones a EUA estén libres de impuestos se debe principalmente a los tratados de libre comercio que Estados Unidos ha celebrado con otros países (como el Tratado de Libre Comercio de América del Norte) y a ciertas preferencias de comercio que Estados Unidos otorga a algunas importaciones de los países en desarrollo (Sistema Generalizado de Preferencias). Asimismo, una parte considerable de los aranceles de un país considerado "Nación Más Favorecida" (MFN por sus siglas en inglés) está libre de impuestos. Estos temas se discutirán con detalle más adelante, en los capítulos 6, 7, y 8 de este libro.

TIPOS DE ARANCELES

Los aranceles pueden ser específicos, *ad valorem* o compuestos. Un **arancel específico** se expresa en términos de una cantidad fija de dinero por unidad física del producto importado. Por ejemplo, a un importador estadunidense de computadoras alemanas se le puede requerir que pague un impuesto al gobierno estadunidense de 100 dólares por computadora, sin importar el precio de la misma; así, si importa 100 computadoras el arancel recaudatorio del gobierno, genera una diferencia de 10,000 dólares. En esta cifra, la ración de salario equivale a la proporción: salario de los empleados especializados / salario de los empleados no especializados, y la ración de trabajo equivale a: número de trabajadores especializados / número de trabajadores no especializados ($100 x $100 = $10,000).

Un **arancel** *ad valorem* (es decir, **según el valor**) se expresa, como ocurre con un impuesto sobre ventas, como un porcentaje fijo del valor del producto importado. Suponga que se impone un impuesto *ad valorem* de 2.5 por ciento en automóviles importados. Si se importa una carga de automóviles valuada en $100,000, el gobierno obtendrá un monto de $2,500 por el arancel recaudatorio ($100,000 × 2.5% = $2,500). Estos $2,500 se recaudan igual ya sea que se importen 5 automóviles Toyota de $20,000 cada uno ó 10 automóviles Nissan de $10,000. La mayoría de los aranceles recaudados por el gobierno de Estados Unidos son aranceles *ad valorem*.

Un **arancel compuesto** es una combinación de aranceles específicos y *ad valorem*. Por ejemplo, a un importador estadunidense de televisores se le podría requerir pagar un impuesto de 20 dólares más 5 por ciento del valor del televisor. En la tabla 4.2, se listan aranceles estadunidenses para ciertos productos.

¿Cuáles son los méritos relativos de los aranceles específicos, *ad valorem* y compuestos?

Arancel específico

Como un gravamen monetario fijo por unidad del producto importado, un arancel específico es fácil de aplicar y de administrar, en particular con los productos estandarizados y los productos básicos, en los que el valor de cada producto gravable no se puede observar con facilidad. Una desventaja importante de un arancel específico es que el grado de protección que permite a los productores nacionales varía en sentido *inverso* a los cambios en los precios de las importaciones. Por ejemplo, un arancel específico de $1,000 en los automóviles, desalentará las importaciones con precios de $20,000 por automóvil en un mayor grado que los que tienen precios de $25,000. Cuando se presentan aumentos en los precios de las importaciones, un arancel específico dado pierde parte de su efecto proteccionista. El resultado es alentar a las empresas nacionales a fabricar productos menos costosos, para las cuales el grado de protección contra las importaciones es más alto. Por otro lado, un arancel específico tiene la ventaja de proporcionar a los fabricantes nacionales más protección durante una recesión económica, cuando se adquieren productos más baratos. Los aranceles específicos, por tanto, protegen de forma progresiva a los productores nacionales en contra de los competidores extranjeros que reducen sus precios.

TABLA 4.2	
Aranceles estadunidenses seleccionados	
Producto	**Tasa de impuestos**
Escobas	32 centavos cada uno
Cañas de pescar	24 centavos cada uno
Relojes de pulso (sin joyas)	29 centavos cada uno
Cojinetes	2.4% *ad valorem*
Motores eléctricos	6.7% *ad valorem*
Bicicletas	5.5% *ad valorem*
Cobertores de lana	1.8 centavos/kg + 6% *ad valorem*
Medidores de electricidad	16 centavos cada uno + 1.5% *ad valorem*

Fuente: Tomado de U.S. International Trade Commission, *Tariff Schedules of the United States*, Washington, D. C., Government Printing Office, 2013, disponible en http://www.usitc.gov/tata/index.htm.

Arancel *ad valorem*

Los aranceles *ad valorem* se aplican de forma más satisfactoria a los productos manufacturados, porque pueden aplicarse a productos que se caracterizan por tener una amplia gama de variaciones de grado. Como un porcentaje aplicado al valor de un producto, un arancel *ad valorem* distingue los pequeños diferenciales de calidad del producto, en la medida en que éstos se reflejan en el precio del producto. Bajo un sistema de aranceles *ad valorem*, una persona que importa un Honda de 20,000 dólares tendría que pagar un impuesto más alto que una persona que importa un Toyota de $19,900. Bajo un sistema de aranceles específicos, el impuesto sería el mismo.

Otra ventaja de un arancel *ad valorem* es que tiende a mantener un grado constante de protección para los fabricantes nacionales durante periodos de precios cambiantes. Si la tasa de arancel es de 20 por ciento *ad valorem* y el precio del producto importado es de $200, el impuesto es de $40. Si el precio del producto aumenta a $300, el impuesto recaudado aumenta a $60; si el precio del producto cae a $100, el impuesto cae a $20. Un arancel *ad valorem* produce ingresos fiscales en proporción al valor de los bienes y mantiene un grado constante de protección relativa en todos los niveles de precios. Un arancel *ad valorem* es similar a un impuesto proporcional en cuanto a que la carga fiscal proporcional real o la protección no cambia conforme cambia la base fiscal. En décadas recientes, en respuesta a la inflación global y a la creciente importancia del comercio mundial en los productos manufacturados, los impuestos *ad valorem* han sido utilizados con mayor frecuencia que los impuestos específicos.

La determinación de los impuestos bajo el principio *ad valorem* parece ser simple, pero en la práctica ha sufrido muchas complejidades administrativas. El principal problema suele ser la determinación del valor de un producto importado, es decir, el proceso que se denomina **valoración aduanal**. Los precios de importación los calculan agentes aduanales que pueden no estar de acuerdo siempre en cuál es el valor de los productos. Por otro lado, los precios de las importaciones tienden a fluctuar con el paso del tiempo, lo que hace que el proceso de valuación sea bastante complejo.

Otro problema de valoración aduanal se deriva de las variaciones en los métodos utilizados para determinar el valor de un producto. Por ejemplo, Estados Unidos tradicionalmente ha utilizado una **valoración libre a bordo** (**FOB**, free-on-board), mediante la cual se aplica el arancel al valor del producto cuando deja el país exportador, pero los países europeos por tradición han utilizado una **valoración costo-seguro-flete** (**CIF**, cost-insurance-freight), mediante la cual se imponen aranceles *ad valorem* como porcentaje del valor total del producto importado conforme llega a su destino final. El precio CIF, por tanto, incluye costos de transportación, como seguro y flete.

TABLA 4.3

Tasas promedio de aranceles de importación* para países seleccionados, 2012 (en porcentajes)

País	Tasa arancelaria promedio
Bahamas	18.9
Corea del Sur	8.7
Brasil	7.9
China	4.1
Estados Unidos	1.6
Japón	1.3
Alemania	1.1
Canadá	0.9
Promedio mundial	3.0

* Tasa arancelaria con aplicación de promedio simple considerando todos los productos.

Fuente: Tomado de *World Bank Data*, en: http://data.worldbank.org.

Arancel compuesto

Los gravámenes compuestos con frecuencia se aplican a los productos manufacturados que involucran materias primas sujetas a pago de aranceles. En este caso la porción específica del gravamen neutraliza la desventaja de costos de los fabricantes nacionales que resulta de una protección arancelaria otorgada a los proveedores nacionales de las materias primas, y la porción *ad valorem* del impuesto otorga protección a la industria de los productos terminados. Por ejemplo, en Estados Unidos hay un impuesto compuesto sobre las telas tejidas (48.5 centavos por kilogramo más 38 por ciento). La porción específica del impuesto (48.5 centavos) compensa a los fabricantes estadunidenses de telas por la protección arancelaria otorgada a los productores estadunidenses de algodón, mientras que la porción *ad valorem* del impuesto (38 por ciento) les brinda protección sobre las propias telas tejidas.

¿Qué tan altos son los aranceles sobre la importación en el mundo? En la tabla 4.3, se presentan ejemplos de aranceles de países industrializados y en desarrollo.

TASA DE PROTECCIÓN EFECTIVA

En el análisis anterior sobre los aranceles, se asumió que un producto dado se fabrica por completo en un país. Por ejemplo, una computadora de escritorio fabricada por Dell (empresa estadunidense) podría ser una producción que utiliza sólo trabajo y componentes estadunidenses. Sin embargo, esto ignora la posibilidad de que Dell importe algunos insumos utilizados en su producción de computadoras de escritorio, como chips de memoria, controladores de disco duro y microprocesadores.

Cuando algunos insumos utilizados en la producción de computadoras de escritorio son importados, el grado de protección otorgado a Dell depende no sólo de la tasa arancelaria aplicada a las computadoras de escritorio, sino también de si hay aranceles en los insumos utilizados para fabricarlas. El punto principal es que cuando Dell importa algunos de los insumos requeridos para fabricar las computadoras de escritorio, la tasa arancelaria en las computadoras de escritorio puede no indicar con precisión la protección que se otorga a Dell.

Al analizar los aranceles, los economistas distinguen entre una tasa arancelaria nominal y una tasa arancelaria efectiva. La **tasa arancelaria nominal** es la que se publica en la legislación arancelaria del país y se aplica sobre el valor de un *producto terminado* que se importa a un país. La **tasa arancelaria efectiva** considera no sólo la tasa arancelaria nominal de un producto terminado, sino también cualquier tasa arancelaria a los *insumos importados* que se utilizan en la fabricación del producto terminado.

Las contracciones de la actividad económica mundial pueden ser un catalizador para el proteccionismo al comercio. Cuando las economías se contraen, las naciones tienen incentivos para proteger a sus productores en apuros estableciendo barreras comerciales contra productos importados. Considere la Gran Recesión mundial que ocurrió entre 2007 y 2009.

Conforme la economía mundial caía en la recesión, ocurrió una reducción notable de la demanda de bienes y servicios y, por lo tanto, una disminución general del comercio internacional. Las exportaciones disminuyeron un 30 por ciento o más en países tan diversos como Indonesia, Francia, Sudáfrica y Filipinas. Las empresas y los trabajadores se preocupaban cada vez más por el daño que les infligían los competidores extranjeros que buscaban clientes a todo lo largo del orbe. China se convirtió en el país que más gobiernos criticaron debido a sus medidas proteccionistas.

Aunque los dirigentes del Grupo de los 20 (países industrializados y emergentes), que está constituido por las economías más grandes, se comprometieron unánimemente no recurrir al proteccionismo en 2008 y 2009, casi todos ellos cayeron, al menos un poco, en medidas proteccionistas. Rusia incrementó los aranceles sobre automóviles importados, India aumentó sus aranceles sobre las importaciones de acero y Argentina implementó nue-vos obstáculos comerciales sobre refacciones automotrices importadas y calzado. Asimismo, en 2009 Estados Unidos gravó aranceles de entre 25% y 35% sobre importaciones de neumáticos de China para los siguientes tres años. Esta política provocó que 17% de todos los neumáticos vendidos en Estados Unidos tuviera un precio que, esencialmente, los sacaba del mercado y forzó el aumento del precio de mercado para los consumidores.

Durante la Gran Depresión de la década de 1930, los países impusieron aranceles de importación para proteger a sus fabricantes afectados por la competencia exterior. Estados Unidos incrementó los aranceles de importación sobre, aproximadamente, 20,000 artículos y esto provocó represalias generalizadas de todos sus socios comerciales. Estos aumentos en los aranceles provocaron que el comercio mundial total se contrajera hasta una cuarta parte. Una lección que pudo aprenderse de esa época es que, en cuanto las barreras comerciales se incrementan, se dañan severamente todas las cadenas de suministro globales; el desmantelamiento de esas barreras comerciales puede tomar muchos años de negociaciones y, por ende, tienen que pasar muchos años antes de que las cadenas de suministro globales puedan ser restauradas. A pesar de esta lección, los gobiernos siguen asumiendo políticas proteccionistas cada vez que sus economías caen en recesión.

Es evidente que si una computadora de escritorio entra a Estados Unidos con una tasa arancelaria cero, mientras que los componentes importados en la producción de computadoras de escritorio son gravados, entonces Dell sería gravada en lugar de ser protegida. Un arancel nominal en las computadoras de escritorio protege la producción de Dell, mientras que un arancel en los componentes importados grava a Dell al aumentar sus costos. La tasa arancelaria efectiva toma en consideración estos dos efectos.

La tasa arancelaria efectiva se refiere al nivel de protección proporcionado a Dell por un arancel nominal en las computadoras de escritorio y el arancel en los insumos utilizados en la producción de esas computadoras de escritorio. En específico, mide el aumento del porcentaje en las actividades de producción nacional (valor agregado) por unidad de producción que fue posible como consecuencia tanto de los aranceles en las computadoras de escritorio como de los aranceles en los insumos importados. En términos sencillos, un arancel dado en una computadora de escritorio tendría un mayor efecto proteccionista si se ve acompañado de un arancel bajo en los insumos importados en vez de un arancel alto en tales insumos.

Para ilustrar este principio, suponga que Dell agrega valor al ensamblar los componentes de las computadoras fabricados en el extranjero. Suponga que los componentes importados pueden entrar a Estados Unidos con una base libre de impuestos (arancel cero); suponga además que 20 por ciento del valor final de una computadora de escritorio puede ser atribuido a actividades de ensamble nacional (valor agregado). El restante 80 por ciento refleja el valor de los componentes importados. Por otro lado, suponga que el costo de los componentes de la computadora de escritorio fueran iguales para Dell y su competidor extranjero, Sony, Inc. de Japón. Finalmente, asuma que Sony puede producir y vender una computadora de escritorio por $500.

Suponga que Estados Unidos impone un arancel nominal de 10 por ciento en computadoras de escritorio, así que el precio de importación nacional aumenta de $500 a $550 por unidad, como se puede ver en la tabla 4.4. ¿Significa esto que Dell obtiene una tasa de protección efectiva igual a 10 por ciento? Ciertamente no. Los componentes importados ingresan libres de impuestos (a una tasa arancelaria nominal menor que la computadora de escritorio terminada), así que la tasa de protección efectiva es de 50 por ciento. En comparación con lo que existiría bajo el libre comercio, Dell puede incurrir en 50 por ciento más de costos en actividades de producción y seguir siendo competitiva.

En la tabla 4.4, se muestran las cifras con detalle. Bajo libre comercio (arancel cero), en el supuesto (a) de la tabla, una computadora de escritorio Sony se importaría por $500; para cumplir con este precio, Dell tendría que mantener sus costos de ensamble por debajo de los $100. Pero bajo el paraguas de protección del arancel, supuesto (b) de la tabla, Dell puede incurrir en hasta $150 de costos de ensamble y aun así cumplir con el precio de $550 de las computadoras de escritorio importadas. El resultado es que los costos de ensamble de Dell podrían aumentar hasta 50 por ciento por encima de lo que ocurriría bajo condiciones de libre comercio: ($150 − $100)/$100 = 0.5.

En general, la tasa arancelaria de protección efectiva se da por la siguiente fórmula:

$$e = \frac{(n - ab)}{(1 - a)}$$

donde:

e = La tasa de protección efectiva
n = La tasa arancelaria nominal sobre el producto final
a = La razón del valor del insumo importado frente al valor del producto terminado
b = La tasa arancelaria nominal sobre el insumo importado

Cuando, en el ejemplo de la computadora de escritorio, los valores se sustituyen en esta fórmula, se obtiene lo siguiente:

$$e = \frac{0.1 - 0.8\,(0)}{1 - 0.8} = 0.5, \text{ o sea el 50\%}$$

Por tanto, la tasa arancelaria nominal de 10 por ciento impuesta en la computadora de escritorio terminada permite un aumento de 50 por ciento en las actividades de producción nacionales, cinco veces la tasa nominal.

TABLA 4.4

La tasa de protección efectiva

(a) **Libre comercio: Sin arancel para las computadoras de escritorio Sony**

COMPUTADORA DE ESCRITORIO SONY	COSTO	COMPUTADORA DE ESCRITORIO DELL	COSTO
Partes componentes	$400	Partes componentes importadas	400
Actividad de ensamble (valor agregado)	100	Actividad de ensamble (valor agregado)	100
Precio de importación	$500	Precio nacional	$500

(b) **10% de arancel para las computadoras de escritorio Sony**

COMPUTADORA DE ESCRITORIO SONY	COSTO	COMPUTADORA DE ESCRITORIO DELL	COSTO
Partes componentes	$400	Partes componentes importadas	400
Actividad de ensamble (valor agregado)	100	Actividad de ensamble (valor agregado)	150
Arancel nominal	50	Precio nacional	$550
Precio de importación	$550		

TABLA 4.5		
Tasas arancelarias nominales y efectivas para productos forestales chinos, 2001		
Producto	**Tasa arancelaria nominal (%)**	**Tasa arancelaria efectiva (%)**
Molduras	9.4	26.6
Muebles	11.0	21.8
Chapa de madera	4.0	9.4
Contrachapado (*triplay*)	8.4	11.7
Tablón de fibra de madera	7.5	9.2
Aglomerado de madera	9.6	10.6

Fuente: Tomado de Manatu Aorere, *Tariff Escalation in the Forestry Sector*, Ministerio de Asuntos Exteriores y Comercio de Nueva Zelanda, Wellington, Nueva Zelanda, agosto de 2002.

Ahora bien, un arancel en los componentes de una computadora de escritorio importados reduce el nivel de protección efectiva de Dell. Esto significa que en la siguiente fórmula, entre mayor sea el valor de *b*, menor será la tasa de protección efectiva para cualquier arancel nominal dado en la computadora de escritorio terminada. Por ejemplo, suponga que los componentes de la computadora de escritorio importada están sujetos a una tasa arancelaria de 5 por ciento. La tasa de protección efectiva sería equivalente a 30 por ciento:

$$e = \frac{0.1 - 0.8\,(0.05)}{1 - 0.8} = 0.3 \text{ ó } 30\%$$

Esto es menor que la tasa de protección efectiva del 50 por ciento que ocurre cuando no hay un arancel en los componentes importados.

De estos ejemplos se deducen diversas conclusiones. Cuando el arancel en el producto terminado excede el arancel en el insumo importado, la tasa de protección efectiva excede al arancel nominal. Sin embargo, si el arancel en el producto terminado es menor que el arancel en el insumo importado, la tasa de protección efectiva es menor que el arancel nominal e incluso puede ser negativa. Dicha situación ocurre si el gobierno nacional desea proteger a los proveedores nacionales de materias primas más que a los fabricantes nacionales.[2] Como los gobiernos nacionales por lo general admiten materias primas y otros insumos, ya sea libres de impuestos o con una tasa menor que la de los productos terminados, las tasas arancelarias efectivas son más altas que las tasas arancelarias nominales. La tabla 4.5 ofrece ejemplos de tasas arancelarias nominales y efectivas para China en el 2001.

ESCALADA ARANCELARIA

Al analizar el sistema arancelario de las diversas naciones, podemos ver que los aranceles de importación para artículos procesados suelen ser más altos que los aranceles para materias primas básicas. En la industria maderera, los troncos en bruto pueden ser importados libres de aranceles mientras que los artículos procesados, como la chapa de madera, el *triplay* y los muebles, enfrentan aranceles de importación más altos. El propósito de esta estrategia arancelaria es proteger, por ejemplo, la industria nacional del *triplay* permitiendo que se importen los troncos (que se usan para producir el

---

[2] Además depende de las tasas arancelarias en las computadoras de escritorio terminadas y los componentes utilizados para fabricarlas; la tasa de protección efectiva depende de la razón del valor del insumo importado frente al valor del producto terminado. El grado de protección efectiva para Dell aumenta conforme el valor agregado por Dell declina (aumenta la razón del valor del insumo importado frente al valor del producto terminado). Es decir, entre mayor sea el valor de *a* en la fórmula, mayor será la tasa de protección efectiva para cualquier tasa arancelaria nominal dada en las computadoras de escritorio.

TABLA 4.6				

Escaladas arancelarias en países desarrollados y en desarrollo, 2008

	PRODUCTOS AGRÍCOLAS		PRODUCTOS INDUSTRIALES	
Países	Productos primarios	Productos procesados	Productos primarios	Productos procesados
Bangladesh	17.5	23.0	9.1	15.4
Uganda	17.5	20.3	4.2	11.7
Argentina	5.7	11.5	2.9	9.5
Brasil	6.5	12.1	4.2	10.7
Rusia	6.9	9.2	5.3	9.5
Estados Unidos	1.0	2.8	1.3	2.8
Japón	4.5	10.9	0.5	1.9
Cifras mundiales	12.0	15.1	5.6	7.7

Fuente: Tomado de *World Bank Data* en http://data.worldbank.org.

triplay) con arancel gratis o con tasas muy bajas, a la vez que se mantienen aranceles más altos sobre el *triplay* importado que compite contra el *triplay* nacional.

Esta política suele denominarse **escalada arancelaria**: aunque las materias primas se importan a menudo con tasa de arancel cero o con tasas muy bajas, la protección nominal y efectiva se incrementa en cada etapa de la producción. Como se puede ver en la tabla 4.6, en muchos países los aranceles suelen aumentar considerablemente según el grado de procesamiento. Esto ocurre especialmente con los productos agrícolas.

De hecho, las estructuras arancelarias de las naciones industrializadas pueden desalentar el crecimiento del procesamiento y así entorpecer la diversificación hacia exportaciones de mayor valor para las naciones menos desarrolladas. Los aranceles bajos de los países industrializados en productos primarios alientan a las naciones en desarrollo a expandir sus operaciones en estos sectores, mientras que las tasas de alta protección impuestas en los productos manufacturados plantean una barrera de entrada significativa para cualquier nación en desarrollo que desee competir en esta área. Desde el punto de vista de las naciones menos desarrolladas, puede resultar para su beneficio desalentar las reducciones arancelarias desproporcionadas en materias primas: el efecto de estas reducciones arancelarias sólo magnifica la discrepancia entre los aranceles nominales y los efectivos de las naciones industrializadas al empeorar la posición competitiva potencial de las naciones menos desarrolladas en los sectores de manufactura y procesamiento.

OUTSOURCING Y CLÁUSULA DE ENSAMBLE EN EL EXTRANJERO

El *outsourcing* (subcontratación) es un aspecto clave de la economía global. Los componentes electrónicos hechos en Estados Unidos, por ejemplo, suelen embarcarse a un país con bajos costos de mano de obra, por ejemplo Singapur, donde se ensamblan como televisores. Los aparatos ensamblados se regresan luego a Estados Unidos para un procesamiento posterior o para su empaque y distribución. Este tipo de producción compartida en el extranjero ha evolucionado hasta convertirse en una estrategia competitiva para muchos fabricantes estadounidenses que ubican cada paso de la producción en el país en el que se puede realizar con el menor costo.

La Ley Arancelaria estadounidense de 1930 introdujo una **cláusula de ensamble en el extranjero** (**OAP**, *Offshore assembly provision*) que da un tratamiento favorable a los productos ensamblados en el extranjero a partir de componentes fabricados en Estados Unidos. Bajo la OAP, cuando un componente fabricado en Estados Unidos se envía al extranjero y ahí se ensambla con uno o más componentes para convertirse en un producto terminado, el costo del componente estadounidense no se incluye en el valor gravable del artículo de importación ensamblado al que ha sido incorporado. Los impuestos de importación estadunidenses, por tanto, se aplican sólo al *valor agregado en el proceso de ensamble en el extranjero*, siempre y cuando se utilicen componentes hechos en Estados Unidos en las operaciones de ensamble. Los productos manufacturados que ingresan a Estados Unidos bajo la OAP son de muchos tipos e incluyen: vehículos motorizados, máquinas de oficina, televisores, latas de aluminio, semiconductores, entre otros. Estos productos representan del 8% al 10% de las importaciones estadunidenses totales en años recientes.

La OAP de Estados Unidos se refiere no sólo a las empresas estadunidenses, sino también a las empresas extranjeras. Por ejemplo, una compañía estadunidense de cómputo podría producir componentes en Estados Unidos, enviarlos a Taiwán para su ensamble y regresar las computadoras a Estados Unidos, bajo una OAP favorable, pero también, alternativamente una compañía japonesa de fotocopiadoras, que desea exportar a Estados Unidos, podría comprar componentes fabricados en ese país, ensamblarlos en Japón y enviar las fotocopiadoras a Estados Unidos bajo una OAP favorable.

Suponga que ABC Electronics Co. es una empresa con sede en Estados Unidos y fabrica televisores de $300. En un televisor se incluyen componentes con un valor de $200 que fueron producidos en Estados Unidos por esta empresa. Suponga que, para disminuir costos de mano de obra, la empresa envía los componentes a su filial en Corea del Sur donde empleados coreanos que reciben un salario relativamente menor ensamblan los componentes y producen televisores terminados. Suponga que el ensamble en Corea tiene un valor de $100 por cada televisor. Después del ensamble en Corea del Sur, los televisores terminados se importan a Estados Unidos para su venta a consumidores estadunidenses. ¿Cuál será la tasa arancelaria aplicable a estos televisores?

Sin el sistema OAP, el valor total de cada televisor, o sea $300, está sujeto al arancel. Si la tasa arancelaria en dichos televisores es de 10 por ciento, se pagaría un impuesto de $30 en cada aparato que ingresa a Estados Unidos y el precio al consumidor estadunidense sería de $330.[3] Ahora bien, bajo el sistema OAP, la tasa arancelaria estadunidense de 10 por ciento se aplica al valor del aparato importado *menos* el valor de los componentes estadunidenses utilizados al fabricarlo. Por tanto, cuando el aparato entra a Estados Unidos, su valor gravable es de $300 − $200 = $100 y el impuesto es de $0.1 \times \$100 = \$10$. El precio al consumidor estadunidense después de que el arancel ha sido aplicado es de $300 + $10 = $310. Con el sistema OAP, la tasa arancelaria efectiva es de sólo 3.3 por ciento ($10/$300) en lugar del 10 por ciento que se aplicaría con el arancel regular.

Así pues, el efecto de la OAP es reducir la tasa efectiva de protección de la actividad de ensamble en Corea del Sur y, así, desplazar la demanda de ensambladores de EUA a Corea. Quienes se oponen a la OAP subrayan que los televisores importados son, gracias a ella, más competitivos en el mercado estadunidense. Por otro lado, también denuncian el desplazamiento de ensambladores estadunidenses que se asocia con la OAP y los efectos negativos que esto tiene sobre la balanza comercial de Estados Unidos. No obstante esta "exención arancelaria" sólo se aplica si se emplean componentes producidos en EUA para manufacturar los televisores; por lo que se da, simultáneamente, un desplazamiento de la demanda que favorece a los productores de componentes estadunidenses por encima de los productores de componentes extranjeros. Los defensores de la OAP subrayan estos efectos positivos en la producción y la exportación de componentes estadunidenses. No cabe duda de que la OAP ha sido una cláusula muy controversial de la política arancelaria de EUA.

ESCAPATORIAS A LOS ARANCELES SOBRE LA IMPORTACIÓN: ELUSIÓN Y EVASIÓN DE ARANCELES

Cuando un país impone un arancel a las importaciones, hay incentivos económicos para eludirlos. Una forma de escapar a un arancel es participar en una **elusión de arancel**, que es el uso legal del sistema arancelario para provecho propio, con el fin de reducir la cantidad de arancel pagadero por medios que estén dentro de la ley. En contraste, la **evasión de aranceles** ocurre cuando los individuos

---

[3] Esto supone que Estados Unidos es un país "pequeño", como se analizará más adelante en este capítulo.

o las empresas evaden los aranceles por medios ilegales, como el contrabando de productos importados a un país. Enseguida se considera cada uno de estos métodos.

Ford desbalija sus propias camionetas para evitar arancel altos

Varias veces al mes, Ford Motor Company envía sus camionetas Transit Connect de cinco pasajeros de su fábrica en Turquía a Baltimore, Maryland. Cuando las camionetas llegan a Baltimore, la mayoría de ellas se conducen a un almacén donde algunos trabajadores que escuchan música rock las desbalijan de sus ventanillas traseras, sus asientos y sus cinturones de seguridad. ¿Por qué?

Estas acciones de Ford constituyen, en realidad, una de sus iniciativas para lidiar con un prolongado conflicto comercial. En la década de 1960, Europa impuso altos aranceles sobre pollos importados; hizo esto fundamentalmente para desalentar las ventas estadunidenses de pollo a Alemania Occidental. El presidente Lyndon Johnson introdujo entonces, como represalia comercial, un arancel de 25% sobre camiones y camionetas comerciales importadas (vehículos motorizados para el transporte de productos). Este arancel subsiste hasta hoy y es aplicable a camiones y a camionetas de carga incluso si son producidos por una compañía estadunidense en un país extranjero. Ahora bien, el arancel estadunidense sobre importaciones de vehículos en la categoría de "camionetas de pasajeros" y "automóviles" (vehículos motorizados para el transporte de personas) es de una tasa mucho más baja: sólo 2.5 %.

Al darse cuenta de que un arancel de 25% elevaría notablemente el precio de sus camionetas de carga vendidas en Estados Unidos y que esto reduciría considerablemente su competitividad, en 2009 Ford emprendió una estrategia para escapar a este elevado arancel. Su estrategia funciona de la siguiente manera: Ford envía a Estados Unidos sus camionetas de pasajeros modelo Transit Connect con un arancel del 2.5 %. En cuanto las camionetas de pasajeros llegan a la planta de procesamiento en Baltimore, se transforman en camionetas de carga: las ventanillas traseras se desinstalan y se sustituyen con una lámina de carrocería, los asientos traseros y los cinturones de seguridad se retiran y se instala, en su lugar, una nueva plancha que constituye el piso del vehículo. Aunque los vehículos fueron originalmente camionetas de cinco pasajeros, Ford los convierte inmediatamente en camionetas de carga de dos asientos. La tapicería se corta en pedazos, las piezas de acero se despedazan y todo es enviado junto con el vidrio para ser reciclado. Según los agentes aduaneros estadunidenses, este procedimiento cumple las especificaciones de la ley.

Transformar camionetas de pasajeros en camionetas de carga cuesta a Ford varios cientos de dólares por vehículo, pero el procedimiento le ahorra a la compañía miles de dólares de impuestos arancelarios. Sobre una camioneta de pasajeros de $25,000 el arancel de 2.5 % genera un impuesto de solamente $625 ($25,000 x 0.025 = $625). En comparación, el arancel de 25% sobre una camioneta comercial de carga genera un impuesto $6,250 ($25,000 x 0.25 = $6,250). La capacidad de evitar el arancel más alto de las camionetas de carga le ahorra a Ford $5,625 por cada vehículo ($6,250 − $625 = $5,625) menos el costo de transformar la camioneta de pasajeros en camioneta de carga. ¡Inteligente decisión, eh!

Este procedimiento de transformación que ejecuta Ford es sólo una de las múltiples maneras de evitar aranceles. Otros fabricantes de automóviles han evitado aranceles estadunidenses mediante estrategias diferentes. Toyota Motor Corp., Nissan Motor Co. y Honda Motor Co. recurrieron a una estrategia muy sencilla: construyeron plantas en Estados Unidos para no tener que exportar vehículos de Japón a Estados Unidos que estén sujetos a los aranceles de importación.[4]

El contrabando de acero como evasión de aranceles estadunidenses

Cada año, unas 38 millones de toneladas de acero con valor de aproximadamente 12,000 millones de dólares se importan por los Estados Unidos. Alrededor de la mitad de este acero está sujeto a aranceles que van desde centavos hasta cientos de dólares por tonelada. El monto del arancel depende del

---

[4] Tomado de "To Outfox the Chicken Tax, Ford Strips Its Own Vans", *The Wall Street Journal*, 23 de septiembre de 2009, p. A-1.

tipo de producto de acero (de los que hay aproximadamente 1,000) y del país de origen (de los que hay más o menos 100). Estos aranceles se aplican al precio de venta del acero en Estados Unidos. Los inspectores del servicio aduanal estadunidense escudriñan los embarques que ingresan a Estados Unidos para asegurarse de que los aranceles hayan sido evaluados en forma apropiada. Sin embargo, vigilar los embarques es difícil, dado el personal reducido del servicio aduanal. Por tanto, el riesgo de ser atrapado por contrabando y las posibilidades de que se impongan penas son muy pocas, mientras que el potencial de obtener grandes utilidades ilegales es muy alto.

Por ejemplo, Ivan Dubrinski ingresó 20,000 toneladas de acero de contrabando a Estados Unidos a principios de la primera década del 2000. Fue fácil: todo lo que tuvo que hacer fue modificar los documentos de embarque en un producto denominado "barra de acero reforzada" para hacerlo parecer que era parte de un embarque de otro tipo de acero llamado "rollo plano". Este engaño le ahorró unos 38,000 dólares en impuestos de importación. Si un episodio de evasión de aranceles como éste se repite muchas veces, a la vuelta del tiempo se habrán evadido millones de dólares en impuestos por la introducción de acero de contrabando. El contrabando de acero suscita consternación no sólo al gobierno estadunidense, que pierde ingresos arancelarios, sino también a la industria acerera estadunidense, que afirma no poder competir con los productos extranjeros más baratos debido a la evasión de aranceles.

CONFLICTOS COMERCIALES GANANCIAS POR LA ELIMINACIÓN DE ARANCELES DE IMPORTACIÓN.

¿Cuál sería el efecto de que Estados Unidos retirara en forma unilateral los aranceles y otras restricciones en los productos importados? En el lado positivo, la eliminación de aranceles disminuye el precio de las importaciones afectadas y puede reducir el precio del producto estadunidense en competencia, lo que resulta en ganancias económicas para el consumidor estadunidense. Los precios de importación más bajos también disminuyen los costos de producción de las empresas que compran insumos intermedios menos costosos, como el acero. En el lado negativo, el precio menor de los productos importados que enfrentan los productores nacionales que compiten con ellos, como resultado de la eliminación del arancel, ocasiona reduccio-nes de las utilidades: los trabajadores de la industria nacional que pierde protección son desplazados y el gobierno estadunidense pierde la recaudación arancelaria como resultado de la eliminación del arancel.

En 2011, la U.S. International Trade Commission estimó las ganancias del bienestar económico anual que se producirían al eliminar las restricciones de importaciones significativas de los niveles en que se hallaban entonces. El resultado hubiera sido equivalente a una ganancia en bienestar de aproximadamente 2,600 millones de dólares para la economía estadunidense. La mayor ganancia comercial provendría de liberar el comercio del etanol, los textiles y la ropa, como se puede ver en la tabla 4.7.

Tabla 4.7

Ganancias del bienestar económico por la liberalización de las restricciones significativas de importación,* 2015 (en millones de dólares)

Industria que compite con las importaciones	Cambio anual en el bienestar económico
Etanol	1,513
Textiles y ropa	514
Lácteos	223
Calzado y productos de cuero	215
Tabaco	63
Atún	16
Joyería	12

* Aranceles a la importación, cuotas de tasas arancelarias y cuotas de importación.

Fuente: Tomado de International Trade Commission, *The Economic Effects of Significant U.S. Import Restraints,* Washington, D.C., Government Printing Office, 2011.

Los importadores más grandes de acero suelen pagar los impuestos correctamente; los más pequeños, con frecuencia de dudosa reputación, son los que más probablemente intentarán introducir acero ilegal en el país. Estos comercializadores generalmente utilizan uno de tres métodos para evadir los aranceles: un método consiste en reclasificar con falsedad el acero sujeto a un arancel como un producto libre de impuestos; otro es eliminar todo indicio de que el acero viene de un país sujeto a aranceles y hacerlo pasar como proveniente de otro que está exento; finalmente, un tercer método consiste en alterar la composición química de un producto de acero suficientemente como para que pueda ser etiquetado como libre de impuestos.

Aunque los inspectores aduanales intentan escudriñar las importaciones, cuando el acero pasa por ellos, es poco lo que pueden hacer. No pueden confiscar el acero de contrabando porque con frecuencia ya está vendido y en uso. Mientras tanto, la gente que compró el acero obtuvo un muy buen precio, pero las compañías acereras estadunidenses que compiten contra el acero de contrabando sufren una disminución en ventas y en utilidades.[5]

PAGO DIFERIDO DE LOS ARANCELES A LA IMPORTACIÓN

Además de permitir la elusión de aranceles, la ley arancelaria estadunidense permite que los aranceles sean diferidos. Enseguida un ejemplo de cómo un recinto fiscal y una zona de libre comercio pueden posponer los aranceles.

Recinto fiscal

De acuerdo con la ley arancelaria estadunidense, al llegar a territorio aduanal estadunidense, las importaciones gravables pueden ser dejadas temporalmente en un **recinto fiscal** (*bonded warehouse*), libre de impuestos. Los importadores pueden solicitar autorización del servicio aduanal estadunidense para tener un recinto fiscal en sus territorios, o pueden utilizar los servicios de un almacén público que haya recibido dicha autorización. Los propietarios de las instalaciones de almacenamiento deben contar con una fianza para asegurarse de que cumplirán con todas las obligaciones fiscales. Este requerimiento significa que la afianzadora garantiza el pago de todas las obligaciones fiscales que correspondan en el caso de que la compañía sea incapaz, por alguna razón, de cumplir con ellas.

Los productos importados pueden almacenarse, reempacarse o procesarse en el recinto fiscal hasta por cinco años. No se permite el ingreso de artículos de producción nacional a un recinto fiscal. No se debe pagar impuestos durante el tiempo inicial de entrada si se van a almacenar. Cuando llegue el momento de retirar los productos del recinto, los impuestos se deben pagar considerando el valor de los productos en el momento del retiro, más que al momento de la entrada al recinto fiscal. Si los productos se retiran para exportación, no se requiere el pago de impuestos.

Mientras los productos estén en el recinto, el propietario puede someterlos a diversos procesos necesarios para prepararlos a la venta. Estos proceso pueden incluir, por ejemplo, el reempaque o la mezcla de hojas de te, el embotellado de vino y el tostado de café. No obstante, no se permite que en un recinto fiscal se ensamblen componentes importados para producir artículos terminados y tampoco está permitido manufacturar productos.

Una ventaja fundamental del ingreso a un recinto fiscal, es que no se deben pagar impuestos sino hasta que los productos sean retirados para consumo. El importador tiene el lujo de controlar el uso del dinero correspondiente a los impuestos hasta que se retiren los productos del recinto fiscal y se haga el pago correspondiente. Si el importador no encuentra un comprador nacional para sus productos o si los productos no se pueden vender en ese mercado a un precio conveniente, el importador tiene la oportunidad de vender su mercancía como exportación y entonces se cancela la obligación de pagar impuestos. El pago de impuestos a la llegada de los productos al país puede ser costoso y, gracias al recinto fiscal, los

---

[5] Tomado de "Steel Smugglers Pull Wool over the Eyes of Customs Agents to Enter U.S. Market", *The Wall Street Journal*, 1 de noviembre de 2001, pp. A1 y A14.

importadores tienen la oportunidad de vender la mercancía primero y así contar con los recursos para pagar los impuestos antes que pagar impuestos por adelantado sin haber vendido aún la mercancía.

Zona de libre comercio

Similarmente a los recintos fiscales, una **zona de libre comercio** (**FTZ**, *foreign-trade zone*) es un sitio en el interior de Estados Unidos donde las compañías pueden operar sin adquirir la responsabilidad de pagar impuestos aduanales sobre productos o materiales importados durante el tiempo que estos productos o materiales permanezcan en dicha zona y no ingresen al mercado estadunidense. Los impuestos aduanales sólo se pagan cuando la mercancía sale de la zona de libre comercio y entra al consumo estadunidense. Si la mercancía no deja nunca la zona de libre comercio entonces no se pagan impuestos sobre esos productos.

¿Cuál es la diferencia entre un recinto fiscal y una zona de libre comercio? En una zona de libre comercio, tan pronto como la mercancía ha ingresado se puede hacer casi cualquier cosa con ella: se puede reempacar mercancía, reparar o destruir productos dañados, ensamblar componentes para obtener un producto final y exportar tanto las partes como los productos terminados. En una zona de libre comercio, se permite incluso la manufactura de productos. Así pues, los importadores pueden usar las FTZ para llevar a cabo una gama de actividades más amplia de la que pueden llevar a cabo en un recinto fiscal que sólo permite el almacenamiento de artículos importados y limitadas actividades de reempaque y procesamiento.

Muchas FTZ están situadas en puertos marítimos, como el puerto de Seattle, pero algunas se ubican en puntos de distribución tierra adentro. Actualmente hay 230 FTZ a lo largo de EUA. Entre las empresas que disfrutan de un estatus FTZ están Exxon, Caterpillar, General Electric e International Business Machines (IBM).

El programa de FTZ fomenta las operaciones comerciales de empresas estadunidenses al eliminar ciertas restricciones relacionadas con la manufactura en Estados Unidos. El impuesto sobre un producto fabricado en el extranjero e importado a Estados Unidos se paga con base en la tasa del producto terminado y no con base en la tasa de sus refacciones, sus materiales o sus componentes. Una compañía con sede en EUA se encontraría en desventaja frente a su competidor extranjero si tuviera que pagar una tasa más alta sobre refacciones, materiales o componentes importados en el proceso de fabricación (esto se conoce como "aranceles invertidos"). El programa de FTZ corrige este desequilibrio al considerar un producto fabricado en una FTZ, para efectos arancelarios, como si fue producido en el extranjero.

Suponga que un usuario de una FTZ importa un motor que está gravado con una tasa arancelaria del 5% y lo usa en la manufactura de una cortadora de césped que está libre de impuestos. Cuando la cortadora de césped sale de la FTZ y entra en al mercado estadunidense, la tasa de impuesto a pagar por el motor baja del 5% a la tasa cero correspondiente a la cortadora de césped. Al participar en el programa de FTZ, el fabricante de cortadoras de césped ha eliminado por completo el impuesto sobre este componente y, en consecuencia, ha reducido el costo de este componente un 5%.

Una FTZ también puede ayudar a una compañía a eliminar impuestos de importación sobre desecho de productos y merma. Suponga que una compañía química estadunidense importa materia prima con un impuesto de 10% para producir un químico determinado que también lleva un impuesto de 10%. Suponga que una fase del proceso de producción supone someter la materia prima importada a altas temperaturas. Durante este proceso, 20 por ciento de la materia prima se consume. Si la compañía química importa un millón de dólares de materia prima al año, pagará $100,000 dólares ($1 millón × 0.1 = $100,000) en impuestos cuando la materia prima ingrese a Estados Unidos. Sin embargo, al participar en el programa de FTZ, no paga impuestos sobre la materia prima sino hasta que abandona la FTZ e ingresa al mercado estadunidense. Dado que 20 por ciento de la materia prima se consume durante el proceso de fabricación, la materia prima ahora sólo vale $800,000. Si suponemos que todo el producto químico acabado se vende en Estados Unidos, los derechos aduanales del 10% suman solamente $80,000. Esto supone un ahorro de $20,000. Si bien podría parecer que el programa de FTZ beneficia sólo a la compañía química estadunidense, es importante recordar que sus competidores que hacen el mismo producto en el extranjero ya tienen la ventaja de no tener que pagar el impuesto correspondiente al desperdicio o a la merma en la producción de su químico.

Las zonas de libre comercio benefician a los importadores de vehículos motorizados

Toyota Motor Co. es un ejemplo de una compañía que se beneficia del programa de FTZ en EUA. Toyota tiene centros de procesamiento de vehículos ubicados dentro de las FTZ en Estados Unidos. Antes de que los automóviles Toyota importados se envíen a los distribuidores estadunidenses, los centros de procesamiento los limpian, instalan accesorios como radios y reproductores de discos compactos, etcétera. Un beneficio primordial de que el centro de procesamiento se ubique dentro de una FTZ es la posibilidad de aplazamiento de pago de los derecho aduanales, es decir la postergación del pago de los impuestos hasta que el vehículo ya ha sido procesado y enviado al comerciante.

Para las partes importadas a Estados Unidos, Toyota también tiene centros de distribución de partes que están ubicados en una FTZ. Debido a las extensos periodos de garantía que ofrece en sus productos, Toyota debe mantener grandes existencias de refacciones en Estados Unidos por un largo período de tiempo y esto convierte al programa de FTZ en una alternativa muy atractiva debido a la posibilidad de aplazamiento del pago de impuestos por dichas refacciones importadas. Por otro lado, con el paso del tiempo muchas de esas refacciones pueden tornarse obsoletas y tienen que ser destruidas; al obtener la designación de FTZ sobre su centro de distribución de refacciones, Toyota puede evitar el pago de derechos aduanales de aquellas partes que se vuelven obsoletas y se destruyen.

Un beneficio más que una FTZ puede ofrecer a Toyota es la reducción potencial en el valor gravable del vehículo importado en virtud del principio de aranceles invertidos antes mencionado: suponga que un reproductor de discos compactos que se importa de Japón se instala en un centro de procesamiento de Toyota dentro de una FTZ. En 2011, el impuesto sobre el reproductor de discos compactos importado fue de 4.4% y el impuesto sobre un automóvil Toyota terminado fue de 2.5%. Toyota tiene la oportunidad de reducir el impuesto sobre el costo del reproductor de discos compactos en un 1.9% (4.4% − 2.5% = 1.9%) si instala el reproductor en su centro de procesamiento dentro de la FTZ.

EFECTOS DE LOS ARANCELES: PANORAMA GENERAL

Antes de proceder a una discusión detallada de los aranceles, convendrá introducir una visión general de sus efectos.

Los aranceles son impuestos sobre importaciones. Hacen el artículo más costoso para los consumidores y, por ende, reducen la demanda. Suponga que hay una compañía estadunidense y una compañía extranjera que producen computadoras. Suponga, además, que el precio de la computadora producida en EUA es de $1,000 y el precio de la computadora producida en el extranjero es de $750. En tales circunstancias, la compañía estadunidense no podría mantener competitividad.

Suponga ahora que Estados Unidos impone un arancel de importación de $300 por computadora. Este arancel incrementa el precio de las computadoras importadas por la cantidad del arancel, es decir $300, arriba del precio extranjero original. Los proveedores estadunidenses de computadoras que compiten con proveedores de computadoras importadas pueden vender entonces sus computadoras por un precio equivalente al precio extranjero más la cantidad del arancel, es decir $1,050 ($750 + $300 = $1,050). Conforme el precio de las computadoras aumenta, el consumo tanto del producto importado como del nacional disminuye. Al mismo tiempo, el precio ahora más alto alienta a los proveedores estadunidenses a ampliar su producción. Las importaciones se reducen cuando el consumo nacional disminuye y la producción nacional aumenta. Nótese que no es necesario que un arancel impulse el precio de la computadora importada por encima del precio de su equivalente nacional para que la industria de computadoras estadunidense prospere; el arancel debe sólo ser suficientemente alto como para reducir la diferencia de precio entre la computadora importada y la computadora producida en EUA.

Si no existe arancel, como ocurre en condiciones de libre comercio, los consumidores estadunidenses habrían ahorrado dinero comprando la computadora extranjera que es más barata. La industria estadunidense de computadoras tendría que volverse entonces más eficiente para competir con el producto importado, que es menos costoso, o desaparecer.

Aunque el arancel beneficia a los productores de la industria estadunidense de computadoras, también implica gastos para la economía de EUA:

- Los compradores de computadoras habrán de pagar más por las computadoras estadunidenses protegidas que lo que hubieran tenido que pagar por computadoras importadas bajo libre comercio.
- Se perderán empleos en las compañías de transportación y de venta a menudeo que importan computadoras hechas en el extranjero.
- El costo adicional de las computadoras se traslada también a cuantos productos y servicios usan estas computadoras en sus procesos de producción.

Para darse una idea verdadera del impacto del arancel, estos gastos tendrán que sopesarse junto con el número de empleos que el arancel salvaría.

Ahora que tenemos una visión general de los efectos de un arancel, consideremos los aranceles en una manera más detallada. Revisaremos los efectos de los aranceles para un país importador pequeño y para un país importador grande. Empecemos examinando los conceptos de excedente del consumidor y excedente del productor según se discuten a continuación.

EFECTOS DE LOS ARANCELES EN EL BIENESTAR: EXCEDENTE DEL CONSUMIDOR Y EXCEDENTE DEL PRODUCTOR

Para analizar el efecto de las políticas comerciales en el bienestar nacional, es útil diferenciar entre los efectos de los consumidores y los de los productores. Para cada grupo se necesita una medición del bienestar; estas mediciones son conocidas como excedente del consumidor y excedente del productor.

El **excedente del consumidor** se refiere a la diferencia entre la cantidad que los compradores estarían dispuestos y serían capaces de pagar por un producto y la cantidad real que pagan. Para ilustrar, asuma que el precio de una Pepsi es de $0.50. Imagine que usted se halla especialmente sediento y estaría dispuesto a pagar hasta $0.75 por una Pepsi. Su excedente del consumidor en esta compra es de $0.25 ($0.75 – $0.50 = $0.25). En el caso de todas las bebidas compradas, el excedente del consumidor correspondería a la suma de los excedentes de cada unidad.

FIGURA 4.1

Excedente del consumidor y excedente del productor

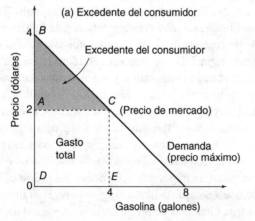
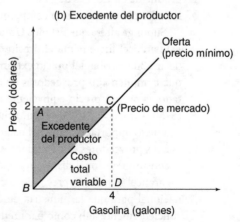

El excedente del consumidor es la diferencia entre la cantidad máxima que los compradores están dispuestos a pagar por una cantidad dada de un producto y la cantidad pagada en realidad. En una gráfica, el excedente del consumidor se representa por el área bajo la curva de la demanda y por arriba del precio de mercado del producto. El excedente del productor es el ingreso que los productores reciben por arriba del mínimo necesario para su producción. En una gráfica, el excedente del productor lo representa el área por encima de la curva de la oferta y por debajo del precio de mercado del producto.

El excedente del consumidor también se puede describir de forma gráfica. Primero recuerde que: *1)* la altura de la curva de la demanda del mercado indica el precio máximo que los compradores están dispuestos a pagar y pueden pagar por cada unidad sucesiva del producto y *2)* en un mercado competitivo, los compradores pagan sólo un precio (el precio de equilibrio) para todas las unidades compradas. Refiérase a la figura 4.1 (a) y suponga que el precio de mercado de la gasolina es de $2 por galón. Si los compradores adquieren cuatro galones a este precio, gastan $8, representados por el área *ACED*. Para esos cuatro galones, los compradores estarían dispuestos y serían capaces de gastar $12, como se muestra por el área *ABCED*. La diferencia entre lo que en realidad gastan los compradores y la cantidad que están dispuestos a pagar y que pueden pagar es el excedente del consumidor; en este caso igual a $4 y se denota por el área *ABC*.

El tamaño del excedente del consumidor se ve afectado por el precio de mercado. Una disminución en el precio de mercado llevará a un aumento en la cantidad comprada y a un excedente del consumidor más grande. Por el contrario, el precio de mercado más alto reducirá la cantidad comprada y reducirá el excedente del consumidor.

Ahora considere el otro lado del mercado: los productores. El **excedente del productor** es el ingreso que los productores reciben por arriba de la cantidad mínima requerida para inducirlos a ofrecer el producto. Esta cantidad mínima tiene que cubrir los costos variables totales del productor. Recuerde que el costo variable total es igual a la suma del costo marginal de producir cada unidad sucesiva de producción.

En la figura 4.1 (b), el excedente del productor se representa por el área por encima de la curva de oferta de la gasolina y debajo del precio de mercado del producto. Recuerde que la altura de la curva de oferta del mercado indica el precio más bajo al que los productores estarían dispuestos a ofrecer gasolina; este precio mínimo aumenta con el nivel de producción debido a los costos marginales crecientes. Suponga que el precio de mercado de la gasolina es de $2 por galón y que se ofrecen cuatro galones. Los productores reciben ingresos totales de $8, representados por el área *ACDB*. El ingreso mínimo que deben recibir para producir cuatro galones es igual al costo variable total, $4 y que se representa por el área *BCD*. El excedente del productor es la diferencia, $4 ($8 − $4 = $4) y se describe en el área *ABC*.

Si el precio de mercado de la gasolina aumenta, se ofrecerá más gasolina y aumentará el excedente del productor. Es igualmente cierto que si el precio de mercado de la gasolina cae, caerá el excedente del productor. En las siguientes secciones se utilizarán los conceptos de excedente del consumidor y excedente del productor para analizar los efectos de los aranceles sobre la importación en el bienestar de una nación.

EFECTOS DE LOS ARANCELES EN EL BIENESTAR: MODELO DE LA NACIÓN PEQUEÑA

Para medir los efectos de un arancel en el bienestar de una nación, considere el caso de una nación cuyas importaciones constituyen una porción muy pequeña de la oferta del mercado mundial. Esta **nación pequeña** sería un *tomador de precios*, que enfrenta un nivel de precio mundial constante para su producto de importación. Éste no es un caso raro; muchas naciones no son lo suficientemente importantes para influir en los términos de intercambio.

En la figura 4.2, la nación pequeña antes del comercio produce en el punto *E* de equilibrio del mercado, como se determina por la intersección de sus curvas de oferta y demanda nacionales. Al precio de equilibrio de $9,500, la cantidad suministrada y la cantidad demandada es de 50 automóviles. Ahora suponga que la economía se abre al comercio exterior y que el precio mundial de los automóviles es de $8,000. Como el mercado mundial ofrecerá un número ilimitado de automóviles al precio de $8,000, la curva de oferta mundial aparecería como una línea horizontal (perfectamente elástica). La curva O_{n+m} muestra la oferta de automóviles disponible para los consumidores de la nación pequeña tanto de origen nacional como extranjero. Esta curva de oferta total es la que prevalecería en el libre comercio.

El equilibrio del libre comercio está ubicado en el punto *F* en la figura. Aquí el número de automóviles demandado es de 80 unidades, mientras que el número producido en Estados Unidos es de 20 unidades. El exceso de demanda nacional de automóviles se satisface por importaciones de 60 automóviles.

FIGURA 4.2

Comercio con aranceles y sus efectos en el bienestar: modelo de nación pequeña

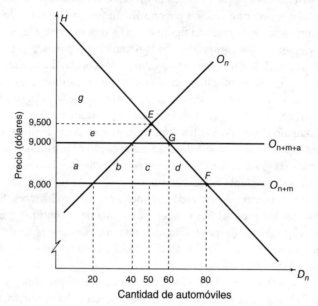

En el caso de una nación pequeña un arancel impuesto en un producto importado se traslada totalmente al consumidor nacional por medio de un precio de producto más alto. El excedente del consumidor cae como resultado del aumento de precios. El bienestar de la nación pequeña disminuye por una cantidad igual al efecto proteccionista y el efecto consumo, las llamadas pérdidas de peso muerto debido a un arancel.

En comparación con la situación previa al comercio, los resultados del libre comercio ocasionan una caída en el precio de los automóviles nacionales de $9,500 a $8,000. Los consumidores están mejor porque pueden importar más automóviles a un menor precio. Sin embargo, los productores nacionales ahora venden menos automóviles y a un menor precio del que tenían antes del comercio.

Bajo el libre comercio la industria automotriz nacional está siendo afectada por la competencia extranjera. Las ventas y los ingresos de la industria están cayendo y los trabajadores pierden sus empleos. Suponga que la gerencia y los trabajadores se unen y convencen al gobierno de que imponga un arancel proteccionista en las importaciones de automóviles; suponga, además, que la nación pequeña establece un arancel de $1,000 en las importaciones de automóviles. Como esta nación pequeña no es lo suficientemente importante para influir en las condiciones del mercado mundial, el precio de oferta mundial de automóviles permanece constante, sin que el arancel lo afecte. Esto significa que los términos de intercambio de la nación pequeña permanecen sin cambio. La introducción del arancel *incrementa el precio interno de las importaciones en la cantidad equivalente al impuesto y el aumento recae por completo en el consumidor nacional.* La oferta total aumenta por la cantidad del arancel, de O_{n+m} a O_{n+m+a}.

El arancel proteccionista ocasiona una nueva cantidad de equilibrio en el punto *G*, donde el precio nacional de los automóviles es de $9,000. La producción nacional aumenta 20 unidades, mientras que el consumo nacional cae 20 unidades. Las importaciones disminuyen de su nivel prearancelario de 60 a 20 unidades. Esta reducción puede atribuirse a un consumo interno decreciente y a una producción nacional creciente. Los efectos del arancel son limitar las importaciones y proteger a los productores nacionales. ¿Pero cuáles son los efectos en el *bienestar nacional*?

En la figura 4.2, se muestra que antes de imponer el arancel, el excedente del consumidor equivalía a las áreas $a + b + c + d + e + f + g$. Con el arancel, el excedente del consumidor corresponde a las áreas $e + f + g$, una pérdida general en excedente del consumidor igual a las áreas $a + b + c + d$. Este cambio afecta al bienestar de una nación en diversas formas. Los efectos del bienestar de un arancel incluyen un efecto ingreso, un efecto redistribución, un efecto proteccionista y un efecto consumo.

Como podría esperarse, el arancel proporciona al gobierno un ingreso fiscal adicional y beneficia a los productores nacionales de automóviles; sin embargo, al mismo tiempo, desperdicia recursos y daña al consumidor nacional.

El **efecto ingreso** del arancel representa la recaudación gubernamental por el impuesto. Se determina al multiplicar el número de importaciones (20 unidades) por el monto del arancel ($1,000), el ingreso recaudatorio del gobierno es igual al área *c*, o $20,000. Esta cifra representa la porción de la pérdida en el excedente del consumidor, en términos monetarios, que se transfieren al gobierno. Para la nación como un todo, el efecto del ingreso *no* resulta en una pérdida general del bienestar; el excedente del consumidor sólo se cambia del sector privado al público.

El **efecto redistribución** es la transferencia de un excedente del consumidor, en términos monetarios, a los productores nacionales del producto que compite con las importaciones. Esto se representa por el área *a*, que es igual a $30,000. Bajo el arancel, los consumidores nacionales comprarán a empresas nacionales 40 automóviles a un precio de $9,000 para un gasto total de $360,000. Ante el precio de libre comercio de $8,000, los mismos 40 automóviles habrían costado $320,000. La imposición del arancel, por tanto, resulta en que los productores nacionales reciban ingresos adicionales que equivalen a las áreas *a + b* o $40,000 (la diferencia entre $360,000 y $320,000). Sin embargo, como el arancel alienta que la producción nacional aumente de 20 a 40 unidades, los productores deben pagar parte del aumento del ingreso en forma de costos más altos por fabricar una mayor producción, reflejada por el área *b*, o $10,000. El ingreso restante, $30,000, área *a*, es una ganancia neta en ingresos del productor. Por tanto, el ingreso redistributivo es una transferencia del ingreso de los consumidores a los productores. Al igual que el efecto ingreso, *no* resulta en una pérdida general del bienestar de la economía.

El área *b*, que totaliza $10,000, se conoce como el **efecto proteccionista** del arancel. Ilustra la pérdida de la economía nacional que resulta de los recursos desperdiciados utilizados para fabricar automóviles adicionales a costos unitarios crecientes. Conforme se expande la producción nacional inducida por el arancel, eventualmente se utilizan recursos que son menos adaptables a la producción de automóviles, lo que aumenta los costos de producción unitarios. Esto significa que los recursos se utilizan con menor eficiencia de lo que se usarían con el libre comercio, donde los automóviles habrían sido comprados a productores extranjeros de bajo costo. Por tanto, surge un efecto proteccionista del arancel porque una producción nacional menos eficiente sustituye a la producción extranjera más eficiente. En la figura 4.2, conforme aumenta la producción nacional de 20 a 40 unidades, el costo nacional de fabricar automóviles aumenta, como se muestra por la curva de oferta O_n, pero el mismo aumento en automóviles podría haberse obtenido a un costo unitario de $8,000 antes de que el arancel fuera impuesto. El área *b*, que refleja el efecto proteccionista, representa una pérdida para la economía equivalente a $10,000. Note que el cálculo del efecto proteccionista requiere sólo del cálculo del área del triángulo *b*. Recuerde que en geometría el área de un triángulo es igual a (base × altura) /2. La altura del triángulo *b* es igual al incremento en la producción de automóviles debido al arancel. El efecto proteccionista es entonces igual a (20 × $10,000) / 2 = $10,000.

Así, la mayor parte del excedente del consumidor perdido por el arancel ha sido explicado geométricamente: *c* se trasladó al gobierno como ingreso; *a* se transfirió a los proveedores nacionales como ingreso, y *b* se perdió de la economía debido a una producción nacional ineficiente. El **efecto consumo**, representado por el área *d*, igual a $10,000, es el residuo no contabilizado en otra parte. Surge de la disminución del consumo que resulta de que el arancel aumente de forma artificial el precio de los automóviles de $8,000 a $9,000. Una pérdida del bienestar ocurre debido al mayor precio y al menor consumo. Advierta que el cálculo del efecto consumo consiste en el cálculo del área del triángulo *d*. La altura de este triángulo ($10,000) equivale al incremento de precio en los automóviles debido al arancel; la base (20 autos) equivale a la reducción en el consumo doméstico basado en el arancel. El efecto consumo es, entonces: (20 × $1,000) / 2 = $10,000.

Como en el caso del efecto proteccionista, el efecto consumo representa un costo real para la sociedad, no una transferencia a otros sectores de la economía. Juntos, estos dos efectos suman la pérdida de **peso muerto del arancel** (áreas *b + d* en la figura).

Siempre y cuando se asuma que una nación representa una participación sin importancia en el comercio internacional, la imposición de un arancel sobre la importación necesariamente disminuye su bienestar nacional. Esto es porque no hay un efecto de bienestar favorable que resulte del arancel que contrarrestaría la pérdida de peso muerto del excedente del consumidor. Si una nación pudiera imponer un arancel que mejorara sus términos de intercambio frente a sus socios comerciales, disfrutaría de una participación más grande de las ganancias del comercio. Esto tendería a aumentar el bienestar nacional, al contrarrestar la pérdida de peso muerto del excedente del consumidor. Sin embargo, como es tan insignificante su participación en el mercado mundial, una nación pequeña no puede influir en los términos de intercambio. En consecuencia, imponer un arancel de importación *reduce* el bienestar de una nación pequeña.

EFECTOS DE LOS ARANCELES EN EL BIENESTAR: MODELO DE NACIÓN GRANDE

El apoyo decisivo que los economistas muestran en pro del libre comercio es tan pronunciado que podría concluirse que un arancel nunca sería una medida benéfica. Sin embargo, esto no es necesariamente cierto. Un arancel puede incrementar el bienestar nacional cuando es impuesto por una nación suficientemente grande como para que los cambios en la cantidad de sus importaciones, por medio de política arancelaria, influyan en el precio mundial del producto. Este caso de **nación grande** podría aplicarse a Estados Unidos, que es un gran importador de automóviles, acero, petróleo, electrónica de consumo y otros gigantes económicos como Japón y la Unión Europea.

Si Estados Unidos impone un arancel en importaciones de automóviles, los precios aumentan para los consumidores estadunidenses. El resultado es una disminución en la cantidad demandada, que puede ser lo suficientemente significativa para forzar a las empresas japonesas a reducir los precios de sus exportaciones. Como las empresas japonesas pueden producir y exportar cantidades más pequeñas a un costo marginal menor, es probable que prefieran reducir su precio a Estados Unidos para contrarrestar su disminución de ventas a dicho país. Por tanto, la incidencia arancelaria se comparte entre los consumidores estadunidenses que pagan un precio más alto en comparación al libre comercio por cada automóvil importado y las empresas japonesas que obtienen un precio menor que bajo el libre comercio por cada automóvil exportado. La diferencia entre estos dos precios es el impuesto arancelario. El bienestar estadunidense aumenta cuando Estados Unidos puede trasladar parte del arancel a las empresas japonesas por medio de reducciones en los precios de exportación. Los *términos de intercambio* mejoran para Estados Unidos a costa de Japón.

¿Cuáles son los efectos económicos de un arancel a la importación para un país grande? En relación con la figura 4.3, la línea O_n representa la curva de oferta nacional y la línea D_n describe la curva de demanda nacional. Ocurre un equilibrio de autarquía en el punto E. Con el libre comercio, la nación importadora enfrenta una curva de oferta total de O_{n+m}. Esta curva muestra el número de automóviles que los productores nacionales como los extranjeros, juntos, ofrecen a los consumidores nacionales. La curva de oferta total tiene una pendiente positiva más que horizontal porque el precio de oferta extranjero no es una constante fija. El precio depende de la cantidad comprada por un país importador cuando es un comprador grande del producto. Con libre comercio Estados Unidos alcanza un equilibrio de mercado en el punto F. El precio de los automóviles cae a $8,000, el consumo nacional aumenta a 110 unidades y la producción nacional cae a 30 unidades. Las importaciones de automóviles que totalizan 80 unidades satisfacen el exceso la demanda nacional.

Suponga que la nación importadora impone un arancel específico de $1,000 en automóviles importados. Al aumentar el costo de ventas, el arancel resulta en un traslado de la curva de oferta total de O_{n+m} a O_{n+m+a}. El equilibrio del mercado cambia del punto F al punto G, mientras que el precio del producto aumenta de $8,000 a $8,800. El excedente del consumidor de la nación que impone el arancel cae por una cantidad igual a las áreas $a + b + c + d$. El área a, que totaliza $32,000, representa el *efecto redistribución*; esta cantidad es transferida de los consumidores nacionales a los productores nacionales. Las áreas $d + b$ describen la pérdida de peso muerto del arancel, el deterioro en el bienestar nacional debido al consumo reducido (*efecto consumo* = $8,000) y un uso ineficiente de los recursos (*efecto proteccionista* = $8,000).

FIGURA 4.3

Comercio con aranceles y sus efectos en el bienestar: modelo de nación grande

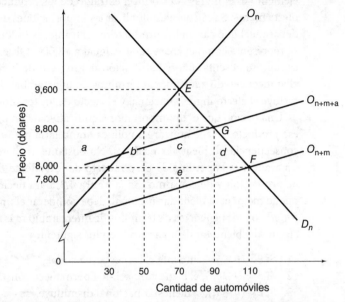

En el caso de una nación grande, un arancel en un producto importado puede transferirse de forma parcial al consumidor interno por medio de un precio de producto más alto y ser parcialmente absorbido por el exportador externo por medio de un precio de exportación menor. El grado en que un exportador externo absorba un arancel constituye una ganancia de bienestar para el país que impone el arancel. Esta ganancia contrarresta parte (todas) de las pérdidas de bienestar del peso muerto debido al efecto consumo y al efecto proteccionista debido al arancel.

© Cengage Learning®

Como en el ejemplo de una nación pequeña, el *efecto ingreso* del arancel es igual al arancel de importación multiplicado por la cantidad de automóviles importados. Esto genera las áreas *c* + *e*, es decir, $40,000. Sin embargo, observe que el ingreso arancelario devengado por el gobierno ahora proviene de productores extranjeros así como de los consumidores nacionales. Esto difiere del caso de la nación pequeña, en el que la curva de oferta es horizontal y la carga arancelaria recaía por completo en los consumidores nacionales.

El arancel de $1,000 se agrega al precio de importación de libre comercio de $8,000. Aunque el precio en el mercado protegido excederá el precio externo de oferta por la cantidad del impuesto, *no* excederá el precio externo de oferta de libre comercio por esta cantidad. En comparación con el precio externo de oferta de libre comercio, $8,000, los consumidores nacionales pagan sólo unos $800 adicionales por automóvil importado. Esta es la porción del arancel que se traslada hacia el consumidor. Al mismo tiempo, el precio externo de oferta de automóviles cae $200. Esto significa que los productores extranjeros obtienen menores ingresos, $7,800 por cada automóvil exportado. Debido a que la producción se realiza bajo condiciones de costos crecientes, la reducción de las importaciones dispara una declive en la producción extranjera y entonces disminuyen los costos unitarios. La reducción en el precio externo de oferta de $200 representa esa porción del arancel que cubre el productor extranjero. La imposición del arancel aumenta el precio nacional de la importación en sólo parte del impuesto conforme los productores extranjeros reducen sus precios en un intento por mantener las ventas en la nación que impone el arancel. La nación importadora encuentra que sus términos de intercambio han mejorado si el precio que paga por las importaciones de automóviles disminuye mientras que el precio que cobra por sus exportaciones sigue igual.

Así, el *efecto ingreso* de un arancel a la importación en el caso de nación grande incluye dos componentes. El primero es la cantidad del ingreso de arancel que se traslada de los consumidores nacionales al gobierno que impone el arancel; en la figura 4.3, esto es igual al nivel de importaciones

(40 unidades) multiplicados por la porción del arancel a la importación impuesto a los consumidores nacionales ($800). El área *c* describe el **efecto ingreso nacional**, que es igual a $32,000. El segundo elemento es el ingreso del arancel extraído de los productores extranjeros en la forma de precio de oferta menor. Se calcula al multiplicar las importaciones de automóviles (40 unidades) por la porción del arancel que cae en los productores extranjeros ($200), el **efecto de términos de intercambio** se representa como el área *e*, que es igual a $8,000. Observe que el efecto de los términos de intercambio representa una redistribución del ingreso de la nación extranjera a la nación que impone el arancel debido a los nuevos términos de intercambio. Por tanto, el efecto del ingreso arancelario incluye el efecto ingreso nacional y el efecto de los términos de intercambio.

Una nación que es un importador significativo de un producto está en una situación favorable de ese producto. Puede utilizar su política arancelaria para mejorar los términos de intercambio y, en consecuencia, su bienestar nacional. No obstante, recuerde que el efecto del bienestar negativo de un arancel es la pérdida de peso muerto del excedente del consumidor que resulta de los efectos de protección y de consumo. En la figura 4.3, para decidir si una nación que impone un arancel puede mejorar su bienestar nacional, debe comparar el impacto de la pérdida de peso muerto (áreas $b + d$) con los beneficios de términos de intercambio más favorables (área *e*). Las conclusiones de los efectos del bienestar de un arancel son los siguientes:

1. Si $e > (b + d)$, aumenta el bienestar nacional.
2. Si $e = (b + d)$, el bienestar nacional permanece constante.
3. Si $e < (b + d)$, el bienestar nacional disminuye.

En el ejemplo precedente, el bienestar de la economía nacional hubiera disminuido por una cantidad igual a $8,000. Esto es porque las pérdidas de bienestar de peso muerto que totalizan $16,000, contrarrestan con mucho la ganancia de $8,000 en bienestar atribuible al **efecto de** términos de intercambio.

Arancel óptimo y represalias

Hasta ahora hemos visto que una nación grande puede mejorar sus términos de intercambio al imponer un arancel en las importaciones. Sin embargo, un arancel ocasiona que el volumen de las importaciones disminuya, lo que reduce el bienestar de una nación al decrecer su consumo de importaciones de bajo costo. Por tanto, hay una ganancia debida a la mejora de los términos de intercambio y hay una pérdida debida a un volumen de importaciones reducido.

Con referencia a la figura 4.4, una nación optimiza su bienestar económico al imponer una tasa arancelaria en la que se maximice la diferencia positiva entre la ganancia de mejorar los términos de intercambio (área *e*) y la pérdida en eficacia económica por el efecto proteccionista (área *b*) y el efecto consumo (área *d*). El **arancel óptimo** se refiere a dicha tasa arancelaria. Tiene sentido que, entre menor sea la elasticidad extranjera de la oferta, mayor es la capacidad de la nación grande para hacer que sus socios comerciales acepten adoptar precios más bajos para las importaciones de la nación grande.

Un candidato probable para una nación que impone un arancel óptimo sería Estados Unidos; es un importador grande, en comparación con la demanda mundial de automóviles, electrónica y otros productos. Sin embargo, observe que un arancel óptimo sólo es benéfico para la nación importadora. Como cualquier beneficio devengado por la nación importadora a través de un precio de importación más bajo implica una pérdida para la nación exportadora, imponer un arancel óptimo es una política de **empobrecimiento al vecino** que podría suscitar represalias futuras. Después de todo, si Estados Unidos fuera a imponer un arancel óptimo de 25 por ciento en sus importaciones, ¿por qué Japón y la Unión Europea no habrían de imponer aranceles de 40 o 50 por ciento en sus importaciones? Cuando todos los países imponen aranceles óptimos, es probable que el bienestar económico de todos disminuya conforme disminuye el volumen del comercio. La posibilidad de represalias extranjeras puede ser un factor disuasivo para cualquier nación que considere imponer aranceles más altos.

Un caso clásico de una guerra comercial inducida por los aranceles fue la implementación del arancel Smoot-Hawley por parte del gobierno estadounidense en 1930. Este arancel tenía la intención

FIGURA 4.4

Cómo un arancel sobre la importación es una carga para los exportadores nacionales

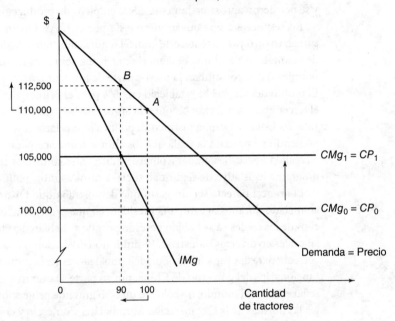

Caterpillar, Inc.

Un arancel impuesto al acero importado aumenta los costos de un fabricante que utiliza dicho metal. Esto lleva a un precio más alto cobrado por el fabricante de productos que requieren acero y a una pérdida de su competitividad internacional.

inicial de brindar alivio a los agricultores estadunidenses. Sin embargo, los senadores y los miembros del Congreso de los estados industriales utilizaron la técnica del comercio de votos para obtener mayores aranceles en los productos manufacturados. El resultado fue una política que aumentó los aranceles en más de mil productos, con un impuesto nominal promedio en productos protegidos ¡de 53%! Al interpretar el arancel Smoot-Hawley como un intento por forzar el desempleo en sus trabajadores, 12 naciones aumentaron rápidamente sus impuestos contra Estados Unidos. Las exportaciones agrícolas estadunidenses cayeron a un tercio de su nivel anterior y, entre 1930 y 1933, el total de las exportaciones estadunidenses cayó casi 60 por ciento. Aunque la Gran Depresión representó la mayor parte de esta caída, el impacto psicológico adverso del arancel Smoot-Hawley en la actividad de negocios no puede ser ignorado.

EJEMPLOS DE ARANCELES ESTADUNIDENSES

Consideremos ahora dos ejemplos de aranceles que han sido impuestos para proteger a los productores estadunidenses frente a la competencia extranjera.

Los aranceles de Obama a los neumáticos chinos

Los aranceles de importación a los neumáticos del presidente Barack Obama brindan un ejemplo del proteccionismo que busca apoyar a una industria nacional. Como una condición para ingresar a la Organización Mundial del Comercio en 2001, China accedió a que otras naciones pudieran poner freno a las oleadas de importaciones chinas sin tener que demostrar previamente prácticas comerciales deshonestas. Esta medida preventiva especial se mantuvo vigente hasta 2013. La oleada de importaciones supuesta en ese entonces se convirtió en una realidad cuando China incrementó entre 2004 y 2008 sus embarques de neumáticos para automóviles y camiones ligeros a Estados Unidos en casi 300%, totalizando $1.8 mil millones. Como consecuencia de ello, según el sindicato de los United Steelworkers (USW), cuatro plantas de neumáticos estadunidenses se vieron obligadas a cerrar y se perdieron aproximadamente 4,500 empleos de producción de neumáticos durante ese periodo.

En respuesta a una queja interpuesta por el USW, Obama introdujo en 2009 un arancel que se sumaba a otro ya existente; este arancel tendría una vigencia de tres años y gravaba las importaciones de neumáticos de China. El arancel se aplicaba sólo a los neumáticos de precio bajo (entre $50 y $60 por pieza) que constituían la mayor parte de los neumáticos que China exportaba a Estados Unidos. El monto del arancel se estableció en 35% para el primer año, 30% para el segundo año y 25% para el tercer año. Esta acción bloquearía aproximadamente el 17% de todos los neumáticos vendidos en Estados Unidos. Obama justificó su política arancelaria con el sencillo argumento de que sólo estaba poniendo en práctica la regla que los chinos había aceptado. Los críticos de Obama afirmaban que en realidad buscaba agradar a obreros y dirigentes sindicales cuya ayuda necesitaba para respaldar su programa legislativo de seguridad social y otros asuntos políticos.

El arancel parecía ser un gesto que demostraba que Obama mantenía su palabra cuando había anunciado durante su campaña presidencial que protegería los empleos de los estadunidenses, muchos de los cuales ya se habían perdido porque se habían desplazado a China y habían dejado huecos laborales en diversas industrias. El sindicato USW aclamó la decisión y declaró que era la acción más correcta para apoyar a los atribulados trabajadores de la industria de neumáticos estadunidense. Los funcionarios del gobierno de China, por su parte, aseveraron que la decisión de Obama enviaba una señal errónea al mundo: no sólo era un acto grave de proteccionismo comercial, sino también infringía las normas de la Organización Mundial del Comercio y contradecía los propios compromisos en pro del mercado libre que el gobierno estadunidense había adquirido en la cumbre financiera de los G-20 en 2009.

De acuerdo con el gobierno de Obama, los aranceles reducirían considerablemente las importaciones de neumáticos de China y aumentarían las ventas y los precios de la misma industria en EUA, lo que resultaría en un crecimiento de las utilidades. Este crecimiento garantizaría la preservación de empleos ya existentes y la creación de nuevos empleos y, a la vez, fomentaría la inversión. Por otro lado, el arancel no tendría poco o nada de impacto sobre la producción estadunidense de automóviles y camiones ligeros porque los neumáticos representan una muy pequeña parte de los costos totales de producción de dichos productos y, por otro lado, también representan una parte muy pequeña del gasto anual de mantenimiento y operación de un automóvil o un camión ligero.

Los críticos de la política de Obama replicaron, sin embargo, que la historia era en realidad más complicada: advertían que la petición del USW para elevar el arancel no contaba ni siquiera con el apoyo de las compañías productoras de neumáticos porque éstas ya habían dejado de producir neumáticos económicos en Estados Unidos. Los representantes de las compañías productoras ya habían declarado que no era rentable producir neumáticos económicos en plantas nacionales debido a la competencia de las compañías extranjeras. La mayoría de estos fabricantes de neumáticos, como Goodyear Tire and Rubber Co. y Cooper Tire and Rubber Co., fabricaban neumáticos baratos en China y los vendían en Estados Unidos. Cualquier otro fabricante de neumático estadunidense que quisiera ingresar al segmento de productos económicos de la industria tendría que renovar completamente sus líneas de producción para obtener ese tipo de neumáticos y esto representaría una acción muy costosa y complicada que requeriría, además, un tiempo prolongado. Los críticos también señalaban que, si las exportaciones de neumáticos chinos a Estados Unidos fueran bloqueadas por el arancel, los fabricantes de neumáticos económicos de otros países los reemplazarían. Sin embargo, tomaría muchos meses a los productores de lugares como Brasil o Indonesia cubrir ese nuevo segmento libre y, mientras tanto, la escasez de neumáticos baratos se notaría en el mercado estadunidense, lo que probablemente resultaría en un incremento de precios de aproximadamente 20 a 30 por ciento. Así pues, en su opinión, no quedaba claro que los aranceles de Obama redundarían en más empleos para los trabajadores de la industria de neumáticos estadunidense ni que, en general, serían beneficiosos para la nación como un todo.

La imposición del arancel a los neumáticos finalmente arrojó resultados mixtos en cuanto a sus efectos. Los beneficiarios más grandes probablemente fueron los productores de neumáticos de Indonesia, Corea del Sur y Tailandia, quienes reemplazaron el suministro de China durante el período de 3 años que duró el arancel.

¿Habría que eliminar de una patada los aranceles al calzado?

En 2013, mientras el público buscaba ofertas en los departamentos de calzado de tiendas de descuento como Target o Walmart, se encontraron con un muy amplio surtido de zapatos para niños y adultos. Ellos ni se imaginaban que la mayoría de los zapatos vendidos en las tiendas de Estados Unidos se producían en el extranjero y que están sujetos a elevadísimos aranceles de importación. ¿Por qué imponer aranceles tan altos a los artículos de calzado?

Los aranceles estadunidenses al calzado empezaron en la década de 1930. En aquel momento, la industria de calzado en Estados Unidos era inmensa y producía principalmente zapatos de goma y de lona. Estos aranceles protegían a los productores de los productos importados que eran más económicos. Aunque de esa década a la fecha muchos aranceles en EUA se han reducido enormemente o se han eliminado del todo, los aranceles al calzado han permanecido sin cambios. Si bien la industria del calzado se ha beneficiado de esta protección arancelaria, hoy en día es una industria prácticamente extinta: actualmente se importa casi 99 por ciento de los artículos de calzado vendidos en EUA. A pesar de ello, las tasas arancelarias al calzado se han mantenido y se trata de tasas de hasta el 67.5%. ¿Por qué el gobierno de EUA mantiene aranceles tan altos al calzado cuando prácticamente no existe una industria nacional que proteger?

Los críticos de estos aranceles señalan que se trata de un impuesto enmascarado que grava una necesidad familiar elemental y que incrementa los gastos de los consumidores. Advierten que los zapatos informales de las tiendas de descuento están sujetos a un arancel del 48% mientras que los zapatos de vestir, fabricados con piel de alta calidad, están gravados con sólo un 8.5%. Por lo tanto, un ejecutivo de Wall Street paga una tasa arancelaria muy pequeña por sus mocasines de piel italianos mientras que las familias de bajos recursos pagan más de cinco veces esa misma tasa por sus zapatos informales. Así, los aranceles al calzado son una medida retrógrada que afecta gravemente a los individuos en el extremo inferior de la escala de ingresos y casi no afecta a los individuos más adinerados.

En 2013, la ley denominada Affordable Footwear Act se presentó ante el Congreso. Esta legislación intenta abolir los más onerosos aranceles al calzado: aquellos aranceles que afectan al calzado económico o de precio medio y que ya no se producen en EUA. La aprobación de esta legislación resultaría en la eliminación de aranceles sobre aproximadamente un tercio de todos artículos de calzado importados. El objetivo es reducir en última instancia el precio de los zapatos, un producto que todos compran y cuyo impuesto, actualmente, afecta especialmente a las familias de menos recursos. La legislación asegura que la protección continuará para los pocos productores de calzado que aún quedan en EUA.

Por su parte, los críticos de esta ley consideran que los altos aranceles al calzado son un elemento esencial que protege a los productores estadunidenses de la competencia exterior. New Balance Inc., una compañía que opera plantas que dan empleo a aproximadamente 1,400 personas en Estados Unidos, sostiene que una reducción en los aranceles al calzado afectaría gravemente a sus trabajadores. Sin embargo, los defensores de la ley argumentan que los fabricantes de calzado estadunidenses en realidad se especializan generalmente en artículos de alto costo y no en el tipo de zapatos económicos a los que se refiere la eliminación del arancel que propone la ley. Al momento de la redacción del presente texto, aún está por verse si la ley será aprobada por el gobierno estadunidense.[6]

---

[6] H.R. 1708: *Affordable Footwear Act of 2013*, 113th Congress, 2013-2015; "Shoe Importers Push to Cut Long-Standing Tariff", *Los Angeles Times*, 1 de julio de 2012; Eric Martin, "New Balance Wants Its Tariffs, Nike Doesn't", *Bloomberg Businessweek*, 3 de mayo de 2012; "Footwear Business Hopes to Stomp Out Higher Outdoor Shoe Tariffs", *CBS/Denver*, 29 de noviembre de 2012; Edward Gresser y Bryan Riley, "Give Shoe Taxes the Boot", *Progressive Economy*, The Heritage Foundation, 24 de abril de 2012; "A Shoe Tariff with a Big Footprint", *The Wall Street Journal*, 22 de noviembre de 2012.

CONFLICTOS COMERCIALES ¿PODRÍA UNA TASA ARANCELARIA MÁS ELEVADA RECORTAR LA DEUDA FEDERAL DE ESTADOS UNIDOS?

La deuda del gobierno estadunidense es un asunto de suma preocupación tanto para los que diseñan políticas gubernamentales como para los ciudadanos en general. Las soluciones para el problema van desde la imposición de impuestos sobre la renta hasta el recorte en el presupuesto de defensa nacional o de asistencia social. En una vieja aduana de la ciudad de Nueva York hay una inscripción que señala que, en cierto momento de su historia, el gobierno estadunidense solventó la totalidad de su deuda adquirida por una guerra gracias a la imposición de altos aranceles sobre artículos importados. ¿Podría un arancel de importación más alto, digamos del 20%, usarse en la actualidad para pagar el programa Medicare y reducir considerablemente la deuda federal?

Es verdad que originalmente los aranceles representaban el grueso de los ingresos del gobierno federal: en 1795, aproximadamente 95 por ciento de los ingresos federales provenían de recaudación por aranceles. Sin embargo, la importancia de los aranceles disminuyó cuando las tasas se fueron reduciendo y entonces el impuesto sobre la renta, promulgado en 1913, se convirtió en la fuente más importante del ingreso federal. Hoy, los aranceles gravan aproximadamente 30% de los artículos importados a Estados Unidos y generan aproximadamente sólo

$25 mil millones al año, lo que representa sólo el 1.2% del ingreso federal. La tasa arancelaria de EUA es aproximadamente del 2% del precio de un artículo importado.

¿Debería, pues, el gobierno elevar los aranceles a un 20 por ciento, es decir, 10 veces la tasa actual? Si se multiplicaran los $25 mil millones de ingreso anual que el gobierno federal percibe por aranceles por un factor de 10, se obtendrían $250 mil millones de dólares adicionales al año (suponiendo que las importaciones no disminuyan con un alza de precios del 20 por ciento, lo que es una suposición muy dudosa). Pero ni siquiera hace falta preocuparnos con semejante suposición, pues actualmente el gobierno estadunidense ¡pide prestado más de un billón de dólares al año para cubrir su déficit! Solventar semejante deuda requeriría un arancel descomunal (asumiendo, de nuevo, que no disminuyeran las importaciones). Pero una medida tal, claramente suscitaría serias represalias arancelarias por parte de los socios comerciales de EUA. En conclusión: elevar los aranceles no es de ninguna manera una buena alternativa para resolver el problema de la deuda federal de los Estados Unidos.

Fuente: Paul Solman, "Could a Higher Import Tariff Pay for Medicare and Get the U.S. Out of Debt?", *The Business Desk*, 5 de enero de 2012.

iStockphoto.com/photosoup

CÓMO UN ARANCEL ES UNA CARGA PARA LOS EXPORTADORES

Los beneficios y los costos de proteger a los productores nacionales de la competencia extranjera, como se analizó antes en este capítulo, provienen de los efectos directos de un arancel a la importación. Las empresas y los trabajadores que compiten en importaciones se pueden beneficiar de los aranceles a través de aumentos en la producción, las utilidades, los empleos y la compensación. Un arancel impone costos en los consumidores nacionales en la forma de precios más altos de productos protegidos y reducciones en el excedente del consumidor. También hay una pérdida de bienestar neto para la economía, porque no toda la pérdida del excedente del consumidor se transfiere como ganancias a los productores nacionales y al gobierno (efecto proteccionista y efecto consumo).

Un arancel lleva cargas adicionales. Al proteger a los productores que compiten con las importaciones, un arancel lleva de forma indirecta a una reducción en las exportaciones nacionales. El resultado neto del proteccionismo es el desplazamiento de la economía hacia una mayor autosuficiencia, con menos importaciones y menos exportaciones. Para los trabajadores nacionales, la protección de empleos en las industrias que compiten con las importaciones se da sólo a costa de empleos en otros sectores de la economía, incluido el sector de las exportaciones. Aunque un arancel tiene la intención de ayudar a los productores nacionales, las implicaciones de un arancel a lo ancho de la economía son adversas para el sector de exportaciones. Las pérdidas del bienestar debido a las restricciones en la producción y el empleo en la industria de exportación de la economía pueden anular las ganancias de bienestar que disfrutan los productores que compiten con las importaciones.

Como un arancel es un impuesto a las importaciones, la carga de un arancel recae inicialmente en los importadores, quienes deben pagar impuestos al gobierno nacional. Sin embargo, los importadores trasladan los costos crecientes a los compradores a través de aumentos de precio. Los precios resultantes, más altos, de las importaciones dañan a los exportadores nacionales en al menos tres formas.

Primero, los exportadores con frecuencia compran insumos importados sujetos a aranceles que *aumentan el costo de los insumos*. Como los exportadores tienden a vender en mercados competitivos donde tienen poca capacidad para dictar los precios que reciben, por lo general, no pueden trasladar el costo a sus compradores de un aumento inducido por un arancel. Así, los costos de exportación más altos llevan a precios más altos y a ventas reducidas en el extranjero.

Considere el caso hipotético de Caterpillar, Inc., un exportador estadunidense de tractores. En la figura 4.4, la empresa tiene costos constantes a largo plazo, lo que sugiere que el costo marginal es igual al costo promedio en cada nivel de producción. Ahora suponga que el costo de producción de un tractor es igual a $100,000 y se denota por $CMg_0 = CO_0$. Caterpillar, Inc., maximiza sus utilidades al fabricar 100 tractores, el punto donde el ingreso marginal es igual al costo marginal y los vende a un precio de $110,000 por unidad. Así, el ingreso de la empresa totaliza $11 millones (100 × $110 000), mientras que sus costos son de un total de $10 millones (100 × $100,000); como resultado, la empresa obtiene utilidades por $1 millón. Suponga ahora que el gobierno estadunidense impone un arancel en las importaciones de acero, mientras que las naciones extranjeras permiten que el acero sea importado libre de impuestos. Si la producción de tractores utiliza acero importado y no hay disponible acero nacional a precios competitivos, el arancel lleva a un aumento en los costos de Caterpillar a $105,000 por tractor, como se denota por $CMg_1 = CO_1$. De nuevo, la empresa maximiza sus utilidades al operar donde el ingreso marginal es igual al costo marginal. Sin embargo, Caterpillar debe fijar un precio más alto, $112,500; por tanto, las ventas de la empresa disminuyen a 90 tractores y las utilidades a $675,000 [($112,500 − $105,000) × 90 = $675,000]. El arancel a la importación aplicado al acero representa un impuesto para Caterpillar que reduce su competitividad internacional. Proteger a los productores de acero nacionales de la competencia de las importaciones puede, así pues, disminuir la competitividad de las exportaciones de los productores nacionales que utilizan dicho metal.

Los aranceles también *incrementan el costo de vida* al aumentar el precio de las importaciones. Así, los trabajadores tienen incentivos para demandar salarios correspondientemente más altos, lo que al final resulta en costos de producción más altos. Los aranceles llevan a expandir la producción de las empresas que compiten con las importaciones, por lo que se incrementa la demanda de los trabajadores de dicho sector y ocasionan que los salarios aumenten. Conforme estos salarios más altos pasan a través de la economía, las industrias de exportación al final enfrentan salarios y costos de producción más altos, que disminuyen su posición competitiva en los mercados internacionales.

Finalmente, los aranceles a la importación tienen *repercusiones internacionales* que llevan a reducciones en las exportaciones nacionales. Los aranceles ocasionan que el volumen de las importaciones disminuya, lo que a su vez disminuye los ingresos de exportación de otras naciones y también su capacidad para importar. El decremento en los ingresos por exportaciones provenientes del extranjero ocasiona una menor demanda de las exportaciones de una nación y lleva a una caída en la producción y el empleo en sus industrias de exportación.

Si las empresas exportadoras nacionales se ven afectadas por los aranceles sobre la importación, ¿por qué no son más vigorosas las protestas en contra de dichas políticas? Un problema es que los aumentos inducidos por los aranceles en los costos para las empresas exportadoras son sutiles e invisibles. Muchos exportadores pueden no estar conscientes de su existencia. También, los aumentos de costos inducidos por los aranceles pueden ser de tal magnitud que algunas empresas exportadoras potenciales son incapaces de desarrollarse y no tienen una base tangible para una resistencia política.

Las empresas estadunidenses que utilizan acero brindan un ejemplo de exportadores que se oponen a los aranceles de importación. Sus funcionarios afirman que las restricciones a las importaciones de acero serían dañinas para las industrias estadunidenses que utilizan dicho metal y que emplean a unos 13 millones de trabajadores, en comparación con los menos de 200,000 trabajadores empleados por los productores de acero estadunidenses. En la economía global, los usuarios de acero estadunidenses deben competir con fabricantes extranjeros eficientes de todo tipo de instalaciones , maquinarias y medios de transporte de consumo e industriales, todo desde automóviles y removedores de tierra hasta refacciones básicas. Forzar a los fabricantes estadunidenses a pagar considerablemente más por insumos de acero que sus competidores extranjeros sería un triple golpe para los fabricantes estadunidenses: *1)* aumento en los costos de las materias primas, *2)* amenaza de acceso a productos de acero no fabricados en Estados Unidos y *3)* aumento en la competencia del extranjero en los productos que fabrican. Una medida tal sencillamente desplazaría a estas empresas hacia el extranjero y, con ello, devastaría a las empresas estadunidenses que utilizan acero, la mayor parte de las cuales son pequeñas empresas.[7]

ARANCELES Y POBREZA

Los estudios empíricos con frecuencia mantienen que los costos de bienestar de los aranceles pueden ser altos. Los aranceles también afectan la distribución del ingreso dentro de una sociedad. Una preocupación legítima de los funcionarios del gobierno es si los costos del bienestar de los aranceles uniforman a todas las personas de un país o si algunos grupos de ingresos hacen un pago desproporcionado de los costos.

Diversos estudios han considerado los efectos de la distribución de ingresos de los aranceles sobre la importación y concluyen que los aranceles tienden a ser inequitativos porque imponen los costos más severos en las *familias de bajos ingresos.* Por ejemplo, los aranceles con frecuencia se aplican a productos en el extremo más bajo de la gama de precios y de calidad. Los productos básicos como zapatos y ropa están sujetos a aranceles y estos productos constituyen un porcentaje grande de los presupuestos de las familias de bajos ingresos. Así, los aranceles pueden ser igualados a los impuestos de ventas en los productos protegidos y, como por lo general ocurre con los impuestos sobre ventas, sus efectos son *regresivos.* En términos sencillos, la política arancelaria estadunidense es severa con la gente pobre: las madres solteras jóvenes que compran ropa y zapatos económicos en Wal-Mart a menudo pagan tasas arancelarias de 1 a 10 veces mayores que las tasas que pagan las familias ricas cuando compran en tiendas de lujo como Nordstrom.[8] Los acuerdos comerciales internacionales han eliminado la mayoría de los aranceles estadunidenses en productos de alta tecnología como aviones, semiconductores, computadoras, equipo médico y medicinas. Los acuerdos también han reducido las tasas, a menos de 5 por ciento, en productos manufacturados de rango mediano como automóviles, televisores, pianos, plumones y muchos productos de consumo suntuosos. Más aún, los aranceles sobre recursos naturales, como el petróleo, los metales y los productos agrícolas, como el chocolate y el café que no se cultivan en Estados Unidos, por lo general, están cerca de cero. Sin embargo, la ropa, equipaje, zapatos, relojes y cubiertos de mesa de bajo costo han quedado excluidos de la mayoría de las reformas arancelarias y, por lo tanto, sus aranceles se mantienen comparativamente altos. Por ejemplo, los aranceles en la ropa varían de 10 a 32 por ciento.

Los aranceles varían de un producto de consumo a otro. Son mucho más altos en los productos baratos que en los de lujo. Esta disparidad ocurre porque a las empresas de lujo como Ralph Lauren, Oakley o Coach, que venden su nombre e imagen de marca, no les importan las pequeñas ventajas de precios. Como no han cabildeado en el gobierno estadunidense para obtener aranceles altos, las tasas en los productos de lujo como lencería de seda, cubiertos de plata, tarros de cerveza de cristal templado y bolsas de mano de piel de víbora son muy bajas. Por su parte los productores de vasos económicos para agua, cubiertos de mesa de acero inoxidable, lencería de nailon y bolsas de plástico se benefician al agregar unos puntos porcentuales a los precios de sus competidores, así que en los productos más baratos, los aranceles son aún más altos que lo sugerido en los promedios generales de productos de consumo, como se puede ver en la tabla 4.8. En términos sencillos, los aranceles estadunidenses son más altos en los productos más importantes para la gente pobre. Los aranceles de la mayoría de los socios comerciales estadunidenses operan de forma similar.

---

[7] U.S. Senate Finance Committee, *Testimony of John Jenson*, 13 de febrero de 2002.
[8] Edward Gresser, "Toughest on the Poor: America's Flawed Tariff System", Foreign Affairs, noviembre-diciembre de 2002, pp. 19-23 y Susan Hickok, "The Consumer Cost of U.S. Trade Restraints", *Federal Reserve Bank of New York, Quarterly Review*, verano de 1985, pp. 10-11.

Tabla 4.8	
Los aranceles estadunidenses son altos en los productos baratos y bajos en los de lujo	
Producto	**Tasa arancelaria (porcentaje)**
Ropa interior de mujer	
Fibras hechas a mano	16.2
Algodón	11.3
Seda	2.4
Camisas tejidas de hombre	
Fibras sintéticas	32.5
Algodón	20.0
Seda	1.9
Bolsas de mano	
De plástico	16.8
De piel, menos de 20 dólares	10.0
De piel de reptil	5.3

Fuente: Tomado de U.S. International Trade Commission, *Tariff Schedules of the United States*, Washington, DC, Government Printing Office, 2008, disponible en http://www.usitc.gov/.

Además de recaer sobre la gente pobre, la política arancelaria estadunidense afecta a distintos países en diversas formas. En especial son una carga para los países que se especializan en los productos más baratos, notablemente países muy pobres de Asia y Medio Oriente. Por ejemplo, los aranceles promedio en las exportaciones europeas a Estados Unidos (principalmente automóviles, computadoras, equipo de energía y químicos) en la actualidad apenas exceden 1 por ciento. Los países en desarrollo como Malasia, que se especializa en productos de tecnología de información, enfrentan tasas arancelarias igual de bajas. Lo mismo resulta para los países exportadores de petróleo como Arabia Saudita y Nigeria. Sin embargo, los países asiáticos como Camboya y Bangladesh son golpeados con más fuerza por los aranceles estadunidenses: sus productos de consumo baratos con frecuencia enfrentan tasas de 15 por ciento o más, unas 10 veces más que el promedio mundial.

ARGUMENTOS PARA LAS RESTRICCIONES COMERCIALES

En principio, el **argumento de libre comercio** es persuasivo. Afirma que si cada nación produce lo que hace mejor y permite el comercio, a largo plazo todos disfrutarán de precios más bajos y niveles de producción, ingresos y consumo de los que podrían alcanzarse en aislamiento. En un mundo dinámico, la ventaja comparativa siempre está modificándose debido a los cambios en tecnologías, productividad de los insumos y los salarios, así como en los gustos y las preferencias. Un mercado libre obliga a llevar a cabo ajustes: la eficiencia de una industria debe mejorar si no los recursos fluirán de los usos de baja productividad a aquéllos con una alta productividad. Los aranceles y las otras barreras al comercio son vistos como herramientas que evitan que la economía pase por un ajuste, lo que resultaría en un estancamiento económico.

Aunque el argumento de libre comercio tiende a dominar en las aulas, casi todas las naciones han impuesto restricciones en el flujo internacional de productos, servicios y capital. Con frecuencia quienes promueven el proteccionismo dicen que el libre comercio está bien en teoría, pero que no aplica para el mundo real. La teoría moderna del comercio asume mercados en competencia perfecta cuyas características no reflejan las condiciones del mercado del mundo real. Más aún, aunque los proteccionistas pueden conceder que las pérdidas económicas ocurren con los aranceles y otras restricciones, con frecuencia afirman que los beneficios no económicos, como la seguridad nacional, contrarrestan las pérdidas económicas. Al buscar protección frente a las importaciones, las industrias nacionales y los sindicatos intentan asegurar su bienestar económico. Con el paso de los años, se han propuesto muchos argumentos para presionar al presidente y al Congreso estadunidenses para implantar mediciones restrictivas.

Protección al empleo

El tema de los empleos ha sido un factor determinante para motivar a los funcionarios del gobierno a imponer restricciones comerciales en los productos importados. Durante los periodos de recesión económica, los trabajadores están especialmente ansiosos por señalar que los productos extranjeros baratos minan la producción nacional, lo que resulta en una pérdida de empleos nacionales frente al trabajo extranjero. Las supuestas pérdidas de empleo frente a la competencia extranjera históricamente han sido una fuerza importante detrás del deseo de la mayoría de los líderes laborales estadunidenses para rechazar las políticas de libre comercio.

Sin embargo, este punto de vista tiene una seria omisión: no reconoce la naturaleza dual del comercio internacional. Los cambios en las importaciones de productos y servicios de una nación están estrechamente relacionados con los cambios en sus exportaciones. Las naciones exportan productos porque desean importar productos de otras naciones. Cuando Estados Unidos importa productos, los extranjeros ganan poder de compra que eventualmente será gastado en productos, servicios o activos financieros estadunidenses. Entonces las industrias estadunidenses de exportación disfrutan de ganancias en ventas y empleo, mientras que lo contrario ocurre en las industrias estadunidenses que compiten en las importaciones. Más que promover el desempleo general, las importaciones tienden a generar oportunidades laborales en algunas industrias como parte del proceso por el que disminuye el empleo en otras industrias. Sin embargo, las ganancias laborales debidas a las políticas comerciales abiertas tienden a ser menos visibles al público que las pérdidas de empleos, rápidamente observables, que se derivan de la competencia extranjera. Las pérdidas más notables han llevado a muchas empresas estadunidenses y a los líderes laborales a sumar fuerzas en su oposición al libre comercio.

Las restricciones aumentan el empleo en la industria protegida (como el acero) al aumentar el precio (o reducir la oferta) de los productos de importación en competencia. Las industrias que son principalmente proveedoras de insumos para la industria protegida también ganan empleos. Sin embargo, las industrias que compran el producto protegido (como los fabricantes de automóviles) enfrentan costos más altos; luego, estos costos se transfieren al consumidor a través de costos más altos y provocan menos ventas. Por tanto, el empleo cae en estas industrias relacionadas.

Los economistas del Banco de la Reserva Federal de Dallas han examinado los efectos en el empleo estadunidense de las restricciones comerciales en los textiles y la ropa, el acero y los automóviles. Ellos concluyen que la protección comercial tiene poco o ningún efecto positivo en el nivel del empleo a largo plazo. Las restricciones comerciales tienden a proporcionar ganancias laborales en sólo unas cuantas industrias, mientras que resultan en pérdidas de empleos a lo largo de muchas industrias.[9]

Un hecho sorprendente acerca de los esfuerzos por preservar empleos es que cada empleo con frecuencia ¡termina por costar a los consumidores nacionales más que el salario del trabajador! En 1986, se reportó que el costo anual del consumidor por proteger cada empleo preservado en la industria del acero de especialidad en Estados Unidos fue de un millón de dólares por año; esto fue mucho más alto que el salario que recibiría un empleado en esa industria. El hecho de que los costos para los consumidores por cada empleo salvado sean tan altos, socavan el argumento de que se debe utilizar un enfoque alterno para ayudar a los trabajadores y que los trabajadores que salen de una industria que enfrenta la competencia extranjera deben ser liberalmente compensados (subsidiados) para moverse a nuevas industrias o tomar un retiro anticipado.[10]

---

[9] Linda Hunter, "U.S. Trade Protection: Effects on the Industrial and Regional Composition of Employment", Federal Reserve Bank of Dallas, *Economic Review*, enero de 1990, pp. 1-13.

[10] Otros ejemplos del costo anual de las restricciones de importaciones por empleo ahorrado para el consumidor estadunidense: refacciones básicas, $550,000; motocicletas, $150,000; hongos, $117,000; automóviles, $105,000, y zapatos, $55,000. Véase Gary Hufbauer *et al.*, *Trade Protection in the United States: 31 Case Studies*, Institute for International Economics, Washington, D. C., 1986.

Tabla 4.9

Costos de compensación salarial en dólares para los trabajadores de la manufactura, 2011

País	Compensación por hora (dólares por hora)
Dinamarca	51.67
Alemania	47.38
Canadá	36.56
Estados Unidos	35.53
Nueva Zelanda	23.38
Corea del Sur	18.91
Taiwán	9.34
México	6.48
Filipinas	2.01

Fuente: Tomado de U.S. Department of Labor, Bureau of Labor Statistics, *International Comparisons of Hourly Compensation Costs in Manufacturing, 2012*, disponible en http://www.bls.gov.

Protección contra la mano de obra extranjera barata

Uno de los argumentos más comunes para justificar el amparo proteccionista de las restricciones comerciales es que los aranceles son necesarios para defender los empleos nacionales frente al trabajo extranjero barato. Como se indica en la tabla 4.9, a los trabajadores de producción en Alemania y Estados Unidos se les ha pagado salarios mucho más altos, en términos del dólar, que los trabajadores en países como Filipinas y México. Así que se podría afirmar que los salarios bajos en el extranjero dificultan que los productores estadounidenses compitan con productores que utilizan trabajo extranjero barato y que, a menos que los productores estadounidenses estén protegidos de las importaciones, los niveles de producción nacional y de empleo disminuirán.

Cuando Maytag reubicó su producción de lavadoras y secadoras de ropa de Iowa a México, la razón principal fue la mano de obra barata. La misma consideración hizo que Levi Strauss and Co., el famoso productor estadounidense de *jeans*, reubicara su producción de Estados Unidos a México y China.

De hecho, se cree ampliamente que la competencia de los productos fabricados en los países de bajos ingresos es injusta y dañina para los trabajadores estadounidenses. Más aún, se considera que a las empresas que fabrican productos en los países extranjeros para aprovechar la mano de obra barata no se les debería permitir dictar los salarios pagados a los trabajadores estadounidenses. Una solución: imponer un arancel o impuesto a los productos traídos a Estados Unidos que sea igual a la diferencia salarial entre los trabajadores extranjeros y los estadounidenses de la misma industria. De esa forma, la competencia dependería de quién hace el mejor producto, no de quién trabaja por menos dinero. Por tanto, si Calvin Klein quiere fabricar sudaderas en Pakistán, a su empresa se le cobraría un arancel o impuesto igual a la diferencia entre los ingresos de un trabajador pakistaní y un trabajador de ropa estadounidense.

Aunque este punto de vista puede resultar atractivo, no reconoce los vínculos entre los costos de eficiencia, salarios y costos de producción. Incluso si los salarios nacionales son más altos que los del extranjero y si el trabajo nacional es más productivo que el extranjero, los costos de trabajo nacional aún pueden ser competitivos. Los costos totales de trabajo reflejan no sólo la tasa salarial sino también la producción por hora de trabajo. Si la superioridad productiva del trabajo nacional excede la tasa salarial nacional más alta, los costos de trabajo de la nación en realidad serán menores de lo que son en el extranjero. La mano de obra barata de los países en desarrollo de hecho se ve contrarrestada a menudo por la más alta productividad de los trabajadores en Estados Unidos.

TABLA 4.10

Productividad, salarios y costos unitarios del trabajo, en relación con Estados Unidos: manufactura total (Estados Unidos = 1.0)

País	Productividad del trabajo en relación con Estados Unidos	Salarios en relación con Estados Unidos*	Costo unitario del trabajo en relación con Estados Unidos	
Hong Kong (2008)	0.21	0.44	2.09	↑
Mauricio (2007)	0.06	0.12	2.00	
Sudáfrica (2008)	0.14	0.27	1.93	
Unión Europea (2009)	0.46	0.84	1.83	
Reino Unido (2009)	0.50	0.84	1.68	Estados Unidos más competitivo
Singapur (2008)	0.40	0.61	1.53	Estados Unidos menos competitivo
Japón (2008)	0.67	0.72	1.07	
México (2009)	0.18	0.17	0.94	
Corea del Sur (2006)	0.71	0.61	0.86	
Polonia (2006)	0.26	0.20	0.77	
China (2008)	0.12	0.08	0.67	↓

* Al tipo del cambio del mercado.

Fuentes: El autor desea agradecer al profesor Steven Golub de Swarthmore College, que proporcionó datos para este cuadro. Consulte también sus publicaciones, *CESifo Working Paper* en el Center for Economic Studies, Universidad de Múnich, Múnich, Alemania, 2011. Véase también: Janet Ceglowski y Stephen Golub, "Are China's Labor Costs Still Low?" Este documento fue preparado para la *CESifo Conference on China and the Global Economy Post Crisis*, que tuvo lugar en in Venecia, Italia, el 8 de julio de 2011.

En la tabla 4.10, se muestra la productividad del trabajo (producto por trabajador), los salarios y los costos del trabajo unitarios en la manufactura, en relación con Estados Unidos, para varias naciones en el periodo 2006-2009. Se aprecia que los salarios en estas naciones sólo eran una fracción de los salarios estadunidenses; sin embargo, los niveles de productividad en estas naciones también eran una fracción de la productividad del trabajo estadunidense. Incluso si los salarios en un país extranjero son más bajos que en Estados Unidos, el país tendría costos del trabajo unitarios más altos si la productividad del trabajo es suficientemente más baja que la productividad del trabajo estadunidense. Este fue el caso de Hong Kong, Sudáfrica, Japón y el Reino Unido, donde la razón del costo del trabajo unitario (razón del costo del trabajo unitario = razón salarial/razón de productividad del trabajo) fue mayor que 1.0. Los costos unitarios del trabajo de estas naciones excedieron a los de Estados Unidos, porque la brecha de productividad de sus trabajadores excedió la brecha salarial. En términos sencillos, los salarios bajos por sí mismos no garantizan costos de producción bajos. Si esto fuera así, países como Botsuana y Malasia dominarían el comercio mundial.

Otra limitante del argumento de la mano de obra extranjera barata es que las naciones de salarios bajos tienden a sólo tener una ventaja competitiva en la fabricación de productos que requieren gran cantidad de trabajo y poco de los demás factores de producción; es decir, sólo cuando los salarios son el componente más grande de los costos totales de producción. Es verdad que una nación de salarios altos puede tener una desventaja de costos relativa en comparación con su socio comercial de salario bajo en la fabricación de los productos intensivos en trabajo, pero esto no significa que los productores extranjeros puedan vender a menor costo que el país en el que se realiza el comercio en todas las líneas de producción y que ocasione el decremento general del estándar de vida nacional. Las naciones extranjeras deben utilizar los ingresos de sus ventas de exportación para comprar los productos en que el país tenga una ventaja competitiva; productos que requieran una participación importante de los factores de producción que sean abundantes de forma local.

Recuerde que la teoría de la dotación de factores sugiere que conforme se integran las economías a través del comercio, los pagos de recursos tienden a volverse iguales en las distintas naciones, dados los mercados competitivos. Una nación con trabajo costoso tenderá a importar productos que incluyen grandes cantidades de trabajo. Conforme las importaciones aumentan y la producción nacional disminuye, la reducción resultante en la demanda de trabajo nacional ocasionará que los salarios nacionales caigan al nivel de los extranjeros.

Equidad en el comercio: un campo de juego nivelado

La equidad en el comercio es otra razón para el proteccionismo. Las empresas comerciales y los trabajadores con frecuencia afirman que los gobiernos extranjeros juegan con un conjunto de reglas diferentes a las del gobierno local, lo que da a las empresas extranjeras ventajas competitivas injustas. Los productores nacionales afirman que deben implantarse restricciones de importaciones para contrarrestar estas ventajas extranjeras y crear así **un campo de juego nivelado** en el que todos los productores puedan competir en términos equitativos.

Las empresas estadunidenses con frecuencia afirman que las empresas extranjeras no están sujetas a las mismas regulaciones gubernamentales en cuanto al control de la contaminación y la seguridad de los trabajadores; esto es especialmente cierto en muchas naciones en desarrollo (como México y Corea del Sur), donde las leyes ambientales y su aplicación han sido laxas. Es más, las empresas extranjeras pueden no pagar tanto en impuestos corporativos sobre la renta ni tener que cumplir con regulaciones de empleo como una acción afirmativa, salarios mínimos y pago de tiempo extra. También, los gobiernos extranjeros pueden erigir barreras al comercio altas que efectivamente cierren sus mercados a las importaciones o que puedan subsidiar a sus productores como para resaltar su competitividad en los mercados mundiales.

Con frecuencia, estos argumentos de comercio justo se enuncian en los cabildeos organizados por quienes pierden ventas ante los competidores extranjeros. Son atractivos para los votantes porque se expresan en términos de juego limpio y trato equitativo. Sin embargo, hay varios argumentos en contra de la imposición de restricciones en las importaciones de naciones que tienen altas restricciones comerciales o que imponen menores cargas reguladoras en sus productores.

Primero, el comercio beneficia a la economía nacional, incluso si las naciones extranjeras imponen restricciones comerciales. Aunque las restricciones extranjeras que reducen las exportaciones estadunidenses pueden disminuir el bienestar estadunidense, tomar represalias al imponer barreras de importación propias, que protegen a los productores nacionales ineficientes, disminuye aún más su bienestar.

Segundo, el argumento no reconoce el impacto potencial en el comercio global. Si cada nación aumentara las restricciones comerciales siempre que las restricciones extranjeras fueran más altas que las nacionales, ocurriría una escalada de restricciones a nivel mundial; esto llevaría a un menor volumen de comercio, niveles decrecientes de producción y empleo y una reducción en el bienestar. Se puede amenazar con restricciones comerciales si las naciones extranjeras no reducen sus restricciones; pero si las negociaciones caen y se emplean restricciones nacionales, el resultado es indeseable. Las prácticas comerciales de otros países rara vez son una justificación adecuada para imponer restricciones comerciales nacionales.

Mantenimiento del estándar de vida nacional

Quienes defienden las barreras al comercio con frecuencia afirman que los aranceles son útiles para mantener altos niveles de ingresos y empleo en la nación. Se afirma que al reducir el nivel de las importaciones, los aranceles alientan el gasto en bienes locales, lo que estimula la actividad económica nacional. Como resultado, se mejorará el nivel de empleo e ingresos de la nación.

Aunque este argumento parece atractivo a primera vista, amerita diversas consideraciones. Todas las naciones juntas no pueden imponer aranceles para reforzar los estándares nacionales de vida. Esto es porque los aranceles provocan una redistribución de las ganancias del comercio entre las naciones. El grado en que una nación imponga un arancel que mejore su ingreso y su empleo, es el grado en que actúa a costa del estándar de vida de su socio comercial. Las naciones afectadas por las barreras al comercio es probable que impongan aranceles en represalia, que resulten en un nivel más bajo de bienestar para todas las naciones. No sorprende que las restricciones arancelarias diseñadas para mejorar el estándar de vida de una nación a costa de su socio comercial se conozcan como políticas de *empobrecimiento al vecino*.

Igualación de los costos de producción

Los promotores de un **arancel científico** buscan eliminar lo que consideran una competencia injusta del extranjero. Debido a factores como costos de salario más bajo, concesiones de impuestos o subsidios gubernamentales, los vendedores extranjeros pueden disfrutar de ventajas de costos por arriba de las empresas nacionales. Para contrarrestar dicha ventaja, se debe imponer aranceles equivalentes al diferencial de costos. Dichas provisiones fueron en realidad parte de las leyes arancelarias estadunidenses de 1922 y 1930.

En la práctica, la propuesta del arancel científico presenta diversos problemas. Como los costos difieren de una empresa a otra dentro de una industria determinada, ¿cómo podrían compararse en realidad los costos? Suponga que los productores estadunidenses de acero recibieran protección de los productores de acero en el extranjero. Esto requeriría que los costos del productor extranjero más eficiente fueran igualados a los costos más altos de la empresa menos eficiente de Estados Unidos. Dadas las condiciones de costos actuales, los precios ciertamente se incrementarían en Estados Unidos. Esto beneficiaría a las empresas estadunidenses más eficientes, que disfrutarían de utilidades económicas, pero el consumidor estadunidense estaría subsidiando una producción ineficiente. Como el arancel científico se aproxima a un arancel prohibitivo, contradice por completo la noción de una ventaja comparativa y elimina la base para el comercio y las ganancias del comercio.

Argumento de las industrias incipientes

Uno de los casos más comúnmente aceptados para protección arancelaria es el **argumento de las industrias incipientes**. Este argumento no niega la validez del caso del libre comercio. Sin embargo, afirma que para que el libre comercio tenga sentido, las naciones que comercian deben proteger en forma temporal sus industrias de nuevo desarrollo de la competencia extranjera. De otra forma, las empresas extranjeras maduras, que en ese momento son más eficientes, pueden sacar del mercado a las empresas incipientes. Sólo después de que las empresas incipientes han tenido tiempo de volverse productores eficientes, se deben eliminar las barreras arancelarias y se puede realizar un libre comercio.

Aunque hay cierta verdad en el argumento de las industrias incipientes, se debe evaluar en varios aspectos. Primero, una vez que se impone un arancel proteccionista, es muy difícil retirarlo, incluso después de haber alcanzado una madurez industrial. Los grupos de interés especial con frecuencia pueden convencer a quienes elaboran las políticas de que una mayor protección está justificada. Segundo, es muy difícil determinar qué industrias serán capaces de obtener una ventaja comparativa potencial y, por tanto, ameritar protección. Tercero, el argumento de la industria incipiente por lo general no es válido para naciones industrializadas maduras, como Estados Unidos, Alemania y Japón. Finalmente, puede haber otras formas de proteger una industria en desarrollo de la competencia brutal. Más que adoptar un arancel proteccionista, el gobierno podría otorgar un subsidio a la industria. Un subsidio tiene la ventaja de no distorsionar el consumo nacional y los precios relativos; su inconveniente es que, en lugar de generar ingresos, como lo hace un arancel de importación, un subsidio gasta el ingreso gubernamental.

Argumentos no económicos

Las consideraciones no económicas también refuerzan los argumentos del proteccionismo. Una de esas consideraciones es la *seguridad nacional*. El argumento de la seguridad nacional afirma que un país puede ponerse en peligro en el caso de una crisis internacional o guerra si es muy dependiente de los proveedores extranjeros. Aunque los productores nacionales no son tan eficientes, la protección arancelaria deberá otorgarse para asegurar su existencia. Un buen ejemplo de este argumento incluye a las más importantes naciones árabes importadoras de petróleo, que impusieron boicots a Occidente para ganar el respaldo para la posición árabe en contra de Israel durante el conflicto de

Medio Oriente de 1973. Sin embargo, el problema es estipular qué constituye una industria esencial. Si el término se define ampliamente, muchas industrias pueden ser capaces de ganar protección frente a las importaciones y el argumento pierde significado.

El argumento de seguridad nacional para el proteccionismo también tiene implicaciones para las inversiones extranjeras, como las adquisiciones en el extranjero de las empresas y los bienes estadunidenses. Aunque Estados Unidos por tradición ha dado la bienvenida a la inversión extranjera, brinda autoridad al presidente para suspender o prohibir cualquier adquisición, fusión o absorción en el extranjero de una corporación estadunidense determinada para amenazar la seguridad nacional de Estados Unidos. Ejemplos de estas acciones consideradas dañinas para la seguridad de Estados Unidos, incluyen la negación de tecnología crítica o productos clave para el gobierno o la industria estadunidenses que transfieren la tecnología crítica o los productos clave al extranjero que son importantes para la defensa nacional o la seguridad nacional, y cerrar o sabotear una instalación crítica en Estados Unidos. Por tanto, el gobierno estadunidense revisa las transacciones de inversión extranjera más allá de la base industrial de defensa, incluida la energía y los recursos naturales, la tecnología, las telecomunicaciones, el transporte y la manufactura. Esas revisiones se han vuelto más estrictas desde el ataque terrorista del 11 de septiembre de 2001.[11]

Otro argumento no económico se sustenta en consideraciones *culturales o sociológicas*. Nueva Inglaterra puede desear preservar la pesca a pequeña escala; Virginia Occidental puede pugnar por aranceles en el vidrio soplado, con el fundamento de que estas habilidades enriquecen el tejido social de la vida; ciertos productos, como los narcóticos, pueden ser considerados socialmente indeseables y se pueden imponer restricciones o prohibiciones a su importación. Estos argumentos constituyen razones legítimas y no pueden ser ignoradas. Todo lo que el economista puede hacer es señalar las consecuencias económicas y los costos de protección e identificar formas alternas de cumplir el mismo objetivo.

En Canadá muchos nacionalistas mantienen que la cultura canadiense es demasiado frágil para sobrevivir sin protección gubernamental. La gran amenaza: el imperialismo cultural estadunidense. Para mantener a los yanquis bajo vigilancia, desde hace mucho, Canadá ha mantenido algunas restricciones en las ventas de las publicaciones y libros de texto estadunidenses. Para la década de los noventa, el paquete del proteccionismo cultural canadiense estaba en expansión. El ejemplo más patente fue una ley de 1994 que imponía un impuesto de 80 por ciento a los anuncios canadienses en las ediciones canadienses de las revistas estadunidenses, en efecto, un esfuerzo por eliminar a los intrusos estadunidenses. Sin protecciones para los medios canadienses, los nacionalistas culturales temían que revistas estadunidenses como *Sports Illustrated*, *Time* y *Business Week*, pronto privarían a los canadienses de la capacidad de leer acerca de ellos mismos en *Maclean's* y *Canadian Business*. Aunque las protestas estadunidenses del impuesto finalmente llevaron a su abolición, el gobierno canadiense continuó el análisis de otros métodos para preservar la cultura de su gente.

Es importante señalar que la mayoría de los argumentos que justifican los aranceles se sustenta en el supuesto de que mejorará el bienestar nacional, así como el bienestar individual. La importancia estratégica de los aranceles para el bienestar de los productores que compiten en las importaciones es una de las razones principales de que la liberalización arancelaria recíproca ha sido gradual. No sorprende que los productores que compiten en las importaciones tengan argumentos fuertes y políticamente eficaces de que una mayor competencia extranjera socavará el bienestar de la nación como un todo, así como el propio. Aunque una liberalización de las barreras arancelarias puede ir en detrimento de un grupo en particular, hay que diferenciar entre el bienestar individual y el nacional. Si las reducciones arancelarias ocasionan ganancias de bienestar mayor por el comercio y si la parte afectada puede ser compensada por la pérdida que ha enfrentado, el bienestar nacional general aumentará. Sin embargo, es muy difícil probar que las ganancias contrarrestan en exceso las pérdidas en la práctica.

---

[11] Edward Graham y David Marchick, *U. S. National Security and Foreign Direct Investment*, Institute for International Economics, Washington, D. C., 2006.

En 1845, Frederic Bastiat, el defensor del libre comercio, presentó a la cámara de diputados francesa una sátira devastadora de los argumentos proteccionistas. Su petición solicitaba la aprobación de una ley que requiriera que las personas cerraran todas las ventanas, puertas y demás, para que la industria de las velas estuviera protegida de la competencia "injusta" del sol. Él afirmó que esto sería un gran beneficio para dicha industria, crearía numerosos empleos nuevos y enriquecería a los proveedores. Considere los siguientes extractos de su sátira:

"Estamos sujetos a la intolerable competencia de un rival extranjero, que parece que disfruta de instalaciones superiores para la producción de luz, que inunda el mercado nacional con un precio increíblemente bajo. Desde el momento en que aparece, nuestras ventas se detienen, todos los consumidores se van con él y una rama de la industria francesa cuyas subdivisiones son innumerables se reduce de inmediato a un estancamiento completo. Este rival no es otro que el Sol.

Les pedimos que sean tan gentiles como para aprobar una ley que requiera el cierre de todas las ventanas, buhardillas, tragaluces, persianas, cortinas y mamparas;

en pocas palabras, todas las aberturas, agujeros, grietas y fisuras a través de las cuales la luz del Sol pueda entrar a las casas, en detrimento de nuestras industrias.

Al dejar fuera tanto como sea posible todo el acceso a la luz natural, se crea la necesidad de luz artificial. ¿Hay en Francia una industria que no se beneficie de esto, a través de alguna conexión con este importante objeto? Si se va a consumir más sebo, surgirá una necesidad para un aumento del ganado y las ovejas. Si se consumirá más aceite, ocasionará un aumento en el cultivo del árbol de olivo. La navegación se beneficiará, ya que miles de veleros serían empleados en la pesca de ballenas. En pocas palabras, no hay un mercado que no se desarrollaría en gran medida al conceder nuestras peticiones."

Aunque es indudablemente cierto que la industria de las velas francesas se beneficiaría de una falta de luz solar, los consumidores evidentemente no estarían felices de ser forzados a pagar por luz que podrían obtener en forma gratuita si no hubiera una intervención del gobierno.

Fuente: Frederic Bastiat, *Economic Sophisms*, ed. y trad. de Arthur Goddard, D. Van Nostrand, Nueva York, 1964.

LA ECONOMÍA POLÍTICA DEL PROTECCIONISMO

La historia reciente nos enseña que aumentar la dependencia en el comercio internacional tiene impactos desiguales en los sectores nacionales. Estados Unidos ha disfrutado de ventajas comparativas en productos agrícolas, maquinaria industrial, químicos e instrumentos científicos. Sin embargo, algunas de sus industrias han perdido su ventaja comparativa y sufrido las consecuencias del comercio internacional; entre ellos la ropa y textiles, vehículos motorizados, productos electrónicos, hierro y acero básico y zapatos. Elaborar una política comercial internacional en este ambiente es difícil. El libre comercio puede aportar beneficios sustanciales para la economía general a través de una mayor productividad y precios más bajos, pero grupos específicos pueden beneficiarse si el gobierno les alivia de la competencia de las importaciones. Los funcionarios del gobierno deben considerar estos conflictos de intereses al establecer el curso de la política comercial internacional.

Se ha dedicado considerable atención a lo que motiva a los funcionarios de gobierno al elaborar la política comercial. Como votantes, no se tiene la oportunidad de ir a las encuestas y de votar por una política comercial. En lugar de eso, la formación de las políticas comerciales reside en las manos de los funcionarios electos y de los que ellos designan. Por lo general, se asume que los funcionarios electos forman políticas para maximizar los votos y así permanecer en el cargo. El resultado es una desviación en el sistema político que favorece el proteccionismo.

El **sector sesgado hacia el proteccionismo** de la economía por lo general consiste en empresas que compiten contra las importaciones, sindicatos que representan a los trabajadores y proveedores de las empresas en esa industria. Quienes buscan el proteccionismo con frecuencia son empresas establecidas en una industria que envejece y que han perdido su ventaja comparativa. Los costos altos pueden deberse a la falta de tecnología moderna, procedimientos de administración ineficientes, reglas de trabajo obsoletas o pagos altos a los trabajadores locales. El **sector sesgado hacia el libre comercio** comprende a empresas exportadoras, sus trabajadores y proveedores. También consiste en consumidores, incluidos los comerciantes mayoristas y minoristas y de productos importados.

Los funcionarios públicos entienden que quizá perderán el respaldo político de los miembros del sindicato United Auto Workers (UAW), por ejemplo, si votan en contra de aumentos en los aranceles en las importaciones de automóviles. También entienden que su voto en este asunto no será el factor clave detrás del respaldo político brindado por muchos otros ciudadanos. Su respaldo puede retenerse al atraerlos a otros temas mientras que votan para aumentar el arancel en las importaciones de automóviles para mantener el respaldo del UAW.

Por tanto, la política proteccionista estadunidense es dominada por grupos de interés especial que representan a los productores. Los consumidores por lo general no están organizados, y sus pérdidas debido al proteccionismo son muy dispersas, mientras que las ganancias de la protección se concentran entre los productores bien organizados y los sindicatos en los sectores afectados. Aquellos que se ven afectados por una política proteccionista absorben un costo pequeño y difícil de identificar. Muchos consumidores, aunque pagarán un mayor precio por el producto protegido, no asociarán el precio más alto con la política proteccionista y por tanto no es probable que se preocupen por la política comercial. En cambios, los grupos de interés especial están muy preocupados por proteger sus industrias en contra de la competencia de las importaciones; proporcionan respaldo a los funcionarios públicos que comparten sus puntos de vista y que cabildean en contra de la elección de los que no lo hacen. Es claro que los funcionarios públicos que buscan la reelección serán sensibles a los grupos de interés especial que representan a los productores.

El sesgo político que favorece a los productores nacionales se puede ver en el efecto de la escalada arancelaria, analizado antes en este capítulo. Recuerde que las estructuras arancelarias de las naciones industriales con frecuencia resultan en aranceles sobre la importación más bajos en los productos intermedios y aranceles más altos en los productos terminados. Por ejemplo, las importaciones estadunidenses de hilo de algodón tradicionalmente han gozado de aranceles bajos, mientras que los aranceles más altos han sido aplicados a las importaciones de tela de algodón. El arancel más alto en telas de algodón parece resultar de los ineficaces esfuerzos de cabildeo de los consumidores dispersos, que pierden frente a los productores de telas estadunidenses organizados que cabildean por un proteccionismo. Pero para el hilo de algodón, el resultado proteccionista es menos claro. Los compradores del hilo de algodón son los fabricantes estadunidenses que quieren aranceles bajos en los insumos importados. Estas empresas forman asociaciones comerciales y pueden presionar al Congreso para obtener aranceles bajos en forma tan efectiva como los proveedores estadunidenses de algodón, quienes cabildean en favor de aranceles altos. Entonces, es menos probable que se aplique protección a los productos intermedios importados, como el hilo de algodón.

No sólo el interés del productor nacional tiende a ejercer un mayor peso que el del consumidor nacional en las deliberaciones de políticas comerciales, sino que los productores que compiten con las importaciones también tienden a ejercer una mayor influencia en los legisladores que los productores de exportación, quienes tienen una desventaja aparente para defender lo que más conviene a su industria: sus ganancias del comercio internacional con frecuencia son adicionales a su prosperidad en el mercado nacional, de manera que los productores que son lo suficientemente eficaces para vender en el extranjero a menudo están a salvo de la competencia extranjera en el mercado nacional. La mayoría de las deliberaciones en la política comercial enfatizan la protección de las importaciones y el daño indirecto hecho por las barreras de importación a los productores de exportación tiende a difundirse a lo largo de muchas industrias de exportación. Pero los productores que compiten en importaciones pueden recabar pruebas de daños inmediatos ocasionados por la competencia en el extranjero, incluidos los niveles decrecientes de ventas, utilidades y empleo. Los legisladores tienden a prestar más atención a los argumentos más claros de la industria de competencia en importaciones y ver que un mayor número de votos está en juego entre sus integrantes que entre los integrantes de los productores de exportación.

Un punto de vista del proteccionismo desde la oferta y la demanda

La economía política de la protección de importaciones se puede analizar en términos de oferta y demanda. El proteccionismo lo ofrece el gobierno nacional, mientras que las empresas y los trabajadores nacionales son la fuente de la demanda. La oferta de protección depende de: *1)* los costos para la sociedad, *2)* la importancia política de la industria que compite en importaciones, *3)* los costos del ajuste y *4)* el apoyo público.

Ciertos funcionarios públicos tienen claro que aunque el proteccionismo proporciona beneficios a la industria nacional, la sociedad como un todo paga los *costos*. Estos costos incluyen las pérdidas de un excedente comercial debido a los altos precios y a las pérdidas de peso muerto resultantes conforme se reduce el volumen de importación. Entre más altos sean los costos de protección a la sociedad, menos probable es que los funcionarios del gobierno protejan a una industria de la competencia de las importaciones.

La oferta de proteccionismo también está influida por la *importancia política* de la industria que compite en las importaciones. Una industria que disfruta de una representación fuerte en la legislación está en una posición favorable de ganar la protección de las importaciones. Es más difícil para los políticos estar en desacuerdo con un millón de trabajadores de la industria automotriz que con 20,000 trabajadores de la industria del cobre. El argumento de la seguridad nacional para la protección es una variante en la consideración de la importancia política de la industria. Por ejemplo, las industrias de carbón y de petróleo tuvieron éxito para obtener una cláusula de seguridad nacional en la ley comercial estadunidense que permite la protección si las importaciones amenazan la seguridad nacional.

La oferta de protección también tiende a aumentar cuando las empresas y los trabajadores nacionales enfrentan grandes costos de ajuste a la competencia creciente de importaciones (por ejemplo, el desempleo o las concesiones salariales). Esta protección se puede ver como un método para retrasar la carga completa del *ajuste*.

Finalmente, conforme aumenta el *apoyo público* para un grupo de empresas o trabajadores locales (por ejemplo, si los trabajadores reciben bajos salarios y tienen pocas habilidades laborales alternas), tiende a ofrecerse una mayor cantidad de protección en contra de productos fabricados en el extranjero.

Por el lado de la demanda, los factores que están detrás de la demanda de la industria nacional por proteccionismo son: *1)* la desventaja comparativa, *2)* la penetración de las importaciones, *3)* la concentración y *4)* la dependencia de las exportaciones.

La demanda para la protección surge conforme se intensifica la *desventaja comparativa* de la industria. Esto se puede ver en la industria estadunidense del acero, que en las décadas recientes ha buscado vigorosamente una protección en contra de los fabricantes, japoneses y surcoreanos, de acero de bajo costo.

Los niveles más altos de *penetración de las importaciones*, que sugieren presiones competitivas crecientes para los productores nacionales, también disparan mayores demandas para la protección. Un cambio significativo en la naturaleza del apoyo para el proteccionismo ocurrió a finales de la década de los sesenta, cuando el AFL-CIO abandonó su creencia, por mucho tiempo mantenida, de la conveniencia de los mercados abiertos y respaldó el proteccionismo en su lugar. Este cambio en la posición del sindicato fue principalmente debido al rápido aumento en el ritmo de penetración de las importaciones, que ocurrió durante la década de los sesenta en industrias como las de productos eléctricos y calzado.

Otro factor que puede afectar la demanda de protección es la *concentración* de la producción nacional. Por ejemplo, la industria automotriz estadunidense está dominada por los Tres Grandes. El apoyo para protección a las importaciones puede ser financiado por estas empresas sin temor a que una porción grande de los beneficios del proteccionismo sea devengada por empresas no participantes. Por el contrario, una industria que comprende muchos productores pequeños (por ejemplo, la industria del empacado de carne) se percata de que una porción significativa de las ganancias del proteccionismo pueden ser otorgadas a productores que no contribuyen con una porción justa a los costos de ganar una legislación proteccionista. Así, la demanda de protección tiende a ser más fuerte entre más concentrada sea la industria nacional.

Finalmente, la demanda de protección puede estar influida por el grado de *dependencia de las exportaciones*. Uno esperaría que las empresas cuyas ventas extranjeras constituyen una porción sustancial de las ventas totales (por ejemplo, Boeing) no estuvieran muy preocupadas por la protección de las importaciones. Su principal temor es que la imposición de barreras nacionales al comercio conlleve a represalias en el extranjero, lo que arruinaría sus mercados de exportación. En la sección *Exploración detallada 4.1*, que puede encontrar en la página www.cengage.com/economics/Carbaugh presentamos curvas de oferta en el análisis de aranceles.

RESUMEN

1. Aunque el argumento del libre comercio tiene sólidas justificaciones teóricas, las restricciones comerciales abundan en todo el mundo. Las barreras al comercio son restricciones arancelarias y barreras al comercio no arancelarias.

2. Existen varios tipos de aranceles. Un arancel específico representa una cantidad fija de dinero por unidad del producto importado. Se establece un arancel *ad valorem* como un porcentaje fijo del valor de un producto importado. Un arancel compuesto combina un arancel específico con un arancel *ad valorem*.

3. En relación con los aranceles *ad valorem*, existen diversos procedimientos para la valoración de las importaciones. La medición de libre a bordo (FOB) indica el precio de un producto conforme deja la nación exportadora. La medición de costo-seguro-flete (CIF) muestra el valor del producto cuando llega al puerto de entrada.

4. La tasa de arancel efectiva tiende a diferir de la tasa de arancel nominal cuando la industria nacional que compite en importaciones utiliza recursos importados cuyos aranceles difieren de los del producto final. Generalmente las naciones en desarrollo afirman que muchas naciones avanzadas escalan las estructuras arancelarias en los productos industriales para generar una tasa de protección efectiva de varias veces la tasa nominal.

5. Las leyes comerciales estadunidenses mitigan los efectos de los impuestos de importación al permitir a los importadores estadunidenses posponer y prorratear al paso del tiempo sus obligaciones fiscales por medio de recintos fiscales y de zonas de libre comercio.

6. Los efectos de bienestar de un arancel pueden medirse por su efecto proteccionista, efecto consumo, efecto redistribución, efecto ingreso y efecto de términos de intercambio.

7. Si una nación pequeña impone un arancel a las importaciones, su bienestar necesariamente cae por la cantidad total del efecto proteccionista más el efecto consumo. Si la nación importadora es grande, la imposición de un arancel a la importación puede mejorar sus términos de intercambio internacionales por una cantidad que contrarreste en exceso las pérdidas de bienestar asociadas con el efecto consumo y el efecto proteccionista.

8. Como un arancel es un impuesto en las importaciones, la carga de un arancel cae inicialmente sobre los importadores, quienes deben pagar impuestos al gobierno nacional. Pero luego los importadores transfieren los costos mayores a los compradores a través de aumentos de precios. Así, los exportadores nacionales que compran insumos importados sujetos a aranceles, enfrentan costos más altos y una reducción en la competitividad.

9. Aunque los aranceles pueden mejorar la posición económica de una nación, cualquier ganancia será a costa de otras naciones. Si ocurren represalias arancelarias, el volumen del comercio internacional disminuye y sufre el bienestar mundial. La liberalización arancelaria tiene la intención de promover los mercados libres para que el mundo se pueda beneficiar de los volúmenes comerciales expandidos y una especialización internacional de insumos.

10. Con frecuencia los aranceles se justifican porque protegen el empleo y los salarios nacionales, ayudan a crear un campo de juego nivelado para el comercio internacional, igualan el costo de los productos importados con el costo de los productos nacionales que compiten con las importaciones, permiten a las industrias nacionales ser protegidas en forma temporal de la competencia extranjera hasta que puedan crecer y desarrollarse o proteger a las industrias necesarias para la seguridad nacional.

CONCEPTOS Y TÉRMINOS CLAVE

Arancel (p. 108)

Arancel *ad valorem* (p. 109)

Arancel científico (p. 140)

Arancel como mecanismo recaudatorio (p. 108)

Arancel compuesto (p. 109)

Arancel específico (p. 109)

Arancel óptimo (p. 128)

Arancel proteccionista (p. 108)

Argumento de la industria incipiente (p. 140)

Argumento de libre comercio (p. 135)

Campo de juego nivelado (p. 139)

Cláusula de ensamble en el extranjero (OAP) (p. 115)

Efecto consumo (p. 125)

Efecto de términos de intercambio (p. 128)

Efecto ingreso (p. 125)

Efecto ingreso nacional (p. 128)

Efecto proteccionista (p. 125)

Efecto redistribución (p. 125)

Elusión de aranceles (p. 116)

Escalada arancelaria (p. 115)

Evasión de aranceles (p. 116)

Excedente del consumidor (p. 122)

Excedente del productor (p. 123)

Nación grande (p. 126)

Nación pequeña (p. 123)

Outsourcing (subcontratación) (p. 115)

Peso muerto del arancel (p. 126)

Política de empobrecimiento al vecino (p. 129)

Recinto fiscal (p. 119)

Sector sesgado hacia el libre comercio (p. 143)

Sector sesgado hacia el proteccionismo (p. 143)

Tasa arancelaria efectiva (p. 112)

Tasa arancelaria nominal (p. 112)

Valoración aduanal (p. 110)

Valoración costo-seguro-flete (CIF) (p. 110)

Valoración libre a bordo (FOB) (p. 110)

Zona de libre comercio (FTZ) (p. 119)

PREGUNTAS PARA ANÁLISIS

1. Describa un arancel específico, un arancel *ad valorem* y un arancel compuesto. ¿Cuáles son las ventajas y desventajas de cada uno?

2. ¿Qué métodos utilizan los agentes aduanales para determinar los valores de los productos de importación?

3. ¿Bajo qué condiciones un arancel nominal aplicado a un producto de importación exagera o minimiza la protección real o efectiva que brinda el arancel nominal?

4. Las naciones menos desarrolladas con frecuencia afirman que las estructuras arancelarias de las naciones industrializadas las desalientan en sus esfuerzos por alcanzar la industrialización. Explique.

5. Distinga entre un excedente del consumidor y un excedente del productor. ¿Cómo se relacionan estos conceptos con el bienestar económico de un país?

6. Cuando una nación impone un arancel en la importación de un producto, se desarrollan ineficiencias económicas que devalúan el bienestar nacional. Explique.

7. ¿Qué factores influyen en el tamaño de los efectos ingreso, proteccionista, consumo y redistribución de un arancel?

8. Una nación que impone aranceles en los productos importados puede encontrar que su bienestar mejora si el arancel provoca un cambio favorable en los términos de intercambio. Explique.

9. ¿Cuáles de los argumentos de los aranceles siente que son los más relevantes en el mundo actual?

10. Si los aranceles mejoran el bienestar de una nación, el bienestar del mundo puede declinar. ¿Bajo qué condiciones sería esto cierto?

11. ¿Qué impacto tiene la imposición de un arancel en los términos de intercambio y el volumen comercial de una nación?

12. Suponga que la producción con un valor de 1 millón de dólares de acero en Canadá requiere de un valor de 100,000 dólares de plomo con hierro. Las tasas arancelarias nominales de Canadá por importar estos productos son de 20 por ciento para el acero y de 10 por ciento para el plomo con hierro. Dada esta información, calcule la tasa de protección efectiva para la industria acerera canadiense.

13. ¿El arancel a las importaciones de petróleo estadunidense promueve el desarrollo y la conservación de energía para Estados Unidos?

14. ¿Qué significan los términos *recinto fiscal* y *zona de libre comercio*? ¿En qué forma cada uno de estos ayuda a los importadores a mitigar los efectos de los impuestos nacionales de importación?

15. Suponga que Australia es "pequeña" y por tanto, incapaz de influir en la determinación de los precios mundiales. Sus curvas de demanda y oferta para televisores se muestran en la tabla 4.11. En papel milimétrico, trace, en una misma gráfica, las curvas de demanda y oferta.

Tabla 4.11

Demanda y oferta: televisores (Australia)

Precio de televisores	Cantidad en demanda	Cantidad en oferta
$500	0	50
400	10	40
300	20	30
200	30	20
100	40	10
0	50	0

a. Determine el equilibrio del mercado de televisores de Australia.
   1) ¿Cuál es el precio de equilibro y la cantidad de equilibrio?
   2) Calcule el valor del excedente del consumidor y el excedente del productor australiano.
b. Bajo condiciones de libre comercio, suponga que Australia importa televisores a un precio de $100 cada uno. Determine el equilibrio del libre comercio y represéntelo de forma gráfica.
   1) ¿Cuántos televisores se van a producir, consumir e importar?
   2) Calcule el valor en dólares del excedente del consumidor y del excedente del productor australiano.
c. Para proteger a sus productores de la competencia extranjera, suponga que el gobierno australiano impone un arancel específico de $100 en televisores importados.
   1) Determine y muestre en una gráfica los efectos del arancel en el precio de los televisores en Australia, la cantidad de televisores ofrecidos por los productores australianos, la cantidad de televisores demandados por los consumidores australianos y el volumen comercial.
   2) Calcule la reducción en el excedente del consumidor australiano debido al aumento inducido por el arancel en el precio de los televisores.
   3) Calcule el valor de los efectos consumo, proteccionista, redistribución e ingreso.
   4) ¿Cuál es la cantidad de pérdida de bienestar por el peso muerto impuesta por el arancel a la economía australiana?
16. Suponga que Estados Unidos, como nación importadora de acero, es lo suficientemente grande para que los cambios en la cantidad de sus importaciones influyan en el precio mundial del acero. Las curvas de oferta y demanda estadunidenses de acero se ilustran en la tabla 4.12, junto con la cantidad general de acero ofrecida a los consumidores estadunidenses por los productores nacionales y extranjeros.

Tabla 4.12

Oferta y demanda: toneladas de acero (EUA)

Precio por tonelada	Cantidad en oferta (nacional)	Cantidad en oferta (nacional + importaciones)	Cantidad en demanda
$100	0	0	15
200	0	4	14
300	1	8	13
400	2	12	12
500	3	16	11
600	4	20	10
700	5	24	9

En papel milimétrico, presente en la misma gráfica las curvas de oferta y demanda.

a. Con libre comercio, el precio de equilibrio del acero es $_____ por tonelada. A este precio, los compradores estadunidenses compran _____ toneladas, los productores estadunidenses ofertan _____ toneladas y se importan _____ toneladas.
b. Para proteger a sus productores de la competencia extranjera, suponga que el gobierno estadunidense impone un arancel específico de 250 dólares por tonelada en las importaciones de acero.
   1) Muestre en una gráfica el efecto del arancel en la curva de oferta general del acero.
   2) Con el arancel, el precio nacional del acero aumenta a $_____ por tonelada. A este precio, los compradores estadunidenses compran _____ toneladas, los productores estadunidenses ofertan _____ toneladas y se importan _____ toneladas.
   3) Calcule la reducción en el excedente del consumidor estadunidense debido al precio inducido por el arancel del acero, así como los efectos de consumo, protección, redistribución e ingreso nacional. La pérdida de bienestar por el peso muerto del arancel es igual a $_____.
   4) Al reducir el volumen de las importaciones con el arancel, Estados Unidos obliga a que disminuya el precio del acero importado hasta $_____. Así, los términos de intercambio estadunidenses (mejoran/empeoran), lo que lleva a (un aumento/una disminución) en el bienestar estadunidense. Calcule el efecto de los términos de intercambio.
   5) ¿Qué impacto tiene el arancel en el bienestar general de Estados Unidos?

EXPLORACIÓN DETALLADA

Para una presentación de curvas de oferta en el análisis de aranceles, consulte *Exploración Detallada 4.1* en: **www.cengage.com/economics/Carbaugh**.

Barreras no arancelarias al comercio

En este capítulo se consideran políticas distintas a los aranceles y que restringen el comercio internacional. Conocidas como **barreras no arancelarias al comercio (BNA)**, dichas medidas van en aumento desde la década de los sesenta y son los temas de mayor discusión en rondas recientes de las negociaciones de comercio internacional. Aunque en las últimas décadas los aranceles han disminuido, las barreras no arancelarias al comercio se han multiplicado. Esto no es una sorpresa. Después de todo, las fuerzas políticas que conducen a altos aranceles no desaparecen una vez que disminuyen los aranceles; entonces deben buscar protección a través de otros canales.

Las barreras no arancelarias al comercio (BNA) agrupan una diversidad de medidas. Algunas tienen consecuencias comerciales sin importancia; por ejemplo, los requerimientos de etiquetado y empaque pueden restringir el comercio, pero sólo de forma marginal. Otras BNA afectan de forma significativa los patrones comerciales; como ejemplos están las cuotas de importación absolutas, las cuotas arancelarias, las restricciones voluntarias a la exportación, los subsidios y los requerimientos de contenido nacional.

CUOTA DE IMPORTACIÓN ABSOLUTA

La barrera no arancelaria al comercio mejor conocida es la cuota de importación que limita la cantidad total de productos que pueden ingresar a un país durante un periodo específico. Hay dos tipos de cuotas de importación: la cuota absoluta y la cuota arancelaria Ambas imponen restricciones a los productos importados. En Estados Unidos estas cuotas son contraladas por el departamento denominado U. S. Customs and Border Protection.

Una **cuota absoluta** es una restricción física en la cantidad de productos que pueden importarse durante un periodo específico; la cuota generalmente limita las importaciones a un nivel por debajo del que ocurriría bajo condiciones de libre comercio. Por ejemplo, una cuota podría establecer que no más de 1 millón de kilogramos de queso o de 20 kilogramos de trigo pueden ser importados durante un periodo específico. Las importaciones que excedan una cuota establecida pueden ser retenidos en un recinto fiscal o en una zona de libre comercio hasta que se abra el siguiente periodo de la cuota o pueden ser destruidos bajo la supervisión del departamento aduanal del gobierno. Para administrar la cuota, el gobierno asigna a determinados importadores **licencias de importación** que les permiten importar el producto sólo hasta cierto límite prescrito independientemente de la demanda del mercado.

Una forma de aplicar las limitaciones de las importaciones es a través de una **cuota global**. Esta técnica permite que un número específico de productos sea importado cada año, pero no especifica de dónde se embarcará el producto o quién tiene permitido importar. Cuando la cantidad específica ha sido importada (la cuota está completa), se rechazan importaciones adicionales del producto por el resto del año.

Sin embargo, la cuota global se vuelve difícil de manejar debido a la prisa de los importadores nacionales y los exportadores extranjeros por embarcar sus productos antes de que la cuota sea cubierta. Quienes importan a principios del año obtienen sus productos; los que importan más tarde podrían no hacerlo. Las cuotas globales están plagadas de acusaciones de favoritismo en contra de aquellos comerciantes lo suficientemente afortunados para ser los primeros en captar una porción grande del negocio.

Para evitar los problemas de un sistema de cuota global, se asignan normalmente cuotas de importación a determinados países; este tipo de cuota se conoce como **cuota selectiva**. Por ejemplo, un país puede imponer una cuota global de 30 millones de manzanas importadas al año, de las cuales 14 millones deben venir de Estados Unidos, 10 millones de México y 6 millones de Canadá. Los funcionarios aduanales de la nación importadora vigilan la cantidad del producto que ingresa al país de cada fuente; una vez que la cuota de esa fuente se ha terminado, ya no se permite importar más producto.

Otra característica de las cuotas es que su uso puede llevar a un monopolio nacional de producción y precios más altos. Como una empresa nacional sabe que los productores extranjeros no pueden sobrepasar sus cuotas, puede aumentar sus precios. Los aranceles no necesariamente llevan a un poder de monopolio, porque con ellos no se establece ningún límite en la cantidad de productos que pueden ser importados a una nación.

Después de la Segunda Guerra Mundial, las cuotas absolutas se convirtieron en una forma muy común de proteccionismo, pues los países intentaban limitar muy estrictamente la cantidad de importaciones. Sin embargo, conforme el mundo se fue encaminando hacia la liberalización del comercio en las décadas de 1960 y 1970, se eliminaron definitivamente del comercio internacional las cuotas absolutas para los productos manufacturados. En la década de 1990, las cuotas absolutas ya también se habían eliminado del comercio de productos agrícolas y éstas fueron reemplazadas por cuotas arancelarias. Como veremos más adelante, la cuota arancelaria no sólo es una barrera comercial menos restrictiva que la cuota absoluta, sino que además, durante las rondas de negociación para la liberalización del comercio en la Organización Mundial del Comercio, es más sencillo negociar reducciones en las tasas arancelarias que aumentos en las cuotas absolutas.

El comercio y los efectos sobre el bienestar

Al igual que un arancel, una cuota absoluta afecta el bienestar de la economía. En la figura 5.1, se representa gráficamente el caso del queso como producto de comercio internacional entre EUA y la Unión Europea. Suponga que Estados Unidos es un país "pequeño" en términos del mercado mundial del queso y que O_{EU} y D_{EU} denotan las curvas de oferta y demanda del queso para Estados Unidos. O_{EU} denota la oferta de la Unión Europea. Bajo libre comercio, el precio del queso de la Unión Europea y del queso de Estados Unidos es igual a $2.50 por libra. A este precio, las empresas estadunidenses producen una libra, los consumidores estadunidenses compran 8 libras y las importaciones de Estados Unidos suman 7 libras.

Suponga ahora que Estados Unidos limita sus importaciones de queso a 3 libras mediante la imposición de una cuota de importación. Por encima del precio de libre comercio, el total de la oferta estadunidense de queso ahora es igual a la producción de Estados Unidos más la cuota. En la figura 5.1, esto se ilustra por un desplazamiento en la curva de oferta de O_{EU} a O_{EU+C}. La reducción en importaciones de 7 a 3 libras incrementa el precio de equilibrio a $5; esto lleva a un aumento en la cantidad ofrecida por las empresas estadunidenses de 1 a 3 libras y a una disminución en la cantidad demandada en Estados Unidos de 8 a 6 libras.

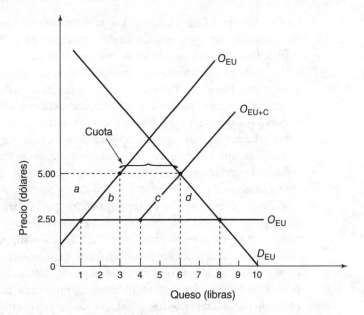

FIGURA 5.1

Cuota de importación: comercio y efectos sobre el bienestar

Al restringir la oferta disponible de un producto de importación, una cuota lleva a precios de importación más altos. Esta protección permite que los productores nacionales que compiten con las importaciones puedan aumentar sus precios. El resultado es una disminución en el excedente del consumidor. De esta cantidad, la pérdida del bienestar hacia la nación importadora consiste en el efecto producción, el efecto consumo y la porción del efecto ingreso que captura el exportador extranjero.

© Cengage Learning

Las cuotas absolutas se pueden analizar en términos de los mismos efectos de bienestar identificados para los aranceles en el capítulo anterior. Como la cuota en nuestro ejemplo ocasiona un aumento de precio de $5 por libra, el excedente del consumidor estadounidense cae por una cantidad igual al área $a + b + c + d$ ($17.50). El área a ($5.00) representa el *efecto redistribución*, el área b ($2.50) representa el *efecto proteccionista* y el área d ($2.50) representa el *efecto consumo*. La *pérdida de peso muerto* de bienestar en la economía como resultado de la cuota se representa por el efecto protección más el efecto consumo.

Pero ¿qué pasa con el *efecto ingreso* de la cuota, que se denota por el área c ($7.50)? Esta cantidad surge del hecho de que los consumidores estadounidenses deben pagar $2.50 adicionales por cada una de las 3 libras de queso importado bajo la cuota, como resultado de la escasez de queso inducida por la cuota. El efecto ingreso representa una "utilidad inesperada", también conocida como "renta por la cuota". Esta renta por la cuota se confiere a quien tenga el derecho de ingresar importaciones y vender los productos en el mercado protegido. ¿A dónde va esta utilidad inesperada?

Para determinar la distribución del efecto ingreso de la cuota, es útil pensar en la serie de intercambios que se presentan en el siguiente ejemplo. Suponga que las empresas exportadoras europeas venden queso a las tiendas de abarrotes (empresas importadoras) en Estados Unidos, que a su vez venden a los consumidores estadounidenses:[1]

---

[1] En este ejemplo se asume que las empresas exportadoras europeas compran queso de los productores europeos que operan en un mercado competitivo. Por tanto, como cada productor es demasiado pequeño para afectar el precio de mercado, no puede capturar ninguna utilidad inesperada bajo una cuota de importación.

Empresas exportadoras → Tiendas estadunidenses → Consumidores
europeas (empresas importadoras)   de abarrotes   estadunidenses

La distribución del efecto ingreso por la cuota se determinará por los precios que prevalezcan en los intercambios entre estos grupos. La determinación de quién obtiene esta utilidad inesperada dependerá de las relaciones competitivas entre las empresas exportadoras e importadoras involucradas.

Un posible resultado ocurre cuando las empresas exportadoras europeas son capaces de coludirse y, en la práctica, se convierten en un vendedor monopólico. Si las tiendas de abarrotes en Estados Unidos se comportan como compradores competitivos, ofertarán compitiendo entre sí para comprar el queso europeo. El precio final del queso aumentará de $2.50 a $5.00 por libra. Así, las empresas exportadoras europeas capturan la utilidad inesperada que resulta de la cuota. La utilidad inesperada de la cuota capturada por los exportadores europeos se traduce en una pérdida de bienestar para la economía estadunidense, además de las pérdidas de peso muerto que resultan de los efectos producción y consumo.

En lugar de este resultado, suponga ahora que las tiendas estadunidenses de abarrotes se organizan como una sola empresa importadora (por ejemplo las tiendas de abarrotes de Safeway) y se convierten en un comprador monopólico. También suponga que las empresas exportadoras europeas operan como vendedores competitivos. En este segundo panorama, las empresas importadoras estadunidenses pueden comprar queso al precio internacional establecido de $2.50 por libra y revenderlo a los consumidores estadunidenses a $5 por libra. En este caso, el efecto ingreso de la cuota es obtenido por las empresas importadoras. Como estas empresas son estadunidenses, este beneficio no representa una pérdida de bienestar para la economía estadunidense.

Otra alternativa se da cuando el gobierno estadunidense puede recaudar el efecto ingreso por la cuota de las empresas importadoras. Suponga que el gobierno vende las licencias de importación a las tiendas de abarrotes estadunidenses. En tal caso, al cobrar por dichas licencias de importación, el gobierno recibe un parte o toda la utilidad inesperada de la cuota. Si las licencias gubernamentales se subastan al mejor postor en un mercado competitivo, el gobierno capturará toda la utilidad inesperada que hubiera ido a parar a las empresas importadoras bajo la cuota. Como el efecto ingreso de la cuota es obtenido por el gobierno de EUA, esta adquisición no representa una pérdida de bienestar par la economía estadunidense (siempre y cuando el gobierno regrese ese ingreso a la economía). Este punto se analizará con mayor detalle en la siguiente sección.

Asignación de licencias de cuota

Como una cuota de importación restringe, normalmente por debajo de la cantidad de libre comercio, la cantidad de las importaciones, no todos los importadores pueden obtener el mismo número de importaciones de las que obtendrían con el libre comercio. Por tanto, los gobiernos asignan una oferta limitada de importaciones a los importadores nacionales.

En el caso del petróleo y de los lácteos, el gobierno estadunidense históricamente ha emitido licencias de importación sobre la base de su participación en el mercado de importación, pero este método discrimina a los importadores que buscan importar productos por primera vez. En otros casos, el gobierno estadunidense ha asignado cuotas de importación mediante el *prorrateo* (proporcional): los importadores estadunidenses reciben entonces una fracción de su demanda igual a la razón entre la cuota de importación y la cantidad total demandada en forma colectiva por los importadores estadunidenses.

Otro método de asignación de licencias entre los importadores nacionales es la subasta de licencias de importación al mejor postor en un mercado competitivo. Esta técnica ha sido utilizada en Australia y Nueva Zelanda. Considere una cuota hipotética en las importaciones estadunidenses de textiles. La cuota impulsa el precio de los textiles en Estados Unidos por encima del precio internacional, lo que convierte a este país en un mercado inusualmente rentable. Las ganancias inesperadas pueden ser captadas por los importadores estadunidenses (por ejemplo Sears y Wal-Mart) si compran textiles al precio internacional más bajo y lo venden a los compradores estadunidenses al precio más alto que la cuota ha posibilitado. En vista de estas ganancias inesperadas, sería probable que los importadores estadunidenses estén dispuestos a pagar por los derechos de importar textiles. Al subastar licencias de importación al mejor postor en un mercado competitivo, el gobierno podría captar las ganancias inesperadas (el efecto ingreso que se muestra como área *c* en la figura 5.1). La competencia entre los importadores por obtener las licencias aumentaría el precio de la subasta a un nivel al que no quedaría ninguna ganancia inesperada y así se transferiría completamente el efecto ingreso al gobierno. En este último caso, la subasta de licencias de importación se convertiría en una cuota muy semejante a un arancel que genera un ingreso fiscal al gobierno.

Las cuotas frente a los aranceles

El análisis anterior sugiere que el efecto ingreso de las cuotas absolutas difiere del efecto ingreso proveniente de los aranceles de importación. Estas dos políticas comerciales también pueden diferir en el impacto que tienen en el volumen comercial. En el siguiente ejemplo se ilustra cómo, durante periodos de demanda creciente, una cuota absoluta restringe el volumen de las importaciones en mayor grado que un arancel de importación equivalente.

En la figura 5.2, se representa una situación hipotética de comercio de automóviles en Estados Unidos. Las curvas de oferta y demanda de automóviles en Estados Unidos están dadas por O_{Eu0} y D_{EU0}; O_{J0} representa la curva de oferta de automóviles japoneses. Suponga que el gobierno estadunidense tiene la opción de imponer un arancel o una cuota absoluta a los automóviles importados, para proteger a las empresas estadunidenses de la competencia extranjera.

En la figura 5.2(*a*), un arancel de $1,000 aumentaría el precio de los automóviles japoneses de $6,000 a $7,000; las importaciones de automóviles caerían de 7 millones a 3 millones de unidades. En la figura 5.2(*b*), una cuota de importación de 3 millones de unidades colocaría a Estados Unidos

---

FIGURA 5.2

Efectos comerciales: aranceles frente a cuotas

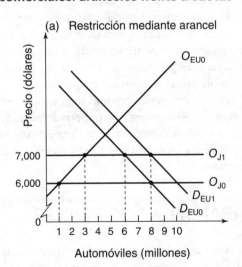

(a) Restricción mediante arancel

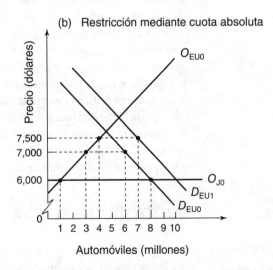

(b) Restricción mediante cuota absoluta

En periodos de demanda creciente, un arancel a la importación es una barrera comercial menos restrictiva que una cuota de importación equivalente. Con un arancel de importación, el ajuste que ocurre en respuesta a un aumento en la demanda nacional es un aumento en la demanda del producto que se importa. Con una cuota de importación, un aumento en la demanda induce un aumento en el precio del producto. El aumento de precio lleva a un aumento en la producción y a una caída en el consumo del producto que compite con las importaciones, mientras que el nivel de las importaciones permanece constante.

en una posición comercial idéntica a lo que ocurre bajo el arancel: la escasez de automóviles inducida por la cuota ocasiona un aumento de precios de $6,000 a $7,000. Hasta ahora parece que el arancel y la cuota son equivalentes en relación con su impacto restrictivo en el volumen comercial.

Ahora suponga que la demanda estadounidense de automóviles aumenta de D_{EU0} a D_{EU1}. En la figura 5.2(a) se muestra que, a pesar de la demanda creciente, el precio de las importaciones de automóviles sigue en $7,000. Esto es porque el precio de Estados Unidos no puede diferir del precio japonés por una cantidad que exceda al impuesto arancelario. Las importaciones de automóviles aumentan de 3 a 5 millones de unidades. Entonces, bajo el arancel de importación, el ajuste toma forma de un aumento en la cantidad de automóviles importada más que un aumento en los precios de los automóviles.

En la figura 5.2(b), un aumento idéntico en la demanda induce un aumento en los precios nacionales de automóviles. Bajo una cuota, no hay un límite en el grado en que el precio estadounidense puede aumentarse por encima del precio japonés. Dado un aumento en los precios nacionales de automóviles, las empresas estadounidenses son capaces de expandir la producción. El precio nacional aumentará hasta que la suma del incremento en la producción más el nivel fijo de las importaciones sea equivalente a la demanda nacional. En la figura 5.2(b), se muestra que un aumento en la demanda de D_{EU0} a D_{EU1} ocasiona un aumento en los precios de los automóviles de $7,000 a $7,500. Al nuevo precio nacional, la producción nacional es igual a 4 millones de unidades y el consumo nacional a 7 millones de unidades. Las importaciones dan un total de 3 millones de unidades, misma cantidad que había producido la cuota antes del aumento en la demanda nacional. Así, el ajuste ocurre en los precios nacionales más que en la cantidad de automóviles importada.

Entonces, durante los periodos de demanda creciente, una cuota absoluta es una barrera comercial más restrictiva que un arancel de importación equivalente. Bajo una cuota, el gobierno arbitrariamente limita la cantidad de importaciones. Bajo un arancel, el precio nacional puede aumentarse por encima del precio internacional sólo por la cantidad del arancel; los consumidores locales pueden comprar cantidades ilimitadas de la importación si están dispuestos a pagar esa cantidad. Incluso si la desventaja comparativa de la industria nacional se vuelve más severa, la cuota prohíbe a los consumidores cambiar al producto importado. Así, una cuota asegura a la industria nacional un techo en las importaciones sin importar las condiciones cambiantes del mercado.[2]

En términos sencillos, una cuota es una barrera más restrictiva a las importaciones que un arancel. Un arancel aumenta el precio nacional, pero puede no limitar el número de productos que pueden importarse a un país. Los importadores son lo suficientemente eficientes para pagar el arancel si obtienen el producto. Es más, un arancel puede contrarrestarse gracias a las reducciones de precio de un fabricante extranjero que puede reducir los costos o los márgenes de utilidad. Así, los aranceles permiten cierto grado de competencia. Sin embargo, al imponer un límite absoluto en el producto importado, una cuota es más restrictiva que un arancel y suprime la competencia. Es decir, el grado de protección que brinda un arancel se determina por el mecanismo del mercado, pero una cuota descarta el mecanismo del mercado. Finalmente, los aranceles generan ingresos para el gobierno; este ingreso se perdería para el gobierno a menos que éste cobrara a los importadores por las licencias de importación. Como consecuencia de esto, los países miembros de la Organización Mundial de Comercio han decidido eliminar de forma progresiva las cuotas absolutas y reemplazarlas primero con cuotas arancelarias y finalmente con aranceles.

CUOTA ARANCELARIA: UN ARANCEL A DOS NIVELES

Otro tipo de cuota de importación es la **cuota arancelaria**. El gobierno estadounidense ha impuesto esta restricción en ciertas importaciones como: acero, escobas, ganado, pescado, azúcar, leche y otros productos agrícolas.

---

[2] Para autoevaluar su comprensión del enfoque que hemos utilizado, usted podría deducir los detalles de las otras dos situaciones hipotéticas: *a)* una reducción en la oferta nacional de automóviles ocasionada por costos crecientes de producción y *b)* una reducción en la demanda nacional debida a una recesión económica.

Como su nombre sugiere, una cuota arancelaria muestra características tipo arancel y tipo cuota. Este instrumento permite que un número determinado de productos sea importado con una tasa arancelaria menor (la *tasa dentro de cuota*) mientras que cualquier importación por encima de ese número determinado de productos será importado con una tasa arancelaria mayor (la *tasa arriba de cuota*). Así pues, no hay un límite absoluto de la cantidad de producto que puede importarse durante el periodo de la cuota. En la práctica, la tasa arancelaria arriba de cuota con frecuencia se establece lo suficientemente alta para prohibir la importación del producto en el mercado nacional.

Una cuota arancelaria tiene dos componentes: *1)* una cuota que define el volumen de importaciones máximo y que cobra el arancel dentro de cuota y *2)* un arancel de tasa diferente arriba de esa cuota. En términos sencillos, una cuota arancelaria es un *arancel a dos niveles*. Las cuotas arancelarias se aplican por cada año comercial y si no se agotan durante un año en particular, se pierde el acceso al mercado determinado por la cuota. En la tabla 5.1, se muestran ejemplos de cuotas arancelarias aplicadas a importaciones estadunidenses.

La cuota arancelaria parece diferir poco de la cuota absoluta analizada previamente en este capítulo. La distinción es, sin embargo, que bajo una cuota absoluta es legalmente imposible importar más de una cantidad determinada del producto, mientras que bajo una cuota arancelaria, en principio, las importaciones pueden exceder dicha cantidad determinada, sólo que al excedente se le aplica un arancel más alto, la *tasa arriba de cuota*. En la práctica, sin embargo, muchas tasas arriba de cuota son prohibitivas y efectivamente excluyen a las importaciones que exceden la cuota.

En relación con la administración de las cuotas arancelarias, la **asignación de licencia bajo demanda** es la técnica más común para el cumplimiento de las cuotas. Bajo este sistema, se requieren licencias para importar con la tasa dentro de cuota, establecidas en Estados Unidos por el Department of U. S. Customs and Border Protection. Antes de que empiece el periodo de la cuota, se invita a los importadores potenciales a solicitar licencias de importación. Si la demanda de licencias es menor que la cuota, el sistema opera por orden de solicitud. Por lo general, si la demanda excede la cuota, el volumen de importación solicitado se reduce en forma proporcionalmente entre todos los solicitantes. Otras técnicas para asignar licencias de cuotas son: por la participación de mercado histórica y por subasta.

En 1995, cuando se fundó la Organización Mundial de Comercio (vea el capítulo 6), los países miembros cambiaron sus sistemas de protección a las importaciones para aquellos productos agrícolas que recibían apoyo de programas agrícolas gubernamentales. La OMC requiere que los miembros conviertan a aranceles todas las barreras no arancelarias al comercio (cuotas de importación, gravámenes variables, licencias discrecionales, prohibiciones categóricas de importación, etcétera) que pudieran aplicarse a las importaciones de los otros miembros. En otras palabras, trasladó todas las barreras no arancelarias a un estándar común, los aranceles, que cualquier exportador puede medir y entender de inmediato. A los miembros se les permite adoptar cuotas arancelarias como un instrumento transicional durante un periodo de conversión. Al momento de escribir este libro, la duración de este periodo de conversión no había sido definida, así que es probable que las cuotas arancelarias sigan presentes por algún tiempo. Los efectos sobre el bienestar de una cuota arancelaria se analizan en la sección *Exploración profunda 5.1* disponible en: www.cengage.com/economics/Carbaugh.

TABLA 5.1

Ejemplos de cuotas arancelarias estadunidenses

Producto	Tasa arancelaria "dentro de cuota"	Umbral de cuota de importación	Tasa arancelaria "arriba de cuota"
Cacahuates	9.35 centavos/kg	30,393 toneladas	187.9% *ad valorem*
Carne	4.4 centavos/kg	634,621 toneladas	31.1% *ad valorem*
Leche	3.2 centavos/kg	5.7 millones L	88.5 centavos/L
Queso Roquefort	10 centavos/kg	2.6 millones kg	$2.60/kg
Algodón	4.4 centavos/kg	2.1 millones kg	36 centavos/kg

Fuente: Tomado de U.S. International Trade Commission, *Harmonized Tariff Schedule of the United States*, Washington, D.C., U.S. Government Printing Office, 2006.

La cuota arancelaria resulta agridulce para los consumidores de azúcar

La industria estadounidense del azúcar proporciona un ejemplo de los efectos de una cuota arancelaria. Por tradición, los agricultores estadounidenses del azúcar han recibido subsidios del gobierno en la forma de un precio mínimo garantizado para el azúcar. Sin embargo, este precio artificialmente alto atraería azúcar importada de menor precio, lo que reduciría el precio. Para evitar este resultado, el gobierno estadounidense interviene en el mercado una segunda vez e implementa una cuota arancelaria que desalienta el ingreso del azúcar importada al mercado nacional.

Las cuotas arancelarias para la caña de azúcar se distribuyen por país entre 41 naciones en total, mientras que las del azúcar refinada se asignan según un orden global de llegada. Para el azúcar que ingresa al mercado estadounidense dentro de la cuota arancelaria, se aplica un arancel más bajo. Para las importaciones de azúcar por encima de la cuota arancelaria, se establece un arancel mucho más alto que virtualmente prohíbe estas importaciones. De esta forma, la cuota arancelaria se aproxima al límite de volumen comercial de una cuota absoluta como la que se analizó antes en este capítulo. Sin embargo, el gobierno estadounidense tiene la opción de elevar la cantidad límite de producto de la cuota arancelaria siempre que crea que la oferta nacional de azúcar pueda ser inadecuada para cumplir con la demanda nacional.

El efecto de la cuota arancelaria es restringir la oferta del azúcar importada a Estados Unidos y así ocasionar que aumente sustancialmente el precio del azúcar en el mercado nacional. El precio del azúcar estadounidense con frecuencia ha llegado a ser hasta el doble del precio mundial debido a la cuota arancelaria. Por ejemplo, en 2013 el precio mundial era en promedio 26 centavos de dólar por libra, mientras que el precio de Estados Unidos fue de 43 centavos de dólar por libra. Esto ocasionó costos más altos para las compañías alimentarias estadounidenses y provocó precios más altos en las tiendas de abarrotes. En consecuencia, algunos productores de dulces, chocolates y cereal para el desayuno, que requieren de cantidades sustanciales de azúcar, se reubicaron en Canadá o México, donde los precios del azúcar son mucho más económicos. Hershey Foods cerró sus plantas de Colorado, California y Pennsylvania y se reubicó en Canadá; Brach's trasladó su producción de dulces de Chicago a México. Para hacer la controversia todavía mayor, los analistas estiman que casi la mitad de los beneficios de estos programas del azúcar llegan sólo al 1% de los cultivadores. ¿Se justifica semejante despliegue de proteccionismo para sólo un pequeño grupo de enriquecidos señores del azúcar?

La cuota arancelaria del azúcar es un ejemplo clásico de beneficios concentrados y costos dispersos. Proporciona ingresos enormes para un número muy pequeño de agricultores y refinadores estadounidenses de azúcar. Sin embargo, los costos que proporcionan estos beneficios se difunden a través de toda la economía estadounidense, en específico entre las familias estadounidenses en su calidad de consumidores y entre los productores que utilizan azúcar como las compañías de bebidas refrescantes. En términos sencillos, la política comercial del gobierno estadounidense para el azúcar es "agridulce" para los consumidores estadounidenses.[3]

CUOTAS DE EXPORTACIÓN

Además de implementar cuotas de importación, los países han recurrido a **cuotas de exportación** para restringir el comercio. Al hacerlo negocian un pacto compartido de mercado conocido como acuerdo de restricción voluntaria a la exportación (también conocido como acuerdo sistemático de *marketing*). Su propósito principal es moderar la intensidad de la competencia internacional, lo que permite a los productores nacionales menos eficientes participar en mercados que, de otra forma, se perderían con productores del extranjero que venden un producto superior a un menor precio. Por ejemplo, Japón puede imponer cuotas a sus exportaciones de textiles a Estados Unidos, o Taiwán puede acordar recortar sus exportaciones de textiles a Estados Unidos. Las cuotas de exportación son

---

[3] Bryan Riley, *Abolish the Costly Sugar Program to Lower Sugar Prices*, The Heritage Foundation, 5 de diciembre de 2012; U.S. International Trade Commission, *The Economic Effects of Significant U.S. Import Restraints*, Washington, D. C., 2011; Mark Groombridge, *America's Bittersweet Sugar Policy*, Cato Institute, Washington, D. C., 4 de diciembre de 2001.

voluntarias en el sentido de que son una alternativa a restricciones comerciales más estrictas que podrían ser impuestas por una nación importadora. Aunque las cuotas voluntarias de exportación regularon el comercio en los televisores, el acero, los textiles, los automóviles y los barcos durante la década de 1980, los acuerdos internacionales recientes han evitado seguir usando esta restricción comercial.

Las cuotas voluntarias de exportación tienden a tener efectos económicos idénticos a las cuotas de importación equivalentes, sólo que son implementadas por la nación exportadora. Así, el efecto ingreso de una cuota de exportación es capturado por la empresa exportadora extranjera o su gobierno. Los efectos sobre el bienestar de una cuota de exportación se analizan con mayor detalle en la sección *Exploración detallada 5.2*, disponible en: www.cengage.com/economics/Carbaugh.

Un análisis de los acuerdos más importantes de restricción voluntaria a la exportación estadunidense de la década de 1980 (automóviles, acero y textiles-ropa) concluyó que aproximadamente 67 por ciento de los costos de estas restricciones para los consumidores estadunidenses fue capturado por los exportadores extranjeros como una ganancia.[4] Desde el punto de vista de la economía estadunidense como un todo, las restricciones voluntarias a la exportación tienden a ser más costosas que los aranceles. Considere a continuación un acuerdo de restricción voluntaria a la exportación de la década de 1980.

Las restricciones de automóviles japoneses frenan a los conductores estadunidenses

En 1981, conforme cayeron las ventas de automóviles estadunidenses, el sentimiento proteccionista ganó apoyo en el Congreso estadunidense y se presentó una legislación que requería cuotas de importación. Este ímpetu fue un factor importante en el deseo de la administración de Reagan de negociar un pacto de restricción voluntaria con los japoneses. La aceptación japonesa de este acuerdo se sustentó en que imponer límites voluntarios a sus cargamentos de automóviles descarrilaría cualquier arrebato proteccionista del Congreso por medidas más estrictas.

El programa de restricción requería cuotas de exportación autoimpuestas en los embarques de automóviles japoneses con Estados Unidos durante tres años, que comenzaron en 1981. Los embarques del primer año se mantendrían en 1.68 millones de unidades, 7.7 por ciento por debajo de las 1.82 millones de unidades exportadas en 1980. Las cuotas fueron extendidas de forma anual, con algún ajuste ascendente en los números del volumen hasta 1984.

El propósito del acuerdo de exportación era llevar a los clientes estadunidenses de las salas de exhibición japonesas a las estadunidenses y así ayudar a los fabricantes de automóviles estadunidenses. Conforme aumentaron las ventas nacionales, también lo hicieron los empleos de los trabajadores estadunidenses de la industria automotriz. Se asumió que la cuota de exportación de Japón ayudaría a la industria automotriz estadunidense mientras pasaba por un periodo de transición de reasignación de la producción hacia automóviles más pequeños de combustible más eficiente y de ajuste de la producción para volverse más competitiva en costos.

No todos los fabricantes de automóviles japoneses fueron igualmente afectados por la cuota de exportación. Al requerir que las compañías automotrices japonesas formaran un cartel de exportación en contra del consumidor estadunidense, la cuota permitía que las empresas grandes (Toyota, Nissan y Honda) aumentaran los precios de los automóviles vendidos en Estados Unidos. Para obtener más ingresos de un número limitado de automóviles, las empresas japonesas enviaron automóviles a Estados Unidos con diseños más elegantes, motores más grandes y más accesorios, aire acondicionado y sistemas de sonido de lujo como equipo estándar. El enriquecimiento del producto también ayudó a los japoneses a ampliar su dominio en el mercado estadunidense y a mejorar la imagen de sus automóviles. Como resultado, los grandes fabricantes japoneses ganaron ganancias récord en Estados Unidos. Sin embargo, la cuota de exportación era impopular con los fabricantes de automóviles japoneses más pequeños, incluidos Suzuki e Isuzu quienes sentían que la asignación de la cuota favorecía a los productores grandes por encima de los pequeños.

---

[4] David Tarr, *A General Equilibrium Analysis of the Welfare and Employment Effects of U.S. Quotas in Textiles, Autos and Steel*, Federal Trade Commission, Washington, D. C., 1989.

El mayor perdedor fue el consumidor estadunidense, quien pagó 660 dólares adicionales por cada automóvil japonés comprado y unos 1,300 dólares adicionales por cada automóvil hecho en Estados Unidos en 1984. De 1981 a 1984, los consumidores estadunidenses pagaron 15,700 millones de dólares por comprar automóviles debido a esa cuota. Aunque la cuota salvó unos 44,000 empleos de la industria automotriz estadunidense, el costo para el consumidor por empleo salvado se estimó en más de 100,000 dólares.[5]

Para 1985, Toyota, Honda y Nissan establecieron plantas de manufactura en Estados Unidos. Un resultado buscado por el sindicato United Auto Workers (UAW) y las compañías automotrices estadunidenses. Su punto de partida fue que al tomar esa acción, los japoneses tendrían que contratar trabajadores estadunidenses y, por tanto, enfrentarían las mismas condiciones competitivas de manufactura que las compañías automotrices estadunidenses. Sin embargo, las cosas no resultaron en la forma en que los intereses automotrices estadunidenses habían anticipado. Al fabricar en el mercado estadunidense, las empresas japonesas desarrollaron nuevos vehículos específicamente para este mercado. Aunque las importaciones sí disminuyeron, los vehículos producidos en las fábricas de trasplante japonesas excedieron la brecha del mercado, así que la porción de los productores estadunidenses del mercado declinó. Es más, la UAW tuvo poco éxito en organizar a los trabajadores en la mayoría de las fábricas trasladadas y, por ende, los japoneses pudieron continuar manteniendo bajos costos de mano de obra.

REQUERIMIENTOS DE CONTENIDO NACIONAL

En la actualidad muchos productos como automóviles y aeronaves conforman una producción mundial. Los fabricantes nacionales de estos productos compran recursos o realizan funciones de ensamble fuera del país de origen, una práctica conocida como *outsourcing* o producción compartida. Por ejemplo, General Motors obtiene motores de sus subsidiarias en México, Chrysler compra juntas esféricas de productores japoneses y Ford adquiere cabezas de cilindro de las empresas europeas. Las empresas utilizan el *outsourcing* para aprovechar los más bajos costos de producción en el extranjero, incluidos los salarios más bajos. Los trabajadores nacionales con frecuencia se oponen a esta práctica: sostienen que el *outsourcing* significa que el trabajo extranjero barato les quita empleos e impone una presión descendente en los salarios de los trabajadores que pueden mantener sus puestos. Para contrarrestar esta tendencia, diversos países han recurrido a estipular requerimientos de contenido nacional, entre ellos Argentina, México, Brasil, Uruguay y China.[6]

Para limitar la práctica del *outsourcing*, las organizaciones laborales han cabildeado en pro del uso de **requerimientos de contenido nacional**. Estos requerimientos estipulan el porcentaje mínimo del valor total de un producto que debe ser producido en forma nacional para que el producto califique para tener un arancel cero. El efecto de los requerimientos de contenido es presionar a las empresas nacionales y extranjeras que venden productos en un país para utilizar insumos nacionales (mano de obra) en la fabricación de esos productos. Así, aumenta la demanda de insumos nacionales, lo que contribuye a mayores precios de esos insumos. Los fabricantes, por lo general, cabildean en contra de los requerimientos de contenido nacional porque les imposibilitan la obtención de insumos al menor costo y contribuyen así a que los precios de producción sean más altos y, en consecuencia, se pierda competitividad.

A nivel mundial, los requerimientos de contenido nacional han recibido la máxima atención en la industria automotriz. Los países en desarrollo con frecuencia utilizan requerimientos de contenido para fomentar la producción nacional de automóviles, como se muestra en la tabla 5.2.

---

[5] U.S. International Trade Commission, *A Review of Recent Developments in the U.S. Automobile Industry Including an Assessment of the Japanese Voluntary Restraint Agreements*, Washington, DC, Government Printing Office, 1985.
[6] Véase U.S. Department of Commerce, International Trade Administration, Office of Automotive Affairs, *Compilation of Foreign Motor Vehicle Import Requirements*, en: http://trade.gov.

En la figura 5.3, se ilustran los posibles efectos sobre el bienestar de un requerimiento de contenido australiano en los automóviles. Suponga que D_A denota el programa de demanda australiano para los automóviles de Toyota, mientras que O_J describe el precio de oferta de los Toyota exportados a Australia, 24,000 dólares. Con el libre comercio, Australia importa 500 automóviles Toyota. Los dueños de los recursos productivos japoneses que participan en la manufactura de este vehículo obtienen ingresos que totalizan 12 millones de dólares y que se denotan por el área $c + d$.

TABLA 5.2

Valor normal y margen del *dumping*: manzanas Delicious, almacenamiento regular, 1987-1988*

Precio FOB de EUA por caja empacada (42 libras)	Valor normal (en dólares)
Costos de cultivo y cosecha	5.50
Empaque, *marketing* y costos de almacenamiento	5.49
Costos totales	10.99
Utilidad (margen del 8%)	0.88
Valor normal total	11.87

Margen del *dumping*	Porcentaje
Escala	0-63.44
Margen de promedio ponderado	32.53

* El margen de *dumping* de promedio ponderado para las manzanas almacenadas en cámara de refrigeración fue de 23.86%

Fuente: Tomado de *Statement of Reasons: Final Determination of Dumping Respecting Delicious Apples Originating in or Exported from the United States of America*, Revenue Canada, Customs and Excise Division, diciembre de 1988.

FIGURA 5.3

Efectos sobre el bienestar de un requerimiento de contenido nacional

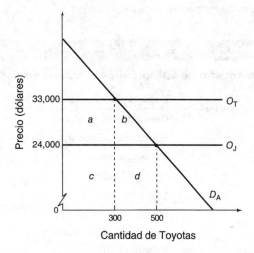

Un requerimiento de contenido nacional lleva a costos y precios crecientes de producción al grado que los fabricantes se ven "forzados" a ubicar las instalaciones de producción en una nación de altos costos. Aunque el requerimiento de contenido ayuda a preservar los puestos nacionales, impone pérdidas de bienestar en los consumidores nacionales.

Suponga que el gobierno australiano impone un requisito de contenido nacional en los automóviles. Esta política ocasiona que Toyota establezca una planta en Australia para fabricar vehículos que reemplacen a los Toyota que antes exportaba a Australia. Suponga que la planta instaurada combina la administración japonesa con los recursos australianos (trabajo y materiales) en la producción de vehículos y asuma que los altos precios de los recursos australianos (salarios) ocasionan que el precio de oferta de la nueva planta sea de $33,000; se denota por O_T. Bajo el requerimiento del contenido, los consumidores australianos demandan 300 vehículos. Como la producción ha cambiado de Japón a Australia, los dueños de recursos productivos japoneses pierden $12 millones en ingresos. Los dueños de recursos productivos australianos ganan $9.9 millones de ingresos (área $a + c$) menos el ingreso pagado a los gerentes japoneses y el rendimiento sobre la inversión de capital de Toyota (fábrica) en Australia.

Sin embargo, las ganancias de ingresos de los dueños de los recursos australianos ocasionan costos a los consumidores australianos. Como el requerimiento de contenido hace que el precio de los Toyota aumente $9,000, el excedente del consumidor australiano disminuye según el área $a +$ b ($3.6 millones). De esta cantidad, el área b ($900,000) es una pérdida de bienestar de peso muerto para Australia. El área a ($2.7 millones) es el costo del consumidor de emplear recursos productivos australianos de mayor precio en lugar de recursos productivos japoneses de menor precio; esta cantidad representa una redistribución del bienestar de los consumidores australianos a los dueños de recursos productivos australianos. Al igual que otras restricciones de importación, los requerimientos de contenido nacional provocan que los consumidores locales subsidien en parte al producto nacional.

CONFLICTOS COMERCIALES   ¿QUÉ TAN "EXTRANJERO" ES SU AUTOMÓVIL?

¿Sabía usted que los compradores estadunidenses de automóviles y de camiones ligeros pueden saber cuán estadunidenses o extranjeros son sus nuevos vehículos? En los automóviles y camiones que pesan 8,500 libras o menos, la ley requiere etiquetas de contenido que indiquen a los compradores dónde se hicieron las partes del vehículo. El contenido se mide por el valor en dólares de los componentes, no del costo del trabajo de ensamblar los vehículos. Los porcentajes de las partes norteamericanas (Estados Unidos y Canadá) y las partes extranjeras deben ser listados como un promedio para cada línea de automóvil. Los fabricantes son libres de diseñar la etiqueta, que puede ser incluida en la etiqueta del precio o la etiqueta de economía de combustible o pueden ir por separado. En la tabla anterior, se dan ejemplos del contenido norteamericano de los vehículos vendidos en Estados Unidos para los modelos 2013.

TABLA 5.3

El contenido norteamericano de automóviles vendidos en Estados Unidos, modelos 2013

Marca y línea	Lugar de ensamble	Contenido de partes norteamericanas
Toyota Avion	Georgetown, Kentucky	85%
Chevrolet Express	Wentzville, Missouri	82
Toyota Sienna	Princeton, Indiana	80
Honda Accord	Marysville, Ohio	80
Honda Cross Tour	East Elizabeth, Ohio	80
Ford Expedition	Louisville, Kentucky	80
Chrysler 200	Sterling Heights, Michigan	79
Jeep Liberty	Toledo, Ohio	76
Chevy Traverse	Lansing, Michigan	76

Fuente: Compilado por el autor en lotes de venta de automóviles.

iStockphoto.com/photosoup

SUBSIDIOS

Los gobiernos nacionales en ocasiones otorgan **subsidios** a sus productores para ayudar a mejorar su posición de mercado. Al proporcionar a empresas nacionales una ventaja de costos, un subsidio les permite comercializar sus productos a precios más bajos que los garantizados por su costo actual o por sus consideraciones de ganancias. Los subsidios gubernamentales asumen una diversidad de formas, incluidos los desembolsos directos de efectivo, las concesiones fiscales, los contratos de seguros y los préstamos a tasas de interés por debajo del mercado.

Para fines del análisis, conviene distinguir dos tipos de subsidios: un **subsidio a la producción nacional**, que es otorgado a los fabricantes de los productos que compiten en las importaciones y un **subsidio a la exportación**, que aplica a los fabricantes de productos que se venden en el extranjero. En ambos casos, el gobierno suma una cantidad al precio que el comprador paga en vez de restarlo de ahí. El precio neto recibido por el productor es igual al precio pagado por el comprador más el subsidio. Por tanto, el productor subsidiado es capaz de ofrecer una mayor cantidad a cada precio del consumidor. Utilice la figura 5.4 para analizar los efectos de estos dos tipos de subsidios.

Subsidio a la producción nacional

Si un país decide que el bienestar público necesita sostener a la industria de semiconductores o de aeronaves, ¿no sería mejor subsidiarla directamente, más que evitar las importaciones de un producto? El propósito de un subsidio a la producción nacional es alentar la producción y así la vitalidad de los productores que compiten con las importaciones.

FIGURA 5.4

Efectos de los subsidios sobre el comercio y el bienestar

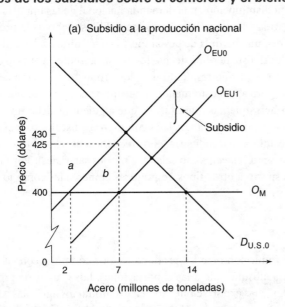

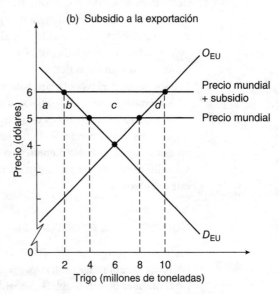

(a) Subsidio a la producción nacional

(b) Subsidio a la exportación

Un subsidio gubernamental otorgado para los productores que compiten con las importaciones lleva a una mayor producción nacional y a menores importaciones. El ingreso del subsidio que se otorga al productor es absorbido por el excedente del productor y la producción de alto costo (efecto proteccionista). Un subsidio otorgado a los exportadores les permite vender sus productos en el extranjero a precios por debajo de sus costos. Sin embargo, conlleva una pérdida de bienestar de peso muerto, en la forma de un efecto protección y el efecto consumo, para el país local.

En la figura 5.4(a), se ilustran los efectos de un subsidio a la producción sobre el comercio y el bienestar otorgado a los fabricantes que compiten con las importaciones. Suponga que los programas iniciales de oferta y demanda de Estados Unidos se describen por las curvas O_{EU0} y D_{EU0}, para que el precio de equilibrio del mercado sea de \$430 por tonelada. Suponga también que, como Estados Unidos es un comprador pequeño de acero, los cambios en sus compras no afectan el precio mundial de \$400 por tonelada. Dado ese precio de comercio por tonelada, Estados Unidos consume 14 millones de toneladas de acero, produce 2 millones de toneladas e importa 12 millones de toneladas.

Para dar una protección parcial a los productores nacionales de la competencia extranjera, suponga que el gobierno estadunidense les otorga un subsidio a la producción de \$25 por tonelada de acero. La ventaja de costos hecha posible por el subsidio resulta en un traslado de la curva de oferta de Estados Unidos de O_{EU0} a O_{EU1}. La producción nacional se expande de 2 a 7 millones de toneladas y las importaciones caen de 12 a 7 millones de toneladas. Estos cambios representan el efecto comercial del subsidio.

El subsidio también afecta el bienestar nacional de Estados Unidos. De acuerdo con la figura 5.4(a), el subsidio permite que la producción de Estados Unidos se incremente a 7 millones de toneladas. Observe que, con esta producción, el precio neto del fabricante de acero es de \$425; la suma del precio pagado por el consumidor (\$400) más el subsidio (\$25). Para el gobierno estadunidense, el costo total de proteger a los productores de acero es igual a la cantidad del subsidio (\$25) por la cantidad de producción a la que se aplica (7 millones de toneladas) o \$175 millones.

¿A dónde va este ingreso de subsidio? Parte de él es redistribuido a los productores estadunidenses más eficientes en la forma de *excedente del productor*. Esta cantidad se denota por el área *a* (\$112.5 millones) en la figura. También hay un *efecto proteccionista*, por el que se permite vender una producción nacional más costosa en el mercado como resultado del subsidio. Para Estados Unidos como un todo, el efecto protección representa una pérdida de peso muerto de bienestar.

Para alentar la producción por parte de sus fabricantes que compiten en importaciones, un gobierno podría imponer aranceles o cuotas en sus importaciones. Pero los aranceles y las cuotas incluyen sacrificios más grandes en el bienestar nacional de los que ocurrirían bajo un subsidio equivalente. A diferencia de los subsidios, los aranceles y las cuotas distorsionan las elecciones de los consumidores nacionales (lo que resulta en una disminución en la demanda nacional de las importaciones), además de permitir que ocurra una producción local menos eficiente. El resultado de la protección es el conocido efecto consumo, por el que una pérdida de peso muerto en términos del excedente del consumidor es solventada por el país local. Esta pérdida del bienestar está ausente en el caso del subsidio. Así, un subsidio tiende a producir el mismo resultado para los productores nacionales como lo hace un arancel o cuota equivalente, pero a un costo menor en términos de bienestar nacional.

Sin embargo, los subsidios no son herramientas gratuitas, ya que alguien los debe financiar. El costo directo del subsidio es una carga que debe ser financiada con ingresos fiscales pagados por el público. Es más, cuando se da un subsidio a una industria, con frecuencia es a cambio de aceptar las condiciones gubernamentales en asuntos clave (como salario y niveles salariales). Por tanto, un subsidio puede no ser tan superior respecto a otros tipos de políticas comerciales como lo sugiere este análisis.

Subsidio a la exportación

En lugar de otorgar un subsidio a la producción para los productores que compiten con las importaciones, un gobierno podría pagar un subsidio sólo a las exportaciones. Los grupos de productos más comunes donde se aplican subsidios a las exportaciones son en los productos agrícolas y lácteos.

En la figura 5.4(*b*), se muestran los efectos de un subsidio a la exportación. Suponga que las curvas de oferta y demanda de trigo de Estados Unidos, se muestran en las curvas O_{EU} y D_{EU}, así que el precio de equilibrio de autarquía es de \$4 por tonelada. Suponga también que, como Estados Unidos es un productor relativamente pequeño de trigo, los cambios en su producción no afectan el precio internacional. Al precio internacional de \$5 por tonelada, Estados Unidos produce 8 millones de toneladas, compra 4 millones y por tanto, exporta 4 millones.

Suponga que el gobierno estadunidense hace un pago de $1 en cada tonelada de trigo exportado con el fin de alentar las ventas de exportación. El subsidio permite a las empresas exportadoras estadunidenses recibir ingresos de $6 por tonelada, que es igual al precio internacional ($5) más el subsidio ($1). Aunque el subsidio no esté disponible en las ventas nacionales, estas empresas están dispuestas a vender a los consumidores nacionales sólo al precio mayor de $6 por tonelada. Esto es porque las empresas no venden trigo en Estados Unidos por un precio menor de $6 por tonelada; podrían ganar esa cantidad en ventas al resto del mundo. Conforme el precio aumenta de $5 a $6 por tonelada, la cantidad comprada en Estados Unidos cae de 4 millones de toneladas a 2 millones de toneladas, la cantidad ofertada se incrementa de 8 millones a 10 millones de toneladas y la cantidad de las exportaciones aumenta de 4 millones a 8 millones de toneladas.

Los efectos de bienestar en el subsidio a la exportación en la economía estadunidense pueden ser analizados en términos del excedente del consumidor y del productor. El subsidio a la exportación ocasiona una disminución en el excedente del consumidor en el área $a + b$ en la figura ($3 millones) y un aumento en el excedente del productor equivalente al área $a + b + c$ ($9 millones). El costo del contribuyente del subsidio de exportación es igual al subsidio por unidad ($1) por la cantidad de trigo exportada (8 millones de toneladas), que resultan en el área $b + c + d$ ($8 millones). Así, los productores estadunidenses de trigo ganan a costa del consumidor y el contribuyente estadunidenses.

Finalmente, el subsidio a la exportación conlleva una pérdida de peso muerto del bienestar para la economía estadunidense. Esto consiste en el área d ($1 millón), que es una pérdida de peso muerto que se debe al aumento en el costo nacional de producir trigo adicional y el área b ($1 millón) que se debe a un excedente del consumidor porque el precio ha aumentado.

En este ejemplo se asume que el país exportador es relativamente pequeño. Sin embargo, en el mundo real, el país exportador puede ser un productor relativamente grande en el mercado mundial y así obtendrá una disminución en sus términos de intercambio cuando impone un subsidio en las exportaciones. ¿Por qué ocurriría esto? Con el fin de exportar más producto, sus empresas tendrían que reducir los precios. Una disminución en el precio del producto exportado empeoraría los términos de intercambio del país exportador.

El programa de mejoramiento en la exportación proporciona un ejemplo del uso de los subsidios a la exportación por Estados Unidos. Establecido en 1985, este programa intenta contrarrestar los efectos de las exportaciones agrícolas estadunidenses que se deben a prácticas comerciales desleales o subsidios por parte de los exportadores en competencia, en particular la Unión Europea. Este programa permite a los exportadores estadunidenses vender sus productos en mercados enfocados a precios por debajo de sus costos al proporcionar bonos en efectivo. Ha tenido un papel muy importante en la exportación de muchos productos agrícolas como trigo, cebada, aves de corral y productos lácteos.

DUMPING

Las justificaciones para proteger de la competencia extranjera a los productores que compiten con las importaciones se ven reforzadas por el argumento del *antidumping*. El *dumping* se reconoce como una forma de discriminación internacional de precios. Ocurre cuando a compradores extranjeros se les fijan precios más bajos que a los compradores nacionales por el mismo producto, después de cubrir los costos de transporte y las obligaciones arancelarias. Vender en los mercados extranjeros a un precio inferior al costo de producción también se considera *dumping*.

Formas de dumping

El *dumping* comercial se clasifica generalmente como de naturaleza esporádica, depredadora o persistente. Cada tipo se practica bajo distintas circunstancias.

El ***dumping* esporádico** (*dumping* de angustia o de liquidación) ocurre cuando una empresa dispone de exceso de inventarios en mercados extranjeros al vender en ellos a precios inferiores que en el mercado local. Esta forma de *dumping* puede ser el resultado de la mala fortuna o la mala planeación por los productores extranjeros. Los cambios no previstos en las condiciones de oferta y demanda pueden ocasionar inventarios en exceso y por tanto, en *dumping*. Aunque el *dumping* esporádico puede ser benéfico para los consumidores que importan, puede ser bastante inquietante para los productores que compiten con las importaciones que enfrentan la caída de ventas y las pérdidas a corto plazo. Pueden imputarse impuestos arancelarios temporales para proteger a los productores locales, pero como el *dumping* esporádico tiene efectos menores sobre el comercio internacional, los gobiernos están renuentes a otorgar una protección arancelaria bajo estas circunstancias.

El *dumping* **depredador** ocurre cuando un productor reduce temporalmente los precios cobrados en el extranjero para sacar del negocio a los competidores. Cuando el productor tiene éxito en adquirir una posición de monopolio, entonces los precios aumentan en relación con su poder de mercado. El nuevo nivel de precio debe ser suficientemente alto para contrarrestar cualquier pérdida que ocurra durante el periodo de precios artificialmente desvalorizados. La empresa presumiblemente confiaría en su capacidad para evitar la entrada de los competidores potenciales, al menos lo suficiente para que disfrute de ganancias económicas. Para tener éxito, el *dumping* depredador tendría que practicarse masivamente para proporcionar a los consumidores suficiente oportunidad para negociar las compras. Los gobiernos locales por lo general están preocupados acerca de los precios depredadores con fines de monopolizar y pueden tener represalias con derechos *antidumping* que eliminen el diferencial de precios. Aunque el *dumping* depredador es una posibilidad teórica, los economistas no han encontrado pruebas empíricas que respalden su existencia. Con la expectativa de un periodo largo de costosa depredación y la posibilidad de una capacidad limitada para disuadir una entrada subsecuente por los nuevos rivales, la oportunidad de realmente ganar ganancias completas de monopolio parece remota.

El *dumping* **persistente**, como su nombre lo sugiere, continúa en forma indefinida. En un esfuerzo por maximizar las ganancias económicas, un productor puede vender consistentemente en el extranjero a precios menores que en su país de origen. La justificación detrás del *dumping* persistente se explica en la siguiente sección.

Discriminación internacional de precios

Considere el caso de un vendedor nacional que disfruta del poder de mercado como resultado de barreras que restringen la competencia en su país. Suponga que esta empresa vende en mercados extranjeros que son altamente competitivos. Esto significa que la respuesta del consumidor nacional a un cambio en el precio es menor que en el extranjero; la demanda local es menos elástica que la demanda en el extranjero. Una empresa que maximiza las ganancias se beneficiaría de la discriminación internacional de precios al cobrar un precio *más alto* en su país, donde la competencia es débil y la demanda es menos elástica y a un precio *más bajo* por el mismo producto en los mercados extranjeros para poder competir. La práctica de identificar grupos separados de compradores de un producto y cobrar diferentes precios a estos grupos resulta en ingresos y ganancias crecientes para la empresa, en comparación con lo que ocurriría en ausencia de una discriminación de precios.

En la figura 5.5, se ilustra la demanda y las condiciones de costo de South Korean Steel Inc. (SKS), que vende acero a compradores en Corea del Sur (mercado menos elástico) y Canadá (mercado más elástico); el total del mercado del acero consiste en estos dos submercados. Si D_{CS} es la demanda de acero de Corea del Sur y D_C es la demanda canadiense, con las curvas de ingreso marginales correspondientes representadas por IMg_{CS} e IMg_C, respectivamente, D_{CS+C} denota la curva de demanda del mercado, que se encuentra al sumar en forma horizontal las curvas de demanda de los dos submercados; en forma similar, IMg_{CS+C} describe la curva de ingresos marginal del mercado. Las curvas de costo marginal y de costo total promedio de SKS se denotan, respectivamente por CMg y $CTMe$.

FIGURA 5.5

Discriminación internacional de precios

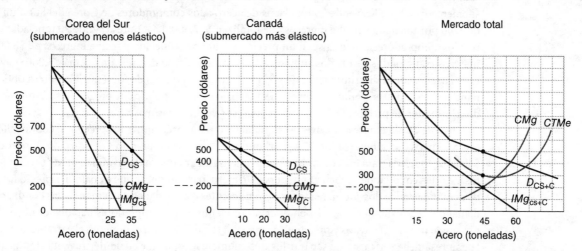

Una empresa que discrimina los precios maximiza sus ganancias al igualar en cada submercado el ingreso marginal con el costo marginal. La empresa fijará un precio más alto en el mercado de demanda menos elástico (menos competitivo) y un precio más bajo en el mercado de demanda más elástica (más competitivo). Un *dumping* exitoso lleva a un ingreso y ganancias adicionales para la empresa en comparación con lo que se obtendría en la ausencia del *dumping*.

© Cengage Learning®

South Korean Steel Inc. maximiza las ganancias totales al producir y vender 45 toneladas de acero, en cuyo caso el ingreso marginal es igual al costo marginal. A este nivel de producción, CTMe = $300 por tonelada y el costo total es igual a $13,500 ($300 × 45 toneladas). La empresa enfrenta el problema de cómo distribuir la producción total de 45 toneladas y así establecer un precio, en los dos submercados en los que vende. ¿La empresa debe vender acero a compradores de Corea del Sur y de Canadá a un precio uniforme (simple) o debe practicar una fijación de precios diferencial?

Como un vendedor que *no discrimina*, South Korean Steel Inc. vende 45 toneladas de acero a los compradores de Corea del Sur y de Canadá a un solo precio de $500 por tonelada, el precio máximo permitido por la curva de demanda D_{CS+C} en el nivel de producción IMg = CMg. Para ver cuántas toneladas de acero se venden en cada submercado, construya una línea horizontal en la figura 5.5 al precio de $500. La producción óptima en cada submercado ocurre donde la línea horizontal interseca las curvas de demanda de las dos naciones. Así, South Korean Steel Inc. vende 35 toneladas de acero a los compradores de Corea del Sur a un precio de $500 por tonelada y recibe ingresos que totalizan $17,500. La empresa vende 10 toneladas de acero a los compradores canadienses a un precio de $500 por tonelada y obtiene ingresos de $5,000. Los ingresos de ventas en ambos submercados combinados suman $22,500. Con costos totales de $13,500, South Korean Steel Inc., obtiene ganancias de $9,000.

Aunque SKS alcanza ganancias como un vendedor que no discrimina, sus ganancias no son óptimas. Al realizar una discriminación de precios, la empresa aumenta sus ingresos totales sin aumentar sus costos y así incrementa sus ganancias. La empresa cumple esto al fijar precios *más altos* a los compradores de Corea del Sur, quienes tienen una curva de demanda menos elástica y precios *más bajos* a los compradores de Canadá, quienes tienen curvas de demanda más elásticas.

Como un vendedor discriminador de precios SKS de nuevo enfrenta al problema de cómo distribuir la producción total de 45 toneladas de acero y así establecer el precio, en los dos submercados en los que vende. Para lograr esto, la empresa sigue el conocido principio de IMg = CMg, en el que el ingreso marginal de cada submercado es igual al costo marginal que corresponde a la producción maximizadora de beneficios. Esto se puede mostrar en la figura 5.5, primero al construir una línea horizontal de $200, el punto donde $CMg = IMg_{CS+C}$. La producción y el precio óptimos en cada submercado entonces se encuentra donde esta línea horizontal interseca las curvas de IMg de los submercados. Así, SKS vende 25 toneladas de acero a los compradores de Corea del Sur a un precio de $700 por tonelada y recibe ingresos que totalizan $17,500. La empresa vende 20 toneladas de acero a los compradores canadienses a un precio de $400 por tonelada y recibe ingresos de $8,000. Los ingresos combinados de los dos submercados son de $25,500 dólares, una suma $3,000 mayor que en la ausencia de la discriminación de precios. Con costos totales de $13,500, la empresa obtiene ganancias de $12,000 en comparación con $9,000 bajo una sola política de precios. Así, como vendedor discriminador de precios, SKS disfruta de ingresos y ganancias más altas.

Observe que la empresa aprovechó su capacidad para discriminar los precios al cobrar diferentes precios en los dos submercados: $700 por tonelada para los compradores de acero de Corea del Sur y $400 por tonelada para los compradores canadienses. Para que la discriminación de precios sea exitosa, ciertas condiciones deben mantenerse. Primero, para asegurar que a cualquier precio las curvas de demanda en los dos submercados tengan diferentes elasticidades de demanda, las condiciones de demanda de los submercados deben diferir. Por ejemplo, los compradores nacionales pueden tener niveles de ingresos o gustos y preferencias que difieren de los compradores en el extranjero. Segundo, la empresa debe ser capaz de separar los dos submercados, evitar cualquier reventa significativa de productos del mercado de precios más bajos al mercado de precios más altos. Esto es porque cualquier reventa por parte de los consumidores tenderá a neutralizar el efecto del diferencial de precios y estrechará la estructura de precios discriminatoria al punto en el que se aproxima a un solo precio para todos los consumidores. Debido a los altos costos de transporte y a las restricciones comerciales gubernamentales, con frecuencia, los mercados son más fáciles de separar de forma internacional que de forma nacional.

REGULACIONES ANTIDUMPING

A pesar de los beneficios que el *dumping* puede ofrecer a los consumidores que importan, los gobiernos con frecuencia han impuesto fuertes gravámenes en contra de los productos que creen que cometen *dumping* en sus mercados desde el extranjero. La ley *antidumping* estadunidense está diseñada para evitar una discriminación de precios y ventas por debajo del costo que daña a las industrias estadunidenses. Bajo la ley de Estados Unidos, un **impuesto** *antidumping* es implantado cuando el Departamento de Comercio de Estados Unidos determina que una clase o tipo de mercancía extranjera es vendida a un precio inferior a su justo valor, (PIJV, less than fair value) y la Comisión de Comercio Internacional Estadunidense (ITC) determina que las importaciones PIJV ocasionan daños materiales (como el desempleo y las ventas y ganancias perdidas) o amenazan con hacerlo a una industria estadunidense. Dichas obligaciones *antidumping* se imponen además del arancel normal con el fin de neutralizar los efectos de la discriminación de precios o las ventas por debajo del costo.

El **margen del** *dumping* se calcula como la cantidad por la cual el valor del mercado extranjero excede el precio de Estados Unidos. El valor del mercado extranjero se define en una de dos formas. De acuerdo con la **definición basada en el precio**, el *dumping* ocurre siempre que una empresa extranjera vende un producto en el mercado estadunidense a un precio inferior al que vende el mismo producto en el mercado de origen. Cuando el precio de la nación de origen del producto no está disponible (por ejemplo, si el producto se fabrica sólo para exportación y no se vende al mercado nacional) se hace un esfuerzo por determinar el precio del producto en un tercer mercado.

Cuando la definición basada en el precio no se puede aplicar, se permite una **definición basada en el costo** del valor en el mercado extranjero. Bajo este enfoque, el Departamento de Comercio "construye" un valor de mercado extranjero igual a la suma de 1) el costo de fabricar la mercancía, 2) gastos generales, 3) utilidad en ventas en el mercado de origen y 4) el costo de empacar la mercancía para embarque a Estados Unidos. La cantidad para gastos generales debe ser igual al menos al 10 por

CONFLICTOS COMERCIALES NADAR CONTRA LA CORRIENTE: EL CASO DEL BARBO VIETNAMITA

En 2003, el gobierno estadunidense fue muy criticado por asaltar las importaciones de pez barbo de Vietnam. De acuerdo con el senador John McCain y otros críticos, esta política era un ejemplo de cómo los países ricos predican el evangelio del libre comercio cuando se trata de encontrar mercados para sus productos manufacturados, pero se vuelven altamente proteccionistas cuando sus piscicultores enfrentan a la competencia. Considere esta disputa comercial.

Después de buscar reformas procapitalistas, Vietnam se convirtió en una de las historias de éxito de la globalización de la década de los noventa. La nación se transformó de ser un importador de arroz a ser el segundo exportador de arroz más grande del mundo y también un exportador de café. La tasa de pobreza rural de Vietnam declinó de 70 a 30 por ciento. La normalización de la comunicación entre los gobiernos de Vietnam y de Estados Unidos resultó en la intención de las misiones comerciales estadunidenses por incrementar la libre empresa en Vietnam.

En una de estas misiones comerciales, los delegados vieron una gran promesa en el pez barbo de Vietnam, con el delta del Mekong del país y un trabajo barato que proporcionaba una ventaja competitiva. En pocos años, alrededor de medio millón de vietnamitas recibían ingresos del comercio del barbo. Vietnam capturaba 20 por ciento del mercado de filete de barbo congelado en Estados Unidos, lo que forzó que los precios disminuyeran. Para alarma de los pescadores de barbo en el Mississippi, el centro de la industria de este pez en Estados Unidos, hasta en los restaurantes locales servían barbo vietnamita.

Al poco tiempo, los pescadores vietnamitas enfrentaron una desagradable guerra comercial, que tenía que ver con etiquetado del producto y derechos *antidumping*, emprendida por los pescadores de pez barbo del Mississippi. Aunque estos pescadores no son empresas piscicultoras grandes, eran lo suficientemente fuertes para persuadir al gobierno estadunidense de cerrar el mercado del pez barbo a los mismos pescadores vietnamitas cuyas empresas originalmente habían fomentado. El gobierno declaró que

de 2,000 tipos de barbo, sólo la familia nacida en Estados Unidos podía ser llamada "catfish" (pez barbo). Así que los vietnamitas podían comercializar en Estados Unidos su pescado sólo con las palabras vietnamitas como "tra" y "basa". Los piscicultores de pez barbo del Mississippi emitieron advertencias sobre una "copia pirata del pez barbo", un pescado que "probablemente no tenía bigotes verdaderos" y que "flotaba en ríos del Tercer Mundo y mordía quién sabe qué cosas". Esta campaña de desinformación ocasionó una disminución en las ventas del pez barbo vietnamita en Estados Unidos.

No satisfechos con su éxito en el etiquetado, los criadores de pez barbo de Mississippi iniciaron un caso de *antidumping* en contra del pez barbo vietnamita. En este caso, el Departamento de Comercio de Estados Unidos no tuvo evidencias fuertes de que el pescado importado se vendiera en Estados Unidos más barato que en Vietnam, o por debajo de su costo de producción. Pero en lugar de dejar que los criadores de barbo del Mississippi enfrentaran a las fuerzas de la competencia internacional, el Departamento de Comercio declaró que Vietnam "no era una economía de mercado". Esta designación implicó que los criadores vietnamitas no debían estar cubriendo todos los costos que tendrían en una economía de mercado como la de Estados Unidos y por tanto, practicaban *dumping* con el barbo en el mercado estadunidense. Así se impusieron aranceles que iban de 37 a 64 por ciento en el barbo vietnamita. La Comisión de Comercio Internacional estadunidense hizo que los aranceles fueran permanentes al afirmar que la industria del barbo estadunidense había sido dañada por una competencia desleal debido al *dumping* de Vietnam. De acuerdo con los críticos, esta designación de "economía no de mercado" no debió utilizarse porque el gobierno estadunidense animaba a Vietnam a convertirse en una economía de mercado.

Fuentes: "Harvesting Poverty: The Great Catfish War", The New York Times, 22 de julio de 2003, p. 18 y The World Bank, Global Economic Prospects, 2004, Washington, DC, p. 85.

iStockphoto.com/photosoup

ciento del costo de fabricación y la cantidad para utilidad debe ser igual al menos al 8 por ciento del costo de manufactura más los gastos generales.

Los casos de *antidumping* empiezan con una queja que se presenta de forma simultánea en el Departamento de Comercio y la Comisión de Comercio Internacional. La queja viene desde el interior de una industria que compite con las importaciones (por ejemplo, de una empresa o un sindicato) y consiste en evidencia de la existencia del *dumping* y datos que demuestren el daño material o la amenaza de daño.

El Departamento de Comercio primero hace una determinación preliminar en cuanto a si ha ocurrido *dumping*, incluido un estimado del tamaño del margen de *dumping*. Si la investigación preliminar encuentra evidencia de *dumping*, los importadores estadounidenses de inmediato deben pagar un arancel especial (igual al margen de *dumping* estimado) en todas las importaciones del producto en cuestión. El Departamento de Comercio entonces toma su determinación final en cuanto a si hubo o no *dumping*, así como el tamaño del margen del *dumping*. Si el Departamento de Comercio define que no hubo *dumping*, los aranceles especiales previamente cobrados se descuentan a los importadores estadounidenses. De otra forma, la Comisión de Comercio Internacional determina si ha ocurrido un daño material como resultado del *dumping*.

Si la Comisión de Comercio Internacional define que las empresas que compiten con las importaciones no fueron dañadas por el *dumping*, los aranceles especiales se descuentan a los importadores estadounidenses. Pero si tanto la Comisión de Comercio Internacional como el Departamento de Comercio se declaran en favor de la petición de *dumping*, se impone un arancel permanente igual al tamaño del margen de *dumping* calculado por el Departamento de Comercio en su investigación final.

En años recientes, el impuesto *antidumping* promedio cargado por Estados Unidos ha sido de 45 por ciento, con algunos impuestos que exceden 100 por ciento. El impacto de estos gravámenes en el comercio ha sido sustancial, con importaciones focalizadas que caen típicamente entre 50 y 70 por ciento durante los primeros tres años de protección. Considere algunos casos relacionados con el *dumping*.

Whirlpool genera un remolino para imponer aranceles antidumping a las lavadoras

Whirlpool Corporation es el productor de electrodomésticos más importante del mundo: cuenta con 68,000 empleados y 66 centros de fabricación y de investigación tecnológica en todo el mundo. La empresa comercializa lavadoras y secadoras de ropa, refrigeradores y muchos otros tipos de electrodomésticos bajo diversas marcas como Whirlpool, Maytag y KitchenAid en casi cada país del mundo.

Los orígenes de Whirlpool se remontan a 1908 cuando Lou Upton invirtió sus ahorros en un proyecto para producir equipo para el hogar. Cuando la compañía fracasó, se le ofreció a Upton la oportunidad de escoger de la empresa algo de valor como compensación por su inversión. Seleccionó la patente de una máquina para lavar a mano que pensó que luego podía funcionar con electricidad. Con su patente y con una visión innovadora, Upton se asoció con su tío y su hermano para producir lavadoras de rodillos que funcionaran con motor. Con el paso del tiempo, Whirlpool prosperó enormemente y se convirtió en el productor más importante de electrodomésticos en el mundo.

Al inicio de la década del 2000, Whirlpool enfrentaba una feroz competencia por parte de otros productores extranjeros de electrodomésticos que operaban en países como Corea del Sur y México. Whirlpool insistía en que estos productores estaban vendiendo en Estados Unidos electrodomésticos subsidiados por sus gobiernos a precios "considerablemente menores que el valor justo" como lo dictaban las leyes comerciales de EUA. El resultado de esta práctica para Whirlpool era la pérdida de participación en el mercado, la reducción en su producción de electrodomésticos y la pérdida de empleo para muchos de sus trabajadores.

En 2011, Whirlpool presentó una demanda solicitando medidas de *antidumping* y anti-subsidio contra Samsung y LG. La demanda solicitaba al Ministerio de Comercio de EUA y a la Comisión de Comercio Internacional de EUA que investigaran las lavadoras producidas en Corea del Sur y en México y que luego se vendían en Estados Unidos a precios inferiores al valor justo. En 2013, el Departamento de Comercio y la Comisión de Comercio Internacional dictaminaron que Samsung y LG practicaban una fijación ilegal de precios en las lavadoras provenientes de Corea del Sur y de México y que Whirlpool había sufrido daños materiales debido a tales prácticas comerciales. En virtud de este fallo, los oficiales de aduana de EUA gravaron aranceles de importación *antidumping* y anti-subsidio que iban del 11 por ciento hasta el 151 por ciento para diversos productos de Samsung y de LG.

En respuesta a este fallo, Whirlpool declaró que la resolución restauraba un campo de juego nivelado que permitiría a Whirlpool y a otros productores de electrodomésticos estadounidenses continuar invirtiendo en EUA y manufacturar los productos de buena calidad que los consumidores merecían. Por su parte, Samsung y LG declararon que la resolución era decepcionante y que tal acción en última instancia sólo reduciría las opciones que, en la compra de lavadoras, tendrían muchos estadunidenses.[7]

Los canadienses presionan a los productores de manzana de Washington para nivelar el campo de juego

No sólo los productores extranjeros practican *dumping* de productos en Estados Unidos, también las empresas estadunidenses han practicado *dumping* con productos en el extranjero.

En 1989, el gobierno canadiense decretó que con las manzanas estadunidenses Delicious, principalmente las cultivadas en Washington, se practicaba *dumping* en el mercado canadiense que ocasionaba daños a 4,500 agricultores de manzanas comerciales. Como resultado del decreto, una caja de 42 libras de manzanas de Washington no podían venderse en Canadá por menos de 11.87 dólares estadunidenses, el "valor normal" (análogo al concepto estadunidense de "valor justo") establecido por el gobierno canadiense por manzanas de almacenamiento regular. Los importadores canadienses que compraban manzanas estadunidenses a un valor inferior al normal tenían que pagar un impuesto *antidumping* al gobierno canadiense para que el precio de compra total fuera igual al valor establecido. La orden *antidumping* tuvo una duración de cinco años, de 1989 a 1994.

La queja de los agricultores de manzanas canadienses argumentaba que las plantas de árboles extensas en Estados Unidos durante finales de la década de los setenta y principios de los ochenta, resultaron en una producción excesiva de manzanas. En 1987 y 1988, los agricultores de Washington experimentaron una cosecha récord e inventarios que excedieron las instalaciones de almacenamiento. Los agricultores hicieron un recorte drástico de precios con el fin de comercializar sus semillas, lo que llevó a un colapso del precio estadunidense de las manzanas Delicious.

Cuando los agricultores de manzanas de Washington fallaron en brindar información oportuna, el gobierno canadiense estimó el valor normal de una caja de manzanas estadunidenses por medio de la mejor información disponible. Como se puede ver en la tabla 5.2 el valor normal de una caja de manzanas en el año de cosecha 1987-1988 era de 11.87 dólares. Durante este periodo, el precio de exportación estadunidense a Canadá fue de cerca de 9 dólares por caja. Con base en una comparación del precio de exportación y el valor normal de las manzanas, el margen de *dumping* de promedio ponderado se determinó en 32.53 por ciento.

El gobierno canadiense determinó que el ingreso de manzanas de Washington de bajo precio al mercado canadiense desplazó las manzanas canadienses y ocasionó pérdidas a los agricultores de manzanas canadienses de 1 a 6.40 dólares canadienses por caja durante la temporada de cultivo de 1987-1988. El gobierno canadiense decretó que las manzanas de dumping dañaban a los agricultores canadienses y por tanto, aplicó impuestos antidumping a las manzanas de Washington.

¿ES INJUSTA LA LEY ANTIDUMPING?

Los promotores de las leyes *antidumping* sostienen que son necesarias para crear un "campo de juego nivelado" para los productores nacionales que enfrentan una competencia de importación injusta. Las leyes *antidumping* aseguran un campo de juego nivelado al contrarrestar fuentes artificiales de ventaja competitiva. Al compensar la diferencia entre el precio de *dumping* y el valor de mercado justo, un impuesto *antidumping* coloca al productor nacional de nuevo en una base equitativa. Sin embargo, los críticos señalan que, aunque las industrias protegidas pueden ganar con los impuestos *antidumping*, los consumidores del producto protegido y la economía más amplia por lo general

---

[7] "Whirlpool Wins, Rivals to Face Big Import Duty", *The Blade*, 24 de enero de 2013; "Whirlpool Wins Decision in Anti-Dumping Case", *Crain's Detroit Business*, 24 de enero de 2013; "Whirlpool Files Anti-Dumping Petitions Against Samsung and LG", *Daily News*, 2 de enero de 2012; U.S. Department of Commerce, *U.S. Department of Commerce Antidumping Ruling Supports U.S. Manufacturers*, 20 de julio de 2012.

pierden más, como se analizó en el capítulo 4. Por tanto, no es de sorprender que la ley *antidumping* esté sujeta a críticas, como se analizará más adelante.

¿Un costo variable promedio debe ser la medida estándar para definir el dumping?

Bajo las reglas actuales, el *dumping* ocurre cuando un productor extranjero vende productos en Estados Unidos a menos del valor justo. El valor justo es equiparado con el costo total promedio más una asignación de 8 por ciento por utilidad. Sin embargo, numerosos economistas afirman que el valor justo debe basarse en el *costo variable promedio* más que en un costo total promedio, en especial cuando la economía nacional obtiene una disminución temporal en la demanda.

Considere el caso de un productor de radios bajo los siguientes supuestos: *1)* la capacidad física del productor es de 150 unidades de producción por encima del periodo dado. *2)* La elasticidad precio de la demanda del mercado nacional de radios es inelástica, mientras que la demanda extranjera es elástica. Refiérase a la tabla 5.4. Suponga que el productor fija un precio uniforme (sin *dumping*) de $300 por unidad a los consumidores nacionales y extranjeros. Con la demanda nacional inelástica, las ventas nacionales suman 100 unidades. Pero bajo las condiciones de demanda extranjera elástica, suponga que el productor no puede comercializar radios al precio prevaleciente. Los ingresos de ventas serían iguales a $30,000 con costos variables más costos fijos por un total de $30,000. Sin *dumping*, la empresa se encontraría con una capacidad ociosa de 50 radios. Es más, la empresa quedaría en un punto de equilibrio incluso con sus operaciones de mercado nacional.

Suponga que este productor decide realizar *dumping* de radios en el extranjero a precios más bajos que en el mercado local. Siempre y cuando todos los costos variables estén cubiertos, cualquier precio que contribuya a los costos fijos permitirá ganancias más grandes (menores pérdidas) que las obtenidas con una capacidad ociosa en la planta. Con base en la tabla 5.4, al cobrar $300 a los consumidores locales, la empresa puede vender 100 unidades. Suponga que al fijar un precio de $250 por unidad, la empresa puede vender unas 50 unidades adicionales en el extranjero. El ingreso total

TABLA 5.4

Dumping y capacidad ociosa

	Sin *dumping*	*Dumping*
Ventas en casa	100 unidades a $300	100 unidades a $300
Ventas de exportación	0 unidades a $300	50 unidades a $250
Ingreso de ventas	$30,000	$42,500
Menos costos variables de $200 por unidad	−20,000	−30,000
	$10,000	$12,500
Menos costos fijos totales de $10,000	−10,000	−10,000
Utilidad	$ 0	$ 2,500

© Cengage Learning®

TABLA 5.5

Oferta y demanda de televisores en Venezuela

Precio por televisor	Cantidad demandada	Cantidad ofertada
$100	900	0
200	700	200
300	500	400
400	300	600
500	100	800

© Cengage Learning®

por ventas de $42,500 no sólo abarcaría los costos variables más los costos fijos, sino que permitiría una utilidad de $2,500.

Con el *dumping*, la empresa es capaz de aumentar las ganancias aunque venda en el extranjero a un precio menor que el costo total promedio (costo total promedio = $40 000/150 = $267). Las empresas que enfrentan una capacidad ociosa en la producción así obtienen un incentivo para estimular las ventas al reducir los precios que se cobran a los extranjeros, tal vez a niveles que apenas cubran el costo variable promedio. Desde luego, los precios nacionales deben ser lo suficientemente altos para mantener a la empresa con una operación rentable por encima del periodo pertinente.

En términos sencillos, muchos economistas afirman que es injusta la ley *antidumping* que utiliza un costo total promedio como medida para determinar un valor justo. Señalan que la teoría económica sugiere que bajo condiciones competitivas, las empresas fijan el precio de sus productos igual a los costos variables promedio, que están por debajo de los costos totales promedio. Por tanto, las leyes *antidumping* castigan a las empresas que simplemente se comportan en una forma típica de los mercados competitivos. Más aún, la ley es injusta porque las empresas estadunidenses que venden localmente no están sujetas a las mismas reglas. De hecho, es muy posible que a una empresa externa que al vender tiene pérdidas en el mercado local como en Estados Unidos se le encuentre culpable de *dumping*, cuando las empresas estadunidenses también tienen pérdidas y venden en el mercado nacional exactamente al mismo precio.

¿Debe la ley antidumping reflejar las fluctuaciones monetarias?

Otra crítica a la ley *antidumping* es que no representa las fluctuaciones monetarias. Considere la definición basada en el precio de *dumping*: vender a precios inferiores en el mercado extranjero. Como los productores extranjeros con frecuencia deben establecer sus precios para clientes extranjeros en términos de una moneda extranjera, las fluctuaciones en los tipos de cambio pueden ocasionar que realicen un *dumping* de acuerdo con la definición legal. Por ejemplo, suponga que el yen japonés se aprecia frente al dólar, lo que significa que se requieren menos yenes para comprar un dólar. Pero si los exportadores de acero japoneses encuentran competencia en Estados Unidos y establecen sus precios en dólares, la apreciación del yen ocasionará que el precio de sus exportaciones en términos del yen disminuya, lo que puede hacer parecer que practican *dumping* en Estados Unidos. Bajo la ley estadunidense de *antidumping*, a las empresas estadunidenses no se les requiere cumplir con el estándar impuesto en las empresas extranjeras que venden en Estados Unidos. ¿La ley *antidumping* compensa la injusticia o la crea?

¿Se usan excesivamente los impuestos antidumping?

Hasta la década de 1990, las acciones *antidumping* eran un aparato proteccionista utilizado casi exclusivamente por algunos cuantos países ricos: Estados Unidos, Canadá, Australia y Europa. Desde entonces, ha habido una explosión de casos *antidumping* llevados por muchas naciones en desarrollo como México, la India y Turquía. El uso creciente por otras naciones ha significado que Estados Unidos mismo se ha vuelto un objetivo más frecuente de medidas *antidumping*.

El mayor uso de los impuestos *antidumping* no es sorprendente dado el considerable grado de liberalización comercial que ha ocurrido en la economía mundial. Sin embargo, la proliferación de los impuestos *antidumping* es vista por los economistas como una tendencia perturbadora, una forma de proteccionismo de la puerta trasera que va en contra de la tendencia posterior a la Segunda Guerra Mundial de reducir las barreras comerciales. Aunque las acciones *antidumping* son legales bajo las reglas de la Organización Mundial de Comercio, hay preocupación por crear un círculo vicioso en que los impuestos *antidumping* de un país inviten a impuestos de represalias de otros países.

Para los productores estadunidenses se ha vuelto mucho más fácil reducir la competencia con las importaciones mediante impuestos *antidumping*. Una razón es que el alcance de llevar una acción *antidumping* ha sido ampliado, desde evitar una fijación depredadora de precios hasta cualquier forma de discriminación internacional de precios. También han contribuido a un mayor uso de impuestos *antidumping* los estándares más agresivos para evaluar la función de las importaciones al dañar a las industrias nacionales.

Los críticos de las políticas estadunidenses de *antidumping* sostienen que el Departamento de Comercio estadunidense casi siempre encuentra que ha ocurrido *dumping*, aunque los hallazgos positivos de daños materiales por parte de la Comisión de Comercio Internacional son menos frecuentes. Los críticos también señalan que, en muchos casos en que se determinó *dumping* en las importaciones bajo las reglas existentes, no se hubieran cuestionado como amenaza anticompetitiva bajo las leyes de antimonopolio de esos mismos países. En otras palabras, si el comportamiento de los importadores hubiera sido realizado por una empresa nacional, no hubiera sido cuestionado como anticompetitivo u otra forma de alguna manera dañina.

OTRAS BARRERAS NO ARANCELARIAS AL COMERCIO

Otras barreras no arancelarias al comercio consisten en códigos gubernamentales de conducta aplicados a las importaciones. Aunque esas defensas con frecuencia están bien disfrazadas, siguen siendo importantes fuentes de política comercial. Considere tres barreras de ese tipo: las políticas de adquisición gubernamental, regulaciones sociales y de transporte marítimo y de fletes.

Políticas de adquisición gubernamental

Como las dependencias gubernamentales son grandes compradores de productos y servicios, son clientes atractivos para proveedores extranjeros. Si los gobiernos compraran productos y servicios sólo de sus proveedores de menor costo, el patrón comercial no diferiría en forma significativa del que ocurre en un mercado competitivo. Sin embargo, la mayoría de los gobiernos favorece a los proveedores nacionales por encima de los extranjeros en la adquisición de materiales y productos. Esto lo evidencia el hecho de que la razón de importaciones de las compras totales en el sector público es mucho menor que en el sector privado.

Los gobiernos con frecuencia extienden sus preferencias a los proveedores nacionales en la forma de **políticas de compras de productos nacionales**. El gobierno estadunidense, a través de leyes explícitas, abiertamente discrimina en contra de los proveedores extranjeros en sus decisiones de compra. Aunque la mayoría de los demás gobiernos no tiene preferencias legisladas para proveedores nacionales, con frecuencia discriminan en contra de proveedores extranjeros a través de reglas y prácticas administrativas ocultas. Dichos gobiernos utilizan sistemas de licitaciones cerradas que restringen el número de empresas autorizadas a licitar en ventas o que pueden concursar para otorgar contratos gubernamentales en forma tal que dificulte que los proveedores extranjeros puedan hacer ofertas.

Para estimular el empleo nacional durante la Gran Depresión, en 1933 el gobierno estadunidense aprobó la ley llamada Buy American Act. Esta ley requiere que las agencias federales compren materiales y productos de los proveedores estadunidenses si sus precios no son "irracionalmente" más altos que los de los competidores extranjeros. Para que un producto califique como nacional debe tener al menos un contenido de 50 por ciento de componentes nacionales y ser fabricado en Estados Unidos. Como es en la actualidad, los proveedores estadunidenses de agencias civiles reciben un margen de preferencia de 6 por ciento. Esto significa que un proveedor estadunidense recibe el contrato del gobierno siempre y cuando la cotización estadunidense más baja no sea 6 por ciento más alta que la cotización extranjera en competencia. Este margen de preferencia aumenta a 12 por ciento si la cotización nacional más baja está situada en un área de excedente de trabajo y a 50 por ciento si la compra se hace por el Departamento de Defensa. Estas preferencias se anulan cuando se determina que el producto fabricado en Estados Unidos no está disponible en cantidades suficientes o no es de calidad satisfactoria.

Al discriminar en contra de los proveedores extranjeros de bajo costo en favor de los proveedores nacionales, las políticas de adquisición de productos nacionales son una barrera para el libre comercio. Los proveedores nacionales reciben la libertad de utilizar métodos de producción menos eficientes y de pagar precios de recursos más altos que los permitidos bajo libre comercio. Esto genera un costo mayor para los proyectos del gobierno y pérdidas de bienestar de peso muerto para la nación en forma de un efecto protección y un efecto consumo.

Las restricciones de comprar productos estadunidenses por parte del gobierno de Estados Unidos han sido liberalizadas con la adopción del Tokyo Round of Multilateral Trade Negotiations en 1979. Sin embargo, el pacto no aplica a la compra de materiales y productos por agencias gubernamentales estatales y locales. Más de 30 estados en la actualidad tienen leyes para comprar productos estadunidenses, que van desde prohibiciones explícitas para comprar productos extranjeros hasta lineamientos generales de políticas que favorecen a los productos estadunidenses.

Por ejemplo, durante 2001-2004 la California Transit Authority reconstruyó porciones del puente San Francisco-Oakland Bay que había sido dañado por un sismo. Sin embargo, el proyecto costó aproximadamente $4 mil millones, tres veces más de lo que el organismo originalmente había planeado. Una de las razones de esto fue que las reglas para la compra de productos estadunidenses en California estipulaban que sólo se podría utilizar acero extranjero para la reparación del puente si su costo era al menos 25 % menor que el costos del acero nacional. En este caso, la diferencia era sólo del 23%, así que el estado tuvo que comprar acero nacional. Esa diferencia añadió $400 millones a los costos. Aunque este requisito benefició a los productores de acero nacionales, resulta difícil imaginar cómo pudo ayudar a los contribuyentes de California.[8]

CONFLICTOS COMERCIALES EL ESTÍMULO FISCAL ESTADUNIDENSE Y LA LEGISLACIÓN BUY AMERICAN

Cuando el gobierno estadunidense se disponía a promulgar su legislación de estímulo fiscal de $787 mil millones durante la recesión de 2007-2009, surgió el debate sobre si los proyectos financiados por el gobierno debían usar solamente materiales producidos en EUA. Según los defensores de la legislación *Buy American*, ni un dólar de este estímulo debería gastarse en productos extranjeros: los dólares de los contribuyentes deberían ser utilizados para comprar productos hechos en EUA y, así, respaldar los empleos de los estadounidenses.

El proyecto de ley de estímulo fiscal inicial, apoyado por la Cámara de Representantes, estipulaba que ninguno de los fondos que se ponían a disposición por el proyecto de ley podía usarse para proyectos de infraestructura a menos que todo el hierro y el acero usado en el proyecto fuera producido en Estados Unidos. La versión del Senado fue incluso más lejos: estipulaba que todos los productos manufacturados usados en proyectos de construcción provinieran de productores estadunidenses. Esta legislación fue apoyada con ahínco por los sindicatos laborales de EUA y por compañías como U.S. Steel Corp.

Aunque el presidente Barack Obama apoyó esta ley de compra de productos nacionales durante su campaña presidencial de 2008, su entusiasmo disminuyó en 2009. La reacción extranjera inicial frente a la ley fue de absoluta indignación. La Unión Europea advirtió que la aprobación de esta legislación haría que Estados Unidos infringiera los acuerdos comerciales previos e intensificaba la posibilidad de una guerra comercial que hundiría al mundo entero en una depresión económica mayor. Asimismo, compañías exportadoras estadunidenses como Caterpillar argumentaban que las represalias extranjeras reducirían sus ventas enormemente: Caterpillar advertía que en 2009, 60 por ciento de sus ingresos provenían de ventas extranjeras.

En respuesta a estas preocupaciones, Obama se declaró en contra de aquellas cláusulas de la ley que constituían un proteccionismo flagrante. Al final avaló una ley de estímulo fiscal que contenía una versión suavizada de aquellas cláusulas de la ley que aparecían en los proyectos de de la Cámara y del Senado. Por ejemplo, los organismos federales podían no aplicar la ley si ello inflaba el costo de un proyecto de construcción en más del 25 por ciento o si se podía considerar que resultaría contra el interés público. Los gobiernos (municipales) de las ciudades y de los estados en Estados Unidos no están obligados a cumplir los acuerdos comerciales del gobierno federal: así, han podido aplicar cláusulas de la ley que impiden a empresas en Canadá, México y otros países de licitar en proyectos de construcción municipales para escuelas, plantas de tratamiento de agua y similares.

iStockphoto.com/photosoup

---

[8] "Steep Cost Overruns, Delays Plague Efforts to Rebuild Bay Bridge", *Los Angeles Times*, 29 de mayo de 2004.

Regulaciones sociales

Desde la década de los cincuenta, las naciones han asumido un papel siempre creciente para regular la calidad de vida de la sociedad. La **regulación social** intenta corregir una diversidad de efectos laterales indeseables en una economía, los cuales se relacionan con la salud, la seguridad y el ambiente, efectos que los mercados, por cuenta propia, ignoran. La regulación social aplica a un tema en particular, la calidad ambiental y afecta el comportamiento de las empresas en muchas industrias como automóviles, acero y químicos.

Normas CAFÉ

Aunque las regulaciones sociales pueden promover metas de salud, seguridad y ambientales, también sirven como barreras para el comercio internacional. Considere el caso de las normas de consumo de combustible impuestas a los fabricantes de automóviles por el gobierno estadunidense.

Aplicadas originalmente en 1975, las **Normas de Ahorro Promedio de Combustible** (**CAFÉ**, corporate average fuel economy standards) representan la base de la política de conservación de la energía de Estados Unidos. Las normas se basan en la eficiencia de combustible promedio de todos los vehículos vendidos por los fabricantes y aplican a todos los vehículos de pasajeros vendidos en Estados Unidos. Desde 1990, el requisito de las normas CAFÉ para automóviles de pasajeros ha sido de 27.5 millas por galón. Los fabricantes cuya eficiencia promedio de combustible cae por debajo de esta norma están sujetos a multas.

Durante la década de los ochenta, los requerimientos de las normas CAFÉ eran utilizados no sólo para promover la conservación del combustible sino también para proteger los empleos de los trabajadores estadunidenses. La forma más fácil para que los fabricantes estadunidenses de automóviles mejoren la eficiencia de combustible promedio de sus flotas hubiera sido importar vehículos más pequeños, más eficientes en combustible, de sus subsidiarias en Asia y Europa. Sin embargo, esto hubiera disminuido el empleo en una industria ya deprimida. Así, el gobierno estadunidense promulgó normas separadas pero idénticas para los automóviles de pasajeros importados y nacionales. Por tanto, a General Motors, Ford y Chrysler, que fabricaron vehículos en Estados Unidos y también vendieron automóviles importados, se les requería cumplir con los objetivos de CAFÉ para ambas categorías de vehículos. Así, las empresas estadunidenses no podrían satisfacer las normas CAFÉ al promediar la eficiencia de combustible de sus vehículos importados y los producidos en su país, menos eficientes en combustible. Al calcular las flotas nacionales e importadas de forma separada, el gobierno estadunidense intentó forzar a las empresas nacionales a no sólo fabricar vehículos más eficientes sino también a producirlos en Estados Unidos. En pocas palabras, las regulaciones gubernamentales a veces colocan barreras de importación efectivas en los productos extranjeros, ya sea que tengan la intención de hacerlo o no, lo que molesta a los competidores extranjeros.

Europa muge por las hormonas en la producción de carne de EUA

La prohibición de la Unión Europea a la carne tratada con hormonas es otro caso donde las regulaciones sociales pueden llevar a una complicación. Las hormonas que promueven el crecimiento las utilizan ampliamente los productores de ganado para acelerar el crecimiento y producir ganado con menos grasa, más en línea con las preferencias del consumidor para dietas con grasa y colesterol reducidos. Sin embargo, los opositores de las hormonas sostienen que pueden causar cáncer en los consumidores de carne.

En 1989 la Unión Europea decretó su prohibición en la producción y la importación de carne derivada de animales tratados con hormonas del crecimiento. La Unión Europea justificó la prohibición como necesaria para proteger la salud y la seguridad de los consumidores.

La prohibición de inmediato fue desafiada por los productores estadunidenses que utilizaban hormonas en poco más o menos 90 por ciento de su producción de carne. De acuerdo con Estados Unidos, no había una base científica para prohibir las importaciones de carne sobre la base de preocupaciones en la salud. En lugar de eso, la prohibición era sólo un intento por proteger de la competencia extranjera a la industria europea de carne de alto costo. Los productores estadunidenses señalaron que cuando se impuso la prohibición, los productores europeos habían acumulado grandes volúmenes de carne, costosa de almacenar, lo que ocasionaba una enorme presión política para limitar las importaciones de carne. El énfasis de la UE en sus preocupaciones por la salud era, por tanto, una cortina de humo para proteger una industria con una desventaja comparativa, de acuerdo con Estados Unidos.

La disputa comercial eventualmente llegó a la Organización Mundial de Comercio (vea el capítulo 6), que decretó que la prohibición de la UE sobre la carne tratada con hormonas era ilegal y que ocasionaba una pérdida anual de exportaciones de carne de Estados Unidos a la UE por 117 millones de dólares. Sin embargo, la UE, al citar la preferencia del consumidor, se rehusó a retirar esta prohibición. Por tanto, la OMC autorizó a Estados Unidos a imponer aranceles lo suficientemente altos para prohibir 117 millones de dólares en exportaciones europeas a Estados Unidos, quien ejerció su derecho e impuso aranceles de 100 por ciento en una lista de productos europeos que incluían tomate, queso Roquefort, mostaza preparada, hígado de ganso, frutas cítricas, pasta, jamones y otros productos. La lista estadunidense de los artículos principales se enfocaba en productos de Dinamarca, Francia, Alemania e Italia, los principales defensores de la prohibición de la carne tratada con hormonas de Estados Unidos.

En efecto, al duplicar los precios de los productos mencionados, los aranceles de 100 por ciento presionaron a los europeos para liberalizar las importaciones de productos de carne estadunidenses. En 2009, la UE y Estados Unidos acordaron que la UE mantendría su prohibición a la carne de res tratada con hormonas pero que los Estados Unidos, por su parte, eliminarían gradualmente sus impuestos de importación a cambio de un aumento notable en las cuotas de importación libre de impuestos para la carne de res no tratada con hormonas de crecimiento. Para el 2012, Estados Unidos había eliminado los impuestos a todos los artículos europeos previamente gravados, terminando, así, la disputa comercial. Aunque los agricultores de EU habían temido una alza repentina en la importaciones de carne de res, esta no se materializó.

Restricciones al transporte marítimo y los fletes

Durante la década de los noventa, las compañías navieras estadunidenses que atendían a los puertos japoneses se quejaron de un sistema altamente restrictivo de los servicios portuarios. Afirmaban que la asociación de compañías de estibadores de Japón (empresas que hacían las descargas de los barcos) utilizaba un sistema de consultas previas para controlar la competencia, asignar el trabajo del puerto entre ellos mismos y frustrar la implementación de cualquier reducción de costos por parte de las compañías navieras.

En particular, las compañías navieras afirmaron que fueron forzadas a negociar en todo con la asociación de estibadores de Japón desde los horarios de llegada hasta la elección de estibadores y almacenes. Como los servicios portuarios eran controlados por la asociación de estibadores, las compañías navieras extranjeras no podían negociar con determinadas compañías estibadoras acerca de los precios y los horarios. Es más, los transportistas estadunidenses sostenían que el gobierno japonés aprobó estas prácticas restrictivas al rehusarse a licenciar a nuevos participantes al negocio de servicio portuario y al respaldar el requisito de que los transportistas extranjeros negociaran con la asociación de estibadores de Japón.

Un viaje a media noche a la bahía de Tokio ilustra la frustración de las compañías navieras estadunidenses. Las luces bajan y el muelle está en silencio, incluso cuando el Sealand Commerce ha llegado al muelle. A la 1 a.m., se encienden las luces, las grúas cobran vida y los camiones aparecen para descargar los contenedores del barco que llevan platos de papel, computadoras y alimento para mascotas de Estados Unidos. Sin embargo, a las 4 a.m. las luces se apagan y se detiene el trabajo. Los estibadores no regresarán hasta las 8:30 a.m. y tomarán otras tres horas libres en el día. Sólo han descargado 169 de los 488 contenedores que deben manejar antes de que el barco salga para Oakland. A este ritmo, el trabajo se realizará hasta pasado el medio día; pero al menos no es domingo, cuando los puertos están cerrados.

Sin embargo, cuando el Sealand Commerce llega a Oakland, los trabajadores del puerto descargan y cargan 24 horas al día y les toma 30 por ciento menos tiempo, por la mitad del precio. Para entrar a la Bahía de Tokio, el barco tuvo que pormenorizar cada detalle de su visita con la asociación de estibadores de Japón; para ingresar al puerto estadunidense, sólo notificará a las autoridades y al guardacostas. De acuerdo con los exportadores estadunidenses, este tratamiento desigual en los muelles es una barrera comercial, porque hace que las exportaciones estadunidenses sean más caras en Japón.

En 1997, Estados Unidos y Japón se encontraron al borde de una guerra comercial después de que el gobierno estadunidense decidiera instruir a su Guardia Costera y su servicio aduanal de prohibir que los barcos con bandera japonesa descargaran en los puertos estadunidenses. El gobierno estadunidense demandó que a las compañías navieras extranjeras se les permitiera negociar directamente con las compañías estibadoras japonesas para descargar sus barcos, para dar así a los transportistas una manera de evadir las prácticas restrictivas de la asociación de estibadores de Japón. Después de una consulta entre los dos gobiernos, se llegó a un acuerdo para liberalizar los servicios portuarios en Japón. Como resultado, Estados Unidos rescindió su prohibición en contra de los barcos japoneses.

RESUMEN

1. Con la disminución de los aranceles a las importaciones en las dos últimas décadas, las barreras no arancelarias al comercio han ganado importancia como medida de protección. Las barreras no arancelarias al comercio incluyen prácticas como *a)* cuotas de importación, *b)* acuerdos para la comercialización ordenada, *c)* requerimientos de contenido nacional, *d)* subsidios, *e)* leyes *antidumping*, *f)* prácticas de compras gubernamentales discriminatorias, *g)* regulaciones sociales y *h)* restricciones al transporte marítimo y los fletes.

2. Una cuota de importación es un límite impuesto por el gobierno en la cantidad de un producto que puede ser importado. Las cuotas se imponen de forma global (a nivel mundial) o selectiva (país individual). Aunque las cuotas tienen muchos de los mismos efectos económicos que los aranceles, aquellas tienden a ser más restrictivas. Un efecto ingreso de cuota por lo general beneficiaría a los importadores nacionales o a los exportadores extranjeros, según el grado de poder del mercado que posean. Si el gobierno deseara capturar el efecto ingreso, podría subastar las licencias de cuota de importación al mejor postor en un mercado competitivo.

3. Una cuota arancelaria es un arancel de dos niveles impuesto a un producto importado. Permite importar un número limitado de productos a un arancel más bajo, mientras que cualquier importación más allá de este límite enfrenta un arancel más alto. Del ingreso generado por una cuota arancelaria, una parte beneficia al gobierno nacional, como ingresos fiscales y el resto lo captan los productores como ganancias inesperadas.

4. Como la cuota a la exportación es manejada por el gobierno de la nación exportadora (restricción del lado de la oferta), su efecto ingreso tiende a ser captado por los exportadores. Para la nación importadora, el efecto ingreso de la cuota es una pérdida de bienestar además del efecto proteccionista y del efecto consumo.

5. Los requerimientos de contenido nacional tratan de limitar la práctica de abastecerse de fuentes extranjeras y de alentar el desarrollo de la industria nacional. Por lo general estipulan el porcentaje mínimo del valor de un producto que debe elaborarse en el país local para que ese producto sea vendido ahí. La protección del contenido nacional tiende a imponer pérdidas de bienestar en la economía nacional en forma de mayores costos de producción y de productos de precios más altos.

6. Los subsidios gubernamentales a veces son otorgados como una forma de protección a los exportadores nacionales y a las empresas que compiten con las importaciones. Pueden tomar la forma de gratificaciones directas en efectivo, concesiones fiscales, créditos otorgados a tasas de interés más bajas o arreglos de seguros especiales. Los subsidios directos a la producción para los productores que compiten con las importaciones tienden a incluir una pérdida más pequeña en el bienestar económico de la que provocan los aranceles y cuotas equivalentes. La imposición de subsidios a la exportación ocasiona un efecto de términos de intercambio y un efecto ingreso por exportación.

7. El *dumping* internacional ocurre cuando una empresa vende su producto en el extranjero a un precio que es *a)* inferior al costo total del promedio o *b)* inferior al que se cobra a los compradores nacionales del mismo producto. El *dumping* puede ser esporádico, depredador o de naturaleza persistente. El exceso de capacidad en la producción puede ser la razón detrás del *dumping*. Los gobiernos con frecuencia imponen sanciones rígidas en contra de productos extranjeros con los que se cree que se comete *dumping* en la economía local.

8. Las reglas gubernamentales y las regulaciones en áreas como la seguridad y las normas técnicas y los requerimientos de comercialización pueden tener un impacto significativo en los patrones de comercio mundiales.

CONCEPTOS Y TÉRMINOS CLAVE

Asignación de licencia bajo demanda (p. 155)

Barreras no arancelarias al comercio (BNA) (p. 149)

Cuota arancelaria (p. 154)

Cuota absoluta (p. 149)

Cuota global (p. 150)

Cuota selectiva (p. 150)

Cuotas de exportación (p. 156)

Definición basada en el costo (p. 166)

Definición basada en el precio (p. 166)

Dumping (p. 163)

Dumping depredador (p. 164)

Dumping esporádico (p. 164)

Dumping persistente (p. 164)

Impuesto *antidumping* (p. 166)

Licencia de importación (p. 150)

Margen de *dumping* (p. 166)

Normas de Ahorro Promedio de Combustible (CAFÉ) (p. 174)

Políticas de compra de productos nacionales (p. 172)

Regulación social (p. 175)

Requerimientos de contenido nacional (p. 158)

Subsidio a la exportación (p. 161)

Subsidio a la producción nacional (p. 161)

Subsidios (p. 161)

PREGUNTAS PARA ANÁLISIS

1. En las últimas dos décadas las barreras no arancelarias al comercio han ganado en importancia como herramientas proteccionistas. ¿Cuáles son las principales barreras no arancelarias al comercio?

2. ¿Cómo difiere el efecto ingreso de una cuota de importación del de un arancel?

3. ¿Cuáles son las principales formas de subsidios que los gobiernos otorgan a los productores nacionales?

4. ¿Qué se entiende por restricciones voluntarias a la exportación y en qué difieren de las demás barreras de protección?

5. ¿Deberían las leyes *antidumping* estadunidenses expresarse en términos de costos de producción totales o de costos marginales?

6. ¿Qué barrera comercial es más restrictiva: un arancel de importación o una cuota de importación equivalente?

7. Establezca la diferencia entre el *dumping* esporádico, persistente y depredador.

8. Un subsidio proporciona a los productores que compiten con las importaciones, el mismo grado de protección que los aranceles o las cuotas, pero a un costo menor en términos del bienestar nacional. Explique.

9. Más que generar ingresos fiscales como lo hacen los aranceles, los subsidios requieren de ingresos fiscales. Por tanto, no son una herramienta de protección eficaz para la economía de origen. ¿Está usted de acuerdo?

10. En 1980, la industria automotriz estadunidense propuso que se impusieran cuotas de importación a los automóviles fabricados en el extranjero vendidos en Estados Unidos. ¿Cuáles serían los posibles beneficios y costos de dicha política?

11. ¿Por qué accedió el gobierno estadunidense en 1982 a imponer cuotas de importación como una ayuda para los productores nacionales de azúcar?

12. ¿Cuál de las siguientes medidas provoca una mayor pérdida de bienestar para la economía nacional: *a)* una cuota de importación impuesta por el gobierno local o *b)* una cuota voluntaria a la exportación impuesta por el gobierno extranjero?

13. ¿Cuáles serían los posibles efectos de las restricciones voluntarias a la exportación impuestas por Japón en sus embarques de automóviles a Estados Unidos?

14. ¿Por qué las empresas estadunidenses que utilizan acero cabildean en contra de la imposición de cuotas al acero extranjero vendido en Estados Unidos?

15. En relación con el *dumping* internacional, distinga entre las definiciones basadas en el precio y en el costo del valor de mercado extranjero.

16. En la tabla 5.5, se ilustran las curvas de oferta y demanda para televisores en Venezuela, una nación "pequeña" que no puede influir en los precios internacionales. En papel milimétrico dibuje las curvas de oferta y demanda de Venezuela de los televisores.

    a. Suponga que Venezuela importa televisores a un precio de $150 cada uno. Bajo libre comercio, ¿cuántos aparatos produce, consume e importa Venezuela? Determine el excedente del consumidor y el excedente del productor de Venezuela.

    b. Asuma que Venezuela impone una cuota que limita sus importaciones a 300 televisores. Determine el aumento de precios inducido por la cuota y la disminución resultante en el excedente del consumidor. Calcule el efecto redistribución de la cuota, el efecto consumo, el efecto proteccionista y el efecto ingreso. Suponga que las empresas venezolanas de importación se organizan como compradores y negocian de manera favorable con exportadores extranjeros competitivos, ¿cuál es la pérdida de bienestar general para

Venezuela como resultado de la cuota? Suponga que los exportadores extranjeros se organizan como un vendedor de monopolio. ¿Cuál es la pérdida de bienestar general para Venezuela como resultado de la cuota?

c. Suponga que, en lugar de una cuota, Venezuela otorga a sus productores que compiten con las importaciones un subsidio de $100 por televisor. En su diagrama, dibuje la curva de oferta ajustada con el subsidio para los productores venezolanos. ¿El subsidio resulta en un aumento en el precio de los televisores por encima del nivel del libre comercio? Determine la producción de Venezuela, el consumo y las importaciones de los televisores bajo el subsidio. ¿Cuál es el costo total del subsidio para el gobierno venezolano? De esta cantidad, ¿cuánto se transfiere a los productores venezolanos en la forma de excedente del productor y cuánto se absorbe por los costos de producción más altos debido a una producción nacional ineficiente? Determine la pérdida de bienestar general para Venezuela bajo el subsidio.

17. Esta pregunta se refiere a los efectos en el beneficio de una cuota de exportación discutida en la sección *Exploración profunda* 5.2, disponible en: www.cengage.com/economics/Carbaugh. En la tabla 5.6 se ilustran las curvas de oferta y demanda para computadoras en Ecuador, una nación "pequeña" que no puede influir en los precios internacionales. En papel milimétrico, dibuje las curvas de demanda y oferta de computadoras para Ecuador.

a. Asuma que Hong Kong y Taiwán pueden ofrecer computadoras para Ecuador a un precio unitario de $300 y $500, respectivamente. Con el libre comercio, ¿cuántas computadoras importa Ecuador? ¿De qué nación las importa?

b. Suponga que Ecuador y Hong Kong negocian una restricción voluntaria a la exportación en la que Hong Kong impone a sus exportadores una cuota que limita los embarques a Ecuador a 40 computadoras. Asuma que Taiwán no aprovecha la situación al exportar computadoras a Ecuador. Determine el aumento de precio inducido por la cuota y la reducción en el excedente del consumidor para Ecuador. Determine el efecto redistribución de la cuota, el efecto proteccionista, el efecto consumo y el efecto ingreso. Como la cuota de exportación es administrada por Hong Kong, sus exportadores capturarán el efecto ingreso de la cuota. Determine la pérdida de bienestar general para Ecuador como resultado de la cuota.

c. De nuevo asuma que Hong Kong impone una cuota de exportación en sus productores que restringe los embarques a Ecuador a 40 computadoras, pero ahora

Tabla 5.6

Oferta y demanda de computadoras: Ecuador

Precio de la computadora	Cantidad demandada	Cantidad ofrecida
$0	100	—
200	90	0
400	80	10
600	70	20
800	60	30
1,000	50	40
1,200	40	50
1,400	30	60
1,600	20	70
1,800	10	80
$2,000	0	90

© Cengage Learning®

suponga que Taiwán, un exportador no restringido embarca unas 20 computadoras adicionales a Ecuador. Así, este país sudamericano importa 60 computadoras. Determine la pérdida de bienestar general con Ecuador como resultado de la cuota.

d. En general, cuando los aumentos en la oferta no restringida contrarrestan parte de la reducción en los embarques que ocurren bajo una cuota de exportación, ¿la pérdida de bienestar general para el país importador será mayor o menor que la ocurrida en la ausencia de una oferta no restringida? Determine la cantidad en el ejemplo de Ecuador.

18. En la figura 5.6 se ilustra cómo British Toys, Inc (BTI) practica el *dumping* internacional. En la figura 5.6(a) se muestran las curvas de demanda nacional y de ingreso marginal que enfrenta BTI en el Reino Unido (UK) y en la figura 5.6(b) se muestran las curvas de demanda y de ingreso marginal que enfrenta en Canadá. En la figura 5.6(c) se muestran las curvas de demanda combinada y de ingreso marginal para los dos mercados, así como las curvas de costo total promedio y de costo marginal de BTI.

a. Ante la ausencia de *dumping* internacional, BTI fijaría un precio uniforme a los clientes británicos y canadienses (e ignoraría los costos de transporte). Determine la producción y el precio que maximiza las utilidades de la empresa, así como una utilidad total. ¿Cuánta utilidad le genera a BTI sus ventas del Reino Unido y sus ventas de Canadá?

b. Suponga ahora que BTI participa en llevar un *dumping* internacional. Determine el precio que BTI cobra a sus compradores en el Reino Unido y las ganancias que resultan de las ventas en el Reino Unido. Tam-

FIGURA 5.6

Esquemas de dumping internacional

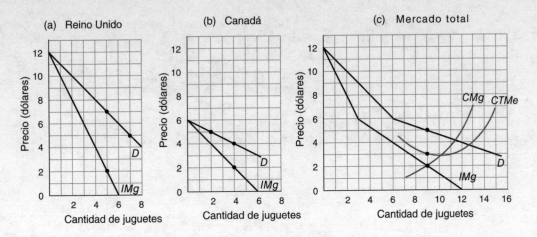

bién determine el precio que fija BTI a sus comprado-res canadienses y las ganancias que se generan de las ventas canadienses. ¿La práctica del *dumping* interna-cional genera mayores utilidades que la estrategia de fijación de precios uniforme? Si es así, ¿por cuánto?

19. ¿Por qué la cuota arancelaria aparece como un compro-miso entre los intereses del consumidor nacional y los del productor nacional? ¿En qué difiere el efecto ingreso de una cuota arancelaria del de un arancel de importación?

Regulaciones comerciales y políticas industriales

En los capítulos anteriores se analizaron los beneficios y los costos de las barreras arancelarias y no arancelarias. En este capítulo se examinan las principales políticas comerciales de Estados Unidos; también se considera el papel de la Organización Mundial de Comercio en el sistema comercial global, las políticas industriales implementadas por las naciones para mejorar la competitividad de sus productores y la naturaleza y efectos de las sanciones económicas internacionales utilizadas para perseguir los objetivos de las políticas exteriores.

POLÍTICAS ARANCELARIAS ESTADUNIDENSES ANTES DE 1930

Como muestra la tabla 6.1, la historia arancelaria de Estados Unidos ha estado marcada por fluctuaciones. El motivo para declarar las primeras leyes arancelarias de Estados Unidos era proporcionar al gobierno una fuente importante de ingresos fiscales. Este objetivo de *ingresos* fue la razón principal por la que el Congreso aprobó la primera ley arancelaria en 1789. Esta ley permitía sólo al gobierno federal la recaudación de aranceles uniformes que iban del 5 al 15 por ciento, de manera que el sistema anterior en el que cada estado imponía por separado sus tasas arancelarias desapareció. Durante esta era los aranceles constituyeron la fuente más importante de ingresos federales y correspondían a más del 90% del ingreso federal total, pero conforme la economía estadunidense se diversificó y desarrolló fuentes alternas de ingresos fiscales, como el impuesto sobre la renta y el impuesto al salario, se debilitó el argumento que justificaba las leyes arancelarias para la mera obtención de ingresos. Los aranceles recolectados en la actualidad por el gobierno federal son aproximadamente 1 por ciento del total de los ingresos federales, una cantidad insignificante.

Conforme se debilitó el argumento de los ingresos que justificaba los aranceles, cobró fuerza el argumento de la *protección*. En 1791 Alexander Hamilton presentó al Congreso su célebre "Informe sobre los fabricantes", en el que proponía que las industrias incipientes de Estados Unidos recibieran protección frente a las importaciones hasta que pudieran crecer y prosperar; ése fue el argumento de la *industria incipiente*. Aunque los escritos de Hamilton inicialmente no tenían un impacto legislativo, para la década de 1820, los sentimientos proteccionistas en Estados Unidos ya estaban bien sólidos, especialmente en los estados del norte donde la manufactura estaba en sólido desarrollo. No obstante, los estados del sur, que no tenían industria manufacturera e importaban productos con aranceles altos presentaron una férrea oposición; los sureños argüían que tenían que pagar más por las importaciones manufacturadas al tiempo que obtenían menos por el algodón que vendían al extranjero.

TABLA 6.1

Historia arancelaria de Estados Unidos: tasas arancelarias promedio

Leyes arancelarias y fechas	Tasa arancelaria promedio* (%)
Ley McKinley, 1890	48.4%
Ley Wilson, 1894	41.3
Ley Dingley, 1897	46.5
Ley Payne-Aldrich, 1909	40.8
Ley Underwood, 1913	27.0
Ley Fordney-McCumber, 1922	38.5
Ley Smoot-Hawley, 1930	53.0
1930-1949	33.9
1950-1969	11.9
1970-1989	6.4
1990-1999	5.2
2000-2009	3.5
2013	3.5

* Promedio simple

Fuente: Departamento de Comercio de Estados Unidos, *Statistical Abstract of the United States,* varios temas y la Organización Mundial de Comercio, *World Tariff Profiles,* 2012.

El movimiento proteccionista en surgimiento alcanzó su punto culminante en 1828 con la aprobación del llamado Arancel de las Abominaciones. Esta medida aumentaba los impuestos a un nivel promedio de 45 por ciento, el más alto en los años previos a la Guerra Civil, y significó una provocación para los estados del sur, que querían bajos impuestos para sus productos manufacturados. La oposición de los estados del sur a este arancel llevó a la aprobación del Arancel de Compromiso de 1833, que contemplaba un recorte de la protección arancelaria, que se otorgaba a los fabricantes estadunidenses. Durante las décadas de 1840 y 1850 el gobierno estadunidense encontró que enfrentaba un exceso de recibos de impuestos sobre gastos. Por tanto, el gobierno aprobó los aranceles Walker, que recortaban impuestos a un nivel promedio de 23 por ciento con el fin de eliminar el excedente del presupuesto. Se realizaron posteriores recortes arancelarios en 1857, lo que llevó a los niveles arancelarios promedio a su punto más bajo desde 1816, a aproximadamente 16 por ciento.

Durante la era de la Guerra Civil los aranceles de nuevo aumentaron con la aprobación de los Aranceles Morill de 1861, 1862 y 1864. Estas medidas principalmente tenían la intención de ser un medio para pagar la Guerra Civil. Para 1870, la protección volvió a subir a las alturas de la década de 1840; sin embargo, en esta ocasión los niveles arancelarios no se reducirían. A finales del siglo xix, los encargados de elaborar las políticas estadunidenses estaban impresionados por los argumentos de los trabajadores estadunidenses y de los líderes de negocios que se quejaron de que la *mano de obra extranjera barata* ocasionaba que los productos extranjeros inundaran el mercado de Estados Unidos. El decreto de los aranceles McKinley y Dingley se sustentó en gran medida en este argumento. Para 1897, los aranceles en las importaciones protegidas promediaron 46 por ciento.

Aunque el arancel Payne-Aldrich de 1909 marcó el punto de inflexión en contra del creciente proteccionismo, fue el decreto del arancel Underwood de 1913 el que redujo los impuestos a 27 por ciento en promedio. La liberalización del comercio podría haberse mantenido en una base permanente si no hubiera sido por el estallido de la Primera Guerra Mundial. Las presiones proteccionistas se acumularon durante los años de guerra y mantuvieron su ímpetu al final de la misma. Durante el principio de la década de 1920 el concepto de *arancel científico* fue decisivo y en 1922 el arancel Fordney-McCumber contenía, entre otras provisiones, una que permitía al presidente aumentar los niveles arancelarios si los costos de la producción extranjera estaban por debajo de los de Estados Unidos. Las tasas arancelarias promedio escalaron a 38 por ciento bajo la ley Fordney-McCumber.[1]

LEY SMOOT-HAWLEY

El punto culminante del proteccionismo estadunidense ocurrió con la aprobación de la **Ley Smoot-Hawley** en 1930, bajo la cual los aranceles promedio de Estados Unidos aumentaron a 53 por ciento en las importaciones protegidas. Conforme la Ley Smoot-Hawley se discutía en el Congreso estadunidense, las protestas formales de otras naciones inundaron Washington y eventualmente sumaron un documento de 200 páginas. Sin embargo, tanto la Cámara de Representantes como el Senado aprobaron la ley. Aunque aproximadamente mil economistas estadunidenses imploraron al presidente Herbert Hoover que vetara la legislación, no lo hizo y el arancel se convirtió en ley el 17 de junio de 1930. En términos sencillos, la Ley Smoot-Hawley trataba de alejar a la demanda nacional de las importaciones y redirigirla hacia productos de manufactura nacional.

Dicha legislación provocó represalias por parte de 25 socios comerciales de Estados Unidos: España implementó el arancel Wais en reacción a los aranceles estadunidenses en corcho, naranjas y uvas; Suiza boicoteó las exportaciones estadunidenses para protestar por los nuevos aranceles en relojes y zapatos; Canadá aumentó sus aranceles al triple como respuesta por los aranceles de Estados Unidos en madera, leños y muchos productos alimenticios; Italia tomó represalias contra los aranceles al aceite de olivo y sombreros e impuso aranceles a los automóviles estadunidenses; México, Cuba, Australia y Nueva Zelanda también participaron en guerras de aranceles. También se implementaron otras políticas de empobrecimiento al vecino, como los controles de tipo de cambio y la devaluación de la moneda. El esfuerzo de varias naciones por manejar un excedente comercial al reducir las importaciones llevó a una falla en el sistema comercial internacional. A los dos años siguientes de la Ley Smooth-Hawley, las exportaciones de Estados Unidos disminuyeron en casi dos tercios. En la figura 6.1 se muestra la declinación del comercio mundial conforme la economía global caía en la Gran Depresión.

¿Cómo ocurrió que el presidente Hoover cayó en semejante trampa proteccionista? El presidente se sintió obligado a respetar la plataforma republicana de 1928 que pedía aranceles para ayudar a la debilitada economía agrícola. La caída de la bolsa de valores de 1929 y la inminente Gran Depresión llevó a una atmósfera de crisis. Los republicanos habían estado a favor del proteccionismo durante décadas y ahora veían los aranceles de importación como un método para satisfacer las exigencias de que el gobierno tomara medidas positivas para combatir el desempleo nacional.

El presidente Hoover se sentía atado a la tradición y a la plataforma del Partido Republicano. Henry Ford pasó toda una tarde con Hoover y solicitó el veto presidencial a lo que él llamó una "estupidez económica". Otros directivos de la industria automotriz estuvieron a favor de Ford. Sin embargo, una legislación arancelaria nunca antes había sido vetada por un presidente y Hoover no iba a sentar un precedente. El presidente señaló: "cuando las condiciones vuelvan a la normalidad, nuestro comercio exterior continuará su expansión".

Para 1932 el comercio estadunidense con otras naciones había colapsado. El contrincante presidencial, Franklin D. Roosevelt, denunció que la legislación comercial era desastrosa. Hoover respon-

---

[1] A lo largo del siglo XIX, Estados Unidos aplicó altos aranceles a los bienes importados, siendo la causa su industria incipiente. La segunda mitad del siglo fue también un periodo de rápido crecimiento económico para el país. Según los proteccionistas, estos aranceles suministraron los fundamentos para una economía en crecimiento. Sin embargo, quienes están a favor del libre comercio señalaron que tales conclusiones no están fundamentadas, porque esta época también era un tiempo de migración masiva a Estados Unidos, que apuntaló el crecimiento económico. Vea T. Norman Van Cott y Cecil Bohanon, "Tariffs, Inmigration, and Economic Insulation", *The Independent Review*, primavera de 2005, pp. 529-542.

FIGURA 6.1

El proteccionismo de la Ley Smoot-Hawley y el comercio mundial, 1929—1933 (millones de dólares)

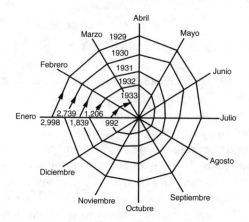

En la figura se muestra el patrón del comercio mundial de 1929 a 1933. Después de la Ley Arancelaria Smoot-Hawley de 1930, que incrementó los aranceles estadunidenses a un nivel promedio de 53 por ciento, otras naciones tomaron represalias; al aumentar sus propias restricciones de importación, el volumen del comercio mundial disminuyó y la economía global cayó en la Gran Depresión.

Fuente: Tomado de League of Nations, *Monthly Bulletin of Statistics*, febrero de 1934. Véase también Charles Kindleberger, *The World in Depression*, University of California Press, Berkeley, CA, 1973, p. 170.

---

dió que Roosevelt quería que los trabajadores estadunidenses tuvieran que competir con el trabajo de campesinos extranjeros. Después de la derrota del presidente Hoover en la elección presidencial de 1932, los demócratas desmantelaron la legislación Smoot-Hawley, pero fueron cautelosos: recurrieron a acuerdos comerciales recíprocos en lugar de hacer concesiones arancelarias generales para todos. Sam Rayburn, el vocero de la Cámara de Representantes, insistió en que todo miembro del partido que quisiera formar parte del Comité de Protocolos de la Cámara (House Ways and Means Committee) tenía que respaldar la reciprocidad comercial en vez del proteccionismo. El enfoque de la Ley Smoot-Hawley fue desacreditado y Estados Unidos buscó la liberalización del comercio a través de acuerdos comerciales recíprocos.

LEY DE ACUERDOS COMERCIALES RECÍPROCOS

El impacto combinado de las exportaciones estadunidenses durante la Gran Depresión y de los aranceles extranjeros impuestos en represalia a la Ley Smoot-Hawley produjo una vuelco en la política comercial estadunidense. En 1934 el Congreso aprobó la **Ley de Acuerdos Comerciales Recíprocos,** que revolucionó la política comercial estadunidense al transferir la autoridad del Congreso (que en general favorecía a los productores nacionales que competían con exportaciones) al presidente (que tendía a considerar los intereses nacionales globales al conformar una política comercial). Esto desplazó el equilibrio de poder en favor de aranceles más bajos y preparó el escenario para una ola de liberalización del comercio. Enfocada a la reducción arancelaria, la ley contenía dos características: *1)* desplazamiento de la facultad para la negociación y *2)* reducciones generalizadas.

Bajo esta ley el presidente recibió la autoridad sin precedentes de negociar acuerdos *bilaterales* de reducción arancelaria con gobiernos extranjeros (por ejemplo, entre Estados Unidos y Suecia); sin aprobación del Congreso, el presidente podía reducir los aranceles hasta 50 por ciento. El decreto de cualquier reducción arancelaria dependía de la disposición de otras naciones de mostrar reciprocidad y reducir sus aranceles en los productos estadunidenses. De 1934 a 1947, Estados Unidos firmó 32 acuerdos arancelarios bilaterales y, durante este periodo, el nivel promedio de los aranceles en los productos protegidos cayó a aproximadamente la mitad de los niveles de 1934.

La Ley de Acuerdos Comerciales Recíprocos también contemplaba reducciones arancelarias generalizadas a través de la cláusula de la **nación más favorecida** (MFN, por sus siglas en inglés). Esta cláusula implica que los países no pueden discriminar entre sus socios comerciales: si concedes a un país un arancel más bajo para alguno de sus productos, debes aplicar el mismo arancel a todos los demás países. En términos generales, la MFN significa que cada vez que un país reduce una barrera al comercio o abre un mercado, debe hacer lo correspondiente para los mismos productos de todos sus socios comerciales, sean ricos o pobres. En 1998, el gobierno estadunidense reemplazó el término "nación más favorecida" por **relaciones comerciales normales**.

Aunque la Ley de Acuerdos Comerciales Recíprocos alteró la balanza política de poder en pro de aranceles más bajos, su enfoque fragmentario y bilateral limitó los esfuerzos de liberalización del comercio en Estados Unidos. Estados Unidos reconoció que, para liberalizar el comercio, se requería de un enfoque más generalizado y fundado en una base multilateral.

ACUERDO GENERAL DE COMERCIO Y ARANCELES

En parte como una respuesta a las perturbaciones comerciales de la Gran Depresión, Estados Unidos y algunos de sus aliados buscaron poner orden en los flujos comerciales después de la Segunda Guerra Mundial. El primer paso importante de la posguerra hacia la liberalización del comercio mundial fue el **Acuerdo General de Comercio y Aranceles** (GATT), firmado en 1947. El GATT fue creado como un acuerdo entre las partes contratantes, las naciones afiliadas, para reducir las barreras comerciales y colocar a todas las naciones en terrenos de igualdad en las relaciones comerciales. El GATT nunca tuvo la intención de convertirse en una organización; en lugar de eso, era un conjunto de acuerdos bilaterales entre países de todo el mundo para reducir las barreras comerciales y definir reglas generales de política comercial.

En 1955 el GATT se transformó en la **Organización Mundial de Comercio** (OMC). La OMC agrupa las principales disposiciones del GATT, pero su papel se expandió para incluir un mecanismo con la intención de mejorar los procesos del GATT para resolver las disputas comerciales entre las naciones afiliadas. Aquí discutiremos, en primer lugar, los principios fundamentales del sistema original del GATT.

Comercio sin discriminación

De acuerdo con el GATT, un país miembro no puede discriminar entre sus socios comerciales. Los dos pilares del concepto de comercio sin discriminación son el principio de la MFN (relaciones normales de comercio) y el principio del trato nacional.

De acuerdo con el principio de la MFN, si un miembro del GATT concede un arancel más bajo a otro miembro para uno de sus productos, debe hacer lo mismo para todos los otros miembros del GATT. La MFN por lo tanto, significa: "favorecer a uno obliga a favorecer a todos". Se admiten, sin embargo, algunas excepciones: los países pueden celebrar un acuerdo de libre comercio cuyos beneficios se aplicarán sólo a artículos comercializados por el grupo que ha suscrito tal acuerdo, y así, se discrimina de cierto modo contra los artículos de los países que no han celebrado tal acuerdo; por otro lado, los países también pueden proporcionar acceso especial a sus mercados (aranceles bajos) a países en vías de desarrollo o, finalmente, un país podría incrementar las barreras comerciales contra artículos de ciertos países que, se considera, se comercializan de manera injusta.

La concesión del estatus de MFN o la imposición de aranceles diferenciales se han usado ampliamente como maniobras de política exterior. Una nación puede castigar a naciones enemigas con altos aranceles de importación sobre sus artículos y recompensar a naciones amigas con aranceles bajos. Estados Unidos ha concedido el estatus de MFN a la mayoría de las naciones con las que comercia, sin embargo, desde 2014 decidió no conceder estatus de relación comercial normal a Cuba ni a Corea del Norte. Los aranceles de EUA sobre las importaciones de estos países son a menudo tres o cuatro veces más altos (incluso mayores) que los de importaciones comparables de las naciones que han recibido el estatus de MFN, como se puede ver en la tabla 6.2. Por otro lado, Estados Unidos ha concedido estatus de MFN sólo de manera temporal a algunos países como Vietnam y Rusia.

El segundo principio detrás del comercio sin discriminación es el principio del trato nacional. Bajo este principio, los miembros de GATT deben dar a los productos importados y a los nacionales el mismo trato, una vez que los productos extranjeros ya hayan ingresado al mercado nacional. De esta manera, las regulaciones nacionales y los impuestos internos no deben estar sesgados en contra de los productos extranjeros. Antes de que tales productos extranjeros ingresaran al mercado nacional es posible que ya hayan sido sometidos a algún arancel.

La industria de las revistas canadienses es un buen ejemplo del uso de impuestos discriminatorios que violan el principio del trato nacional. Por mucho tiempo el gobierno canadiense ha tenido la política de protección a la industria de las revistas porque la considera un idóneo transmisor de ideas e intereses canadienses, así como una herramienta para la promoción de la cultura canadiense. Como ya se mencionó, en la década de 1990, el gobierno canadiense impuso un alto impuesto sobre las revistas estadunidenses, como *Sports Illustrated*, que se vendían en Canadá. La intención del impuesto era hacer poco rentable para las compañías estadunidenses publicar revistas de edición especial dirigidas al mercado canadiense y proteger así los ingresos por publicidad de las publicaciones canadienses. Se determinó que estos impuestos infringían el principio del trato nacional establecido en el GATT porque suponían una discriminación contra las revistas extranjeras.

Promoción del libre comercio

Otro objetivo del GATT era la promoción del libre comercio a través de su participación en la resolución de las disputas comerciales. Históricamente, las disputas comerciales habían sido un asunto estrictamente relacionado con las partes en disputa; no se disponía de ningún tercero al que pudieran apelar para obtener una solución favorable. Como resultado de ello, los conflictos quedaban sin resolver durante años. Cuando se llegaba a una resolución, por lo general, ganaba el país más fuerte a costa

TABLA 6.2

Aranceles estadunidenses en importaciones de países que recibieron y no recibieron el estatus de relación comercial normal: ejemplos seleccionados

| Producto | ARANCEL (PORCENTAJE) | |
	Con estatus de relaciones comerciales normales	Sin estatus de relaciones comerciales normales
Jamones	1.2 centavos/kg	7.2 centavos/kg
Crema agria	3.2 centavos/litro	15 centavos/litro
Mantequilla	12.3 centavos/litro	30.9 centavos/litro
Pescado	3% ad valorem	25% ad valorem
Sierras	4% ad valorem	30% ad valorem
Coliflor	10% ad valorem	50% ad valorem
Café	10% ad valorem	20% ad valorem
Telas tejidas	15.7% ad valorem	81% ad valorem
Camisas de bebé	20.2% ad valorem	90% ad valorem
Collares de oro	5% ad valorem	80% ad valorem

Fuente: Tomado de la Comisión de Comercio Internacional de Estados Unidos, *Harmonized Tariff Schedule of the United States*, Washington, D. C., Government Printing Office, 2006.

del país más débil. El GATT mejoró el proceso de resolución de disputas al elaborar procedimientos de quejas y proporcionar al país victimizado un grupo de conciliación con el objeto de que pudiera expresar sus quejas. Sin embargo, el proceso del GATT para la resolución de disputas no contemplaba la autoridad para la aplicación de las recomendaciones del grupo de conciliación, una debilidad que de hecho inspiró, posteriormente, la creación de la Organización Mundial de Comercio.

El GATT también obligó a sus miembros a utilizar aranceles en vez de cuotas para proteger su industria nacional. El supuesto del GATT fue que las cuotas distorsionaban más que los aranceles porque permitían que el usuario discriminara entre los proveedores, porque no eran predecibles ni transparentes para el exportador e imponían un techo máximo en las importaciones. Aquí también se podían hacer excepciones: las naciones participantes podían usar sus cuotas para salvaguardar su balanza de pagos, promover el desarrollo económico y permitir la operación de los programas de respaldo agrícola. Los acuerdos de restricción voluntaria a las exportaciones, que utilizaban cuotas, también quedaban fuera de las restricciones de cuotas del GATT, porque los acuerdos eran voluntarios.

Previsibilidad: compromisos vinculantes y transparencia

A menudo la promesa de no incrementar una barrera comercial puede ser tan importante como la reducción de la misma, porque la promesa permite a las empresas ver más claramente las oportunidades futuras. Bajo el GATT, cuando los países aceptaban abrir sus mercados a artículos o a servicios, asumían un compromiso "vinculante", es decir, un compromiso que tenían que cumplir. Estos compromisos vinculantes se traducían en techos para las tasas arancelarias a las importaciones. En el caso de los países desarrollados las tasas "vinculantes" generalmente eran las tasas que en realidad se cobraban; mientras que, en el caso de la mayoría de los países en desarrollo, la tasa vinculante era generalmente más alta que la tasa aplicada en la realidad, de manera que la tasa vinculante servía, más bien, como un techo. Un país podía cambiar sus tasas vinculantes pero sólo después de negociaciones con sus socios comerciales; eso implicaba ofrecerles algunas compensación por la pérdida de comercio. El resultado de todo esto era un nivel mucho más alto de seguridad en el mercado para los intermediarios financieros y los inversionistas.

Por otro lado, el sistema de GATT trató de mejorar la previsibilidad y la estabilidad al obligar a que las reglas comerciales de cada país fueran lo más claras y públicas (transparentes) posible. Los países tenían que revelar sus políticas y sus prácticas comerciales públicamente, bien dentro del país en cuestión o notificando al secretariado del GATT.

Negociaciones multilaterales del comercio

Antes del establecimiento del GATT, los acuerdos comerciales involucraban negociaciones bilaterales entre, por ejemplo, Estados Unidos y un solo país extranjero. Con la llegada del GATT, las negociaciones comerciales se llevaban a cabo de manera multilateral y todos los países miembros del GATT participaban en las negociaciones. Con el paso del tiempo, el GATT fue evolucionando hasta incluir a casi todas las principales naciones comerciantes, aunque algunas naciones no eran miembros. Por esta última razón, la palabra "multilateral", en vez de "global" o "mundial", se empleaba para referirse al sistema del GATT. Para promover el libre comercio, el GATT también patrocinó una serie de negociaciones o rondas para reducir los aranceles y las barreras no arancelarias al comercio, como se resume en la tabla 6.3.

La primera ronda de las negociaciones del GATT, completada en 1947, alcanzó reducciones arancelarias que promediaban 21 por ciento. Sin embargo, las reducciones arancelarias fueron mucho más pequeñas en las rondas del GATT de finales de la década de 1940 y durante la década de 1950. Durante este periodo, el impulso proteccionista se intensificó en Estados Unidos conforme Japón y Europa reconstruían sus industrias dañadas por la guerra: el proceso fue lento y tedioso y, con frecuencia, las naciones no estaban dispuestas a considerar recortes arancelarios en muchos productos.

Durante el periodo 1964-1967, los miembros del GATT participaron en la **Ronda Kennedy** de negociaciones comerciales, nombrada así por el presidente de Estados Unidos, John F. Kennedy,

| TABLA 6.3 | | | |

Rondas de negociación del GATT

Ronda de negociación y cobertura	Fechas	Número de participantes	Reducción arancelaria alcanzada (porcentaje)
Aranceles abordados			
Ginebra	1947	23	21
Annecy	1949	13	2
Torquay	1951	38	3
Ginebra	1956	26	4
Ronda Dillon	1960-1961	26	2
Ronda Kennedy	1964-1967	62	35
Arancel abordado y barreras no arancelarias			
Ronda Tokio	1973-1979	99	33
Ronda Uruguay	1986-1993	125	34
Ronda Doha	2002-	149	—

Fuente: Tomado de la Comisión de Comercio Internacional de Estados Unidos, *Harmonized Tariff Schedule of the United States*, Washington, D. C., Government Printing Office, 2006.

© Cengage Learning®

quien emitió una iniciativa que llamaba a las negociaciones. Ocurrió una reunión multilateral entre los miembros del GATT en la que la forma de negociaciones cambió de un formato por producto a un formato de visión generalizadora. Se negociaron los aranceles en categorías amplias de productos y se aplicó una tasa de reducción dada al grupo completo; un enfoque mucho más ágil. La Ronda Kennedy recortó aranceles en los productos manufacturados en un promedio de 35 por ciento hasta un nivel promedio *ad valorem* de 10.3 por ciento.

Las rondas del GATT de la década de 1940 a la década de 1960 se enfocaron casi por completo en la reducción de aranceles. Conforme disminuyeron las tasas arancelarias promedio en las naciones industriales durante el periodo de la posguerra, aumentó la importancia de las barreras no arancelarias. En respuesta a estos cambios, los negociadores cambiaron de énfasis y bordaron el tema de las distorsiones no arancelarias al comercio internacional.

En la **Ronda Tokio** de 1973-1979, las naciones firmantes acordaron reducciones arancelarias que tomaron la forma de aranceles generales que se iniciaron en la Ronda Kennedy. El arancel promedio de los productos manufacturados de los nueve países industriales más importantes se redujo de 7.0 a 4.7 por ciento, es decir una disminución de 39 por ciento. Las reducciones arancelarias en los productos terminados fueron mayores que en las materias primas, así tendían a disminuir el grado de escalada arancelaria. Después de la Ronda Tokio, los aranceles eran tan bajos que no eran ya una barrera significativa al comercio en los países industriales. Un segundo logro de la Ronda Tokio fue el acuerdo de retirar o reducir muchas barreras no arancelarias. Se establecieron códigos de conducta en seis áreas: tasación o valoración aduanal, otorgamiento de licencias de importación, compras gubernamentales, barreras técnicas al comercio (como normas de producto), procedimientos *antidumping* y derechos compensatorios.

A pesar de los esfuerzos de liberalización del comercio de la Ronda Tokio, durante la década de 1980, los líderes mundiales sentían que el sistema GATT se debilitaba. Los miembros del GATT utilizaban cada vez más acuerdos bilaterales, como restricciones voluntarias a las exportaciones y otras acciones que distorsionaban el comercio, como subsidios, que se derivaban de políticas nacionales proteccionistas. Los líderes mundiales también sentían que el GATT necesitaba agrupar áreas adicionales, como el comercio en la propiedad intelectual, los servicios y la agricultura. También querían que el GATT diera más atención a los países en desarrollo, que se habían sentido ignorados por las rondas previas del GATT de las negociaciones comerciales.

Estas preocupaciones llevaron a la **Ronda Uruguay** de 1986-1993. La Ronda Uruguay alcanzó reducción general de aranceles en los países industrializados de alrededor de 40 por ciento. Se eliminaron por completo los aranceles en varios sectores, incluyendo el acero, el equipo médico, el equipo de construcción, los farmacéuticos y el papel. Muchas naciones por primera vez acordaron limitar o fijar un tope significativo a sus aranceles, al abandonar la posibilidad de futuros aumentos de tasas arancelarias por encima de los niveles comprometidos. También se hizo un progreso importante en la Ronda Uruguay al reducir o eliminar las barreras no arancelarias. El Acuerdo sobre Contratación Pública abrió una gama más amplia de mercados para las naciones firmantes. La Ronda Uruguay hizo grandes esfuerzos extensivos por eliminar las cuotas en los productos agrícolas y requirió que las naciones recurrieran a aranceles en vez de cuotas. En el sector de ropa y textiles, varias cuotas bilaterales se eliminaron de manera progresiva para 2005. El acuerdo de salvaguardas prohibía el uso de restricciones voluntarias a la exportación.

En 1999, los miembros de la OMC (consulte la siguiente sección) propiciaron una nueva ronda de negociaciones comerciales en Seattle, Washington, para la primera década del siglo XXI. Los participantes establecieron un programa que incluía el comercio de productos agrícolas, los derechos de propiedad intelectual, la mano de obra, los temas ambientales y la ayuda a los países menos desarrollados. Los países en desarrollo consideraban que en las negociaciones comerciales previas se habían aprovechado de ellos y esta vez no estarían dispuestos a permitirlo. Los desacuerdos entre los países en desarrollo y los países desarrollados acabaron por convertirse en el factor más importante y provocó la disolución de las reuniones, que se conocieron como "La batalla de Seattle" debido a los muchos motines y manifestaciones que tuvieron lugar en las calles durante la reuniones.

Aunque los defensores de liberalización del comercio se vieron frustrados por el fracaso de la reunión de Seattle, continuaron insistiendo en la organización de otra ronda de negociaciones comerciales. El resultado fue la **Ronda de Doha** que tuvo lugar en esa ciudad de Qatar en el 2002. La Ronda de Doha se inauguró con una ambiciosa y complicada retórica: reduciría los subsidios que distorsionan el comercio de los productos agrícolas; rebajaría drásticamente los aranceles a la manufactura en los países en desarrollo; recortaría los aranceles sobre tejidos y ropa que tanto interesan a las naciones pobres; liberaría el comercio de los servicios y negociaría reglas globales en cuatro nuevas áreas: competencia comercial, inversión, adquisición gubernamental y facilitación del comercio.

A pesar de sus ambiciosos objetivos, la Ronda de Doha ha progresado muy poco. Se tropezó con problemas desde el inicio porque los países en desarrollo se negaron a aceptar la propuesta principal: una reducción sustancial de sus aranceles a los productos industriales a cambio de un acceso más amplio a los mercados agrícolas de las naciones ricas. Las conversaciones perdieron fuerza en 2003 y habían fracasado definitivamente para 2008. Los escépticos han advertido que si las conversaciones de Doha no fueran exitosas, quizás sea tiempo de abandonar estas enormes rondas multilaterales y recurrir, como mejor alternativa, a los acuerdos comerciales bilaterales entre un número relativamente pequeño de países. Al redactar este texto los acuerdos comerciales multilaterales se han visto cada vez más suplantados por los acuerdos regionales.

Organización Mundial de Comercio

El 1 de enero de 1995, el día que entró en vigencia la Ronda Uruguay, el GATT se transformó en la Organización Mundial de Comercio. Esta transformación convirtió al GATT de un acuerdo comercial a una organización de afiliación, responsable de gobernar la conducta de las relaciones comerciales entre sus miembros. Las responsabilidades y obligaciones del GATT se convirtieron en el centro de la OMC. Sin embargo, el acuerdo de la OMC requiere que sus miembros se adhieran no sólo a las reglas del GATT, sino también a la amplia gama de acuerdos comerciales que han sido negociados bajo el auspicio del GATT en décadas recientes. Esta resolución acabó con la ventaja que tenían muchos de los miembros del GATT (en especial de los países en desarrollo) que se beneficiaban de los nuevos acuerdos negociados por el GATT, pero se rehusaban a participar directamente en ellos desde la década de 1970. Hoy la OMC consiste de 159 países que generan más del 97 % del comercio mundial.

¿Qué tan diferente es la OMC del viejo GATT? La OMC es una organización internacional con pleno derecho, con oficinas centrales en Ginebra, Suiza; el viejo GATT era básicamente un tratado provisional que daba servicio mediante una secretaría adecuada a las funciones correspondientes. La OMC

CONFLICTOS COMERCIALES SE EVITAN LAS BARRERAS COMERCIALES DURANTE LA GRAN RECESIÓN

Las contracciones de la actividad económica mundial son a menudo un catalizador para el proteccionismo al comercio. Conforme se contraen las economías, las naciones encuentran incentivos para proteger sus industrias afectadas e implementan barreras al comercio sobre artículos importados. Durante la Gran Depresión de la década de 1930, Estados Unidos incrementó los aranceles de importación sobre aproximadamente 20,000 artículos y, en consecuencia, los otros países incrementaron sus barreras comerciales (aranceles, cuotas de importación y controles de intercambio) contra los productos estadunidenses. Esto contribuyó a un colapso del comercio mundial y a una intensificación de la crisis económica global. Ahora bien, durante la Gran Recesión de 2007-2009 se recurrió mucho menos a las barreras comerciales que durante la Gran Depresión. ¿Por qué razón?

Hoy en día los historiadores económicos reconocen que el marcado proteccionismo de la década de 1930 no fue motivado sólo por el deseo de defenderse de la competencia exterior; también contribuyó enormemente la renuencia de los funcionarios públicos a abandonar el patrón oro y permitir que el tipo de cambio de su moneda se depreciara. Como lo discutiremos en el capítulo 15, bajo el patrón oro un país ancla el valor de su moneda a una cantidad específica de oro. Esto significa que el tipo de cambio en oro entre dos divisas queda también fijo y ello proporcionaba seguridad a las empresas sobre las condiciones en que el comercio internacional será llevado a cabo. Por esta razón, durante la Gran Depresión un objetivo primordial de muchos gobiernos era mantener los tipos de cambio fijos en patrón oro.

Muchos gobiernos fueron incapaces de usar políticas monetarias y fiscales para estimular las economías débiles: la política monetaria se ve limitada por el patrón oro y la política fiscal por la doctrina del presupuesto equilibrado que dicta que el gasto público debe reducirse proporcionalmente a la disminución de las recaudaciones tributarias. Dado que la depreciación en el tipo de cambio, la política monetaria y la política fiscal quedaban descartadas como mecanismos de ajuste económico, quienes diseñaban las políticas recurrieron a la implementación de altas barreras comerciales para restringir las importaciones y, así, refor-

zar su débil economía. Durante la década de 1930, fuera del proteccionismo, los gobiernos contaban con un número relativamente pequeño de instrumentos de política comercial para afrontar una contracción de la actividad económica. Es por ello que se recurrió tan intensamente al proteccionismo. En contraste, los países que han abandonado el patrón oro y permiten que sus monedas se deprecien no tienen ahora que recurrir forzosamente al proteccionismo.

Así, en el caso de la recesión del 2007-2009, los gobiernos ya habían ampliado considerablemente su arsenal de mecanismos de ajuste económico. Muchos países tenían tipos de cambio flexibles que permitían que la depreciación de la moneda ayudara a reducir el déficit comercial; además se emplearon políticas fiscales y monetarias expansionistas de manera generalizada para estimular las economías débiles (aunque el éxito de esto último es aún discutible). Los países están mucho más integrados a la economía global hoy que en la década de 1930 y se sabe perfectamente que las interrupciones al comercio causadas por el proteccionismo traen consecuencias mucho más costosas. Lo que es más: la composición de la fuerza laboral se ha desplazado enormemente de la agricultura y la manufactura a los servicios. Esto quiere decir que menos trabajadores se ven directamente afectados por el comercio internacional y, en comparación con el pasado, son muchos menos los que reclaman políticas proteccionistas. Finalmente, un gran número de países ha suscrito acuerdos comerciales o son miembros de instituciones (como la Organización Mundial del Comercio o el Tratado de Libre Comercio de América del Norte) que están diseñadas específicamente para promover el libre comercio.

Naturalmente, durante la Gran Recesión de 2007-2009, el proteccionismo comercial mundial aumentó; sin embargo, la respuesta proteccionista fue relativamente menor.

Fuentes: Douglas Irwin, *Trade Policy Disaster: Lessons From the 1930s*, Cambridge, MA, The MIT Press, 2012; Douglas Irwin, *Peddling Protectionism: Smoot–Hawley and the Great Depression*, Princeton University Press, 2011; Barry Eichengreen y Douglas Irwin, "The Slide to Protectionism in the Great Depression", *The Journal of Economic History*, vol. 70, núm. 4, diciembre de 2010, pp. 871–897.

tiene mucho más amplio alcance que el viejo GATT, al llevar al sistema de comercio multilateral, por primera vez, al comercio en servicios, la propiedad intelectual y la inversión. La OMC también administra un paquete unificado de acuerdos con el que todos los miembros se comprometen; en contraste, el marco de trabajo del GATT incluía muchos acuerdos laterales (por ejemplo, medidas *antidumping* y subsidios) cuya afiliación estaba limitada a unas cuantas naciones. Por otro lado, la OMC revocó políticas proteccionistas en ciertas áreas "sensibles" (por ejemplo, agricultura y textiles) que eran más o menos toleradas en el viejo GATT. La OMC no es un gobierno; las naciones individuales siguen siendo libres de establecer sus propios niveles de protección ambiental, trabajo, salud y seguridad.

A través de varios órganos y comités, la OMC administra los muchos acuerdos contenidos en la Ronda Uruguay, más acuerdos sobre adquisiciones gubernamentales y sobre aeronaves civiles. Supervisa la implementación de los recortes arancelarios y la reducción de las medidas no arancelarias acordadas en las negociaciones. También vigila el comercio internacional: examina regularmente los regímenes comerciales de sus miembros individuales. A través de sus diversos órganos, los miembros evalúan y detectan medidas propuestas o esbozadas por otros que pudieran causar conflictos comerciales. A los miembros también se les requiere actualizar diversas medidas comerciales y estadísticas que la OMC mantiene en una enorme base de datos.

De acuerdo con los lineamientos de la OMC, cuando los miembros abren sus mercados y eliminan las barreras comerciales, sus compromisos ante la OMC se vuelven —como se dice legalmente— "vinculantes". Por tanto, cuando reducen sus aranceles a través de las negociaciones, se comprometen a reducir el arancel a un nivel fijo negociado con sus socios comerciales más allá del cual los aranceles no pueden ser aumentados. El compromiso de los aranceles en la OMC brinda una base estable y predecible para el comercio, un principio fundamental de los lineamientos operativos de la institución. Ahora bien, se contemplan también recursos para la renegociación de los aranceles determinados. Esto significa que un país puede aumentar un arancel si recibe la aprobación de los demás países y esta aprobación, por lo general, requiere, como compensación, la disminución de algún otro arancel. En la actualidad, casi todas las tasas arancelarias de los países avanzados están consolidadas, como lo está aproximadamente el 75 por ciento de las tasas de los países menos desarrollados.

Resolución de disputas comerciales

Un objetivo primordial de la OMC es fortalecer el mecanismo del GATT para solucionar las disputas comerciales. El viejo mecanismo de disputas del GATT sufría de largos retrasos, daba capacidad a las partes acusadas para bloquear las decisiones de los grupos del GATT que iban en contra de ellos y no contaba con una adecuada garantía de cumplimiento de las resoluciones. El mecanismo de solución de disputas de la OMC resuelve cada una de estas debilidades. Garantiza la formación de un grupo de disputas una vez que se presenta un caso y se establecen los límites de tiempo para cada etapa del proceso. La decisión del grupo se puede llevar a un cuerpo de apelación de reciente creación, pero la parte acusada ya no puede bloquear la decisión final. El tema de la solución de la disputa era especialmente importante para Estados Unidos porque esta nación era el usuario más frecuente del mecanismo de disputas del GATT.

El primer caso solucionado por la OMC trataba de una disputa entre Estados Unidos y otros países. En 1994 el gobierno estadunidense adoptó una regulación que imponía ciertas condiciones en la calidad de la gasolina que se vendía en Estados Unidos. La meta de esta resolución, establecida por la Agencia de Protección Ambiental (EPA) bajo la Ley de Aire Limpio, era mejorar la calidad del aire al reducir la contaminación ocasionada por las emisiones de gasolina. La regulación establecía diferentes normas de contaminación para las gasolinas nacionales e importadas. Esto fue desafiado ante la OMC por Venezuela y más tarde, por Brasil.

De acuerdo con los funcionarios venezolanos, hubo una violación al principio del trato nacional de la OMC, que establece que, una vez que la gasolina importada esté en el mercado estadunidense, no puede recibir un trato menos favorable que la gasolina nacional. Venezuela argumentaba que su gasolina iba a ser sometida a controles y estándares mucho más rigurosos que los que tiene que enfrentar la gasolina producida en Estados Unidos.

Estados Unidos afirmaba que esta discriminación se justificaba bajo las reglas de la OMC. Estados Unidos sostenía que el aire limpio era un recurso agotable y que las reglas de la OMC justificaban su preservación. También argumentaba que sus regulaciones de contaminación eran necesarias para proteger la salud humana, lo que también es permitido por la OMC. La condición más importante era que estas disposiciones no debían ser un proteccionismo disfrazado.

Venezuela refutó ese argumento. De ninguna manera cuestionaba el derecho de Estados Unidos a imponer estrictas normas ambientales, pero argumentaba que, si Estados Unidos quería gasolina limpia, entonces tenía que someter sus gasolinas nacionales y las importadas a las mismas normas.

Las nuevas regulaciones planteadas por Estados Unidos, tuvieron un impacto importante para Venezuela y para sus productores de gasolina. Venezuela sostenía que producir la gasolina de acuerdo con la norma dual de la EPA era mucho más caro que si Venezuela hubiera seguido las mismas especificaciones que los productores estadunidenses. Por otro lado, el mercado estadunidense era fundamental para Venezuela, ya que dos tercios de las exportaciones de gasolina de Venezuela eran a Estados Unidos.

Cuando Venezuela se percató de que ciertos aspectos de la discriminación del régimen de gasolina estadunidense no serían modificados por Estados Unidos, llevó el caso a la OMC. Brasil también se quejó por el aspecto discriminatorio de la regulación estadunidense. Las dos quejas fueron escuchadas por un Grupo Especial de la OMC, que en 1996 decretó que Estados Unidos discriminaba injustamente en contra de la gasolina importada. Cuando Estados Unidos apeló esta decisión, el Órgano de Apelaciones de la OMC confirmó los resultados del Grupo Especial. Estados Unidos acordó cesar sus acciones de discriminación en contra de la gasolina importada al revisar sus leyes ambientales. Venezuela y Brasil quedaron satisfechos con la acción de Estados Unidos.

¿Reduce la OMC la soberanía nacional?

¿Los decretos o las disputas de la OMC deterioran la soberanía de Estados Unidos o de otros países? Estados Unidos se beneficia por la solución de disputas de la OMC al tener un conjunto de reglas con las que se puede determinar el grado de responsabilidad de los países por sus acciones comerciales. Al mismo tiempo, el gobierno estadunidense fue cuidadoso al estructurar las reglas de solución de disputas de la OMC para preservar los derechos de los estadunidenses. Sin embargo, los críticos de izquierda y de derecha, como Ralph Nader y Patrick Buchanan, afirman que al participar en la OMC, Estados Unidos ha minado seriamente su soberanía.

Sin embargo, los que están a favor señalan que los resultados de un grupo de solución de disputas de la OMC no pueden forzar a Estados Unidos a modificar sus leyes. Sólo Estados Unidos determina exactamente cómo responderá a las recomendaciones de un grupo de la OMC, en su caso. Si se encuentra que una medida de Estados Unidos sea una violación a una disposición de la OMC, Estados Unidos puede decidir entre modificar la ley, compensar al país extranjero con la disminución de sus barreras comerciales en una cantidad equivalente en otro sector o no hacer nada y quizá recibir represalias del país afectado en forma de mayores barreras en contra de las exportaciones estadunidenses por una cantidad equivalente. Pero Estados Unidos conserva su plena soberanía en su decisión de implementar o no una recomendación del grupo. En términos sencillos, los acuerdos de la OMC no imposibilitan a Estados Unidos para establecer y mantener sus propias leyes o limitan su capacidad para establecer sus normas ambientales, de trabajo, de salud y de seguridad al nivel que considere apropiado. Sin embargo, la OMC no permite que una nación utilice restricciones para aplicar sus propias normas ambientales, de trabajo, de salud y de seguridad cuando tienen efectos selectivos y de discriminación en contra de los productores extranjeros.

Por lo general los economistas están de acuerdo en que el tema real que plantea la OMC no es si disminuye la soberanía nacional, sino que si los derechos compensatorios específicos que impone a una nación son mayores o menores que los beneficios que la nación recibe por aplicar los mismos requerimientos a los demás (incluso incluida ella misma). De acuerdo con esta norma, los beneficios de que Estados Unidos se uniera a la OMC exceden por mucho a los costos. Al otorgar Estados Unidos el estatus de relaciones comerciales normales a todos los 153 miembros, el acuerdo mejora el acceso de Estados Unidos a los mercados extranjeros. Además, reduce la capacidad de otras naciones para imponer restricciones que limiten el acceso a sus mercados. Si Estados Unidos se retira de la OMC, perdería la capacidad de utilizar el mecanismo de la OMC para inducir a otras naciones a que reduzcan sus propias barreras comerciales y así dañaría a sus empresas exportadoras y a sus trabajadores. En términos sencillos, los economistas afirman que la OMC pone ciertas restricciones en la toma de decisiones de los sectores públicos y privados, pero los costos de estas restricciones se ven compensados ampliamente por los beneficios económicos que los ciudadanos derivan de un comercio más libre.

¿Se deben utilizar los aranceles como represalia para el cumplimiento de las resoluciones de la OMC?

Los críticos afirman que el sistema de solución de disputas de la OMC basado en represalias arancelarias coloca a los países más pequeños, sin mucho poder de mercado, en una desventaja. Suponga que Ecuador, un país pequeño, recibe autorización de la OMC para tomar represalias en contra de las prácticas de comercio desleales de Estados Unidos, un país grande. En condiciones competitivas, si Ecuador aplica un arancel más alto a las importaciones de Estados Unidos, su bienestar nacional disminuirá, como se explicó en el capítulo 4, por lo tanto, Ecuador puede estar renuente a imponer un arancel como represalia aun cuando tenga la aprobación de la OMC.

Sin embargo, para países lo suficientemente grandes que pueden influir en los precios del mercado mundial, el tema es menos claro. Esto se debe a que un arancel como represalia puede mejorar los términos de intercambio de un país grande y así mejorar su bienestar nacional. Si Estados Unidos establece una barrera comercial, reduce la demanda del producto en los mercados mundiales. La menor demanda hace que las importaciones sean menos costosas para Estados Unidos; para pagar por estas importaciones, Estados Unidos puede exportar menos. Los términos de intercambio (razón de los precios de exportación a los precios de importación) mejoran para Estados Unidos. Esto contrarresta al menos parte de las reducciones de bienestar que se dan a través de una menor eficiencia debido a un aumento en el arancel.

En términos sencillos, aunque un país pequeño pudiera imponer aranceles como represalia para darle una lección a un socio comercial más grande, encontrará que dicho comportamiento es más costoso para él que para su socio comercial más grande, porque no puede obtener movimientos favorables en sus términos de intercambio. Por tanto, el limitado poder de mercado de los países pequeños hace que sea menos probable inducir un cumplimiento de los decretos de la OMC a través de represalias. Sin embargo, los problemas que enfrentan las naciones más pequeñas con las represalias son lo opuesto de los beneficios especiales que ganan al obtener concesiones arancelarias por la OMC sin ser requeridos para realizar concesiones recíprocas.

Algunos sostienen que el sistema actual de solución de disputas debe ser modificado. Por ejemplo, los defensores del libre comercio se oponen a los aranceles como represalias sobre la base de que el fin de la OMC es reducir las barreras comerciales. En lugar de eso, proponen que los países ofensivos deben cubrir una multa monetaria. Un sistema de multas tiene la ventaja de evitar una protección comercial adicional y de no colocar a los países más pequeños en desventaja. Sin embargo, este sistema encuentra el problema de decidir cómo determinar un valor monetario a las violaciones. También, las multas podrían ser difíciles de cobrar porque el gobierno del país ofensivo tendría que iniciar una autorización presupuestal específica. Más aún, la noción de aceptar una obligación y permitir que los extranjeros impongan multas monetarias en una nación como Estados Unidos sería probablemente muy criticado porque se consideraría como gravamen sin fundamento y la OMC sería atacada por socavar la soberanía nacional.

Los subsidios a la exportación de Estados Unidos brindan un ejemplo de aranceles de represalias autorizados por la OMC. De 1984 a 2004, el código fiscal de Estados Unidos contemplaba un beneficio fiscal que permitía a los exportadores del país exentar entre 15 a 30 por ciento de su ingreso de exportación de los impuestos estadunidenses. En 1998, la Unión Europea planteó una queja ante la OMC, en la que argumentaba que el beneficio fiscal de Estados Unidos era un subsidio de exportación en violación a los acuerdos de la OMC. Esto llevó al decreto de la OMC en 2003 de que el beneficio fiscal era ilegal y que la Unión Europea de inmediato podía imponer 4,000 millones de dólares en derechos compensatorios punitivos en las exportaciones estadunidenses a Europa. Aunque la UE dio al gobierno estadunidense tiempo para eliminar su programa de subsidio a las exportaciones, la inercia ocasionó la continuación del programa. Por tanto, Europa comenzó a implementar aranceles de represalias en 2004. Un arancel de multa de 5% se impuso en las exportaciones de Estados Unidos como joyas, refrigeradores, juguetes y papel. La sanción escaló en 1 punto porcentual por cada mes que los legisladores estadunidenses no alinearan las leyes fiscales de Estados Unidos con el decreto de la OMC. Esta fue la primera vez que Estados Unidos se encontró bajo sanciones de la OMC por no adherirse a sus decretos. Aunque algunos en el Congreso se resistieron a rendirse a la OMC, la presión impuesta por los aranceles convenció al Congreso de revocar los subsidios a las exportaciones.

¿Daña la OMC al ambiente?

En años recientes se ha intensificado el debate en cuanto a la relación entre el comercio y el ambiente y el papel que debe tener la OMC para promover un comercio amigable con el ambiente. Una preocupación central de quienes han planteado el tema en la OMC es que hay circunstancias en las que el comercio y la búsqueda de la liberalización del comercio pueden tener efectos ambientales dañinos. De hecho estas preocupaciones se expresaron cuando miles de ambientalistas se reunieron en la cumbre de la Organización Mundial de Comercio en Seattle en 1999. Protestaron contra la influencia que la OMC tiene en todo, desde la destrucción de los océanos hasta el calentamiento global. Considere los siguientes puntos de vista contrapuestos entre el comercio y el ambiente.[2]

Daño al ambiente

Hay dos argumentos principales que se hacen en cuanto a la forma en que la liberalización del comercio puede dañar el ambiente. Primero, la liberalización del comercio lleva a una "carrera hacia los mínimos posibles" en cuanto a normas ambientales. Si existen países con normas ambientales laxas, lo más probable es que, en dichos paraísos de la contaminación, se instale la industria de productos que dañan el ambiente o que son muy contaminantes. La liberalización del comercio puede hacer aún más atractiva la instalación de industrias pesadas en los refugios de contaminación. Si estas industrias generan contaminación con efectos adversos globales, la liberalización promueve, de forma indirecta, una degradación del ambiente. Peor aún, la presión competitiva inducida por el comercio puede forzar a los países a reducir sus normas ambientales para alentar, así, el comercio de los productos que generan contaminación ambiental.

¿Por qué las naciones en desarrollo adoptan políticas ambientales menos estrictas que las naciones industrializadas? Las naciones más pobres dan una mayor prioridad a los beneficios de la producción (más empleos e ingresos) que a los beneficios de la calidad ambiental en comparación con las naciones ricas. Más aún, las naciones en desarrollo poseen mayor capacidad ambiental para reducir la contaminación a través de procesos naturales (tales como la capacidad de las selvas forestales de América Latina para reducir el dióxido de carbono en el aire) en comparación con las naciones industrializadas que sufren de los efectos de la contaminación pasada. Así, las naciones en desarrollo pueden tolerar niveles más altos de emisiones sin incrementar los niveles de contaminación. Finalmente, la introducción de una industria contaminante en una nación escasamente poblada tendrá menos impacto en la capacidad del ambiente para reducir la contaminación a través de procesos naturales, a diferencia de lo que tendría en una nación industrializada densamente poblada.

Una segunda preocupación de los ambientalistas acerca de la función del comercio se relaciona con las preferencias sociales. Algunas prácticas simplemente pueden ser inaceptables para ciertas personas o sociedades, así que se oponen al comercio en productos que alientan dichas prácticas: matar delfines en el proceso de pesca de atún y utilizar trampas de dientes para cazar animales con el fin de obtener sus pieles. Durante la década de los noventa, las relaciones entre los ambientalistas y la OMC chocaron cuando la OMC, después de quejas de la India, Malasia, Pakistán y Tailandia, falló en contra de una prohibición estadounidense de las importaciones de camarón de los países que utilizaban redes, que durante el proceso también atrapaban tortugas. También, Estados Unidos fue encontrado culpable de violar las leyes mundiales de comercio cuando prohibió las importaciones de atún mexicano atrapado de tal forma que ahogaban también a los delfines. De hecho, los críticos habían sostenido que las políticas de libre comercio de la OMC contradicen la meta de la calidad ambiental.

---

[2] Organización Mundial de Comercio, *Annual Report*, Ginebra, Suiza, 1998, pp. 54-55 y "Greens Target OMC's Plan for Lumber", *The Wall Street Journal*, 24 de noviembre de 1999, pp. A2-A4.

Para muchos economistas cualquier medida que liberaliza el comercio mejora la productividad y el crecimiento, pone presión descendente en la inflación al aumentar la competencia, y crea empleos. En Japón, los aranceles son tan altos en los productos de madera terminada que las empresas estadunidenses no tienen mucho mercado ahí. Los altos precios locales limitan la demanda estadunidense en Japón, pero si se abolieran los aranceles, la demanda de productos estadunidenses de madera podría dispararse y crear empleos madereros adicionales en Estados Unidos y empleos adicionales relacionados con las importaciones en Japón.

Pero los ambientalistas ven la eliminación de aranceles de forma distinta. Su principal preocupación es que un mercado sin trabas arancelarias, que propicie precios más bajos, incentivaria tanto la demanda que la industria maderera se intensificaría hacia los antiguos bosques del mundo, que sirven como hábitat para ecosistemas complejos que de otra forma no podrían sobrevivir intactos en bosques que han sido recortados en fragmentos. Dichos viejos bosques aún existen en gran parte de Alaska, Canadá y la región siberiana de Rusia. Los ambientalistas señalan que en Pensilvania, Nueva York y otros estados en el noreste, los bosques han sido talados de manera desmedida, ocasionando que muchos depredadores grandes hayan sido expulsados de su hábitat y han reducido al mínimo la población de depredadores de los venados, que se encuentran en un estado de sobrepoblación.

Sin embargo, los partidarios de la liberalización minimizan los impactos adversos y argumentan que la reducción de aranceles impulsaría la economía mundial al reducir el costo de las casas, el papel y otros productos hechos de madera, y mientras ayudan a las condiciones del bosque. Por ejemplo, en Estados Unidos los funcionarios del sector maderero dicen que podrían ir a un país como Indonesia y persuadir a las empresas locales de adoptar técnicas que tomen más en cuenta a la conservación del ambiente.

Protección del ambiente

Por otro lado, se afirma que una liberalización del comercio puede mejorar la calidad del ambiente más que promover la degradación. Primero, el comercio estimula el crecimiento económico y la prosperidad creciente es uno de los principales factores en la demanda de las sociedades por un ambiente más limpio. Conforme la gente se vuelve más rica, desea un ambiente más limpio y adquieren los medios para pagar por él. De acuerdo, el comercio puede aumentar el costo de políticas ambientales equivocadas. Si los agricultores contaminan libremente los ríos, por ejemplo, una mayor exportación de productos agrícolas aumentará la contaminación. Pero la solución a esto no es cerrar el paso a las exportaciones, sino aplicar leyes ambientales más severas que hagan pagar a quienes contaminan.

Segundo, el comercio y el crecimiento pueden alentar el desarrollo y la difusión de técnicas de producción amigables con el ambiente en la medida en que la demanda de cultivo de productos más limpios crezca y el comercio aumente el tamaño de los mercados. Las empresas internacionales también pueden contribuir a un ambiente más limpio al usar la tecnología más moderna y ambientalmente limpia en todas sus operaciones. Esto es menos costoso que utilizar tecnología basada en la ubicación de la producción y ayuda a las empresas a mantener una buena reputación.

Aunque no hay duda de que en teoría la competencia intensificada pudiera aumentar los territorios de contaminación, las pruebas empíricas sugieren que no ha sucedido en una escala significativa. La principal razón es que los costos impuestos por la regulación ambiental son pequeños en relación con otras consideraciones de costos, así que este factor es poco probable que esté en la base de las decisiones de reubicación. La Oficina del Censo de Estados Unidos encuentra que incluso las industrias más contaminantes no gastan más de 2 por ciento de sus ingresos en abatir la contaminación. Otros factores como los costos de trabajo, los costos de transporte y la adecuación de la infraestructura son mucho más importantes. Todos hablan de una "carrera a fondo", pero no hay pruebas de una disminución competitiva de las normas ambientales.

La OMC resuelve en contra de China por el acaparamiento de tierras raras

La política comercial de China en relación con los metales llamados tierras raras (materias primas industriales) proporciona un buen ejemplo de la participación de la OMC en asuntos que relacionan el comercio internacional con el medio ambiente. En 2011, la OMC dictaminó que China no tenía derecho para imponer restricciones a las, exportación de nueve metales del grupo de las tierras raras (metales como el zinc y el manganeso) que son cruciales para la producción de artículos de alta tecnología, que van desde los cables de fibra óptica hasta los teléfonos inteligentes, los autos eléctricos, los monitores de computadora o el armamento. China había estado empleando aranceles y cuotas de exportación para reducir las ventas al extranjero de estos recursos esenciales. Ahora bien, resulta que China era en verdad un "país grande" en lo que se refiere al comercio de tierras raras, pues su producción representaba casi el 97 por ciento de la producción mundial.

¿Por qué habría de restringir un país la exportación de materias primas y, al hacerlo, reducir la oferta mundial? Ocurre que, al restringir sus ventas de exportación, la oferta de estas materias primas en el mercado nacional aumenta y se reduce el precio para los compradores nacionales; paralelamente, al restringir la exportación de estas materias primas disminuye su oferta mundial y su precio mundial de exportación se dispara a la alza, provocando beneficios en los términos del comercio del país exportador. El país exportador puede, por otro lado, querer acaparar estos recursos escasos: las restricciones a la exportación incrementan la disponibilidad para los fabricantes nacionales de estas materias primas necesarias en la producción y disminuyen el precio de estos insumos generando una ventaja competitiva en los mercados mundiales.

La figura 6.2 ilustra los efectos de los aranceles de exportación chinos aplicados al zinc, un metal de las tierras raras. Suponga que China produce una gran porción de la producción mundial total de este metal. En la figura, la curva O_C representa la oferta nacional, D_C representa la curva de demanda nacional y D_{C+M} la curva de la demanda mundial total de zinc. La diferencia entre D_C y D_{C+M} para cada precio representa la demanda de zinc del resto del mundo. El equilibrio se alcanza en el punto en que la curva de la oferta O_C intersecta la curva de la demanda D_{C+M}. En este punto, China produciría 9 millones de libras, de las cuales 4 millones de libras se venden en el mercado nacional y 5 millones de libras se exportan. El precio de $1.05 sería aplicable tanto a las ventas nacionales como a las exportaciones.

Suponga ahora que China implementa un impuesto de $0.30 sobre cada libra de zinc exportada. Este impuesto, cargado a los compradores extranjeros, reduce la cantidad que éstos están dispuestos a pagar a los vendedores chinos, de modo que la curva de la demanda desciende, de D_{C+M} a $D_{C+M \text{ (impuesto)}}$. El equilibrio se da donde la nueva curva de demanda intersecta la curva de suministro y corresponde a un volumen de 7 millones de libras, de las cuales 5 millones se venden en China y 2 millones se exportan al extranjero. Los consumidores extranjeros pagan $1.20 por cada libra; esta cifra

FIGURA 6.2

Restricciones chinas a la exportación de materias primas

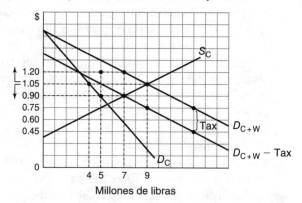

Las restricciones de exportación de materias primas de China garantizan a los fabricantes chinos la disponibilidad de las materias primas necesarias para la producción, además de que rebajan los costos de estos insumos para los productores chinos. Por otro lado, las restricciones de exportación elevan los precios de estas materias primas usadas por los productores extranjeros que compiten contra los chinos, poniéndolos en una desventaja en la competencia.

se compone de la siguiente manera: un precio más bajo, de $0.90 por libra, que va a los productores chinos y $0.30 que va al gobierno chino como ingreso por impuestos. No obstante, los consumidores chinos pagan sólo $0.90 por libra porque el arancel de exportación no se les aplica a ellos. El arancel de exportación de China sobre el zinc provoca, así, una combinación de precio nacional más bajo y de precio mundial más alto. Otro esquema que podría funcionar para la restricción de las exportaciones sería la implementación de una cuota de exportación, lo que produciría los mismos efectos sobre los precios y sobre el volumen.

Ahora bien, con respecto al medio ambiente, China no tiene implantadas normas severas para la extracción de tierras raras (como sí existen en muchos otros países). En China, los desperdicios generados por la extracción de las tierras raras se acumulan en lagos artificiales cuya barrera de contención, al estar construida por tierra, permite la filtración y han provocado serios problemas sanitarios. La inexistencia de tales normas ambientales estrictas proporciona, pues, a los productores chinos una ventaja de costos en comparación con la situación de sus competidores extranjeros.

Cuando China defendió su política comercial argumentó que sus restricciones a la exportación eran esenciales para la protección del ambiente y para el uso sustentable de materias primas escasas. Las reglas de la OMC permiten la implantación de controles en las exportaciones por razones ambientales siempre y cuando tales medidas se lleven a cabo eficazmente y que se vean acompañadas por restricciones a la producción o al consumo nacionales. Tales restricciones no pueden usarse para discriminar contra consumidores o contra los que extraen estas materias primas en otras naciones.

Estados Unidos y los otros países que presentaron la demanda por argumentos de índole ambiental ante la OMC sostenían que las restricciones chinas a la exportación representaban una política proteccionista discriminatoria. El efecto de estas restricciones consistía en la reducción de la oferta de estas materias primas en el extranjero y, en consecuencia, la elevación del precio mundial muy por arriba del precio nacional de China. Esto perjudicaba a los productores extranjeros que usan estos productos como insumos y compiten contra los chinos. Estas medidas para restringir la venta de materias primas al extranjero se interpretaban, pues, como un intento de China por atraer hacia su territorio más fabricas manufactureras. El fallo de la OMC fue un revés para la política de acaparamiento de tierras raras de China. En respuesta al fallo, China se comprometió a modificar sus controles en las exportaciones para evitar sanciones.

En 2014, las acciones de China para controlar el mercado de tierras raras ya estaban disminuyendo. Ante la incertidumbre de la confiabilidad de la oferta China de estos materiales, otros lugares de oferta de varios minerales empezaron a surgir y el periodo de precios más altos estimuló la inversión para nuevos proyectos de extracción en esos otros lugares del mundo, como Groenlandia y Rusia. La participación de China en la producción mundial de tierras raras cayó a aproximadamente el 80 por ciento de la producción mundial (frente a un 95 por ciento en 2010). Al momento de la redacción de este manual, las consecuencias de estos cambios todavía están por verse.

El futuro de la Organización Mundial del Comercio

El fracaso de la Ronda Doha para alcanzar un acuerdo multilateral de comercio ha llevado a algunos analistas a cuestionar si el principio de no discriminación de la OMC se puede realmente aplicar al mundo actual. Aunque una buena parte del comercio entre las economías más importantes todavía se lleva a cabo sobre un principio de no discriminación (el principio de la nación más favorecida) existe una verdadera maraña de múltiples acuerdos comerciales regionales y bilaterales. En los últimos años, los pactos comerciales multilaterales han estado cediendo cada vez más terreno a los pactos regionales y la estructura del comercio mundial se ha encaminado notablemente hacia un sistema fragmentario.

Una obstáculo muy importante para los acuerdos comerciales multilaterales es el cambiante equilibrio de poder en la economía mundial. Brasil, Rusia, India y China (los BRICs) se consideran a sí mismos como países todavía lo suficientemente pobres como para necesitar protección para sus industrias y abogan, sin embargo, por que los ricos reduzcan sus propias barreras comerciales, especialmente en agricultura. Los países ricos en general consideran a los BRICs como serios competidores económicos cuyo capitalismo estatal no es compatible con una economía mundial abierta y libre.

Por otro lado, el proceso de liberalización del comercio ahora procede por dos vías diferentes. Una, la que Estados Unidos promueve, intenta implementar protección ambiental y laboral, armonizar asuntos de salud, de seguridad y de estándares de tecnología, así como comprometerse a la protección de la propiedad intelectual. La otra, promovida por China, enfatiza la reducción de aranceles en todos los sectores con excepción de los más delicados. Es difícil conseguir un acuerdo comercial multilateral cuando las visiones de los países negociadores son abismalmente distintas.

Quizás la OMC sea víctima de su propio éxito: debido a las reducciones arancelarias obtenidas en las primeras rondas de negociaciones, la mayor liberalización produce cada vez menores beneficios económicos. Los países podrían tener menos incentivos para continuar con la liberalización comercial según el enfoque de la OMC. Ahora bien, la progresiva debilidad del concepto de multilateralismo podría no afectar notablemente a los países grandes, que pueden negociar contratos regionales en beneficio propio; los más afectados podrían ser los países pequeños que carecen de gran poder de negociación.[3]

FACULTADES PARA LA PROMOCIÓN DEL COMERCIO (FACULTADES DE VÍA RÁPIDA O FAST TRACK)

Si los acuerdos del comercio internacional estuvieran sujetas a enmiendas del Congreso estadunidense, alcanzar dichos acuerdos debería ser arduo, si no es que inútil. Las cláusulas negociadas por el presidente pronto serían modificadas por un torrente de enmiendas del Congreso, que de inmediato se enfrentarían con la desaprobación del socio comercial que había aceptado los términos originales.

Para evitar este escenario, en 1974 fue ideado el mecanismo para conceder **facultad para la promoción del comercio** (también conocida como **facultad de vía rápida**). Para alcanzar esta disposición, el presidente de Estados Unidos debe hacer una notificación formal al Congreso estadunidense de su intención de entrar en negociaciones comerciales con otro país. Esta notificación pone en marcha un reloj de 60 días legislativos que tiene el Congreso para aceptar o negarle la autoridad de las facultades para la "vía rápida" (*fast track*). Si la facultad de vía rápida es otorgada, el presidente tiene un periodo limitado para completar las negociaciones comerciales; las ampliaciones a este periodo requieren la aprobación del Congreso. Una vez que las negociaciones son completadas, su resultado está sujeto sólo a un voto de sí o no (sin enmiendas) en ambas cámaras del Congreso dentro de los 90 días legislativos de su presentación. A su vez, el presidente acuerda hacer una consulta activa al Congreso y al sector privado a lo largo de la negociación del acuerdo comercial.

La facultad de vía rápida fue el instrumento que permitió negociar e implementar importantes acuerdos comerciales como la Ley de Acuerdos de la Ronda Uruguay de 1994 y el Tratado de Libre Comercio de América del Norte de 1993. La mayoría de los analistas afirma que la implementación de los futuros acuerdos comerciales requerirá que el presidente tenga la facultad para autorizar la vía rápida. Los esfuerzos por renovar la facultad de vía rápida han enfrentado una fuerte oposición, en gran medida debido a las preocupaciones del Congreso por delegar demasiada autoridad discrecional en el presidente y los desacuerdos por encima de las metas de las negociaciones comerciales de Estados Unidos. En particular, los sindicatos y los ambientalistas han buscado asegurar que los acuerdos comerciales aborden sus preocupaciones. Ellos creen que las estrictas normas laborales y ambientales en Estados Unidos colocan a los productores estadunidenses en una desventaja competitiva y que el aumento del comercio con países con normas laxas puede llevar a una presión para suavizarlas en Estados Unidos. Si otros países van a tener relaciones comerciales con Estados Unidos, ¿no deberían tener normas laborales y ambientales similares?

Los partidarios de la facultad de vía rápida han afirmado que, aunque las normas laborales y ambientales son importantes, no pertenecen a un acuerdo comercial. Estos temas se deben negociar mediante acuerdos secundarios anexos al acuerdo principal. Sin embargo, los líderes laborales y los ambientalistas afirman que los acuerdos secundarios pasados carecen de disposiciones para garantizar su cumplimiento y por tanto, han hecho poco por mejorar la calidad de vida en el extranjero.

---

[3] Greg Ip, "The Gated Globe", *The Economist*, 12 de octubre de 2013, pp. 3–20.

SALVAGUARDAS (LA CLÁUSULA DE EXTINCIÓN): PROTECCIÓN DE EMERGENCIA CONTRA LAS IMPORTACIONES

Además de que la OMC arbitra sobre las prácticas de comercio desleales, Estados Unidos ha adoptado una serie de **leyes correctivas de recursos comerciales** diseñadas para producir un ambiente comercial justo para todas las partes que participan en el comercio internacional. Estas leyes incluyen la cláusula de salvaguarda, derechos compensatorios, impuestos compensatorios *antidumping* y prácticas de comercio desleales. En la tabla 6.4 se resume las cláusulas de leyes de recursos comerciales correctivas estadunidenses, que se analizan en las siguientes secciones.

La **cláusula de extinción** proporciona **salvaguardas** (alivio) a las empresas estadunidenses y a los trabajadores que han sido dañados por el surgimiento de las importaciones que son comerciadas de manera justa. Para contrarrestar el surgimiento de las importaciones, la cláusula de salvaguarda permite al presidente estadunidense terminar o hacer modificaciones en las concesiones comerciales otorgadas a naciones extranjeras e imponer restricciones comerciales. La forma más común de apoyo es el incremento de aranceles, seguido de cuotas de tasas arancelarias y ayudas de ajuste comercial. Un apoyo a las importaciones puede imponerse por un periodo inicial de cuatro años y se puede extender por otros cuatro años. La naturaleza temporal de las salvaguardas es dar a la industria estadunidense tiempo para ajustarse a la competencia de las importaciones. Es común que las salvaguardas declinen durante el periodo en el que son impuestas, como para acostumbrar de forma gradual a la industria estadunidense a alejarse del proteccionismo.

Se inicia una acción de cláusula de salvaguarda cuando una industria estadunidense hace la petición a la USITC, que investiga y recomienda una respuesta del presidente. Para recibir un apoyo, la industria debe demostrar que ha sido sustancialmente dañada por la competencia extranjera. La industria también debe preparar una declaración que muestre cómo las salvaguardas le ayudarán a ajustarse a la competencia de importaciones. Una decisión afirmativa por la USITC se reporta al presidente, quien determina qué remedio es el mejor para los intereses nacionales.

La mayoría de los beneficiarios de las salvaguardas proviene de la manufactura como calzado, acero, cañas y cuerdas de pescar y pinzas para ropa. Los productos agrícolas son la segunda categoría más grande, incluidos los espárragos, setas, miel y flores cultivadas. En la tabla 6.5 se proporcionan ejemplos de un apoyo de salvaguarda otorgado a las industrias estadunidenses.

Aunque el recurso de las salvaguardas fue invocado a menudo durante la década de 1970, en las décadas recientes ha sido usado rara vez. Esto se debe en parte a que se ha comprobado que las salvaguardas

TABLA 6.4			

Disposiciones legales de recursos comerciales

Estatuto	Enfoque	Criterio para la acción	Respuesta
Comercio justo (cláusula de salvaguarda)	Aumento de importaciones	El aumento de las importaciones es una causa sustancial de daño	Aranceles, cuotas, cuotas de tasas arancelarias, arreglos de marketing ordenados, asistencia de ajuste
Importaciones subsidiadas (derechos compensatorios)	Subsidios a la exportación, o a la producción manufacturera	Daño material o amenaza de ello	Impuestos
Importaciones con *dumping* (obligación *antidumping*)	Importaciones vendidas por debajo del costo de producción o por debajo del precio de mercado en el exterior	Daño material o amenaza de ello	Impuestos
Comercio desleal (sección 301)	Prácticas de comercio de otros países que violan un acuerdo comercial o que es dañino para el comercio estadunidense	Prácticas injustificables, irrazonables o discriminatorias, que imponen una carga en el comercio estadunidense	Toda la acción apropiada y factible

TABLA 6.5	

Apoyo de salvaguarda otorgado bajo la cláusula de extinción: ejemplos seleccionados

Producto	Tipo de apoyo
Baterías de cocina porcelanizadas	Derechos compensatorios impuestos por cuatro años de 20 centavos, 20 centavos, 15 centavos y 10 centavos por libra en el primero, segundo, tercero y cuarto año, respectivamente.
Setas preparadas o en conserva, 15%	Derechos compensatorios impuestos adicionales por tres años de 20%, 15% y 10% y *ad valorem* en el primero, segundo y tercer año, respectivamente
Ferrocromio carburado	Aumento de los derechos compensatorios temporales
Receptores de televisión a color	Acuerdos de marketing ordenados con Taiwán y Corea
Calzado	Acuerdos de marketing ordenados con Taiwán y Corea

Fuente: Tomado de *Annual Report of the President of the United States on the Trade Agreements Program*, Washington, DC, Government Printing Office, varios temas.

resultan una forma difícil de obtener protección contra importaciones porque se requiere una iniciativa presidencial para conseguirlas y los presidentes se han mostrado renuentes a conceder tal ayuda con frecuencia. Como recurso, las salvaguardas se han visto opacadas por los impuestos *antidumping*, cuya implementación no requiere de una iniciativa presidencial y cuyo niveles de lesión no son tan severos.

Un argumento en pro del recurso de las salvaguardas es que son una necesidad política para la formación de acuerdos de liberalización del comercio. Sin la garantía de una red de protección para proteger a los productores nacionales de las importaciones que se disparan, los acuerdos de liberalización del comercio serían prácticamente imposibles de conseguir. Otro argumento en pro de las salvaguardas es un argumento político más práctico: gracias a ellas los gobiernos pueden apaciguar a los productores nacionales que cabildean vehementemente en favor del proteccionismo, incluso si éste se da en el detrimento de productores extranjeros de productos similares a los suyos; esto es necesario sencillamente porque los productores nacionales son una poderosa fuerza electoral. Se argumenta que una mejor respuesta ante la presión de los productores nacionales sería implementar medidas proteccionistas temporalmente, de cuando en cuando, para reducir la tensión sobre la industria en vez de asumir cualquier tipo de acción permanente que pueda desmantelar de manera general las políticas comerciales liberales. El problema con esta justificación es que existen otras maneras de reducir esta presión que no involucran restricciones a las importaciones en perjuicio de los productores extranjeros, como, por ejemplo, los apoyos gubernamentales o los subsidios fiscales.

Las salvaguardas estadunidenses limitan las importaciones incipientes de los textiles de China

El surgimiento de las exportaciones de textiles de China a Estados Unidos brinda un ejemplo de cómo se pueden utilizar salvaguardas para la estabilidad del mercado. Los productores de textiles y de ropa se han beneficiado de alguna de la protección comercial más sustancial y duradera otorgada por el gobierno estadunidense en tiempos recientes. En 1974, Estados Unidos y Europa negociaron un sistema de reglas para restringir la competencia de los países en desarrollo que para sus exportaciones emplean trabajo de bajo costo. Conocido como el **Acuerdo de Multifibra** (Multifiber Arrangement, **MFA**), las cuotas se negocian cada año, por país y se asignan cantidades de productos específicos de textiles y ropa que pudieran exportarse de los países en desarrollo a los países industrializados. Aunque el MFA inicialmente tenía la intención de ser una medida a corto plazo, sobre todo para dar a los países industrializados tiempo de ajustarse a la feroz competencia global, duró hasta 2005, debido a lo cual se extendió.

La MFA ayudó a crear industrias textiles y de ropa en algunos países donde es probable que esos sectores no hubiesen surgido por sí mismos, simplemente porque estos países recibían derechos de exportación. Países pobres como Bangladesh, Camboya y Costa Rica empezaron a sustentarse en las exportaciones de ropa como medio para brindar empleo e ingresos para su gente. Sin la MFA, muchos países en desarrollo que se beneficiaron de las cuotas podían haber perdido en un ambiente más competitivo.

Cuando la MFA llegó a su fin en 2005, se permitió a los importadores comprar productos textiles en cualquier volumen de cualquier país. Esto afectó la distribución geográfica de la producción industrial en favor de China, el proveedor de más bajo costo y más grande de productos textiles en el mundo. China estaba en la posición que le permitió convertirse en el principal beneficiario de la liberalización del comercio bajo el retiro de la cuota.

La posición competitiva superior de China ocasionó que sus exportaciones textiles y de ropa surgieran en los mercados de Europa y de Estados Unidos en 2005. Para suavizar la avalancha de exportaciones, el gobierno chino tomó ciertas medidas, incluido el fortalecimiento de la autodisciplina entre sus exportadores textiles, al reprimir la inversión en el sector y alentar a las grandes compañías textiles a invertir en el extranjero. El gobierno también sumó un impuesto de exportación para reducir la competitividad de 148 productos textiles y de ropa en los mercados extranjeros. Sin embargo, las exportaciones chinas continuaron con un flujo rápido en los mercados de Estados Unidos y Europa.

Alarmado porque las prendas chinas pudieran abrumar a los productores nacionales, el gobierno estadunidense impuso cuotas de salvaguarda que restringían el aumento de las importaciones a 7.5 por ciento en pantalones, camisas y ropa interior chinas. En noviembre de 2005 las cuotas de salvaguarda fueron reemplazadas por un acuerdo textil con China que impuso límites anuales en 34 categorías de ropa hasta 2008. Los economistas estimaron que las restricciones aumentarían los precios de la ropa entre $3,000 millones y $6,000 millones anuales, una cantidad que se traduciría en cuentas más caras de entre $10 y $20 para una familia promedio estadunidense.

DERECHOS COMPENSATORIOS: PROTECCIÓN CONTRA SUBSIDIOS EN EXPORTACIONES EXTRANJERAS

Como consumidor uno tiende a valorar los precios bajos del acero subsidiado en el extranjero. Pero los productores que compiten con las importaciones resienten los subsidios extranjeros a la exportación, y deben fijar precios más altos porque no reciben dichos subsidios. Desde su punto de vista, los subsidios de exportación dan a los productores extranjeros una ventaja competitiva desleal.

En opinión de la Organización Mundial de Comercio, los subsidios a la exportación constituyen una competencia desleal. Los países importadores pueden ejercer represalias al imponer un **derecho compensatorio**. El tamaño de ese derecho está limitado al monto del subsidio al bien de exportación extranjero. Su propósito es incrementar el precio del producto importado a su valor justo de mercado.

Al recibir una petición por una industria o empresa estadunidense, el Departamento de Comercio de Estados Unidos lleva a cabo una investigación preliminar en cuanto a si un subsidio a la exportación fue otorgado a un proveedor extranjero. Si la investigación preliminar encuentra pruebas razonables de un subsidio a la exportación, de inmediato fue otorgado, los importadores estadunidenses deben pagar un arancel especial (igual al margen de subsidio estimado) en todas las importaciones del producto en cuestión. Luego, el Departamento de Comercio realiza una investigación final para determinar si en realidad se había otorgado un subsidio a la exportación, así como la cantidad del subsidio.[4] Si determina que no hubo un subsidio a la exportación, el arancel especial es reembolsado a los importadores estadunidenses. De otra manera, el caso es investigado por la Comisión de Comercio Internacional Estadunidense, que determina si la industria que compite en importaciones sufrió daños materiales como resultado del subsidio. Si el Departamento de Comercio y la Comisión de Comercio Internacional dictan en favor de la petición de subsidio, se impone un derecho compensatorio per-

---

[4] Para las naciones firmantes del Código de Subsidios de la OMC, la Comisión de Comercio Internacional debe determinar que los subsidios de exportación han dañado a los productores estadunidenses antes de que se impongan derechos compensatorios. Los subsidios a la exportación de las naciones no firmantes están sujetos a derechos compensatorios inmediatamente después de la determinación de su realización por parte del Departamento de Comercio; la Comisión de Comercio Internacional no tiene que estimar una determinación de daño

manente equivalente al tamaño del margen de subsidio calculado por el Departamento de Comercio en su investigación final. Una vez que la nación extranjera deja de subsidiar a las exportaciones de ese producto, se retira el derecho compensatorio.

LA CUOTAS A LA MADERA GOLPEAN A LOS COMPRADORES NACIONALES

Considere un caso de derecho compensatorio en la industria maderera estadunidense. Desde la década de los ochenta del siglo pasado, Estados Unidos y Canadá han discutido acerca de la madera blanda. Los intereses son enormes: las empresas canadienses importan madera con un valor de miles de millones de dólares anualmente a los clientes estadunidenses.

La disputa de la madera ha seguido un patrón repetitivo. Los productores estadunidenses de madera acusan a sus rivales canadienses de recibir subsidios gubernamentales. En particular, argumentan que los canadienses pagan tarifas increíblemente bajas por talar madera en tierras propiedad del gobierno canadiense. En Estados Unidos los productores de madera pagan tarifas más altas por el derecho a cortar árboles en bosques gubernamentales. Es más, las regulaciones canadienses permiten a los gobiernos provinciales reducir sus tarifas de tala de árboles cuando los precios de la madera declinan para mantener rentables los aserraderos canadienses. Para los productores estadunidenses, esto significa un subsidio injusto otorgado a sus competidores canadienses.

Por ejemplo, en 1996 la Coalición para Importaciones Justas de Madera, un grupo de empresas de aserraderos estadunidenses, ganó una petición de derecho compensatorio ante el gobierno estadunidense al afirmar que las compañías madereras habían sido dañadas por las exportaciones subsidiadas desde Canadá. La queja llevó a la imposición de una cuota arancelaria para proteger a los fabricantes estadunidenses. De acuerdo con la restricción comercial, hasta 14,700 millones de pies de tablas de madera canadiense de exportación a Estados Unidos podían entrar libres de impuestos. Los siguientes 650 millones de pies de tablas de madera de exportación estaban sujetos a un arancel de $50 por cada mil pies de tablas. El gobierno canadiense también estuvo de acuerdo en incrementar las tarifas de tala de árboles que cobraba a los productores provinciales. El resultado fue que las exportaciones de madera canadiense a Estados Unidos cayeron 14 por ciento.

La industria maderera estadunidense sostuvo que esta cuota arancelaria creó un campo de juego nivelado en el que los productores estadunidenses y los canadienses pudieran competir de forma justa. Sin embargo, los críticos afirmaron que la restricción comercial no consideró los intereses de los usuarios estadunidenses de madera en las industrias maderera, de construcción de casas y de construcción de muebles. También pasó por alto los intereses de los compradores estadunidenses de casas nuevas y muebles para el hogar. Señalaron que las restricciones comerciales aumentaron el precio de la madera entre 20 y 35 por ciento; así, el costo de una casa nueva promedio aumentó entre $800 y $1 300.[5]

Los productores de madera de Estados Unidos y Canadá han continuado su lucha por el tema de los subsidios a la madera desde la década de los noventa. Está por verse cómo se resolverá este tema.

IMPUESTOS ANTIDUMPING: PROTECCIÓN CONTRA EL DUMPING EXTRANJERO

En los últimos años, relativamente pocas empresas estadunidenses han recurrido al tedioso proceso de obtención de protección mediante derechos compensatorios. Hay una mejor manera de obtener protección contra las importaciones: es mucho más fácil acusar a las empresas extranjeras de practicar *dumping* en el mercado estadunidense y convencer al gobierno de que implemente, en consecuencia, impuestos *antidumping* sobre los productos en cuestión. Para las empresas estadunidenses que tratan de obtener protección de importaciones, *antidumping* es decididamente la mejor opción.

---

[5] Brink Lindsey, Mark Groombridge y Prakash Loungani, *Nailing the Homeowner: The Economic Impact of Trade Protection of the Softwood Lumber Industry*, CATO Institute, 6 de julio de 2000, pp. 5-8.

CONFLICTOS COMERCIALES ¿AYUDARÍA UN ARANCEL SOBRE LAS EMISIONES DE CARBONO A SOLUCIONAR EL PROBLEMA DEL CLIMA?

Muchos científicos consideran el dióxido de carbono como un factor crucial en el problema del calentamiento global. Este gas incoloro e inodoro se emite al ambiente cada vez que se quema petróleo, carbón y otros combustibles fósiles. Entre las políticas para la reducción del consumo de combustibles fósiles se ha planteado la imposición de límites anuales en el volumen de un contaminante que una empresa puede emitir a la atmósfera o un impuesto por cada tonelada de contaminante que dicha empresa emita. Estas políticas elevan, muy concretamente, los costos de contaminación de industrias intensivas en dióxido de carbono, como las industrias del acero, del aluminio, de los químicos, del papel y del cemento.

El tema de la competitividad económica ha sido un punto complicado en las negociaciones mundiales sobre reducción de emisiones. Si Estados Unidos implanta, de manera independiente, multas sobre las emisiones de dióxido de carbono mediante la introducción de límites o impuestos, sus productores estarán en desventaja competitiva porque los costos que supone el control del dióxido de carbono afectarán el precio general de los productos: los costos se incrementarían en comparación con los de los países con normas laxas contra las emisiones de dióxido de carbono. En vez de asumir tales costos, las empresas estadunidenses probablemente se trasladarían a países con normas ambientales más laxas y esto implicaría pérdida de empleos para los estadunidenses, además de que no habría ninguna reducción en las emisiones globales.

Una manera de proteger a las empresas estadunidenses podría ser la implementación de un "arancel al carbono" sobre artículos que se importan de naciones que tienen normas menos estrictas para controlar emisiones de dióxido de carbono. Presumiblemente, el arancel sería más alto sobre las importaciones de naciones contaminantes como China que sobre importaciones de Brasil (que se caracteriza por su energía eficiente). Los defensores de un arancel de carbono sostienen que al incrementar el precio de los artículos importados, un arancel protegería a las industrias nacionales de la desventaja competitiva en la que caen cuando se adhieren a la normatividad ambiental. También plantean que un arancel de carbono sería un incentivo para que los otros países instituyeran más estrictas normas ambientales.

Hay varios argumentos contra la implantación de un arancel de carbono. En primer lugar, este tipo de arancel sería difícil de implementar debido a la falta de información precisa sobre el contenido de dióxido de carbono de las importaciones. Los agentes aduanales tendrían que saber exactamente cuánto acero contiene cada automóvil y dónde y cómo se produjo cada pedazo de ese acero: tarea difícil, sin lugar a dudas. Un automóvil de Indonesia hecho con acero importado de Alemania (que tiene una industria de eficiencia energética) debe, presumiblemente, ser gravado con una tasa diferente de un carro idéntico de Indonesia pero hecho con acero de China (que tiene una industria de deficiencia energética). Esto sería virtualmente imposible.

Otro argumento en contra de la implementación de aranceles de carbono es que podrían provocar una guerra comercial con efectos perjudiciales para la industria nacional: tales aranceles afectarían especialmente a los países en desarrollo cuya cooperación es esencial para la política climática global. La legitimidad de un arancel de carbono sería dudosa, además, según las normas actuales de la Organización Mundial del Comercio. El principio del libre comercio como lo plantea la OMC, estipula que los países deben producir productos que materializan su ventaja comparativa. Implementar un arancel de carbono para desanimar a los productores que emiten intensivamente dióxido de carbono iría en contra del principio de la ventaja comparativa para países como China e India, que muy probablemente impugnarían ante la OMC. Dependiendo de cómo se implementan, los aranceles al carbono podrían considerarse ilegales según la OMC.

En realidad hay muchas complejidades prácticas y políticas en la implementación de aranceles de carbono. Aún está por verse si alguna vez se convertirán en elemento clave de la política climática global.

Fuentes: "Can Trade Restrictions Be Justified on Environmental Grounds?", *The Economist*, 23 de febrero de 2013; David Drake, *Carbon Tariffs, Working Paper 12–29*, Harvard Business School, 19 de octubre de 2011; Tim Wilson y Caitlin Brown, *Costly, Ineffectual and Protectionist Carbon Tariffs*, Melbourne, Australia: Institute of Public Affairs, 2010; Olive Heffernan, *Would a Carbon Tariff Even Work?*, Nature Publishing Group, Macmillan Publishers Limited, enero de 2010.

El objetivo de la política estadunidense *antidumping* es contrarrestar dos prácticas de comercio desleales de las naciones extranjeras: 1) ventas de exportación en Estados Unidos a precios por debajo del costo total promedio de producción y 2) discriminación de precios, en la que las empresas extranjeras venden en Estados Unidos a un precio menor del que cobran en el mercado nacional del exportador. Ambas prácticas pueden infligir daño económico a los productores estadunidenses que compiten con las importaciones; al reducir el precio de las exportaciones extranjeras en el mercado estadunidense, alientan a los consumidores estadunidenses a comprar menores cantidades del producto fabricado internamente.

Para iniciar las investigaciones *antidumping* se hace una solicitud escrita por parte de la industria que compite con las importaciones, la cual incluye pruebas de: 1) *dumping*, 2) daños materiales como ventas, utilidades o empleos perdidos y 3) la relación entre las importaciones con *dumping* y el supuesto daño. Las investigaciones *antidumping* requieren que tanto los exportadores como los importadores nacionales contesten cuestionarios detallados. Las partes que elijan no llenar los cuestionarios pueden quedar en desventaja en las decisiones del caso; los resultados se obtienen con la mejor información disponible, que simplemente puede ser información proporcionada por la industria nacional en relación con los argumentos de *dumping*. El número de casos de *antidumping* es mucho mayor al número de casos de cualquier otra medida correctiva al comercio. El Departamento de Comercio determina si ha habido *dumping* y la Comisión de Comercio Internacional determina si la industria nacional sufrió daño debido al *dumping*.

Si los investigadores determinan que se ha practicado *dumping* y que ha ocasionado daños materiales a la industria nacional, entonces la respuesta estadunidense es un impuesto (arancel) *antidumping* sobre las importaciones que han estado en condiciones de *dumping* por el monto equivalente al margen del *dumping*. El objetivo del impuesto es contrarrestar el efecto de los productos introducidos a precios de *dumping* y que se encuentran por debajo del costo total promedio o por debajo del precio al que son vendidos en el mercado local del exportador. Los impuestos *antidumping* son generalmente onerosos, a menudo de alrededor del 60%. Según la Comisión de Comercio Internacional, las importaciones sujetas a impuestos *antidumping* mayores al 50% tienden a incrementar 33% en el precio y a disminuir 73% en el volumen por comparación con el año previo a la solicitud de la imposición *antidumping*.[6]

Un caso de *antidumping* puede terminar antes de que finalice la investigación si el exportador del producto hacia Estados Unidos acuerda dejar de incurrir en *dumping*, dejar de exportar el producto hacia Estados Unidos, aumentar el precio para eliminar el *dumping* o negociar algún otro acuerdo que disminuya la cantidad de las importaciones. De hecho, la sola amenaza de una investigación de *antidumping* puede inducir a las empresas exportadoras a incrementar sus precios de exportación y así detener el *dumping* que estaban cometiendo.

¿Las leyes *antidumping* son buenas para una nación? Los economistas tienden a desconfiar de los impuestos *antidumping* porque aumentan el precio de los productos importados y así disminuyen el bienestar del consumidor. De acuerdo con los análisis económicos, los precios bajos son un problema que necesita un recurso sólo si tienden a ocasionar precios más altos en el largo plazo. Los economistas consideran que los impuestos *antidumping* sólo son apropiados cuando combaten los precios de depredación, diseñados para monopolizar un mercado al sacar del negocio a los competidores. El consenso entre los economistas es que las leyes *antidumping* casi no tienen nada que ver con la fijación de precios de depredación, así que su existencia no tiene una justificación económica.

Los defensores de las leyes *antidumping* admiten que no tienen la intención de combatir los precios depredadores o de mejorar el bienestar del consumidor en la definición del término de los economistas. Sin embargo, justifican las leyes *antidumping*, no por el criterio de eficiencia, sino por el de justicia. Aunque el *dumping* puede beneficiar a los consumidores a corto plazo, afirman que es injusto para los productores nacionales tener que competir con productos comercializados de forma desleal.

Recursos contra las importaciones con dumping y subsidiadas

Recuerde que el efecto directo del *dumping* y de las importaciones subsidiadas es reducir los precios de importación, un efecto que proporciona beneficios y costos para el país de importación. Hay beneficios para los consumidores si las importaciones son productos terminados y para las industrias de consumo que utilizan las importaciones como insumos intermedios en su propia producción (industria vinculada hacia atrás). Inversamente hay costos para la industria que compite con las importaciones, sus trabajadores y otras industrias que venden insumos intermedios para producción en la industria que compite con las importaciones (industria vinculada hacia delante). El *dumping* a

---

[6] Comisión de Comercio Internacional de EUA, *The Economic Effects of Antidumping and Countervailing Duty Orders and Suspension Agreements*, International Trade Commission, Washington, DC: junio de 1995.

precios por debajo del valor de mercado justo y las exportaciones subsidiadas se consideran prácticas de comercio desleales bajo la ley comercial internacional; pueden ser neutralizadas por la aplicación de los impuestos *antidumping* o por compensatorios en importaciones de *dumping* o ser subsidiadas.

En la figura 6.3 se ilustran los efectos de las prácticas de comercio desleales en Canadá, una nación demasiado pequeña para influir en el precio extranjero del acero; para mayor simplicidad, en la figura se asume que el acero, el hierro y las compañías automotrices canadienses operan en mercados competitivos. En la figura 6.3 (a), O_C y D_C representan la oferta y la demanda canadiense de acero. Suponga que Corea del Sur, que tiene una ventaja comparativa de acero, suministra el metal a Canadá al precio comercial justo de 600 dólares por tonelada. A este precio la producción canadiense es igual a 200 toneladas, el consumo canadiense totaliza 300 toneladas y las importaciones suman 100 toneladas.

Ahora suponga que como resultado de las prácticas de *dumping* y de subsidio de las importaciones canadienses de acero a un precio de $500 por tonelada el margen del *dumping* y el subsidio igualaran los $100 ($600 − $500 = $100). La práctica del comercio desleal reduce la producción canadiense de 200 a 100 toneladas, aumenta el consumo canadiense de 300 a 400 toneladas y las importaciones canadienses de 100 a 300 toneladas. A su vez, la disminución de los precios y las cantidades, llevan a una caída en la inversión y el empleo en la industria canadiense del acero. Aunque el excedente del productor de acero disminuye por el área *a* debido al comercio desleal, los compradores canadienses encuentran que el excedente del consumidor aumenta en el área *a* + *b* + *c* + *d*. ¡El mercado de acero canadiense como un todo se beneficia del comercio desleal debido a que las ganancias de sus consumidores exceden las pérdidas de los productores por el área *b* + *c* + *d*!

El comercio desleal también afecta a las industrias de Canadá vinculadas hacia atrás y hacia delante. Si la industria del hierro (industrias vinculadas hacia atrás) suministra el producto principalmente a los productores canadienses de acero, la demanda de hierro canadiense disminuirá conforme cae la producción de sus clientes debido a la competencia por acero importado más barato. Como se ilustra en la figura 6.3 (b), en ausencia del comercio desleal, la cantidad de hierro demandada por los productores canadienses de acero es Q_0 toneladas al precio de P_0 por tonelada. Debido al comercio desleal en la industria del acero, la demanda de hierro disminuye de D_C a $D_{C'}$; así, la producción cae

---

FIGURA 6.3

Efectos de las importaciones con dumping y subsidiadas y sus recursos

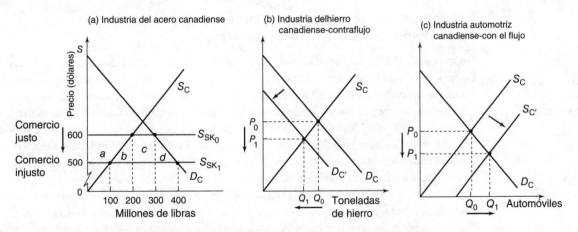

Las importaciones con *dumping* o subsidiadas brindan beneficios a los consumidores si las importaciones son productos terminados y a las industrias que utilizan las importaciones como insumos intermedios en su propia producción; infligen costos a la industria nacional que compite con las importaciones, a sus trabajadores y otras industrias nacionales que venden insumos intermedios a la industria que compite con las importaciones. Un impuesto *antidumping* o compensatorio inflige costos en los consumidores si las importaciones son un producto terminado y en las industrias que utilizan las importaciones como insumos intermedios en su propia producción; y generan beneficios a la industria nacional que compite con las importaciones, sus trabajadores y otras industrias nacionales que venden insumos intermedios a la industria protegida.

como los ingresos y el empleo en esta industria. En los automóviles (industrias vinculadas hacia delante), la producción aumentará cuando los costos de manufactura disminuyen debido a la disponibilidad de acero importado más barato. Como se ilustró en la figura 6.3 (c), la producción de automóviles canadienses aumenta de Q_0 unidades a Q_1 unidades, conforme la curva de la oferta se desplaza hacia abajo de O_C a $O_{C'}$ con los efectos positivos que lo acompañan en ingresos y empleo; la disminución en los costos de producción también mejoran la competitividad de la industria automotriz canadiense en los mercados internacionales.

Suponga que el comercio desleal en el acero ocasiona que el gobierno canadiense imponga un impuesto *antidumping* o un derecho compensatorio en el acero importado igual al margen de *dumping* o de subsidio ($100). El efecto de un derecho exactamente compensatorio en la industria del acero es una recuperación de los precios y las cantidades en el acero de inicio, el hierro y las industrias automotrices de Canadá, como se puede ver en la figura 6.3. El impuesto aumenta el precio de importación del acero comerciado en forma desleal en Canadá, lo que lleva a una mayor producción de acero por parte de los acereros canadienses; esto resulta en una mayor demanda y por tanto en precios más altos para el hierro canadiense, pero también implica mayores costos de producción, precios más altos y menos ventas para los fabricantes canadienses de automóviles. Con el impuesto de importación, la disminución en el excedente del consumidor contrarresta por mucho el aumento en el excedente del productor en el mercado de acero canadiense.

La Comisión de Comercio Internacional de Estados Unidos estimó los efectos económicos de los impuestos *antidumping* y compensatorios solicitados en 1991 por las industrias estadunidenses y sus industrias proveedoras hacia atrás y sus consumidores vinculados hacia delante. El estudio concluyó que estos impuestos beneficiaban a las industrias cuya solicitud tenía éxito al aumentar los precios y mejorar la producción y el empleo. Sin embargo, los costos para el resto de la economía fueron mucho mayores. El estudio calculó que la economía estadunidense hubiera experimentado una ganancia de bienestar neto de 1,590 millones de dólares si el gobierno no hubiera implementado los derechos *antidumping* y compensatorios. En otras palabras esos impuestos impusieron costos sobre los consumidores, las industrias vinculadas hacia delante y sobre toda la economía en al menos 1,590 millones de dólares más que los beneficios que disfrutaron las industrias que tuvieron éxito en sus peticiones y sus empleados.[7] Sin embargo, recuerde que la finalidad de las leyes de impuestos *antidumping* y compensatorios no es proteger a los consumidores sino desalentar las importaciones en forma de comercio desleal que ocasionan daño a las industrias nacionales en competencia y a sus trabajadores.

Las compañías acereras estadunidenses pierden un caso de comercio desleal y aún así ganan

Durante años la industria acerera estadunidense ha dominado en el departamento de quejas de la Comisión de Comercio Internacional de Estados Unidos. Durante las décadas de los ochenta y noventa, representaba casi la mitad de las quejas de comercio desleal del país, aunque el acero constituyera menos de 5 por ciento de las importaciones estadunidenses. Año tras año, la industria acerera abrumaba a la USITC con peticiones que argumentaban que el acero extranjero era subsidiado o que se cometía *dumping* en el mercado estadunidense. Sin embargo, la industria del acero no tenía mucho éxito en sus peticiones en contra de las importaciones baratas. Por ejemplo, durante la década de los noventa, perdió más de la mitad de sus casos.

Sin embargo, para la industria del acero, ganar no lo es todo. Presentar y argumentar sus casos es parte de la estrategia competitiva del consorcio de Big Steel (U.S. Steel, Bethlehem, AK Steel, LTV Corp., Inland Steel Industries Inc. y National Steel). Este consorcio sabe que puede utilizar las leyes de comercio para influir en la oferta de acero del mercado y así limitar la competencia extranjera. Siempre que el mercado se debilita, por cualquier razón, el consorcio presenta un caso de comercio desleal.

---

[7] U.S. International Trade Commission, *The Economic Effects of Antidumping and Countervailing Duty Orders and Suspension Agreements*, Washington, DC: International Trade Commission, junio 1995, capítulo 10.

Esta es la forma en que funciona la estrategia: el mercado se suaviza y el consorcio presenta casos comerciales que argumentan la existencia de un subsidio extranjero o *dumping*, y luego reducen las importaciones de las empresas implicadas en la petición. El caso procede durante un año o algo así, lo que permite a los productores de acero aumentar su participación de mercado y aumentar sus precios. Incluso si la USITC falla en contra del caso, el mercado tiene tiempo para recuperarse.

Una vez que se presenta el caso, toma meses proceder con la investigación, a través de un proceso constituido por cuatro etapas legales; este tiempo beneficia a los productores nacionales de acero. Por lo general, los productores estadunidenses de acero ganan la primera ronda, en la cual la industria tiene que mostrar una "prueba fehaciente" a la USITC del daño de las importaciones. Armado con ese resultado, el Departamento de Comercio de Estados Unidos establece impuestos preliminares a las importaciones. Los importadores deben presentar un bono financiero o fianza para cubrir dichos impuestos. Luego, el Departamento de Comercio determina los impuestos finales, con base en el grado de subsidio extranjero o *dumping* en el producto exportado, por lo que el caso va de regreso a USITC para una determinación final de daño. Si las empresas estadunidenses pierden en su petición, el impuesto nunca se cobra y la fianza se recupera. Sin embargo, si ganan la demanda, el importador puede ser responsable por la cantidad completa.

Durante este proceso los importadores estadunidenses tienen el derecho de continuar con su importación. Pueden mantener la importación si creen que los productores de acero van a perder el caso. Sin embargo, la USITC es un cuerpo político, donde algunos de sus presidentes al ser comisionados están por el comercio libre mientras que otros tienden a ser más proteccionistas. Como los importadores estadunidenses se percatan de que corren un riesgo grande si se equivocan, por lo general la respuesta es dejar de importar cuando se presenta un caso.

Dicho de manera simple, sólo con presentar los casos de comercio desleal, la industria acerera estadunidense puede ganar. Lo que gaste en gravámenes legales, lo recupera por mucho en ingresos adicionales. Eso es lo grandioso acerca de presentar quejas: aunque se pierda, aún así se gana.

SECCIÓN 301: LAS PRÁCTICAS DE COMERCIO DESLEALES

La **Sección 301** de la Ley de Comercio de 1974 otorga al representante comercial estadunidense (USTR) la autoridad y los medios, sujetos a la aprobación del presidente, para responder a las prácticas desleales de comercio de las naciones extranjeras. Entre estas prácticas desleales están las restricciones comerciales y los subsidios de otro país que dificultan las exportaciones estadunidenses destinadas a terceros mercados. El USTR responde cuando dichas prácticas ocasionan cargas "extraordinarias" o "discriminatorias" para los exportadores estadunidenses. La legislación fue primeramente una respuesta del Congreso estadunidense a la insatisfacción con la ineficacia del GATT para resolver las disputas comerciales.

Las investigaciones de la Sección 301 por lo general se inician con base en peticiones de las empresas estadunidenses y los sindicatos afectados; también pueden ser iniciadas por el presidente. Si después de la investigación se determina que una nación extranjera participa en prácticas de comercio desleales, el USTR está facultado para *1)* imponer impuestos u otras restricciones a las importaciones en productos y servicios y *2)* a negar al país extranjero los beneficios de las concesiones de acuerdo comercial.

Aunque la sanción final disponible para Estados Unidos son represalias mediante restricciones a las importaciones, el propósito de la Sección 301 es obtener una resolución exitosa de los conflictos. En la gran mayoría de casos, la Sección 301 ha sido utilizada para convencer a las naciones extranjeras de modificar o eliminar lo que Estados Unidos considera prácticas de comercio desleales; sólo en una minoría de casos, Estados Unidos ha tomado represalias en contra de productores extranjeros por medio de aranceles o cuotas. Sin embargo, las naciones extranjeras con frecuencia han comparado a la Sección 301 con una "palanca" para resolver las disputas comerciales, que posibilita las restricciones comerciales en represalia. Al menos dos razones se han anticipado para las limitaciones de este enfoque para abrir los mercados extranjeros a las exportaciones estadunidenses: *1)* el nacionalismo une a la población de un país extranjero en contra de las amenazas estadunidenses de restricciones comerciales y *2)* la nación extranjera reorienta su economía hacia otros socios comerciales diferentes a Estados Unidos.

Un ejemplo del caso de la Sección 301 es la disputa de plátanos entre Estados Unidos y Europa. En 1993 la Unión Europea implementó un régimen simple en toda la Unión Europea en las importaciones de plátanos. El régimen daba entrada preferencial a plátanos de las antiguas colonias estadunidenses, incluidas algunas partes del Caribe, África y Asia. Pero también restringía la entrada de otros países, incluidas varias naciones de América Latina, donde predominan las empresas estadunidenses. De acuerdo con Estados Unidos, el régimen de plátanos de la Unión Europea ocasionó un trato comercial desleal para las empresas estadunidenses. Los funcionarios del comercio estadunidense sostenían que Chiquita Brands International y Dole Food Co., que manejan y distribuyen los plátanos de las naciones de América Latina, perdieron la mitad de sus negocios debido al régimen de plátanos de la UE. Como resultado, Estados Unidos y varios países de América Latina llevaron este tema a la Organización Mundial de Comercio (OMC) y defendieron con éxito su caso. La OMC decretó que el régimen de plátanos de la UE discriminaba a las compañías de distribución de Estados Unidos y de América Latina y a las exportaciones de los países de América Latina. Después de una batalla prolongada, Europa modificó su comportamiento y se levantó el arancel.

PROTECCIÓN DE LOS DERECHOS DE PROPIEDAD INTELECTUAL

En el siglo XIX Charles Dickens criticó a los editores estadunidenses por publicar versiones no autorizadas de sus trabajos sin pagarle ni un centavo. Pero la protección de derechos de autor en Estados Unidos no aplicaba a autores extranjeros (británicos) así que las novelas populares de Dickens podían ser pirateadas sin sanción alguna. En años recientes, son las empresas estadunidenses las que han visto frustradas sus expectativas de utilidades. Los editores en Corea del Sur producen copias de libros estadunidenses de contrabando sin realizar pagos de regalías. Los laboratorios de investigación estadunidenses se encuentran en enredos legales con los fabricantes japoneses de electrónica debido a las infracciones de patentes.

Ciertas industrias y productos son blancos bien conocidos de la piratería, los falsificadores y otros infractores de los **derechos de propiedad intelectual (DPI)**. El contrabando ha sido una práctica común en industrias como autopartes, joyería y productos deportivos y relojes. La piratería de cintas de audio y de video, software de cómputo y materiales impresos se ha difundido en todo el mundo. Las industrias con productos que tienen ciclos de vida más cortos que el tiempo necesario para obtener y aplicar una patente también están sujetas a robos; por ejemplo, el equipo fotográfico y las telecomunicaciones. En la tabla 6.6 se brindan ejemplos de las violaciones a los DPI en China.

TABLA 6.6

Ejemplos de violaciones a los derechos de la propiedad intelectual en China

Empresa afectada	Violación en China
Epson	Máquinas copiadoras y cartuchos de tinta piratas.
Microsoft	Versiones piratas de Windows y Windows NT, con empaques prácticamente idénticos al del producto original que se vende en tiendas autorizadas.
Yamaha	En China cinco de cada seis motocicletas JYM150-A y patines motorizados ZY125 que llevan el nombre de Yamaha son falsos. Algunas fábricas propiedad del Estado fabrican copias cuatro meses después de la introducción de un nuevo modelo.
Gillete	Hasta una cuarta parte de los bolígrafos Parker, las baterías Duracell y las máquinas de afeitar de Gillette que se venden en China son piratas
Anheuser-Busch	Unas 640 millones de botellas de cerveza Budweiser falsa se venden cada año en China.
Bestfoods	Versiones falsas de caldo Knorr y de crema de cacahuate Skippy ocasionan decenas de millones de dólares en pérdidas de ventas cada año.

Fuente: Tomado de Representante Comercial Estadunidense, National Trade Estimate Report on Foreign Trade Barriers, 2004, disponible en http://www.ustr.gov.

La *propiedad intelectual* es un invento, idea, producto o proceso que haya sido registrado ante el gobierno y que otorga al inventor (o autor) los derechos exclusivos para usar la invención durante un periodo determinado. Los gobiernos usan distintas técnicas para proteger la propiedad intelectual. Se otorgan *derechos reservados* (*copyrights*) para proteger trabajos de autor (por ejemplo, composiciones musicales y libros); la mayoría de las naciones emite una protección de derechos reservados por el resto de la vida del autor, más 50 años. Las *marcas comerciales* (*trademarks*) se otorgan a fabricantes y proporcionan derechos exclusivos a un nombre o símbolo distintivo (por ejemplo, Coca-Cola). Las *patentes* aseguran a un inventor por un término, de 15 años o más, el derecho exclusivo de hacer, usar o vender el invento.

A pesar de los esfuerzos por proteger derechos de propiedad intelectual, las empresas que compiten a veces infringen los derechos de los demás al hacer una imitación más barata del producto original. En 1986 los tribunales fallaron que Kodak había infringido las patentes de Polaroid, en cámaras instantáneas y otorgó a Polaroid más de $900 millones en daños. Otra infracción ocurriría si una empresa fabricara una cámara instantánea similar a la de Polaroid y la etiquetara y comercializara como si fuera una cámara Polaroid; éste sería un ejemplo de un producto pirata.

La falta de procedimientos internacionales para proteger los derechos de propiedad intelectual se vuelve un problema cuando el gasto de copiar una innovación (incluyendo el costo de las sanciones por ser descubierto) es menor al costo de comprar o rentar esta tecnología. Suponga que Warner-Lambert Drug Co., desarrolla un producto que alivia el resfriado común, llamado "Cold-Free" y que la empresa planea exportarlo a Taiwán. Ya sea porque Taiwán no reconoce los derechos de propiedad intelectual o porque Warner-Lambert no ha presentado una solicitud de registro, podrían desarrollarse copias más baratas del Cold Free de manera legal y ser comercializadas. También, si la marca comercial de Warner-Lambert no está protegida, los medicamentos piratas para el resfriado que sean idénticos al Cold-Free podrían venderse de manera legal en Taiwán. Estas imitaciones reducirán las ventas y utilidades de Warner-Lambert. Es más, si "Cold Free" es una marca registrada que los consumidores asocian con Warner-Lambert, un producto pirata de calidad notablemente inferior podría afectar de manera negativa la reputación de Warner-Lambert y así reducir las ventas de Cold-Free y de otros productos de la empresa.

Aunque la mayoría de las naciones tiene regulaciones que protegen los derechos de propiedad intelectual, muchos problemas han sido asociados con el comercio de los productos protegidos por estos derechos. Un problema es que las regulaciones de los derechos de propiedad intelectual son distintas entre los países. Por ejemplo, Estados Unidos utiliza la regla del primer inventor al determinar la elegibilidad de la patente, mientras que la mayoría de las demás naciones utiliza una regla del primero en registrarse. Otro problema es la falta de aplicación de los acuerdos internacionales de derechos de propiedad intelectual. Estos problemas se derivan en gran medida por los distintos incentivos para proteger la propiedad intelectual, en especial entre los países que son innovadores y exportadores de innovación tecnológica y los importadores que no son innovadores de tecnología. Las naciones en desarrollo que carecen de investigación y desarrollo e innovación de patentes piratean tecnología extranjera y la utilizan para fabricar productos a costos más bajos de los que se alcanzarían en un país innovador. A las naciones en desarrollo más pobres les resulta difícil pagar los precios más altos que prevalecerían si los productos innovadores (como suministros médicos) recibieran una protección de patente. Por tanto, tienen pocos incentivos para brindar una producción de patente a los productos que necesitan.

Siempre y cuando el costo de la piratería de tecnología, incluida la probabilidad y costos de ser atrapado, sea menor que las utilidades capturadas por la empresa que la realiza, la piratería de tecnología tiende a continuar. Sin embargo, la piratería reduce la tasa de rentabilidad obtenida por las empresas en las naciones innovadoras, que a su vez les impide invertir en investigación y desarrollo. Con el paso del tiempo, esto lleva a menos productos y a pérdidas de bienestar para la gente de ambas naciones.

Estados Unidos ha enfrentado muchos obstáculos al tratar de proteger su propiedad intelectual. Docenas de naciones carecen de estructuras legales adecuadas para proteger las patentes de las empresas extranjeras. Otras han excluido ciertos productos (como químicos) de protección para respaldar sus industrias. Incluso en los países avanzados, donde existen salvaguardas legales, el rápido paso de la innovación tecnológica con frecuencia supera la protección brindada por el sistema jurídico.

CONFLICTOS COMERCIALES LA GLOBALIZACIÓN DE LAS IDEAS Y LOS DERECHOS DE PROPIEDAD INTELECTUAL

Al igual que los productos y los servicios, las ideas circulan más allá de las fronteras nacionales. De Estados Unidos a India, las personas intercambian ideas y todos se benefician con ello. La circulación global de las ideas resulta evidente en los teléfonos inteligentes, los reproductores de MP3, las computadoras, los lectores para libros electrónicos y demás tecnologías que llenan nuestras vidas.

Una idea puede ser un conjunto de instrucciones que permite producir un nuevo artículo, aumentar la calidad, o reducir los gastos. Dado que una idea puede ser aprovechada por distintos productores simultáneamente, no escasea de la misma manera que un producto o un servicio pueden escasear. Un arquitecto que usa el teorema de Pitágoras para calcular la longitud del lado de un triángulo no impide que alguien más use dicho teorema al mismo tiempo. Una vez que se han cubierto los costos necesarios para crear un nuevo conjunto de instrucciones, dichas instrucciones pueden usarse una y otra vez sin costos adicionales. De hecho, las ideas se vuelven más valiosas cuando el número de sus usos aumenta. Esto quiere decir que el valor del teorema de Pitágoras aumenta con el número de edificios que son diseñados y construidos. Si hay muchos arquitectos en partes diferentes del mundo que diseñan edificios, se producen ganancias por la eficiencia que resulta de compartir esta idea y tales ganancias impulsan el crecimiento económico.

No obstante, esto no significa que una idea deba ser usada por todos de manera gratuita. Para proteger las ideas de los imitadores, las diferentes naciones han desarrollado derechos de propiedad intelectual en forma de patentes, marcas y derechos de autor. Las patentes protegen a los inversionistas de imitadores que pueden proceder a producir, usar o vender en los países donde se otorga la patente.

Aunque es muy difícil medir la circulación de las ideas, el número de solicitudes de patentes brinda cierto parámetro sobre la producción de las ideas. Esta cifra demuestra que la producción mundial de ideas ha sido dominada, tradicionalmente, por Estados Unidos, Alemania y Japón, como se puede apreciar en la tabla 6.7. Sin embargo, recientemente la producción de idea se ha disparado en las economías en desarrollo como China y Corea del Sur.

TABLA 6.7

Registro de patentes en países seleccionados en 2012

País	Número de patentes
Estados Unidos	51,625
Japón	43,660
Alemania	18,764
China	18,617
Corea del Sur	11,848
Francia	7,851
Suiza	4,190
Países Bajos	4,071

Fuente: World Intellectual Property Organization, *The International Patent System: Monthly Statistics Report*, septirmbre de 2013, consultado en: www.wipo.int/ipstats/en.

Los economistas han estimado que, entre 1967 y 2008, las importaciones de bienes de capital representaron 20 a 30 por ciento del crecimiento en la producción por hora en EUA. Tales ganancias derivan de que es posible desarrollar y producir ideas simultáneamente en ubicaciones distintas. Hoy, una computadora puede ser diseñada en Estados Unidos, producida en Taiwán e importada de vuelta a Estados Unidos para su venta. Los reducidos costos actuales de transporte y la creación, la reubicación e integración de plantas de producción globales han hecho posible trasladar el lugar de producción física de una idea a un país donde los costos de mano de obra son bajos. El capital y el trabajo estadounidenses pueden, pues, reubicarse para usos más productivos. Estos incluyen, por ejemplo, la manufactura de alta tecnología de las aeronaves y los productos biotecnológicos, el equipo sofisticado de atención médica o el equipo electrónico de las computadoras, para los cuales los principales impulsores de la producción son las ideas.

Fuentes: Anthony Landry, "The Globalization of Ideas", *Economic Letter*, noviembre de 2010, Federal Reserve Bank of Dallas. Véase también Michele Cavallo y Anthony Landry, "The Quantitative Role of Capital Goods Imports in U.S. Growth", *American Economic Review*, vol. 100, núm. 2, 2010, pp. 78–82.

Microsoft menosprecia la piratería de software de China

La acelerada transformación económica de China ha presentado tantas oportunidades como desafíos para muchas empresas estadunidenses. Aunque algunas empresas como Boeing y General Electric han alcanzado el éxito en el mercado chino, muchas compañías de EUA han informado sobre pérdidas relacionadas con la violación de DPI en China, incluyendo pérdidas en ventas, utilidades, pagos por licencias y por regalías, así como daños a las marcas registradas y la reputación de algún producto. Los analistas estiman que las pérdidas registradas por violación de DPI en China ascendieron aproximadamente a $48 mil millones en 2009, como se aprecia en la tabla 6.8.

Considere el caso de Microsoft Corp., el productor de *software* para computadoras. Microsoft está entre las empresas cuyas ventas se han visto notablemente afectadas por la piratería china. En 2011, los ingresos de Microsoft en China fueron de aproximadamente sólo 5 por ciento de lo que percibió en Estados Unidos, aunque las ventas de computadoras personales en los dos países eran aproximadamente equivalentes. A pesar de los intentos de Microsoft por detener la falsificación ilegal, en China se venden, en la calle, por comercio informal, copias ilegales de Office y de Windows por $2 o $3, esto es sólo una mínima parte de su precio al menudeo. Los ingresos de Microsoft del *software* por cada computadora personal vendida en China fueron aproximadamente una sexta parte de lo que percibió en la India. En 2011, los ingresos globales de Microsoft en China, con una población de 1.3 mil millones de personas, no equiparon ni siquiera los que recibió, por ejemplo, en los Países Bajos, un país con menos de 17 millones de habitantes.

Microsoft rechaza el argumento, muy extendido en China, de que muchos consumidores chinos plagian el *software* porque las versiones originales son demasiado costosas. Aunque Microsoft reconoce que no todos en China podrían permitirse la adquisición de una computadora personal, la empresa sostiene que si alguien puede comprarse una PC, también tiene la capacidad adquisitiva para comprar el *software* que la acompaña. A pesar de su frustración por esta situación de la piratería, Microsoft ha continuado invirtiendo en China pues muy pronto se convertirá en el mercado mundial más grande de computadoras personales.

Tradicionalmente, la compañía ha buscado una estrategia de cooperación con los funcionarios chinos y ha logrado acordar convenios para que los fabricantes chinos de computadoras personales vendan sus productos, ya empacados con copias originales y legítimas de Office y Windows. El gobierno de China ha reconocido que existe un problema de falsificación y piratería pero arguye, a la vez, que está haciendo todos los esfuerzos posible por remediar la situación. El gobierno chino ha ordenado, por ley, a todas las instituciones oficiales del gobierno que compren *software* auténtico. Sin embargo, los analistas calculan que aproximadamente 78 por ciento del software de PC instalado en

---

TABLA 6.8

Pérdidas reportadas* por violación de derechos de propiedad intelectual en China contra empresas de EUA, 2009

Pérdidas por sector	Miles de millones de dólares
Informática y otros servicios	26.7
Alta tecnología y manufactura pesada	18.5
Manufactura química	2.0
Manufactura de productos de consumo	0.8
Manufactura de transporte	0.2
	48.2
Pérdidas por tipo de violación de derechos de propiedad intelectual	
Violación de derechos reservados	23.7
Violación de marcas registradas	6.1
Violación de patentes	1.3
Apropiación ilegal de secretos comerciales	1.1
Otros	16.0
	48.2

* En respuesta a una investigación de la Comisión de Comercio Internacional de EUA.

Fuente: Comisión de Comercio Internacional de EUA, *China: Effects of Intellectual Property Infringement and Indigenous Innovation Policies on the U.S. Economy,* mayo de 2011.

China en 2011 fue plagiado. De hecho, el mercado chino de falsificación y piratería es el más grande en todo el mundo y la violación de los derechos de autor en China ha sido por mucho tiempo uno de los puntos de mayor controversia en las relaciones diplomáticas entre EUA y China.

ASISTENCIA PARA AJUSTARSE AL COMERCIO

De acuerdo con el argumento del libre comercio, en una economía dinámica en la que el comercio procede de acuerdo con el principio de la ventaja comparativa, los recursos fluyen de usos con una menor productividad a los de mayor productividad. Los consumidores ganan al tener una variedad más amplia de productos de los cuales elegir a precios más bajos. También es cierto que los países adoptan políticas comerciales más libres, y surgen tanto ganadores como perdedores. Algunas empresas e industrias se volverán más eficientes y crecerán conforme se expanden a los mercados en el extranjero, mientras que otros se contraen, se fusionan o tal vez incluso fallan cuando se enfrentan con una mayor competencia. Aunque ese proceso de ajuste es sano para una economía dinámica, puede ser una dura realidad para empresas y trabajadores en industrias que compiten en importaciones.

Una forma de equilibrar las ganancias de un comercio más libre que se obtienen a lo largo de la economía, con costos que tienden a estar más concentrados, es abordar las necesidades de empresas y trabajadores que han sido afectados en forma adversa. Muchas naciones industriales han hecho esto al implantar programas para dar **asistencia para ajustarse al comercio** a quienes se ven en dificultades debido a la liberalización del comercio. La justificación proviene de la noción de que si la sociedad disfruta de ganancias de bienestar por la mayor eficiencia que se deriva de la liberalización del comercio, algún tipo de compensación se debe brindar a los que son dañados por la competencia en importaciones. Siempre y cuando un comercio más libre genere ganancias significativas para la nación, los ganadores pueden compensar a los perdedores y aún así disfrutar algunas de las ganancias de libre comercio.

El programa estadounidense de asistencia para ajustarse al comercio ayuda a los trabajadores nacionales desplazados por el comercio exterior y por el aumento de las importaciones. El programa brinda una serie de beneficios como un apoyo económico, además de las prestaciones de los seguros de desempleo, servicios como capacitación laboral y asignaciones monetarias para búsqueda y reubicación del empleo. Para las empresas y las comunidades, el programa ofrece apoyo técnico para moverse a nuevas líneas de producción, ayuda de investigación de mercados y préstamos con intereses bajos. Los beneficiarios más importantes del programa han sido los trabajadores y las empresas de la industria del vestido y textil, seguida por el petróleo y gas, electrónica e industrias de metal y maquinaria. Por tradición, los trabajadores desplazados por el comercio son más viejos y con menos preparación y han trabajado en una sola industria, les toma más tiempo encontrar otro empleo y cuando lo hacen, lo más probable es que los salarios sean bajos. En 2009 el programa se amplió para incluir al sector de los servicios y no sólo a los trabajadores del sector manufacturero.

POLÍTICAS INDUSTRIALES DE ESTADOS UNIDOS

Además de promulgar regulaciones que tienen la intención de producir un ambiente comercial justo para todas las partes que participan en el comercio internacional, Estados Unidos ha implementado *políticas industriales* para mejorar la competitividad de los productores nacionales. Como se analizó en el capítulo 3, dichas políticas incluyen la canalización de los recursos gubernamentales a industrias específicas que se consideran importantes para el crecimiento económico futuro. Entre los métodos utilizados para canalizar recursos están los incentivos fiscales, los créditos de garantías y los préstamos con intereses bajos.

¿Cuál ha sido el enfoque de Estados Unidos a las políticas industriales? El gobierno estadounidense ha intentado brindar un clima favorable para los negocios, dadas las restricciones sociales, ambientales y de seguridad impuestas por la sociedad moderna. Más que elaborar una política industrial coordinada para afectar industrias en particular, el gobierno estadunidense ha enfatizado políticas macroeconómicas (como políticas fiscales y monetarias) enfocadas a objetivos tales como estabilidad económica, crecimiento y la asignación del producto nacional bruto.

Sin embargo, no hay duda de que el gobierno estadunidense utiliza diversas medidas para moldear la estructura de la economía que en otras naciones serían llamadas "políticas industriales". La más notable de estas medidas es la política agrícola. Un agricultor que inicia una innovación importante puede ser imitado por otros agricultores, que capturan los beneficios sin compartir los riesgos. Para rectificar este problema, el gobierno estadunidense participa en investigación de técnicas agrícolas y en la difusión de esta información a través de su servicio de extensión agrícola, así como también fomenta los proyectos de gran escala como instalaciones de irrigación. El gobierno estadunidense también ha brindado respaldo a los embarques, construcción de barcos e industrias energéticas, principalmente con base en argumentos relacionados con la seguridad nacional.

Otro elemento de la política industrial estadunidense es la promoción de las exportaciones. El gobierno estadunidense brinda a los exportadores información de *marketing* y ayuda técnica, además de las misiones comerciales que presentan a los nuevos exportadores a los clientes extranjeros. El gobierno también promueve las exportaciones al patrocinar exhibiciones de productos estadunidenses en las ferias comerciales internacionales y establecer centros comerciales en el extranjero que permiten a las empresas estadunidenses exhibir y vender maquinaria y equipo. Estados Unidos también alienta las exportaciones al permitir a sus fabricantes formar asociaciones comerciales de exportación para distribuir los productos estadunidenses en el extranjero.

Estados Unidos proporciona subsidios a la exportación a sus productores para promover las ventas internacionales. El **Export-Import Bank** (**Eximbank**) de EUA es la agencia oficial para los créditos a las exportaciones del gobierno estadunidense. Creada en 1934, su función primordial es el otorgamiento de créditos económicos a los clientes extranjeros que compran productos manufacturados en EUA. Los créditos pueden otorgarse mediante diversas modalidades, como préstamos directos, garantías sobre préstamos o programas de seguros de crédito sobre exportación. Estos programas están a la disposición de cualquier empresa exportadora estadunidense independientemente de su tamaño. El Eximbank no compite con los prestamistas del sector privado, sino que proporciona financiamiento para transacciones que, de otro modo, no podrían realizarse porque los prestamistas comerciales no serían capaces o no estarían dispuestos a asumir los riesgos que plantea el trato en cuestión. En la tabla 6.10 se proporcionan ejemplos de préstamos directos y garantías de préstamos hechas por Eximbank. Importantes beneficiarios de Eximbank Credit son aeronaves, telecomunicaciones, equipo generador y desarrollos de energía. Empresas como Boeing, McDonnell Douglas y Westinghouse han disfrutado de beneficios significativos de estos programas.

TABLA 6.9

Ejemplos de préstamos facilitados por el Eximbank de Estados Unidos

Prestatario extranjero/exportador estadunidense	Propósito
Banco Santander Noroeste de Brasil/General Electric	Locomotoras
Gobierno de Bulgaria/Westinghouse	Instrumentos
Air China/Boeing	Aeronaves
Gobierno de Croacia/Bechtel International	Construcción de carreteras
Gobierno de Ghana/Wanan International	Equipo eléctrico
Gobierno de Indonesia/IBM	*Hardware* de cómputo
Japan Airlines/Boeing	Aeronaves
Fevisa Industrial de México/Pennsylvania Crusher Inc.	Equipo de fabricación de vidrio
Delta Communications de México/Motorola	Equipo de comunicaciones

Fuente: Tomado de Export-Import Bank de Estados Unidos, *Annual Report*, varios temas, http://www.exim.gov.

Los defensores del Eximbank argumentan que las compañías estadunidenses que aprovechan su financiamiento compiten en un mercado internacional donde las compañías extranjeras y sus gobiernos se valen sistemáticamente de instrumentos de financiación de crédito a la exportación. Una compañía de locomotoras china puede ofrecer financiamiento de exportación de su gobierno a los potenciales compradores internacionales y esto hace que sus trenes sean más económicos en los mercados extranjeros como la India. Cuando una compañía estadunidense como General Electric compite en esa misma venta de locomotoras, debe poder suministrar financiamiento comparable para sus propias locomotoras. Tales políticas aseguran un juego justo para las compañías estadunidenses en un mercado internacional competitivo.

Por otro lado, al ofrecer tasas de interés competitivas para financiar las exportaciones, en ocasiones Eximbank ha sido criticado porque parte de sus fondos provienen del Tesoro estadunidense. Los críticos cuestionan si los ingresos fiscales estadunidenses deberían subsidiar exportaciones a países extranjeros a tasas de interés más bajas de lo que se pudieran obtener en instituciones privadas. A este grado, es verdad que los fondos fiscales distorsionan el comercio y redistribuyen ingreso hacia los exportadores.

También se proporcionan préstamos respaldados de forma oficial para las exportaciones estadunidenses por parte del **Commodity Credit Corporation** (**CCC**), una corporación propiedad del gobierno, administrada por el Departamento de Agricultura de Estados Unidos. El CCC tiene disponible financiamiento de crédito de exportación para productos agrícolas elegibles. Las tasas de interés que cobra están un tanto por debajo de las tasas prevalecientes cobradas por instituciones financieras privadas. A continuación consideraremos dos casos de política industrial.

Las aerolíneas estadunidenses y Boeing discuten por el crédito del Eximbank

En 2010 las más importantes aerolíneas de Estados Unidos se unieron para oponerse a los miles de millones de dólares en subsidios para aeronaves comerciales comprados a Boeing Co. por sus rivales extranjeros. Se oponían a las prácticas de financiamiento a la exportación del Eximbank que otorga créditos baratos a países y compañías extranjeros para comprar productos manufacturados en EUA. Tales créditos, con tasas de interés por debajo del mercado, se ofrecen a clientes extranjeros que no reúnen las condiciones necesarias para obtener créditos de prestamistas comerciales. En 2010, aproximadamente 35 por ciento de las ventas de Boeing fueron respaldadas por créditos otorgados por el Eximbank.

Compañías como Delta Airlines y Southwest Airlines argumentan que, al ser empresas estadunidenses, no pueden recibir estos subsidios de exportación que suelen aumentar enormemente el acceso de una aerolínea al financiamiento que requiere y recortar, así, los costos de sus préstamos, mientras que sus rivales extranjeros pueden beneficiarse de tales subsidios. Delta sostuvo que su tasa de interés por las compras de aeronaves comerciales a Boeing fue 4.5 puntos porcentuales más alta que la tasa pagada por aerolíneas de los Emiratos Árabes Unidos. Estos rivales internacionales obtuvieron financiamiento a un plazo más largo y pudieron financiar un porcentaje más alto del precio de compra que Delta. Delta sostuvo que el acceso de los rivales extranjeros al financiamiento barato la ponía en una desventaja de costos e inunda el mercado mundial de las aerolíneas con capacidad poco rentable.

Los subsidios de exportación son muy grandes porque los banqueros no suelen por lo general prestar directamente a las aerolíneas (como no sea a unas cuantas con calificaciones de solvencia crediticia muy sólida). En vez de asumir ellos los riesgos por incumplimiento de pago cuando hacen préstamos a las aerolíneas, los banqueros requieren que los préstamos queden garantizados por el gobierno. Algunos banqueros que están dispuestos a aceptar riesgos mayores pero que entonces aplicarían tasas de interés más altas a sus préstamos, argumentan que las prácticas del Eximbank los dejan fuera del mercado.

La disputa se resume como un conflicto sobre qué contribuye más a la economía estadunidense: las aerolíneas o los fabricantes de avión, y cómo puede el gobierno apoyarlos sin distorsionar los mercados. De acuerdo con Delta, el gobierno estadunidense debe darse cuenta de que el crédito de exportación no sólo ayuda a Boeing, sino también tiene consecuencias negativas para la industria estadunidense de las aerolíneas. Boeing, por su parte, criticó la postura de Delta y señaló que reducir el crédito de exportación pondría en peligro la competitividad de EUA en el sector de aeronaves, puesto que los gobiernos en Canadá, Brasil y Europa han aumentado las posibilidades de acceso a créditos de exportación.

Para la economía estadunidense como un todo, el conflicto del subsidio muestra la necesidad de un compromiso entre ventajas para unos y desventajas para otros. Boeing tiene ganancias económicas en forma de mayores ventas, ganancias, más empleos e ingresos más altos para sus trabajadores. Las exportaciones de Boeing de aeronaves comerciales aumentaron y, así, reforzaron la balanza comercial estadunidense. La desventaja de costos que recae sobre las aerolíneas estadunidenses por el subsidio de exportación llevó a una reducción de ventas y ganancias, pérdidas de empleos e ingresos para sus trabajadores, así como un debilitamiento de la balanza comercial estadunidense cuando las aerolíneas perdieron una porción de su participación en el mercado frente a aerolíneas extranjeras. Aún está por verse cómo se resolverá este conflicto.[8]

La industria de energía solar estadunidense se apaga conforme la política industrial de China se enciende

La energía solar ha sido utilizada por los humanos desde tiempos inmemoriales por una gama de tecnologías siempre en evolución. Aunque no puede negarse el potencial y la naturaleza prometedora de la energía solar, persiste un debate sobre cómo debe desarrollarse esa industria. ¿Debería permitirse que el propio mercado determine a los ganadores y perdedores o debería esa tarea conseguirse mediante una política industrial en la que los gobiernos subvencionen a sus productores para aumentar la competitividad?

La quiebra de tres compañías de energía solar estadunidenses en 2011 permitió a la industria china dominar las ventas en este sector: posee aproximadamente dos tercios del mercado. En ese mismo año, otro productor muy importante de energía solar, Alemania, también estaba en repliegue. Aunque algunas compañías solares estadunidenses, japonesas y europeas mantenían una ventaja tecnológica sobre sus rivales chinos, sencillamente no podían competir con ellos cuando se trataba de costos. Estas compañías señalaron que el gobierno chino había sido particularmente eficaz en el desarrollo de una política industrial que proporciona a los fabricantes chinos considerables ventajas en la industria solar global, incluyendo el acceso a capital de bajo costo, subsidios en los costos de energía eléctrica, acceso libre a los terrenos que necesitan y un proceso mucho más breve para la obtención de permisos para nuevas fábricas. Los productores de energía solar de China han logrado inmensas economías de escala al disminuir costos de producción e incrementado competitividad. China no es la única que recurre a políticas industriales para promover la energía limpia. La UE y Estados Unidos ofrecen apoyos gubernamentales para energía solar, incluyendo créditos fiscales para compradores, préstamos con tasas de interés bajas y garantías de préstamo para las compañías de energía solar.

La raíz de los problemas que en 2011 enfrentó la industria de energía solar fue la brusca caída de los precios de los paneles solares y de sus componentes (láminas, celdas, polisilicón y los módulos mismos). La razón era obvia: había demasiados fabricantes tratando de vender sus productos. El exceso de fabricantes se debía a diversos factores: esfuerzos del gobierno estadunidense para promover la tecnología limpia, el ingreso acelerado al sector de capitalistas que invertían en esta tecnología, inversionistas que compraron vertiginosamente las acciones de las compañías de energía solar cuando se dispararon los precios del petróleo y, finalmente, una creciente sensación de urgencia provocada por el cambio climático. Los gobiernos europeos ofrecieron subsidios cuantiosos para la instalación de energía solar, estimulando, así, la demanda en el mercado. La sobreproducción de paneles solares provocó una encarnizada competencia de precios. En 2010, los paneles solares se vendían, en promedio, a $1.60 por vatio. Antes de 2011, el precio vigente oscilaba ya entre $.90 y $1.05 por vatio. A pesar del creciente mercado de compradores, los clientes no estaban comprando paneles solares suficientemente rápido como para mantenerse al ritmo que crecía la oferta. El resultado fue la quiebra de numerosos productores.

---

[8] "Carriers Oppose Plane Subsidies", *Wall Street Journal*, 7 de octubre de 2010, p. B-3 y "U.S., European Airlines to Seek Curbs on Aircraft Subsidies", *Bloomberg*, 6 de octubre de 2010, en: http://www.bloomberg.com/news.

La quiebra en 2011 de Solyndra Inc., una compañía de California que manufacturaba paneles solares, recibió mucha publicidad. En 2010, el presidente Barack Obama había visitado Solyndra y la había promocionado como una compañía líder de una industria en crecimiento. La compañía, sin embargo, se topó con que no podía competir con los paneles solares mucho más baratos manufacturados en China, así que no pudo pagar el préstamo garantizado del gobierno de $535 millones. Esto provocó fuertes ataques de los críticos de Obama que trataron de convertir a esta compañía fallida en un símbolo del fracaso de la política industrial en favor de la energía solar y un arma con la que oponerse a la energía alternativa renovable de todo tipo.

POLÍTICAS INDUSTRIALES DE JAPÓN

Aunque Estados Unidos no ha utilizado políticas industriales explícitas para respaldar a industrias específicas, dichas políticas han sido utilizadas en otros lugares. Considere el caso de Japón.

Japón se ha convertido en líder tecnológico en la era posterior a la Segunda Guerra Mundial. Durante la década de los cincuenta, las exportaciones de Japón consistían principalmente en textiles y otros productos de baja tecnología. Para las décadas de los sesenta y setenta, sus exportaciones enfatizaron productos intensivos en capital, como automóviles, acero y barcos. Para las décadas de los ochenta y noventa, Japón se había vuelto un importante competidor mundial en productos de alta tecnología, como fibra óptica y semiconductores.

Los defensores de las políticas industriales aseveran que el apoyo gubernamental para las industrias emergentes ha ayudado a transformar la industria japonesa de baja tecnología a una industria pesada y luego, de alta tecnología. Afirman que la protección de las importaciones, los subsidios para investigación y desarrollo y demás fomentaron el desarrollo de la industria japonesa. Es claro que el gobierno japonés brindó asistencia a la construcción de barcos y al acero durante los cincuenta, a los automóviles y herramientas de maquinarias durante los sesenta y a las industrias de alta tecnología en los setenta. La política industrial japonesa ha tenido dos distintas fases: de la década de los cincuenta a principios de la década de los setenta, el gobierno japonés asumió un fuerte control sobre los recursos de la nación y la dirección del crecimiento de la economía. Desde mediados de la década de los setenta, la política industrial del gobierno ha sido más modesta y sutil.

Para implementar sus políticas industriales en manufactura, el gobierno japonés ha creado el llamado **Ministerio de Economía, Comercio e Industria** (MECI). El MECI intenta facilitar el cambio de recursos a industrias de alta tecnología al enfocar a las industrias específicas para tener un respaldo. Con la asistencia de los consultores de corporaciones líderes, sindicatos, bancos y universidades, el MECI forma un consenso sobre las mejores políticas a seguir. El siguiente paso de una política industrial es aumentar la inversión en investigación y desarrollo y la producción. Las industrias enfocadas han recibido respaldo en forma de protección comercial, partidas de divisas, subsidios para investigación y desarrollo, préstamos a tasas de interés por debajo del mercado, préstamos que deben ser pagados sólo si una empresa es rentable, tratamiento fiscal favorable y proyectos de investigación conjunta de gobierno e industria con la intención de desarrollar tecnologías prometedoras.

Sin respaldo gubernamental es poco probable que los semiconductores, el equipo de telecomunicaciones, la fibra óptica y las industrias de herramientas de maquinarias japonesas fueran tan competitivos como lo son. Sin embargo, no todas las políticas industriales japonesas han tenido éxito, como se puede ver en los casos de las computadoras, aluminio y petroquímicos. Incluso industrias en las que Japón es competitivo en los mercados mundiales, como en la construcción de barcos y el acero, han sido testigos de periodos prolongados de exceso de capacidad. Es más, algunas de las mayores historias de éxito de Japón (TV, estéreos y aparatos de video) no fueron en las industrias de mayor apoyo del gobierno japonés. Aunque Japón tiene la política industrial más visible de las naciones industriales, la importancia de esa política para el éxito de Japón no se debe exagerar.[9]

---

[9] R. Beason y D. Weinstein, "Growth, Economies of Scale and Targeting in Japan: 1955-1990", *Review of Economics and Statistics*, mayo de 1996.

POLÍTICA COMERCIAL ESTRATÉGICA

Al inicio de la década de los ochenta, un nuevo argumento para la política industrial ganó relevancia. La teoría detrás de la **política comercial estratégica** es que el gobierno puede ayudar a las empresas nacionales a capturar utilidades económicas de los competidores extranjeros.[10] Dicho apoyo conlleva respaldo gubernamental para ciertas industrias "estratégicas" (como la de alta tecnología) que son importantes para el crecimiento económico nacional futuro y que proporciona beneficios difundidos para la sociedad (externalidades).

La noción esencial subyacente en la política comercial estratégica es una *competencia imperfecta*. Numerosas industrias que participan en el comercio, según dicen, están dominadas por un pequeño número de empresas, lo suficientemente grandes para que cada una influya en el precio del mercado. Dicho poder de mercado le da a estas empresas el potencial para lograr utilidades económicas a largo plazo. De acuerdo con el argumento de una política comercial estratégica, una política gubernamental puede alterar los términos de la competencia para favorecer a las empresas nacionales en perjuicio de las empresas extranjeras y cambiar las utilidades económicas en mercados imperfectamente competitivos de las empresas extranjeras a las nacionales.

Un ejemplo estándar es la industria de las aeronaves.[11] Con altos costos fijos para producir una nueva aeronave y una curva de aprendizaje significativa en la producción que lleva a reducir los costos medios de producción, esta industria puede respaldar sólo a un número pequeño de fabricantes. También es una industria que, por lo general, está cercanamente relacionada con el prestigio nacional.

Suponga que dos empresas en competencia, Boeing (que representa a Estados Unidos) y Airbus (un consorcio de propiedad conjunta de cuatro gobiernos europeos) consideran construir un nuevo avión. Si *cualquiera* de las empresas fabrica el avión por sí misma, logrará *utilidades* de $100 millones. Si *ambas* empresas fabrican la aeronave, cada una tendrá una *pérdida* de $5 millones.

Ahora asuma que los gobiernos europeos deciden subsidiar la producción del avión Airbus con $10 millones. Incluso si ambas empresas fabrican el nuevo, Airbus ahora está segura de que tendrá utilidades por $5 millones. Pero el punto es: Boeing *cancelará* su nuevo proyecto de aeronave. Así, el subsidio europeo asegura no sólo que Airbus fabrique la nueva aeronave, sino también que Boeing sufra una pérdida en caso de unirse al proyecto. El resultado es que Airbus alcanza una utilidad de $110 millones y puede pagar con facilidad su subsidio a los gobiernos europeos. Si se asume que los dos fabricantes producen sólo para exportación, el subsidio de $10 millones resulta en una transferencia de $100 millones en utilidades de Estados Unidos a Europa. Los efectos del bienestar de una política comercial estratégica se analizan en la sección de Exploración detallada 6.1 que puede encontrarse en: www.cengage.com/economics/Carbaugh.

Considere otro ejemplo: la industria de electrónica tiene dos empresas, una en Japón y una en Estados Unidos. En esta industria se aprende haciendo (*learning by doing*), lo que reduce los costos unitarios de producción en forma indefinida con la expansión de la producción. Suponga que el gobierno japonés considera la industria de electrónica como "estratégica" y erige barreras comerciales que cierran su mercado nacional al competidor estadounidense; también que Estados Unidos mantiene abierto su mercado de electrónica. El fabricante japonés puede expandir su producción y así reducir su costo unitario. Durante un periodo, esta ventaja competitiva le permite sacar del mercado al fabricante estadounidense. Las utilidades que la empresa estadounidense había extraído de los compradores estadounidenses son transferidas a los japoneses.

---

[10] El argumento para una política comercial estratégica se presentó en J. Brander y B. Spencer, "International R&D Rivalry and Industrial Strategy", *Review of Economic Studies*, 50, 1983, pp. 707-722. Vea también Paul Krugman, comp., *Strategic Trade Policy and the new International Economics*, Cambridge, MA, MIT Press, 1986 y Paul Krugman, "Is Free Trade Passe?", *Economic Perspectives*, otoño de 1987, pp. 131-144.

[11] Paul Krugman, "Is Free Trade Passe?", *Economic Perspectives*, otoño de 1987, pp. 131-144; R. Baldwin y P. Krugman, "Industrial Policy and International Competition in Wide-Bodied Jet Aircraft", en R. Baldwin (ed.), *Trade Policy Issues and Empirical Analysis*, University of Chicago Press, Chicago, 1988, pp. 45—77.

FIGURA 6.4

Efectos de un subsidio europeo otorgado a Airbus

Matriz de pago hipotética: millones de dólares

Sin subsidio

Con subsidio europeo

		Airbus	
		Produce	No produce
Boeing	Produce	Airbus − 5 Boeing − 5	Airbus 0 Boeing 100
Boeing	No produce	Airbus 100 Boeing 0	Airbus 0 Boeing 0

		Airbus	
		Produce	No produce
Boeing	Produce	Airbus − 5 Boeing − 5	Airbus 0 Boeing 100
Boeing	No produce	Airbus 110 Boeing 0	Airbus 0 Boeing 0

Con base en la teoría de política comercial estratégica, los subsidios del gobierno ayudan a las empresas nacionales a capturar utilidades de los competidores extranjeros.

Fuente: Paul Krugman, "Is Free Trade Passe?", *Economic Perspectives*, otoño de 1987, pp. 131-144.

Los defensores de las políticas comerciales estratégicas reconocen que el argumento clásico de libre comercio consideraba las externalidades a detalle. Sostienen que la diferencia es que la teoría clásica estaba basada en una *competencia perfecta* y por lo tanto, no podía apreciar la fuente más probable de la externalidad, mientras que las teorías modernas, basadas en la competencia imperfecta, sí pueden. La externalidad en cuestión es la capacidad de las empresas para capturar los frutos de la innovación costosa. La teoría clásica sustentada en una competencia perfecta descuidaba este factor porque los grandes costos fijos en innovación e investigación y desarrollo, aseguraban que el número de competidores en una industria sería pequeño.

El concepto de política comercial estratégica ha sido criticado sobre diversas bases. Desde una perspectiva política, existe el riesgo de que los grupos de interés puedan dictar quién recibirá el apoyo del gobierno. También, si ocurriera un ciclo mundial de represalias por políticas comerciales activistas y contrarrepresalias, todas las naciones estarían peor. Es más, los gobiernos carecen de información para intervenir con inteligencia en el mercado laboral. En el ejemplo de Boeing-Airbus, el gobierno activista debe saber cuánta utilidad se alcanzaría como resultado de una operación con la nueva aeronave, con y sin competencia extranjera. Los mínimos cálculos erróneos podrían ocasionar una intervención que empeore la economía nacional, en lugar de mejorarla. Finalmente, la sola existencia de una competencia imperfecta no garantiza que haya una oportunidad estratégica que buscar, incluso por un gobierno omnipresente. Debe también haber una fuente continua de utilidades económicas, sin ninguna competencia potencial que las borre. Pero las utilidades económicas *continuas* son probablemente menos comunes de lo que piensan los gobiernos.

El caso de los subsidios europeos de los aviones durante la década de los setenta proporciona un ejemplo de los beneficios y los costos que se encuentran cuando se aplica el concepto de política comercial estratégica. Durante la década de los setenta Airbus recibió un subsidio del gobierno por 1 500 millones de dólares. El subsidio tenía la intención de ayudar a la empresa a contrarrestar una desventaja de costos de 20 por ciento que enfrentaba en la producción de su aeronave A300 en comparación con su principal competidor, el Boeing 767. ¿El subsidio ayudó a las naciones europeas que participaron en el consorcio de Airbus? Las pruebas sugieren que no. Airbus perdió dinero en su avión A300 y continuó enfrentando desventajas de costos en relación con Boeing. Las aerolíneas europeas y los pasajeros sí se beneficiaron porque el subsidio mantuvo los precios de Airbus más bajos; sin embargo, la cantidad de pérdidas de Airbus apenas equiparó a sus ganancias. Como los costos del subsidio tuvieron que ser financiados por medio de impuestos más altos, Europa quizá se encuentra peor con este subsidio. Estados Unidos también perdió porque las utilidades de Boeing fueron menores y no fueron contrarrestadas por completo por los precios más bajos que beneficiaban a los usuarios de los aviones estadunidenses; pero el subsidio europeo no sacó a Boeing del mercado. Los únicos ganadores obvios fueron las otras naciones, cuyas aerolíneas y pasajeros disfrutaron de los precios más bajos de Airbus a ningún costo para ellos.

SANCIONES ECONÓMICAS

En lugar de promover el comercio, los gobiernos pueden *restringir* el comercio para cumplir objetivos de política nacional y externa. Las **sanciones económicas** son limitaciones impuestas por el gobierno a las relaciones comerciales o financieras que normalmente se presentan entre las naciones. Han sido utilizadas para proteger la economía nacional, reducir la proliferación nuclear, establecer una compensación por propiedad expropiada por los gobiernos extranjeros, combatir el terrorismo internacional, preservar la seguridad nacional y proteger los derechos humanos. La nación que inicia las sanciones económicas, la *nación sancionadora*, espera deteriorar las capacidades económicas de la *nación sancionada* al grado que esta sucumba a sus objetivos.

La nación sancionadora puede imponer varios tipos de sanciones económicas. Las *sanciones comerciales* incluyen boicots contra las exportaciones de la nación sancionadora. Estados Unidos ha utilizado su papel como productor importante de granos, hardware militar y productos de alta tecnología como palanca para ganar un cumplimiento en el extranjero de sus objetivos de política exterior. Las sanciones comerciales también pueden incluir cuotas a las importaciones de la nación sancionadora provenientes de la nación sancionada. Las *sanciones financieras* pueden conllevar limitantes de préstamos oficiales o ayuda. Al final de la década de los setenta, la política estadunidense de congelar los activos financieros de Irán fue un factor en la liberación de los rehenes estadunidenses. En la tabla 6.10 se brindan ejemplos de sanciones económicas impuestas por Estados Unidos por objetivos de política exterior.

Se puede utilizar la figura 6.5 para ilustrar la meta de las sanciones económicas impuestas en contra de un país extranjero, por ejemplo, Irak. En la figura se muestra la curva de posibilidades de producción hipotética de maquinaria y petróleo de Irak. Antes de la imposición de sanciones, su-

TABLA 6.10

Sanciones económicas seleccionadas de Estados Unidos

Año	País objetivo	Objetivo
2014	Rusia	Desalentar la anexión de Crimea
2010	Irán	Desalentar la proliferación nuclear
1998	Pakistán e India	Desalentar la proliferación nuclear
1993	Haití	Mejorar los derechos humanos
1992	Serbia	Terminar la guerra civil en Bosnia-Herzegovina
1990	Irak	Terminar con la toma militar de Irak en Kuwait
1985	Sudáfrica	Mejorar los derechos humanos
1981	Unión Soviética	Terminar la ley marcial en Polonia
1979	Irán	Liberar a los rehenes estadunidenses; liquidar las reclamaciones de expropiación
1961	Cuba	Mejorar la seguridad nacional

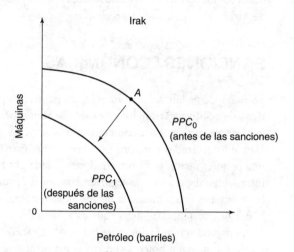

FIGURA 6.5

Efectos de las sanciones económicas

Las sanciones económicas impuestas en contra de un país objetivo tienen el efecto de forzarlo a operar dentro de su curva de posibilidades de producción. Las sanciones económicas también pueden ocasionar un desplazamiento hacia dentro en la curva de posibilidades de producción de la nación sancionada.

ponga que Irak es capaz de operar con una eficiencia máxima, como se muestra por el punto A, a lo largo de la curva de posibilidades de producción CPP_0. Bajo el programa de sanciones, una negación de las naciones sancionadoras de comprar petróleo iraquí ocasiona la reducción de actividad en los pozos, refinerías y trabajadores en Irak. Así, la capacidad de producción no utilizada obliga a Irak a moverse dentro de CPP_0. Si las naciones sancionadoras también imponen sanciones de exportación en los insumos de producción y así recortan las ventas de equipo a Irak, el potencial de producción de Irak disminuiría. Eso se muestra por un desplazamiento hacia dentro de la curva de posibilidades de producción de Irak a CPP_1. Las ineficiencias económicas y las posibilidades de producción reducidas ocasionadas por las sanciones económicas, tienen la intención de infligir daños en las personas y el gobierno de Irak. Al paso del tiempo, las sanciones pueden ocasionar una tasa de crecimiento reducida para Irak. Incluso si las pérdidas de bienestar a corto plazo de las sanciones no son grandes, pueden aparecer con ineficiencias en el uso del trabajo y el capital, deterioro de las expectativas nacionales y en reducción en ahorros, inversiones y empleo. Las sanciones reducen el potencial de la producción de Irak.

Factores que influyen en el éxito de las sanciones

El récord histórico de sanciones económicas brinda algún entendimiento de los factores que determinan su eficacia. Entre los determinantes más importantes del éxito de las sanciones económicas está *1)* el número de naciones que imponen sanciones, *2)* el grado al que la nación sancionada tiene vínculos económicos y políticos con las naciones sancionadoras, *3)* el grado de oposición política en la nación sancionada y *4)* factores culturales en la nación sancionada.

Aunque las sanciones unilaterales pueden tener algún éxito, para alcanzar los resultados que se pretende las sanciones deben ser impuestas por un gran número de naciones. Las sanciones multilaterales ocasionan una presión económica mayor en la nación sancionada que las medidas unilaterales. Las medidas multilaterales también aumentan la probabilidad de éxito al demostrar que más de una nación está en desacuerdo con el comportamiento de la nación, lo que mejora la legitimidad política del esfuerzo. El ostracismo internacional puede tener un impacto psicológico significativo en la gente de una nación sancionada. Sin embargo, no generar una cooperación multilateral fuerte, puede resultar en sanciones que se vuelvan contraproducentes; las disputas entre las naciones sancionadoras acerca de las sanciones pueden interpretarse por la nación sancionada como señal de desorden y debilidad.

Las sanciones tienden a ser más eficaces si, antes de la imposición de sanciones, la nación sancionada tuviera relaciones económicas y políticas significativas con la nación sancionadora. Entonces los costos potenciales de la nación sancionada son muy altos si no cumple con los deseos de la nación sancionadora. Por ejemplo, las sanciones occidentales en contra de Sudáfrica durante la década de los ochenta ayudaron a convencer al gobierno de reformar su sistema de apartheid, en parte porque Sudáfrica conducía cuatro quintas partes de su comercio con seis naciones industriales y obtenía casi todo su capital de Occidente.

La fuerza de la oposición política dentro de la nación sancionada también influye en el éxito de las sanciones. Cuando el gobierno sancionado enfrenta una oposición nacional, las sanciones económicas pueden llevar a los intereses de negocios poderosos (como las empresas con vínculos internacionales) a presionar al gobierno a adaptarse a los deseos de la nación sancionadora. Las sanciones seleccionadas, moderadas, con la amenaza de que seguirían medidas más severas, infligen cierto daño económico en los residentes nacionales, al tiempo que les proporcionan un incentivo para cabildear porque se anticipen sanciones más severas; así, la ventaja competitiva de imponer sanciones graduales puede tener mayor efecto que la desventaja de dar a la nación sancionada tiempo para ajustar su economía. Si se imponen de inmediato sanciones severas y exhaustivas, los intereses de las empresas nacionales tienen poco incentivo para presionar al gobierno sancionado a modificar su política; el daño económico ya está hecho.

Cuando las personas de la nación sancionada tienen fuertes vínculos culturales con la nación sancionadora, es probable que se identifiquen con los objetivos de la nación sancionadora, que mejora la eficacia de las sanciones. Por ejemplo, los blancos de Sudáfrica se consideran parte de la comunidad occidental. Cuando se impusieron sanciones económicas en Sudáfrica debido a las prácticas del *Apartheid* en la década de 1980, muchos blancos liberales se sentían aislados y en ostracismo moral del mundo occidental; esto los alentó a cabildear con el gobierno de Sudáfrica por reformas políticas.

Sanciones económicas y armas de la destrucción masiva: Corea del Norte e Irán

Durante décadas Estados Unidos y las Naciones Unidas han impuesto sanciones económicas a países que se han visto implicados en el uso del terrorismo y el desarrollo de armas químicas, biológicas y nucleares. ¿Son realmente útiles las sanciones económicas para desalentar tales comportamiento? Consideremos los casos de Irán y de Corea del Norte.

Desde 1950, cuando Corea del Norte invadió Corea del Sur, Estados Unidos y las Naciones Unidas impusieron numerosas sanciones a Corea del Norte. El uso de las sanciones se ha justificado con el argumento de que Corea del Norte representa una amenaza para la seguridad mundial por su patrocinio al terrorismo y a la proliferación de armas de destrucción masiva, como bombas nucleares y misiles.

Entre las sanciones que se han usado contra Corea del Norte se cuentan prohibiciones al comercio y a la entrada de embarcaciones y personas norcoreanas a otros países. Estados Unidos ha aplicado sanciones financieras a bancos que hacen negocios con Corea del Norte: tan pronto como un banco se ve marcado por estas sanciones, queda efectivamente eliminado del sistema financiero estadunidense, así el banco no puede acceder a dólares estadunidenses ni ejecutar transacciones con otros bancos e instituciones financieras de EUA.

En 2005, Estados Unidos incluyó en la lista negra a un banco de Macao, llamado Banco Delta Asia, que proveyó servicios financieros ilícitos al gobierno de Corea del Norte: ayudó a los norcoreanos a poner en circulación billetes falsos de cien dólares norteamericanos, lavó dinero obtenido por ventas de droga y financió el contrabando de cigarros. Dado que este banco representaba un acceso al sistema financiero internacional fundamental para Corea del Norte, las sanciones tenían un efecto devastador para el comercio y las finanzas norcoreanas. Sin embargo, las sanciones no consiguieron que Corea del Norte abandonara sus pruebas de armas nucleares.

Una razón por la que las sanciones no han sido capaces de presionar a Corea del Norte para cambiar su comportamiento es que el comercio y las relaciones financieras de Corea del Norte con el resto del mundo son limitadas. Estas relaciones limitadas reducen el impacto de las sanciones y su fuerza de presión sobre Corea del Norte. Otro problema es que China y Corea del Sur, las principales fuentes económicas de Corea del Norte, se han abstenido de implementar sanciones importantes contra su vecino por temor a un posible conflicto en la región. Hasta la fecha, todo parece indicar que el gobierno de Corea del Norte considera las armas nucleares como algo vital para su supervivencia política. Será muy poco probable, pues, que las sanciones cumplan el objetivo de parar el desarrollo de armas nucleares de Corea del Norte.

El caso de Irán también demuestra las limitaciones de las sanciones como un factor eficaz para detener la proliferación de armas nucleares. Desde 1987, Estados Unidos ha implementado numerosas sanciones contra Irán, como sanciones comerciales y financieras. Estas sanciones se intensificaron en 2006 cuando Irán continuó abiertamente con el desarrollo de un reactor nuclear. Irán insistió en que simplemente estaba promoviendo el uso de energía nuclear, pero los otros países sospechaban que esta tecnología podría ser empleada para fabricar bombas nucleares. En 2011, Estados Unidos implementó sanciones que atacaban al banco central de Irán y a sus exportaciones de petróleo. Uno año después, Estados Unidos incluyó en la lista negra las industrias iraníes de transportación y construcción naval, así como los sectores de energía. El resultado fue una caída abrupta del valor de la moneda de Irán, el rial, un aumento en la tasa de inflación de más del 50 por ciento, una disminución dramática del producto interno bruto iraní y una tasa de desempleo de 20 por ciento. La exportaciones de petróleo de Irán, que representan casi la mitad del gasto del gobierno, se desplomaron a la mitad, de 2.5 millones barriles por día a, aproximadamente, 1.25 millones de barriles. Este desplome en las exportaciones fue impulsado tanto por un embargo de la Unión Europea como por la presión de EUA sobre los clientes del petróleo iraní.

Los defensores de las sanciones han mantenido que la economía de Irán es vulnerable a la presión económica exterior. Irán depende del capital y de la inversión extranjeros para desarrollar sus campos petrolíferos aún no explotados y un nuevo sector de energía nuclear. La importancia considerable de Irán en la producción mundial de petróleo hace muy difícil para los países dependientes del petróleo como Estados Unidos la imposición de sanciones más graves a Irán. Conforme el comercio de EUA con Irán ha disminuido en las dos décadas anteriores, el comercio de Irán con el resto del mundo se ha incrementado, reduciendo, así, el impacto de las acciones de Estados Unidos contra Irán. Irán continúa exportando petróleo a China, India, Corea del Sur y Japón, que constituyen sus fuentes principales de ingresos por el petróleo.

Al aumentar la presión de las sanciones en 2013 el gobierno de Irán señaló que estaba dispuesto a resolver sus diferencias con Occidente por el tema de las armas nucleares. Esto resultó en un acuerdo temporal entre Irán y Occidente: se eliminaron algunas de las sanciones en contra de Irán a cambio de la promesa de Irán de reducir temporalmente su programa nuclear. La esperanza era que este acuerdo temporal resultara en un acuerdo nuclear permanente. Sin embargo, al momento de redactar este texto, aún está por verse cómo se desarrollarán las negociaciones.

RESUMEN

1. Las políticas comerciales estadunidenses refleja la motivación de muchos grupos, incluidos los funcionarios del gobierno, los líderes laborales y la administración de empresas.

2. La historia arancelaria estadunidense está marcada por altas y bajas. Muchos de los argumentos tradicionales para los aranceles (ingresos fiscales y empleos) han sido incorporados a la legislación arancelaria estadunidense.

3. La Ley de Smoot-Hawley de 1930 aumentó los aranceles estadunidenses a un nivel sin precedentes, con resultados desastrosos. La aprobación de la Ley de Comercio Recíproco de 1934 ocasionó reducciones arancelarias generalizadas para Estados Unidos, así como la aplicación de cláusulas de nación más favorecida.

4. El objetivo del Acuerdo General de Comercio y Aranceles era disminuir las barreras comerciales y colocar a la mayoría de las naciones en igualdad de condiciones en las relaciones comerciales. En 1995, el GATT se transformó en la Organización Mundial del Comercio, que abarca las principales disposiciones del GATT y brinda un mecanismo que tiene la intención de mejorar el proceso para resolver disputas comerciales entre las naciones participantes. La Ronda Tokio y la Ronda Uruguay de negociaciones comerciales multilaterales fueron más allá de las reducciones arancelarias para liberalizar diversas barreras comerciales no arancelarias.

5. Las leyes de recursos comerciales pueden ayudar a proteger a las empresas nacionales de la intensa competencia extranjera. Estas leyes incluyen la cláusula de extinción, las disposiciones para aplicar los impuestos *antidumping* y los compensatorios y la Sección 301 de la Ley de Comercio de 1974, que aborda prácticas de comercio desleales de otras naciones.

6. La cláusula de extinción brinda protección temporal a los productores estadunidenses que son perjudicados por las importaciones comercializadas de forma justa.

7. Los derechos compensatorios tienen la intención de contrarrestar cualquier ventaja competitiva desleal que los productores extranjeros pudieran ganar sobre los productores nacionales debido a subsidios en el extranjero.

8. La teoría económica sugiere que si una nación es un importador neto de un producto subsidiado o de *dumping* por parte de otro país, la nación como un todo gana por el subsidio o el *dumping* externo. Esto es porque las ganancias para los consumidores nacionales del producto subsidiado o de *dumping* contrarrestan por mucho las pérdidas de los productores nacionales de los productos que compiten con esas importaciones.

9. Los impuestos estadunidenses de *antidumping* tienen la intención de neutralizar dos prácticas de comercio desleales: 1) las ventas de exportación en Estados Unidos a precios por debajo del costo total promedio y 2) la discriminación internacional de precios, en la que empresas extranjeras venden en Estados Unidos a un precio menor del que han cobrado en el mercado local del exportador.

10. La Sección 301 de la Ley de Comercio de 1974 permite al gobierno estadunidense imponer restricciones comerciales en contra de naciones que practican una competencia desleal, si no se pueden resolver con éxito los desacuerdos comerciales.

11. La propiedad intelectual incluye los derechos reservados, marcas registradas y patentes. El contrabando extranjero de la propiedad intelectual ha sido un problema significativo para muchas naciones industrializadas.

12. Puesto que la competencia extranjera puede desplazar importantes empresas y trabajadores, Estados Unidos y otras naciones han iniciado programas de asistencia para ajustarse al comercio, que incluyen ayuda del gobierno para las empresas, los trabajadores y las comunidades afectadas de forma adversa.

13. Estados Unidos ha estado renuente a elaborar una política industrial explícita en la que el gobierno elija ganadores y perdedores entre productos y empresas. En lugar de eso, el gobierno estadunidense toma una posición menos activista para proporcionar ayuda a los productores nacionales (tal como Export-Import Bank y las asociaciones de exportadores).

14. De acuerdo con el concepto de política comercial estratégica, el gobierno puede ayudar a las empresas a capturar utilidades económicas de los competidores extranjeros. El concepto de política comercial estratégica aplica a empresas en mercados de competencia imperfectos.

15. Las sanciones económicas consisten en restricciones comerciales y financieras impuestas en las naciones extranjeras. Han sido utilizadas para preservar la seguridad nacional, proteger los derechos humanos y combatir el terrorismo internacional.

CONCEPTOS Y TÉRMINOS CLAVE

Acuerdo de Multifibra (MFA) (p. 200)

Acuerdo General de Comercio y Aranceles (GATT) (p. 185)

Asistencia para ajustarse al comercio (p. 212)

Cláusula de extinción (p. 199)

Cláusula de la nación más favorecida (MFN) (p. 185)

Commodity Credit Corporation (CCC) (p. 214)

Derecho compensatorio (p. 201)

Derechos de propiedad intelectual (DPI) (p. 208)

Export-Import Bank (p. 213)

Facultad para la promoción del comercio (p. 198)

Facultad de vía rápida (p. 198)

Ley de acuerdos comerciales recíprocos (p. 184)

Ley Smoot-Hawlye (p. 183)

Leyes correctivas de recursos comerciales (p. 199)

Ministerio de Economía, Comercio e Industria (MECI) (p. 216)

Organización Mundial de Comercio (OMC) (p. 185)

Política comercial estratégica (p. 217)

Relaciones comerciales normales (p. 185)

Ronda Doha (p. 189)

Ronda Kennedy (p. 187)

Ronda Tokio (p. 188)

Ronda Uruguay (p. 189)

Salvaguardas (p. 199)

Sanciones económicas (p. 219)

Sección 301 (p. 207)

PREGUNTAS PARA ANÁLISIS

1. ¿A qué grado los argumentos tradicionales que justifican las barreras proteccionistas en realidad han sido incorporados en la legislación comercial estadunidense?

2. ¿En qué etapa de la historia comercial estadunidense el proteccionismo alcanzó su punto más alto?

3. ¿Qué significa la cláusula de nación más favorecida y cómo se relaciona con las políticas arancelarias de Estados Unidos?

4. El GATT y su sucesor, la Organización Mundial de Comercio, establecieron un conjunto de reglas para la conducta comercial de las naciones que ejercen el comercio. Explique.

5. ¿Cuáles son las leyes de recursos del comercio? ¿En qué forma intentan proteger a las empresas estadunidenses de los productos comercializados de manera injusta (justa)?

6. ¿Qué es la propiedad intelectual? ¿Por qué la propiedad intelectual se ha convertido en un tema importante en las rondas recientes de las negociaciones de comercio internacional?

7. ¿En qué forma el programa de asistencia para ajustarse al comercio intenta ayudar a las empresas nacionales y a los trabajadores que son desplazados como resultado de la competencia internacional?

8. Bajo la Ronda de Tokio, ¿cuáles fueron las principales políticas comerciales adoptadas en relación con las barreras comerciales no arancelarias? ¿Y qué hay acerca de la Ronda Uruguay?

9. Describa las políticas industriales adoptadas por el gobierno estadunidense. ¿En qué han diferido estas políticas de las adoptadas por Japón?

10. Si Estados Unidos es un importador neto de un producto subsidiado o de *dumping* de Japón, no sólo los consumidores estadunidenses ganan, sino también ganan más de lo que pierden los productores estadunidenses por los subsidios o el *dumping* japonés. Explique por qué esto es cierto.

11. ¿Cuál es la finalidad de una política comercial estratégica?

12. ¿Cuál es el propósito de las sanciones comerciales? ¿Qué problemas plantean para la nación que inicia las sanciones? ¿Cuándo tienen más éxito las sanciones para alcanzar sus metas?

13. Asuma que España es "pequeña" e incapaz de influir en el precio internacional del acero brasileño. Los programas de oferta y demanda de España se ilustran en la tabla 6.11. Suponga que el precio de Brasil es de $400 por tonelada

TABLA 6.11

Oferta y demanda de acero para España

Precio	Cantidad ofrecida (millones de toneladas)	Cantidad demandada (millones de toneladas)
$0	0	12
200	2	10
400	4	8
600	6	6
800	8	4
1000	10	2
1200	12	0

© Cengage Learning®

de acero. En papel milimétrico, elabore las curvas de oferta y demanda de España y de Brasil en la misma gráfica.

a. Con el libre comercio, ¿cuántas toneladas de acero producirá, comprará e importará España? Calcule el excedente del productor y el excedente del consumidor.

b. Suponga que el gobierno brasileño otorga a sus compañías aceras un subsidio de producción de $200 por tonelada. Dibuje la curva de oferta ajustada al subsidio de Brasil.

1) ¿Cuál es el nuevo precio de mercado del acero? En este precio, ¿cuánto acero producirá, comprará e importará España?

2) El subsidio ayuda/daña a las empresas españolas porque su excedente de productor se incrementa/disminuye $_____; los usuarios del acero español obtienen un aumento/disminución en el excedente del consumidor de $_____. La economía española como un todo beneficia/sufre por el subsidio por una cantidad que totaliza $_____.

EXPLORACIÓN DETALLADA

Para una presentación de curvas de oferta en el análisis de aranceles, consulte *Exploración Detallada 6.1* en: **www.cengage.com/economics/Carbaugh**.

Políticas comerciales de los países en desarrollo

Es una práctica común agrupar a las naciones con base en su ingreso real y luego dibujar una línea divisoria entre los países avanzados y los que se encuentran en desarrollo. En la categoría de **países avanzados** están dos de América del Norte (Estados Unidos y Canadá) y Europa Occidental, más Australia, Nueva Zelanda y Japón. El resto de los países del mundo son países en desarrollo o menos desarrollados. Los **países en desarrollo** son la mayoría de los que están en África, Asia y América Latina y el Oriente Medio. En la tabla 7.1 se presentan indicadores económicos y sociales de ciertos países seleccionados. En general, los países avanzados se caracterizan por niveles relativamente altos de un producto interno bruto per cápita, una esperanza de vida más larga y altos niveles de alfabetismo en los adultos.

Aunque el comercio internacional proporciona beneficios a los productores y a los consumidores nacionales, algunos economistas sostienen que el actual sistema comercial internacional obstaculiza el desarrollo económico de los países en desarrollo. Creen que la teoría del comercio internacional convencional sustentada en el principio de la ventaja comparativa es irrelevante para esas naciones. En este capítulo se examinan las razones que algunos economistas brindan para explicar sus recelos acerca del sistema de comercio internacional. También se consideran las políticas enfocadas a mejorar las condiciones económicas de los países en desarrollo.

CARACTERÍSTICAS DEL COMERCIO DE LOS PAÍSES EN DESARROLLO

Si analiza las características del comercio de los países en desarrollo, encontrará que son muy dependientes de los países avanzados. La mayor parte de las exportaciones de los países en desarrollo van hacia los países avanzados y la mayoría de las importaciones de los países en desarrollo provienen de los países avanzados. El comercio entre los países en desarrollo es menor, aunque en años recientes ha aumentado.

Otra característica es la composición de las exportaciones de los países en desarrollo, compuesta básicamente por **productos primarios** (productos agrícolas, materias primas y combustibles); de los productos manufacturados que exportan; muchos (como los textiles) son intensivos en trabajo e incluyen sólo cantidades modestas de tecnología en su producción.

	TABLA 7.1		

Indicadores económicos y sociales básicos de algunas naciones, 2011

País	Producto Interno Bruto per cápita*	Esperanza de vida (años)	Alfabetismo en adultos (porcentaje)
Suiza	$52,530	83	99
Estados Unidos	50,120	79	99
Japón	34,890	83	99
Chile	19,820	79	97
México	15,770	77	93
Argelia	7,550	71	73
Indonesia	4,440	70	92
Guinea	940	56	30
Burundi	540	53	67

* Convertido a dólares internacionales usando tasas de paridad de poder de compra. Un dólar internacional tiene el mismo poder de compra que el dólar estadunidense en EUA.

Fuente: Tomado de: Banco Mundial, en: http://www.worldbank.org/data.

En las últimas tres décadas la prevalencia de los productos primarios en el comercio de los países en desarrollo ha disminuido. Muchos países en desarrollo han podido aumentar sus exportaciones de productos manufacturados y servicios en comparación con los productos primarios: estos países incluyen China, India, México, Corea del Sur, Hong Kong, Bangladesh, Sri Lanka, Turquía, Marruecos, Indonesia, Vietnam y otros. Los países que se han integrado a los mercados industriales del mundo han conseguido una reducción significativa de la pobreza.

¿Cómo los países en desarrollo han podido trasladarse hacia las exportaciones de los productos manufacturados? La inversión tanto en capital humano como físico ha sido relevante. Los niveles de educación promedio y las existencias de capital por trabajador han aumentado pronunciadamente en todo el mundo en desarrollo. También las mejoras en transporte y comunicaciones, en conjunto con las reformas de los países en desarrollo, permitieron que la cadena de producción se dividiera en componentes y los países en desarrollo han tenido una función vital en la compartición de la producción global. Por último, la liberalización de las barreras al comercio en los países en desarrollo después de mediados de la década de los ochenta aumentó su competitividad; esto fue especialmente verdadero para los productos manufacturados y los productos primarios procesados. En términos sencillos, los países en desarrollo han ganado terreno en la producción de aquellas exportaciones que implican mayor tecnología. Sin embargo, han tenido un éxito modesto al exportar estos productos a los países avanzados.

Muchos países en desarrollo con una población total de 2,000 millones de personas no se han integrado por completo a la economía industrial global; muchos de estos países están en África y la ex Unión Soviética. Sus exportaciones por lo general consisten en una estrecha gama de productos primarios y estos países a menudo tienen una desventaja por su mala infraestructura, su educación inadecuada, su rampante corrupción y altas barreras al comercio. Los costos de transporte para los mercados industriales también son más altos que los aranceles de sus productos, así que dichos costos son una barrera para la integración, incluso más fuerte que las políticas comerciales de los países ricos. En estos países en desarrollo los ingresos han disminuido y la pobreza ha aumentado en los últimos 20 años. Para ellos es importante diversificar las exportaciones y entrar a los mercados globales de productos manufacturados y servicios cuando les sea posible. ¿Por qué algunos países son mucho más pobres que otros?

TENSIONES ENTRE LOS PAÍSES EN DESARROLLO Y LOS PAÍSES AVANZADOS

A pesar de las frustraciones comerciales de los países en desarrollo, la mayoría de los teóricos y de quienes en la actualidad diseñan las políticas están de acuerdo en que la mejor estrategia para un país pobre es desarrollarse para aprovechar el comercio internacional. En las últimas dos décadas muchos países en desarrollo vieron la sabiduría de esta estrategia y abrieron sus mercados al comercio internacional y a la inversión extranjera. En forma irónica, a pesar del respaldo de los teóricos para este cambio, el mundo avanzado en ocasiones ha incrementado sus propias barreras comerciales a las importaciones de estos países en desarrollo. ¿Por qué es esto?

Piense en la economía mundial como en una escalera. En los peldaños del fondo están los países en desarrollo que producen sobre todo textiles y otros productos de baja tecnología. En la parte superior están Japón, Estados Unidos y otros países industriales que fabrican *software*, electrónica y farmacéuticos. En los peldaños de en medio están las demás naciones, que producen todo, desde chips de memoria hasta automóviles y acero. Desde esta perspectiva, el desarrollo económico es simple: todos intentan escalar al siguiente peldaño. Esto funciona bien si los países de la parte superior crean nuevas industrias y productos y así agregan otro peldaño a la escalera: las industrias más viejas se pueden trasladar al extranjero mientras que en el país se generan empleos nuevos. Pero si la innovación no continua más allá del peldaño más alto para producir otros peldaños, los estadunidenses deben competir con los trabajadores de bajo salario en los países en desarrollo.

Un predicamento que enfrentan los países en desarrollo es que, con el fin de lograr algún progreso, deben desplazar a los fabricantes de los productos menos sofisticados que aún se producen en los países avanzados. Por ejemplo, si Zambia va a producir textiles y ropa, competirá contra productores estadunidenses y europeos de estos productos. Conforme los productores de los países avanzados sufren por la competencia de las importaciones, tienden a buscar protección comercial con el fin de evitarla. Sin embargo, esta protección niega el acceso al mercado a los países en desarrollo, lo que frustra sus intentos de crecimiento. Así, hay un sesgo en contra de su posibilidad de dar alcance a los países avanzados.

En los países avanzados quienes gozan de protección ante la competencia de los países en desarrollo, tienden a incluir a los que están casi en el fondo de la distribución de ingresos de los países avanzados. Muchas de estas personas trabajan en industrias intensivas en trabajo y tienen habilidades limitadas y salarios bajos. Los programas de redistribución de ingresos deberían ayudar, no obstaculizar a estas personas. Hasta cierto grado, los países avanzados deben decidir entre ayudar a sus pobres y ayudar a los pobres del mundo. Pero los críticos señalan que el mundo, como un todo, necesita tratar a todos los pobres como si fueran propios y que las instituciones internacionales deben asegurar justicia a todos los que están en una situación de pobreza. Por ejemplo, la Organización Mundial de Comercio (OMC) es la responsable de evitar que las políticas comerciales de los países avanzados se inclinen demasiado lejos en favor de sus propias personas y en contra del resto del mundo. Esta es la razón de por qué las reuniones recientes de la OMC han estado llenas de tensiones entre los países pobres y los ricos.

Sin embargo, brindar a los países en desarrollo un mayor acceso a los mercados de los países avanzados no resolverá todos los problemas de los países en desarrollo. Enfrentan debilidades estructurales en sus economías que están compuestas por instituciones y políticas inadecuadas o, incluso, inexistentes en los ámbitos legales, macroeconomía sustentable y servicios públicos.

PROBLEMAS COMERCIALES DE LOS PAÍSES EN DESARROLLO

La teoría de la ventaja comparativa sostiene que todas las naciones pueden disfrutar de los beneficios del libre comercio, si se especializan en la fabricación de los productos en los que tienen una ventaja comparativa e intercambian algunos de ellos por productos fabricados por otras naciones.

Quienes diseñan las políticas en Estados Unidos y en muchos otros países avanzados sostienen que la estructura del sistema comercial internacional orientada al mercado proporciona un entorno en el que se pueden obtener beneficios de una ventaja comparativa. Afirman que el sistema comercial internacional existente ha propagado beneficios y que los intereses comerciales de todas las naciones se atienden mejor debido a los cambios pragmáticos y crecientes en el sistema existente. Los países avanzados también sostienen que, para alcanzar el éxito comercial, deben administrar sus propias políticas económicas nacionales e internacionales.

Con base en su experiencia comercial con los países avanzados, algunos países en desarrollo tienen dudas acerca de la *distribución* de los beneficios comerciales entre ellos y los países avanzados. Han señalado que las políticas comerciales proteccionistas de los países avanzados obstaculizan la industrialización de muchas naciones en desarrollo. En consecuencia, los países en desarrollo han buscado un nuevo orden comercial internacional con mejor acceso a los mercados de los países avanzados. Entre los problemas que han plagado a los países en desarrollo están los mercados de exportación inestables, el deterioro de los términos de intercambio y un acceso limitado a los mercados de los países industriales.

Mercados de exportación inestables

Una característica de muchos países en desarrollo es que sus exportaciones se concentran en sólo uno o algunos productos primarios. Esta situación se muestra en la tabla 7.2, que ilustra la dependencia que algunos países en desarrollo tienen en un solo producto primario. Una mala cosecha o una disminución en la demanda del mercado de ese producto pueden reducir de forma significativa los ingresos de exportación y desestabilizar seriamente el ingreso nacional y los niveles de empleo.

Los economistas sostienen que un factor clave en la inestabilidad de los precios de los productos primarios y los ingresos del productor es la relativamente baja elasticidad precio tanto de la curva de

TABLA 7.2

Dependencia de los países en desarrollo de productos primarios, 2012

País	Principal producto de exportación	Principal producto de exportación como porcentaje del total de exportaciones
Nigeria	Petróleo	95
Arabia Saudita	Petróleo	90
Venezuela	Petróleo	82
Benin	Algodón	81
Burundi	Café	80
Malawi	Tabaco	70
Zambia	Cobre	62
Etiopía	Café	60

Fuente: Tomado de: The World Bank Group, *Data and Statistics: Country at a Glance Tables*, disponible en http://www.worldbank.org/data. Vea también Agencia Central de Inteligencia, *World Factbook*, disponible en www.cia.gov.

---

[1] Para la mayoría de los productos se calcula que las elasticidades precios de la demanda y de la oferta están entre 0.2 y 0.5, lo que sugiere que un cambio de 1 por ciento en el precio resulta en sólo un cambio de 0.2 por ciento en la cantidad. Un estudio empírico clásico de este tema se puede encontrar en Jerre Behman, "International Commodity Agreements: An Evaluation of the UNCTAD Integrated Commodity Program", en William Cline (comp.), *Policy Alternatives for a New International Economic Order*, Nueva York, Praeger, 1979, pp. 118-121.

demanda como la de oferta en productos tales como estaño, cobre y café.[1] Recuerde que la elasticidad precio de la demanda (oferta) se refiere al cambio porcentual en la cantidad demandada (ofrecida) que resulta del cambio de un punto porcentual en el precio. A medida que las curvas de oferta y demanda son relativamente *inelásticas*, lo que sugiere que el cambio porcentual en el precio excede el cambio porcentual en la cantidad, un pequeño cambio en cualquier curva puede inducir un gran cambio en los precio y los ingresos.

En la figura 7.1 se ilustran las curvas de oferta y demanda del café, en relación con el mercado como un todo. Asuma que estas curvas son altamente inelásticas. El mercado está en un punto de equilibrio *A*, donde la curva de oferta del mercado O_0 interseca la curva de demanda del mercado D_0. Los ingresos de los productores de café son de 22.5 millones de dólares y se determinan al multiplicar el precio de equilibrio ($4.50) por la cantidad de libras vendidas (5 millones).

En cuanto a la figura 7.1 (a), suponga que los ingresos extranjeros decrecen ocasionando que la curva de demanda del mercado de café disminuya a D_1. Como la oferta del café es inelástica, la disminución en la demanda ocasiona una reducción significativa en el precio del mercado, de $4.50 a $2.00 por libra. Así, los ingresos de los productores de café caen a $8 millones. Parte de esta disminución representa una caída en la utilidad del productor. Conclusión: los precios y las ganancias del café son altamente volátiles cuando la oferta del mercado es inelástica.

No sólo los cambios en la demanda inducen amplias fluctuaciones en el precio cuando la oferta es inelástica, sino que los cambios en la oferta inducen amplias fluctuaciones en precios cuando la demanda es inelástica. La última situación se ilustra en la figura 7.1 (b). Suponga que las condiciones crecientes ocasionan un desplazamiento hacia la derecha en la curva de oferta del mercado de café a O_1. El resultado es una caída sustancial en el precio de $4.50 a $2.00 por libra y los ingresos del productor caen a $14 millones ($2 × 7 millones = $14 millones). Entonces los precios y los ingresos son volátiles cuando las condiciones en la demanda son inelásticas.

FIGURA 7.1

Inestabilidad en el precio de exportación para un país en desarrollo

(a) Efecto de la elasticidad de la oferta (b) Efecto de la elasticidad de la demanda

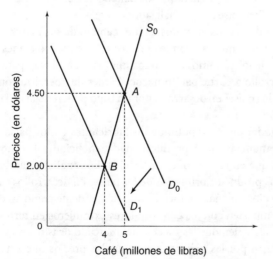
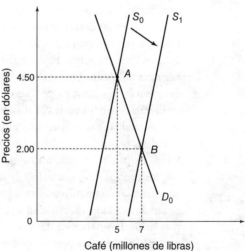

Cuando la oferta de un producto es altamente inelástica, las disminuciones (o aumentos) en la demanda generarán amplias variaciones en el precio. Cuando la demanda de un producto es altamente inelástica, los aumentos (o disminuciones) en la oferta generarán amplias variaciones en el precio.

La caída de los precios amenaza el crecimiento de las naciones exportadoras

Durante la primera década del 2000 el incremento en los precios de los productos primarios y las condiciones favorables de crecimiento beneficiaron a los productores y a los gobiernos de muchos países en desarrollo. Los precios más altos provocaron ganancias crecientes y recaudaciones tributarias crecientes que los gobiernos aprovecharon para pagar algunas de sus deudas y gastar más en programas sociales. En América Latina, mercados más sólidos de productos primarios contribuyeron a un crecimiento económico que promedió 5 por ciento anual, entre 2003 y 2008 (comparado con un 3.5 por ciento anual durante las tres décadas previas).

Sin embargo, ese ciclo hacia arriba dio un vuelco y cayó en picada cuando muchas economías avanzadas se tambalearon en la recesión de 2008-2009. Conforme las economías se retraían, disminuía su demanda de productos primarios. La baja demanda trajo por consecuencia una dramática caída de los precios de cobre, estaño, hierro, soya, aceite y similares. Cuando los ingresos de exportación se redujeron, las naciones productoras de estos productos primarios, como Perú y Bolivia, tuvieron que poner en espera sus inversiones en recursos naturales, como la extracción de hierro.

Brasil pagó un precio muy alto por su dependencia de productos primarios, como la soya y el hierro (40 por ciento de sus exportaciones). El precio de la soya disminuyó de $600 por tonelada a $365 por tonelada durante 2008-2009. Conforme los precios de exportación mermaban, también mermaba su considerable superávit de la balanza comercial. Las grandes corporaciones como el gigante minero Cia. Vale do Rio Doce, tuvo que reducir la producción y despedir obreros. Asimismo, los grandes productores de gas y de aceite regionales, como Bolivia, Ecuador y Venezuela, se vieron duramente afectados por la contracción de la economía mundial.

Las economías de muchos países en desarrollo dependen de productos primarios y la mayoría de sus exportaciones va a naciones avanzadas. Cuando las naciones avanzadas sufren una contracción de su economía, esta contracción puede rápidamente transmitirse a sus socios comerciales en desarrollo, como se pudo ver durante la contracción económica mundial de 2008-2009.

Deterioro de los términos de intercambio

La forma en que se distribuyen las ganancias del comercio internacional entre los socios comerciales ha sido controversial, en especial entre los países en desarrollo cuyas exportaciones se concentran en los productos primarios. Estas naciones sostienen que los beneficios del comercio internacional benefician desproporcionadamente a los países industrializados.

Los países en desarrollo se quejan de que los términos de intercambio de sus mercancías se deterioraron en el último siglo, lo que sugiere que cayeron los precios de sus exportaciones en relación con sus importaciones. El deterioro de los términos de intercambio se ha utilizado para justificar la negativa de muchos países en desarrollo a participar en negociaciones de liberalización comercial. También ha suscitado exigencias de los países en desarrollo por un trato preferencial en las relaciones comerciales con los países avanzados.

Los analistas sostienen que el poder de monopolio de los fabricantes en los países avanzados ocasiona precios más altos. Las ganancias en la productividad benefician a los fabricantes en forma de ganancias más altas, más que en reducciones de precios. Los analistas también afirman que los precios de exportación de los productos primarios de los países en desarrollo se determinan en mercados competitivos. Estos precios fluctúan en forma tanto descendente como ascendente. Las ganancias en la productividad se comparten con los consumidores extranjeros en forma de precios más bajos. Los países en desarrollo sostienen que las fuerzas del mercado ocasionan que aumenten con más rapidez los precios que pagan por las importaciones que los precios que determinan sus exportaciones, lo que resulta en un deterioro de los términos de intercambio de sus mercancías. Es más, conforme aumenta el ingreso, las personas tienden a gastar más en productos manufacturados que en productos primarios, con lo que se contribuye al deterioro de los términos de intercambio de los países en desarrollo.

La afirmación de los países en desarrollo de un deterioro en los términos de intercambio fue respaldada por un estudio de las Naciones Unidas en 1949.[2] El estudio concluyó que, del periodo 1876-1880 a 1946-1947, los precios de los productos primarios comparados con los manufacturados cayeron 32 por ciento. Sin embargo, debido a inadecuaciones de datos y a los problemas para construir índices de precios, el estudio de la ONU fue poco concluyente. Otros estudios llevaron a conclusiones contrarias sobre los desplazamientos en los términos de intercambio.

En 2004, algunos economistas de las Naciones Unidas encontraron que entre 1961 y 2001 los precios promedio de los productos primarios agrícolas vendidos por países en desarrollo disminuyeron casi 70 por ciento en comparación con el precio de los productos manufacturados que éstos compraban a los países desarrollados. Esta marcada reducción en los términos de intercambio fue especialmente perjudicial para las naciones más pobres del África sub-sahariana. Por su parte, el Banco Mundial calculó que entre 1970 y 1997 los términos de intercambio decrecientes costaron a las naciones africanas que no exportan petróleo un pérdida de ingresos equivalente hasta un 119 por ciento de su producto interno bruto anual combinado. En teoría, una disminución en los términos de comercio podría ser contrarrestada por aumentos en el volumen de la producción y exportaciones para mantener o incluso incrementar el monto de los ingresos percibidos por exportaciones. En la práctica, sin embargo, los volúmenes de exportación no crecieron suficientemente en las naciones de África como para contrarrestar las pérdidas.[3]

Respecto a otros países en desarrollo (como China, India y Rusia) y los exportadores mundiales de petróleo en desarrollo, el argumento de los términos de intercambio decrecientes no se sostiene claramente para los últimos años: muchas de estas naciones han sido capaces de generar economías de escala en la producción de otros productos primarios como maíz o algodón, y han podido diversificar sus economías para no depender exclusivamente de la exportación de materias primas.

Es difícil concluir si los países en desarrollo, como un todo, han experimentado un deterioro o una mejora en sus términos de intercambio. Las conclusiones acerca de los desplazamientos en los términos de intercambio se vuelven poco concluyentes dependiendo del año base para la comparación, debido al problema de dejar al margen los cambios en la tecnología y la productividad, así como la consideración de nuevos productos y calidades de producto o los métodos utilizadas para valorar las exportaciones y las importaciones y ponderar las mercancías utilizados en el índice.

Acceso restringido al mercado

En las últimas dos décadas los países en desarrollo han mejorado su penetración a los mercados mundiales. Sin embargo, el proteccionismo global ha sido un obstáculo para su acceso al mercado. Esto es especialmente cierto para la agricultura y los productos manufacturados intensivos en trabajo como la ropa y los textiles. Estos productos son importantes para los pobres del mundo porque representan más de la mitad de las exportaciones de los países de bajos ingresos y aproximadamente 70 por ciento de los ingresos de exportaciones de los países menos desarrollados.

Los aranceles que imponen los países avanzados a las importaciones de los países en desarrollo tienden a ser más altos que los impuestos a otros países industriales. Las diferencias en los promedios arancelarios reflejan la presencia de bloques comerciales importantes como la Unión Europea (UE) y el Tratado de Libre Comercio de América del Norte (TLCAN), que ha abolido los aranceles para los socios comerciales de los países avanzados. Por otro lado, como los países en desarrollo no tuvieron una participación activa en los acuerdos de liberalización comercial multilateral previos a la década de los noventa, sus productos no se beneficiaron, en general, de las abruptas reducciones en los aranceles que se realizaron en esas rondas. En términos sencillos, los aranceles promedio en los países ricos son bajos, pero mantienen barreras comerciales en exactamente las mismas áreas donde los países en desarrollo tienen una ventaja comparativa: agricultura y productos manufacturados intensivos en trabajo.

---

[2] La Comisión de las Naciones Unidas para América Latina, *The Economic Development of Latin America and Its Principal Problems*, 1950.

[3] Organización para la Alimentación y la Agricultura de la ONU (FAO), *The State of Agricultural Commodity Markets*, Roma, Italia, 2004, pp. 8–12. Vea también Kevin Watkins y Penny Fowler, *Rigged Rules and Double Standards: Trade, Globalization and the Fight Against Poverty*, Oxford, Inglaterra, Oxfam Publishing, 2002, capítulo 6.

Los países en desarrollo también se ven afectados por una escalada arancelaria, como se analizó en el capítulo 4. En los países avanzados, los aranceles aumentan pronunciadamente, en especial en los productos agrícolas. La escalada arancelaria tiene el potencial de disminuir la demanda de las importaciones procesadas de los países en desarrollo con lo que se restringe su posibilidad de diversificación hacia exportaciones de mayor valor agregado. Aunque menos prevaleciente, la escalada arancelaria también afecta las importaciones de los productos industriales, en especial, en la etapa de semiprocesados. Ejemplos de dichos productos, en los que muchos países en desarrollo tienen una ventaja comparativa, incluyen textiles y ropa, piel y productos de piel, madera, papel, muebles, metales y productos de hule.

Por otro lado, las barreras proteccionistas han ocasionado que los productores de textiles y ropa de los países en desarrollo no obtengan considerables ganancias de las exportaciones. Durante décadas los países industriales impusieron cuotas a las importaciones de estos productos. Aunque el Acuerdo de Textiles y Ropa de la Ronda Uruguay abolió las cuotas en 2005, el acceso al mercado de los textiles y de la ropa permanece restringido debido a que las barreras arancelarias son altas.

Finalmente, los impuestos *antidumping* y derechos compensatorios se han convertido en populares sustitutos de las barreras comerciales tradicionales que se han reducido gradualmente por la liberalización comercial regional y multilateral. Los países en desarrollo han afirmado que los países industriales como Estados Unidos tienen sólo un acceso limitado a sus mercados debido al uso agresivo de los derechos *antidumping* y compensatorios. Dichas políticas han ocasionado reducciones significativas en los volúmenes de exportación y participaciones de mercado, de acuerdo con los países en desarrollo.

De hecho, los países pobres han presionado a Estados Unidos y Europa para que reduzcan las barreras comerciales. Sin embargo, los países ricos señalan que los países pobres tienen que reducir sus propios aranceles, que con frecuencia son más altos que los de sus contrapartes ricas, como se puede apreciar en la tabla 7.3. La escalada arancelaria también se practica ampliamente en los países en desarrollo; su arancel promedio para productos agrícolas y manufacturados totalmente procesados es más alto que para los productos no procesados. Aunque el comercio entre los países en desarrollo es una porción mucho más pequeña del total del comercio, los aranceles promedio de los productos manufacturados son alrededor de tres veces más altos para el comercio entre los países en desarrollo que para las exportaciones a países avanzados. Los críticos señalan que los países en desarrollo son parte de su propio problema y que deben liberalizar el comercio.

TABLA 7.3

Aranceles de países en desarrollo y países avanzados seleccionados; todos los productos, 2012

País	Tasa arancelaria promedio aplicada*
Bahamas	35.9%
Maldivas	20.5
Zimbabwe	19.5
Brasil	13.7
India	13.0
Corea del Sur	12.1
Federación Rusa	9.5
Unión Europea	5.1
Japón	4.4
Canadá	3.7
Estados Unidos	3.5

* Las tasas arancelarias promedio aplicadas son los impuestos que se cargan efectivamente a las importaciones. Éstas pueden estar por abajo de las tasas "vinculadas" que son las tasas que los países se han comprometido a mantener en cierto nivel. Una vez que una tasa se ha "vinculado", no puede elevarse sin que haya compensación a las partes afectadas.

Fuente: Tomado de: Organización Mundial del Comercio, *World Tariff Profiles*, 2012.

Sin embargo, este argumento no va bien con muchas naciones pobres. Afirman que reducir con rapidez los aranceles podría lanzar sus ya de por sí frágiles economías a condiciones aún peores. Igual que en el caso de los países ricos que reducen los aranceles, algunos trabajadores inevitablemente perderán sus empleos conforme las empresas se trasladen a centros de más bajo costo. A diferencia de Estados Unidos y de los países europeos, los países pobres no tienen una red de seguridad social y programas de reeducación para amortiguar ese golpe a la planta laboral. El mensaje que se envía al mundo en desarrollo es que debería provocar cierta liberalización de mercados por su propia cuenta. Sin embargo, resulta paradójico que los países avanzados quieran que los países en desarrollo eliminen sus barreras comerciales, cuando los propios países avanzados como Estados Unidos y Canadá se beneficiaron de barreras comerciales importantes durante sus etapas de desarrollo.

Subsidios a la exportación agrícola en los países avanzados

La protección global a la agricultura es otro problema para los países en desarrollo. Además de usar los aranceles para proteger a sus agricultores de los productos que compiten con las importaciones, los países avanzados respaldan a sus agricultores con subsidios enormes. Con frecuencia los subsidios se justifican por los beneficios no económicos de la agricultura, como seguridad de los alimentos y mantenimiento de comunidades rurales. Al impulsar la producción de los bienes agrícolas, los subsidios desalientan las importaciones agrícolas y así desplazan los embarques de los países en desarrollo a los mercados de países avanzados. Paralelamente, los excedentes no deseados de productos agrícolas, que resultan del respaldo gubernamental, con frecuencia se llevan a mercados por medio de *dumping* con la ayuda de subsidios a la exportación. Esto provoca una baja marcada en los precios de muchos productos agrícolas y reduce los ingresos de los países en desarrollo.

Por ejemplo, los agricultores de arroz en África Occidental se quejan de que los subsidios a la exportación de Estados Unidos y de Europa deprimen los precios mundiales y les dificulta competir. En 2007 sembrar, cuidar y cosechar una tonelada promedio de arroz regular estadunidense costaba 240 dólares. Para el momento en que el arroz dejaba un puerto estadunidense para exportación, los subsidios reducían el precio para los compradores extranjeros a 205 dólares. Sin embargo, el costo de producción en África Occidental era de 230 dólares por tonelada. Así, los agricultores de África Occidental no podían competir en su mercado. Cuando los agricultores de arroz quiebran en África Occidental, con frecuencia intentan viajar ilegalmente a Europa en busca de empleo. Miles han muerto al intentar cruzar el Mediterráneo en sitios de navegación peligrosa para evitar la detección de las patrullas europeas.

Las quejas de los agricultores de algodón de África Occidental reflejan las de los agricultores de arroz. Señalan que las exportaciones estadunidenses han tenido subsidios enormes. Los agricultores de África Occidental no pueden sino sentir que la vida es injusta cuando deben competir contra los agricultores y el gobierno estadunidenses.

Las políticas de ayuda para alimentos estadunidenses tienden a intensificar esta controversia. Es verdad que la comida estadunidense donada a los países en desarrollo ha salvado millones de vidas que se han quedado desamparadas por el fracaso en sus cultivos, pero también es cierta la queja de los agricultores en los países en desarrollo de que el gobierno estadunidense compra los granos excedentes de los agricultores estadunidenses y los manda a otro sitio del mundo, en lugar de comprar primero a los extranjeros. Por ley, Estados Unidos está comprometido a enviar comida cultivada localmente para ayuda, en lugar de gastar efectivo en producción extranjera en todos los casos, salvo los más excepcionales. Esta política respalda a los agricultores, procesadores y transportistas estadunidenses, a la vez que combate la hambruna mundial. Las quejas de los agricultores de África Occidental no son bien recibidas en Estados Unidos, donde los agricultores se oponen a que el gobierno estadunidense gaste el dinero de los contribuyentes para comprar granos extranjeros.

Bangladesh y su reputación de fábrica explotadora

Otro problema que enfrentan los países en desarrollo es la existencia de fábricas de explotación. Una fábrica de explotación es una fábrica que tiene condiciones laborales ínfimas y poco seguras, horarios irrazonablemente largos, sueldos injustos, mano de obra de menores de edad y, en general, carencia de cualquier tipo de beneficio o prestación para sus empleados. Considere el caso de la industria de ropa de Bangladesh.

Bangladesh ofrece a la industria mundial de ropa algo único: millones de trabajadores que pueden manufacturar rápidamente cantidades enormes de pantalones de mezclilla bien hechos, camisetas y ropa interior con el más bajo sueldo del mundo entero. La industria de la ropa no sólo se ha convertido en una fuente muy importante del crecimiento económico para Bangladesh, sino que ha hecho del país el segundo exportador más grande (después de China) de ropa vendida por minoristas como Walmart, Sears, Gap y J.C. Penny.

Durante 1974-2005, el comercio mundial de ropa se regía por el acuerdo de Multifibras (AMF) que especificaba cuotas a la cantidad que los países en desarrollo podían exportar a los países desarrollados. Los países en desarrollo tienen una ventaja competitiva en la producción de ropa porque es un producto de labor intensiva y con mano de obra barata. Cuando el AMF expiró en 2005, se esperaba que Bangladesh fuera el país más afectado porque muy probablemente enfrentaría una gran competencia, particularmente de China. Sin embargo, ese no fue el caso: resultó que, incluso frente a otros gigantes económicos, la mano de obra de Bangladesh era tan barata que las órdenes de ropa continuaron llegando incluso después de que expirara el AMF.

La demanda sostenida provocó que el número de fábricas de ropa en Bangladesh aumentara a aproximadamente 5,500 en 2013, un aumento del 30% por comparación con 2005. Este crecimiento acelerado puso una fuerte presión a la infraestructura eléctrica, energética y de gas del país. A la vez, también produjo una escasez de terreno para las nuevas plantas, por lo que muchas fábricas crecieron hacia arriba en vez de horizontalmente. Aunque muchas de las fábricas de numerosos pisos se construyeron adecuadamente, otras tantas no: a menudo se añadían pisos adicionales a los edificios sin atender a las precauciones elementales de seguridad en la construcción y contra incendios. El resultado de todo ello traería una general desconfianza en las condiciones laborales de Bangladesh, pues la urgencia de aumentar la capacidad de producción creó el escenario trágico para una serie de accidentes horribles: numerosos incendios mortales en las fábricas de ropa y el derrumbe de un edificio de ocho pisos que mató a más de 1,100 obreros en 2013.

Los críticos sostenían que había sido la demanda europea y estadunidenses de ropa barata la que había provocado la acelerada expansión de la industria de ropa de Bangladesh y, en última instancia, los accidentes espantosos que sufrieron sus trabajadores. Advertían que como los costos de mano de obra de China, piso mundial de la mano de obra barata, habían aumentado rápidamente, los productores de ropa se habían desplazado a alternativas más baratas como Vietnam, Camboya y Bangladesh, donde el sueldo de los obreros de la industria de la confección es menor a $40 al mes (aproximadamente la cuarta parte del sueldo de un obrero chino). El resultado fue que las fábricas, en su afán por satisfacer la demanda creciente de los minoristas, habían hecho caso omiso de los derechos de los obreros y habían recortado gastos relacionados con seguridad laboral. Cuando se produjeron los desastres inevitables, muchos minoristas se desentendieron y se distanciaron de lo que estaba ocurriendo en estas fábricas.

La tragedia de los obreros de Bangladesh provocó, sin embargo, mucha presión contra los minoristas occidentales no sólo para que pagaran una compensación a las víctimas, sino también para que contribuyeran a mejorar las condiciones de seguridad en la construcción y contra incendios en el país al largo plazo. Conseguir el pago de compensaciones para las víctimas después de los desastres era muy difícil: mediaban muchos intermediarios entre las marcas occidentales y los obreros que producían su ropa. Es común que los minoristas occidentales disten mucho, en el proceso de surtido de los pedidos, de los obreros: los pedidos se procesan por un sistema complicado de órdenes de producción enviadas a través de intermediarios multinacionales que, a su vez, se subcontratan a las fábricas, de manera que el minorista puede estar a tres o cuatro intermediarios de distancia de los obreros.

Luego del derrumbe de la fábrica textil de Bangladesh, algunas de las más grandes compañías europeas de indumentaria acordaron financiar la mejora de las condiciones de la construcción y la seguridad contra incendios de las fábricas que emplean en Bangladesh. Walmart formuló públicamente una lista negra de aproximadamente 250 fábricas de Bangladesh que consideraba poco seguras. Sin embargo, algunos otros minoristas importantes, como Sears, todavía consideraron algunas de esas mismas fábricas como seguras y siguieron recibiendo remesas de suéteres y otros artículos de ropa de ellas. Esto último ilustra cómo las diferentes normativas y enfoques pueden complicar los esfuerzos por determinar qué fábricas en Bangladesh son seguras, incluso cuando la llamada al cambio urgente es cada día más fuerte.[4]

ESTABILIZAR LOS PRECIOS DE LOS PRODUCTOS PRIMARIOS

Aunque los países en desarrollo han mostrado alguna mejora en sus exportaciones de productos manufacturados, la agricultura y los productos de recursos naturales siguen siendo la fuente principal de empleo. Como ha aprendido, los precios de exportación y los ingresos de estos productos pueden ser muy volátiles.

En un intento por estabilizar los precios y los ingresos de exportación de los productos primarios, los países en desarrollo han intentado formar **acuerdos internacionales de productos básicos**. Dichos acuerdos se celebran entre países líderes de producción y consumo de productos como café, hule y cacao y tratan sobre cuestiones como estabilización de precios, aseguramiento de suministros adecuados a los consumidores y promoción del desarrollo económico de los productores. Para promover la estabilidad en los mercados de productos, los acuerdos internacionales de mercancías se han basado en controles de producción y de exportación, existencias reguladas y contratos multilaterales. Cabe señalar que estas mediciones han tenido un éxito limitado (si acaso) en la mejora de las condiciones económicas de los países en desarrollo y que se requieren otros métodos para ayudar a estos países.

Producción y controles de exportación

Si un acuerdo internacional de mercancías representa una porción grande de la producción mundial total (o exportaciones) de un producto básico, sus miembros pueden estar de acuerdo en establecer **controles de producción y exportación** para estabilizar los ingresos de exportación. Estos controles afectan al precio de los productos al influir en la oferta mundial del producto. La cantidad total de la producción o de las exportaciones permitidas bajo un acuerdo de productos se sustenta en el *precio meta* que se acuerda por parte de los miembros. Si se considera que el precio del estaño disminuirá por debajo del precio meta en el futuro, se asignará a las naciones productoras un nivel de producción más bajo o una cuota de exportación. Al hacer que el estaño se vuelva más escaso, su precio seguirá en el nivel meta. Por el contrario, si se anticipa que el precio del estaño aumente por encima del precio meta en el futuro, a las naciones productoras se les permitirá aumentar sus niveles de producción y exportaciones.

Un obstáculo al intentar imponer límites en la producción y las exportaciones es la distribución de los límites entre las naciones productoras. Por ejemplo, si se necesita una disminución en la cantidad total de las exportaciones de café para contrarrestar un precio decreciente, ¿cómo se asignaría esa disminución entre cada uno de los productores? Los pequeños productores pueden mostrarse dudosos de disminuir sus niveles de producción cuando los precios van a la baja. Otro problema es la aparición de nuevos productores de café que se ven atraídos al mercado por los precios artificialmente altos. Es probable que las naciones productoras incipientes en la producción o exportación de café, estén renuentes a reducir sus niveles de producción o exportaciones en ese momento. Es más, los productores tienen un incentivo para hacer trampa en las restricciones de producción y la vigilancia y control del cumplimiento de tales restricciones o cuotas es difícil.

Existencias reguladas

Otra técnica para limitar los cambios de precios de los productos son las **existencias reguladas**, en las que una asociación de productores (o una agencia internacional) está dispuesta a comprar y vender en

---

[4] "Major Retailers Join Bangladesh Safety Plan", *The New York Times*, 13 de mayo de 2013; "Apparel Makers Promise Bangladesh Factory Safety", *Dow Jones Business News*, 13 de mayo de 2013; Jonathan Lahey y Anne D'Innocenzio, "Bangladesh Increasingly Risky for Clothing Makers", The Boston Globe, 13 de mayo de 2013; "Before Dhaka Collapse, Some Firms Fled Risk", *The Wall Street Journal*, 8 de mayo de 2013; "Global Standards for Garment Industry Under Scrutiny After Bangladesh Disaster", *PBS News Hour*, 26 de abril de 2013.

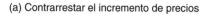

FIGURA 7.2

Existencias reguladas: techo y piso del precio

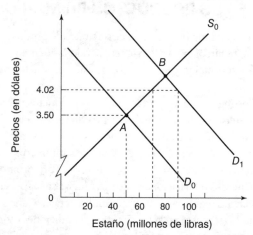

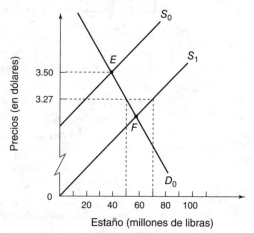

(a) Contrarrestar el incremento de precios

(b) Contrarrestar la disminución de precios

Durante los periodos de aumento en la demanda de estaño, el administrador de las existencias reguladas vende estaño para evitar que el precio aumente por encima del techo estipulado. Sin embargo, una defensa prolongada del precio techo puede resultar en el agotamiento de las existencias de estaño, lo que socava la eficacia de esta herramienta estabilizadora de precios y contribuye a una revisión ascendente del precio techo. Durante los periodos de oferta abundante de estaño, el administrador compra estaño para evitar que el precio caiga por debajo del piso estipulado para el precio. Sin embargo, una defensa prolongada del piso del precio puede agotar los fondos para comprar suministros en exceso de estaño al precio del piso y llevar a una revisión ascendente del piso del precio.

© Cengage Learning®

grandes cantidades un producto. Las existencias reguladas son suministros de un producto que financia y sostiene la asociación de productores. El administrador de las existencias reguladas *compra* del mercado cuando los suministros son abundantes y los precios caen por debajo de niveles aceptables y *vende* de las existencias reguladas cuando los suministros escasean y los precios son altos.

En la figura 7.2 se ilustran los esfuerzos de estabilización de precios hipotéticos del Acuerdo Internacional del Estaño. Suponga que la asociación establece un rango de precios, con un piso de $3.27 por libra y un techo de $4.02 por libra para guiar la estabilización de operaciones del administrador de las existencias reguladas. Si se empieza en el punto de equilibrio A en la figura 7.3 (a) suponga que el administrador de las reservas reguladas observa que la demanda de estaño aumenta de D_0 a D_1. Para defender el precio techo de $4.02, el administrador debe estar preparado para vender 20,000 libras de estaño para contrarrestar la demanda en exceso de estaño en el precio techo. Por el contrario, si se empieza en el punto de equilibrio E en la figura 7.3 (b), la oferta de estaño aumenta de O_0 a O_1. Para defender el precio de piso de $3.27, el administrador de las reservas reguladas debe comprar la oferta en exceso de 20,000 libras que existen a ese precio.

Los partidarios de las existencias reguladas afirman que el esquema ofrece a las naciones de producción primaria diversas ventajas. Unas existencias reguladas bien manejadas promueven la eficiencia económica porque los productores primarios planean su inversión y expansión si saben que los precios no van a tener un movimiento en espiral. También se argumenta que los precios a la alza de los productos invariablemente hacen aumentar los precios industriales, mientras que las disminuciones de los precios de los productos no ejercen una presión descendente comparable. Al estabilizar los precios de los productos, las existencias reguladas moderan la inflación de precios de los países industrializados. Las existencias reguladas en este contexto son vistas como medio para proporcionar a los productores primarios una mayor estabilidad de la que se permite en el libre mercado.

Establecer y administrar un programa de existencias reguladas no carece de costos y problemas. La dificultad básica de estabilizar los precios con existencias reguladas es acordar un precio meta que refleje las tendencias del mercado a largo plazo. Si el precio meta se fija demasiado bajo, las existencias reguladas se agotarán conforme el administrador de la existencia venda el producto en el mercado abierto en un intento por mantener los precios del mercado en línea con el precio meta. Si el precio meta se establece demasiado alto, el administrador de las existencias debe comprar grandes cantidades del producto, en un esfuerzo por respaldar los precios del mercado. Los costos de mantenimiento de existencias tienden a ser altos, ya que incluyen gastos de transporte, seguro y costos de mano de obra. En su determinación del precio meta, los funcionarios de existencias reguladas con frecuencia toman malas decisiones. Más que conducir operaciones masivas de estabilización, los funcionarios de las existencias reguladas revisan con periodicidad los precios meta, en caso de que caigan fuera de línea con las tendencias de precios a largo plazo.

Contratos multilaterales

Los **contratos multilaterales** son otro método para estabilizar los precios de los productos básicos. Esos contratos estipulan un *precio mínimo* en el que los importadores compran cantidades garantizadas a las naciones productoras y un *precio máximo* en el que las naciones productoras venden cantidades garantizadas a los importadores. Esas compras y ventas están diseñadas para mantener los precios dentro de un rango objetivo. El comercio bajo un contrato multilateral ha ocurrido entre diversas naciones exportadoras e importadoras como en el caso del International Sugar Agreement y el International Wheat Agreement.

Una posible ventaja del contrato multilateral como herramienta de estabilización de precios es que, en comparación con las existencias reguladas o los controles de exportación, resulta en una menor distorsión del mecanismo del mercado y la asignación de recursos. Este resultado se debe a que el típico contrato multilateral no incluye restricciones de producción y por tanto no revisa el desarrollo de los productores de bajo costo más eficientes. Sin embargo, si los precios meta no se establecen cerca del precio de equilibrio a largo plazo, ocurrirán discrepancias entre la oferta y la demanda. La demanda excesiva indicaría un techo demasiado bajo mientras que la oferta excesiva sugeriría un piso demasiado alto. Los contratos multilaterales también tienden a proporcionar sólo una estabilidad de mercado limitada, dado el caso relativo de retiro y entrada por los miembros participantes.

¿El movimiento a favor del comercio justo ayuda a los cafetaleros pobres?

Los precios bajos de los productos son problemáticos para los productores en los países en desarrollo. ¿Los consumidores de productos pueden ser de ayuda para los productores? Considere el caso del café que se produce en Nicaragua.

Santiago Rivera, agricultor nicaragüense de café, ha viajado muy lejos de su hogar en las montañas para publicitar lo que se conoce como el movimiento del "comercio justo" de café. ¿Ha oído usted del comercio justo del café? Puede que pronto lo haga. Iniciado en Europa a principios de la década de los noventa, el objetivo de este movimiento es aumentar el ingreso de los agricultores pobres en los países en desarrollo al implementar un sistema por el que los agricultores puedan vender sus granos directamente a los tostadores y los minoristas, y pasar por alto la práctica tradicional de vender a intermediarios en sus propios países.

Este arreglo permite a los agricultores que cultivan sobre todo en las regiones montañosas de América Latina y otras regiones tropicales (donde se cultivan granos de alto sabor y precio que se venden a las tiendas gourmet) ganar hasta 1.26 dólares por libra por sus granos, en comparación con los 0.40 que obtienen de los intermediarios.

Bajo el sistema del comercio justo, los agricultores se organizan en cooperativas de hasta 2,500 miembros, que establecen precios y arreglan la exportación directamente con empresas de correduría y otros distribuidores. Los intermediarios, conocidos como "coyotes" en Nicaragua, manejaban antes esta función. Hasta ahora 500,000 de los 4 millones de agricultores de café de los países en desarrollo se han unido al movimiento del comercio justo. Sin embargo, el movimiento ha llevado a incidentes de violencia en algunos lugares en América Latina; en la mayoría de los casos, participan los intermediarios que están siendo excluidos.

El movimiento del comercio justo del café es el ejemplo más reciente de cómo los activistas sociales utilizan la economía de libre mercado para fomentar el cambio social. Los organizadores del movimiento dicen que han celebrado contratos con hasta 8 tostadores gourmet y unas 120 tiendas, incluidas cadenas grandes como Safeway, Inc. El café del comercio justo lleva un logotipo que lo identifica como tal.

El comercio justo alcanzó gran éxito en Europa, donde el café de comercio justo se vende en 35,000 tiendas y tiene ventas de 250 millones de dólares al año. En algunos países como Holanda y Suiza, este café representa hasta 5 por ciento del total de las ventas de café. Con base en esos logros, los organizadores en Europa expanden sus esfuerzos del comercio justo para incluir otros productos, como azúcar, té, chocolate y plátanos. Pero los activistas del comercio justo admiten que vender a los estadunidenses la idea de comprar café con un tema social será más desafiante de lo que fue en Europa. Señalan que los estadunidenses tienden a ser menos conscientes que los europeos de los problemas sociales del mundo en desarrollo. El movimiento del comercio justo aún no ha obtenido el respaldo de las compañías de café más importantes en Estados Unidos, como Maxwell y Folgers. Sin embargo, los organizadores tratan de atraer a los dos grandes gigantes del café en Seattle, Starbuck's Coffee Co., y Seattle Coffee Co., para que acuerden comprar parte de su café de comercio justo.

Algunos críticos cuestionan el grado en que el café "comerciado de forma justa" en realidad ayuda: señalan que los principales ganadores no son los agricultores, sino los minoristas que en ocasiones fijan precios muy superiores en el café comerciado de forma justa, al tiempo que se promueven como ciudadanos corporativos. Pueden salirse con la suya porque los consumidores reciben poca o ninguna información acerca de qué porción del precio del producto va para los agricultores.

LA OPEP: EL CÁRTEL DEL PETRÓLEO

Aunque muchos países en desarrollo no han visto mejoras significativas en sus economías en las décadas recientes, algunos han obtenido ganancias notables: uno de esos grupos es el de los países en desarrollo dotados con reservas petroleras. En lugar de sólo formar acuerdos para estabilizar precios e ingresos, los países exportadores de petróleo han formado cárteles que tienen la intención de aumentar el precio y así obtener utilidades de "monopolio". El cártel más exitoso en la historia reciente es la Organización de Países Exportadores de Petróleo.

La **Organización de Países Exportadores de Petróleo (OPEP)** es un grupo de países que vende petróleo al mercado mundial. Las naciones de la OPEP intentan respaldar precios más altos de lo que existirían bajo condiciones más competitivas para maximizar las utilidades de las naciones participantes. Luego de operar en la oscuridad a lo largo de la década de los sesenta, la OPEP pudo capturar el control del establecimiento de precios en 1973 y 1974, cuando el precio del petróleo aumentó de aproximadamente 3 a 12 dólares por barril. Como consecuencia de la revolución iraní de 1979, los precios del petróleo se duplicaron entre principios de 1979 e inicios de 1980. Para 1981, el precio del petróleo promedió casi 36 dólares por barril. El poder de mercado de la OPEP se derivó de una demanda fuerte e inelástica de petróleo combinada con su control de aproximadamente la mitad de la producción de petróleo en el mundo y dos terceras partes de las reservas mundiales de petróleo. En gran medida por la recesión mundial y la decreciente demanda, los precios del petróleo cayeron a 11 dólares por barril en 1986, sólo para rebotar después.

Antes de la OPEP, los países productores de petróleo se comportaban como vendedores competitivos individuales. Cada nación era tan poco importante en relación con el mercado general que los cambios en sus niveles de exportación no afectaban los precios internacionales a lo largo de un periodo sostenido. Al acordar restringir la competencia entre ellos mismos por medio de cuotas de producción, los países exportadores de petróleo encontraron que podían ejercer un control considerable sobre los precios en el mundo, como se puede ver en los aumentos de precios de la década de los setenta.

Maximizar las utilidades del cártel

Un **cártel** intenta respaldar precios más altos de lo que se darían bajo condiciones más competitivas y aumentar, así, las utilidades de sus miembros. Considere algunas de las dificultades encontradas por un cártel en su búsqueda de mayores utilidades.

Suponga que hay 10 proveedores de petróleo, de tamaño igual, en el mercado de petróleo del mundo y que el petróleo es un producto estandarizado. Como resultado de las guerras de precios previas, cada proveedor fija un precio igual al costo promedio mínimo. Cada proveedor tiene miedo de aumentar su precio porque teme que los demás no lo hagan y que sus ventas se pierdan.

En vez de participar en una competencia brutal de reducciones de precios, suponga que estos proveedores deciden coludirse y formar un cártel. ¿Qué haría un cártel para maximizar las utilidades colectivas de sus miembros? La respuesta es comportarse como un monopolista de maximización de utilidades: restringir la producción y aumentar el precio.

En la figura 7.3 se ilustra la demanda y las condiciones de costo de los 10 proveedores de petróleo como un grupo [figura 7.3 (a)] y del proveedor promedio del grupo [figura 7.3 (b)]. Antes de que se organice el cártel, el precio de mercado del petróleo bajo la competencia es de 20 dólares por barril. Como cada proveedor es capaz de alcanzar un precio que apenas cubra su costo promedio mínimo, la utilidad económica es igual a cero. Cada proveedor en el mercado fabrica 150 barriles por día. La producción total de la industria es de 1,500 barriles por día (150 × 10 = 1,500).

Suponga que los proveedores de petróleo forman un cártel en el que el principal objetivo sea maximizar las utilidades colectivas de sus miembros. Para cumplir con este objetivo, el cártel primero debe establecer el nivel de maximización de utilidades de producción: cuando el ingreso marginal es igual al costo marginal. Entonces el cártel divide la producción entre sus miembros al establecer cuotas de producción para cada proveedor.

En la figura 7.3 (a), el cártel maximizará las utilidades del grupo al restringir la producción de 1,500 barriles por día a 1,000. Esto significa que cada miembro del cártel debe reducir su producción de 150 a 100 barriles por día, como se muestra en la figura 7.3 (b). Esta cuota de producción genera un aumento en el precio de mercado de un barril de petróleo de 20 a 30 dólares. Cada miembro obtiene una utilidad de 8 dólares por barril ($30 – $22 = $8) y una utilidad total de 800 dólares por los 100 barriles de petróleo producidos (área *a*).

El siguiente paso es asegurar que ningún miembro del cártel venda más que su cuota. Esta es una tarea difícil, porque cada proveedor tiene el incentivo de vender más de su cuota asignada al precio

FIGURA 7.3

Maximización de las utilidades de la OPEP

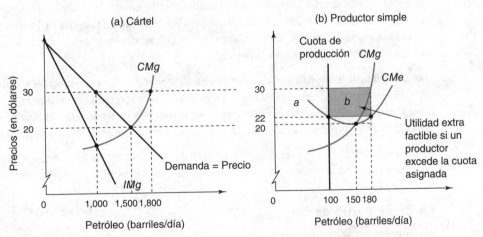

Como un cártel, la OPEP puede aumentar el precio del petróleo de 20 a 30 dólares por barril al asignar cuotas de producción para sus miembros. Las cuotas disminuyen la producción de 1,500 a 1,000 barriles por día y permiten a los productores que establecieron un precio del petróleo al costo promedio obtener una utilidad. Cada productor tiene el incentivo de aumentar la producción más allá de su cuota asignada, al punto en el que el precio de la OPEP es igual al costo marginal. Pero si todos los productores aumentan la producción de esta forma, habrá un excedente de petróleo al precio del cártel, lo que forzará el precio del petróleo a regresar a 20 dólares por barril.

del cártel. Pero si todos los miembros del cártel venden más que sus cuotas, el precio del cártel caerá hacia un nivel competitivo y las utilidades se desvanecerán. Así, los cárteles intentan establecer penas para los vendedores que hacen trampa en sus cuotas asignadas.

En la figura 7.3 (b), cada miembro del cártel obtiene utilidades económicas de 800 dólares al vender la cuota asignada de 100 barriles por día. Sin embargo, un proveedor *individual* sabe que puede aumentar sus utilidades si vende más de esta cantidad al precio del cártel. Cada proveedor individual tiene el incentivo de aumentar la producción al nivel en el que el precio del cártel, de 30 dólares, sea igual al costo marginal del proveedor; esto ocurre a 180 barriles por día. A este nivel de producción, el proveedor obtendría utilidades económicas de 1,400 dólares, representados por el área *a* + *b*. Al hacer trampa en su cuota de producción acordada, el proveedor puede obtener un aumento en las utilidades de 640 dólares ($1,440 – $800 = $640), denotados por el área *b*. Observe que este aumento en las utilidades ocurre si el precio del petróleo no disminuye conforme el proveedor expande la producción; es decir, si la producción extra del proveedor es una porción insignificante de la oferta de la industria.

Un solo proveedor puede ser capaz de salirse con la suya al producir más de su cuota sin que disminuya de forma significativa el precio de mercado del petróleo, pero si cada miembro del cártel aumenta su producción a 180 barriles por día para ganar más utilidades, la producción total sería de 1,800 barriles (180 × 10 = 1,800). Sin embargo, para mantener el precio a 30 dólares, la producción de la industria debe mantenerse a sólo 1,000 barriles por día. La producción en exceso de 800 barriles pone presión a la baja en el precio, lo que ocasiona que las utilidades económicas disminuyan. Si las utilidades económicas caen a cero (el nivel de competencia perfecta) el cártel quizá se desintegrará. Además del problema de las trampas, surgen otros diversos obstáculos al formar un cártel.

Número de vendedores   En general, entre mayor sea el número de los vendedores, más difícil es conformar un cártel. La coordinación de las políticas de precios y de producción entre tres vendedores que dominan el mercado se alcanza con mayor facilidad que cuando hay 10 vendedores y cada uno tiene 10 por ciento del mercado.

Diferencias en costo y demanda   Cuando difieren los costos de los miembros del cártel y la demanda, es mucho más difícil acordar un precio. Dichas diferencias resultan en un precio de maximización de utilidades para cada miembro, así que no hay un solo precio que pueda ser acordado por todos los miembros.

Probable competencia   Las potenciales utilidades crecientes bajo un cártel pueden atraer a nuevos competidores. Su entrada al mercado dispara un aumento en la oferta de producto, lo que lleva a una caída en los precios y en las utilidades. Así, un cártel depende de su capacidad para bloquear la entrada de nuevos competidores al mercado.

Desaceleración económica   Una desaceleración económica por lo general es problemática para los cárteles. Conforme decrecen las ventas del mercado en una economía en desaceleración, las utilidades caen. Los miembros del cártel pueden concluir que escaparán a las serias disminuciones en las utilidades al reducir los precios, con la expectativa de ganar ventas a costa de otros miembros del cártel.

Productos sustitutos   La capacidad de fijación de precios en un cártel se debilita cuando los compradores pueden sustituir otros productos (carbón y gas natural) por los productos que fabrica (petróleo).

La OPEP como cártel

La OPEP por lo general ha desmentido que sea un *cártel*. Su organización está compuesta por un secretario, un consejo de ministros, una junta de gobernadores y una comisión económica. La OPEP repetidamente ha intentado elaborar planes para un control de producción sistemático entre sus miembros como una forma de apuntalar el alza de los precios del petróleo. Sin embargo, la OPEP difícilmente controla los precios. En la actualidad el grupo controla menos de 40 por ciento del suministro mundial, una cantidad insuficiente para establecer un cártel eficaz. Es más, los acuerdos de producción de la OPEP no siempre han estado a la altura de sus expectativas porque demasiados países afiliados han violado los acuerdos al producir más de sus cuotas asignadas. Desde 1983, cuando fueron asignadas las primeras cuotas de producción a los miembros, los niveles de producción reales de la OPEP casi siempre han sido mayores que sus niveles meta, lo que significa que los países venden más de las cantidades de petróleo que se les han autorizado; en otras palabras, han hecho trampa. En términos sencillos, la OPEP no tiene ningún garrote con el que pueda hacer cumplir sus decretos.

La excepción es Arabia Saudita, dueño de las reservas más grandes del mundo y con los costos de producción más bajos. Los sauditas gastan un capital inmenso para mantener más capacidad de producción de la que utilizan, lo que les permite influir o amenazar con hacerlo, en los precios a corto plazo.

Para contrarrestar el poder de mercado de la OPEP, Estados Unidos y otros países importadores podrían iniciar políticas para aumentar la oferta o disminuir la demanda. Sin embargo, alcanzar estas medidas incluye alternativas difíciles para los estadunidenses, como las siguientes:

- *El gobierno federal tendría que estipular normas más estrictas para el ahorro de combustible.* Los analistas estiman que si el rendimiento de los automóviles nuevos hubiera aumentado sólo una milla por galón cada año desde 1987 y el de los camiones por media milla por galón, Estados Unidos ahorraría 1.3 millones de barriles de petróleo cada día. Sin embargo, establecer normas más estrictas para el ahorro de combustible encontraría resistencia por parte de los fabricantes de automóviles pues verían que los costos de producción se incrementarían debido a esta política.
- *Aumentar el impuesto federal sobre la gasolina.* Aunque el alza resultante en el precio de la gasolina brindaría un incentivo para que los consumidores cuidaran el consumo de este combustible, esto entraría en conflicto con la preferencia de los estadunidenses por una gasolina de bajo precio. Es más, los precios crecientes de la gasolina especialmente dañarían a los consumidores de bajo ingreso con la menor capacidad de pago.
- *Permitir que las compañías petroleras perforen pozos en tierra federal designada como tierra salvaje de Alaska, donde hay una buena probabilidad de encontrar petróleo.* Tal vez, pero ¿qué pasa cuando se destruyen dichas zonas naturales y nunca se puedan recuperar? ¿Quién paga por esos daños?
- *Diversificación de las importaciones.* Aunque pudiera ser costoso, Estados Unidos podría forjar vínculos más cercanos con los productores de petróleo fuera del Oriente Medio para disminuir su dependencia a esa inestable región. Sin embargo, esto requeriría que Estados Unidos trabajara aún más de cerca con regímenes poco amigables, en países como Angola, Indonesia y Vietnam. Por otro lado, el petróleo de la OPEP tiene un costo de extracción muy bajo: mientras que a ExxonMobil o Conoco les cuesta la explotación en aguas profundas, entre 6 y 8 dólares para producir un barril en el golfo de México o el mar del Norte, los sauditas y los kuwaitíes gastan sólo una fracción de eso (1 dólar por barril o menos). Esta ventaja de costos refuerza el poder de mercado de la OPEP.
- *Desarrollar fuentes alternas de energía como biocombustibles y energía eólica.* Tal vez, pero éstas tienden a requerir de subsidios gubernamentales financiados por los contribuyentes.

A pesar de la dificultad de implementar las medidas arriba enlistadas, sí se han logrado algunos cambios. El surgimiento de la OPEP en la década de 1970 impulsó a Estados Unidos y a otros países a producir más energía, incluyendo más petróleo. Hoy podemos ver industrias modernas de energía eólica y solar, podemos ver que se emplea la energía nuclear y del carbón para generar energía eléctrica, podemos ver cómo las nuevas tecnologías han permitido la producción de gas natural, etcétera. Ahora bien, la propia producción de petróleo crudo de EUA ha aumentado dramáticamente gracias al procedimiento de fracturación hidráulica y otras tecnologías que permiten extraer inmensos recursos de petróleo encapsulados en las rocas de esquisto de Dakota del Norte y de Texas. Los depósitos de esquisto en otras áreas, como Pensilvania, producen principalmente gas natural. La producción mundial de petróleo es aproximadamente 50 % mayor a lo que era a comienzos de la década de 1970, ya que se ha expandido en el Golfo de México, en Canadá, y en otros países. Así pues, la OPEP ya no domina de manera absoluta el mercado mundial de petróleo, como lo hizo hace algunos años.

CONFLICTOS COMERCIALES ¿LA INVERSIÓN EXTRANJERA DIRECTA OBSTACULIZA O PROMUEVE EL DESARROLLO ECONÓMICO?

Uno de los requisitos para el desarrollo económico de una economía de bajos ingresos es un aumento en el volumen del capital nacional. Un país en desarrollo puede incrementar la cantidad de capital de su economía si atrae inversión extranjera directa. La inversión extranjera directa ocurre cuando las empresas extranjeras ubican sus plantas de producción en la economía nacional o cuando adquieren una parte considerable de la propiedad de una empresa nacional. Este tema se discutirá en el capítulo 9.

Muchas economías en desarrollo han intentado restringir la inversión extranjera directa por sentimientos nacionalistas y por una preocupación ante posibles influencias políticas y económicas extranjeras. Esta opinión se explica si se considera que, históricamente, muchos países en desarrollo fueron colonias de las economías más desarrolladas. La experiencia colonial ha dejado como legado una seria preocupación por que la inversión extranjera directa funcione como una forma moderna de colonialismo económico en el que las compañías extranjeras explotan los recursos de la nación anfitriona.

En años recientes las restricciones a la inversión extranjera directa en muchas economías en desarrollo se han visto considerablemente reducidas por consecuencia de los tratados internacionales, la presión externa del FMI o del Banco Mundial, o por movimientos unilaterales de algunos gobiernos que han llegado a considerar que la inversión extranjera directa apoyará el crecimiento económico de su nación. Esto ha traído consigo una dramática expansión del nivel de inversión extranjera directa en algunas economías en desarrollo.

La inversión directa extranjera puede apoyar el crecimiento económico a corto plazo pues incrementa la demanda total en la economía del anfitrión. A la larga, el aumento en el volumen de capital eleva la productividad del trabajo, produce utilidades más altas e incrementa la demanda agregada. Otro impacto a largo plazo consiste en la transferencia de conocimientos tecnológicos de las economías avanzadas a las economías en desarrollo. Muchos economistas argumentan que, de hecho, esta transferencia de conocimiento tecnológico podría ser el beneficio mayor de la inversión extranjera directa.

A menudo se argumenta que es necesario restringir la inversión extranjera directa en una industria en particular por propósitos de seguridad nacional. Este razonamiento sirve de justificación para la prohibición de inversión en industrias relacionadas con la defensa u otras industrias que se consideran esenciales para la seguridad nacional. La mayoría de los gobiernos se alarmaría si las compañías que producen sus armas pertenecen a empresas ubicadas en naciones que luego podrían convertirse en sus enemigas.

Los ambientalistas, por su parte, advierten que el crecimiento de la inversión extranjera directa en las economías en desarrollo podría traer consigo un deterioro mundial del medio ambiente, ya que la inversión se propaga más rápidamente en las naciones que tienen normas ambientales relativamente relajadas. De hecho, la falta de normativas ambientales restrictivas es una de las razones de la tasa de rentabilidad relativamente alta de la inversión de capital en las economías menos desarrolladas. Sin embargo, también se puede argumentar que la transferencia de tecnología de las economías desarrolladas podría facilitar la implementación de técnicas de producción más eficientes y con mayor respeto al medio ambiente que las que se hubieran adoptado sin la inversión extranjera.

Fuentes: John Kane, *Does Foreign Direct Investment Hinder or Help Economic Development?*, South-Western Policy Debate, 2004.

AYUDA A LOS PAÍSES EN DESARROLLO

Ha aprendido que los países exportadores de petróleo son un grupo especial de países en desarrollo que han obtenido una riqueza cuantiosa en las décadas recientes. Sin embargo, la mayoría de los países en desarrollo no está en esta situación favorable. Insatisfechos con su desempeño económico y convencidos de que muchos de sus problemas se deben a faltantes en el sistema comercial internacional existente, los países en desarrollo han presionado con demandas colectivas a los países avanzados para tener instituciones y políticas que mejoren el clima del desarrollo económico en el sistema comercial internacional. Entre las instituciones y políticas que se han creado para respaldar a los países en desarrollo están el Banco Mundial, el Fondo Monetario Internacional y el sistema generalizado de preferencias.

El Banco Mundial

Durante la década de los cuarenta, se establecieron dos instituciones internacionales para facilitar la transición de un ambiente de tiempo de guerra a uno de paz y para ayudar a evitar la recurrencia de las turbulentas condiciones económicas de la era de la Gran Depresión. El Banco Mundial y el Fondo Monetario Internacional fueron establecidos en la Conferencia Monetaria y Financiera de las Naciones Unidas sostenida en Bretton Woods, New Hampshire en julio de 1944. Los países en desarrollo consideran a estas instituciones como fuentes de fondos para promover un desarrollo económico y una estabilidad financiera.

El **Banco Mundial** es una organización internacional que brinda préstamos a los países en desarrollo enfocados hacia la reducción de la pobreza y el desarrollo económico. Presta dinero a los gobiernos, a sus agencias y a sus empresas privadas. El Banco Mundial no es un "banco" en el sentido común. Es una de las agencias especializadas de la Organización de las Naciones Unidas, constituido por 188 países afiliados. Estos países son responsables por la forma en que la institución es financiada y la forma en que se gasta el dinero.

El "Grupo del Banco Mundial" es el nombre que se le ha dado al conjunto de cinco instituciones estrechamente relacionadas. El Banco Internacional para la Reconstrucción y el Desarrollo y la Asociación para el Desarrollo Internacional otorgan préstamos de bajo costo y donaciones a los países en desarrollo. La Corporación Financiera Internacional ofrece capital, préstamos a largo plazo, garantías de préstamos y servicios de consultoría para los países en desarrollo que de otra manera tendrían un acceso limitado a capital. La Agencia de Garantía de Inversión Multilateral alienta a la inversión extranjera en los países en desarrollo al brindar garantías a los inversionistas extranjeros en contra de pérdidas ocasionadas por guerras, disturbios civiles y similares. Finalmente, el Centro Internacional para Acuerdos de Disputas de Inversión alienta la inversión extranjera al proporcionar instalaciones internacionales para conciliación y arbitraje de disputas de inversión y así ayudar a fomentar una atmósfera de confianza mutua entre los países en desarrollo y los inversionistas extranjeros.

El Banco Mundial proporciona tanto préstamos como donaciones a los países en desarrollo miembros que no pueden obtener dinero en términos razonables de otras fuentes. Estos fondos son para proyectos de desarrollo específicos como hospitales, escuelas, carreteras y presas. El Banco Mundial participa en proyectos tan diversos como: aumentar la conciencia sobre el SIDA en Guinea, respaldar la educación de las niñas en Bangladesh, mejorar la entrega de servicios médicos en México y ayudar a la reconstrucción de infraestructura en la India después de un terremoto devastador. El Banco Mundial proporciona préstamos con tasas de interés bajas y en algunos casos préstamos sin intereses para países en desarrollo que tienen poca o nula capacidad para pedir préstamos en los términos del mercado.

En años recientes, el Banco Mundial ha financiado actividades de financiamiento de deudas de algunos países en desarrollo fuertemente endeudados. El banco alienta la inversión privada en las naciones en desarrollo como puede verse en la tabla 7.4. El Banco Mundial recibe sus fondos de contribuciones de países desarrollados ricos. Unos 10,000 profesionales de desarrollo de casi cada país del mundo trabajan en las oficinas centrales del Banco Mundial en Washington, D.C., o en sus 109 oficinas nacionales; ellos proporcionan muchos servicios de asistencia técnica para los miembros.

Al intentar ayudar a los países en desarrollo a luchar contra la malaria y a construir presas y escuelas, el Banco Mundial también debe lidiar con el problema de los fraudes y la corrupción: hay funcionarios públicos y contratistas corruptos que en ocasiones desvían hacia sus bolsillos los recursos para el desarrollo, en lugar de permitir que ayuden a la población pobre. Como el dinero es fungible, es difícil para el Banco Mundial rastrear los fondos desembolsados para identificar la fuente de la corrupción. Así, las naciones pobres, pierden enormes cantidades de fondos del Banco Mundial porque dan un mal uso al dinero y, sin embargo, sus contribuyentes sí tienen que pagar el préstamo al Banco Mundial. De acuerdo con los críticos, entre 5 y 25 por ciento de los fondos que el Banco Mundial ha prestado desde 1946 han sido mal utilizados. Esto ha ocasionado que millones de personas golpeadas por la pobreza pierdan las oportunidades de mejorar su salud, educación y condición económica. Durante dos décadas el Banco Mundial ha proporcionado dinero a países pobres que claramente son

TABLA 7.4	
Préstamos del Banco Mundial por sector, 2011 (millones de dólares)	
Sector del país en desarrollo	**$ millones**
Agricultura, pesca y selvas	2,128
Educación	1,733
Energía y minería	5,807
Finanzas	897
Salud y servicios sociales	6,707
Industria y comercio	2,167
Información y comunicación	640
Derecho y justicia	9,673
Transporte	8,638
Agua, sanidad y protección fluvial	4,617
	43,007

Fuente: Tomado de Banco Mundial, "World Bank Lending by Theme and Sector", *Annual Report 2012*, disponible en http://www.worldbank.org/.

incapaces de pagar. Está por verse si puede adoptar salvaguardas que aseguren que los fondos que se le confían se utilicen de forma productiva para el propósito que se pretende.

Hoy en día, conforme la globalización transforma la economía mundial, el papel del Banco Mundial se atenúa: hay nuevos competidores que canalizan fondos a los países en desarrollo. Los fondos de riqueza soberana, desde Singapur hasta Abu Dabi, buscan utilidades en lugares remotos. También países como China, Brasil, India y Rusia otorgan fondos para la infraestructura e industria de los países más pobres, para asegurarse, así, el acceso a materias primas y mercados de exportación.

Fondo Monetario Internacional

Otra fuente de ayuda para los países en desarrollo (así como para los países avanzados) es el **Fondo Monetario Internacional (FMI)**, que tiene sus oficinas centrales en Washington, D.C. Está formado por 188 naciones y puede considerarse como el banco de los bancos centrales de las naciones afiliadas. En un periodo determinado, algunas naciones enfrentarán excedentes en la balanza de pagos y otras enfrentarán déficits. Una nación con un déficit inicialmente recurre a sus existencias de divisas extranjeras, como el dólar, que otras naciones aceptan en pago. Sin embargo, el déficit de una nación en ocasiones podría tener cantidades insuficientes de divisas extranjeras. Es entonces que otras naciones, a través del FMI, pueden brindar ayuda. Al poner a disponibilidad divisas para el FMI, las naciones con excedentes canalizan fondos a las naciones con déficits temporales. A la larga, los déficits se deben corregir y el FMI intenta asegurarse de que este ajuste sea tan veloz y ordenado como sea posible.

Los fondos del FMI provienen de dos fuentes principales: cuotas y préstamos. Las cuotas (o suscripciones), que son fondos reunidos por las naciones afiliadas, generan la mayoría de los fondos del FMI. El monto de la cuota del país miembro depende de su importancia económica y financiera en el mundo; las naciones con una mayor importancia económica tienen cuotas más grandes. Las cuotas aumentan con periodicidad para impulsar los recursos del FMI. El FMI también obtiene fondos a través de préstamos de las naciones afiliadas. El FMI tiene líneas de crédito con las principales naciones avanzadas así como con Arabia Saudita.

Todos los préstamos del FMI están sujetos a cierto grado de *condicionalidad*. Esto significa que para obtener un préstamo, una nación con déficit debe acordar implementar políticas económicas y financieras según lo estipulado por el FMI. Estas políticas tienen la intención de corregir el déficit de la balanza de pagos y promover el crecimiento económico no inflacionario. Sin embargo, un apego condicional a los préstamos del FMI con frecuencia ha encontrado fuerte resistencia entre los países con déficit. El FMI en ocasiones exige que los países con déficit realicen programas de austeridad que incluyen severas reducciones en el gasto público, el consumo privado y las importaciones, con el fin de estabilizar un nivel de vida que vaya acorde con los medios con los que cuentan.

Los críticos del FMI señalan que sus operaciones de salvamento pueden contribuir al llamado problema de *riesgo moral*, en el que las naciones obtienen los beneficios de sus decisiones cuando las cosas van bien pero están protegidos cuando las cosas van mal. Si las naciones no sufren los costos de las malas decisiones, ¿no los alienta esto a tomar otras malas decisiones en el futuro? Una segunda área de preocupación es el efecto contradictorio de las condiciones de políticas monetaria y fiscal restrictivas. ¿No ocasionarán dichas condiciones fracasos de negocios y bancarios, inducirán una recesión más profunda y limitarán el gasto público para ayudar a los pobres? Muchos analistas sienten que la respuesta es afirmativa.

Sistema generalizado de preferencias

Dado el acceso inadecuado a los mercados de los países avanzados, los países en desarrollo han presionado a los países avanzados para reducir sus barreras arancelarias. Para ayudar a los países en desarrollo a fortalecer su competitividad internacional y a expandir su base industrial, muchas naciones industrializadas han concedido preferencias arancelarias no recíprocas a las exportaciones de los países en desarrollo. Bajo este **sistema generalizado de preferencias** los países avanzados más importantes reducen temporalmente, por debajo de los niveles aplicados a las importaciones de otros países avanzados, los aranceles en ciertas importaciones manufacturadas de los países en desarrollo. Sin embargo, el sistema generalizado de preferencias no es un sistema uniforme, porque se forma de muchos esquemas individuales que difieren en los tipos de productos abarcados y el grado de reducción arancelaria. En términos sencillos intenta promover el desarrollo económico en los países en desarrollo a través de un mayor comercio, en vez de recibir ayuda extranjera.

Las preferencias comerciales otorgadas por los países avanzados son voluntarias. No son obligaciones de la OMC. Los países donantes determinan el criterio de elegibilidad, la cobertura del producto, el tamaño de los márgenes de preferencia y la duración de la preferencia. En la práctica, los gobiernos de países avanzados rara vez otorgan preferencias profundas en sectores donde los países en desarrollo tienen un potencial grande de exportaciones. Así, los países en desarrollo con frecuencia obtienen preferencias limitadas en sectores donde tienen una ventaja comparativa. La principal razón para las preferencias limitadas es que en algunos sectores hay una fuerte oposición nacional a la liberalización en los países industrializados.

Desde su origen en 1976, el programa estadunidense de preferencias ha extendido un tratamiento libre de impuestos a aproximadamente 3,000 productos. El criterio de elegibilidad incluye no ayudar a terroristas internacionales y cumplir con las leyes internacionales ambientales, laborales y de propiedad intelectual. El programa estadunidense otorga un acceso libre de aranceles y libre de cuotas a productos elegibles de países seleccionados. Los beneficiarios del programa estadunidense incluyen unos 130 países en desarrollo y sus territorios dependientes. Al igual que los programas del sistema generalizado de preferencias de otros países avanzados, el de Estados Unidos excluye ciertos productos de importación. Los textiles y ropa, zapatos y algunos productos agrícolas no son elegibles. También, la elegibilidad para un producto dado puede ser retirada si las exportaciones de ese producto alcanzan 100 millones de dólares o si hay un daño significativo a la industria nacional. De tiempo en tiempo, conforme los participantes del sistema generalizado de preferencias se han vuelto más ricos, se han "graduado", por así decirlo, del programa. Entre los exalumnos están Hong Kong, Singapur, Malasia y Taiwán.

Aunque el programa brinda acceso preferencial a los mercados de países avanzados, varios factores erosionan su eficacia para reducir las barreras comerciales que enfrentan los países pobres. Primero, las preferencias principalmente aplican a productos que ya enfrentan aranceles bajos. Además, las preferencias arancelarias pueden deteriorarse por medidas no arancelarias, tales como derechos *antidumping* y salvaguardas. Por otro lado, ha ocurrido que ciertos productos y países han sido retirados de la elegibilidad del sistema generalizado de preferencias debido al cabildeo de grupos de interés nacionales en los países importadores. Finalmente, las preferencias hacen poco por ayudar a la mayoría de los pobres del mundo. La mayor parte de quienes viven con menos de 1 dólar por día viven en países como India y Pakistán, que reciben preferencias limitadas en productos en los que tienen una ventaja comparativa. Como resultado, los países en desarrollo siguen frustrados por tener un acceso limitado a los mercados de los países avanzados.

¿La ayuda promueve el crecimiento de los países en desarrollo?

¿Promueve la ayuda realmente el crecimiento de los países en desarrollo? Los debates acerca de la eficacia de la ayuda datan de hace décadas. Los críticos sostienen que la ayuda ha fomentado burocracias gubernamentales, ha prolongado los malos gobiernos, ha favorecido a los ricos en los países pobres o sólo ha sido despilfarrada. Señalan la pobreza difundida en el sur de Asia y en África a pesar de cuatro décadas de ayuda y señalan a ciertos países que han recibido ayuda considerable y, sin embargo, tienen récords desastrosos, como Haití, República Democrática del Congo, Somalia y Papúa Nueva Guinea. Desde su punto de vista, los programas de ayuda deben ser sustancialmente alterados, recortados de forma drástica o eliminados por completo.

Los partidarios contraatacan al decir que estas afirmaciones, aunque son parcialmente ciertas, son exageradas. Indican que, aunque en ocasiones la ayuda ha sido ineficaz, en general, ha promovido la reducción de la pobreza y el crecimiento en algunos países y ha evitado un peor desempeño en otros. Muchas de las deficiencias de la ayuda tienen más que ver con los donantes que con los beneficiarios: en especial porque gran parte de la ayuda se despilfarra con aliados políticos en lugar de promover el desarrollo. Por otra parte, citan el caso de varios países exitosos que han recibido ayuda como Corea del Sur, Indonesia, Botsuana, Mozambique y Tanzania. Señalan que los indicadores de pobreza han declinado en muchos países en estos 40 años desde que se ha brindado la ayuda y que los indicadores de salud y educación se han incrementado con mayor rapidez que durante cualquier otro periodo de 40 años en la historia de la humanidad.

Los investigadores del Centro para el Desarrollo Global en Washington, D.C. han intentado resolver este debate al distinguir entre los tipos de ayuda otorgada a los países en desarrollo. Se considera que la ayuda para el desarrollo de la infraestructura (como sistemas de transporte, comunicaciones, generación de energía y servicios bancarios) tiene impactos notables en el crecimiento económico y por tanto se designa como *ayuda orientada al crecimiento*. Sin embargo, la ayuda para aliviar las catástrofes y el apoyo humanitario, el suministro de comida, la limpieza del agua y demás, tiene menos efectos inmediatos en el crecimiento económico. Se encontró que cada dólar en ayuda orientada al crecimiento a lo largo de un periodo de 4 años generó 1.64 dólares en incremento de ingreso en el país receptor promedio, lo que suma una tasa de rendimiento anual de 13 por ciento. Los investigadores concluyeron que hay una relación positiva y causal entre la ayuda orientada al crecimiento y el crecimiento en promedio, aunque no en todos los países. En términos sencillos, los flujos de ayuda enfocados al crecimiento sí han producido resultados.[5]

Cómo sacar del congelador a los países en desarrollo

Joseph Stiglitz, economista ganador del premio Nobel, ha sido un crítico abierto del Banco Mundial y del Fondo Monetario Internacional desde que renunció a su posición como economista en jefe del Banco Mundial en 1999. Por lo general estas organizaciones consideran la liberalización del comercio y las economías de mercado como fuentes de crecimiento económico. Sin embargo,

---

[5] Steven Radelet, Michael Clemens y Rikhil Bhavnani, "Aid and Growth", *Finance and Development*, septiembre de 2005, pp. 16-20.

afirma Stiglitz, los países en desarrollo que se han liberalizado de su comercio, que desregularon sus mercados financieros y en forma abrupta privatizaron las empresas nacionales han experimentado más alteraciones económicas y sociales que crecimiento. Por tanto, presionar a estos países para liberalizar sus economías resulta un fracaso. Considere los siguientes extractos de un discurso que Stiglitz dio acerca de este tema.[6]

"Estoy encantado de que el señor Michael Moore, presidente de la Organización Mundial de Comercio, haya pedido a los miembros que proporcionen más ayuda a los países en desarrollo. Quiero reforzar la solicitud del señor Moore. Defenderé que las nociones básicas de equidad y una sensación de juego justo requieren que la siguiente ronda de negociaciones comerciales sea más equilibrada (es decir, que se reflexione más en los intereses y preocupaciones del mundo en desarrollo) de lo que ha ocurrido en las rondas anteriores.

Los riesgos son altos. Hay una brecha creciente entre los países desarrollados y los menos desarrollados. La comunidad internacional hace muy poco por reducir esta brecha. Incluso conforme ha aumentado la capacidad de los países en desarrollo de utilizar la ayuda en forma eficaz, el nivel de ayuda para el desarrollo ha disminuido, con una ayuda per cápita para el mundo en desarrollo que ha caído en casi un tercio en la década de los noventa. Con demasiada frecuencia los recortes en los presupuestos de ayuda han venido acompañados del eslogan "comercio, no ayuda", junto con exhortos para que el mundo en desarrollo participe por completo en el mercado global total. Los países en desarrollo han recibido discursos acerca de cómo los subsidios gubernamentales y el proteccionismo distorsionan los precios e impiden el crecimiento. Pero con demasiada frecuencia hay un espacio en blanco en estos exhortos. Al tiempo que los países en desarrollo toman medidas para liberalizar sus economías y expandir sus exportaciones, encuentran que en demasiados sectores tienen que enfrentar barreras comerciales significativas, lo que los deja, en la realidad, sin ayuda y sin comercio. Rápidamente se encuentran con impuestos por *dumping*, cuando ningún economista diría que en realidad han cometido *dumping* o enfrentan mercados protegidos o restringidos en sus áreas de ventaja comparativa natural, como la agricultura o los textiles.

En estas circunstancias no sorprende que los críticos de la liberalización dentro del mundo en desarrollo rápidamente denuncien la hipocresía. Los países en desarrollo con frecuencia enfrentan una gran presión para liberalizarse con rapidez. Cuando plantean preocupaciones acerca de pérdidas de empleo, reciben la respuesta doctrinaria de que los mercados crean empleos y que los recursos liberados del sector protegido pueden ser utilizados en forma productiva en otra parte. Pero con demasiada frecuencia, los empleos no aparecen con suficiente rapidez para los que han sido desplazados y con demasiada frecuencia los trabajadores desplazados no tienen recursos para defenderse, no hay una red de seguridad social para detenerlos cuando caen.

¿Qué deben hacer los países en desarrollo con la retórica en favor de la liberalización, cuando los países ricos (países con pleno empleo y fuertes redes de seguridad) afirman que necesitan imponer medidas de protección para ayudar a los afectados por el comercio? ¿O cuando los países ricos emplean presiones políticas dentro de los países en desarrollo al insistir en que deben "afrontar las decisiones difíciles", pero al mismo tiempo disculpan sus propias barreras comerciales y subsidios agrícolas al citar "presiones políticas"?

Permítanme ser claro: no hay duda en mi mente de que la liberalización comercial será benéfica en forma general para los países en desarrollo y para el mundo. Pero la liberalización comercial debe ser equilibrada y reflejar las preocupaciones del mundo en desarrollo; debe ser equilibrada en agenda, proceso y resultados. Debe hacerse no sólo en los sectores en que los países desarrollados tienen una ventaja comparativa, como en servicios financieros, sino también en los que estos países tienen un interés especial, como agricultura y servicios de construcción. La liberalización comercial debe considerar la gran desventaja que tienen los países en desarrollo al participar de forma significativa en las negociaciones.

---

[6] Extractos de Joseph Stiglitz, "Two Principles for the Next Round, Or, How to Bring Developing Countries in from the Cold", *The World Bank*, Washington, D.C., 21 de septiembre de 1999. Vea también Joseph Stiglitz, *Globalization and Its Discontents*, Nueva York, W.W. Norton, 2002

Más aún, debemos reconocer las diferencias de circunstancias que prevalecen entre los países desarrollados y los países en desarrollo. Sabemos que los países en desarrollo enfrentan una mayor volatilidad, que de hecho una apertura comercial contribuye a la volatilidad, que los países en desarrollo tienen redes de seguridad débiles o no las tienen y que un alto desempleo es un problema persistente en muchos si no es que en la mayoría de los países en desarrollo. En pocas palabras: los países desarrollados y los menos desarrollados juegan en un campo de juego que no está nivelado.

Los análisis económicos tradicionales afirman que la liberalización comercial, incluso la apertura unilateral de mercados, beneficia a un país. Desde este punto de vista, la pérdida del empleo en un sector se contrarresta por la creación de empleos en otro y los nuevos empleos serán de mayor productividad que los viejos. Es este movimiento de empleos de baja productividad a empleos de alta productividad lo que representa la ganancia desde la perspectiva nacional y explica por qué, en principio, todos pueden estar mejor como resultado de la liberalización comercial. Esta lógica económica requiere de que los mercados funcionen bien; sin embargo, en muchos países, el subdesarrollo es un reflejo inherente del mal funcionamiento de los mercados. Así, no se crean empleos nuevos o no se crean de forma automática. Trasladar a los trabajadores de un sector de baja productividad al desempleo no aumenta el producto. Una diversidad de factores contribuye a la falla de los empleos que se deben crear, desde las regulaciones gubernamentales hasta la rigidez de los mercados laborales y la falta de acceso a capital.

En relación con las futuras rondas de negociaciones comerciales, la suscripción a los principios de justicia y competitividad podrían mantener abierta la promesa de un régimen comercial más liberal y equitativo. Aunque los participantes en las rondas previas han hablado mucho de estos principios, en su mayoría no han sido respetados. La suscripción futura a estos principios es absolutamente esencial para el éxito de la siguiente ronda y en particular si se pretende que los países en desarrollo sean socios plenos en el proceso de la liberalización comercial."

ESTRATEGIAS PARA EL CRECIMIENTO ECONÓMICO: SUSTITUCIÓN DE IMPORTACIONES FRENTE AL CRECIMIENTO BASADO EN LAS EXPORTACIONES

Además de buscar ayuda económica de los países avanzados, los países en desarrollo aplican dos estrategias opuestas para la industrialización: *1)* una estrategia de visión hacia el interior (sustitución de importaciones) en la que las industrias se crean para suministrar al mercado nacional y el comercio internacional tiene una importancia intrascendente y *2)* una estrategia de visión hacia fuera (crecimiento basado en las exportaciones también conocido como crecimiento hacia fuera) que consiste en alentar el desarrollo de las industrias en las que el país disfruta de una ventaja comparativa, con una fuerte dependencia de las naciones extranjeras como compradores de la producción creciente de los productos exportables.

Sustitución de importaciones

Durante las décadas de los cincuenta y los sesenta, la estrategia de industrialización de la **sustitución de importaciones** se volvió popular en los países en desarrollo como Argentina, Brasil y México; algunos países aún la utilizan en la actualidad. El modelo de sustitución de importaciones incluye un uso extenso de las barreras comerciales para proteger a las industrias nacionales de la competencia de las importaciones. La estrategia está orientada hacia dentro en cuanto a que el comercio y los incentivos industriales favorecen la producción del mercado nacional por encima del mercado de exportación. Por ejemplo, si ocurren importaciones de fertilizantes, la sustitución de importaciones requiere el establecimiento de una industria de fertilizantes nacional para producir los reemplazos para las importaciones de fertilizantes. En el extremo, las políticas de sustitución de importaciones podrían llevar a una autosuficiencia completa.

La justificación para una sustitución de importaciones surge de la perspectiva del comercio de los países industrializados. Muchos países en desarrollo no tienen capacidad para exportar productos manufacturados porque no pueden competir con las empresas establecidas en los países industrializados, en especial, dadas las altas barreras comerciales que mantienen los países avanzados. Debido a la necesidad de crecimiento y desarrollo económico, los países en desarrollo no tienen más que fabricar por ellos mismos algunos de los productos que ahora importan. El uso de los aranceles y cuotas restringe a las importaciones y el mercado nacional se reserva para los fabricantes nacionales. Esta justificación con frecuencia se combina con el argumento de la industria incipiente: proteger a las industrias incipientes les permitirá crecer a un tamaño en el que puedan competir con las industrias de los países desarrollados.

En un aspecto la sustitución de las importaciones parece lógica: si un producto es demandado e importado, ¿por qué no fabricarlo a nivel nacional? La respuesta del economista es que puede ser más costoso producirlo así y más barato importarlo; la ventaja comparativa debe decidir qué productos se importan y cuáles se exportan.

Alentar el desarrollo económico por medio de la sustitución de importaciones tiene diversas ventajas:

- Los riesgos de establecer una industria nacional para reemplazar las importaciones son bajos debido a que ya existe un mercado local para el producto manufacturado.
- Es más fácil para un país en desarrollo proteger a sus fabricantes en contra de los competidores extranjeros que forzar a los países industrializados a reducir sus restricciones comerciales en los productos exportados por los países en desarrollo.
- Para evitar las barreras arancelarias de importación, los extranjeros tienen un incentivo para ubicar las plantas de manufactura en el país y así proporcionar empleos para los trabajadores locales.

En contraste con estas ventajas, están las siguientes desventajas:

- Como las restricciones comerciales protegen a las industrias nacionales de la competencia internacional, no tienen un incentivo para aumentar su eficiencia.
- Dado el pequeño tamaño del mercado nacional en muchos países en desarrollo, los fabricantes no pueden aprovechar las economías de escala y así tener altos costos unitarios.
- Como de otra manera los recursos empleados en la industria protegida se emplearían en otro sector productivo, la protección a las industrias que compiten con las importaciones discriminan en automático en contra de todas las demás industrias, incluso las de potencial de exportación.
- Una vez que se ha establecido la inversión en actividades que eran rentables sólo debido a los aranceles y a las cuotas, cualquier intento por remover esas restricciones enfrenta una fuerte resistencia.
- La sustitución de las importaciones también fomenta la corrupción. Entre más protegida esté la economía, mayores ganancias se pueden tener de actividades ilícitas como el contrabando.

Durante la década de 1970 las críticas a la industrialización por sustitución de las importaciones se volvieron cada vez más comunes. Los estudios empíricos parecían demostrar que los países en desarrollo que adoptaban políticas de libre comercio tendían a crecer más rápidamente que los que adoptaban políticas proteccionistas. Por esta razón, muchas naciones en desarrollo ya habían eliminado las cuotas y los aranceles para mediados de la década de 1980.

Las leyes para la sustitución de importaciones resultan contraproducentes para Brasil

Aunque las leyes para la sustitución de importaciones han sido utilizadas por los países en desarrollo en sus esfuerzos por industrializarse, en ocasiones, tienen efectos contraproducentes. Considere el ejemplo de Brasil.

En 1991 Enrico Misasi era el presidente de la unidad brasileña del fabricante de computadoras italiano Olivetti, Inc., pero no tenía una computadora Olivetti, la computadora en su escritorio había sido manufacturada por dos empresas brasileñas; costó tres veces más que una Olivetti y su calidad era inferior. En lugar de fabricar computadoras en Brasil, Olivetti, Inc., recibió autorización de fabricar sólo máquinas de escribir y calculadoras.

Esta anomalía resultó de las políticas de sustitución de importaciones practicadas por Brasil hasta 1991. Desde 1970 hasta 1991, estuvo prohibido importar una computadora personal extranjera (o un microchip, un fax o docenas de otros productos eléctricos). No sólo estaban prohibidas las importaciones de electrónica, sino que las empresas extranjeras que estuvieran dispuestas a invertir en plantas de manufactura brasileñas también estaban prohibidas. Las inversiones conjuntas se veían desalentadas por una ley que evitaba a los socios extranjeros ser dueños de más de 30 por ciento de un negocio local. Estas restricciones tenían la intención de fomentar una industria de electrónica nacional. En lugar de eso, incluso los partidarios de esa ley, llegaron a admitir que la industria de electrónica brasileña no era competitiva y tenía tecnología atrasada.

Los costos de la prohibición a las importaciones fueron evidentes a principios de la década de los noventa. Casi ningún automóvil de Brasil estaba equipado con inyección electrónica de combustible o con frenos antibloqueo, ambas características ya muy difundidas en todo el mundo. Productos como la computadora Macintosh de Apple, Inc., no tenían autorización para venderse en Brasil, quien eligió permitir a Texas Instruments que cerrara su planta de semiconductores, lo que ocasionó una pérdida de 250 empleos, en lugar de permitirle invertir 133 millones de dólares para modernizar la línea de producción. Al aplicar su política de sustitución de importaciones, terminó por convertirse en un país poco amigable con las computadoras: para 1991 sólo 12 por ciento de las empresas pequeñas y medianas de Brasil estaban al menos parcialmente computarizadas y sólo 0.5 por ciento de las aulas de clase estaban equipadas con computadoras. Numerosas empresas brasileñas pospusieron la modernización porque las computadoras disponibles en el extranjero no eran fabricadas en Brasil y no podían ser importadas. Algunas empresas de este país recurrieron al contrabando de computadoras y de equipo electrónico; esas empresas que se apegaron a las reglas terminaron con equipo obsoleto y sobreprecio.

Al reconocer que la política para la sustitución de importaciones había sido contraproducente para su industria de computadoras, en 1991, el gobierno brasileño desechó una piedra angular de su enfoque nacionalista al levantar la prohibición de importaciones electrónicas, aunque continuó la protección de su industria nacional con altos impuestos de importación. El gobierno también permitió que las inversiones extranjeras conjuntas aumentaran su participación de 30 a 49 por ciento y que transfirieran tecnología a la economía brasileña.

Crecimiento basado en las exportaciones

Otra estrategia de desarrollo es el **crecimiento basado en las exportaciones** o la **política orientada a las exportaciones**. La estrategia se orienta hacia fuera porque vincula la economía nacional a la economía mundial. En lugar de buscar el crecimiento a través de la protección de las industrias nacionales que sufren de una desventaja comparativa, la estrategia incluye la promoción del crecimiento a través de la exportación de los productos manufacturados. Los controles comerciales no existen o son muy bajos, en el sentido de que cualquier impedimento para la exportación que resulte de barreras a la importación es contrarrestado por los subsidios a las exportaciones. La industrialización se ve como un resultado natural del desarrollo en lugar de ser un objetivo perseguido a costa de la eficiencia de la economía. Para mediados de la década de los ochenta, muchos países en desarrollo abandonaban su modelo de crecimiento de sustitución de importaciones y cambiaron su énfasis en el crecimiento basado en las exportaciones.

Las políticas orientadas hacia las exportaciones tienen tres ventajas: 1) alientan a las industrias en las que es probable que los países en desarrollo tengan una ventaja comparativa, como productos manufacturados intensivos en trabajo; 2) al proporcionar un mercado más grande en el que vender, permiten a los fabricantes nacionales un mayor alcance para explotar economías de escala; y 3) al mantener restricciones bajas en los productos importados, imponen una disciplina competitiva en las empresas nacionales que las fuerza a aumentar la eficiencia.

Los economistas del Banco Mundial han estudiado la relación entre la apertura al comercio internacional y el crecimiento económico para los países en vías de desarrollo. En sus investigaciones clasificaron a las 72 naciones del muestreo como "globalizantes" o "no globalizantes". Las naciones globalizantes se definieron como las 24 naciones que alcanzaron el mayor incremento en la proporción entre comercio y producto interno bruto durante 1975-1995. En las décadas de 1960 y 1970, los no globalizantes obtuvieron, en promedio, un crecimiento algo más rápido en el ingreso real per cápita que los globalizantes. Sin embargo, durante la década de 1980, los globalizantes alcanzaron tasas de crecimiento mucho más altas: el ingreso per cápita real se elevó en promedio a 3.5% anual (comparado con un 0.8% anual de los no globalizantes). Estos resultados respaldan la idea de que el rendimiento económico de las naciones que han implementado políticas de crecimiento basado en exportaciones ha sido superior al de las naciones que implementaron políticas de sustitución de importaciones.[7]

¿Es benéfico para los pobres el crecimiento económico?

Aunque la evidencia sugiere que el comercio es bueno para el crecimiento, vale la pena preguntarse: ¿es beneficioso el crecimiento para los trabajadores pobres en los países en desarrollo? Los críticos afirman que el crecimiento tiende a ser malo para los pobres si el crecimiento ha sido promovido por el comercio o por la inversión extranjera. Dicen que los flujos internos de inversión hacen que las economías sean menos estables, lo que expone a los trabajadores al riesgo de una crisis financiera y a las conveniencias de los bancos de los países avanzados. Más aún, afirman que el crecimiento impulsado por el comercio brinda a las corporaciones multinacionales occidentales un papel dominante en el desarrollo del Tercer Mundo. Eso es malo, porque las multinacionales occidentales no están interesadas en el desarrollo en absoluto, sólo en conseguir mayores utilidades al asegurarse que los pobres sigan siendo pobres. Según los críticos, la prueba de esto es que las evidencias demuestran que la inequidad económica aumenta incluso cuando los países en desarrollo y los países avanzados aumentan su ingreso nacional, así como en el uso, por parte de las empresas multinacionales, de talleres esclavizantes en la fabricación de sus productos. Así que, si lo que interesa es el bienestar de los trabajadores, el argumento de que el comercio promueve el crecimiento, incluso si fuera cierto, no resuelve el problema.

Sin embargo, hay evidencia de que el crecimiento sí ayuda a los pobres. Los países en desarrollo que han alcanzado un crecimiento continuo, como en Asia Oriental, han progresado notablemente en la disminución de la pobreza. Los países donde persiste o empeora la pobreza, son aquellos donde el crecimiento es el más débil, notablemente en África. Aunque la política económica puede afectar el grado de pobreza, a largo plazo el crecimiento es más importante.

Hay un debate intenso sobre el grado en que los pobres se beneficiarían de un crecimiento económico. Los críticos afirman que los beneficios potenciales del crecimiento económico para los pobres están socavados o incluso opacados por completo por los súbitos aumentos en la inequidad que acompañan al crecimiento. Por otro lado, los partidarios afirman que las políticas económicas liberales como los mercados abiertos y la estabilidad monetaria y fiscal aumentan los ingresos de los pobres y de la sociedad de forma proporcional.

Suponga que fuese cierto que la inequidad de ingresos aumenta entre los países industriales y los países en desarrollo. ¿Sería una terrible acusación a la globalización? Tal vez no, sería inquietante si la inequidad en el mundo aumentara debido a que los ingresos de los pobres disminuyeran en términos absolutos, en vez de en términos relativos. Sin embargo, esto es raro. Incluso en África, que tiene un comportamiento pobre en términos relativos, los ingresos han aumentado y los indicadores de desempeño han mejorado de forma paulatina en términos absolutos. Tal vez es muy poco, pero algo es mejor que nada.

¿Pueden todos los países en desarrollo alcanzar un crecimiento impulsado por las exportaciones?

Aunque las exportaciones promuevan el crecimiento para las economías en desarrollo, depende de la disposición y de la capacidad de los países industrializados para continuar su absorción de grandes cantidades de productos de los países en desarrollo. Los pesimistas afirman que este proceso incluye una falacia de composición. Si todos los países en desarrollo trataran de exportar al mismo tiempo, el precio de sus exportaciones disminuiría en los mercados mundiales. Por otro lado, los países industrializados se preocuparían por la competencia extranjera, en especial durante los tiempos de alto desempleo y por

---

[7] David Dollar y Aart Kraay, *Growth is Good for the Poor*, The World Bank, Washington, D.C., 2001, p. 45.

tanto, impondrán aranceles para reducir la competencia de las importaciones. ¿Liberalizar el comercio será autodestructivo si demasiados países en desarrollo tratan de exportar de forma simultánea?

Aunque los países en desarrollo, como grupo, son enormes en términos de geografía y población, en términos económicos son pequeños. Tomadas juntas las exportaciones de todos los países de ingresos pobres y medianos del mundo son iguales a sólo 5 por ciento de la producción mundial. Esta es una cantidad aproximadamente equivalente a la producción nacional del Reino Unido. Incluso si el crecimiento en la demanda global de las importaciones de alguna manera llegara a tope, un impulso a las exportaciones concertado por esas partes del mundo en desarrollo que no participan ya en el esfuerzo, no impondría una mayor tensión en el sistema de comercio global.

Los pesimistas también tienden a subestimar el alcance de la especialización intraindustrial en el comercio, que da a los países en desarrollo otro conjunto de nuevas oportunidades comerciales. Lo mismo sucede para el comercio nuevo entre los países en desarrollo, al contrario del comercio con los países industrializados. Con frecuencia, conforme crecen los países en desarrollo, se alejan de la manufactura intensiva en trabajo hacia formas de producción más complejas. Esto genera un espacio en los mercados que previamente atendían productos de países que no han avanzado aún. Por ejemplo, en la década de los setenta Japón se retiró de la manufactura intensiva en trabajo y dejó espacio a las exportaciones para Corea del Sur, Taiwán y Singapur. En la década de los ochenta y noventa, Corea del Sur, Taiwán y Singapur hicieron lo mismo, mientras que China empezó a moverse a esos mercados. Conforme los países en desarrollo crecen a través de la exportación, aumenta su propia demanda de importaciones.

ECONOMÍAS DE ASIA ORIENTAL

A pesar del desempeño económico de muchos países en desarrollo, algunos han logrado un crecimiento fuerte y sostenido, como se puede apreciar en la tabla 7.5. Un grupo de países en desarrollo exitosos, como China e Indonesia, proviene de Asia Oriental. ¿Cómo se explica su éxito?

Los países de Asia Oriental son muy diversos en recursos naturales, poblaciones, culturas y políticas económicas. Sin embargo, tienen en común ciertas características que fundamentan el éxito de sus economías: *1)* altas tasas de inversión y *2)* altas (y cada vez más crecientes) dotaciones de capital humano debido a que la educación primaria y secundaria son universales.

Para fomentar la competitividad, los gobiernos de Asia Oriental han invertido en sus personas y brindado un clima favorable de competencia para la empresa privada. También han mantenido sus economías abiertas al comercio internacional. Las economías de Asia Oriental han buscado activamente la tecnología extranjera, como licencias, importaciones de bienes de capital y capacitación extranjera.

TABLA 7.5	
Tasas de crecimiento de las economías de Asia Oriental, PIB per cápita (2003-2012)	
País	**Tasa de crecimiento promedio anual del PIB per cápita**
China	9.9%
Indonesia	4.3
Hong Kong, China	3.9
Tailandia	3.9
Singapur	3.6
Corea del Sur	3.3
Filipinas	3.3
Malasia	3.2

Fuente: Tomado de Banco Mundial, World Data Bank, *World Development Indicators*, disponible en: http://www.data.worldbank.org. Vea también Agencia Central de Inteligencia, *World Fact Book*, available at www.cia.gov.

Las economías de Asia Oriental, por lo general, han desalentado la creación de sindicatos laborales, sea mediante una deliberada supresión (Corea del Sur y Taiwán), sea por paternalismo gubernamental (Singapur) o por una política no intervencionista (Hong Kong). El resultado ha sido que han eludido una legislación de salario mínimo y se han mantenido mercados laborales libres y competitivos.

En la era posterior a la Segunda Guerra Mundial, las políticas comerciales en las economías de Asia Oriental (excepto en Hong Kong) comenzaron con un periodo de sustitución de importaciones. Para desarrollar sus industrias de productos de consumo, estos países impulsaron altos aranceles y restricciones cuantitativas en los productos importados. También subsidiaron algunas industrias de manufactura como textiles. Aunque estas políticas inicialmente llevaron a una mayor producción nacional, conforme el tiempo transcurrió infligieron costos en las economías de Asia Oriental. Como las políticas de sustitución de importaciones alentaron la importación de bienes de capital e intermedios y desalentaron la exportación de productos manufacturados, esto llevó a que las economías de Asia Oriental registraran grandes déficits comerciales. Con el fin de obtener las divisas necesarias para financiar estos déficits, las economías de Asia Oriental cambiaron a una estrategia de orientación hacia fuera y a una promoción de las exportaciones.

Para el final de las décadas de los cincuenta y sesenta se decretaron estrategias que impulsaban las exportaciones en las economías de Asia Oriental. Singapur y Hong Kong establecieron regímenes comerciales cercanos al libre comercio; Japón, Corea del Sur y Taiwán iniciaron políticas para promover las exportaciones al tiempo que protegían a los productores nacionales de una competencia con las importaciones. Indonesia, Malasia y Tailandia adoptaron una diversidad de políticas para alentar las exportaciones y gradualmente reducir las restricciones a las importaciones. Estas medidas contribuyeron a un aumento en la participación de las economías de Asia Oriental en las exportaciones mundiales y las exportaciones manufacturadas representaban la mayor parte de este crecimiento.

Sin embargo, el sorprendente éxito de las economías de Asia Oriental ha creado problemas. El esfuerzo por industrializarse a toda costa ha dejado a muchas de las economías de Asia Oriental con importantes problemas de contaminación. Los gigantescos superávits comerciales han disparado una ola creciente de sentimientos proteccionistas en el extranjero, en especial en Estados Unidos, que considera a las economías de Asia Oriental excesivamente dependientes del mercado estadunidense para un crecimiento futuro de las exportaciones.

Patrón de crecimiento de "vuelo de gansos"

Es un hecho ampliamente reconocido que las economías de Asia Oriental han seguido un patrón de **crecimiento económico de "vuelo de gansos"** en el que los países gradualmente ascienden en el desarrollo tecnológico al seguir el patrón de los países que están delante de ellos en el proceso de desarrollo. Por ejemplo, Taiwán y Malasia toman el liderazgo en textiles y ropa de Japón conforme éste se mueve a sectores de mayor tecnología en productos automotrices y de electrónica y otros bienes de capital. Aproximadamente una década después, Taiwán y Malasia tienen la capacidad para mejorar hacia los productos automotrices y de electrónica, mientras que las industrias de ropa y textiles se mueven a Tailandia, Vietnam e Indonesia.

Hasta cierto grado, el patrón del "vuelo de gansos" es un resultado de las fuerzas del mercado: las naciones de mano de obra abundante se volverán globalmente competitivas en industrias intensiva en trabajo, como calzado e ingresarán en industrias de más capital o intensivas en habilidades, ya que los ahorros y la educación profundizan la disposición del capital y los trabajadores capacitados. Sin embargo, como lo han demostrado las economías de Asia Oriental, se necesitan más que mercados para un desarrollo de "vuelo de gansos". Incluso los productos básicos intensivos en trabajo, como el ensamble electrónico, se determinan cada vez más por empresas multinacionales y tecnologías creadas en las naciones industrializadas.

Para las economías de Asia Oriental, una plataforma de exportación fuerte ha sido la base de su patrón de desarrollo de "vuelo de gansos". Los gobiernos de Asia Oriental han utilizado diversas versiones de una plataforma de exportación, como recintos fiscales, zonas de libre comercio, inversiones conjuntas y alianzas estratégicas con empresas multinacionales. Los gobiernos respaldaron

CONFLICTOS COMERCIALES ¿ESTÁ GANANDO EL CAPITALISMO DE ESTADO?

De la década de 1980 al 2008, el debate sobre los pros y los contras del capitalismo estatal frente al capitalismo de mercado libre parecía estar resuelto. El rendimiento robusto de la economía estadunidense, producto de la desregulación, la globalización y el libre comercio en conjunción con la desintegración de la Unión Soviética y la adopción de China del capitalismo confirmaban las limitaciones de las economías reguladas por el Estado. En general se podía concluir que el capitalismo de libre mercado funcionaba mejor.

Sin embargo, la Gran Recesión de 2008-2009 volvió a encender el debate sobre el papel del gobierno en la economía. La gravedad de esta contracción económica reveló las debilidades de las economías avanzadas e hizo que muchos analistas se preguntaran si el modelo de capitalismo del mercado se había desintegrado. En Estados Unidos, los demócratas querían un gobierno activista que creara empleos e impulsara nuevas industrias (como la industria de la energía eólica) para ayudar al país a competir en la economía mundial. Por su parte, los republicanos querían un gobierno menos intervencionista para impulsar la revitalización económica.

La ayuda del gobierno al desarrollo económico ha sido en general menos controvertida en el caso de los países en desarrollo. Algunos países como Brasil, Malasia, China y Rusia han preferido el "capitalismo estatal" que incorpora los poderes del Estado con los poderes del capitalismo. Bajo este sistema, los gobiernos crean empresas que son propiedad del Estado para coordinar el desarrollo de los factores de la producción que consideran de vital importancia para el Estado y para generar un gran número de empleos. Algunos ejemplos de empresas estatales de este tipo son las empresas de comunicaciones de China, las empresas petrolíferas de Malasia y las empresas de gas natural de Rusia. Los gobiernos influyen en las políticas de concesión de créditos de los bancos, dominan sectores esenciales de la economía y dirigen libremente la economía a través de decisiones burocráticas. Aunque el capitalismo estatal es un tipo de capitalismo, en él es el gobierno quien actúa como el principal jugador económico. La habilidad de algunas naciones con capitalismo estatal, como China, para conseguir un crecimiento económico robusto incluso durante la Gran Recesión, ha llevado a los analistas a preguntarse si este sistema económico puede conseguir mejores resultados económicos que el modelo del mercado libre de Estados Unidos.

La importancia del capitalismo estatal es notable. En China, el gobierno es el accionista más grande de las empresas más grandes del país. Además, las empresas estatales representan aproximadamente 80 por ciento del valor del mercado de valores en China, 6% en Rusia y 40% en Brasil. Las 13 empresas petrolíferas que controlan tres cuartas partes de las reservas de petróleo mundiales, son todas de corte gubernamental; lo mismo ocurre con Gazprom de Rusia, el extractor más grande de gas natural en el mundo.

Aunque el capitalismo estatal es una alternativa frente al capitalismo de mercado, también tiene claras limitaciones. Las gigantescas empresas estatales utilizan capital y talento que podrían aprovecharse mejor en compañías privadas. Por otro lado, aunque las empresas públicas a veces han conseguido imitar a otras empresas (en parte gracias a que pueden usar las influencias del gobierno para obtener acceso a nueva tecnología), en general han tenido menos éxito para promover nuevas innovaciones tecnológicas. Finalmente, el capitalismo estatal sólo funciona bien cuando lo operan funcionarios públicos competentes (cosa que no ocurre a menudo). Este sistema económico puede provocar inequidad, favoritismos y profundos descontentos, como se puede apreciar en los casos de Egipto y Rusia.

De manera que, ¿quién tiene la razón: el capitalismo estatal o el capitalismo de mercado libre? La historia demuestra que cada milagro económico acaba perdiendo su brillo conforme la euforia juvenil da lugar a la madurez económica. Cuando los países progresan de la agricultura y la producción artesanal a la manufactura y luego al sector de los servicios y a la economía de conocimientos, lo que aumentó al principio tiende a bajar y luego se neutraliza. Durante esta evolución, el campo se vacía y eventualmente deja de proveer esa aparentemente inagotable mano de obra barata. Por otro lado, cuando la inversión fija aumenta, disminuye su ingreso marginal, y cada unidad adicional de capital promueve menos producción que la unidad precedente. Éste es uno de los principios más viejos en economía: la ley de los rendimientos decrecientes. El futuro éxito del capitalismo estatal, como modelo para el desarrollo económico, está aún por verse.

Fuentes: Josef Joffe, "China's Coming Economic Slowdown", *Wall Street Journal*, 26 de octubre de 2013; James McGregor, *No Ancient Wisdom, No Followers: The Challenges of Chinese Authoritarian Capitalism*, Prospectus Press, Westport, CT, 2012; "State Capitalism", *The Economist*, 21 de enero de 2012; Michael Schuman, "State Capitalism Versus the Free Market", *Time Business*, 30 de septiembre de 2011, en http://business.time.com; e Ian Bremmer, "State Capitalism Comes of Age", *Foreign Affairs*, mayo-junio de 2009.

estos mecanismos con políticas económicas que ayudaron en los incentivos de las exportaciones intensivas en trabajo.[8]

EL GRAN SALTO ADELANTE DE CHINA

China es otro país de Asia Oriental que ha tenido un éxito económico sorprendente en los años recientes. Vea por qué.

A principios de la década de los setenta, la República Popular de China era un participante intrascendente en el mercado mundial de productos y servicios financieros. Para 2005, China había crecido hasta convertirse en la segunda economía más grande del mundo, con un producto nacional superior, en más de la mitad, al de Estados Unidos y 60 por ciento más grande que el de Japón. ¿Qué ocasionó esta transformación?

La China moderna empezó en 1949, cuando un movimiento comunista revolucionario tomó el control de la nación. Inmediatamente después de la toma comunista, China instituyó un modelo soviético de planeación central y de sustitución de importaciones con énfasis en un crecimiento económico acelerados, en particular un crecimiento industrial. El Estado se apoderó de la industria de manufactura urbana, una agricultura de colectividad eliminó la agricultura familiar y estableció cuotas de producción obligatorias. Al desalentar el funcionamiento de los mercados, el gobierno de China sofocó el crecimiento económico y dejó en la pobreza a una gran parte de su población.

Para la década de los setenta, China podía ver que sus vecinos (Japón, Singapur, Taiwán y Corea del Sur), que habían sido pobres alguna vez, disfrutaban de un crecimiento y prosperidad extraordinarios. Esto llevó a que China "comercializara" su economía a través de cambios pequeños, paso a paso para minimizar la alteración económica y la oposición política. En la agricultura y la industria se hicieron reformas para aumentar el papel de la unidad de producción, para aumentar los incentivos individuales y reducir el papel de los planificadores estatales. Muchos productos empezaron a venderse a precios determinados por el mercado y no controlados por el Estado. Se permitió una mayor competencia entre las empresas nuevas y entre éstas y las empresas del Estado. Por otro lado, China abrió su economía a la inversión extranjera y a las inversiones conjuntas. El monopolio del gobierno chino sobre el comercio exterior también se fue desmantelando: en su lugar, se establecieron zonas económicas en las que las empresas podían conservar las ganancias de intercambio extranjero y contratar y despedir a los trabajadores. En términos sencillos, China ha roto la senda de la sustitución de importaciones, donde se establecen barreras para el desarrollo de la industria nacional. Ahora China está sorprendentemente abierta al comercio internacional y las importaciones tienen un papel muy importante en su economía.

Aunque China ha desmantelado gran parte de la planificación central de su economía, las libertades políticas están muy rezagadas. Recuerde el uso de la fuerza militar para terminar una manifestación a favor de la democracia en la Plaza Tiananmen de Beijing en 1989, que llevó a pérdida de vidas y demostró la determinación del Partido Comunista para mantener su férreo poder político. Bajo el mando del Partido Comunista, no hay libertad de expresión, lo cual hace que todas las voces independientes sean inaudibles. La evolución de China hacia el capitalismo, por lo tanto, ha consistido en un uso expandido de las fuerzas del mercado bajo un sistema político comunista. En la actualidad, China se describe a sí misma como una *economía socialista de mercado*.

En relación con el comercio internacional, China ha seguido un patrón consistente con el principio de la ventaja comparativa, como lo explica la teoría de la dotación de factores analizada en el capítulo 3. Por el lado de las exportaciones, China favorece mercancías cuya producción es intensiva en trabajo y refleja su abundancia de mano de obra. Por el lado de las importaciones, China es un mercado creciente de maquinaria, equipo de transporte y otros bienes de capital que requieren niveles más altos de tecnologías de las que China puede suministrar a nivel local. La mayor parte de la expansión económica de China, desde 1978, ha sido impulsada por un acelerado crecimiento en las exportaciones y por la inversión en infraestructura.

---

[8] Terutomo Ozawa, *Institutions, Industrial Upgrading and Economic Performance in Japan: The Flying-Geese Theory of Catch-Up Growth*, Cheltenham, UK, Edward Elgar, 2005.

Desafíos para la economía de China

A pesar del gran salto adelante de China, el país todavía debe franquear muchos obstáculos si ha de superar su condición de país de ingreso intermedio y convertirse en una nación rica. Consideremos brevemente algunos de los principales desafíos para la economía china.[9]

Privatización de la industria   Ningún país en el mundo moderno ha conseguido crecimiento económico sostenido sin recurrir en buena medida a empresas privadas y mercados privados descentralizados. La economía de China todavía tiene sobreabundancia de empresas estatales con excesivos empleos y baja productividad. Aunque su importancia ha disminuido con el tiempo, todavía representan aproximadamente la mitad de los productos no agrícolas. Un ejemplo es el sector de la banca, controlado por el Estado, que hace préstamos a enormes, ineficaces y poco rentables empresas estatales. La economía de China también está plagada por una amplia gama de controles de precios, restricciones a la migración de la mano de obra nacional y demás obstáculos para las reformas económicas que resultarían indispensables para un desarrollo económico sostenido. Si China desea continuar su acelerado crecimiento, tendrá que reducir la presencia de empresas estatales y ampliar sustancialmente el sector privado en telecomunicaciones, finanzas y muchos otros sectores.

Mano de obra a la alza   La decreciente oferta de mano de obra representa otro desafío para China. La política del hijo único ha traído por consecuencia la escasez de oferta de mano de obra joven mientras que el resto de la población está envejeciendo. Así, la fuerza laboral de China empezará a decrecer en unos cuantos años. Por otro lado, las restricciones de migración interna impiden que los trabajadores se desplacen del campo, en las provincias interiores, a las ciudades costeras donde están ubicadas las fábricas. Conforme aumentan los salarios en China porque la oferta de mano de obra barata disminuye, los precios de sus exportaciones aumentarán sin un aumento proporcional en la productividad de trabajo. Los precios más altos de las exportaciones de China habrán de reducir el incentivo de los consumidores extranjeros para comprar artículos baratos de China, como textiles y juguetes. Así China tendrá que impulsar otras fuentes de crecimiento en vez de la actual, aparentemente "inagotable" mano de obra barata.

China todavía tiene mucha mano de obra barata en el interior del país, lejos de las ciudades costeras desarrolladas. Aunque la reubicación de la producción al interior significaría salarios más bajos, también representaría gastos mayores de transporte a través de los, de por sí, abarrotados ferrocarriles y autopistas chinos. Por otro lado, la reubicación de las fábricas al interior de China las pondría en una mejor ubicación para atender el creciente mercado de consumo nacional y no las exportaciones a consumidores como Estados Unidos y otros.

Ante el alza de la mano de obra china, algunas compañías ya han mudado su producción a otros lugares para abatir costos. Yue Yuen Industrial Ltd., la zapatería más grande del mundo, ha reubicado una parte de su producción de zapatos baratos en países como Camboya y Bangladesh. Conforme las fábricas se trasladen a otros países los sueldos locales aumentarán más rápido que antes porque la mano de obra se volverá más escasa. Ahora bien, dado que ningún otro país puede igualar la escala de producción masiva de China, la logística se convertirá en una parte considerable de los costos porque las compañías se verán obligadas a dividir su producción entre varios países. Esto hará los productos más costosos y Occidente tendrá que adoptar nuevas tendencias de consumo.

El desarrollo de infraestructura   El desarrollo de infraestructura sigue siendo uno de los objetivos más importantes para el gobierno chino, que desde hace ya tiempo ha reconocido que una economía moderna sólo opera correctamente con una confiable red de telecomunicaciones, ferrocarriles, carreteras y servicio eléctrico. El objetivo de China es elevar la infraestructura del país al nivel de la infraestructura de países de ingresos medios a la vez que incorporar sistemas de transporte cada vez más eficientes para conectar al país. Esto exigirá que China haga grandes inversiones adicionales en aeropuertos, autopistas, instalaciones portuarias y ferrocarriles. El financiamiento para estos pro-

---

[9] "China's Next Chapter", *McKinsey Quarterly*, núm. 3, 2013.

yectos provendrá, en gran parte, del gobierno chino que en la actualidad provee más del 90 por ciento de todo el financiamiento en infraestructura.

Un aspecto importante de la política de infraestructura de China atañe al transporte pesado de larga distancia por carretera que representa aproximadamente tres cuartas partes de los embarques de mercancías nacionales por volumen. Sin embargo, la industria de transporte por carretera es fragmentaria e ineficiente, especialmente en las regiones interiores del país donde la manufactura y el consumo están creciendo considerablemente conforme las empresas se reubican en busca de mano de obra y terrenos más económicos. Aunque China está actualmente construyendo con paso acelerado carreteras en sus regiones interiores, la tarea es gigantesca debido a la dificultad y dimensiones del terreno. También, muchas nuevas autopistas se congestionan casi tan pronto como son construidas y las largas demoras en el transporte son un problema cotidiano.

Dependencia del gasto de inversión

Otro desafío para la problemática económica de China es la dependencia excesiva en la inversión y la muy baja dependencia en el consumo. Los funcionarios chinos saben que se requiere de un reajuste de la economía porque el incremento pronunciado en inversión que ha impulsado el robusto crecimiento económico de las últimas tres décadas no es sostenible. Por otro lado, los consumidores chinos no podrían generar una mayor demanda a menos que la riqueza se redistribuya hacia ellos. El consumo nacional representa sólo 38 por ciento, aproximadamente, del producto interno bruto de China, mientras que en EUA representa aproximadamente 70 por ciento del PIB. Dicho de otro modo, los consumidores no están recibiendo el excedente de la economía china y deberían hacerlo justo ahora si es que han de impulsar el crecimiento económico posterior cuando el modelo orientado a la inversión del país (que está llegando a sus límites) deba cambiar.

Como ya lo han reconocido los funcionarios chinos, el objetivo principal del reajuste en la política económica es llevar al país de una economía orientada a la producción (inversión) a una economía que enfatice el consumo nacional. El gobierno podría incrementar los pagos de dividendos de las empresas estatales para incrementar los ingresos y el consumo familiar en China. Sin embargo, incrementar los ingresos familiares a expensas de las empresas estatales representa todo un reto político, ya que algunos grupos poderosos con intereses creados se resisten al cambio: una transformación como ésta reducirá notablemente el crecimiento del gasto total en manufactura pesada, construcción y otros sectores (sectores que hasta ahora son los que se han beneficiado principalmente del inmenso aumento del gasto de inversión en China). Al momento de redactar este texto aún está por verse hasta qué grado el gobierno chino reajustará su economía.

El futuro ambiental

Todo aquel que haya viajado recientemente a China seguramente ha sido testigo de los crecientes niveles de contaminación atmosférica que afectan seriamente a sus ciudades principales. El índice de calidad del aire en Beijing excede frecuentemente el umbral de las 500 unidades (cuando toda lectura por arriba de 300 unidades ya significa que el aire presenta un riesgo a la salud). Esto quiere decir que los niños en Beijing inhalan el equivalente a dos cajetillas de cigarros al día tan sólo por respirar. Aunque la industria manufacturera y los 5 millones de automóviles de Beijing contribuyen a esta espectacular contaminación atmosférica, la mayoría de los expertos coinciden en que el principal problema son las plantas eléctricas que operan con carbón y que han sido las responsables de propulsar el acelerado crecimiento económico de China. China quema casi la mitad de carbón de todo el mundo (esto equivale, aproximadamente, a la cantidad de carbón que queman todos los demás países del mundo juntos) y Beijing está rodeada por un dilatado anillo de plantas eléctricas que operan con carbón.

Para impulsar su economía, China ha mermado considerablemente sus propios recursos naturales e incluso está empezando a mermar también los recursos de otros países. La insaciable demanda de madera de China ya deforestó gran parte del país, lo que ha ocasionado erosión e inundaciones. De acuerdo con los pronósticos, antes del 2020 habrá desaparecido 25 por ciento de la región cultivable de China y aumentarán dramáticamente las necesidades de agua del país, a la vez que se acumularán las aguas de desperdicio y las emisiones de dióxido de azufre.

Aunque los funcionarios chinos están muy conscientes del problema, su respuesta ha sido en gran parte inadecuada porque las demandas del crecimiento económico continuado siempre están antes que las consideraciones ambientales. En el futuro, China se verá obligada a aprovechar cualquier oportunidad que le quede para convertir su industria en una industria ambientalmente responsable y su crecimiento económico en un crecimiento más sustentable.

Papel en las finanzas mundiales   China es el ahorrador más grande del planeta y tendrá un papel fundamental que desempeñar en los mercados financieros mundiales. Sin embargo, como una economía tradicionalmente cerrada, China no puede abrir sus puertas de un día para otro. Para convertirse en una nación líder en las finanzas mundiales, los mercados financieros nacionales de China deben arraigarse primero y luego expandirse. Ahora bien, para que el país atraiga y despliegue capital más eficazmente, el ingreso familiar, el de las corporaciones y el del gobierno debe elevarse. Las barreras que impiden a los individuos y a las compañías invertir más libremente fuera de las fronteras de China y las barreras que impiden a los inversionistas extranjeros invertir en China tendrán que disminuir. China tendrá que inspirar mayor confianza en los inversionistas mundiales. La continua reforma de China, aunada a sus vastos ahorros internos y su enorme proporción del comercio mundial, podría hacer del país un influyente proveedor de capital en los años venideros.

Convertibilidad del yuan   Conforme aumenta la influencia económica y financiera de China, también aumentará el uso de su moneda, el *yuan* (también conocido como *renminbi*). China desea hacer del yuan una moneda internacional que pueda rivalizar con el dólar estadunidense y el euro en los mercados mundiales. Para conseguir esto China debe primero generar vastos mercados de capital líquido con activos financieros denominados en yuanes, a través, por ejemplo, de bonos corporativos. Por otro lado, el yuan debe convertirse en un medio internacional de intercambio para las transacciones de financiamiento. Esto quiere decir que el yuan habrá de ser completamente convertible, es decir: una empresa cualquiera debe poder convertirlo en divisa extranjera por cualquier razón y en cualquier casa de cambio o banco. No cabe duda de que el objetivo de China de alcanzar una globalización financiera requerirá de mucho tiempo y paciencia.

El auge de las exportaciones chinas tiene un costo: cómo hacer que las fábricas jueguen limpio

Aunque China se ha convertido en un importante exportador de productos manufacturados, esto ha tenido un costo. Conforme minoristas como Wal-Mart y The Home Depot ponen presión en los proveedores chinos para elaborar productos baratos a los menores costos posibles, las preocupaciones acerca de la seguridad del producto, la calidad del ambiente y la seguridad laboral se hacen a un lado.

Por ejemplo, en 2007 los defensores de los consumidores desafiaron a las empresas chinas con el argumento de que producían juguetes, cunas, productos electrónicos y similares, que resultaban inseguros. Mattel, el fabricante de juguetes más grande del mundo, emitió tres órdenes de retiro de mercancía por separado en relación con juguetes fabricados en China que contenían pintura tóxica con plomo e imanes peligrosos; Disney retiró miles de bloques Baby Einstein; algunas empresas más pequeñas han retirado todo, desde joyería para niños, llaveros y cuadernos hasta botellas de agua y lámparas de mano. Acaso la mayor decepción para los niños fue el retiro del mercado, por dos veces consecutivas, de los juguetes Thomas the Tank Engine cuando se descubrió que contenían niveles inseguros de plomo en la pintura que podía ocasionar daño cerebral a los niños. El juguete Floating Eyeballs fue retirado después de que se encontró que estaba lleno de queroseno. Los críticos sostienen que estos ejemplos son sólo parte de una tendencia mayor. La economía estadunidense se ha vuelto global y ha subcontratado más y más producción con países como China; al mismo tiempo, el gobierno estadunidense ha reducido la regulación y la inspección a las importaciones. Como resultado, los consumidores estadunidenses están expuestos a más productos que ni son producidos en su país ni están sujetos a las normas de seguridad estadunidenses.

Proteger la mano de obra es otro problema para China. Conforme los minoristas estadunidenses como Eddie Bauer y Target continuamente demandan precios más bajos de sus proveedores chinos, lo que permite a los consumidores estadunidenses disfrutar de ropa y calzado de bajo precio, esa presión es un incentivo poderoso para que las empresas chinas hagan trampa en las normas laborales que las empresas estadunidenses exigen como un estandarte del capitalismo responsable. Estas regulaciones por lo general incorporan el salario mínimo oficial de China, que es establecido por los gobiernos locales o de las provincias y fluctúa entre 45 dólares a 101 dólares por mes. Las empresas estadunidenses también dicen que se adhieren a la semana laboral ordenada por el gobierno de 40 a 44 horas, más allá de lo que se requiere un pago de tiempo extra. Sin embargo, la presión por recortar los costos ha ocasionado que muchas fábricas chinas ignoren esta reglamentación. Al falsificar las nóminas y los horarios, han podido dar un pago inferior a sus trabajadores y forzarlos a trabajar horas excesivas en las fábricas ocasionando que con frecuencia se reporten problemas de salud y de seguridad. Dado que el sistema actual de auditoría de los proveedores chinos falla pues no detiene los abusos laborales, los minoristas estadunidenses buscan actualmente formas de mejorar la protección de los trabajadores chinos. Está por verse si estos esfuerzos tienen éxito.

La promoción de una explotación sustentable del medio ambiente es otro problema para China. En las dos últimas décadas, desde que las empresas estadunidenses comenzaron a recurrir a las fábricas chinas para producir playeras y pantalones baratos en serie, el aire, la tierra y el agua de China han pagado un precio alto. Los activistas ambientales y el gobierno chino señalan el papel que las empresas multinacionales estadunidenses tienen en los crecientes problemas de contaminación de China al demandar precios siempre más bajos por los productos chinos. Una forma en que las fábricas chinas históricamente han mantenido bajos los costos es vertiendo el agua residual directamente a los ríos. Tratar el agua contaminada cuesta más de 13 centavos por tonelada métrica, así que las fábricas grandes pueden ahorrar cientos de miles de dólares al año al enviar el agua sucia directamente a los ríos, una flagrante violación de las leyes ambientales chinas. El resultado es que los precios en Estados Unidos son artificialmente bajos, porque los estadunidenses no pagan los costos de la contaminación. Las empresas estadunidenses que utilizan productos chinos están sujetas a muchas críticas por no tomar una postura suficientemente severa contra los proveedores que contaminan China.

INDIA: SALIR DEL TERCER MUNDO

India es otro ejemplo de una economía que rápidamente ha mejorado su desempeño económico después de la adopción de políticas comerciales más libres. La economía de India es diversa, agrupa agricultura, producción artesanal, manufacturera y una multitud de servicios. Aunque dos tercios de la fuerza de trabajo india aún se ganan la vida directa o indirectamente a través de la agricultura, los servicios son un sector creciente de la economía del país. Con la llegada de la era digital y el gran número de indios jóvenes calificados que dominan el inglés, India se ha convertido en una elección natural para reubicar el *outsourcing* global de los servicios al cliente y el respaldo técnico.

India y China han recorrido rutas muy diferentes al desarrollo. China ha seguido la ruta del desarrollo tradicional de naciones como Japón y Corea del Sur, convirtiéndose en un centro para la manufactura de productos de mano de obra barata. Al darse cuenta de que no podía competir frente a frente con China en cuanto a manufactura, India llegó a la conclusión de que tendría mejores oportunidades en la exportación de servicios. Según lo establece la teoría de Heckscher-Ohlin, el factor de abundancia de India ha sido la fuerza de trabajo, relativamente educada y con buen dominio del idioma inglés, que provee una vía de acceso a servicios globales baratos como las operaciones de procesamiento de datos, los centros de atención telefónica y similares. Aunque las tasas de crecimiento económico hasta ahora conceden la ventaja a la estrategia elegido por China y que está basado en la manufactura de productos, es probable que, al largo plazo, la estrategia de la India resulte más conveniente. Una mirada a los ingresos per cápita alrededor del mundo demuestra que la riqueza de las naciones depende, a la vuelta del tiempo, más de los servicios que de la industria.

Después de obtener su independencia de Gran Bretaña en 1947, India comenzó a practicar el socialismo y adoptó un modelo de sustitución de importaciones para manejar su economía. Estas dos cosas fueron resultado del temor de India ante el imperialismo de cualquier tipo después de su independencia. Por tanto, su gobierno inició barreras comerciales proteccionistas y prohibiciones a la inversión extranjera para restringir la competencia, regulaciones estrictas sobre los negocios privados y los mercados financieros, un sector público grande y una planeación central. Esto ocasionó que se aislara del mundo de 1950 a 1980. Durante este periodo, su economía alcanzó sólo una modesta tasa de crecimiento y la pobreza estaba muy difundida entre la población. Cada vez más, las personas en India reconocieron que la política de sector público había fallado.

Para 1991 las personas que diseñaron las políticas en India se percataron de que su sistema de controles estatales y de sustitución de las importaciones estaba estrangulando a la economía y que se necesitaban reformas. El resultado fue un movimiento hacia una economía orientada hacia fuera, basada en el mercado. Se terminó el requisito de que el gobierno debía aprobar los gastos de inversión industrial, se abolieron las cuotas en las importaciones, se eliminaron los subsidios a las exportaciones y se redujeron los aranceles de importación de un promedio de 87 por ciento en 1990 a 33 por ciento en 1994. También se permitió a las empresas indias pedir préstamos en los mercados internacionales y se devaluó la rupia. Estas reformas ayudaron a transformar a India de una economía agraria subdesarrollada y cerrada a una más abierta y progresiva que alienta la inversión extranjera y que obtiene más riqueza de la industria y los servicios. El resultado ha sido un aumento drástico en el crecimiento de la economía y en una caída en el índice de pobreza.

Los negocios de *outsourcing* de India ilustran la forma en que la inversión extranjera y el comercio han beneficiado al país. El retiro de restricciones en la inversión extranjera resultó en que empresas como General Electric y British Airways trasladaran su tecnología de información (TI) y otras operaciones de oficina a la India en la década de los noventa. El éxito de estas empresas mostró al mundo que India era un destino viable para el *outsourcing* y más empresas establecieron operaciones en el país. Estas multinacionales capacitaron a miles de trabajadores indios, muchos de los cuales transferían sus habilidades a otras empresas incipientes indias. En términos sencillos, los trabajadores indios se beneficiaron de los miles de empleos que se crearon y de los ingresos crecientes que resultaron de la inversión extranjera.

La industria automotriz de India es otro ejemplo de los beneficios del comercio y la liberalización de las inversiones. Antes de la década de los ochenta, las prohibiciones en la inversión extranjera y los altos aranceles de importación protegían a los fabricantes de automóviles propiedad del Estado de la competencia global. Estas empresas utilizaban tecnología obsoleta para fabricar sólo dos modelos y venderlos a altos precios. Para la década de los noventa, los aranceles se redujeron en las importaciones de automóviles y se eliminaron de forma gradual las prohibiciones en la inversión extranjera. El resultado fue un aumento en los automóviles importados y también la entrada de fabricantes de automóviles extranjeros que establecieron plantas de ensamble en el país. Conforme aumentó la competencia, la productividad de la mano de obra aumentó más del triple para los fabricantes de automóviles indios que se beneficiaron de los salarios más altos. También se redujeron los precios de los automóviles y se desató una oleada en la demanda de los consumidores, un aumento en las ventas de los automóviles y en la creación de miles de empleos de trabajadores en la industria automotriz. En la actualidad, la industria automotriz de India produce 13 veces más automóviles que en 1980 e India exporta automóviles a otros países. Nada de esto hubiera sido posible si los fabricantes de automóviles de este país hubieran permanecido aislados del mundo.

Sin embargo, el crecimiento dinámico de las industrias de *outsourcing* y de automóviles de India es un contraste frente a la mayor parte de su economía, donde las restricciones al comercio y a la inversión extranjera asfixian la competencia y fomentan la supervivencia de las empresas ineficientes. La venta minorista de alimentos ilustra cómo se lleva la industria india cuando la inversión extranjera se prohíbe. A 2007 la productividad de la mano de obra en esta industria era de sólo 5 por ciento del nivel estadunidense. Gran parte de esta discrepancia se debe a que casi todos los minoristas de alimentos de India son mercados callejeros y tiendas de mostrador pequeñas más que supermercados modernos. Es más, la productividad promedia sólo 20 por ciento del nivel estadunidense incluso en los supermercados indios como resultado de su comercialización ineficiente y de pequeña escala y de sus métodos de marketing. En otros países en desarrollo, como China y México, los minoristas globales como Wal-Mart han intensificado la competencia, lo que ha aumentado la productividad. Sin embargo, estos minoristas tienen prohibido invertir en India.

A pesar de las ganancias económicas de India, el país no se puede permitir descansar en sus laureles; más de 250 millones de indios aún viven por debajo de la línea de pobreza oficial. Sostener un crecimiento económico robusto requerirá que el país se enfoque en mejorar su infraestructura como calles, generación de energía eléctrica, fletes por tren y puertos. Las inversiones recientes en infraestructura en India no han mantenido el ritmo de los acontecimientos económicos. En contraste, China ha invertido muy fuerte para construir una infraestructura de clase mundial que pueda atraer la inversión extranjera y promover el crecimiento económico.

Se espera que India se convierta en el país más poblado para el año 2030. Esta tasa de crecimiento poblacional le da la principal ventaja de un suministro casi ilimitado de mano de obra y de demanda por parte del consumidor. Sin embargo, también ilustra la necesidad de invertir en educación y cuidados médicos y en crear oportunidades de empleo adecuadas.

La mayoría de los economistas concuerdan en que India necesita una desregulación sistemática de sectores como venta minorista, medios de comunicación y banca, que han permanecido intocables por las políticas arcaicas. También debe eliminar las preferencias de producir a pequeña escala e ineficientemente y revocar las legislaciones que bloquean los despidos en las empresas de tamaño mediano y grande. Con la desregularización y la apertura de los mercados, las fundamentales inversiones extranjeras de capital y las habilidades podrán fluir con mayor prontitud a India, lo que hará que su industria sea más eficaz y su economía más robusta. Para asegurar que el crecimiento económico de India alcance al país entero, el gobierno debe reformar su industria agrícola con el fin de generar empleos en las áreas rurales.

India ha hecho grandes progresos, pero se requerirán mayores esfuerzos para sostener su crecimiento económico. Con una población de rápido crecimiento, enfrenta el desafío de crear millones de empleos para mantener a su población fuera de la pobreza. Está por verse si el gobierno, el sector privado y la sociedad demuestran la voluntad política necesaria para trabajar juntos y hacer que esto suceda.

EL DESPEGUE DE BRASIL

En 2001, cuando los economistas de Goldman Sachs agruparon a Brasil con China, India y Rusia en el grupo de las economías que, en un futuro, llegarían a dominar el mundo, algunos tuvieron considerables dudas sobre la inclusión de Brasil. Para 2011 esas dudas parecían infundadas: la economía de Brasil había crecido hasta convertirse en la más grande de toda América Latina y ya era la séptima economía más grande del mundo.

El crecimiento económico de Brasil no siempre fue continuo. De la décadas de 1930 a la de 1960, Brasil prefirió la industrialización con una política de sustitución de las importaciones, como previamente se mencionó en este capítulo. Esta política impulsó el desarrollo económico estatal dirigido y se concentró en el mercado nacional en perjuicio de las exportaciones. Surgió entonces un aparato burocrático inmenso que vigilaba las restricciones de importación y controlaba el tipo de cambio de la moneda. El favoritismo y la corrupción se extendieron por toda la economía; los responsables de las políticas económicas ignoraron la inflación y el crecimiento económico fue lento. El gobierno llegó a comprender que la liberalización del mercado y la creciente globalización resultaban indispensables si deseaba prosperar.

En la década de 1990 Brasil implementó un conjunto de políticas que tenía por objetivo específico promover el crecimiento económico. La inflación se controló y los derrochadores gobiernos locales y federales se vieron obligados, por ley, a frenar su endeudamiento. Se concedió autonomía al Banco Central de Brasil y se le hizo la encomienda de mantener una baja inflación, así como asegurarse de que los bancos se abstuvieran de incurrir en políticas financieras riesgosas. Por otro lado, la economía se abrió al comercio internacional y a la inversión extranjera y se privatizaron muchas empresas públicas. Éstas y otras políticas permitieron que la economía de Brasil se convirtiera, a comienzos del 2000, en una economía en acelerado crecimiento.

Con una población de más de 190 millones y abundantes recursos naturales, Brasil produce decenas de millones de toneladas de acero y cemento y millones de refrigeradores y televisores actualmente. El país también ha ingresado a las industrias de alta tecnología como las de la computación y la aeronáutica. Brasil cuenta con recursos minerales comprobados en todo su territorio: entre ellos, petróleo, gas natural y manganeso que generan considerables ingresos de exportación. Por otro lado, Brasil compite con Australia como el exportador mundial más grande de hierro (en gran parte para el mercado chino). Brasil abunda en tierras cultivables que lo han convertido en un productor importante de productos agrícolas. Actualmente la economía brasileña tiene dos grandes fortalezas: un segmento poblacional en edad laboral creciente y abundancia de recursos naturales.

En ciertos sentidos, Brasil supera a los otros países en desarrollo que también experimentan un rápido crecimiento: a diferencia de China, es una democracia; a diferencia de India, no tiene ningún movimiento de insurgencia política, ni conflictos étnicos o religiosos, tampoco tiene la amenaza de vecinos hostiles; a diferencia de Rusia, sus exportaciones no se limitan al petróleo o al armamento y trata a los inversionistas extranjeros con respeto.

En un futuro, Brasil tendrá que llevar a cabo transformaciones en su economía si es que ha de ascender en la escala del desarrollo económico. Entre esas transformaciones necesitará: ahorrar e invertir más en carreteras, ferrocarriles y toda clases de infraestructura; tendrá que mejorar, además, su clima de desarrollo empresarial.

RESUMEN

1. Los países en desarrollo tienden a caracterizarse por bajos niveles de producto interno bruto per cápita, menores expectativas de vida y niveles de alfabetización en adultos. Muchos países en desarrollo consideran que el sistema comercial internacional actual, basado en el principio de la ventaja comparativa, es irrelevante para ellos.

2. Entre los supuestos problemas que enfrentan los países en desarrollo están a) los mercados de exportación inestables, b) el deterioro de los términos de intercambio y c) un acceso de mercado limitado.

3. Entre las instituciones y políticas que se han creado para respaldar a los países en desarrollo están el Banco Mundial, el Fondo Monetario Internacional y un sistema generalizado de preferencias.

4. Los acuerdos de productos internacionales se han formado para estabilizar los precios y los ingresos de los productores de bienes primarios. Los métodos utilizados para lograr tal estabilidad son las existencias reguladas, los controles de exportación y los contratos multilaterales. En la práctica, estos métodos han generado un éxito modesto.

5. El cártel de petróleo de la OPEP fue establecido en 1960 en reacción al control que las compañías petroleras internacionales más importantes ejercieron sobre el precio del petróleo. La OPEP ha utilizado las cuotas de producción para respaldar los precios y las ganancias por encima de lo que se podría alcanzar en condiciones más competitivas.

6. Además de buscar apoyo financiero de los países avanzados, los países en desarrollo han promovido una industrialización interna a través de las políticas de sustitución de importaciones y la promoción de las exportaciones.

Los países que enfatizan la promoción de las exportaciones han tendido a obtener tasas de crecimiento económico más altas que los países que enfatizan políticas de sustitución de las importaciones.

7. Las economías de Asia Oriental han obtenido un crecimiento económico sorprendente en décadas recientes. La base de dicho crecimiento ha incluido altas tasas de inversión, la dotación creciente de una fuerza de trabajo educada y el uso de políticas de promoción de las exportaciones.

8. Para la década de los noventas, China se había convertido en una economía de alto desempeño. Aunque China ha desmantelado gran parte de su economía centralmente planificada y ha permitido que la reemplace la libre empresa, las libertades políticas no han aumentado. En la actualidad China se describe como una economía de mercado socialista. Al estar fuertemente dotada de mano de obra, se especializa en muchos productos intensivos en mano de obra. En 2001 se convirtió en miembro de la OMC.

9. India es otro ejemplo de una economía que ha mejorado rápidamente su desempeño económico después de la adopción de políticas comerciales más libres. Luego de independizarse de Gran Bretaña en 1947, comenzó a practicar el socialismo y adoptó una política de sustitución de importaciones para manejar su economía. Para 1991 los políticos indios se percataron de que su sistema de controles estatales y de sustitución de las importaciones no estaba funcionando. Por tanto, adoptó una economía más abierta que alienta la inversión extranjera y un crecimiento económico acelerado.

CONCEPTOS Y TÉRMINOS CLAVE

Acuerdos internacionales de mercancías (p. 237)

Banco Mundial (p. 245)

Cártel (p. 240)

Contratos multilaterales (p. 239)

Controles a las exportaciones (p. 237)

Controles de producción y exportación (p. 237)

Crecimiento basado en las exportaciones (p. 252)

Existencias reguladas (p. 237)

Fondo Monetario Internacional (FMI) (p. 246)

Organización de Países Exportadores de Petróleo (OPEP) (p. 240)

Países avanzados (p. 227)

Países en desarrollo (p. 227)

Patrón de crecimiento económico de "vuelo de gansos" (p. 255)

Política orientada a las exportaciones o crecimiento hacia fuera (p. 252)

Productos primarios (p. 227)

Sistema generalizado de preferencias (p. 247)

Sustitución de importaciones (p. 250)

PREGUNTAS PARA ANÁLISIS

1. ¿Cuáles son las principales razones de escepticismo de muchos países en desarrollo en relación con el principio de la ventaja comparativa y el libre comercio?

2. Estabilizar los precios de los productos primarios ha sido un objetivo importante de muchas naciones de productos básicos. ¿Cuáles son los principales métodos utilizados para alcanzar una estabilización de precios?

3. ¿Cuáles son algunos de los ejemplos de los acuerdos de productos internacionales? ¿Por qué muchos de ellos se rompieron con el paso del tiempo?

4. ¿Por qué los países menos desarrollados están preocupados por la estabilización de precios de los productos?

5. La persona promedio quizá nunca escuchó acerca de la Organización de Países Exportadores de Petróleo hasta 1973 ó 1974, cuando los precios del petróleo se dispararon. De hecho, la OPEP fue fundada en 1960. ¿Por qué la OPEP no alcanzó prominencia mundial hasta la década de los setenta? ¿Qué factores contribuyeron a los problemas de la OPEP en la década de los ochenta?

6. ¿Por qué hacer trampa es un problema típico de los cárteles?

7. El sistema generalizado de preferencias tiene la intención de ayudar a los países en desarrollo a obtener acceso a los mercados mundiales. Explique.

8. ¿Cómo se utilizan las políticas de sustitución de las importaciones y de promoción de las exportaciones para ayudar en la industrialización de los países en desarrollo?

9. Describa la estrategia que utilizó Asia Oriental desde la década de los setenta a la de los noventa para alcanzar altas tasas de crecimiento económico. ¿El milagro asiático puede continuar en el nuevo milenio?

10. ¿En qué forma China ha alcanzado el estatus de una economía asiática de alto desempeño? ¿Por qué el estatus de China de relaciones comerciales normales ha sido una fuente de controversia en Estados Unidos? ¿Cuáles son los efectos probables por la entrada de China a la OMC?

11. ¿Qué llevó a India en la década de los noventa a abandonar su sistema de sustitución de importaciones? ¿Qué estrategia de crecimiento adoptó?

Acuerdos comerciales regionales

Las naciones avanzadas, desde la Segunda Guerra Mundial, han reducido sus restricciones comerciales. Dicha liberalización comercial se fundamenta en dos enfoques. El primero es una reducción indiscriminada y recíproca de las barreras comerciales. Según el Acuerdo General sobre Comercio y Aranceles (GATT) y su sucesor, la Organización Mundial de Comercio (OMC), los países miembros reconocen que las reducciones arancelarias acordadas entre dos naciones se extenderán a los demás afiliados. Dicho enfoque internacional alienta a una disminución gradual de los aranceles en todo el mundo.

Un segundo enfoque aplica cuando un pequeño grupo de países, por lo general con una base regional, firman un **acuerdo comercial regional**. Bajo este sistema las naciones afiliadas acuerdan imponer barreras comerciales más bajas dentro del grupo, en relación a las aplicadas en el comercio con los países no afiliados. Cada nación afiliada continúa la determinación de sus políticas nacionales, pero la política comercial de cada uno incluye un trato preferencial para los afiliados del grupo. Los acuerdos comerciales regionales (áreas de libre comercio y uniones aduaneras) han sido una excepción al principio de no discriminación que establece la Organización Mundial de Comercio. En este capítulo se investigará la operación y los efectos de dos acuerdos comerciales regionales: la Unión Europea y el Tratado de Libre Comercio de América del Norte.

INTEGRACIÓN REGIONAL FRENTE A MULTILATERALIDAD

Recuerde que un propósito importante de la OMC es promover la liberalización comercial a través de los acuerdos mundiales. Sin embargo, hacer que un número grande de países se ponga de acuerdo en las reformas resulta en extremo difícil. A principios de 2000, la OMC tenía problemas en su intento por llegar a un acuerdo comercial global y los países buscaban cada vez más acuerdos comerciales regionales, más estrechos, como una alternativa. El número de acuerdos comerciales regionales ha aumentado de 70 en 1990 a más de 300 en la actualidad; en conjunto abarcan más de la mitad del comercio internacional. ¿Estos acuerdos comerciales regionales son bloques de construcción o bloques de obstaculización para un sistema comercial multilateral?[1]

La liberalización comercial bajo un acuerdo comercial regional es muy distinta a la liberalización multilateral que dicta la OMC. En los acuerdos comerciales regionales las naciones reducen las ba-

---

[1] World Trade Organization, "The WTO and Preferential Trade Agreements: From Co-existence to Coherence", *World Trade Report*, 2011.

rreras comerciales sólo para un pequeño grupo de países socios y así discriminan al resto del mundo. Bajo la OMC la liberalización comercial de cualquier nación se extiende al resto de los afiliados de la OMC, 159 naciones, de manera indiscriminada.

Aunque los bloques comerciales regionales complementan el sistema comercial multilateral, por su misma naturaleza son discriminatorios; son una desviación del principio de las relaciones comerciales normales, que es la piedra angular del sistema de la OMC. Algunos analistas señalan que los bloques comerciales regionales, que limitan el criterio de los países afiliados para buscar una liberalización comercial con países externos, pueden convertirse en un gran obstáculo para una multilateralidad. Por ejemplo, si Malasia ya tuvo éxito en encontrar un mercado en Estados Unidos, tendría sólo un interés limitado en un acuerdo de libre comercio con Estados Unidos. Pero su rival menos exitoso, Argentina, estaría ansioso por firmar un acuerdo de libre comercio regional y así capturar la participación que tiene Malasia del mercado estadunidense: no a partir de la fabricación de un producto mejor o más barato, sino de la obtención de un tratamiento especial bajo la ley comercial estadunidense. Una vez que Argentina obtiene su privilegio especial, ¿qué incentivo tendría para asistir a las reuniones de la OMC y firmar un acuerdo multilateral de libre comercio que elimine esos privilegios especiales?

Hay dos factores adicionales que influyen para que los miembros de un acuerdo comercial regional no estén interesados en una liberalización a nivel mundial. Primero, es probable que los miembros del bloque comercial no obtengan economías de escala adicionales por una liberalización comercial global, que sólo brinda una apertura modesta de los mercados extranjeros. Los bloques comerciales regionales, que brindan una liberalización comercial más extensa, permiten que las empresas nacionales tengan ciclos de producción suficientes para agotar las economías de escala. Segundo, los miembros de los bloques comerciales tienden a invertir su tiempo y energía en establecer fuertes vínculos regionales y no en negociaciones globales.

Por otro lado, cuando los bloques regionales se conforman de acuerdo con los principios de apertura y de inclusión, los bloques regionales pueden ser bloques que se integran, en lugar de ser bloques que obstaculizan, para alcanzar el libre comercio y la inversión global. Así, los bloques regionales fomentan las aperturas de mercado globales en varias formas. Primero, los acuerdos regionales alcanzan una integración económica más profunda entre los afiliados que los acuerdos multilaterales, debido a la comunión de intereses y de procesos de negociación más simples. Segundo, un proceso de autoreforzamiento se instituye por medio del establecimiento de un área regional de libre comercio: conforme el mercado, agrupado en un área de libre comercio se expande, unirse a él se vuelve cada vez más atractivo para los no afiliados, con el fin de recibir las mismas preferencias comerciales que los países afiliados. Tercero, la liberalización regional impulsa a un ajuste parcial de los trabajadores, de aquellas industrias que compiten con las importaciones con una desventaja comparativa, hacia las industrias de exportación en las que la ventaja comparativa es fuerte. Conforme procede el ajuste, aumenta el porcentaje de la fuerza de trabajo que se beneficia de la liberalización del comercio y disminuye el porcentaje de trabajadores que pierde; esto promueve el respaldo político para la liberalización comercial en un proceso de autoreforzamiento. Por todas estas razones, cuando los acuerdos regionales se forman con base en los principios de apertura, ellos se traslapan y expanden y así se promueve el libre comercio global, desde la base hacia arriba.

Considere los diversos tipos de bloques comerciales regionales y sus efectos económicos.

TIPOS DE ACUERDOS COMERCIALES REGIONALES

Desde mediados de la década de los cincuenta, el término **integración económica** se ha vuelto parte del vocabulario de los economistas. La integración económica es un proceso de eliminación de las restricciones al comercio internacional, a los pagos y a la movilidad de factores. Así, la integración económica resulta de la unión de dos o más economías nacionales en un acuerdo comercial regional. Antes de proceder, conviene distinguir entre los tipos de acuerdos comerciales regionales.

Un área **de libre comercio** es una asociación de naciones comerciales en la que los miembros están de acuerdo en retirar todas las barreras arancelarias y no arancelarias entre ellos. Sin embargo, cada miembro mantiene su propio conjunto de restricciones comerciales frente a los países no miembros. Un ejemplo de esta etapa de integración es el Tratado de Libre Comercio de América del Norte (TLCAN), que está formado por Canadá, México y Estados Unidos. Además del TLCAN Estados Unidos ha celebrado tratados de libre comercio con muchos otros países.[2] Al igual que una asociación de libre comercio, una **unión aduanera** es un acuerdo entre dos o más socios comerciales para retirar todas las barreras comerciales arancelarias y no arancelarias entre ellos. Sin embargo, cada país miembro impone restricciones comerciales idénticas en contra de los países no participantes. El efecto de la política comercial extranjera común es permitir el libre comercio dentro de la unión aduanera, al tiempo que se igualan todas las restricciones comerciales impuestas en contra de los externos a la unión. Un ejemplo bien conocido es **Benelux** (Bélgica, Holanda y Luxemburgo), que se formó en 1948.

Un **mercado común** es un grupo de naciones que, al comerciar entre sí, les permite: *1)* libre movilidad de productos y servicios entre los países miembros, *2)* el establecimiento de restricciones comerciales comunes en contra de los países no miembros y *3)* el libre movimiento de los factores de producción a través de las fronteras nacionales dentro del bloque económico. Así, el mercado común representa una etapa más completa de integración que un área de libre comercio o una unión aduanera. La **Unión Europea (UE)**[3] alcanzó el estatus de mercado común en 1992.

Más allá de estas etapas, la integración económica evoluciona a la etapa de **unión económica**, en la que se armonizan las políticas nacionales, sociales y fiscales y que administra una institución supranacional. Bélgica y Luxemburgo formaron una unión económica durante la década de 1920. La tarea de crear una unión económica es mucho más ambiciosa que otras formas de integración. Esto se debe a que el área de libre comercio, la unión aduanera o el mercado común son la abolición de las barreras comerciales existentes, pero una unión económica requiere de un acuerdo para transferir la soberanía económica a una autoridad supranacional. El último grado de unión económica sería la unificación de las políticas monetarias nacionales y la aceptación de una moneda común administrada por una autoridad monetaria supranacional. Así la unión económica, por tanto, incluiría la dimensión de una **unión monetaria**.

Estados Unidos es un ejemplo de una unión monetaria. Cincuenta estados que se vinculan en una unión monetaria completa, con moneda común, tipos de cambio totalmente fijos entre los 50 estados y la Reserva Federal que sirve como banco central de la nación: emite la moneda y determina las políticas monetarias de la nación. El comercio es libre entre los estados y tanto el trabajo como el capital se mueven libremente en busca de los máximos rendimientos. El gobierno federal conduce las políticas y los acuerdos fiscales de la nación en cuestiones como los programas de retiro y salud, defensa nacional, asuntos internacionales y demás. Otros programas, como protección policial y educación los realizan los gobiernos estatales y locales para que los estados puedan mantener su identidad dentro de la unión.

---

[2] Otros socios de EUA con tratado de libre comercio son: Australia, Bahrain, Colombia, Corea del Sur, Costa Rica, Chile, El Salvador, Guatemala, Honduras, Israel, Jordania, Maruecos, Nicaragua, Omán, Panamá, Perú y República Dominicana.

[3] Fundada en 1957, la Comunidad Europea era un nombre colectivo para tres organizaciones: la Comunidad Económica Europea, la Comunidad Europea de Carbón y Acero y la Comisión Europea de Energía Atómica. En 1994 la Comunidad Europea fue remplazada por la Unión Europea después que los 12 países miembros de la Unión Europea ratificaron el Tratado de Maastricht. Por simplicidad, el nombre Unión Europea se utiliza a lo largo de este capítulo al analizar sucesos que ocurrieron antes y después de 1994.

EL ÍMPETU EN PRO DEL REGIONALISMO

La búsqueda por los acuerdos comerciales regionales se debe a una diversidad de razones. Una motivación para cualquier acuerdo comercial regional ha sido la perspectiva de un mejor crecimiento económico. Un mercado regional más amplio permite alcanzar grandes economías de escala en la producción, fomenta la especialización y el aprender haciendo (*learning-by-doing*), y atrae la inversión extranjera. Las iniciativas regionales también fomentan una diversidad de objetivos no económicos, como la administración de los flujos migratorios y promoción de la seguridad regional. El regionalismo puede incluso mejorar y solidificar las reformas económicas nacionales: las naciones de Europa Oriental, por ejemplo, consideran sus iniciativas regionales con la Unión Europea como un medio para afirmar sus políticas nacionales hacia la privatización y su reforma orientada al mercado.

Las naciones más pequeñas buscan acuerdos de paraísos comerciales con naciones más grandes cuando parece incierto el futuro acceso a los mercados de los países más grandes. Esta fue una motivación para la formación del TLCAN. En América del Norte, la motivación de México por unirse al TLCAN fue su temor a los cambios en la política comercial estadunidense hacia una orientación comercial administrada o estratégica. La búsqueda de Canadá de un acuerdo de libre comercio se vio motivada por el deseo de controlar los derechos *antidumping* y compensatorios que le aplicaba Estados Unidos.

Al tiempo que se forman nuevos acuerdos comerciales regionales o conforme se expanden o se profundizan los existentes, aumenta el costo de oportunidad de quedarse fuera de un acuerdo. Los exportadores no afiliados podrían sufrir costosas disminuciones en su participación de mercado, si sus ventas se desviaran a las empresas de los países afiliados. Esta posibilidad puede ser suficiente para inclinar a la decisión política en favor de convertirse en miembro de un acuerdo comercial regional, pues los intereses de exportación de una nación no miembro exceden sus intereses de competencia con las importaciones. Las negociaciones entre Estados Unidos y México por formar un área de libre comercio parecen haber influido fuertemente en la decisión de Canadá de unirse al TLCAN para no quedarse atrás en el movimiento hacia un libre comercio en Norteamérica.

EFECTOS DE UN ACUERDO COMERCIAL REGIONAL

¿Cuáles son las posibles implicaciones de los *acuerdos comerciales regionales* sobre el bienestar? Es posible delinear los beneficios teóricos y los costos de dichos instrumentos desde dos perspectivas. Primero están los **efectos estáticos de la integración económica** sobre la eficiencia productiva y el bienestar del consumidor. En segundo lugar están los **efectos dinámicos de la integración económica** que se relacionan con las tasas de crecimiento a largo plazo de los países miembros. Como un pequeño cambio en la tasa de crecimiento puede ocasionar un efecto acumulativo sustancial en la producción nacional, los efectos dinámicos de los cambios en políticas comerciales pueden generar magnitudes sustancialmente más grandes que las sustentadas en los modelos estáticos. Estos dos efectos en combinación determinan las ganancias de bienestar general o las pérdidas asociadas con la formación de un acuerdo comercial regional.

Efectos estáticos

El siguiente ejemplo ilustra los efectos estáticos sobre el bienestar que provoca la reducción de las barreras arancelarias entre los afiliados de un bloque comercial. Asuma un mundo compuesto por tres países: Luxemburgo, Alemania y Estados Unidos. Suponga que Luxemburgo y Alemania decidieran formar una unión aduanera y que Estados Unidos sea un país no afiliado. La decisión de formar una unión aduanera requiere que Luxemburgo y Alemania supriman todas las restricciones arancelarias entre ellos mientras conservan una política arancelaria común en contra de Estados Unidos.

FIGURA 8.1

Efectos estáticos de la unión aduanera sobre el bienestar

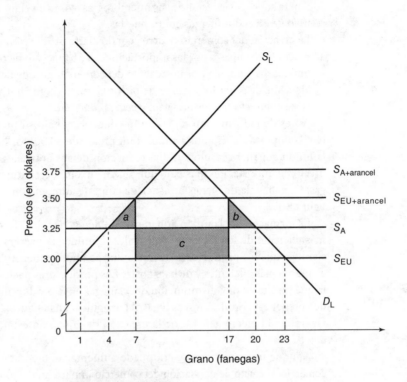

La formación de una unión aduanera lleva a un efecto de creación de comercio que aumenta el bienestar y a un efecto por la desviación en el comercio que disminuye el bienestar. El efecto general de la unión aduanera sobre el bienestar de sus *miembros, así como en el mundo como un todo, depende del peso relativo de estas dos fuerzas contrarias.*

© Cengage Learning

Refiérase a la figura 8.1 y considere O_L y D_L como las curvas de oferta y demanda de Luxemburgo. Suponga que Luxemburgo es muy pequeño en relación con Alemania y Estados Unidos. Esto significa que Luxemburgo no puede influir en los precios internacionales, así que las curvas de oferta extranjeras de grano son perfectamente elásticas. Suponga que el precio de oferta de Alemania sea de $3.25 por fanega y que el de Estados Unidos sea de $3 por fanega. Observe que se supone a Estados Unidos como el proveedor más eficiente.

Antes de la formación de la unión aduanera, Luxemburgo, bajo las condiciones de libre comercio, compra todas sus necesidades de importación de Estados Unidos. Alemania no participa en el mercado porque su precio de oferta excede al de Estados Unidos. En un equilibrio de libre comercio, el consumo de Luxemburgo es igual a 23 fanegas, la producción es igual a 1 fanega y su importación es de 22 fanegas. Si Luxemburgo impulsa un arancel igual a $0.50 por cada fanega importada de Estados Unidos (o Alemania), entonces las importaciones caerán de 22 a 10 fanegas.

Suponga que, como parte de un acuerdo de libre comercio, Luxemburgo y Alemania forman una unión aduanera. El arancel de importación de Luxemburgo en contra de Alemania se retira, pero se mantiene en las importaciones del país no miembro, que es Estados Unidos. Esto significa que Alemania se convierte en el proveedor de bajo precio. Ahora Luxemburgo compra todas sus importaciones, que totalizan 16 toneladas, de Alemania a $3.25 por fanega, mientras que no importa nada de Estados Unidos.

El movimiento hacia un comercio más libre bajo una unión aduanera afecta el bienestar mundial en dos formas contrapuestas: un **efecto de creación del comercio** que aumenta el bienestar y un **efecto de desviación del comercio** que reduce el bienestar. La consecuencia general de una unión aduanera sobre el bienestar de sus miembros, así como en el mundo como un todo, depende del peso relativo de estas dos fuerzas contrapuestas.

La creación del comercio ocurre cuando cierta producción nacional de un miembro de la unión aduanera se reemplaza por las importaciones de bajo costo de otro miembro. El bienestar de los países miembros aumenta por la creación del comercio porque lleva a una mayor especialización de la producción, de acuerdo con el principio de la ventaja comparativa. El efecto de creación del comercio consiste en un *efecto consumo* y un *efecto producción*.

Antes de la formación de la unión aduanera y bajo su propia protección arancelaria, Luxemburgo importa de Estados Unidos a un precio de $3.50 por fanega. La entrada de Luxemburgo a la unión aduanera resulta en una reducción de sus aranceles frente a Alemania. Al enfrentar un precio de importación más bajo que $3.25, Luxemburgo aumenta su consumo de grano en 3 fanegas. La ganancia de bienestar asociada con este aumento en consumo es igual al triángulo *b* en la figura 8.1.

La formación de la unión aduanera también genera un efecto producción que resulta en un uso más eficiente de los recursos mundiales. Eliminar la barrera arancelaria en contra de Alemania significa que los productores de Luxemburgo ahora deben competir en contra de los productores alemanes más eficientes y de bajo costo. Los productores nacionales ineficientes salen del mercado, lo que resulta en una disminución de 3 fanegas en la producción nacional. La reducción en el costo de obtener esta producción es igual al triángulo *a* en la figura. Esto representa el efecto producción favorable. El efecto general de la creación de comercio está dado por la suma de los triángulos *a* + *b*.

Aunque una unión aduanera puede aumentar el bienestar mundial mediante la creación del comercio, el efecto de desviación del comercio implica una pérdida de bienestar. La desviación del comercio ocurre cuando las importaciones de un proveedor de bajo costo fuera de la unión son reemplazadas por compradores de un proveedor de costo más alto dentro de la unión. Esto sugiere que la producción mundial se reorganiza en forma menos eficiente. En la figura 8.1, aunque el volumen total del comercio aumenta bajo la unión aduanera, parte de este comercio (10 fanegas) ha sido desviado de un proveedor de bajo costo, Estados Unidos, a un proveedor de alto costo, Alemania. El aumento en el costo por obtener estas 10 fanegas de granos importados es igual al área *c*. Ésta es la pérdida de bienestar de Luxemburgo, así como de todo el mundo. Este análisis estático concluye que la formación de una unión aduanera aumentará el bienestar de sus miembros, así como del resto del mundo, si el efecto positivo de creación del comercio contrarresta en exceso el efecto negativo de desviación del comercio. En relación con la figura, esto ocurre si *a* + *b* es mayor que *c*.

Con este análisis se ilustra que el éxito de una unión aduanera depende de los factores que contribuyen a la creación y desviación del comercio. Se pueden identificar varios factores que influyen en el peso relativo de estos efectos. Un factor es el tipo de naciones que tienden a beneficiarse de una unión aduanera. Las naciones cuyas economías antes de la unión son bastante competitivas es probable que se beneficien de la creación del comercio debido a que la formación de la unión ofrece una mayor oportunidad para la especialización en la producción. También, entre mayor sea el tamaño y el número de los países en la unión, superiores serán las ganancias, porque hay una mayor posibilidad de que los productores del mundo de bajo costo sean miembros de la unión. En el caso extremo en el que la unión consista de todo el mundo, puede existir sólo creación del comercio, más no una desviación del comercio. Además, el alcance de la desviación del comercio es menor cuando el arancel común de la unión aduanera aplicado al resto de los no miembros es más bajo en vez de ser más alto. Como un arancel más bajo permite un mayor comercio con las naciones no miembros, habrá un menor remplazo de importaciones de las naciones no miembros por importaciones de relativamente alto costo de las naciones participantes.

Efectos dinámicos

No todas las consecuencias del bienestar de un acuerdo comercial regional son de naturaleza estática. También puede haber ganancias dinámicas que influyen a largo plazo en las tasas de crecimiento de la nación miembro. Estas ganancias dinámicas provienen de la creación de mercados más grandes por el movimiento hacia un libre comercio bajo las uniones aduaneras. Los beneficios asociados con las ganancias dinámicas de la unión aduanera contrarrestan con mucho cualquier efecto estático desfavorable. Las ganancias dinámicas incluyen las *economías de escala*, una *mayor competencia* y un *estímulo de inversión*.

Tal vez el resultado más notable de la unión aduanera es el agrandamiento del mercado. Al ser capaces de penetrar libremente a los mercados nacionales de las demás naciones miembros, los productores pueden aprovechar las economías de escala que no hubieran ocurrido en mercados más pequeños limitados por las restricciones comerciales. Los mercados más grandes permiten eficiencias atribuibles a una mayor especialización de trabajadores y maquinaria, al uso de equipo más eficiente y al uso más completo de los productos derivados. La evidencia sugiere que la Unión Europea ha alcanzado economías de escala significativas en productos como acero, automóviles, calzado y refinamiento de cobre.

La industria europea de refrigeradores es un ejemplo de los efectos dinámicos de la integración. Antes de la formación de la Unión Europea, cada una de las importantes naciones europeas que fabricaban refrigeradores (Alemania, Italia y Francia) respaldaba a un pequeño número de fabricantes que producían principalmente para el mercado nacional. Estos fabricantes tenían series de producción de menos de 100,000 unidades por año, un nivel demasiado bajo para permitir la adopción de un equipo automatizado. Las series de producción cortas se traducían en altos costos por unidad. La formación de la UE trajo la apertura de los mercados europeos y preparó el camino para la adopción de métodos de producción a gran escala, incluidas líneas de producción con prensas automatizadas y soldaduras de puntos. Para el final de la década de los sesenta, la planta típica de refrigeradores fabricaba 850,000 refrigeradores por año. Este volumen fue más que suficiente para cumplir con la escala mínima eficiente de operación, calculada en 800,000 unidades por año. A finales de la década de los sesenta los fabricantes alemanes y franceses también promediaban 570,000 unidades y 290,000 unidades por año, respectivamente.[4]

Los mercados más amplios promueven una mayor competencia entre los productores dentro de una unión aduanera. Con frecuencia se percibe que las restricciones comerciales promueven un poder monopólico, en donde un pequeño grupo de empresas dominan un mercado nacional. Dichas empresas prefieren llevar una vida tranquila, formar acuerdos para no competir con base en el precio. Pero con el movimiento hacia mercados más abiertos bajo una unión aduanera, el potencial para una colusión exitosa disminuye conforme el número de competidores se expande. Con el libre comercio, los productores nacionales deben competir o enfrentar la posibilidad de una quiebra financiera. Para sobrevivir en mercados expandidos y más competitivos, los productores deben reducir el desperdicio, mantener los precios abajo, mejorar la calidad y aumentar la productividad. La presión competitiva también puede ser una revisión efectiva en contra del uso del poder de monopolio y en general, un beneficio para los consumidores de una nación.

Finalmente, el comercio puede acelerar el paso del avance tecnológico e impulsar el nivel de productividad. Al aumentar la tasa de rendimiento esperada para una innovación exitosa y extender los costos de investigación y desarrollo de forma más inteligente, el comercio puede impulsar un ritmo más alto de gasto de inversión en las tecnologías más recientes. Un mayor comercio internacional también mejora el intercambio del conocimiento técnico entre los países conforme el capital humano y el físico se desplazan con mayor libertad. Estos incentivos tienden a aumentar la tasa de crecimiento de la economía y ocasionan no sólo un impulso de una sola vez al bienestar económico, sino un aumento persistente en ingreso que se vuelve cada vez más grande conforme pasa el tiempo.

---

[4] Nicholas Owen, *Economies of Scale, Competitiveness, and Trade Patterns Within the European Community*, Nueva York, Oxford University Press, 1983, pp. 119-139.

Después de un lapso de cuatro años sin pactar nuevas sociedades de libre comercio, en 2011 el gobierno estadunidense aprobó tratados con Corea del Sur, Panamá y Columbia. El presidente Barack Obama estaba muy interesado en aprobar estos tratados porque consideraba que ayudarían a generar empleos en la débil economía estadunidense de ese momento. La mayoría de los sindicatos, sin embargo, se mostraban escépticos: temían que las empresas estadunidenses sólo acabarían reubicando en el extranjero más empleos ahora que podían aprovechar costos de mano de obra inferiores en esas naciones. Consideremos aquí el acuerdo comercial entre EUA y Corea del Sur.

¿En qué podía beneficiar a Estados Unidos el libre comercio con Corea del Sur? Corea del Sur tiene un mercado grande: se trata de la cuarta mayor economía de Asia. El acuerdo de libre comercio haría que las exportaciones estadunidenses fueran más atractivas para aproximadamente 50 millones de consumidores.

¿Y que hay del riesgo del éxodo de empleos al extranjero? Es cierto que las exportaciones son sólo una parte de la historia; las importaciones también aumentarían y esto podía costar a los estadunidenses pérdida de empleos de dos maneras: algunos artículos coreanos serían relativamente menos costosos que los producidos en Estados Unidos y algunas compañías estadunidenses podrían reubicar la mano de obra en el extranjero.

Algunos empleos estadunidenses se perderían debido al acuerdo comercial. Sin embargo, el asunto clave era si los empleos creados excederían al número de empleos perdidos. Esto depende en parte de qué industrias se benefician y cuáles sufren. De acuerdo con los analistas industriales, las industrias que se beneficiarían serían las de: lácteos, fruta, cerdo, carne de res, productos de carne de ave, plásticos, químicos y los servicios de gestión financiera. Antes del acuerdo comercial, Corea del Sur tenía un arancel de 24% sobre las cerezas y un arancel de 45% sobre las manzanas, que limitaban notablemente las exportaciones de fruta de EU a Corea del Sur. No sorprende que los agricultores estadunidenses fueran los primeros en celebrar la aprobación del acuerdo de libre comercio. Se esperaba que, por el contrario, las industrias del acero, textiles, semiconductores y partes de maquinaría serían las más afectadas cuando la competencia surcoreana se intensificara bajo el libre comercio.

Quienes defienden el libre comercio siempre han argumentado que es una característica normal del comercio que algunas industrias ganen mientras otras pierdan. El comercio crea incentivos para que las naciones se especialicen en los productos de su ventaja comparativa. Los bienes y los servicios que una nación puede producir a un costo inferior se venden, entonces a otra nación. Incluso si esto cuesta algunos empleos, debe, al largo plazo, colocar a Estados Unidos en una posición más favorable, pues redirige sus impulsos hacia las industrias donde puede competir mejor en el mercado mundial. Conforme los ciudadanos estadunidenses compren artículos surcoreanos menos costosos gracias al libre comercio, también tendrán más dinero para gastar en otros artículos y algunos de ellos serán de producción nacional.

¿Y qué hay de los empleados estadunidenses que pierden su trabajo? Para obtener el apoyo del Congreso para este acuerdo comercial, Obama aceptó renovar el programa de asistencia para ajustarse al comercio (que ya discutimos en el capítulo 6 de este libro). Este programa ofrece a los empleados despedidos por las consecuencias de un acuerdo de libre comercio un ingreso temporal y asistencia en para la readaptación laboral. Aunque algunos trabajos se perderán, los trabajadores podrán encontrarse posteriormente en un mejor puesto para competir en las ocupaciones más sustentables.

A pesar de este optimismo, los dirigentes sindicales en general presionaron sistemáticamente en contra del acuerdo del libre comercio entre EU y Corea del Sur: insistían en su argumento de que éste sólo agudizaría la tendencia de las empresas estadunidenses a reubicar la producción en los países con mano de obra barata.

UNIÓN EUROPEA

En los años posteriores a la Segunda Guerra Mundial los países de Europa occidental sufrieron déficits en su balanza de pagos debido a los esfuerzos de reconstrucción. Para proteger a sus empresas y a los trabajadores de las presiones competitivas externas, iniciaron una elaborada red de restricciones arancelarias y de intercambio, de controles cuantitativos y de comercio estatal. Sin embargo, en la década de los cincuenta estas barreras comerciales se consideraban contraproducentes. Por tanto, Europa occidental comenzó a desmantelar sus barreras comerciales en respuesta a las negociaciones arancelarias exitosas bajo los auspicios del GATT. La esperanza era que, al unir estrechamente a las naciones europeas tanto económica como financieramente, sería del interés de todas no trabar guerras entre sí.

Fue a la luz de estos antecedentes de liberalización comercial que la Unión Europea, entonces conocida como la Comunidad Europea, fue creada por el Tratado de Roma en 1957. La Unión Europea consistía inicialmente de seis naciones: Bélgica, Francia, Italia, Luxemburgo, Holanda y Alemania Occidental. Para 1973, el Reino Unido, Irlanda y Dinamarca se habían unido al bloque comercial. Grecia se unió en 1981, seguida por España y Portugal en 1987. En 1995 Austria, Finlandia y Suecia fueron admitidas en la UE. En 2004 otros diez países de Europa Central y del Este se unieron a la UE: Chipre, la República Checa, Estonia, Hungría, Letonia, Lituania, Malta, Polonia, Eslovaquia y Eslovenia. En 2007 Bulgaria y Rumania se unieron y, en 2013, siguió Croacia, con lo que la participación llegó a 28 países. La UE ve este proceso de ampliación como una oportunidad para promover la estabilidad en Europa y una mayor integración del continente por medios pacíficos.

Búsqueda de una integración económica

De acuerdo con el tratado de Roma, la UE acordó en principio seguir la ruta de la integración económica y eventualmente convertirse en una unión económica. En la búsqueda de esta meta, los miembros de la UE primero desmantelaron los aranceles y establecieron una zona de libre comercio en 1968. Esta liberalización del comercio trajo como resultado un incremento de cinco veces el valor del comercio industrial, mayor que el comercio mundial en general. El éxito de la zona de libre comercio inspiró a la UE para continuar su proceso de integración económica. En 1970 la UE se convirtió en una unión aduanera completa cuando adoptó un sistema arancelario externo común para sus afiliados.

Varios estudios se han realizado sobre el impacto general de la UE en el bienestar de sus miembros. Estos estudios concluyeron, en general, que la creación del comercio ha excedido a la desviación del comercio por un factor del 2 al 15%. Además, los analistas también señalaron que la UE obtuvo beneficios dinámicos de integración en forma de competencia e inversión adicional y también economías de escala. Por ejemplo, se ha determinado que muchas empresas en las naciones pequeñas, como Holanda y Bélgica, obtuvieron economías de escala al producir tanto para el mercado interno como para el de exportación.[5]

Después de formar una unión aduanera, la UE hizo pocos progresos para convertirse en un mercado común hasta 1985. El clima económico hostil (recesión e inflación) de la década de los setenta llevó a los miembros de la UE a proteger a sus ciudadanos de las fuerzas externas más que a desmantelar el comercio y las restricciones de inversión. Sin embargo, para la década de los ochenta, los miembros de la UE estaban cada vez más frustrados con las barreras que obstaculizaban las transacciones dentro del bloque. Los funcionarios europeos también temían que la competitividad de la UE se estaba quedando atrás frente a Japón y Estados Unidos.

En 1985 la UE anunció un programa detallado para convertirse en un mercado común. Esto resultó en la eliminación de las barreras comerciales no arancelarias restantes para todas lass transacciones dentro de la Unión Europea para 1992. Algunos ejemplos de estas barreras incluían burocracia en los controles fronterizos y aduanales, estándares divergentes y regulaciones técnicas, leyes de negocios opuestas entre sí y políticas públicas de compras proteccionistas. La eliminación de estas barreras resultó en la formación de un mercado común europeo y convirtió al bloque comercial en la segunda economía del mundo, casi tan grande como la economía de Estados Unidos.

Mientras que la UE se convertía en un mercado común, sus jefes de gobierno acordaron buscar niveles aún más profundos de integración. Su meta era empezar el proceso de reemplazar sus bancos centrales por un Banco Central Europeo y reemplazar sus monedas nacionales por una sola moneda europea. El **Tratado de Maastricht**, firmado en 1991, estableció 2002 como la fecha en la que este proceso sería completado. En 2002, una **Unión Monetaria Europea** (**UME**) con pleno derecho surgió con una sola moneada, conocida como **euro**.

---

[5] Richard Harmsen y Michael Leidy, "Regional Trading Arrangements", en *International* Monetary Fund, World Economic and Financial Surveys, *International Trade Policies: The Uruguay Round and Beyond*, vol. II, 1994, p. 99.

Cuando se firmó el Tratado de Maastricht, las condiciones económicas en los diversos miembros de la UE diferían de manera sustancial. El tratado especificó que para ser considerado para la unión monetaria, el desempeño económico de un país tendría que ser similar al desempeño de los otros miembros. Desde luego, los países no podían buscar diferentes tasas de crecimiento monetario, tener diferentes tasas de crecimiento económico y distintas tasas de inflación al tiempo que tenían monedas que no se movían en forma ascendente o descendente en relación con las demás. Así que lo primero que los europeos tenían que hacer era alinear sus políticas económicas y monetarias.

Este esfuerzo, llamado convergencia, ha conseguido un alto grado de uniformidad en términos de inflación de precios, crecimiento de suministro de dinero y otros factores económicos clave. El **criterio de convergencia** específico, como lo ordenó el Tratado de Maastricht es el siguiente:

- **Estabilidad de precios**. La inflación en cada candidato a miembro se supone que no debe ser de más de 1.5 por ciento por encima de las tasas de inflación promedio en los tres países con las tasas de inflación más bajas.
- **Tasas de interés bajas a largo plazo**. Las tasas de interés a largo plazo no deberán ser de más de 2 por ciento por encima de la tasa de interés promedio en esos países.
- **Tipos de cambio estables**. El tipo de cambio se supone que debe mantenerse dentro de las bandas establecidas por la unión monetaria sin devaluaciones durante al menos dos años antes de unirse a la unión monetaria.
- **Finanzas públicas sanas**. Un criterio fiscal es que el déficit presupuestal de un candidato a miembro debe ser cuando mucho de 3 por ciento del PIB; el otro es que la cantidad sobresaliente de deuda gubernamental no debe ser mayor a 60 por ciento del PIB de un año.

El euro es la moneda oficial de 18 de los 28 países miembros de la UE. Estos países son: Alemania, Austria, Bélgica, Chipre, Eslovaquia, Eslovenia, España, Estonia, Finlandia, Francia, Grecia, Holanda, Irlanda, Italia, Letonia, Luxemburgo, Malta y Portugal. Notablemente, el Reino Unido, Dinamarca y Suecia han decidido, hasta ahora, no implementar la transformación al euro. El euro también se usa en otras seis naciones europeas y, en conjunto, lo emplean 330 millones de europeos. Más de 175 millones de personas en el mundo emplean alguna moneda que está vinculada al euro, incluyendo más de 150 millones de habitantes en África. El euro es la segunda divisa de reserva más importante y la segunda divisa más comerciada en el mundo, después del dólar.

Una motivación importante para la UME fue el impulso que brinda para una unión política, una meta de mucho tiempo para muchos de quienes elaboran las políticas europeas. Francia y Alemania tomaron la iniciativa de la UME. La unión monetaria se concebía como una forma segura de anclar a Alemania a Europa. Por otro lado, la UME proporcionaba a Francia un papel mucho más grande para determinar la política monetaria europea de lo que hubiera sido el caso con un banco central común. Antes de la UME, la política monetaria de Europa estaba determinada principalmente por el Bundesbank de Alemania.

Política agrícola

Además de brindar la oportunidad del libre comercio de productos industriales entre sus miembros, la UE ha abolido las restricciones en productos agrícolas comerciados de forma interna. Una **política agrícola común** ha remplazado las políticas de estabilización agrícolas de los países miembros individuales, que diferían ampliamente antes de la formación de la UE. Un elemento sustancial de la política agrícola común ha sido el respaldo a precios recibido por los agricultores para su producción. Se han utilizado esquemas que incluyen pagos de deficiencias, controles de producción y pagos de ingresos directos para este fin. Además, la política agrícola común ha respaldado los precios agrícolas de la UE a través de un sistema de **gravámenes variables**, que aplica aranceles a las importaciones agrícolas que ingresan a la UE. Las exportaciones de cualquier cantidad excedente de la producción de la UE se han asegurado a través de la adopción de **subsidios a la exportación**.

Un problema que enfrentan los programas de apoyo a los precios de la UE es que las eficiencias agrícolas difieren entre los miembros de la UE. Considere el caso de los granos: los agricultores alemanes al ser productores de alto costo, han buscado precios de apoyo altos para mantener sus existencias. Los agricultores franceses más eficientes no necesitan precios de apoyo tan altos como los alemanes para mantenerse en operación; sin embargo, los agricultores franceses han encontrado que es conveniente para sus intereses cabildear por altos precios de apoyo. En años recientes, se han aplicado altos precios de apoyo a productos como carne, granos y mantequilla. Así, la política agrícola común ha alentado una producción agrícola ineficiente por parte de los agricultores de la UE y ha restringido las importaciones de alimentos de productores más eficientes no miembros. Esa desviación del comercio ha sido un efecto de disminución del bienestar de la UE.

Gravámenes variables En la figura 8.2 se ilustra la operación de un sistema de gravámenes variables. Suponga que O_{UE0} y D_{UE0} representan las curvas de oferta y demanda de la Unión Europea de trigo y que el precio mundial del trigo es de $3.50 por fanega. También asuma que la UE desea garantizar a sus agricultores de alto costo un precio de $4.50 por fanega. Este precio no puede ser sostenido en tanto se permita la importación de trigo a la Unión Europea al precio de libre mercado de $3.50 por fanega. Suponga que la UE, para validar el precio de apoyo, inicia un gravamen variable. Dado un gravamen de importación de 1 dólar por fanega, a los agricultores de la UE se les permite producir 5 millones de fanegas de trigo, a diferencia de los 3 millones de fanegas que se producirían bajo el libre comercio. Al mismo tiempo, la UE importa un total de 2 millones de fanegas en lugar de 6 millones de fanegas.

Suponga ahora que, debido a una mayor productividad en el extranjero, el precio mundial del trigo cae a $2.50 por fanega. Bajo un sistema de gravamen variable se determina el gravamen de forma diaria e iguala la diferencia entre el precio más bajo en el mercado mundial y el precio de apoyo. La naturaleza de escala descendente del gravamen variable resulta en que la UE aumente

FIGURA 8.2

Gravámenes variables

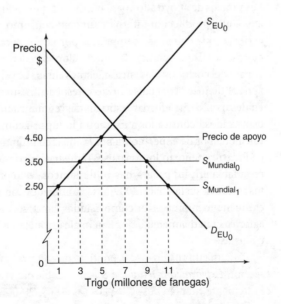

La política agrícola común de la UE ha utilizado gravámenes variables para proteger a los agricultores de la UE de la competencia extranjera de bajo costo. Durante periodos de caída de los precios mundiales, la naturaleza de escala deslizante del gravamen ocasiona aumentos automáticos al arancel de importación de la UE.

su arancel de importación a $2 por fanega. El precio de apoyo del trigo se sostiene a $4.50 y la producción estadunidense y las importaciones siguen sin cambios. Los agricultores estadunidenses, por tanto, están aislados de las consecuencias de las variaciones en la oferta extranjera. Si la producción de trigo de la UE disminuyera, el gravamen de importación se podría reducir para alentar las importaciones. Los consumidores de la UE estarían protegidos en contra de los precios crecientes del trigo.

El gravamen de importación tiende a ser más restrictivo que un arancel fijo. Desalienta a los productores extranjeros de absorber parte del arancel y de reducir los precios para mantener las ventas de exportación. Esto sólo dispararía gravámenes variables más altos. Por la misma razón, los gravámenes variables desalientan a los productores extranjeros a subsidiar sus exportaciones con el fin de penetrar en los mercados nacionales.

La terminación de la Ronda Uruguay de negociaciones comerciales en 1994 trajo consigo reglas en el uso de los gravámenes variables. Requería que todas las barreras no arancelarias, incluidos los gravámenes variables, fueran convertidas a aranceles equivalentes. Sin embargo, el método de conversión utilizado por la UE esencialmente mantenía el sistema de gravamen variable, excepto por una diferencia: el arancel real aplicado en las importaciones agrícolas puede variar, al igual que el gravamen variable anterior, según los precios mundiales. Ahora hay un límite superior aplicado a qué tan alto puede aumentar el arancel.

Subsidios a la exportación   La UE también ha utilizado un sistema de subsidios a la exportación para asegurarse de que cualquier producción agrícola excedente se venda en el extranjero. Los precios de apoyo altos de la política agrícola común han dado a los agricultores de la UE un incentivo para incrementar la producción, con frecuencia en cantidades excedentes. Pero el precio mundial de los artículos de consumo agrícolas, por lo general, ha estado por debajo del precio de la UE. La UE paga a sus productores subsidios a la exportación para que ellos vendan la producción excedente en el extranjero al precio bajo, pero aún así reciban el precio de apoyo internacional, más alto. Al impulsar las exportaciones, el gobierno reducirá la oferta nacional y eliminará la necesidad de que el gobierno compre el exceso.

La política de la UE de asegurar un alto nivel de ingresos para sus agricultores ha sido costosa. Los precios de apoyo altos para productos que incluyen leche, mantequilla, queso y carne han llevado a una alta producción interna y un bajo consumo. El resultado con frecuencia han sido excedentes enormes que deben ser comprados por la UE para defender el precio de apoyo. Para reducir estos costos, la UE ha vendido la producción excedente en los mercados mundiales a precios muy por debajo del costo de adquisición. Estas ventas subsidiadas han encontrado resistencia por parte de los agricultores de otros países. Esto es especialmente verdadero para agricultores en los países pobres en desarrollo que afirman estar en desventaja cuando enfrentan importaciones cuyos precios están deprimidos debido a los subsidios a la exportación o cuando enfrentan una mayor competencia en sus mercados de exportación por la misma razón.

Prácticamente todos los países industriales subsidian sus productos agrícolas. Como se puede ver en la tabla 8.1, los programas gubernamentales representaron 24 por ciento del valor de los productos agrícolas en la UE en 2009. Esta cantidad es aún mayor en ciertos países como Suiza y Japón, pero es mucho menor en otros como Estados Unidos, Australia y Nueva Zelanda. Los países con subsidios agrícolas relativamente bajos han criticado a los países de subsidios altos por ser demasiado proteccionistas.

Para una discusión de las políticas de compras gubernamentales en la Unión Europea, consulte la sección *Exploración Detallada 8.1* disponible en: www.cengage.com/economics/Carbaugh.

¿Es la Unión Europea en realidad un mercado común?

Durante décadas los miembros de la UE han tratado de construir un mercado común con políticas uniformes en la regulación de productos, del comercio y del movimiento de los factores de producción. ¿Pero las políticas de estos países son en realidad tan comunes?

TABLA 8.1

Apoyo gubernamental a la agricultura, 2010

País	Subsidio al productor equivalente* como porcentaje de los precios agrícolas
Noruega	61
Suiza	54
Japón	50
Islandia	45
Corea del Sur	45
Unión Europea	20
Canadá	18
México	12
Estados Unidos	7
Australia	2
Nueva Zelanda	1

* El subsidio al productor equivalente representa la ayuda total a los agricultores en la forma de precio de apoyo, pagos directos y transferencias que indirectamente benefician a los agricultores.

Fuentes: Organization of Economic Cooperation and Development (OECD), *Agricultural Policies in OECD Countries: Monitoring and Evaluation*, 2011. Vea también World Trade Organization, *Annual Report*, varios temas.

Considere el caso de Kellogg Co., el productor estadunidense de cereales. Durante años Kellogg ha solicitado a los miembros de la UE que le permitan comercializar idénticos cereales fortificados con vitaminas en toda Europa. Pero la solicitud de la empresa se ha topado con numerosos obstáculos. Los funcionarios gubernamentales de Dinamarca que regulan el mercado no quieren vitaminas añadidas pues temen que los consumidores de cereales que ya toman multivitamínicos podrían exceder las dosis diarias recomendadas, lo que pone en peligro su salud. Los funcionarios de Holanda no creen que el ácido fólico ni la vitamina D sean benéficos, así que no quieren que se incluyan éstos. Sin embargo, Finlandia prefiere más vitamina D que otras naciones para ayudar a los finlandeses a compensar la falta de sol. Así que Kellogg tiene que producir cuatro diferentes variedades de hojuelas de maíz y otros cereales en sus plantas del Reino Unido.

El concepto original de la Unión Europea era un mercado común basado en regulaciones uniformes. Al producir para un sólo mercado en toda Europa, las empresas podrían lograr series de producción lo suficientemente grandes para obtener economías de escala convenientes. En lugar de eso, las diferencias nacionales que persisten han cargado a las empresas con costos adicionales que ahogan la expansión de las plantas y la creación de empleos.

Esta falta de consistencia se extiende mucho más allá de los cereales. Caterpillar Inc., vende tractores en toda Europa. Pero en Alemania, sus vehículos deben incluir un claxon de respaldo más fuerte y luces en distintas lugares del vehículo. Las señales de precaución y los portaplacas en las partes traseras de los tractores y de otros vehículos para remolcar tierra deben ser diferentes, en ocasiones por sólo centímetros, de nación en nación. Los funcionarios en Caterpillar afirman que no hay una justificación sólida para tales discrepancias regulatorias. Sólo dificultan la eficiencia en la producción masiva.

Las diferencias regulatorias persistentes entre los mercados también han afectado de manera adversa los planes de expansión de negocios a través de Europa. Por ejemplo, Ikea Group, el minorista sueco de muebles, debe pagar estudios de mercado que demuestren que su entrada a los mercados no desplazará a las empresas locales. De acuerdo con Ikea, cada estudio cuesta aproximadamente 25,000 dólares y tarda cerca de un año antes de que pueda tomarse una decisión. Por otro lado, sólo 33 a 50 por ciento del total de solicitudes de Ikea resultan aprobadas.

Aunque los miembros de la UE han logrado niveles más avanzados de unificación económica en los últimos 50 años, las diferencias regulatorias que permanecen crean barreras para el comercio y la inversión, que sofocan el crecimiento económico. Esto ha ocasionado numerosas batallas legales entre los productores y los reguladores nacionales, así como entre la Comisión Europea y los gobiernos individuales. En términos sencillos, el mercado común europeo sigue sin ser común.[6]

COSTOS Y BENEFICIOS ECONÓMICOS DE UNA MONEDA COMÚN: LA UNIÓN MONETARIA EUROPEA

Como ha aprendido, la formación de la UME en 1999 resultó en la creación de una sola moneda (el euro) y un Banco Central Europeo. Cambiar a una nueva moneda es extremadamente difícil. Sólo imagine la tarea si cada uno de los 50 estados de la Unión Americana tuviera su propia moneda y su propio banco central y entonces, tuviera que acordar con los 49 estados una sola moneda y un solo sistema financiero. Eso es exactamente lo que han hecho los europeos.

El Banco Central Europeo se ubica en Fráncfort, Alemania y es responsable de la política comercial y la política cambiaria de la UME. El Banco Central Europeo por sí solo controla el suministro de euros, establece la tasa de interés del euro a corto plazo y mantiene un tipo de cambio permanentemente fijo para los países miembros. Con un banco central común, el banco central de cada nación participante desempeña operaciones similares a los 12 bancos regionales de la Reserva Federal en Estados Unidos.

Para los estadunidenses, los beneficios de una moneda común son fáciles de entender. Los estadunidenses saben que pueden entrar a un McDonald's o Burger King en cualquier parte de Estados Unidos y comprar hamburguesas con los billetes en dólares que tienen en sus bolsas y carteras. Esto no funcionaba de tal manera para los países europeos antes de la formación de la UME. Como cada uno era una nación distinta con su propia moneda, una persona francesa no podía comprar algo en una tienda alemana sin antes cambiar sus francos por marcos alemanes. Esto sería similar a que alguien de San Luis tuviera que cambiar su moneda de Missouri por moneda de Illinois cada vez que visitara Chicago. Para empeorar las cosas, como los marcos y los francos flotaban entre sí dentro de un límite, el número de marcos que los viajeros franceses recibían hoy probablemente sería distinto al número que recibieran ayer o mañana. Además de la incertidumbre del tipo de cambio, el viajero también tenía que pagar una cuota por intercambiar moneda, lo cual hacía que un viaje a través de la frontera fuera verdaderamente costoso. Aunque los costos para los individuos podrían ser limitados debido a las pequeñas cantidades que se manejan, las empresas podían incurrir en costos mucho más grandes. Al reemplazar las diversas monedas europeas con una sola moneda, el euro, la UME evita dichos costos. En términos sencillos, el euro reduce los costos de productos y servicios, facilita una comparación de precios dentro de la UE y así promueve precios más uniformes.

Zona monetaria óptima

Gran parte de los beneficios y los costos de una moneda común se basan en la teoría de la **zona monetaria óptima**,[7] una región en la que es preferible económicamente tener una sola moneda oficial más que múltiples monedas oficiales. Por ejemplo, Estados Unidos puede ser considerado una zona monetaria óptima. Es inconcebible que el volumen actual de comercio entre los 50 estados ocurriera en forma tan eficiente en un ambiente monetario de 50 monedas distintas. En la tabla 8.2 se resaltan algunas de las ventajas y desventajas de formar un área de moneda común.

---

[6] "Corn Flakes Clash Shows the Glitches in European Union", *The Wall Street Journal*, 1 de noviembre de 2005, p. A-1.
[7] La teoría de "zona monetaria óptima" fue analizada primero por Robert Mundell, quien ganó el Premio Nobel de Economía en 1999. Vea Robert Mundell, "A Theory of Optimum Currency Areas", *American Economic Review*, vol. 51, septiembre de 1961, pp. 717-725.

TABLA 8.2

Ventajas y desventajas de la adopción de una moneda común

Ventajas	Desventajas
Los riesgos asociados con fluctuaciones cambiarias se eliminan dentro de un área de moneda común	Ausencia de una política monetaria nacional para contrarrestar el choque macroeconómico.
Los costos de la conversión de monedas disminuyen.	Incapacidad de un país individual de usar la inflación para reducir la deuda pública en términos reales.
Las economías se protegen de las alteraciones monetarias y la especulación.	La transición de las monedas individuales a una sola moneda podría llevar a ataques de especulación.
Se reducen las presiones políticas de protección al comercio.	

© Cengage Learning®

De acuerdo con la teoría de las zonas monetarias óptimas, hay ganancias que se deben tener por compartir una moneda entre fronteras de los países. Estas ganancias incluyen precios más uniformes, costos de transacción más bajos, mayor certidumbre para los inversionistas y más competencia. También, una sola política monetaria, manejada por un banco central independiente debe promover la estabilidad de precios.

Sin embargo, una sola política también puede incluir costos, en especial si los movimientos del tipo de cambio afectan las distintas economías en diferentes formas. También los beneficios más amplios de una sola moneda deben ser comparados en contra de la pérdida de dos instrumentos de política: una política monetaria independiente y la opción de modificar el tipo de cambio. Perder esto es particularmente delicado si un país o región tiene la probabilidad de sufrir disturbios económicos (recesión) que le afecte en forma distinta al resto de la zona de una sola moneda, porque ya no podrá responder al adoptar una política monetaria de expansión o ajustar su moneda.

Entonces, la teoría de moneda óptima considera diversas reacciones a los choques económicos. La primera es la movilidad de la mano de obra: los trabajadores en el país afectado deben ser capaces y estar dispuestos a moverse libremente a otros países. La segunda es la flexibilidad de precios y salarios: el país debe ser capaz de ajustarlas en respuesta a una alteración. La tercera es algún mecanismo automático para transferir recursos fiscales al país afectado.

La teoría de zona monetaria óptima concluye que para tener la mejor oportunidad de éxito, los países que participan deben tener ciclos de negocios y estructuras económicas similares. La política monetaria individual debe afectar a todos los países que participan en la unión de la misma manera. No debe haber barreras legales, culturales o lingüísticas que imposibiliten la movilidad de la mano de obra entre las fronteras; debe haber flexibilidad de salarios y algún sistema de estabilización de las transferencias.

Problemas y desafíos de la Eurozona

Aunque la UME ha traído algunas eficiencias económicas para sus miembros, también ha adolecido de numerosos problemas. Recuerde que para ser incluido en la UME, se supone que un país debe haber cumplido con ciertos criterios económicos, como bajos déficits presupuestarios, baja inflación y tasas de interés cercanas al promedio de la Eurozona. Sin embargo, algunos países (como Grecia) no parecían haber cumplido estos estándares cuando fueron aceptados en la unión monetaria. Estos estándares se ignoraron en varias ocasiones cuanto los países ingresaban la unión monetaria. Esto puso a la Eurozona en una posición financiera de debilidad desde un inicio.

CONFLICTOS COMERCIALES LA "DESUNIÓN" MONETARIA EUROPEA

Un objetivo principal de la Unión Monetaria Europea es promover la unificación económica y política de toda Europa. Las dos guerras mundiales que habían devastado a Europa, además de la Gran Depresión de la década de 1930 que había sido provocada por políticas comerciales proteccionistas, sustentaban un argumento convincente para desmantelar las fronteras políticas y económicas de Europa tras la Segunda Guerra Mundial. Estados Unidos, por su parte, estaba a favor de lazos económicos más estrechos para promover la reconstrucción europea frente a la amenaza del comunismo soviético que se expandía. Los partidarios sostenían que la unión monetaria promovería la paz en Europa y también restituiría el poder geopolítico europeo, con una moneda que estaría a la par del dólar estadunidense.

Cuando Europa se encaminó hacia el euro y la unión monetaria, las preocupaciones que planteaba la falta de una unión fiscal con qué fundamentarla se dejaron de lado. Algunos economistas predijeron que una unión monetaria sin un mecanismo político de supervisión de política fiscal (que controlara los déficits presupuestarios) haría imposible, con el tiempo, mantener la unión monetaria. También argumentaban que una política monetaria uniforme planificada según la baja inflación de Alemania (el miembro más grande) podría provocar tasas de interés demasiado bajas para los países más pequeños y de alta inflación (como Grecia), provocando déficits comerciales por el crédito fácil. Los medios de comunicación europeos a menudo ridiculizaron a estos economistas por sus opiniones alarmistas.

Cuando la eurozona se estaba conformando, el gobierno de Alemania insistió en que Italia, como cuarta economía mayor de Europa, debía ser un miembro fundador (aunque no cumplía con la condición de mantener finanzas gubernamentales sólidas). Una vez que Italia (que estaba plagada de deudas) hubo ingresado, no hubo ya razón para excluir a otros países de gastos elevados como Grecia, Irlanda y Portugal que se convirtieron en miembros. Así

pues, la eurozona consistía en algunos países fiscalmente muy sanos, como Alemania, y otros países fiscalmente débiles como Grecia. Cuando la crisis de la deuda mundial se disparó en 2008, resultó cada vez más evidente que, aunque la eurozona tenía una sola moneda, sus países miembros no eran en lo absoluto iguales.

Los escépticos han advertido que el euro siempre fue una audacia; una acción equivalente a colocar un carruaje por delante de muchos caballos. El problema básico es que la eurozona no es uno sólo país. Inicialmente once (y ahora diecisiete) países soberanos se comprometieron a una unión monetaria sin homogenizar antes sus políticas presupuestales, sus sistemas fiscales y sus regulaciones bancarias: es decir, sencillamente no constituían una unión económica como la hemos definido al principio de este capítulo. Lo hicieron, además, sin crear un gobierno central suficientemente fuerte como para implementar disciplina fiscal ni controlar transferencias financieras a través de las fronteras. La desunión en el interior de la eurozona se agudizó cuando algunos países mantuvieron sus políticas fiscales rigurosas mientras que otros mantuvieron sus políticas poco rigurosas. Se han generalizado ahora los temores de que las naciones débiles de la eurozona no podrán cumplir con su deuda y tendrán que ser expulsadas.

Para disipar tales temores, los países de la eurozona se comprometieron en 2011 a que cada país miembro implementaría un mandato constitucional para equilibrar su presupuesto y tendría que afrontar penalizaciones si su déficit real excedía el 3 por ciento de su PIB. Las multas podían alcanzar miles de millones de euros. Los críticos sostienen que no existe un solo mecanismo para obligar al cumplimiento de esta promesa y que, en consecuencia, podía ser infringida y disuelta con tal facilidad que resulta totalmente inútil. Al redactar este manual, la determinación de muchos de los miembros de la eurozona paras alcanzar una integridad fiscal sigue quedando muy poco clara.

Otro problema ha sido la integración de las diferentes economías en una unión monetaria que carece de herramientas para ajustar las economías. Durante 1999-2013, la productividad en los países miembros del norte (Alemania) aumentó rápidamente mientras que la productividad en las naciones del sur (Italia y Grecia) se rezagaba. Esto produjo que los costos de mano de obra por unidad de producto en el norte se redujeran aproximadamente 25 por ciento en comparación con el sur. Normalmente, los ajustes al tipo de cambio reducirían esta discrepancia: los tipos de cambio de las naciones del sur se depreciarían en relación con las monedas de las naciones del norte y esto incrementaría la competitividad de las naciones del sur. No obstante, al interior de la Eurozona no hay posibilidad de ajustes a los tipos de cambio pues sólo hay una moneda, el euro. Sin el mecanismo de ajuste por tipo de cambio, la economía que debe reajustarse exigiría entonces que los empleados del sur se trasladaran libremente a las economías en crecimiento del norte, que los precios aumentaran en las naciones del norte, que las naciones más ricas del norte subsidiaran a las naciones más pobres del sur, que los empleados de las naciones más pobres del sur aceptaran el desempleo para reducir los sueldos, etc. Es difícil conseguir estos ajustes en la práctica porque las barreras políticas abundan por toda Europa.

Dada la carencia de mecanismos de ajuste normales que permitirían evitar que los desequilibrios económicos arruinen la Eurozona, algunos especialistas han insistido en que es preciso implementar el concepto de unión fiscal. Esto integraría las políticas fiscales de los países de la Eurozona, incluyendo la tributación y los programas de gasto gubernamentales. La idea sería imponer una disciplina presupuestal a los países con déficit y rezagados. No obstante, los países miembros de la Eurozona siempre han considerado el control de la política fiscal como un asunto esencial para la soberanía nacional y no están dispuestos a abandonar su independencia fiscal. En consecuencia, la Eurozona tiene una unión monetaria pero carece de una unión fiscal.

Aunque la política fiscal sea jurisdicción de los gobiernos nacionales de la Eurozona, evitar déficits presupuestarios excesivos es fundamental para el éxito de la unión monetaria. Dado que los déficits presupuestarios grandes pueden resultar en altas tasas de interés y bajar la actividad económica, el control presupuestario es deseable. La mayoría de los países tienen dificultades considerables para reducir su deuda y sus déficits presupuestarios para cumplir con los criterios de convergencia de la UME. Sin embargo, un recorte a los gastos del gobierno, especialmente a los programas sociales bien arraigados, ha sido (y será) muy difícil desde el punto de vista político. Lo que es más: debido al envejecimiento poblacional de la mayoría de los países, las presiones a los presupuestos nacionales tenderán a ser todavía mayores.

Un desafío importante para la política monetaria de la UME es la capacidad del Banco Central Europeo para mantener la estabilidad de precios a largo plazo. Algunos se preocupan de que, con el tiempo, la política monetaria pueda volverse demasiado expansionista por el gran número de países que someten a votación dicha política y por el hecho de que las medidas antinflacionarias rigurosas no son una práctica arraigada en países como Grecia, Portugal, España, Italia y Chipre.

La necesidad de una reforma estructural en los países europeos presenta un desafío para la UME. La flexibilidad del mercado de trabajo es un asunto estructural importante: la flexibilidad del salario real (ajustado a la inflación) en Europa es, según cálculos, sólo la mitad de la de Estados Unidos. La movilidad de trabajo es muy baja en Europa, no sólo entre los diferentes países sino también dentro de ellos; los incentivos para la adquisición de nuevas habilidades y técnicas laborales son inadecuados. Las reglas que limitan la capacidad de los empleadores para despedir a sus empleados hacen que los primeros no se muestren dispuestos a contratar y capacitar a nuevos trabajadores. Por otro lado, los altos impuestos y los generosos apoyos durante el desempleo que brindan los gobiernos europeos contribuyen a que sus economías sean lentas.

Los analistas advierten que las reformas estructurales son indispensables por varias razones. Primero, ayudarían a disminuir la tasa, persistentemente alta, de desempleo estructural en la UE. Segundo, las empresas generarían la flexibilidad necesitada para ajustarse a las recesiones, especialmente aquellas recesiones que afectan sólo a uno o a pocos miembros de la Eurozona. Si los precios y los salarios fueran flexibles hacia abajo, una disminución en la demanda provocaría precios más bajos y esto tendería a elevar la demanda. Una mayor movilidad laboral sería particularmente útil para ajustarse a las recesiones.

¿Sobreviviría la Eurozona?

Como consecuencia de la crisis financiera mundial que comenzó en 2007-2008, la UME entró en su primera recesión oficial. La gravedad de esta desaceleración económica fue tal que estuvo a punto de desintegrar la Eurozona porque algunos miembros económicamente débiles como Grecia, Portugal, Chipre y España se tambalearon al borde de la quiebra. La respuesta de la UME a estos problemas ha sido generalmente lenta: la mayoría de los observadores insisten en que la única solución a largo plazo para los problemas económicos de la UME es la integración política y fiscal y los cambios estructurales.

El caso de Grecia ofrece un buen ejemplo de las dificultades que enfrenta la Eurozona. Los problemas empezaron en 2008 cuando el gobierno de Grecia reveló que su déficit presupuestario era más que tres veces lo que previamente se había estimado: las cifras financieras de Grecia se habían manipulado por años. Con una deuda en vertiginoso aumento, los inversionistas temían que Grecia no pudiera pagar sus deudas. Para reforzar su posición financiera, el gobierno de Grecia recurrió a recortes presupuestales, congelamiento de sueldos del sector público, reformas en el sistema de pensiones, incremento de impuestos y esfuerzos renovados por frenar la endémica evasión fiscal. Los mercados se mostraron escépticos de la capacidad del gobierno para lograr sus objetivos, en parte porque los programas de austeridad podrían fracasar ante un creciente descontento social y político. Finalmente, los demás países de la Eurozona, junto con el Fondo Monetario Internacional, acordaron otorgar un paquete de ayuda a Grecia de 110 mil millones de euros en préstamos urgentemente necesarios.

Al momento de redactar este texto, el futuro de la Eurozona continúa siendo incierto. Restaurar en Europa la salud financiera tomará muchos años porque los países con dificultades deben controlar sus déficits gubernamentales y mejorar su competitividad. Los gobiernos acreedores, especialmente Alemania, sostienen que la responsabilidad de realizar estos amplios ajustes recae exclusivamente en los países deudores como Grecia e Italia. Los críticos, sin embargo, advierten que el argumento de Alemania es una falacia elemental: no es posible que todos los países miembros alcancen la prosperidad mediante el ahorro; siempre se requerirá de alguien que sea consumidor. En Europa los consumidores deben ser los países como Alemania y Holanda que tienen excedentes en su cuenta corriente. No obstante, estos países acreedores se muestran reacios a reconocer esta parte de la solución.

TRATADO DE LIBRE COMERCIO DE AMÉRICA DEL NORTE

El éxito inicial de Europa en la formación de la Unión Europea inspiró en Estados Unidos el ánimo de suscribir varios acuerdos de libre comercio regionales. Por ejemplo, durante la década de los ochenta, Estados Unidos inició negociaciones para un acuerdo de libre comercio con Canadá, que entró en vigor en 1989. Esto preparó el camino para que México, Canadá y Estados Unidos formaran el **Tratado de Libre Comercio de América del Norte**, que entró en vigor a partir de 1994.

Los visionarios del TLCAN en Estados Unidos hicieron una apuesta revolucionaria: el sistema político autoritario de México, su economía reprimida y la pobreza resultante crearían problemas que no podían mantenerse por siempre al otro lado de la frontera. La inestabilidad de México eventualmente cruzaría el Río Grande. La alternativa era sencilla: ayudar a México a desarrollarse como parte de una Norteamérica integrada o ver cómo se ampliaba la brecha económica y aumentaban los riesgos para Estados Unidos.

Se esperaba que el establecimiento del TLCAN brindara a cada nación miembro un mejor acceso a los mercados, tecnología, mano de obra y experiencia de las otras naciones. En muchas áreas hubo sorprendentes compaginaciones entre las naciones: Estados Unidos se beneficiaría de la existencia de mano de obra cada vez más calificada y barata de México, mientras que México se beneficiaría de la inversión y la experiencia de Estados Unidos. Sin embargo, negociar el tratado de libre comercio fue difícil porque requirió la integración de dos grandes economías industriales avanzadas (Estados Unidos y Canadá) con la de un país en desarrollo de tamaño considerable (México). La enorme brecha del nivel de vida entre México, con su escala salarial más baja y Estados Unidos era un tema políticamente sensible. Una de las principales preocupaciones acerca del TLCAN era si Canadá y Estados Unidos como países desarrollados tenían mucho que ganar con una liberalización comercial con México. En la tabla 8.3 se resaltan algunas de las posibles ganancias y pérdidas de integrar las economías de México y Estados Unidos.

Beneficios y costos del TLCAN para México y Canadá

Los beneficios del TLCAN para México han sido proporcionalmente mucho mayores que para Estados Unidos y Canadá, porque México se integró con economías muchas veces más grandes que la propia. Eliminar las barreras comerciales ha llevado a aumentar la fabricación de productos y servicios para los que México tiene una ventaja comparativa. Las ganancias de México han sido a costa de otros países de salarios bajos, como Corea y Taiwán. En general, México ha fabricado más productos que se benefician de una fuerza de trabajo de salarios bajos y pocas habilidades, como jitomate,

TABLA 8.3

Ganadores y perdedores en Estados Unidos bajo el libre comercio con México

Ganadores de Estados Unidos	Perdedores de Estados Unidos
Las empresas de mayores habilidades y mayor tecnología y sus empleados se benefician del libre comercio.	Las empresas intensivas en mano de obra, que pagan salarios más bajos y que compiten con las importaciones pierden por los aranceles reducidos en las importaciones.
Las empresas que requieren mucha mano de obra que se reubican en México se benefician por la reducción de los costos de producción.	Los trabajadores en las empresas que compiten con las importaciones pierden si sus empresas cierran o se reubican.
Las empresas estadunidenses que utilizan importaciones como componentes en el proceso de producción ahorran en sus costos de producción.	
Los consumidores estadunidenses se benefician de tener productos menos costosos debido a una mayor competencia por el libre comercio.	

© Cengage Learning®

aguacate, frutas, verduras, alimentos procesados, azúcar, atún y vidrio; también han aumentado las exportaciones manufacturadas intensivas en trabajo como electrodomésticos y automóviles económicos. Aumentar el gasto de inversión en México ha ayudado a incrementar los ingresos salariales y el empleo, la producción nacional y las ganancias por el intercambio extranjero; también ha facilitado la transferencia de la tecnología.

Aunque la agricultura representa sólo entre 4 y 5 por ciento del PIB de México, ocupa a alrededor de una cuarta parte de la población del país. La mayoría de los trabajadores agrícolas de México son agricultores de subsistencia que plantan granos y semillas de producción de aceite en pequeñas parcelas que los han mantenido durante generaciones. Los productores mexicanos de arroz, carne de res, carne de puerco y aves afirman que, como resultado del TLCAN, han sido devastados por la competencia estadunidense en el mercado mexicano. Afirman que no pueden competir frente a las importaciones estadunidenses donde un crédito fácil, mejor transportación, mejor tecnología e importantes subsidios dan a los agricultores estadunidenses una ventaja injusta.

Para Canadá las primeras preocupaciones acerca del TLCAN tenían menos que ver con la pérdida de empleos de manufactura de bajas habilidades, porque el comercio con México era mucho menor de lo que era para Estados Unidos. En lugar de eso, su principal preocupación era que una integración más cercana con la economía estadunidense amenazaría el modelo de bienestar social al estilo europeo de Canadá, ya sea porque ciertas prácticas y políticas (como un cuidado médico universal o un salario mínimo generoso) se considerarían como poco competitivas o porque se impondría una presión por reducir la base de impuestos personales y corporativos y esto privaría de recursos a los programas gubernamentales. Sin embargo, el modelo canadiense de bienestar social en la actualidad ha permanecido intacto.

Los beneficios de Canadá por el TLCAN han consistido, en su mayoría, en salvaguardas: el mantenimiento de su estatus en el comercio internacional, ninguna pérdida de sus preferencias de libre comercio en el mercado estadunidense y un acceso similar al mercado de México. Canadá también deseaba ser parte del proceso que eventualmente ampliara el acceso al mercado hacia Centro y Sudamérica. Aunque Canadá esperaba beneficiarse del comercio con México con el paso del tiempo, hasta ahora la mayoría de los investigadores ha calculado ganancias relativamente pequeñas debido a la pequeña cantidad de comercio existente entre Canadá y México.

Aunque ha tenido éxito en estimular un mayor comercio e inversión extranjera, el TLCAN no ha sido suficiente para modernizar a México o para garantizar su prosperidad. Esto ha decepcionado a muchos mexicanos. Sin embargo, el comercio y la inversión sólo pueden hacer una parte. Desde el principio del TLCAN el gobierno de México ha tenido dificultades para resolver los problemas de corrupción, educación deficiente, burocracia, infraestructura que se desmorona, falta de crédito y una base fiscal minúscula. Estos factores influyen profundamente en el desarrollo económico de un país. Para que México se convierta en un país avanzado, necesita un mejor sistema educativo, electricidad más barata, mejores carreteras e incentivos de inversión para generar crecimiento; cosas que el TLCAN no puede proporcionar.

Beneficios y costos del TLCAN para Estados Unidos

Los partidarios del TLCAN sostienen que el acuerdo ha beneficiado a la economía estadunidense al expandir las oportunidades comerciales, reducir los precios, incrementar la competencia y mejorar la capacidad de las empresas estadunidenses para obtener economías de escala en la producción. Estados Unidos ha fabricado más productos que se benefician de las grandes cantidades de capital físico y una fuerza de trabajo altamente capacitada, incluidos químicos, plásticos, cemento, aparatos electrónicos sofisticados y aparatos de comunicaciones, herramientas de maquinarias y electrodomésticos. Las compañías estadunidenses de seguros también se han beneficiado con las reducidas restricciones que gozan las aseguradoras extranjeras que operan en México. Las empresas estadunidenses, en particular las más grandes, han obtenido un mayor acceso a mano de obra y refacciones más baratas. Es más, Estados Unidos se ha beneficiado de una fuente más confiable de petróleo, menos migración mexicana ilegal y una mayor estabilidad política en México, como resultado de una mayor riqueza del país. A pesar de estos beneficios, las ganancias económicas para Estados Unidos son modestas, porque la economía estadunidense es 25 veces el tamaño de la economía mexicana y muchas barreras comerciales entre ambos países fueron desmanteladas antes de la implementación del TLCAN.

Las economías de escala representan otro beneficio del TLCAN. Un miembro del TLCAN puede superar la pequeñez de sus mercados nacionales y conseguir economías de escala en la producción exportando a los otros países miembros. El TLC ha permitido que gigantes manufactureros de EU, desde General Motors a General Electric, empleen economías de escala para sus líneas de producción. Antes del TLCAN, las plantas de ensamble de GM en México ensamblaban volúmenes pequeños de muchos productos que resultaban en costos elevados y calidad un tanto inferior. Ahora sus plantas en México se especializan en algunos productos de volumen alto, generan costos más bajos y mejor calidad. Este resultado beneficia a los consumidores tanto estadunidenses como mexicanos. Para un análisis de los efectos de las economías de escala en la manufactura, consulte la sección *Exploración detallada 8.2*, disponible en www.cengage.com/economics/Carbaugh.

Pero incluso los fervientes partidarios del TLCAN reconocen que ha dañado algunos segmentos de la economía estadunidense. Por el lado comercial, los perdedores han sido los sectores de siembra de cítricos y de azúcar que dependen de las barreras comerciales para limitar las importaciones de productos de bajo precio de México. Otros perdedores son los trabajadores no calificados, pertenecientes a la industria del vestido, cuyos empleos son más vulnerables a la competencia de los trabajadores con menores sueldos en el extranjero.

Los sindicatos han estado especialmente preocupados por el bajo nivel salarial de México que motiva a las empresas estadunidenses a reubicarse en ese país, lo que resulta en pérdidas de empleo en Estados Unidos. Ciudades como Muskegon, Michigan, que tiene miles de trabajadores que producen refacciones automotrices básicas como anillos de pistones, son especialmente vulnerables a la competencia mexicana de bajo sueldo. De hecho, la remuneración por hora de manufactura de los trabajadores mexicanos es sólo una pequeña fracción de lo que se paga a los trabajadores estadunidenses o canadienses.

De acuerdo con los críticos del TLCAN en Estados Unidos, el movimiento de las empresas estadunidenses que se reubican en México para aprovechar al máximo la mano de obra barata causaría un "gran efecto de absorción". Sin embargo, después de más de una década, las empresas estadunidenses no se han reubicado en México en tropel, como se esperaba. La teoría del comercio internacional muestra la razón. Como se puede ver en la tabla 8.4, la productividad del trabajador estadunidense promedio (el PIB por trabajador) fue de 104,503 dólares en 2010, mientras que la productividad del trabajador promedio mexicano fue de 22,613 dólares. Así, el trabajador estadunidense fue 4.6 veces más productivo que el trabajador mexicano. Por lo tanto, los empleadores podían pagar a los trabajadores estadunidenses 4.6 veces más que a los trabajadores mexicanos sin que hubiera una diferencia

TABLA 8.4

Producto interno bruto, productividad de empleo y de mano de obra, 2012

País	Producto Interno Bruto (miles de millones)	Empleo (millones)*	Productividad de la mano de obra**
Australia	$1,542	11.5	$134,061
Estados Unidos	16,245	142.5	114,045
Canadá	1,821	17.5	104,021
Japón	5,960	62.7	95,121
Reino Unido	2,476	29.5	83,955
Alemania	3,430	41.5	82,639
México	1,117	48.1	23,231
China	8,221	746.9	11,007

* Empleo = (1 − tasa de desempleo) × fuerza de trabajo.
** Productividad de la mano de obra = PIB/Número de personas empleadas; debido al redondeo, los números no son precisos.

Fuente: Agencia Central de Inteligencia, *World Fact Book*, http://www.cia.gov. Vea también World Bank Group, *Data and Statistics*, http://www.worldbank.org/data/ y Fondo Monetario Internacional, *International Financial Statistics*.

en el costo por unidad de producción. También las empresas que operan en Estados Unidos se benefician de un sistema legal y político más estable del que existe en México. En términos sencillos, los salarios más bajos de los trabajadores mexicanos no han motivado a grandes números de empresas estadunidenses a mudarse a México.

Otra preocupación son las normas ambientales en México, que se critican por ser menos estrictas que las de Estados Unidos. Los activistas laborales y ambientales estadunidenses temen que las plantas contaminantes de México podrían ocasionar el cierre de las plantas de Estados Unidos, que son más limpias pero más costosas de mantener. Los ambientalistas también temen que un mayor crecimiento mexicano traerá mayor contaminación del aire y del agua. Sin embargo, los defensores del TLCAN responden que un México más próspero sería más capaz y estaría más dispuesto a aplicar regulaciones ambientales; una mayor apertura económica también está asociada con una producción más cercana a la tecnología más moderna, que tiende a ser más limpia.

Los partidarios del TLCAN lo consideran una oportunidad para crear una base de productividad más grande para la región completa a través de una nueva asignación de los factores productivos que permitirían que cada nación contribuyera a un "pastel" más grande. Sin embargo, un aumento en el comercio de Estados Unidos y Canadá con México, resultado de la reducción de las barreras comerciales bajo el TLCAN, en parte desplazaría el comercio de Estados Unidos y Canadá con otras naciones, incluidas las de América del Centro y del Sur, el Caribe y Asia. Algunos de estos desplazamientos ocasionarán una pérdida del bienestar asociada con el desvío del comercio: el cambio de un proveedor de bajo costo hacia uno de alto costo. Pero como se esperaba que el desplazamiento fuera pequeño, se proyectó que tendría un efecto negativo menor en las economías estadunidense y canadiense.

En un balance a la fecha, los efectos del TLCAN en la economía estadunidense han sido pequeños. Estos han incluido aumentos en el ingreso estadunidense y en los ingresos del comercio estadunidense con México, pero poco impacto en los niveles generales de desempleo, aunque con cierto desplazamiento de trabajadores de un sector a otro. Para algunas industrias en particular o para productos con una mayor exposición al comercio dentro del TLCAN, en general los efectos han sido mayores, incluidos los efectos de desplazamiento en los trabajadores individuales. En general, los estudios sugieren que el TLCAN ocasionó para Estados Unidos una mayor creación del comercio que desviación del comercio, con lo que mejoró su bienestar.[8]

---

[8] Vea Daniel Lederman, William Maloney y Luis Serven, *Lessons from NAFTA for Latin America and the Caribbean Countries: A Summary of Research Findings*, The World Bank, Washington, DC, diciembre de 2003, y Sidney Weintraub (ed.), *NAFTA's Impact on North America: The First Decade*, Center for Strategic and International Studies, Washington, DC, 2004.

Es en política y no en economía, que el TLCAN ha tenido su mayor impacto. El acuerdo de comercio ha venido a simbolizar un acercamiento muy íntimo entre Estados Unidos y México. Dada la historia de hostilidad entre los dos países, esta cercanía es sorprendente. Y se debe a que los funcionarios estadunidenses comprendieron que su oportunidad para cambiar el flujo de los migrantes ilegales aumenta si sus vecinos del sur son ricos y no pobres. En términos sencillos, Estados Unidos se compró un aliado con el TLCAN. Además del TLCAN, existen otros grandes acuerdos comerciales regionales en el hemisferio occidental, como se puede ver en la tabla 8.5.

La disputa entre Estados Unidos y México por los camiones de carga

Alcanzar un mercado global no es tan fácil como parece. Considere el conflicto entre los comerciantes libres, que desean la eficiencia de un sistema de camiones desregulado y los activistas sociales que se preocupan por la seguridad en las carreteras. ¿O sería la preservación de empleos nacionales el verdadero motivo de los reclamos?

Durante décadas, la seguridad del sistema de camiones ha sido una preocupación para los estadunidenses y los canadienses; ambos países tienen leyes que limitan el número de horas consecutivas que un camionero puede estar al volante; de manera periódica los conductores se someten a exámenes contra el uso de alcohol o drogas y los camiones se inspeccionan regularmente para el cumplimiento de las normas de seguridad. Tradicionalmente, México ha mantenido estándares menos rigurosos para sus conductores y camiones. México no tiene un programa de inspección en las carreteras o pruebas de drogas para los conductores; no exige el uso de bitácoras ni tiene estaciones de pesaje para los camiones; no tiene un requisito de etiquetado de cargas tóxicas o dañinas o un sistema para verificar las licencias de los conductores.

De acuerdo con el TLCAN, Estados Unidos, México y Canadá han acordado abrir sus carreteras a los camiones de los demás. Sin embargo, en 1995, un día antes de que se inaugurara el cruce libre de camiones a través de las fronteras estipulado por el TLCAN, el presidente Bill Clinton impuso restricciones a los camiones mexicanos, arguyendo preocupaciones por la seguridad del sistema camionero. Los camiones mexicanos que ingresaran a Estados Unidos quedaban confinados a una zona comercial que no debería exceder 25 millas de la frontera mexicana. Los productos mexicanos que viajaran más lejos de esta zona comercial, primero debían ser cargados en camiones estadunidenses, requisito que complació al sindicato de camioneros de EUA (U.S. Teamsters).

TABLA 8.5		

Acuerdos comerciales regionales más importantes del hemisferio occidental

Acuerdo	Miembros	Año en vigor
Tratado de Libre Comercio de Centroamérica (CAFTA)	Costa Rica, El Salvador, Guatemala, Honduras, Nicaragua, República Dominicana, Estados Unidos	2005
Tratado de Libre Comercio de América del Norte (TLCAN)	Canadá, México, Estados Unidos	1994
Mercado Común del Cono Sur (MERCOSUR)	Argentina, Brasil, Paraguay, Uruguay	1991
Comunidad del Caribe y Mercado Común del Caribe	Antigua, Bahamas, Barbados, Barbuda, Belice, Dominica, Granada, Guyana, Haití, Jamaica, Montserrat, St. Kitts, Nevis, Santa Lucía, San Vicente, Surinam, Trinidad y Tobago	1973
Comunidad Andina	Bolivia, Colombia, Ecuador, Perú, Venezuela	1969
Mercado Común de Centroamérica	Costa Rica, El Salvador Guatemala, Honduras, Nicaragua	1961

En 2002, el gobierno estadunidense emitió 22 requisitos de seguridad adicionales que los camiones mexicanos tendrían que cumplir si es que alguna vez habrían de recibir autorización para viajar a lo largo del territorio de Estados Unidos. Esta medida iba incluso más allá de los propios requisitos que tenían que cumplir los camiones estadunidenses y canadienses que ya operaban en Estados Unidos.

Al considerarse excluido del mercado de transporte estadunidense, México respondió con una protesta por estas restricciones al transporte de carga ante un panel de arbitraje de TLCAN que dictaminó que Estados Unidos estaba violando sus compromisos adquiridos por el TLCAN. El resultado de esto fue un acuerdo que estableció en 2007 un programa piloto que permitía que un número reducido de camiones de carga mexicanos se desplazara por todo el territorio de Estados Unidos bajo estrictas reglas de seguridad. Después de 18 meses, el programa comprobó que los camiones y los camioneros mexicanos eran tan seguros como los estadunidenses y los canadienses y que el ahorro en los costos de transportación produjo beneficios para los propios consumidores de EUA. Este dictamen significaba malas noticias para el sindicato de los Teamsters que empezó a presionar políticamente al Congreso para que cancelara el programa piloto.

En 2009, el gobierno estadunidense puso fin al programa piloto, cerrando la frontera del sur de Estados Unidos a los camiones de carga mexicanos. México tomó represalias y emitió un listado de 99 productos estadunidenses a los que impondría aranceles de entre 10 y 45 por ciento. Entre los estados más afectados por los aranceles mexicanos estaban California, Oregón y Washington que exportaban toda una variedad de productos agrícolas a México. Con el precio elevado de los productos estadunidenses importados, los consumidores mexicanos sustituyeron tales productos por equivalentes provenientes de América Latina, Europa y Canadá. Evidentemente, los productores agrícolas estadunidenses estaban pagando un elevado precio por el proteccionismo otorgado al sindicato de los Teamsters. Esto llevó a que los productores agrícolas estadunidenses y sus aliados protestaran contra estos aranceles ante el presidente Barack Obama y exigieran que se resolviera la disputa de los camioneros.

En 2011 los gobiernos de México y Estados Unidos anunciaron un acuerdo para terminar el conflicto del transporte de carga. Bajo el acuerdo, México aceptó eliminar sus aranceles a los productos estadunidenses y, a cambio, Estados Unidos aceptó que los camiones mexicanos viajaran por todo su territorio. Se implementaron, sin embargo, reglas estrictas para los camiones y camioneros mexicanos que entraban a Estados Unidos: los camiones tienen que llevar grabadoras para asegurar que sólo hacían rutas transfronterizas y no, además, rutas nacionales; debían acatar, por otra parte, las normas estadunidenses en cuanto al número de horas de servicio para camioneros. Estos requisitos eran más estrictos de los estipulados por el TLCAN y, en cierto grado, incluso más estrictos que los requisitos vigentes para los propios camioneros estadounidenses. Los analistas suelen afirmar que el número de camiones mexicanos que se desplazaría por el interior del territorio de Estados Unidos será moderado durante los primeros años del acuerdo.

La disputa entre EUA y México por el jitomate

Otra disputa comercial entre México y Estados Unidos concierne al jitomate.[9] La implementación del TLCAN en 1994 abolió los aranceles estadunidenses sobre productos mexicanos, incluyendo el jitomate. Cuando la competencia se intensificó, los productores de jitomate estadunidenses acusaron a los productores mexicanos de vender jitomate en Estados Unidos a precios inferiores al valor justo (*dumping*), excluyendo, así, a los productores estadunidenses del mercado. Los productores estadunidenses solicitaron la imposición de aranceles de *antidumping* al jitomate mexicano. El gobierno mexicano protestó que el jitomate mexicano no se vendía en Estados Unidos a precios inferiores al valor justo: los jitomates cultivados en México eran sencillamente más competitivos debido a una mejor tecnología de producción, al buen clima y a los costos inferiores de mano de obra. De acuerdo con el gobierno mexicano, sería injusto castigar a los cultivadores mexicanos por su competitividad.

---

[9] Cathy Baylis y Jeffrey Perloff, *End Runs Around Trade Restrictions: The Case of the Mexican Tomato Suspension Agreements*, Giannini Foundation of Agricultural Economics, 2005; Richard Lopez, "Tomato Prices to Rise If U.S.-Mexico Trade Agreement Ends, Study Says", *Los Angeles Times*, 24 de enero del 2013; Stephanie Strom, "United States and Mexico Reach Tomato Deal, Averting a Trade War", *The New York Times*, 3 de febrero de 2013.

Para resolver esta disputa, se llegó a un acuerdo en 1996 mediante el cual los productores más importantes de México establecían un piso de pecio para el jitomate vendido en Estados Unidos de manera que no eliminara la participación de los productores estadunidenses. El piso de precio se fijó en 17 centavos por libra durante los meses de verano y 21 centavos por libra durante el invierno. Para que el piso de precio funcionara, los productores mexicanos (que representaban el 85 por ciento de los exportadores de jitomate) aceptaban avenirse a este mínimo, mientras que Estados Unidos se abstenía de implementar impuestos *antidumping*.

El acuerdo de precio mínimo satisfizo el objetivo de los productores estadunidenses de impedir que los jitomates mexicanos se exportaran a Estados Unidos con precios inferiores al valor justo. Los analistas que estudiaron el tema llegaron a la conclusión de que el acuerdo no eliminó la competencia extranjera para los productores estadunidenses. ¿Por qué? Cuando el piso de precio estuvo vigente, México exportó más jitomates a Canadá, mientras que Canadá y el resto del mundo incrementaron sus ventas de jitomate a Estados Unidos, disminuyendo así el efecto restrictivo del piso de precio mexicano.

Durante 2012-2013 los productores de jitomate estadunidenses presionaron para la eliminación del acuerdo del piso de precio: argumentaban que no podían competir con los precios tan bajos fijados por el acuerdo. Si el acuerdo fuera abolido, de nuevo podrían solicitar al gobierno estadunidense que impusiera aranceles *antidumping* más restrictivos que harían que los jitomates mexicanos se vendieran en Estados Unidos a precios más altos que los establecidos por el acuerdo del piso de precio.

En 2013 Estados Unidos y México llegaron a un nuevo acuerdo comercial para el jitomate. El acuerdo incrementó el precio de venta mínimo para los jitomates mexicanos vendidos en Estados Unidos de 21 centavos por libra a 31 centavos para el invierno y de 17 centavos por libra a 24.6 centavos para el verano. El acuerdo aumentaba, además, las especies de jitomate contempladas, de manera que abarcaba ahora a todos los productores y exportadores mexicanos. Aunque los productores de bajos costos de México no estuvieron complacidos por el aumento en el piso de precio, reconocieron que el acuerdo por lo menos restauraba la estabilidad en el mercado de jitomate estadunidense y evitaba una guerra comercial más costosa.

¿Es el TLCAN un zona monetaria óptima?

La creciente convergencia de los países del TLCAN ha estimulado el debate sobre el tema de adoptar una moneda común y formar una unión monetaria estadunidense entre Canadá, México y Estados Unidos. De vital importancia para la aplicabilidad económica de dicha unión monetaria es el concepto de zona monetaria óptima, como se analizó en este capítulo.

De acuerdo con la teoría de zona monetaria óptima, entre mayores sean los vínculos entre los países, más apropiado para ellos sería la adopción de una sola moneda oficial. Uno de esos vínculos es el grado de integración económica entre los tres miembros del TLCAN. Como se esperaba, el comercio dentro del TLCAN es bastante significativo. Canadá y México se clasifican, respectivamente, como el primero y segundo socios comerciales de Estados Unidos en términos de rotación comercial (importaciones más exportaciones). De igual manera, Estados Unidos es el socio comercial más grande de Canadá y de México.

Otro vínculo es la similitud de las estructuras económicas entre los tres afiliados del TLCAN. La economía industrial avanzada de Canadá se parece a la de Estados Unidos. En la década pasada, el ingreso real promedio per cápita de Canadá, la tasa de inflación y la tasa de interés estaban muy cerca de las de Estados Unidos. Sin embargo, México es una economía en crecimiento que aspira a mantener una estabilidad económica y financiera con un ingreso real promedio per cápita mucho más bajo y una inflación y tasas de interés significativamente más altas en comparación con las de Canadá y Estados Unidos. El valor del peso en relación con el dólar estadunidense ha sido bastante volátil, aunque el peso ha sido más estable frente al dólar canadiense. Otros problemas que México ha debido soportar son los altos niveles de deuda externa, déficits en la balanza de pagos y mercados financieros débiles.

Algunos analistas se muestran escépticos frente a si sería benéfico que México adoptara el dólar estadunidense como moneda oficial. Si México adoptara el dólar, su banco central no podría usar la política monetaria para impactar la producción y el empleo en vista de los choques económicos, lo cual podría debilitar aún más su economía. Sin embargo, adoptar el dólar para México traería varias ventajas, incluido el logro de credibilidad a largo plazo en los mercados financieros mexicanos, estabilidad monetaria a largo plazo y tasas de interés reducidas, una mayor disciplina y confianza como resultado de la reducción de la inflación a los niveles estadunidenses. En términos sencillos, la mayoría de los observadores encuentra bases económicas para cuestionar la participación mexicana en una zona monetaria óptima de Norteamérica. Sin embargo, el gobierno mexicano ha mostrado interés en dolarizar su economía en un intento por fortalecer los vínculos políticos con Estados Unidos.

Por lo general, los canadienses han expresado insatisfacción en cuanto a la adopción del dólar estadunidense como su moneda oficial. En particular, los canadienses están preocupados por la pérdida de la soberanía nacional que dicha política llevaría consigo. También señalan que no hay un beneficio agregado de credibilidad a la disciplina monetaria y fiscal, ya que Canadá, al igual que Estados Unidos, ya está comprometido con alcanzar una inflación baja, tasas de interés bajas y un nivel bajo de deuda relativa al PIB. El caso de la participación canadiense en cualquier área de moneda de Norteamérica es menos fuerte en lo político que en lo económico. Al momento de escribir este libro, la posibilidad de una zona monetaria de Norteamérica a corto plazo parece lejana.

RESUMEN

1. La liberalización comercial ha asumido dos formas principales. Una incluye la reducción recíproca de las barreras comerciales indiscriminada, como se puede ver en la operación de la Organización Mundial de Comercio. El otro enfoque incluye el establecimiento por parte de un grupo de naciones de acuerdos comerciales regionales. La Unión Europea y el Tratado de Libre Comercio de América del Norte son ejemplos de acuerdos comerciales regionales.

2. El término *integración económica* se refiere al proceso de eliminar las restricciones al comercio internacional, los pagos y la movilidad del factor de insumos. Las etapas de la integración económica son a) área de libre comercio, b) unión aduanera, c) mercado común, d) unión económica y e) unión monetaria.

3. Las implicaciones del bienestar de la integración económica pueden ser analizadas desde dos perspectivas. Primero están los efectos estáticos sobre el bienestar, que resultan de la creación del comercio y la desviación del comercio. En segundo lugar están los efectos dinámicos sobre el bienestar que se derivan de una mayor competencia, economías de escala y el estímulo del gasto de inversión que posibilita la integración económica.

4. Desde una perspectiva estática, la formación de una unión aduanera produce ganancias de bienestar neto si los beneficios del consumo y la producción de la creación del comercio contrarrestan de más la pérdida en eficiencia mundial debida a la desviación del comercio.

5. Diversos factores influyen en el grado de creación del comercio y desviación del comercio: a) el grado de competitividad que las economías de los países miembros tienen antes de la formación de la unión aduanera, b) el número y tamaño de sus miembros y c) el tamaño de su arancel externo en contra de los no miembros.

6. La Unión Europea se fundó originalmente en 1957 por el Tratado de Roma. En la actualidad está formada por 27 miembros. Para 1992 la UE había alcanzado la etapa de integración de mercado común. Los datos sugieren que la UE ha obtenido beneficios sobre el bienestar por la creación del comercio que han superado las pérdidas de la desviación del comercio. Uno de los grandes obstáculos que la UE ha enfrentado ha sido su política agrícola común, que ha requerido grandes subsidios gubernamentales para respaldar a los agricultores europeos. El Tratado de Maastricht de 1991 requería la formación de una unión monetaria para los miembros elegibles de la UE, que se inició en 1999.

7. La formación de la Unión Monetaria Europea en 1999 resultó en la creación de una sola moneda (el euro) y un Banco Central Europeo. Con un banco central común, el banco central de cada nación participante realiza operaciones similares a los 12 Bancos de la Reserva Federal regionales en Estados Unidos.

8. Gran parte del análisis de los beneficios y los costos de la moneda común de Europa se basa en la teoría de áreas de moneda común. De acuerdo con esta teoría, las ganan-

cias que se tienen por compartir una moneda entre las fronteras de los países incluyen precios más uniformes, costos de transacciones más bajos, una mayor certidumbre para los inversionistas y una mayor competencia. Estas ganancias se deben comparar contra la pérdida de una política monetaria independiente y la alternativa de modificar el tipo de cambio.

9. En 1989 Estados Unidos y Canadá negociaron un tratado de libre comercio bajo el cual el comercio libre entre las dos naciones tendría una adopción gradual durante un periodo de 10 años. A este acuerdo le siguió la negociación del Tratado de Libre Comercio de América del Norte por parte de Estados Unidos, México y Canadá.

CONCEPTOS Y TÉRMINOS CLAVE

Acuerdo comercial regional (p. 267)
Área de libre comercio (p. 269)
Benelux (p. 269)
Criterio de convergencia (p. 276)
Efecto de creación del comercio (p. 272)
Efecto de desviación del comercio (p. 272)
Efectos dinámicos de la integración económica (p. 270)

Efectos estáticos de la integración económica (p. 270)
Euro (p. 275)
Gravámenes variables (p. 276)
Integración económica (p. 268)
Mercado común (p. 272)
Política agrícola común (p. 276)
Subsidios a la exportación (p. 276)
Tratado de Libre Comercio de América del Norte (TLCAN) (p. 284)

Tratado de Maastricht (p. 275)
Unión aduanera (p. 269)
Unión económica (p. 269)
Unión Europea (p.269)
Unión monetaria (p. 269)
Unión Monetaria Europea (UME) (p. 275)
Zona monetaria óptima (p. 280)

PREGUNTAS PARA ANÁLISIS

1. ¿Cómo puede existir una liberalización comercial en una base no discriminatoria frente a una base discriminatoria? ¿Cuáles son algunos ejemplos reales de cada una?

2. ¿Qué es la *integración económica*? ¿Cuáles son las diversas etapas que puede implicar?

3. ¿Cómo se relacionan los efectos del bienestar estático de la creación del comercio y la desviación del comercio con la decisión de una nación de formar una unión aduanera? ¿Qué importancia tienen para esta decisión los efectos dinámicos sobre el bienestar?

4. ¿Por qué la llamada política agrícola común ha sido un tema controversial para la Unión Europea?

5. ¿Cuáles son los efectos sobre el bienestar por la creación del comercio y la desviación del comercio para la Unión Europea, según lo determinan los estudios empíricos?

TABLA 8.6

Demanda y oferta de guantes: Portugal

Precio ($)	Cantidad en oferta	Cantidad demandada
0	0	18
1	2	16
2	4	14
3	6	12
4	8	10
5	10	8
6	12	6
7	14	4
8	16	2
9	18	0

© Cengage Learning®

6. En la tabla 8.6 se describen las curvas de oferta y demanda de guantes para Portugal, una nación pequeña incapaz de afectar el precio mundial. En papel milimétrico, dibuje las curvas de oferta y demanda de guantes de Portugal.

a. Asuma que Alemania y Francia pueden ofertar guantes a Portugal a un precio de $2 y $3, respectivamente. Con el libre comercio ¿qué nación exporta guantes a Portugal? ¿Cuántos guantes produce, consume e importa Portugal?

b. Suponga que Portugal impone un arancel no discriminatorio de 100 por ciento en sus importaciones de guantes. ¿Qué país exporta guantes a Portugal?

¿Cuántos guantes producirá, consumirá e importará Portugal?

c. Suponga que Portugal forma una unión aduanera con Francia. Determine el efecto creación del comercio y el efecto desviación del comercio de la unión aduanera. ¿Cuál es el efecto general de la unión aduanera sobre el bienestar de Portugal?

d. En lugar de eso suponga que Portugal forma una unión con Alemania. ¿Es una unión aduanera de desviación del comercio o de creación del comercio? ¿En cuánto aumenta o disminuye la unión aduanera el bienestar de Portugal?

EXPLORACIÓN DETALLADA

Para una presentación sobre política de compras gubernamentales en la Unión Europea, consulte *Exploración Detallada 8.1* en: **www.cengage.com/economics/Carbaugh**.

Para un análisis de los efectos de las economías de escala en la manufactura, consulte *Exploración Detallada 8.2* en: **www.cengage.com/economics/Carbaugh**.

Movimientos internacionales de los factores de la producción y las empresas multinacionales

Hasta ahora se ha puesto atención en los flujos internacionales de productos y servicios; sin embargo, algunos de los cambios más dramáticos en la economía mundial se han debido a los flujos internacionales de los factores de la producción, incluido el trabajo y el capital. En el siglo XIX el capital y el trabajo europeo (junto con el trabajo de África y de Asia) fluyeron a Estados Unidos y fomentaron su desarrollo económico. En la década de los sesenta Estados Unidos envió grandes cantidades de capital de inversión a Canadá y Europa occidental; en las décadas de los ochenta y los noventa, la inversión fluyó de Japón a Estados Unidos. En la actualidad los trabajadores del sur de Europa encuentran empleo en las fábricas del norte de Europa, en tanto que los trabajadores mexicanos emigran a Estados Unidos. La caída del Muro de Berlín en 1990 disparó un éxodo masivo de trabajadores de Alemania Oriental a Alemania Occidental.

Las fuerzas económicas detrás de los movimientos internacionales de los factores de la producción son prácticamente idénticas a las que se encuentran bajo los flujos internacionales de productos y servicios. Los factores de la producción se mueven, cuando se les permite, de naciones donde son abundantes (baja productividad) hacia naciones donde son escasos (alta productividad). Los factores de la producción fluyen en respuesta a diferencias en los rendimientos (como salarios y rendimientos del capital) siempre y cuando sean lo suficientemente grandes como para exceder por mucho el costo de trasladarse de un país a otro.

En este capítulo se considera el papel de los flujos internacionales de capital (inversión) como sustitutos del comercio en productos intensivos en capital. Se brinda especial atención a la empresa multinacional que realiza la reasignación internacional de capital. También se analiza la movilidad internacional del trabajo como un sustituto para el comercio en los productos intensivos en trabajo.

LA EMPRESA MULTINACIONAL

Aunque el término *empresa* puede definirse con precisión, no hay un acuerdo universal en la definición exacta de **empresa multinacional** (**EMN**). Pero un vistazo cercano a algunas EMN representativas sugiere que estas empresas tienen algunas características identificables. Operan en muchos países y con frecuencia realizan actividades de investigación y desarrollo (I&D) además de las operaciones de manufactura, minería, extracción y negocios de servicios. Las EMN rebasan las fronteras nacionales y con frecuencia son dirigidas desde un centro corporativo de planeación que se encuentra distante del país anfitrión. Tanto la propiedad de las acciones como la administración de la empresa son de carácter multinacional. Una EMN típica tiene una alta razón de ventas al extranjero en relación con sus ventas totales, con frecuencia 25 por ciento o más. Sin importar la falta de acuerdo en lo que constituye una EMN, no hay duda de que el fenómeno de las multinacionales es enorme. En la tabla 9.1 se proporciona una lista de algunas de las corporaciones más grandes del mundo.

Las EMN diversifican sus operaciones de manera vertical, horizontal y de conglomerado dentro del país anfitrión y el país de origen. La **integración vertical** con frecuencia ocurre cuando la EMN decide establecer subsidiarias en el extranjero para fabricar productos intermedios o aportaciones que van hacia la fabricación del producto terminado. Para industrias como la refinación del petróleo y el acero, dicha *integración hacia atrás* incluye la extracción y procesamiento de materia prima. La mayoría de los fabricantes tienden a extender sus operaciones hacia atrás sólo hasta la producción de partes componentes. Las más importantes empresas petroleras internacionales representan un caso clásico de integración vertical hacia atrás con una base mundial. Las subsidiarias de producción de petróleo se localizan en áreas como el Medio Oriente, mientras que las operaciones de refinación y comercialización ocurren en las naciones industrializadas del Occidente. Las EMN también practican una *integración hacia delante*, en dirección al mercado del consumidor final. Por ejemplo, los fabricantes de automóviles establecen subsidiarias en el extranjero para comercializar los productos terminados de la empresa matriz. En la práctica, la mayoría de las inversiones extranjeras verticales es hacia atrás. Las EMN con frecuencia desean integrar sus operaciones de forma vertical para beneficiarse de las economías de escala y de la especialización internacional.

Una **integración horizontal** ocurre cuando una empresa matriz que produce un artículo de consumo en el país de origen establece una subsidiaria para fabricar el mismo tipo de producto en el país anfitrión. Estas subsidiarias son unidades independientes en capacidad de producción y se establecen para fabricar y comercializar el producto de la empresa matriz en los mercados del extranjero. Por ejemplo, Coca-Cola y Pepsi-Cola se embotellan no sólo en Estados Unidos sino también a lo largo de gran parte del mundo. Las EMN en ocasiones ubican instalaciones de producción en el extranjero para evitar las altas barreras arancelarias foráneas, lo que colocaría sus productos en una desventaja competitiva. A las empresas matrices también les gusta ubicarse cerca de sus clientes debido a que las diferencias en preferencias nacionales pueden requerir diseños especiales para sus productos.

Además de hacer inversiones horizontales y verticales, las EMN pueden diversificarse en mercados no relacionados, en lo que se conoce como **integración de conglomerado**. Por ejemplo, en la

TABLA 9.1

Las corporaciones más grandes del mundo en 2013

Empresa	Oficinas centrales	Ingresos (en miles de millones de dólares)
Royal Dutch Shell	Holanda	481.7
Walmart Stores	Estados Unidos	469.2
ExxonMobil	Estados Unidos	449.9
Sinopec Group	China	428.2
China National Petroleum	China	408.6
BP	Reino Unido	388.3
State Grid	China	298.4
Toyota Motor	Japón	265.7
Volkswagen	Alemania	247.6
Total	Francia	234.3

Fuente: Tomado de "The 2013 Global 500", *Fortune,* disponible en http://www. fortune.com.

	TABLA 9.2			

Posición de la inversión directa de Estados Unidos, 2013 (valor de libros)*

País	INVERSIÓN DIRECTA DE ESTADOS UNIDOS EN EL EXTRANJERO		INVERSIÓN EXTRANJERA DIRECTA EN ESTADOS UNIDOS	
	Cantidad (miles de millones de dólares)	Porcentaje	Cantidad (miles de millones de dólares)	Porcentaje
Canadá	351.8	7.9	225.3	8.5
Europa	2,477.0	55.6	1,876.2	70.8
América Latina	869.3	19.5	95.6	3.6
África	61.4	1.4	5.3	0.0
Medio Oriente	42.8	1.0	20.6	1.0
Asia Pacífico	651.3	14.6	427.8	16.1
	4,453.3	100.0	2,650.8	100.0

* El valor en libros se entiende como el valor histórico de una inversión, el valor se determina en el momento en el que ocurrió la inversión, sin ajuste por cambio de precios.

Fuentes: Tomado de Departamento de Comercio de Estados Unidos, *U.S. Direct Investment Position Abroad and Foreign Direct Investment Position in the United States on a Historical-Cost Basis*, disponible en http://www.bea.gov/. Vea también Departamento de Comercio de Estados Unidos, *Survey of Current Business*, Washington, DC, Government Printing Office.

década de los ochenta, las compañías petroleras de Estados Unidos aumentaron sus adquisiciones no energéticas en respuesta a declinaciones anticipadas de oportunidades de inversión futura en petróleo y gas. ExxonMobil adquirió una subsidiaria extranjera de minería de cobre en Chile y Tenneco compró una empresa francesa que produce sistemas de escape de gases para automóviles.

Para realizar sus operaciones a nivel mundial, las EMN dependen de una **inversión extranjera directa**: la adquisición de una parte de capital que les da el control en una empresa o instalación en el extranjero. La inversión extranjera directa por lo general ocurre cuando *1)* la empresa matriz obtiene suficientes acciones comunes en una empresa extranjera para asumir un control de voto (el Departamento de Comercio de Estados Unidos considera a una empresa de propiedad extranjera cuando un "extranjero" mantiene 10 por ciento del capital en la empresa); *2)* la empresa matriz adquiere o construye nuevas plantas y equipo en el extranjero; *3)* la empresa matriz envía fondos al exterior para financiar una expansión de su subsidiaria extranjera; o *4)* la subsidiaria extranjera de la empresa matriz, reinvierte las ganancias para la expansión de la planta.

En la tabla 9.2 se resume la posición de Estados Unidos en relación con la inversión extranjera directa en 2013. Los datos proporcionados corresponden tanto a los flujos de inversión extranjera directa de Estados Unidos como a los flujos de capital que recibe el país. En años recientes la mayor parte de la inversión extranjera directa de Estados Unidos ha fluido hacia Europa, América Latina y Canadá, en especial en el sector de manufactura. La mayor parte de la inversión extranjera directa en Estados Unidos ha provenido de Europa, Canadá y Asia; áreas que han invertido muy fuerte en la manufactura, el petróleo y las instalaciones comerciales mayoristas en Estados Unidos.

MOTIVOS DE LA INVERSIÓN EXTRANJERA DIRECTA

La apertura de mercados a la inversión extranjera directa es tan atractiva como lo es para el comercio. Las economías más abiertas registran tasas más altas de inversión privada, lo que es un determinante importante del crecimiento económico y la creación de empleos. La inversión extranjera directa es activamente atraída por los países porque genera derramas tecnológicas y mejora la administración. Igual que con las empresas que realizan comercio, las empresas y sectores donde la inversión extranjera directa es intensa tienden a tener un alto promedio de productividad de mano de obra y pagan salarios más altos. Los flujos de inversión hacia fuera (*outward*) permite a las empresas seguir siendo competitivas y así respaldar el empleo en el país de origen. La inversión en el extranjero estimula las exportaciones de maquinaria y otros bienes de capital.

Las nuevas EMN no aparecen de manera fortuita en otros países; se desarrollan como resultado de una planeación consciente por parte de los gerentes corporativos. Tanto la teoría económica como los estudios empíricos respaldan la noción de que la inversión extranjera directa se realiza en espera de *ganancias en el futuro*. Por lo general se asume que la inversión fluye de regiones donde se esperan bajas ganancias a otras donde se esperan ganancias más altas, después de permitir algún margen para el riesgo. Aunque finalmente las utilidades esperadas explican el proceso de una inversión extranjera directa, la administración corporativa puede enfatizar una diversidad de factores cuando se le cuestiona acerca de sus motivos de inversión. Estos factores incluyen condiciones de demanda de mercado, restricciones comerciales, regulaciones de inversión, costos laborales y de transporte. Todos estos factores influyen en las condiciones de costos y de ingresos y, por tanto, en el nivel de las ganancias.

Factores de la demanda

La búsqueda de ganancias alienta a las EMN a buscar nuevos mercados y fuentes de demanda. Algunas establecen subsidiarias en el extranjero para utilizar los mercados extranjeros que no pueden mantenerse de forma adecuada por los productos de exportación. En ocasiones esto ocurre como respuesta a una insatisfacción por técnicas de distribución en el extranjero. En consecuencia, una empresa puede establecer una división de comercialización en el extranjero y después, las instalaciones de manufactura. Este incentivo adquiere particular fuerza al percatarse de que existen diferencias locales de gusto y diseño. Una familiaridad cercana con las condiciones locales es de la mayor importancia para el éxito de un programa de comercialización.

La ubicación de instalaciones de manufactura en el extranjero puede sustentarse por el hecho de que algunas empresas encuentran que su capacidad productiva excede su demanda nacional. Si desean disfrutar de tasas de crecimiento que superen la expansión de la demanda nacional, deben exportar o establecer operaciones de producción en el extranjero. Por ejemplo, General Motors (GM), consideró que los mercados de países como Reino Unido, Francia y Brasil son lo suficientemente fuertes como para permitir la supervivencia de subsidiarias de manufactura de GM. Pero Boeing ha centralizado sus operaciones de manufactura en Estados Unidos y exporta al extranjero, porque una planta de producción eficiente de aviones implica una cuantiosa inversión en comparación con el tamaño de la mayoría de los mercados extranjeros.

La *competencia de mercado* también influye en la decisión de una empresa de establecer instalaciones en el extranjero. Las estrategias corporativas pueden ser de naturaleza defensiva si están dirigidas a preservar las participaciones de mercado de la competencia real o potencial. El método más seguro para evitar que un competidor en el extranjero se convierta en una gran fuerza es adquirir empresas extranjeras. Las décadas de los sesenta y setenta testificaron en Estados Unidos un gran surgimiento en la adquisición de empresas en el extranjero y cerca de la mitad de las subsidiarias en el extranjero operadas por las EMN de Estados Unidos fueron adquiridas originalmente a través de la compra de organizaciones ya existentes. Una vez más, General Motors ejemplifica esta práctica, al comprar y establecer plantas de producción de automóviles en todo el mundo. GM ha tenido éxito en controlar muchas de sus empresas de modelos extranjeros más grandes, incluida Monarch (GM Canadá) y Opel (GM Alemania). No adquirió empresas de modelos más pequeñas como Toyota, Datsun y Volkswagen, todas las cuales se han convertido en competidores significativos para General Motors.

Costos de los factores

Las EMN con frecuencia buscan aumentar los niveles de ganancias a través de reducir los costos de producción. Dicha inversión extranjera directa que reduce costos adopta diversas formas. La búsqueda de materias primas esenciales puede estar detrás de la intención de una empresa de volverse multinacional. Esto es cierto en las industrias de extracción y de ciertos artículos de consumo agrícolas.

Por ejemplo, United Fruit ha establecido instalaciones de producción de plátano en Honduras para aprovechar las ventajas de comercio natural que permite el clima y las condiciones de cultivo. Ventajas comerciales naturales similares explican por qué Anaconda ha establecido operaciones mineras en Bolivia y por qué Shell produce y refina petróleo en Indonesia. Las ventajas de una oferta natural como la dotación de recursos o las condiciones climáticas en realidad pueden influir en la decisión de la empresa de invertir en el extranjero.

Los costos de producción incluyen factores distintos a los insumos materiales, notablemente el trabajo. Los *costos laborales* tienden a diferir entre las economías nacionales. Las EMN pueden ser capaces de mantener bajos los costos al ubicar parte o todas sus instalaciones de producción en el extranjero. Por ejemplo, muchas compañías estadunidenses de electrónicos han hecho que sus productos se fabriquen o al menos se ensamblen en el extranjero para aprovechar la mano de obra extranjera barata. (El que Estados Unidos pueda pagar salarios más altos que los prevalecientes en el extranjero no necesariamente indica costos más altos. Los salarios altos pueden resultar del hecho que los trabajadores estadunidenses son mucho más productivos que sus contrapartes extranjeros. La mano de obra extranjera se volverá relativamente más atractiva cuando los salarios más altos de Estados Unidos no sean contrarrestados por una productividad superior de la mano de obra estadunidense.)

La ubicación de la EMN también puede ser determinada por los costos de transporte, en especial en industrias donde tales costos constituyen una alta fracción del valor del producto. Cuando el costo de transportar las materias primas utilizadas por una EMN es significativamente más alto que el costo de embarcar sus productos terminados a los mercados, la EMN ubicará las instalaciones de producción más cerca de sus fuentes de materias primas que de sus mercados; la madera, los químicos básicos, el aluminio y el acero están entre los productos que encajan en esta descripción. Por el contrario, cuando el costo de transportar los productos terminados es significativamente más alto que el costo de transportar las materias primas que se emplean en su manufactura, las EMN ubicarán las instalaciones de producción cerca de sus mercados. Los fabricantes de bebidas, como Coca-Cola y Pepsi-Cola, transportan el concentrado de jarabe a las plantas en todo el mundo, que agregan agua al jarabe, lo embotellan y lo venden a los consumidores. Cuando los costos de transporte son una fracción menor del valor de producto, las EMN tienden a ubicarse donde la disponibilidad y el costo del trabajo y otros insumos les dé el costo de manufactura más bajo. Las EMN que producen componentes electrónicos, prendas y calzado son ejemplos de dicha movilidad de ubicación.

Las *políticas gubernamentales* también atraen la inversión extranjera directa. Algunas naciones que buscan atraer a los fabricantes extranjeros para establecer instalaciones generadoras de empleos en sus países otorgan subsidios, como un tratamiento fiscal preferencial o construcción gratuita de fábricas a las EMN. Lo más común es que la inversión directa pueda ser una forma de rodear las barreras arancelarias de importación. Los muy altos aranceles que Brasil impone en las importaciones de automóviles motivan a que los productores extranjeros de automóviles que desean vender en el mercado brasileño ubiquen instalaciones de producción en ese país. Otro ejemplo es la respuesta de las empresas estadunidenses a la formación de la Unión Europea (UE), que impuso aranceles comunes en contra de los extranjeros mientras que redujo las barreras comerciales entre las naciones miembros. Las empresas estadunidenses fueron inducidas a rodear estas barreras al establecer subsidiarias en las naciones miembros. Otro ejemplo son las empresas japonesas que en apariencia ubicaron plantas de ensamble automotriz adicionales en Estados Unidos en las décadas de los ochenta y los noventa para desactivar las crecientes presiones proteccionistas.

OFRECER PRODUCTOS A LOS COMPRADORES EXTRANJEROS: LA DECISIÓN DE PRODUCIR EN EL INTERIOR DEL PAÍS O EN EL EXTRANJERO

Una vez que una empresa sabe que en el extranjero existe una demanda por sus productos, debe asegurar el método de menor costo de ofrecer estos productos. Suponga que AnheuserBusch (A-B) de Estados Unidos quiere vender su cerveza Budweiser en Canadá. A-B considera hacer esto en una de tres formas: *1)* construir una cervecería en Wisconsin para producir Budweiser y venderla a los consumidores estadunidenses en la zona del Medio Oeste Superior y también a los consumidores canadienses (exportación directa); *2)* construir una cervecería en Canadá para fabricar Budweiser y venderla a los consumidores canadienses (inversión extranjera directa) o *3)* licenciar los derechos de una cervecería canadiense para que produzca y venda la cerveza Budweiser en Canadá. El método que A-B elija dependerá del grado de las economías de escala, los costos de transporte y distribución y las barreras internacionales al comercio. Estas consideraciones se analizan en las siguientes secciones.

Exportación directa frente a inversión extranjera directa/licencias

Considere la estrategia de A-B de suministrar Budweiser a los canadienses por medio de exportación directa a diferencia de la inversión extranjera directa o un acuerdo de licencia. Primero conviene analizar la influencia de las economías de escala en esta estrategia. Uno esperaría que las economías de escala animaran a A-B a exportar Budweiser a Canadá cuando la cantidad de cerveza demandada en Canadá es relativamente pequeña; y alentaran la producción canadiense, ya sea por un acuerdo de licencia o una inversión extranjera directa, si la demanda es una cantidad relativamente grande de cerveza en Canadá.

Para ilustrar este principio, asuma que las curvas del costo de producción promedio son idénticas para una cervecería potencial de A-B en Wisconsin, una cervecería potencial de A-B en Canadá y una cervecería canadiense a la que se le otorgara una licencia para producir Budweiser. Estas curvas de costos se denotan por *CMe* en la figura 9.1. Al tiempo que estas cervecerías aumentan la producción, los costos promedio de fabricar una caja de cerveza disminuyen hasta un punto, después del cual sus costos promedio ya no disminuyen, sino que se estabilizan.

Suponga que A-B estima que los consumidores estadunidenses demandarán 200 cajas de Budweiser por año, como se puede ver en la figura 9.1. Producir esta cantidad en una cervecería de A-B en Wisconsin permite la obtención de economías de escala considerables, lo cual ocasiona un costo de producción de $8 por caja. También asuma que se estima que los canadienses demanden una cantidad relativamente pequeña de Budweiser, 100 cajas. Como la cervecería de Wisconsin produciría

FIGURA 9.1

La alternativa entre exportación directa o la inversión extranjera directa/licencia

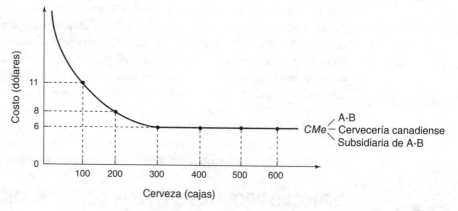

Cuando el tamaño del mercado canadiense es lo suficientemente grande para permitir una producción eficiente en Canadá, una empresa estadunidense incrementa sus utilidades al establecer una subsidiaria de producción canadiense o licenciar los derechos a una empresa canadiense para producir y comercializar su producto en Canadá. La empresa estadunidense aumenta sus utilidades al exportar su producto a Canadá cuando el mercado canadiense es demasiado pequeño para permitir una producción eficiente.

200 cajas para consumo estadunidense, incrementar la producción para cumplir con la demanda adicional de Canadá permitiría que la cervecería se moviera sobre su curva de costo promedio hasta producir 300 cajas a un costo de $6 por caja.

La alternativa de producir Budweiser en Wisconsin y de exportarla a Canadá sería producirla en Canadá. Sin embargo, como se calcula que los consumidores canadienses demandarán sólo 100 cajas de Budweiser, el tamaño del mercado es demasiado pequeño para permitir que se obtengan por completo economías de escala. Es decir, la probable cervecería de A-B en Canadá o la cervecería canadiense con licencia producirían Budweiser a un costo de $11 por caja. Por tanto, el ahorro de costo de producción para A-B de hacer la cerveza Budweiser en Wisconsin y exportarla a Canadá sería de $5 por caja ($11 − $6 = $5). Si el costo de transportar y distribuir Bud a los canadienses es menor que esta cantidad, A-B maximizaría las utilidades al exportar Bud a Canadá.

Sin embargo, si la cantidad de Budweiser demandada en Canadá excede las 300 cajas, sería más rentable para A-B utilizar un acuerdo de licencia o una inversión extranjera directa. Para ilustrar esta posibilidad, remítase a la figura 9.1. Suponga que se estima que los canadienses demandarán 400 cajas de Budweiser por año, mientras que la cantidad de Budweiser demandada por los consumidores de Estados Unidos sigue en 200 cajas. Como las economías de escala se agotan en 300 cajas, la mayor demanda canadiense no permite que A-B produzca Budweiser a un costo menor de $6 por caja. Al producir 400 cajas, la cervecería canadiense con licencia o la cervecería subsidiaria canadiense de A-B podría empatar la eficiencia de la cervecería de Wisconsin de A-B y cada una obtendría un costo de producción de $6 por caja. Dados los costos de producción iguales, A-B minimizaría el costo total al evitar el costo adicional de transportar y distribuir cerveza a los canadienses. Así, A-B aumenta las utilidades al licenciar su tecnología de cervezas a un cervecero canadiense o invertir en una cervecería subsidiaria en Canadá.

Al igual que los costos de transporte, las restricciones comerciales neutralizan las ventajas de costo de producción. Si Canadá tiene altos aranceles de importación, la ventaja de costo de producción de la cervecería de A-B en Wisconsin puede contrarrestarse, haciendo que la inversión extranjera directa o el licenciamiento sea la única forma factible de penetrar el mercado canadiense.

Inversión extranjera directa frente a licencias

Una vez que una empresa elige la producción en el extranjero como método para suministrar productos en el extranjero, debe decidir si es más eficiente establecer una subsidiaria de producción extranjera o licenciar la tecnología a una empresa extranjera para fabricar sus productos. En el Reino Unido hay establecimientos de Kentucky Fried Chicken que son propiedad de residentes locales y son administrados por ellos. La matriz estadunidense sólo proporciona su nombre y los procedimientos de operación a cambio de cuotas de regalías pagadas por los establecimientos locales. Aunque el proceso de licencias es ampliamente utilizado en la práctica, presupone que las empresas locales son capaces de adaptar sus operaciones al proceso de producción o tecnología de la matriz.

En la figura 9.2 se muestran las condiciones de costo hipotéticas que confronta A-B conforme examina si licenciar la tecnología de producción de Budweiser a una cervecería canadiense o invertir en una subsidiaria de cervecería canadiense. La curva $CVMe_{Subsidiaria}$ representa el costo variable promedio (como trabajo y materiales) de la subsidiaria de la cervecería A-B, y $CVMe_{Canadá}$ representa el costo variable promedio de una cervecería canadiense. El establecimiento de una cervecería subsidiaria extranjera también conlleva los costos fijos denotados por la curva $CFMe_{Subsidiaria}$. Estos incluyen gastos de coordinación de la subsidiaria con la empresa principal y los costos incurridos al evaluar el potencial de mercado del país extranjero. El total de costos unitarios que enfrenta A-B al establecer una subsidiaria extranjera son dados por $CTMe_{Subsidiaria}$.

Al comparar $CTMe_{Subsidiaria}$ con $CVMe_{Canadá}$, para un mercado relativamente pequeño de menos de 400 cajas de cerveza, la cervecería canadiense tiene una ventaja de costo absoluta. Licenciar la tecnología de producción de Budweiser a una cervecería canadiense en este caso es más rentable para A-B. Pero si el mercado canadiense para Budweiser excede 400 cajas, la cervecería subsidiaria de A-B tiene una ventaja de costo absoluta; A-B aumenta sus ganancias al suministrar cerveza a los canadienses por medio de una inversión extranjera directa.

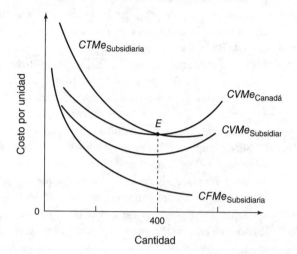

FIGURA 9.2

La alternativa entre la inversión extranjera directa y las licencias

La decisión de establecer operaciones en el extranjero a través de una inversión directa o licencia depende de 1) el grado en que se utilice el capital en el proceso de producción, 2) el tamaño del mercado extranjero y 3) la cantidad de costo fijo en que debe incurrir una empresa al establecer una instalación en el extranjero.

© Cengage Learning®

Diversos factores influyen en el nivel de producción al que la subsidiaria cervecera de AB comienza a obtener una ventaja de costo absoluto frente a la cervecería canadiense (400 cajas en la figura 9.2). A medida en que la producción sea intensiva en capital y que la subsidiaria cervecera pueda adquirir capital a un costo menor que el pagado por la cervecería canadiense, la ventaja de costo variable de la subsidiaria es mayor. Esto neutraliza la influencia de una desventaja de costos fijos para la subsidiaria a un nivel más bajo de producción. La cantidad de los costos fijos de la cervecería subsidiaria también tiene una carga en este nivel de producción mínimo. Los costos fijos más pequeños disminuyen el total de costo promedio de la subsidiaria y de nuevo ocasionan una producción más pequeña en la que primero la subsidiaria comienza a tener una ventaja de costo absoluta.

Como se señaló, las decisiones de negocios internacionales están influidas por factores como costos de producción, costos fijos por ubicación en el extranjero, la importancia relativa del trabajo y el capital en el proceso de producción y el tamaño del mercado extranjero. Otro factor es el elemento de riesgo e incertidumbre. Al determinar dónde ubicar las operaciones de producción, la administración está preocupada por posibilidades como las fluctuaciones monetarias y expropiaciones de las subsidiarias.

ANÁLISIS DEL RIESGO PAÍS

Aunque invertir o prestar en el extranjero puede tener sus recompensas, estas actividades conllevan riesgos. Por ejemplo, el gobierno ruso podría expropiar los activos de los inversionistas extranjeros o hacer que los pagos a préstamos del extranjero sean ilegales. Así, las corporaciones multinacionales y los bancos realizan un **análisis del riesgo país** para ayudarles a decidir si deben hacer negocios en el extranjero.

Los individuos que tienen posiciones de responsabilidad en empresas y bancos orientados a lo internacional participan en el análisis del riesgo país al evaluar el riesgo de cada país en el que consideran hacer negocios. Por ejemplo, los funcionarios del Chase Manhattan Bank pueden establecer

¿Las empresas multinacionales estadunidenses explotan a los trabajadores de los países en desarrollo? De acuerdo con los críticos, maximizar las ganancias es lo único que les preocupa a las multinacionales: buscan en el mundo el trabajo más barato al decidir dónde ubicar las fábricas. La única ganancia de este comportamiento, según afirman, rinde frutos para los dueños de estas empresas que han instalado operaciones fabriles de plantas de bajos salarios en países industrializados hacia fábricas de salarios de pobreza en países en desarrollo. En términos sencillos, los trabajadores en los países en desarrollo, de acuerdo con los críticos, están mal remunerados.

De hecho, las multinacionales funcionan con base en la búsqueda de ganancias. Pero esto no parece ser un problema para muchos trabajadores de los países en desarrollo que compiten por trabajar para ellas. Las personas que van a trabajar para una empresa de propiedad extranjera lo hacen porque es preferible a la alternativa que tengan, cualquiera que sea. Desde su propio punto de vista, sus nuevos empleos los hacen estar mejor.

Suponga que los críticos tienen razón y que estos trabajadores son explotados. Una solución sería amonestar a las multinacionales por operar en los países en desarrollo. Si las multinacionales dejaran de contratar trabajadores en los países en desarrollo, los trabajadores, según sus cálculos, estarían peor. Otra posible acción sería lograr que las multinacionales pagaran a los trabajadores en los países en desarrollo salarios tan altos como los que pagan en los países industrializados. Sin embargo, esto desalentaría la inversión directa en los países en desarrollo. ¿Por qué? Los trabajadores en los países en desarrollo reciben menor pago que los trabajadores de los países industrializados porque son menos productivos: con frecuencia trabajan con maquinaria menos avanzada y la infraestructura circundante es inadecuada, lo que reduce la productividad. Estos trabajadores son atractivos para las multinacionales, a pesar de su productividad más baja, porque son baratos. Si usted retirara esa ventaja contrastante, los convertiría

en personas no sujetas a ser empleadas. En términos sencillos, la presión por extender las tarifas salariales de Estados Unidos o de Europa a los países en desarrollo podría significar el cierre de las fábricas de estos países y dañaría a las personas en lugar de ayudarlas.

Si se deja a un lado la productividad, ¿las multinacionales "responsables" deben pagar a sus empleados en países en desarrollo más que a los demás trabajadores locales? Para contratar trabajadores tal vez no sea necesario brindar una prima por encima de los salarios locales si se pueden ofrecer otras ventajas, como una fábrica moderna en la que trabajar, en vez de un lugar con condiciones de esclavitud. Al participar en el mercado laboral local y sumar a la demanda total de trabajo, es muy probable que las multinacionales incrementen los salarios para todos los trabajadores, no sólo de los que emplean.

Sin embargo, la evidencia sugiere que las multinacionales pagan una prima salarial, lo que en apariencia refleja el deseo de reclutar trabajadores más o menos calificados. Los economistas del Peterson Institute of International Economics estiman que, durante la década de 1990, los salarios pagados por las multinacionales a los trabajadores de los países pobres son aproximadamente el doble del salario de manufactura local; los salarios pagados por las multinacionales a los trabajadores en los países de ingresos medios son alrededor de 1.8 veces el salario de manufactura local. En pocas palabras, ¿las multinacionales estadunidenses dan un salario inferior a los trabajadores de los países en desarrollo? Para los estándares estadunidenses, así es. Pero los estándares estadunidenses son irrelevantes en los países en desarrollo: muy pocos trabajadores en estos países reciben salarios con los niveles de Estados Unidos. El punto clave es que, para los estándares locales, a estos trabajadores por lo general les va bastante bien.

Fuentes: Edward Graham, *Fighting the Wrong Enemy*, Washington, DC, Institute for International Economics, 2000.

límites en la cantidad de préstamos que están dispuestos a hacer a los clientes en Turquía con base en el riesgo de terrorismo, así como los factores del mercado. Es más, si Toyota teme una gran inflación y costos laborales crecientes en México, puede evitar establecer una planta de ensamble automotriz ahí.

Evaluar el costo y los beneficios de hacer negocios en el extranjero conlleva análisis del riesgo político, financiero y económico. El análisis del *riesgo político* tiene la intención de evaluar la estabilidad política de un país e incluye un criterio como la estabilidad gubernamental, la corrupción, el conflicto nacional, tensiones religiosas y étnicas. El análisis del *riesgo financiero* investiga la capacidad de un país para financiar sus deudas e incluye factores como la deuda extranjera como porcentaje del PIB, falta de pago de la deuda y estabilidad del tipo de cambio. Finalmente, el análisis del *riesgo económico* determina las fortalezas y debilidades económicas actuales de un país al observar su tasa de crecimiento en el PIB, el PIB per cápita, tasa de inflación y demás. Luego los analistas calculan una calificación de riesgo país compuesto basado en estas tres categorías de riesgo. Esta calificación compuesta brinda una evaluación general del riesgo de hacer negocios en algún país.

El análisis de riesgo país tiene la intención de ser usado por alguien en particular. Por ejemplo, una empresa que participa en el turismo internacional estará preocupada en cuanto al riesgo país en tanto a su atractivo como destino vacacional. En este caso, la evaluación del riesgo compuesta de Venezuela, puede no ser de gran utilidad. Es posible que Venezuela sea considerado un país con un alto riesgo en su calificación compuesta, pero no presenta un riesgo sustancial para los viajeros porque su riesgo compuesto disminuye por factores como un bajo riesgo financiero o económico, clima de inversión miserable u otros factores que no afectan a los turistas. Sin embargo, Israel podría considerarse como moderadamente riesgoso debido a un gobierno estable y políticas económicas fuertes, pero aún así presentar un riesgo político significativo para los turistas debido a tensiones religiosas y étnicas. En estos casos, puede asegurarse una mejor comprensión del riesgo al considerar los componentes de riesgo en particular, más que la calificación de riesgo compuesto.

Al realizar el análisis de riesgo país, las empresas multinacionales y los bancos pueden obtener ayuda de organizaciones que analizan riesgos. Por ejemplo, Political Risk Services publica su informe mensual *International Country Risk Guide.*[1] La guía proporciona calificaciones individuales en más de 130 países desarrollados y países en desarrollo por riesgos políticos, financieros y económicos, más una calificación compuesta. Al calcular la calificación de riesgos compuesta, los factores de riesgo político reciben un peso de 50 por ciento, mientras que los factores de riesgo financiero y de riesgo económico, cada uno, contribuyen 25 por ciento. En la tabla 9.3 se proporcionan ejemplos de calificaciones compuestas. Al evaluar el riesgo compuesto de un país, una puntuación más alta indica un menor riesgo y una puntuación más baja indica un riesgo más alto. Dicha información puede ser útil para una empresa como herramienta de pronóstico para inversiones internacionales y transacciones financieras.

Después que una empresa determina la calificación de riesgo país, debe decidir si ese riesgo es tolerable. Si se calcula que el riesgo es demasiado alto, entonces la empresa no necesita continuar

---

TABLA 9.3

Riesgos de países seleccionados clasificados por puntuaciones compuestas, enero de 2013

País	Calificación de riesgo compuesto (100 puntos máximo)	
Noruega	90.8	Muy bajo riesgo
Suiza	89.0	
Canadá	83.5	
Corea del Sur	81.0	
Estados Unidos	75.8	
China	75.0	
Ucrania	67.5	
Pakistán	55.8	
Zimbabwe	51.5	
Somalia	43.5	Muy alto riesgo

Fuente: Tomado de Political Risk Services, *International Country Risk Guide.*

---

[1] Hay otros servicios que miden el riesgo país, algunos de los más populares son Euromoney, Economist Intelligence Unit, Bank of America World Information Services, Business Environment Risk Intelligence, Institutional Investor, Standard and Poor's Rating Group y Moody's Investor Services

más la búsqueda de la factibilidad del proyecto propuesto. Si la calificación de riesgo país está en el rango aceptable, cualquier proyecto relacionado con ese país merece una mayor consideración. En términos de las calificaciones del *International Country Risk Guide* de riesgos de países, se utilizan las siguientes categorías para identificar niveles de riesgo: *1)* bajo riesgo, 80-100 puntos; *2)* riesgo moderado, 50-79 puntos; *3)* alto riesgo, 0-49 puntos. Sin embargo, estas amplias categorías deben ser atenuadas para encajar con las necesidades de empresas multinacionales y bancos.

TEORÍA DEL COMERCIO INTERNACIONAL Y EMPRESA MULTINACIONAL

Tal vez la primera explicación del desarrollo de las EMN reside en las estrategias de la administración corporativa. Las razones para participar en negocios internacionales pueden delinearse en términos del principio de la ventaja comparativa. Los gerentes corporativos ven ventajas que pueden explotar en formas de acceso a factores de insumos, nuevas tecnologías y productos y conocimiento administrativo. Las organizaciones establecen subsidiarias en el extranjero en gran medida porque las perspectivas de ganancias se refuerzan más por la producción en el extranjero.

Desde la perspectiva de la teoría del comercio, el análisis de empresa multinacional concuerda con los pronósticos del principio de la ventaja comparativa. Ambos enfoques afirman que un artículo de consumo dado se producirá en el país de bajo costo. La diferencia importante entre el análisis de empresa multinacional y el modelo de comercio convencional es que el primero enfatiza el movimiento internacional de los insumos de factores, mientras que el segundo está basado en el movimiento de mercancía entre las naciones.

La teoría del comercio internacional sugiere que el bienestar del país de origen y del país anfitrión, en total, mejora cuando las EMN realizan inversión extranjera directa para su propio beneficio. La presunción es que si las empresas pueden obtener un rendimiento más alto en inversiones en el extranjero de las que se obtienen en su país, los recursos se transfieren de usos menos productivos a otros de usos de mayor productividad y en balance la asignación mundial de recursos mejorará. Así, el análisis de las EMN es en esencia igual a la teoría convencional del comercio, que reside en el movimiento de los productos entre las naciones.

A pesar de la concordancia básica entre la teoría convencional del comercio y el análisis de empresa multinacional, hay algunas diferencias notables. El modelo convencional presupone que los productos son intercambiados entre las organizaciones independientes en los mercados internacionales a precios determinados en forma competitiva. Pero las EMN por lo general son empresas integradas en forma vertical cuyas subsidiarias fabrican productos intermedios, así como productos terminados. En una EMN, las ventas se vuelven *intracompañías*, cuando los productos se transfieren de subsidiaria en subsidiaria. Aunque dichas ventas son parte del comercio internacional, su valor puede ser determinado por factores distintos a un sistema de precios competitivo.

LA INDUSTRIA AUTOMOTRIZ JAPONESA SE TRASPLANTA A ESTADOS UNIDOS

Desde la década de los ochenta, el crecimiento de la inversión directa japonesa en la industria automotriz estadunidense ha sido ampliamente publicitado. Como se puede ver en la tabla 9.4, los fabricantes japoneses de automóviles han invertido millones de dólares en instalaciones de ensamble asentadas en Estados Unidos, conocidas como **empresas trasplantadas**. El establecimiento de empresas trasplantadas en Estados Unidos proporciona varios beneficios para los fabricantes de automóviles japoneses, incluso oportunidades para:

- Silenciar a los críticos que insisten en que los automóviles vendidos en Estados Unidos deben ser producidos ahí.

TABLA 9.4	
Plantas de automóviles japonesas en Estados Unidos	
Nombre de la planta/empresa matriz	**Ubicación**
Honda of America, Inc. (Honda)	Marysville, Ohio, Lincoln Alabama East Liberty, Ohio, Greensburg, Indiana
Toyota Motor Manufacturing, USA, Inc. (Toyota)	Georgetown, Kentucky, Huntsville, Alabama, Princeton, Indiana, San Antonio, Texas Buffalo, West Virginia Blue Springs, Mississippi
Nissan Motor Manufacturing Corp. (Nissan)	Smyrna, Tennessee, Decherd, Tennessee Canton, Mississippi
Mazda Motor Manufacturing, USA, Inc. (Mazda)	Claycomo, Missouri
Volkswagen, USA, Inc. (Volkswagen)	Chattanooga, Tennessee

© 2015 Cengage Learning®

- Evitar posibles barreras a la importación de Estados Unidos.
- Obtener acceso a un mercado en expansión en un momento en que el mercado japonés está cerca de la saturación.
- Proporcionar un cerco de protección en contra de fluctuaciones en el tipo de cambio yen-dólar.

Por ejemplo, Toyota que se ha comprometido a producir en Norteamérica al menos dos tercios de los vehículos que vende en la región, considera fabricar más vehículos en Estados Unidos como un tipo de seguro político. Al esparcir empleos de manufactura a través de muchos estados, Toyota ha construido una red de funcionarios del gobierno estatal y federal amigables hacia la empresa.

El crecimiento de la inversión japonesa en la industria automotriz estadunidense ha llevado a elogios y preocupaciones por el futuro de las industrias de manufactura de automóviles propiedad de Estados Unidos y las industrias de proveedores de partes. Los partidarios de la inversión extranjera directa sostienen que fomenta el mejoramiento en la posición competitiva general de las industrias nacionales de ensamble de automóviles y de refacciones. También afirman que la inversión extranjera genera empleos y proporciona a los consumidores una alternativa de producto más amplia a precios más bajos de lo que estarían disponibles de otra manera. Sin embargo, el sindicato United Auto Workers (UAW) sostiene que esta inversión extranjera ocasiona pérdidas de empleos en las industrias de ensamble de automóviles y en las industrias de proveedores de refacciones.

Un factor que influye el número de trabajadores contratados son las *clasificaciones de puestos* de una empresa, en las que se estipula el alcance del trabajo que cada empleado desempeña. Conforme aumenta el número de clasificaciones de puesto, el alcance del trabajo disminuye, junto con la flexibilidad de utilizar a los empleados disponibles; esto puede llevar a una caída en la productividad de los empleados y a costos de producción crecientes.

Las compañías automotrices afiliadas a los japoneses de forma tradicional han utilizado clasificaciones de puestos significativamente menores que las tradicionales compañías automotrices estadunidenses. Los trasplantes japoneses utilizan equipos de trabajo y cada miembro de un equipo está capacitado para hacer cualquiera de las operaciones realizadas por el equipo. Una planta típica de ensamble filial japonesa tiene entre tres y cuatro clasificaciones de puestos: un líder de equipo, un técnico de producción y uno o dos técnicos de mantenimiento. Con frecuencia, los empleos se rotan entre los miembros del equipo. En contraste, las plantas automotrices estadunidenses han implantado más de 90 distintas clasificaciones de puestos y los empleados por lo general realizan sólo las operaciones permitidas específicamente para su clasificación. Estas tendencias han contribuido a la productividad laboral superior de las empresas trasplantadas japonesas en comparación con los Tres Grandes de Estados Unidos (GM, Ford y Chrysler). Aunque las fuerzas poderosas dentro de los Tres Grandes de Estados Unidos se han opuesto al cambio, la competencia internacional ha forzado a los fabricantes estadunidenses a desmantelar lentamente su administración y métodos de producción y rehacerlos en línea con los procedimientos japoneses.

Para quienes elaboran las políticas, el tema más amplio es si las empresas trasplantadas japonesas han estado a la altura de las expectativas. Cuando los japoneses iniciaron su inversión en las instalaciones de manufactura de automóviles estadunidenses a final de la década de los ochenta, muchos estadunidenses los vieron como modelos para una industria automotriz estadunidense revitalizada y como nuevos clientes para los proveedores estadunidenses de refacciones automotrices. Las empresas trasplantadas eran vistas como una forma de proporcionar empleos para los trabajadores de automóviles estadunidenses cuyos empleos cada vez menguaban más conforme aumentaban las importaciones. Cuando se anunciaron las fábricas trasplantadas, los estadunidenses anticiparon que la producción de dichas empresas se basaría sobre todo en refacciones, material y mano de obra estadunidense; la producción de las empresas trasplantadas desplazaría a las importaciones del mercado estadunidense al tiempo que transfería nuevas técnicas de administración y tecnología a Estados Unidos.

Ciertamente, las fábricas trasplantadas impulsaron las economías en las regiones donde se localizan. Tampoco hay duda de que las trasplantadas ayudaron a transferir el control de calidad japonés, la entrega justo a tiempo y otras técnicas de producción a Estados Unidos. Sin embargo, las expectativas originales de las trasplantadas sólo fueron satisfechas de forma parcial. Los escépticos afirmaban que la probabilidad de que las operaciones de manufactura japonesas importaran partes para armar en Estados Unidos era el doble que el de una empresa extranjera promedio y cuatro veces más que lo de una empresa estadunidense. La gran cantidad de refacciones importadas por las trasplantadas japonesas contribuiría a un déficit comercial automotriz estadunidense con Japón y provocaría menos empleos para los trabajadores estadunidenses de la industria automotriz.

EMPRESAS CONJUNTAS (JOINT VENTURE) INTERNACIONALES

Otra área de participación de empresas multinacionales es la de **empresas conjuntas internacionales**. Una empresa conjunta (*joint venture*) es una organización de negocios establecida por dos o más empresas que combinan sus habilidades y sus activos. Puede tener un objetivo limitado (investigación o producción) y tener poco tiempo de vida. También pueden ser de carácter multinacional, incluir cooperación entre varias empresas nacionales y extranjeras. Las empresas conjuntas difieren de las fusiones en que incluyen la creación de una *nueva* empresa de negocios, más que ser la unión de dos empresas existentes.

Hay tres tipos de empresas conjuntas internacionales. El primero es una empresa conjunta formada por dos empresas que conducen a una empresa en un tercer país. Por ejemplo, una compañía petrolera estadunidense y una compañía petrolera británica pueden formar una empresa conjunta para la exploración petrolera en el Medio Oriente. Después está la formación de una empresa conjunta con la iniciativa privada del lugar. Honeywell Information Systems of Japan fue formada por Honeywell, Inc. de Estados Unidos y Mitsubishi Office Machinery Company de Japón para vender equipo de sistemas de información a los japoneses. El tercer tipo de empresa conjunta incluye participación por parte del gobierno local. Bechtel de Estados Unidos, Messerschmitt-Boelkow-Blom de Alemania Oriental y National Iranian Oil (que representa al gobierno de Irán) formaron Iran Oil Investment Company para la extracción de petróleo en Irán.

Se han aportado diversas razones para justificar la creación de las empresas conjuntas. Algunas funciones, como las de investigación y desarrollo, pueden incluir costos demasiado grandes para ser absorbidos por una sola empresa. Muchos de los depósitos de cobre más grandes del mundo han sido de propiedad y extracción conjunta de las compañías de cobre más grandes sobre la base de que se requiere financiamiento conjunto para reunir capital suficiente. La explotación de los depósitos petroleros con frecuencia se hace por un consorcio de varias compañías petroleras. Los proyectos de perforación de pozos por lo general incluyen varias empresas unidas en una empresa conjunta y varias refinerías son dueñas de oleoductos de larga distancia. Las refinerías de petróleo en los países extranjeros pueden ser de propiedad conjunta de varias compañías petroleras grandes de Estados Unidos y del extranjero.

Otro factor que estimula la formación de las empresas conjuntas internacionales son las restricciones que algunos gobiernos imponen en la propiedad extranjera de las empresas locales. Los gobiernos en los países en desarrollo con frecuencia cierran sus fronteras a las empresas extranjeras a menos que estén dispuestas a aceptar socios locales. México, India y Perú requieren que sus empresas nacionales representen un interés mayoritario en cualquier empresa extranjera que realice actividades dentro de sus fronteras. El inversionista extranjero es forzado a aceptar la participación de los nacionales en el capital social o de lo contrario tendrá que dejar ir la operación en el país. Dichas políticas gubernamentales son defendidas sobre la base de que las empresas conjuntas ocasionan la transferencia de técnicas de administración y conocimiento a la nación en desarrollo. Las empresas conjuntas también pueden evitar la posibilidad de una influencia política excesiva por parte de los inversionistas extranjeros. Finalmente, las empresas conjuntas ayudan a minimizar las transferencias de dividendos al extranjero y así fortalecen la balanza de pagos del país en desarrollo.

Las empresas conjuntas internacionales también son vistas como medio para prevenir el proteccionismo en contra de las importaciones. Aparentemente motivados por el temor de que el proteccionismo creciente restrinja su acceso a los mercados estadunidenses, los fabricantes japoneses (Toyota Motor Enterprise) formaron cada vez más empresas conjuntas con empresas estadunidenses a finales de la década de los ochenta. Por lo general, dichas empresas conjuntas ocasionaron que los trabajadores estadunidenses ensamblaran componentes japoneses, y que los productos terminados fueran vendidos a los consumidores estadunidenses. Este proceso permitió no sólo que la producción japonesa ingresara al mercado estadunidense, sino que también borró la distinción entre la producción estadunidense y la japonesa. ¿Quiénes son estadunidenses? y ¿quiénes son japoneses? Por tanto, disminuye la justificación para proteger la producción nacional y los empleos de la competencia extranjera.

Sin embargo, hay desventajas para formar una empresa conjunta internacional. Una empresa conjunta es una organización engorrosa en comparación con una sola organización. El control se divide, crea problemas de "dos dueños". El éxito o el fracaso depende de qué tan bien las empresas puedan trabajar juntas a pesar de tener diferentes objetivos, culturas corporativas y formas de hacer las cosas. La acción de la química corporativa es difícil de predecir, pero es vital, porque los acuerdos de empresa conjunta por lo general proporcionan a ambos socios un papel continuo en la administración. Cuando la propiedad de la empresa conjunta se divide de forma equitativa, como ocurre con frecuencia, pueden enfrentarse puntos muertos. Si se pretende preservar el equilibrio entre distintos intereses económicos, la negociación debe establecer un mando jerárquico. Incluso cuando se alcanza un equilibrio negociado, éste puede alterarse al cambiar las metas corporativas o el personal.

Efectos sobre el bienestar

Las empresas conjuntas internacionales pueden provocar tanto efectos de un mayor bienestar como efectos de una disminución del bienestar para la economía nacional. Las empresas conjuntas llevan a *ganancias del bienestar* cuando *1)* el negocio recién establecido suma a la capacidad productiva preexistente y fomenta una competencia adicional, *2)* la empresa recién establecida es capaz de ingresar a nuevos mercados que ninguna de las partes podía haber ingresado de forma individual o *3)* la empresa genera reducciones de costos que no estarían disponibles si cada parte realizara su función por separado. Sin embargo, la formación de una empresa conjunta también puede resultar en *pérdidas del bienestar*. Por ejemplo, puede dar lugar a un mayor poder de mercado, al sugerir una mayor disponibilidad para influir en la producción del mercado y el precio. Esto es especialmente probable que ocurra cuando se forma la empresa conjunta en los mercados en que las partes realizan negocios. Bajo dichas circunstancias, las partes, a través de sus representantes en la empresa conjunta, están de acuerdo en los precios y la producción en el mismo mercado que ellos mismos operan. Dicha coordinación de actividades limita la competencia, refuerza la presión ascendente en los precios y disminuye el nivel del bienestar nacional.

Considere un ejemplo que contrasta dos situaciones: *1)* Dos empresas en competencia venden automóviles en el mercado nacional. *2)* Los dos competidores forman una empresa conjunta que opera como un solo vendedor (un monopolio) en el mercado nacional. Se esperaría ver un precio más alto y una cantidad más pequeña cuando la empresa conjunta se comporta como un monopolio. Esto ocurrirá siempre y cuando la curva de costo marginal para la empresa conjunta sea idéntica a la suma horizontal del costo marginal de los competidores individuales. El resultado de este *efecto de poder de mercado* es una pérdida de bienestar, peso muerto para la economía nacional; una reducción en el excedente del consumidor que no es contrarrestada por una ganancia equivalente para los productores. Sin embargo, si la formación de la empresa conjunta conlleva *ganancias de productividad* que ninguna de las partes podría realizar antes de su formación, el bienestar nacional puede aumentar. Esto se debe a que ahora se requiere una menor cantidad de los recursos de la economía nacional para fabricar una producción determinada. Si el bienestar nacional aumenta o cae debido a la empresa conjunta depende de las magnitudes de estas dos fuerzas contrapuestas.

En la figura 9.3 se ilustran los efectos del bienestar de las dos empresas matrices que forman una empresa conjunta en el mercado en el que operan. Asuma que Sony Auto Company de Japón y American Auto Company de Estados Unidos son las únicas dos empresas que producen automóviles para venta en el mercado estadunidense. Suponga que cada empresa obtiene costos constantes a largo plazo, lo que sugiere que el costo total promedio es igual al costo marginal en cada nivel de producción. Además, que las curvas de costos de cada empresa antes de la formación de la empresa conjunta son $CMg_0 = CTMe_0$, que es igual a 10,000 dólares. Así, $CMg_0 = CTMe_0$ se vuelve la curva de oferta del mercado a largo plazo de los automóviles.

Asuma que Sony Auto Company y American Auto Company inicialmente operan como competidores, que fijan un precio igual al costo marginal. En la figura 9.3 existe el equilibrio de mercado en el punto A, donde se venden 100 automóviles a un precio de $10,000 por unidad. El excedente del consumidor totaliza el área $a + b + c$. El excedente del productor no existe, dado que la curva de oferta de automóviles es horizontal (recuerde que el excedente del productor es igual a la suma de las diferencias entre el precio de mercado y cada uno de los precios mínimos indicados en la curva de oferta de cantidades entre cero y la producción del mercado).

FIGURA 9.3

Efectos sobre el bienestar de una empresa conjunta internacional

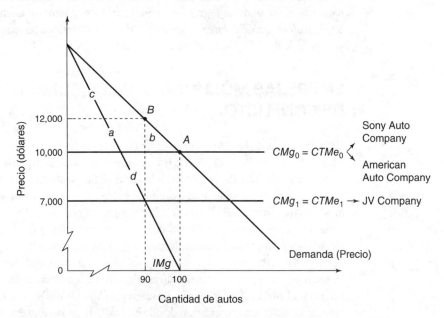

Una empresa conjunta internacional puede generar un efecto de poder de mercado de disminución del bienestar y un efecto de reducción de costo de aumento del bienestar. El origen del efecto de reducción de costos puede ser precios de recursos más bajos o mejoras en la tecnología y en la productividad. La empresa conjunta lleva a mejoras en el bienestar nacional si su efecto de reducción de costos se debe a mejoramientos en la tecnología y la productividad y contrarresta en exceso el efecto del poder de mercado.

Ahora suponga que los dos competidores anuncian la formación de una empresa conjunta conocida como JV Company, que fabrica automóviles para venta en Estados Unidos. Los automóviles vendidos por JV reemplazan los automóviles vendidos por las dos empresas principales en Estados Unidos.

Suponga que la formación de JV Company conlleva nuevas eficiencias de producción que resultan en reducciones de costos. Además de que la nueva curva de costos de JV, $CMg_1 = CTMe_1$, se ubica en $7,000. Como monopolio, JV maximiza las utilidades al igualar el ingreso marginal con el costo marginal. Existe un equilibrio de mercado en el punto B, donde se venden 90 automóviles a un precio de $12,000 por unidad. El incremento de precios lleva a una reducción en el excedente del consumidor igual al área $a + b$. De esta cantidad, el área a se transfiere a JV como excedente del productor. El área b representa la pérdida del excedente del consumidor que *no* es transferida a JV y que se convierte en una pérdida de bienestar, peso muerto para la economía estadunidense (el efecto consumo).

En contra de esta pérdida del bienestar, peso muerto, se encuentra el efecto eficiencia de JV Company: una disminución en los costos unitarios de $10,000 a $7,000 por automóviles. JV puede lograr su producción de maximización de ganancias, 90 automóviles, a una reducción de costo igual al área d en comparación con los costos que existirían si las empresas matrices fabricaran la misma producción. Así, el área d representa un excedente del productor adicional, que es una ganancia de bienestar para la economía estadunidense. El análisis concluye que, para Estados Unidos, la formación de JV Company es deseable si el área d excede el área b.

Se ha asumido que JV Company alcanza reducciones de costos que no están disponibles para cada parte como una empresa independiente. El que las reducciones de costos beneficien la economía estadunidense depende de su origen. Si resultan de las mejoras de *productividad* (por ejemplo, nuevas reglas de trabajo que lleven a una producción más alta por trabajador), existe una ganancia de bienestar para la economía, porque se requieren menos recursos para fabricar un número determinado de automóviles y el exceso puede trasladarse a otras industrias. Sin embargo, las reducciones de costos que se obtienen de la formación de JV Company pueden ser de naturaleza *monetaria*. Al ser una empresa recién formada, JV puede negociar concesiones salariales de los trabajadores nacionales que no se podrían lograr por American Auto Company. Dicha reducción de costos representa una transferencia de dólares de los trabajadores nacionales a las ganancias de JV y no constituyen una ganancia de bienestar general para la economía.

EMPRESAS MULTINACIONALES COMO UNA FUENTE DE CONFLICTO

Los partidarios de las EMN con frecuencia señalan los beneficios que estas empresas proporcionan a las naciones, incluido el país de origen donde se ubica la organización principal y el país anfitrión donde se establecen las empresas subsidiarias. Supuestamente existen beneficios en forma de niveles adicionales de inversión y capital, creación de nuevos empleos y desarrollo de tecnologías y procesos de producción. Pero los críticos afirman que las EMN con frecuencia crean restricciones comerciales, ocasionan conflictos con los objetivos económicos y políticos de la nación y tienen efectos adversos en la balanza de pagos de una nación. Estos argumentos tal vez expliquen por qué algunas naciones no ven con buenos ojos una inversión directa mientras que otros le dan la bienvenida. En esta sección se analizan algunos de los temas más controversiales que tienen que ver con las multinacionales. El marco de referencia son las EMN de Estados Unidos, aunque los mismos aspectos aplican sin importar en dónde esté la sede de la empresa matriz.

Empleo

Uno de los temas más fuertemente debatidos que rodean a las EMN son sus efectos en el empleo tanto en el país de origen como en el anfitrión. Las EMN con frecuencia afirman que su inversión extranjera directa genera beneficios favorables a la fuerza de trabajo de la nación receptora. Establecer una nueva planta multinacional de manufactura de automóviles en Canadá crea más empleos para los trabajadores canadienses. Pero el efecto de la EMN en los empleos varía de empresa a empresa. Una fuente de controversia surge cuando el gasto de inversión directa de las EMN con sede en el extranjero se utiliza para comprar las empresas locales ya existentes en lugar de establecer nuevas. En este caso, el gasto de inversión puede no resultar en una capacidad de producción adicional y no tener efectos notables en el empleo en el país anfitrión. Surge otro problema cuando las EMN llevan gerentes extranjeros y otros ejecutivos principales para administrar la subsidiaria en el país anfitrión. En las compañías petroleras de Estados Unidos que se localizan en Arabia Saudita, los sauditas cada vez más exigen que sus propias personas estén empleadas en las posiciones de alto nivel.

En cuanto al país de origen, los temas de la pérdida de empleos y de mano de obra barata son de vital preocupación para los trabajadores nacionales. Como los sindicatos están confinados a operar dentro de cada país, la naturaleza multinacional de estas empresas les permite escapar a gran parte de la influencia de las negociaciones colectivas de los sindicatos. También se señala que las EMN pueden buscar países donde los trabajadores tienen mínimo poder de mercado.

El impacto final que las EMN tienen en el empleo en el país anfitrión y el país de origen parece depender en parte de los plazos que se consideren. A corto plazo, es probable que el país de origen experimente una declinación en el empleo cuando la producción se cambia al extranjero. Pero otras industrias en el país de origen pueden encontrar que las ventas en el extranjero aumentan con el paso del tiempo. Esto se debe a que el trabajo en el extranjero consume, así como produce y tiende a comprar más conforme aumentan el empleo y el ingreso como resultado de una mayor inversión. Tal vez la principal fuente de controversia se deriva del hecho que las EMN participan en los veloces cambios de tecnología y en la transmisión de una empresa productiva a los países anfitriones. Aunque dichos esfuerzos pueden promover un bienestar global a largo plazo, los posibles problemas de ajuste a corto plazo que enfrentan los trabajadores del país de origen no pueden ser ignorados.

Caterpillar arrolla a los trabajadores de trenes canadienses

La habilidad de una compañía para reducir sus costos de mano de obra tiende a aumentar cuando la compañía tiene alternativas de mercado en la contratación de sus trabajadores. Considere el caso de Caterpillar, Inc., con oficinas centrales en Peoria, Illinois. Caterpillar es un productor mundial de maquinaria pesada, motores *diesel*, equipo de construcción y minería, tractores y similares.

En 2012, Caterpillar cerró una planta de locomotoras de 62 años de antigüedad en Londres, Ontario, que empleaba aproximadamente a 450 trabajadores. El sindicato Canadian Auto Workers (CAW) que representaba a la mayoría de los empleados describió el cierre como un ejemplo flagrante de egoísmo por parte de los directivos de Caterpillar. CAW enfatizaba que, inmediatamente después de anunciar el cierre de la planta, Caterpillar notificó de la apertura de otra nueva planta de locomotoras en Muncie, Indiana. En esa nueva planta, los trabajadores tienen el derecho pero no la obligación de afiliarse a un sindicato obrero. Caterpillar dejaba claro, con esta acción, que no tenía ningún deseo de negociar con representantes sindicales en la planta de Muncie. ¿Por qué?

Al reubicar la producción a Muncie, donde el desempleo era alto y los empelados no sindicalizados eran muchos, Caterpillar podía pagar a los trabajadores sueldos de aproximadamente la mitad de lo que pagaba en Ontario: ofreció empleos cuyos sueldos iban de $12 a $18.50 por hora, en contraste con los sueldos promedio de $35 (dólares estadounidenses) en la planta de Ontario. Cuando Caterpillar consideró que los costos de mano de obra de la planta de Ontario sencillamente no eran competitivos, exigió una reducción de 50% en sueldos a sus trabajadores, pero esto fue rechazado por el sindicato. Después de diez meses de negociaciones fallidas, Caterpillar anunció que su disputa de sueldos con CAW no podía ser resuelta. Entonces practicó un cierre patronal a sus trabajadores canadienses y cerró la fábrica de locomotoras. Después de esta reubicación en Muncie, Caterpillar incrementó su producción de locomotoras con plantas en México y en Brasil donde los sueldos eran inferiores a los de Canadá y de Estados Unidos.

La estrategia de Caterpillar de cerrar una planta sindicalizada fue diferente de la estrategia de su principal competidor en locomotoras: General Electric Co. En 2011, GE negoció un contrato de cuatro años con sus trabajadores sindicalizados de que elevaría los salarios anualmente en aproximadamente 2.25 %. Esto hizo que los trabajadores de locomotoras de GE en Erie, Pensylvannia, ganaran $25 a $36 por hora, aproximadamente el doble de lo que Caterpillar pagaba por sueldos en Muncie. GE anunció después que abriría otra planta de manufactura de locomotoras en Fort Worth, Texas, un estado donde la afiliación sindical es relativamente baja y, por ende, los sueldos serían inferiores a los de sus trabajadores de Erie.[2]

Transferencia de tecnología

Además de promover la fuga de empleos, las multinacionales fomentan la transferencia de tecnología (conocimiento y habilidades aplicados a la forma en que se fabrican los productos) a otras naciones. Dicho proceso es conocido como **transferencia de tecnología**.

La tecnología ha sido comparada con una enfermedad contagiosa: se disemina más lejos y más rápido si hay más contactos personales. El comercio extranjero se ve como un canal a través del cual las personas en distintas naciones hacen contactos y a través del cual las personas en una nación conocen los productos, de otras naciones. La inversión extranjera directa es un método aún más eficaz de transferencia de tecnología. Cuando las empresas extranjeras que tienen ventajas tecnológicas establecen subsidiarias de producción locales, los contactos personales entre estas subsidiarias y las empresas locales son más frecuentes y cercanos que cuando las empresas se localizan en el extranjero.

El comercio internacional y la inversión extranjera directa también facilitan la transferencia de tecnología por medio del llamado *efecto demostración*: cuando una empresa muestra cómo operan sus productos, esto envía información importante a las demás empresas de que existen dichos productos y de que son utilizables. La difusión de la tecnología también recibe ayuda del *efecto competencia*: cuando una empresa extranjera fabrica un producto superior que es popular entre los consumidores, otras empresas son amenazadas. Para sobrevivir, deben innovar y mejorar la calidad de sus productos.

Aunque la transferencia de tecnología aumenta la productividad y la competitividad de los países receptores, las naciones donantes pueden reaccionar en contra debido a que va en detrimento de su base económica. Las naciones donantes afirman que el establecimiento de operaciones de producción en el extranjero por parte de las empresas multinacionales disminuye su potencial de exportación y lleva a pérdidas de empleos para sus trabajadores. Al compartir el conocimiento técnico con los países extranjeros, una nación donante eventualmente puede perder su competitividad internacional y ocasionar así una disminución en su tasa de crecimiento económico.

Considere el caso de la transferencia de tecnología a China a mediados de la década de los noventa. Luego de décadas de hostilidad mutua, Estados Unidos esperaba que para esa década China se abriera al mundo exterior y participara en un libre comercio, para que las naciones extranjeras pudieran comerciar con China de acuerdo con el principio de ventaja comparativa. En lugar de eso, China utilizó su impulso como un gran comprador de productos extranjeros para presionar a las empresas multinacionales a ubicar producción y transferencia de tecnología en China con el fin de ayudarla a volverse más competitiva. Con las empresas multinacionales dispuestas a ganar a las demás para obtener el apoyo de los burócratas chinos, China se encontró en una posición favorable para obtener los beneficios de la difusión de la tecnología.

Por ejemplo, Microsoft Corporation, bajo la amenaza de que su software sería prohibido, realizó un desarrollo conjunto de una versión china de Windows 95 con un socio local y acordó ayudar en los esfuerzos por desarrollar una industria china de software. Otro ejemplo fue General Motors. Para ganarle a Ford el derecho de volverse socio en la manufactura de sedanes en Shangai, GM acordó llevar docenas de empresas conjuntas para refacciones y diseñar gran parte del automóvil en China.

---

[2] James Hagerty, "Caterpillar Closes Plant in Canada After Lockout", *The Wall Street Journal*, 4 de febrero de 2012, p. B-1. Vea también James Hagerty y Alistair MacDonald, "As Unions Lose Their Grip, Indiana Lures Manufacturing Jobs", *The Wall Street Journal*, 18 de marzo de 2012, pp. A-1 and A-12 y Shruti Date Sing, "Caterpillar Factory Closing Deal Ratified by CAW", *Bloomberg News*, 23 de febrero de 2012.

También acordó establecer cinco institutos de investigación para enseñar a los ingenieros chinos a utilizar la teoría tecnológica en campos como trenes de potencia y sistemas de inyección de combustible para aplicaciones comerciales.

Las multinacionales estadunidenses acordaron que la transferencia de tecnología a China estaba en gran medida libre de riesgos, porque un desafío competitivo de China se encontraba a décadas de distancia. Sin embargo, la aceleración de transferencias de tecnología a mediados de los noventa se volvió cada vez más impopular en los sindicatos estadunidenses, que temían que sus miembros perdieran empleos ante los trabajadores chinos de menor salario. Los funcionarios del gobierno estadunidense también temían que la transferencia de tecnología ayudara a crear un competidor de proporciones extremas. Considere el caso de la transferencia de tecnología de General Electric a China.

Concesión de General Electric para entrar al mercado chino: ventas a corto plazo a cambio de una competencia a largo plazo   Durante décadas General Electric (GE) tuvo una estrategia eficaz para ser competitivo en el equipo generador de energía para el mercado chino: vender el mejor equipo al menor precio. Sin embargo, a principios del 2000, la fórmula se alteró. Además de ofrecer turbinas de alta calidad impulsadas por gas a un precio competitivo, GE acordó compartir con los chinos tecnología sofisticada para producir las turbinas. Para ser considerado para contratos futuros de turbinas con valor de varios miles de millones de dólares, GE, Mitsubishi, Siemens y otros competidores estaban obligados a formar empresas conjuntas con compañías chinas de electricidad propiedad del Estado. A GE también se le pedía que transfiriera tecnología y especificaciones de manufactura avanzadas a sus nuevos socios para su turbina impulsada por gas, que a GE le había costado más de 500 millones de dólares en desarrollar. Los funcionarios de GE señalaron que los chinos querían tener acceso completo a su tecnología, mientras que GE quería proteger la tecnología en la que había hecho una gran inversión financiera.

El gran tamaño del mercado de electricidad de China convenció a los directivos de GE de que valía la pena perseguir el mercado a pesar de las exigencias de tecnología. El mercado estadunidense para turbinas impulsadas por gas era débil debido a los despilfarros de dinero anteriores por aumentar la capacidad por parte de las compañías de energía y de servicios. Por otro lado, se esperaba que China gastara más de $10,000 millones al año en la construcción de plantas de electricidad en el futuro cercano. Así, los funcionarios de GE enfrentaron la concesión de las ventas a corto plazo en China a cambio de una competencia a largo plazo por parte de los fabricantes chinos. Al final, GE obtuvo un pedido de 13 de sus turbinas impulsadas por gas y como parte del acuerdo también tuvo que compartir tecnología con sus socios chinos.

Antes de la empresa conjunta con GE, los fabricantes chinos habían dominado sólo la tecnología requerida para hacer turbinas mucho menos eficientes impulsadas por vapor. Esa tecnología se obtuvo en parte a través de empresas conjuntas previas con empresas como Westinghouse Electric Co. Sin embargo, los chinos exigieron la tecnología detrás de las turbinas más eficientes impulsadas por gas.

Los funcionarios de GE señalaron que la competencia china no era inminente en productos altamente avanzados como turbinas impulsadas por gas. En el pasado, incluso después de adquirir experiencia de las corporaciones extranjeras, las empresas chinas carecían de las habilidades necesarias para explotar por completo la tecnología y volverse competitivos en el mercado mundial. Es más, para el momento en que las empresas chinas dominaron la tecnología inicialmente obtenida de GE, ésta ya había desarrollado tecnologías más avanzadas. Sin embargo, los funcionarios chinos esperaban con vistas al futuro las nuevas rondas de ofertas de equipo generador de energía de GE y sus competidores, cuando los funcionarios chinos esperaban obtener tratos aún más lucrativos de compartición de tecnología.[3]

Boeing transfiere tecnología a China   Boeing nos ofrece otro ejemplo de la transferencia de tecnología. Desde la década de 1970, Boeing Co. ha mantenido un puesto envidiable en China: la empresa vende aviones comerciales a China y actualmente provee aproximadamente la mitad de las

---

[3] "China's Price for Market Entry: Give Us Your Technology, Too", *The Wall Street Journal*, 26 de febrero de 2004, pp. A-1 y A-6.

aeronaves comerciales de todo el país. Los analistas estiman que Boeing venderá a China aproximadamente 5,000 aviones comerciales (que significan un total de $600 mil millones) entre 2013 y 2030. ¿Está Boeing a punto de perder su puesto lucrativo en China?

China está usando su influencia como comprador grande de aeronaves para presionar a Boeing con el mismo tipo de concesiones que comúnmente consigue con todas las empresas extranjeras con las que hacen negocios: exige que la empresa adopte socios locales y que comparta su tecnología de patente a cambio de tener acceso a su inmenso mercado de acelerado crecimiento.

En el afán de cerrar el trato con China para los pedidos de su modelo Dreamliner 787, Boeing aceptó no sólo subcontratar una cantidad sin precedentes de la producción de las partes del avión con socios en China (así como en Europa y Japón), sino además transferirles conocimientos tecnológicos sin precedentes. Antes del 787, Boeing había reservado para sí casi todo el control del diseño de los aviones comerciales y proporcionaba a los proveedores extranjeros sólo especificaciones precisas de ingeniería para la construcción de ciertas partes, la única excepción a esto había sido la de los motores para sus aviones que tradicionalmente han sido diseñados y producidos por compañías como Rolls Royce, Pratt y Whitney y General Electric. El proyecto del 787 supuso un cambio radical de estrategia: Boeing facilitó a los proveedores más importantes una gran parte de su manual de producción "Cómo desarrollar un avión comercial", una guía en la que sus ingenieros habían estado trabajando durante las pasadas cinco décadas. Este manual facilitaba a los proveedores extranjeros considerable información sobre el arte de construir aviones comerciales.

Ahora la Commercial Aircraft Corporation of China (Comac), un fabricante de aeronaves financiado por el gobiernos, planea lanzar su primer avión comercial en 2016. Se requiere de mucha tecnología para poder desarrollar un avión comercial, tecnología que China aún no tiene y ahí es donde entra Boeing en la historia. En 2012, los funcionarios chinos notificaron a Boeing que tendría que compartir una mayor proporción de propiedad intelectual si quería seguir vendiendo aviones en China. Esto provocó que Boeing y Comac formaran una empresa conjunta de tecnología en la que las compañías trabajarían juntas en investigaciones relacionadas con biocombustibles y tecnologías de eficiencia de combustible. Los críticos estadunidenses señalan que éste no es sino el primer paso de la ya consabida ruta para la transferencia de tecnología a un competidor chino. Aunque se supone que la empresa conjunta se concentrará sólo en la investigación de nuevas tecnologías, no hay manera de evitar que los investigadores de Comac que trabajan junto con los ingenieros de Boeing obtengan mucho más que la investigación en cuestión.

Comac no es sólo un competidor: es un competidor financiado por el gobierno chino. ¿Presionará el gobierno a las aerolíneas chinas para que luego compren aviones de Comac, en detrimento de Boeing o de Airbus? ¿Tendrá China suficiente influencia en el continente para convencer a otras aerolíneas asiáticas de que compren sus aviones con Comac? Comac podría algún día, como ya ocurre con los fabricantes de automóviles asiáticos, competir fuertemente en el mercado mundial, incluyendo el mercado de Estados Unidos. Esto vendría a dar el golpe de gracia al duopolio Boeing-Airbus que actualmente domina la casi totalidad del colosal mercado de aeronaves comerciales.[4]

Soberanía nacional

Otro tema controversial en el manejo de las EMN es su efecto en las normas económicas y políticas del gobierno anfitrión y del gobierno de origen. Muchas naciones temen que la presencia de las EMN en un país determinado ocasiona una pérdida de su soberanía nacional. Por ejemplo, las EMN pueden resistir los intentos del gobierno por redistribuir el ingreso nacional a través de los impuestos. Al utilizar técnicas contables que cambian los ingresos en el extranjero, una EMN es ca-

---

[4] Donald Barlett y James Steele, *The Betrayal of the American Dream*, Nueva York, Public Affairs/Persus Books Group, 2012; Dennis Shea, *The Impact of International Technology Transfer on American Research and Development*, Committee on Science, Space, and Technology, Subcommittee on Investigations and Oversight, U.S. House of Representatives, 5 de diciembre de 2012; The Boeing Company, *2011 Annual Report*, Chicago, Illinois; Dick Nolan, "Is Boeing's 787 Dreamliner a Triumph or a Folly?", *Harvard Business Review*, 23 de diciembre de 2009.

paz de evadir los impuestos del país anfitrión. Una EMN podría lograr esto al aumentar los precios de los productos de sus subsidiarias en naciones con tasas impositivas modestas para reducir las ganancias en las operaciones en una nación de altos impuestos donde en realidad realice la mayor parte de sus negocios.

La influencia política de las EMN también es cuestionada, como ilustra el caso de Chile. Durante años, las empresas estadunidenses habían buscado inversiones directas en Chile, en gran medida en las minas de cobre. Cuando Salvador Allende estaba en el proceso de ganar la presidencia, las empresas estadunidenses se oponían a él por temor a que sus operaciones en Chile fueran expropiadas por el gobierno anfitrión. International Telephone and Telegraph trató de evitar la elección de Allende e intentó promover disturbios civiles que llevaran a su caída en el poder. Otro caso de intervención de las EMN en los asuntos del país anfitrión fue el de United Brands (ahora Chiquita) que se dedicaba a ventas de productos alimenticios. En 1974 la empresa pagó un soborno de 1.25 millones de dólares al presidente de Honduras a cambio de una reducción del impuesto de exportación aplicado a los plátanos. Cuando se hizo público este pago, el presidente fue retirado del cargo.

Existen otras áreas de controversia. Suponga que una subsidiaria canadiense de una EMN con sede en Estados Unidos comercia con un país sujeto a embargos comerciales estadunidenses. ¿Los políticos estadunidenses deben decretar que dichas actividades son ilegales? La subsidiaria canadiense puede ser presionada por la organización principal para cumplir con las políticas extranjeras estadunidenses. Durante las crisis internacionales, las EMN pueden mover fondos de forma rápida entre un centro financiero y otro para evitar pérdidas (generar ganancias) por las modificaciones en los tipos de cambio. Esta conducta dificulta que los gobiernos nacionales estabilicen sus economías.

En un mundo donde las economías nacionales son interdependientes y los factores de producción son móviles, la posible pérdida de la soberanía nacional es vista como un costo necesario, siempre que la inversión directa resulte en un control extranjero de las instalaciones de producción. El que las ganancias de bienestar que se obtengan de la división internacional del trabajo y especialización excedan la disminución potencial de la independencia nacional incluye juicios de valor por parte de los políticos y de los ciudadanos interesados.

Balanza de pagos

Estados Unidos ofrece un buen ejemplo de cómo una EMN puede afectar la balanza de pagos de una nación. En pocas palabras, *la balanza de pagos* es un recuento del valor de los productos y servicios, los movimientos de capital (incluida la inversión extranjera directa) y otros elementos que fluyen dentro o fuera de un país. Los factores que hacen una contribución positiva a la posición de pagos de una nación incluyen exportaciones de bienes y servicios y entrada de flujos de capital (inversión extranjera que entra al país de origen) mientras que los flujos contrarios debilitarían la posición de pagos. A primera vista podría concluirse que, cuando las EMN estadunidenses hacen inversiones directas extranjeras, estos pagos representan un flujo exterior de capital de Estados Unidos y, por tanto, un factor negativo en la posición de pagos de Estados Unidos. Aunque este punto de vista puede ser cierto a corto plazo, ignora los efectos positivos en los flujos comerciales y las ganancias que la inversión directa proporciona a largo plazo.

Cuando una EMN estadunidense establece una subsidiaria en el extranjero, por lo general, compra equipo de capital estadunidense y materiales necesarios para manejar la subsidiaria. Una vez que están en operación, la subsidiaria tiende a comprar equipo de capital adicional y otros insumos de materiales de Estados Unidos. Estos dos factores estimulan las exportaciones estadunidenses al fortalecer su posición de pagos.

Otro impacto a largo plazo que las inversiones extranjeras directas estadunidenses tienen en su balanza de pagos es el flujo de rendimientos de los ingresos generados por las operaciones en el extranjero. Ese ingreso incluye ganancias de las filiales en el extranjero, intereses y dividendos, así como comisiones y regalías. Estos productos generan flujos de ingresos para la economía y fortalecen la posición de la balanza de pagos.

Fijación de precios de transferencia

Otra práctica controversial de las EMN es la *fijación de precios de transferencia*, la fijación de precios de productos dentro de una EMN. Por ejemplo, los productos de la división de producción de la empresa pueden ser vendidos a su división extranjera de comercialización o los insumos obtenidos por una empresa matriz pueden venir de una subsidiaria en el extranjero. El precio de transferencia puede ser una cifra puramente arbitraria que significa que puede no estar relacionada con los costos incurridos o con las operaciones realizadas. La alternativa de los precios de transferencia afecta la división de la utilidad total entre las partes de la empresa y así influye en su carga fiscal general.

Por ejemplo, suponga que Dell Inc., produce computadoras en Estados Unidos y que compra microchips de su subsidiaria en Malasia. También suponga que los impuestos corporativos son 34 por ciento en Estados Unidos y 20 por ciento en Malasia. Suponga que Dell le dice a su subsidiaria que venda los microchips a Dell a un precio muy inflado (el precio de transferencia). Así, Dell tiene un gasto de negocios grande que deducir cuando determine su ingreso gravable en sus otras operaciones rentables en Estados Unidos. Al grado al que la fijación de precios de transferencia permite a Dell reducir su ingreso gravable en Estados Unidos, la empresa evita ser gravada a la tasa impositiva de 34 por ciento. Es más, el mayor ingreso de la subsidiaria malaya de Dell, que ocurre debido al precio de transferencia inflado, se grava a la tasa más baja de 20 por ciento. En términos sencillos, Dell puede reducir su carga fiscal general al reportar la mayor parte de su ingreso en Malasia, el país de impuestos bajos, aunque el ingreso se gane en Estados Unidos, el país de impuestos altos. Pero observe que el impuesto pagado al gobierno estadunidense disminuye, mientras que el impuesto al gobierno malayo aumenta. En otras palabras, la pérdida de un gobierno es la ganancia de otro gobierno. Así que es de esperarse que un gobierno legisle en contra de las prácticas injustas de precios de transferencia, mientras que también es de esperarse que otro gobierno se oponga a dicha legislación.

Tanto el gobierno extranjero como el gobierno estadunidense están interesados en el papel que juegan los precios de transferencia en la obtención de utilidades corporativas. Los abusos en la fijación de precios a través de las fronteras nacionales son ilegales cuando se pueden demostrar. De acuerdo con las regulaciones del servicio estadunidense de recaudación fiscal (IRS, Internal Revenue Service), se requiere que las empresas que tratan con sus propias subsidiarias establezcan precios "a su alcance", tal como lo harían con clientes no relacionados que no sean parte de la misma estructura corporativa. Esto significa que los precios se deben relacionar con los costos reales incurridos y con las operaciones que en realidad se realizan. Sin embargo, demostrar que los precios que una subsidiaria cobra a otra están lejos de los precios del mercado es algo muy difícil.

MOVILIDAD INTERNACIONAL DEL TRABAJO: MIGRACIÓN

Históricamente, Estados Unidos ha sido un destino favorito para la **migración** internacional. Debido a su vasto flujo interno de migrantes, Estados Unidos ha sido descrito como el crisol del mundo. En la tabla 9.5 se indica el volumen de migración a Estados Unidos desde 1820 hasta 2011. Europa occidental fue una fuente importante de migrantes durante esta era, con Alemania, Italia y el Reino Unido entre los mayores proveedores. En los años recientes, grandes números de mexicanos han migrado a Estados Unidos, así como personas de Asia. Los migrantes han sido motivados por mejores oportunidades económicas y por factores no económicos como política, guerra y religión.

Aunque los movimientos laborales internacionales pueden mejorar la eficiencia de la economía mundial, con frecuencia están restringidos por los controles gubernamentales. Estados Unidos, al igual que la mayoría de los países, limita la migración. Después de olas de migración en el cambio de siglo, se promulgó la Ley de Migración de 1924. Además de restringir el flujo general de migrantes a Estados Unidos, la ley implementó una cuota que limitaba el número de migrantes de cada país extranjero. Como las cuotas estaban basadas en el número de ciudadanos que previamente habían emigrado de esos países, el sistema de asignación favorecía a los migrantes del norte de Europa en relación con los del sur. A finales de la década de los sesenta, la fórmula de la cuota fue modificada, lo que llevó a mayores números de migrantes asiáticos a Estados Unidos.

Cuando Barack Obama asumió la presidencia, declaró que era tiempo de eliminar las exenciones de impuestos de aquellas compañías estadunidenses que reubican empleos en el extranjero y brindar esas exenciones a las compañías que crean empleos en Estados Unidos. El objetivo de esto sería generar más empleos para los estadunidenses, hacer más justo el código tributario y generar ingresos adicionales para el gobierno federal. Entre las exenciones impositivas que Obama tenía en mente estaban los *créditos fiscales extranjeros* y los *impuestos diferidos*.

De acuerdo con el código fiscal de EUA, una EMN con sede en Estados Unidos puede aplicar créditos para su deuda de impuesto sobre la renta en EUA en una cantidad igual al impuesto sobre la renta que paga a los gobiernos extranjeros. Suponga que la filial irlandesa de una EMN estadunidense gana $100,000 en ingresos gravables y la tasa del impuesto sobre la renta corporativa de Irlanda es de 12.5 por ciento; la compañía pagará entonces al gobierno irlandés $12,500. Ahora bien, si esas mismas ganancias fueran aplicadas a la casa matriz en Estados Unidos, el impuesto adeudado al gobierno estadunidense sería de $35,000, dado que la tasa de impuesto sobre la renta corporativo en EUA es de 35 por ciento. Bajo el sistema del crédito fiscal extranjero, la casa matriz pagaría solamente $22,500 al gobierno estadunidense ($35,000 − $12,500 = $22,500). La razón fundamental del crédito fiscal extranjero es que las EMN con sede en Estados Unidos no deberían estar sujetas a doble tributación.

Ahora bien, las EMN con sede en Estados Unidos también tienen la ventaja de diferir impuestos. De acuerdo con el código fiscal de EUA, la casa matriz de una EMN tiene la opción de diferir los impuestos que pagaría al gobierno de EUA sobre ingresos de su filial extranjera siempre y cuando esos ingresos se queden en el extranjero en vez de repatriarse a Estados Unidos. Este sistema equivale a un préstamo libre de intereses que el gobierno estadunidense otorga a la casa matriz siempre y cuando los ingresos se queden en el extranjero. Los ingresos de una filial que permanecen en el extranjero pueden reinvertirse en el extranjero sin jamás entrar a EUA y, por lo tanto, sin jamás estar sujetos a los gravámenes de EUA. Este diferimiento fiscal permite a una EMN estadunidense que tiene una filial en China, estar en las mismas condiciones fiscales que una compañía local china o en las mismas condiciones fiscales que una EMN francesa que opera una filial en China. Cuando los ingresos de la filial se repatrian a Estados Unidos, entonces la filial ya no usa esos ingresos y ya no hay necesidad del diferimiento fiscal. La EMN debe entonces pagar impuestos a Estados Unidos y lo hace aplicando la herramienta del crédito fiscal extranjero (en consideración del impuesto extranjero que ya ha pagado antes).

Apple Inc. es un ejemplo de una EMN global que aprovecha estas herramientas fiscales para pagar menos impuestos. Los iPhones, iPods y otros productos de Apple no son sólo productos de alta calidad muy populares en todo el mundo, sino que los diseñadores e ingenieros de la empresa tienen una reputación merecida por su notable creatividad. Apple lleva a cabo la mayor parte del diseño de producto, desarrollo de *software* y otras funciones que implican altos salarios en Estados Unidos. Sin embargo, para propósitos fiscales, la empresa normalmente reporta que sólo un 30 por ciento de sus ganancias totales son de Estados Unidos. ¿Cómo es eso posible? Para reducir su pago de impuestos al máximo, Apple organiza sus negocios de manera tal que la máxima cantidad posible de sus ganancias se generen en países donde los gravámenes fiscales son los más bajos. Al mismo tiempo, hace que el máximo posible de sus gastos ocurra en aquellos países donde las tasas de impuestos son las más altas (como Estados Unidos) porque en estos países las deducciones fiscales resultan especialmente valiosas. Una deducción vale 35 centavos de cada dólar en Estados Unidos donde la tasa al impuesto corporativo es de 35 por ciento; pero las deducciones equivalen sólo a la tercera parte de esto en Irlanda, donde la tasa al impuesto corporativo es de 12.5 %. Desde 2014, Apple ha mantenido más de 100 mil millones de dólares, es decir, más de dos tercios de sus ganancias totales, almacenadas en cuentas del extranjero que no están sujetas al impuesto sobre la renta corporativo de EUA. Estas ganancias sólo estarían sujetas al impuesto de EUA cuando ingresaran al país.

Aunque las prácticas de elusión de impuesto de Apple son legales bajo el sistema fiscal estadunidense vigente, los críticos señalan que tales prácticas son injustas y deben evitarse. Reformar el sistema fiscal se ha vuelto cada vez más importante porque los principios fiscales de comienzos del siglo xx (que parten del supuesto de que las transacciones comienzan y terminan en un sólo país), no corresponden a las prácticas empresariales del siglo xxi, en que el internet y la globalización han permitido que las transacciones de una empresa involucren a muchos países. Históricamente, la noción de hacer negocios en otro país y asegurar ventas ahí sin tener un establecimiento permanente o sin generar una presencia fiscal en ese país era físicamente imposible. En la era del internet, las empresas pueden llegar al orbe entero, hacer negocios en los países de su elección, y no por ello generar una presencia fiscal en esos países. La elusión internacional de impuestos debe resolverse con la cooperación de todas las naciones, sobre principios que se apliquen de manera justa a todos los países.

Fuentes: Gary Hufbauer y Martin Vieiro, *Corporate Taxation and U.S. MNCs: Ensuring a Competitive Economy, Policy Brief,* Washington, DC: Peterson Institute for International Economics, abril de 2013; McKinsey Global Institute, *Growth and Competitiveness in the United States: The Role of Its Multinational Companies,* Washington, DC 2010; Kimberly Clausing, "Multinational Firm Tax Avoidance and Tax Policy", *National Tax Journal,* vol. 62, diciembre de 2009.

TABLA 9.5	
Inmigración en Estados Unidos, 1820-2011	
Periodo	**Número (en miles)**
1820-1840	743
1841-1860	4,311
1861-1880	5,127
1881-1900	8,934
1901-1920	14,531
1921-1940	4,636
1941-1960	3,551
1961-1980	7,815
1981-2000	16,433
2001-2011	11,563

Fuente: Tomado de U.S. Department of Homeland Security, Office of Immigration Statistics, *Yearbook of Immigration Statistics*, 2004, disponible en http://www.uscis.gov/graphics/shared/statistics/yearbook/. Vea también U.S. Department of Commerce, Bureau of the Census, *Statistical Abstracts of the United States*, Washington, DC, Government Printing Office, disponible en http://www.census.gov/.

Efectos de la migración

En la figura 9.4 se ilustra la economía de la migración de la mano de obra o trabajo. Suponga que el mundo consiste de dos países, Estados Unidos y México, que en principio están en aislamiento. Los ejes horizontales denotan la cantidad total de trabajo en Estados Unidos y México y los ejes verticales describen los salarios pagados a los trabajadores. Para cada país, la curva de demanda de trabajo se designa por el valor del producto marginal (*VPMg*) del trabajo.[5] También asuma que la oferta fija de trabajo es de siete trabajadores en Estados Unidos, que se denota por O_{EU0} y siete trabajadores en México, que se denota por O_{M0}.

El salario de equilibrio en cada país se determina en el punto de intersección de las curvas de oferta y demanda para el trabajo. En la figura 9.4 (a), el salario de equilibrio estadunidense es de $9 y el ingreso total del trabajo es de $63; esta cantidad es representada por el área $a + b$. El área restante bajo la curva de demanda de trabajo es el área c, que es igual a $24.50; esto representa la porción del ingreso de la nación que se acumula para los dueños del capital.[6] En la figura 9.4 (b), el salario de equilibrio para México es de $3; el ingreso del trabajo es igual a $21, representado por el área $f + g$; los dueños del capital disfrutan ingresos que son iguales al área $h + i + j$, o sea $24.50.

Suponga que los trabajadores se pueden mover libremente entre México y Estados Unidos y que la migración no cuesta y que ocurre sólo en respuesta a los diferenciales salariales. Como los salarios estadunidenses son relativamente altos, hay un incentivo para que los trabajadores mexica-

---

[5] El valor del producto marginal del trabajo (*VPMg*) se refiere a la cantidad de dinero que reciben los productores de vender la cantidad que fue producida por el último trabajador contratado; en otras palabras *VPMg* = precio del producto × el producto marginal del trabajo. La curva de *VPMg* es la curva de demanda del trabajo. Esto sigue de una aplicación de la regla de que una empresa que contrata bajo condiciones competitivas encuentra más rentable contratar el trabajo hasta el punto en el que el precio del trabajo (salario) es igual a su *VPMg*. La ubicación de la curva de *VPMg* depende de la productividad marginal del trabajo y del precio del producto que fabrica. Bajo competencia pura, el precio es constante. Por tanto, dada la productividad marginal decreciente, la curva de demanda de trabajo tiene una pendiente negativa.

[6] ¿Cómo sabe que el área c representa el ingreso que obtienen los dueños de capital estadunidense? Este análisis asume dos factores productivos: trabajo y capital. El ingreso total (valor de la producción) que resulta de utilizar una cantidad dada de trabajo con una cantidad fija de capital es igual al área bajo la curva *VPMg* del trabajo para esa cantidad de trabajo en particular. La parte de la superficie correspondiente al trabajo se calcula al multiplicar el salario por la cantidad de trabajadores contratados. El área restante debajo de la curva de *VPMg* es el ingreso que obtienen los dueños del capital.

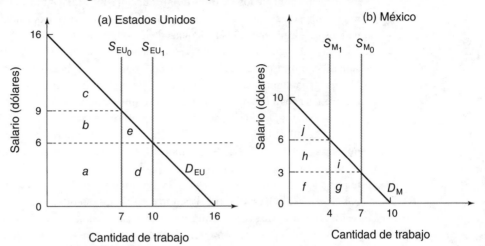

FIGURA 9.4

Efectos de la migración de los trabajadores de México a Estados Unidos

Antes de la migración, el salario en Estados Unidos excedía al de México. En respuesta al diferencial de salarios, los trabajadores mexicanos emigran a Estados Unidos; esto lleva a una reducción de la oferta de trabajo en México y a un aumento en la oferta de trabajo en Estados Unidos. Las tasas salariales continúan en aumento en México y a la baja en Estados Unidos hasta que eventualmente se igualan. La migración de la mano de obra daña a los trabajadores nativos estadunidenses, pero ayuda a los dueños estadunidenses del capital; en México ocurre lo opuesto. Como los trabajadores migrantes fluyen de usos menos productivos a otros más productivos, la producción mundial se amplía.

© Cengage Learning®

nos emigren a Estados Unidos y compitan en su mercado laboral; este proceso continuará hasta que se elimina el diferencial de salarios. Suponga que tres trabajadores emigran de México a Estados Unidos. En Estados Unidos, la nueva curva de oferta laboral se vuelve OEU1; la oferta excesiva de trabajo a un salario de $9 ocasiona que el salario caiga a $6. En México, la emigración laboral ocasiona una nueva curva de oferta laboral es OM1; la demanda excesiva por trabajo a un salario de $3 ocasiona que el salario aumente a $6. Así, el **efecto de la movilidad de los trabajadores** es igualar los salarios en los dos países.[7]

El siguiente trabajo es evaluar cómo la migración laboral en respuesta a los diferenciales salariales afecta la eficiencia de la economía mundial. ¿La producción mundial se expande o se contrae con la migración abierta? Para Estados Unidos, la migración aumenta la oferta de trabajo de O_{EU0} a O_{EU1}. Esto lleva a una expansión de la producción; el valor de la producción adicional se denota por el área $d + e$ ($22.50). Para México, la disminución en la oferta de trabajo de O_{M0} a O_{M1} resulta en una contracción de la producción; el valor de la producción perdida se representa por el área $g + i$ ($13.50). El resultado es una ganancia neta de $9 en la producción mundial como resultado de la migración del trabajo. Esto se debe a que el *VPMg* del trabajo en Estados Unidos excede al de México a lo largo del rango correspondiente. Los trabajadores son atraídos a Estados Unidos por los salarios pagados más altos. Estos salarios señalan a los trabajadores mexicanos el valor más alto de la productividad de los trabajadores, con lo que atraen a los trabajadores a esas áreas donde serán más eficientes. Conforme los trabajadores se utilizan de forma más productiva, la producción mundial se expande.

[7] El equilibrio del salario asume una movilidad irrestricta del trabajo en la que los trabajadores están preocupados sólo por sus ingresos. También asume que la migración no tiene costo para los trabajadores. En la realidad, hay costos económicos y psicológicos al migrar a otro país. Dichos costos pueden resultar en sólo un pequeño número de personas que encuentran en el país migrante ganancias salariales lo suficientemente altas para compensar sus costos de migración. Así, la igualación salarial completa puede no ocurrir.

La migración también afecta la *distribución del ingreso*. Como verá, las ganancias en el ingreso mundial que resultan de la movilidad de los trabajadores no se distribuyen de forma equitativa entre todas las naciones y los factores de producción. Estados Unidos, como un todo, se beneficia de la migración; su ganancia de ingresos general es la suma de las pérdidas por parte de los trabajadores nativos estadunidenses, las ganancias de los migrantes mexicanos que ahora viven en Estados Unidos y las ganancias de los dueños de capital estadunidense. México experimenta pérdidas de ingreso general como resultado de su migración laboral; sin embargo, los trabajadores que permanecen en México ganan en relación con los dueños de capital mexicano. Como se sugirió antes, los migrantes mexicanos ganan en su reubicación en Estados Unidos.

Para Estados Unidos la ganancia de ingresos como resultado de la migración se denota por el área $d + e$ ($22.50) en la figura 9.4 (a). De esta cantidad, los migrantes mexicanos capturan el área d ($18), mientras que el área e ($4.50) es el ingreso adicional que obtienen los dueños estadunidenses de capital, gracias a la disponibilidad del trabajo adicional para usar con el capital. Sin embargo, la migración impulsa los salarios a la baja de $9 a $6. Los ingresos de los trabajadores nativos estadunidenses caen por el área b ($21); esta cantidad es transferida a los dueños estadunidenses de capital.

En cuanto a México, su emigración laboral ocasiona una disminución en ingreso igual a $g + i$ ($13.50); esto representa una transferencia de México a Estados Unidos. Los trabajadores restantes en México ganan el área h ($12) como resultado de salarios más altos. Sin embargo, los dueños de capital mexicano pierden porque hay menos trabajo disponible para usar con su capital.

Aunque la migración pueda reducir los salarios para algunos trabajadores nativos estadunidenses, debe señalarse también que estos salarios más bajos benefician a los productores estadunidenses. Los salarios más bajos también resultan en precios de productos de equilibrio más bajos, con lo que benefician a los consumidores. Desde la perspectiva de la sociedad, las ganancias por la migración para los productores y consumidores deben ser sopesadas contra las pérdidas a causa de los trabajadores de bajo salario.

Es posible concluir que el efecto de la movilidad de los trabajadores es aumentar el ingreso mundial general y redistribuir el ingreso del trabajo al capital en Estados Unidos y del capital al trabajo en México. La migración tiene un impacto en la distribución del ingreso similar a un aumento en las exportaciones de los productos intensivos en trabajo de México a Estados Unidos.

La migración como problema

El ejemplo anterior deja claro por qué los grupos laborales nacionales en los países de capital abundante con frecuencia prefieren restricciones a la migración; la migración abierta tiende a reducir sus salarios. Cuando los migrantes no están capacitados, como por lo general es el caso, el efecto negativo en los salarios afecta sobre todo a los trabajadores nacionales no capacitados. Por el contrario, los fabricantes nacionales tenderán a favorecer a la migración sin restricciones como una fuente de trabajo barato.

Otra controversia acerca de los migrantes es si son una carga para los recursos gubernamentales. Las naciones que brindan pagos de bienestar generosos a los que están en desventaja económica pueden temer que inducirán un flujo de personas no productivas que no producirán como lo hicieron los migrantes de la figura 9.4, pero que disfrutarán de los beneficios de bienestar a costa de los residentes nacionales y de los migrantes trabajadores. Sin embargo, el alivio fiscal puede no estar lejos. Los hijos de los migrantes pronto se incorporarán a la fuerza de trabajo y comenzarán a pagar impuestos, con lo que pagan no sólo la educación de sus hijos, sino también el retiro de sus padres. En cuestión de dos generaciones, la mayoría de las familias de migrantes tienden a asimilarse al punto de que sus cargas fiscales son indistinguibles de las de otros residentes. Cuando todo se suma, la mayoría de los cálculos a largo plazo muestra que los migrantes tienen una contribución positiva neta para las arcas públicas.

Los países en desarrollo en ocasiones han temido a las políticas de migración abierta porque puede resultar en una **fuga de cerebros** (migración de personas de mucha educación y capacidades de los países en desarrollo a los países industrializados), con lo que limitan su crecimiento potencial. La fuga de cerebros ha sido alentada por las leyes nacionales de migración, como en Estados Unidos y otros países industrializados que permiten la migración de personas calificadas al tiempo que restringen la de los trabajadores no calificados.

En el ejemplo anterior, de migración de trabajo, se asumió que la decisión de migración de los trabajadores mexicanos era más o menos permanente. En la práctica, gran parte de la migración de los trabajadores es temporal, en especial en la Unión Europea. Es decir, un país como Francia permitirá la migración temporal de trabajadores extranjeros cuando se necesiten; estos trabajadores son conocidos como **trabajadores invitados**. Durante periodos de una recesión de negocios, Francia se rehusará a emitir permisos de trabajo cuando los trabajadores extranjeros ya no se necesiten. Dicha práctica tiende a proteger a la economía francesa de la escasez de trabajo durante las expansiones comerciales y los excedentes de trabajo durante las recesiones de negocios. Sin embargo, el problema de ajuste de trabajo se traslada a los países de emigración laboral.

La migración ilegal es también un problema. En Estados Unidos se ha convertido en una papa caliente política, con millones de migrantes ilegales que encuentran empleo en la llamada economía subterránea, con frecuencia con salarios por debajo del mínimo. Se calcula que entre 3 y 15 millones de migrantes están en Estados Unidos, muchos de ellos de México. Para Estados Unidos y en especial para los estados del suroeste, la migración de los trabajadores mexicanos ha proporcionado una oferta barata de trabajadores agrícolas y menos capacitados. Para México, ha sido una fuente importante de divisas y un amortiguador en contra del desempleo nacional. La migración ilegal también afecta la distribución del ingreso para los nativos estadunidenses, porque tiende a reducir el ingreso de los trabajadores estadunidenses no calificados. No hay un consenso sobre la magnitud de este impacto.[8]

Por otro lado, los migrantes no sólo diversifican una economía, sino que también pueden contribuir al crecimiento económico. La economía en general se beneficia porque con frecuencia los migrantes son distintos de los nativos. En muchos casos, los migrantes causan que los precios caigan, lo que beneficia a todos los consumidores y permite que la economía produzca de forma nacional una variedad más amplia de productos de la que los nativos podrían producir por sí solos. Si los migrantes no fueran distintos a los nativos, sólo aumentarían la población y la escala de la economía, pero no tendrían un efecto en la tasa de crecimiento general del ingreso per cápita. La migración impulsa más el crecimiento económico cuando los migrantes son altamente calificados, más innovadores y emprendedores, atraen capital y trabajan en ocupaciones en las que la fuerza laboral nativa es escasa.

Como usted aprendió de la figura 9.4, los migrantes aumentan la oferta de trabajo en la economía. Esto ocasionaría un salario de mercado más bajo para todos los trabajadores *si todos los trabajadores fueran iguales*. Pero esto no sucede. Algunos nativos competirán con los migrantes por posiciones, porque poseen habilidades similares; otros trabajarán junto a los migrantes y complementarán las habilidades de éstos con las propias. Esta distinción de habilidades significa que no todos los trabajadores nativos recibirán un salario inferior. Los que compiten con los migrantes (los sustitutos) recibirán un salario más bajo del que recibirían si no hubiese migración, mientras que los que complementan a los migrantes recibirán un salario más alto. La mayoría de los análisis de diversos países ha encontrado que un aumento de 10 por ciento en la porción migrante de la población reduce los salarios nativos 1 por ciento como máximo. Este resultado sugiere que la mayoría de los migrantes no sustituye el trabajo nativo (capacitado o no capacitado), sino que en realidad lo complementan.[9]

Los defensores de una mayor migración señalan que los niños no comienzan a trabajar en cuanto nacen. Producir un trabajador adulto requiere de gastos significativos en forma de comida, ropa, casa, educación y otros costos de manutención de los hijos. Estas inversiones en la formación de capital humano son sustanciales. Los migrantes, a diferencia de los niños recién nacidos, pueden comenzar a participar en actividades productivas desde el momento en que llegan al país. El costo de gran parte de su formación como capital humano fue absorbido por el país del que emigraron. Como la mayoría de los migrantes llega en una etapa de su vida en la que son productivos, las tasas más altas de migración por lo general resultan en un aumento en la proporción de la población que trabaja. Conforme aumenta la proporción de la población que trabaja, también aumenta el ingreso per cápita.

---

[8] Vea National Research Council Panel on the Demographic and Economic Impacts of Immigration, *The New Americans: Economic, Demographic, and Fiscal Effects of Immigration*, Washington, DC, National Academy Press, 1997.

[9] R.M. Friedberg y J. Hunt, "The Impact of Immigrants on Host Country Wages, Employment and Growth", *Journal of Economic Perspectives*, primavera de 1995, pp. 23-44.

La preocupación por el futuro de la seguridad social también se utiliza para respaldar las restricciones laxas de migración. La declinación en los nacimientos en Estados Unidos combinada con mayores expectativas de vida, resultan en un aumento constante en la razón de los individuos retirados y de los que trabajan durante las siguientes décadas. Un aumento en el número de migrantes más jóvenes podría ayudar a aliviar este problema.

¿Debería ser la política migratoria canadiense un modelo para Estados Unidos?

Al igual que Estados Unidos, Canadá es un país en que la migración representa una importante contribución a su sociedad y cultura. Con una población escasa y abundancia de terreno no habitado, Canadá implementó una política migratoria liberal que estaba motivada por el deseo de expansión económica. Hoy, el objetivo del sistema migratorio es alentar la inmigración de jóvenes bilingües altamente capacitados para reforzar el capital humano de la fuerza laboral canadiense que está envejeciendo. La política migratoria de Canadá ofrece incentivos para tratar a los trabajadores extranjeros, cuyo trabajo y habilidades son esenciales para la economía, no como enemigos sino como amigos.

Canadá acepta actualmente inmigrantes de más de 200 países; China, India y Filipinas son los más importantes. El crecimiento poblacional por inmigración es pronunciado en las metrópolis como Montreal, Toronto y Vancouver, o en sus periferias.

En Canadá hay tres categorías de inmigrantes: personas cercanamente emparentadas con residentes que ya viven en Canadá, trabajadores calificados y empresarios que cumplen con las necesidades del mercado e individuos admitidos como migrantes por razones humanitarias o que huyen de la persecución y la represión desmedida en su patria de origen. Para determinar a quién debe dejar entrar, Canadá emplea un sistema de puntos. No se necesita un trabajo o un empleador, sólo las habilidades. Los aspirantes reciben puntos por su capacidad lingüística en inglés o francés, su formación educativa y su experiencia laboral.

El programa migratorio de Canadá está coordinado tanto por los gobiernos regionales como por el gobierno federal en Ottawa. Cada provincia puede otorgar un número determinado de residencias laborales cada año, según su población. Cada provincia puede escoger a quién desee por la razón que quiera. El gobierno federal no puede cuestionar los criterios de las provincias ni sus métodos de admisión de migrantes; las funciones del gobierno federal se limitan a llevar a cabo una evaluación de seguridad, de antecedentes criminales y de salud de los extranjeros elegidos por las provincias. El gobierno federal también ofrece un número limitado de residencias permanentes para trabajadores altamente calificados cada año y ofrece admisiones temporales a Canadá a trabajadores de ciertas industrias como hostelería, alimentación, construcción y extracción de petróleo y gas natural.

¿Por qué ha aceptado Canadá a estos inmigrantes con los brazos abiertos? Porque debe. Los canadienses se dan cuenta de los grandes beneficios de la inmigración, incluyendo el desarrollo económico y la creación de empleos para los canadienses nativos. Esto se debe a que una gran proporción de inmigrantes canadienses son personas altamente calificadas que colaboran directamente en la economía. Por otro lado, con una población escasa y una baja tasa de natalidad, Canadá necesita a los inmigrantes para el crecimiento poblacional y el desarrollo económico.

Aproximadamente dos tercios de las visas permanentes canadienses se otorgan por las necesidades económicas de Canadá, incluyendo la necesidad de cubrir la escasez de mano de obra; por contraste, aproximadamente dos tercios de los permisos de residencia y laborales de EUA se otorgan para reunir familias. Los canadienses consideran el multiculturalismo como un ingrediente clave de su identidad nacional: sostienen que las personas que están acostumbradas a puntos de vista y a culturas diferentes cooperarán entre sí y llegarán a un acuerdo con mayor facilidad cuando surgen diferencias y, así, resultan mucho más productivos al aprender de los otros. Los canadienses consideran la migración en general como una adquisición positiva para la estructura social del país. Finalmente, Canadá tiene poco que temer de la inmigración ilegal. Aunque Canadá y Estados Unidos comparten una inmensa frontera, millones de estadunidenses no desean trasladarse a Canadá. En otras palabras, Estados Unidos funciona como un inmenso territorio de protección contra la inmigración no autorizada y esto reduce la preocupación de los canadienses ante ese fenómeno.

CONFLICTOS COMERCIALES ¿ DAÑA LA POLÍTICA ESTADUNIDENSE DE MIGRACIÓN A LOS TRABAJADORES NACIONALES?

¿Daña a los trabajadores nacionales la política migratoria de EUA? Algunos analistas sostienen que los beneficios de la inmigración son, a final de cuentas, pequeños, de manera que es cuestionable que tales beneficios deban desempeñar un papel importante en el debate sobre política migratoria. Otros, sin embargo, sostienen que la inmigración tiene importantes efectos positivos sobre la economía: advierten que los inmigrantes altamente calificados ayudan a crear empleos para los trabajadores nacionales mientras que los trabajadores menos calificados cubren los empleos que la mayoría de los estadunidenses no desea (como cocinar en restaurantes, cosechar manzanas y cerezas, limpiar oficinas) y ambos contribuyen, así, a la vitalidad económica de la nación.

La mayoría de los residentes de Estados Unidos en la actualidad son descendientes de migrantes que llegaron al país durante los últimos 150 años. Sin embargo, las preocupaciones acerca del efecto de migración en los trabajadores nacionales han resultado en la aprobación de diversas leyes diseñadas para restringir la migración. Los sindicatos, en particular, han defendido una política de migración más restrictiva sobre la base de que la migración reduce los niveles salariales y de empleo para los residentes nacionales.

No se impusieron restricciones sustanciales en la migración en Estados Unidos hasta la aprobación de la Ley de Cuotas de 1921. Esta ley estableció cuotas en el número de migrantes basadas en el país de origen. La Ley de Cuota restringía sobre todo la migración del este y el sur de Europa. Las enmiendas a la Ley de Migración y Nacionalidad de 1965 eliminaron el sistema de cuota específico del país y en su lugar establecieron un límite en el número máximo de migrantes permitido a Estados Unidos. Bajo esta ley, se da un trato preferencial a los migrantes con el fin de reunificar a la familia. Los que posean habilidades excepcionales también reciben una prioridad. Sin embargo, no se establece un límite en los refugiados políticos a los que se les permite migrar a Estados Unidos. Desde luego, no todos los migrantes ingresan al país a través de medios legales. Con frecuencia, los individuos ingresan con visas de estudiante o de turista y comienzan a trabajar en violación de su estatus de visa. Otros individuos ingresan al país de forma ilegal sin una visa estadunidense válida. La Ley de Reforma y Control de Migración de 1986 aborda el tema de la migración ilegal al imponer multas sustanciales a los empleadores que contraten migrantes ilegales.

La Ley de Reforma y Responsabilidad del Migrante de 1996 proporcionó varias nuevas restricciones para la migración. Las familias anfitrionas sólo pueden aceptar migrantes si dicha familia percibe un ingreso que sea al menos 125 por ciento del nivel de pobreza. Esta ley también requiere que el Servicio de Migración y Naturalización mantenga registros más estrictos de entrada y salida de los extranjeros no residentes.

Canadá promueve políticas migratorias abiertas que aceptan a extranjeros talentosos que tienen las habilidades que el país necesita y que desean triunfar. Así, Canadá se ha transformado en un país de inmigrantes: su población nacida en el extranjero (20 por ciento) rebasa la de los Estados Unidos (13 por ciento). La mayoría de los canadienses sienten que esta inyección de talento ha elevado la vitalidad económica de Canadá.

En 2013 Canadá emprendió una revisión general de su programa de inmigración que, como ya dijimos, enfatizaba factores como las habilidades laborales del solicitante y su dominio del francés o el inglés. El objetivo de esta nueva revisión es evitar una división económica creciente que percibe el gobierno canadiense entre los locales y muchos inmigrantes elegidos según el sistema anterior: en tal división social, se percibe una tendencia a que los inmigrantes se queden atrás en cuanto a los sueldos percibidos en relación con los locales. El nuevo sistema evalúa, más bien, si los inmigrantes ya tienen arreglada una promesa de empleo en Canadá y si tienen las habilidades específicas que ahora están en mayor demanda como el procesamiento de datos. Canadá también considera la capacidad de adaptación, es decir, evalúa factores como el tiempo que el aspirante ha estado previamente en Canadá. Está por verse cómo funcionará este nuevo sistema.[10]

---

[10] Alistair MacDonald, "As Disparities Grow, Canada Tightens Its Immigration Rules", *Wall Street Journal*, 31 de agosto de 2013; A. E. Challinor, *Canada's Immigration Policy: A Focus on Human Capital*, Washington, DC, Migration Policy Institute, septiembre de 2011; Fareed Zakaria, "Global Lessons: The GPS Roadmap for Making Immigration Work", CNN *TV Special*, 10 de junio de 2012; E. G. Austin, "Immigration: The United States v Canada", *The Economist*, 20 de mayo de 2011; Elisabeth Smick, *Canada's Immigration Policy*, Council on Foreign Relations, Nueva York, 6 de julio de 2006.

iStockphoto.com/photossoup

RESUMEN

1. En la actualidad la economía mundial se caracteriza por el movimiento internacional de los factores de insumos. La empresa multinacional tiene un aporte importante en este proceso.

2. No hay una sola definición acordada de lo que constituye una EMN. Algunas de las características más identificables de las multinacionales son las siguientes: *a)* la propiedad de las acciones y la administración son de carácter multinacional; *b)* las oficinas centrales de la empresa pueden estar lejos del país donde ocurre una actividad en particular y *c)* las ventas en el extranjero representan una alta proporción de las ventas totales.

3. Las EMN han diversificado sus operaciones en forma vertical, horizontal o de conglomerados.

4. Entre los principales factores que influyen en las decisiones para realizar inversión extranjera directa están *a)* la demanda del mercado, *b)* las restricciones al comercio, *c)* las regulaciones de inversión y *d)* la productividad laboral y los costos.

5. En la planeación para establecer las operaciones en el extranjero, una empresa debe decidir si construir (o comprar) plantas en el extranjero u otorgar licencias a las empresas extranjeras para fabricar sus productos.

6. La teoría de la empresa multinacional en esencia concuerda con los pronósticos del principio de la ventaja compa-

rativa. Sin embargo, la teoría del comercio convencional asume que los artículos de consumo se comercializan entre las empresas independientes y competitivas, mientras que las EMN con frecuencia son empresas verticalmente integradas con ventas sustanciales entre ellas. Así, las EMN pueden usar la fijación de precios de transferencia para maximizar las utilidades de la empresa en general más que las utilidades de cualquier subsidiaria individual.

7. En años recientes, las empresas cada vez más se han vinculado con rivales extranjeros en un vasto grupo de *joint ventures* o empresas conjuntas. Las empresas conjuntas internacionales pueden generar efectos que aumenten el bienestar, así como los efectos del poder de mercado.

8. Algunos de los temas más controversiales vinculados con las EMN son *a)* el empleo, *b)* la transferencia de tecnología, *c)* la soberanía nacional, *d)* la balanza de pagos y *e)* los aspectos fiscales.

9. La migración laboral internacional ocurre por razones económicas y no económicas. La migración aumenta la producción y disminuye los salarios en el país de la inmigración y disminuye la producción y aumenta los salarios en el país de la emigración. Para el mundo como un todo, la migración lleva a aumentos netos en la producción.

CONCEPTOS Y TÉRMINOS CLAVE

Análisis del riesgo país (p. 302)

Empresa multinacional (EMN) (p. 295)

Fijación de precios de transferencia (p. 316)

Fuga de cerebros (p. 320)

Integración de conglomerado (p. 297)

Integración horizontal (p. 296)

Integración vertical (p. 296)

Inversión extranjera directa (p. 297)

Empresas conjuntas internacionales (p. 307)

Migración (p. 316)

Movilidad de los trabajadores (p. 319)

Trabajadores invitados (p. 321)

Transferencia de tecnología (p. 312)

Trasplantadas (p. 319)

PREGUNTAS PARA ANÁLISIS

1. Las empresas multinacionales pueden diversificar sus operaciones de forma vertical, horizontal o de conglomerados dentro del país anfitrión y del país de origen. Distinga entre estos enfoques de diversificación.

2. ¿Cuáles son las principales industrias en el extranjero en las que las empresas estadunidenses han elegido colocar inversiones directas? ¿Cuáles son las principales indus-

trias en Estados Unidos en las que los extranjeros colocan inversiones directas?

3. ¿Por qué la tasa de rendimiento de las inversiones directas estadunidenses en las naciones en desarrollo excede a la tasa de rendimiento de sus inversiones en los países industrializados?

4. ¿Cuáles son los motivos más importantes detrás de la decisión de una empresa de realizar una inversión extranjera directa?

5. ¿Qué es la *empresa multinacional*?

6. ¿Bajo qué condiciones una empresa que desea entrar a los mercados extranjeros debe otorgar licencias o franquicias a empresas locales para fabricar sus productos?

7. ¿Cuáles son los temas importantes en los que participan las empresas multinacionales como una fuente de conflicto para el país de origen y el país anfitrión?

8. ¿La teoría de la empresa multinacional es consistente o inconsistente con el modelo tradicional de una ventaja comparativa?

9. ¿Cuáles son algunos ejemplos de ganancias de bienestar y pérdidas de bienestar que pueden resultar de la formación de empresas conjuntas internacionales entre empresas en competencia?

10. ¿Qué efectos tiene la migración del trabajo en el país de inmigración? ¿En el país de emigración? ¿En el mundo como un todo?

11. En la tabla 9.6 se ilustran las condiciones de ingresos que enfrenta ABC, Inc. y XYZ, Inc, que operan como competidores en el mercado estadunidense de calculadoras. Cada empresa tiene costos constantes a largo plazo ($CMg = CMe$) de $4 por unidad. En papel milimétrico grafique la demanda de empresa, el ingreso marginal y las curvas $CMg = CMe$. Sobre la base de esta información, responda las siguientes preguntas:

TABLA 9.6

Precio e ingreso marginal: calculadoras

Cantidad	Precio ($)	Ingreso marginal
0	9	–
1	8	8
2	7	6
3	6	4
4	5	2
5	4	0
6	3	-2
7	2	-4

© Cengage Learning®

a. Si ABC y XYZ se comportan como competidores, el precio de equilibrio es $_____ y la producción es de _____. Al precio de equilibrio, los hogares estadunidenses logran $_____ de excedente del consumidor, mientras que las utilidades de la empresa suman un total de $_____.

b. Suponga que dos organizaciones de manera conjunta forman una nueva JV Inc., cuyas calculado-

ras reemplazan la producción vendida por las empresas principales en el mercado estadunidense. Si asume que JV opera como un monopolio y que sus costos ($CMg = CMe$) son de $4 por unidad, la producción de la empresa sería _____ a un precio de $_____ y la utilidad total sería de $_____. En comparación con la posición de equilibrio del mercado alcanzada por ABC y XYZ como competidores, JV como un monopolio lleva a una pérdida de peso muerto de excedente al consumidor igual a $_____.

c. Asuma ahora que la formación de JV requiere de avances tecnológicos que resultan en un costo por unidad de sólo $2; dibuje la nueva curva $CMg = CMe$ en la figura. Al percatarse de que JV ocasiona una pérdida de peso muerto del excedente del consumidor, como se describe en la parte *b*, el efecto neto de la formación JV en el bienestar de Estados Unidos es una ganancia/pérdida de $_____. Si la reducción de costos de JV se debió a concesiones salariales de los empleados estadunidenses de JV, la ganancia/pérdida de bienestar neto para Estados Unidos sería igual a $_____. Si las reducciones de costos de JV fueran el resultado de cambios en las reglas de trabajo que llevan a una mayor productividad de los trabajadores, la ganancia/pérdida de bienestar neto para Estados Unidos sería igual a $_____.

12. En la tabla 9.7 se ilustran las curvas de oferta y demanda hipotéticas de trabajo en Estados Unidos. Asuma que el trabajo y el capital son los únicos dos factores de producción. En papel milimétrico grafique estas curvas.

TABLA 9.7

Demanda y oferta de trabajo

Salario ($)	Cantidad demandada	Cantidad ofrecida$_0$	Cantidad ofrecida$_1$
8	0	2	4
6	2	2	4
4	4	2	4
2	6	2	4
0	8	2	4

© Cengage Learning®

a. Sin migración, suponga que la fuerza de trabajo en Estados Unidos se denota por la curva O_0. El salario de equilibrio es de $_____; los pagos a los trabajadores nativos estadunidenses son un total de $_____, mientras que los pagos a los dueños de capital estadunidense son iguales a $_____.

b. Suponga que la migración de Hong Kong resulta en un aumento general en el trabajo estadunidense a O_1. Los salarios aumentarían/ caerían a $\$$_____, los pagos a los trabajadores nativos estadunidenses son un total de $\$$_____ y los pagos a los migrantes de Hong Kong serían un total de $\$$_____. Los dueños estadunidenses de capital recibirían pagos de $\$$_____.

c. ¿Qué factores de producción estadunidense ganarían de una migración expandida? ¿Qué factor de producción estadunidense es probable que se oponga a las políticas que permiten a los trabajadores de Hong Kong migrar libremente a Estados Unidos?

Relaciones monetarias internacionales

2

La balanza de pagos

Cuando ocurre el comercio entre naciones se registran muchos tipos de transacciones financieras, que se resumen en la balanza de pagos. En este capítulo se analizarán los aspectos monetarios del comercio internacional al considerar la naturaleza y la trascendencia de la balanza de pagos de una nación.

La **balanza de pagos** es un registro de las transacciones económicas entre los residentes de un país y el resto del mundo. Las naciones registran su balanza de pagos durante el curso de un año; Estados Unidos y algunas otras naciones también llevan registros con una base trimestral.

Una *transacción internacional* es un intercambio de productos, servicios o activos entre los residentes de un país y los de otro. Pero ¿qué significa el término *residente*? Los residentes incluyen empresas, individuos y agencias gubernamentales que tienen al país en cuestión como su domicilio legal. Aunque una corporación se considera residente del país en el que está, su sucursal en el extranjero o su subsidiaria no lo es. El personal militar, los diplomáticos del gobierno, los turistas y los trabajadores que emigran en forma temporal son considerados residentes del país en el que mantienen una ciudadanía.

CONTABILIDAD DE PARTIDA DOBLE

El registro de las transacciones internacionales en la cuenta de balanza de pagos requiere que cada transacción sea ingresada como un cargo o un abono. Una **transacción de cargo** resulta en la *recepción* de un pago de extranjeros. Convencionalmente, los cargos se registran con un signo de *más*. Una **transacción de abono** es una que implica realizar un *pago* para extranjeros. Esta distinción se aclara al asumir que las transacciones se dan entre residentes de, por ejemplo, Estados Unidos y extranjeros y que todos los pagos son financiados en dólares. Convencionalmente, los abonos se registran con un signo de *menos* (–).

Desde la perspectiva de Estados Unidos, las siguientes transacciones son cargos (+), que permiten recibir dólares por parte de los extranjeros:

- Exportaciones de mercancía
- Ingresos por concepto de transporte y viaje
- Ingreso recibido por inversiones en el extranjero
- Donaciones recibidas de residentes extranjeros
- Ayuda recibida de gobiernos extranjeros
- Inversiones en Estados Unidos por residentes del extranjero

Por el contrario, las siguientes transacciones son abonos (–) desde el punto de vista de Estados Unidos, porque implican pagos a extranjeros:

- Importaciones de mercancías
- Gastos de transporte y de turismo
- Ingreso pagado sobre las inversiones de extranjeros
- Donaciones otorgadas a los residentes en el extranjero
- Ayuda otorgada por el gobierno estadunidense
- Inversión realizada en el extranjero por parte de los residentes estadunidenses

Aunque se habla en términos de transacciones que representan un cargo o un abono, cada transacción internacional incluye un intercambio de activos y, por tanto, tiene un lado de cargo y de abono. Cada cargo asentado deberá de ser equilibrado con un abono asentado y viceversa, así que el registro de cualquier transacción internacional lleva dos asientos que se compensan. En otras palabras, las cuentas de la balanza de pagos utilizan un sistema de **contabilidad de partida doble**. Los siguientes dos ejemplos ilustran la técnica de partida doble.

Ejemplo 1

IBM vende computadoras con un valor de 25 millones de dólares a un importador alemán, quien hace un pago por medio de una letra de cambio, que aumenta los saldos de los bancos de Nueva York en su banco correspondiente de Bonn. Como la exportación incluye una transferencia de los activos estadunidenses al extranjero por los que se recibirá un pago, se registra en la balanza de pagos de Estados Unidos como una transacción de cargo. La recepción del pago de IBM mantenido en el banco alemán es clasificada como un movimiento financiero a corto plazo, porque los cobros de Estados Unidos en contra del banco alemán han aumentado. Los asientos en la balanza de pagos de Estados Unidos aparecerían de la siguiente forma:

	Cargos (+)	Abonos (–)
Exportaciones de mercancías	$25 millones	
Movimiento financiero a corto plazo		$25 millones

Ejemplo 2

Un residente de Estados Unidos que posee bonos emitidos por una empresa japonesa recibe un pago por intereses de $10,000. Con el pago aumentan los saldos propiedad de los bancos de Nueva York en su filial de Tokio. El impacto de esta transacción en la balanza de pagos de Estados Unidos sería la siguiente:

	Cargos (+)	Abonos (–)
Recibos de ingresos	$10,000	
Movimiento financiero a corto plazo		$10,000

Estos ejemplos ilustran cómo cada transacción internacional tiene dos lados iguales, un cargo y un abono. Si calcula todos los cargos como sumas y los abonos como restas, el resultado neto es cero; es decir, los cargos totales deben ser siempre iguales al total de abonos. Esto significa que la cuenta *total* de la balanza de pagos siempre debe estar balanceada. No hay tal cosa como un superávit o un déficit en la balanza de pagos.

Aunque la balanza de pagos, por definición, debe estar equilibrada de forma numérica, la consecuencia *no* necesariamente es que alguna sola subcuenta o subcuentas del Estado se deban equilibrar.

Por ejemplo, las exportaciones totales de mercancía pueden o no estar en balance con las importaciones totales de mercancía. Cuando se hace referencia a un superávit o déficit de la balanza de pagos, se refiere a subcuentas particulares de la balanza de pagos, no al valor general. Ocurre un *superávit* cuando el saldo de una subcuenta (subcuentas) es positivo; ocurre un *déficit* cuando el saldo es negativo.

ESTRUCTURA DE LA BALANZA DE PAGOS

Ahora considere la estructura de la balanza de pagos al analizar sus diversas subcuentas.

Cuenta corriente

La **cuenta corriente** de la balanza de pagos se refiere al valor monetario de los flujos internacionales asociados con las transacciones en bienes y servicios, flujos de ingresos y transferencias unilaterales. Cada uno de estos flujos se describirá en su momento.

El *comercio de mercancías* incluye todos los bienes que Estados Unidos exporta o importa: productos agrícolas, maquinaria, automóviles, petróleo, electrónica, textiles y demás. El valor en dólares de las exportaciones de mercancías se registra con un signo de positivo (cargo) y el valor en dólares de las importaciones de mercancías se registra como un signo negativo (abono). La combinación de las exportaciones y las importaciones de bienes genera la **balanza comercial de mercancías**. Cuando el saldo es negativo, el resultado es un déficit comercial de mercancías; mientras que un saldo positivo implica un superávit comercial de mercancías.

Las exportaciones y las importaciones de servicios incluyen una variedad de rubros. Cuando los barcos estadunidenses llevan productos extranjeros o cuando turistas extranjeros gastan dinero en restaurantes y hoteles estadunidenses, los residentes estadunidenses proporcionan servicios que tienen un valor y por los que deben ser compensados. Dichos servicios se consideran exportaciones y se registran como artículos de cargo en la cuenta de bienes y servicios. Por el contrario, cuando barcos extranjeros llevan productos estadunidenses o cuando los turistas estadunidenses gastan dinero en hoteles y restaurantes en el extranjero, entonces los residentes extranjeros proporcionan servicios que requieren una compensación. Como los residentes estadunidenses, en efecto, importan estos servicios, los servicios se registran como productos de abono. Los servicios de seguros y de banca se explican en la misma forma. Los servicios incluyen productos como transferencias de productos bajo programas militares, servicios de construcción, servicios legales, servicios técnicos y demás.

Para obtener una comprensión más amplia de las transacciones internacionales de un país, se debe agregar el rubro de servicios a la cuenta comercial de mercancías. Este total da la **balanza de bienes y servicios**. Cuando esta balanza es positiva, el resultado es un superávit en transacciones de bienes y servicios; una balanza negativa implica un déficit. ¿Qué significa una balanza con superávit o déficit en la cuenta de bienes y servicios de Estados Unidos? Si la cuenta de bienes y servicios muestra un superávit, Estados Unidos ha transferido más recursos (bienes y servicios) a extranjeros de los que ha recibido de ellos durante el periodo de un año. Además de medir el valor de la *transferencia neta de recursos*, la balanza de bienes y servicios también proporciona información acerca del estado del producto interno bruto de una nación (PIB). Esto es porque la balanza en la cuenta de bienes y servicios se define esencialmente en la misma forma como *exportación neta de bienes y servicios*, que es parte del PIB de una nación.

Recuerde de su curso de macroeconomía que el PIB es igual al valor de los bienes y servicios procedentes de una economía durante cierto periodo. En una economía con comercio, el PIB es igual a la suma de cuatro diferentes tipos de gasto en la economía: consumo, inversión bruta, gasto del gobierno y exportaciones netas de bienes y servicios. En efecto, las exportaciones netas representan el valor de los bienes y servicios fabricados en la nación pero no incluidos en el consumo nacional.

Entonces, para el PIB de una nación, la balanza en la cuenta de bienes y servicios puede ser interpretada de la siguiente forma: un balance positivo en la cuenta muestra un exceso de exportaciones sobre las importaciones y esta diferencia debe sumarse al PIB. Cuando la cuenta arroja un déficit, el exceso de las importaciones sobre las exportaciones debe restarse del PIB. Si las exportaciones de bienes y servicios de una nación son iguales a sus importaciones, la cuenta tendrá un desequilibrio de cero y no afectará el estatus del PIB. Por tanto, según el valor relativo de las exportaciones y las importaciones, el saldo de la cuenta de bienes y servicios contribuye al nivel del producto interno de un país.

Para ampliar más este resumen de la balanza comercial, debe incluirse los **pagos e ingresos de capital**. Este concepto consiste en ingresos netos (dividendos más intereses) de inversiones estadunidenses en el exterior; es decir, las ganancias de las inversiones estadunidenses en el extranjero menos los pagos sobre los activos extranjeros en Estados Unidos. También incluye la compensación de empleados.

En último lugar, el resumen de la balanza de pagos se amplía para incluir las **transferencias unilaterales**. Estos conceptos incluyen transferencias de bienes y servicios (donativos en especie) o de activos financieros (donaciones en dinero) entre Estados Unidos y el resto del mundo. Los *pagos de transferencia privada* se refieren a los donativos hechos por instituciones individuales y no gubernamentales a extranjeros. Éstos podrían incluir las remesas de un migrante que vive en Estados Unidos a sus familiares en su país de origen, un regalo de cumpleaños enviado a un amigo en el extranjero o una contribución por un residente estadunidense a un fondo de ayuda para países en desarrollo. Las *transferencias gubernamentales* se refieren a los donativos o subvenciones hechas por un gobierno a los residentes o gobiernos extranjeros. El gobierno estadunidense hace transferencias en la forma de efectivo y bienes de capital a países subdesarrollados, ayuda militar a gobiernos extranjeros y envíos como pensiones de retiro a trabajadores extranjeros que han regresado a su país de origen. En algunos casos las transferencias del gobierno estadunidense representan pagos asociados con programas de ayuda externa que utilizan gobiernos extranjeros para financiar su comercio con Estados Unidos. Debe señalarse que muchos programas de transferencias estadunidenses (ayuda extranjera) están vinculados con la compra de exportaciones estadunidenses (como equipo militar o exportaciones agrícolas) y, por tanto, representan un subsidio a los exportadores estadunidenses. Cuando se combina el ingreso de inversión y las transferencias unilaterales con el saldo de bienes y servicios se llega al saldo de la cuenta corriente. Esta es la medida más amplia de la balanza de pagos de un país, regularmente citada en los periódicos y los reportes de noticias de la televisión y radio nacionales.

Cuenta de capital y financiera

Las transacciones de capital y financieras en la balanza de pagos incluyen todas las compras internacionales o las ventas de activos. El término *activos* se define ampliamente para incluir productos como títulos de bienes raíces, acciones y certificados corporativos, valores gubernamentales y depósitos ordinarios en bancos comerciales. La **cuenta de capital y financiera**[1] incluye transacciones del sector privado y del sector oficial (banco central).

Las transacciones de capital consisten en transferencias de capital y la adquisición y disposición de ciertos activos no financieros. Los principales tipos de transferencia de capital son la condonación de deudas y los productos y activos financieros de los migrantes que los acompañan cuando salen o entran al país. La compra-venta de ciertos activos no financieros incluyen las ventas y las compras de derechos sobre los recursos naturales, patentes, derechos reservados, marcas registradas, franquicias

---

[1] Desde 1999 las transacciones internacionales estadunidenses se han clasificado en tres grupos (la cuenta corriente, la cuenta de capital y la cuenta financiera). Antes, las transacciones se clasificaban como cuenta corriente y cuenta de capital. Vea "Upcoming Changes in the Classification of Current and Capital Transactions in the U.S. International Accounts", *Survey of Current Business*, febrero de 1999.

Cuando los residentes de distintos países contemplan vender o comprar productos, deben considerar cómo ocurrirán los pagos, esto se ejemplifica en la figura 10.1. Suponga que usted, como residente de Estados Unidos, compra un televisor directamente de un productor en Corea del Sur. ¿Cómo, cuándo y dónde el productor de Corea del Sur obtendrá sus *wons* para poder gastar el dinero en Corea del Sur?

Primero usted tendría que emitir un cheque por 300 dólares, que su banco estadunidense convertirá a 210,000 wons (si asume un tipo de cambio de 700 wons por dólar). Cuando el productor surcoreano reciba su pago en wons, depositará los fondos en su banco. Así el banco en Corea del Sur tiene un cheque de un banco estadunidense que promete pagar una cantidad estipulada de wons.

Suponga que al mismo tiempo que usted pagó por su televisor, un comprador en Corea del Sur pagó a un productor estadunidense 300 dólares por la compra de maquinaria. El diagrama de flujo siguiente ilustra la ruta de ambas transacciones.

Cuando el comercio está equilibrado, el dinero de distintos países no cambia realmente de manos a través de los océanos. En este ejemplo, el valor de las exportaciones de Corea del Sur a Estados Unidos es igual al valor de las importaciones de Corea del Sur de Estados Unidos. Los wons que los importadores surcoreanos utilizan para comprar dólares para pagar por los productos estadunidenses son iguales a los wons que los exportadores surcoreanos reciben en pago por los productos que embarcan a Estados Unidos. Los dólares que fluirían en efecto de los importadores estadunidenses a los exportadores estadunidenses exhiben una igualdad.

En teoría, los importadores en un país pagan a los exportadores en ese mismo país en la moneda nacional. Sin embargo, en realidad, los importadores y los exportadores en un país dado no tratan directamente entre sí; para facilitar los pagos, los bancos realizan estas transacciones.

FIGURA 10.1

Proceso de pagos internacionales

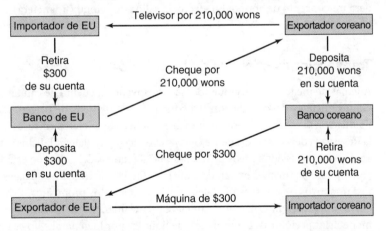

Los dólares gastados por importadores estadunidenses terminan como dólares recibidos

Los wons gastados por los importadores coreanos terminan como wons recibidos

y arrendamientos. Aunque conceptualmente importantes, las transacciones de capital por lo general son muy pequeñas en las cuentas estadunidenses y por tanto, no se enfatizarán en este capítulo.

La gran mayoría de las transacciones que aparece en la cuenta de capital y financiera viene de transacciones financieras. Los siguientes son ejemplos de transacciones financieras en el sector privado:

Inversión directa   La inversión directa ocurre cuando los residentes de un país adquieren una participación de control (propiedad de acciones de 10 por ciento o más) en una empresa comercial en otro país.

Valores   Los valores son obligaciones de corto y largo plazo que compra el sector privado, como bonos, pagarés, certificados del tesoro y valores de empresas privadas.

Títulos y obligaciones bancarias   Los títulos bancarios consisten en préstamos, depósitos en el exterior, aceptaciones bancarias, papel comercial extranjero, títulos de crédito sobre filiales bancarias en el exterior y obligaciones gubernamentales extranjeras. Las obligaciones bancarias incluyen depósitos a la vista y de plazo fijo y cuentas de retiro de orden negociable, depósitos de cuentas de ahorros, certificados de depósitos y pasivos de filiales bancarias en el extranjero.

Las transacciones financieras y de capital se registran en el estado de la balanza de pagos al aplicar un signo de más (cargo) a flujos entrantes financieros y de capital y un signo de menos (abono) a flujos financieros y de capital salientes. Para Estados Unidos, un *flujo financiero entrante* podría ocurrir bajo las siguientes circunstancias: *1)* un aumento en los pasivos estadounidenses con extranjeros (por ejemplo, un residente francés compra valores de IBM); *2)* una disminución de los títulos estadounidenses en manos de extranjeros (Citibank recibe pago por un préstamo que hizo a una empresa mexicana); *3)* un aumento en los activos de propiedad extranjera en Estados Unidos (Toyota construye una planta de ensamble en Estados Unidos), o *4)* una disminución de los activos estadounidenses en el extranjero (CocaCola vende una de sus plantas embotelladoras japonesas a un comprador japonés). Un *flujo financiero saliente* implicaría lo contrario.

La siguiente regla resulta útil para apreciar la diferencia fundamental entre las transacciones de cargo y abono que constituyen la cuenta de capital y financiera. Cualquier transacción que lleva a la recepción de pagos del país de los extranjeros puede ser considerado un producto de cargo. La entrada de capital (financiera) puede ser equiparada con la *exportación* de bienes y servicios. Por el contrario, cualquier transacción que lleve a que los extranjeros reciban pagos de sus países se considera un concepto de abono. En efecto, la salida de capital (financiera) es similar a la *importación* de bienes y servicios.

Transacciones oficiales de liquidación

Además de incluir transacciones del sector privado, la cuenta de capital y financiera incluye **transacciones oficiales de liquidación** del banco central del país de origen. Las transacciones oficiales de liquidación se refieren al movimiento de los activos financieros entre los dueños oficiales [por ejemplo, la Reserva Federal Estadunidense (Fed) y el Banco de Inglaterra]. Estos activos financieros se clasifican en dos categorías: los activos de reserva oficial (activos del gobierno estadunidense en el extranjero) y pasivos con organismos extranjeros oficiales (activos extranjeros oficiales en Estados Unidos).

Los activos de reservas oficiales se utilizan para dos propósitos. Primero, permiten a un país tener una liquidez internacional suficiente para financiar déficits comerciales a corto plazo y crisis monetarias periódicas. Esta función de liquidez por lo general sólo es importante para los países en desarrollo que no tienen una moneda de pronta convertibilidad o un acceso rápido a los mercados internacionales de capital en términos favorables. Segundo, los bancos centrales en ocasiones compran o venden activos de reserva oficiales en mercados del sector privado para estabilizar el valor de su moneda. Cuando Estados Unidos desea reforzar el valor del dólar en mercados de divisas, puede vender moneda extranjera u oro para comprar dólares; esto propicia un aumento en la demanda del dólar y, por lo tanto, un aumento en su tipo de cambio. A la inversa, si Estados Unidos quisiera inducir un dólar más débil, venderá dólares y comprará moneda extranjera u oro; esto elevará la oferta del dólar y provocará una disminución en su tipo de cambio. Como Estados Unidos ha manejado un tipo de cambio flotante, que por lo general requiere una intervención insignificante del tipo de cambio extranjero, los cambios en sus activos de reserva oficial tienden a ser pequeños. Este tema se analiza con mayor detalle en el capítulo 15.

En la tabla 10.1 se resume la posición de **los activos de reserva oficial** de Estados Unidos a 2013. Uno de esos activos es la existencia de reservas de oro que mantiene el gobierno de Estados Unidos. A continuación están las monedas convertibles, como el yen japonés, que son aceptadas con rapidez como pago por transacciones internacionales y pueden ser intercambiadas con facilidad por otra moneda. Otro activo de reserva es la posición de reserva que Estados Unidos mantiene en el Fondo Monetario Internacional. Finalmente, aparecen los derechos especiales de giro (DEG) que se describen a continuación.

Las transacciones oficiales de liquidación también incluyen pasivos con los propietarios oficiales extranjeros. Estos pasivos se refieren a las propiedades extranjeras oficiales con los bancos comerciales estadunidenses y las propiedades oficiales de los valores del Tesoro de Estados Unidos. Los gobiernos extranjeros con frecuencia desean mantener dichos activos debido a las ganancias de intereses que brindan. En la tabla 10.2 se ilustran los pasivos de Estados Unidos con los propietarios oficiales extranjeros a 2013.

Derechos especiales de giro

En la década de 1960, los países se preocuparon por la suficiencia de reservas internacionales y si la oferta de reservas podría aumentar tan rápidamente como la demanda. En ese momento, las reservas internacionales consistían en: oro, moneda extranjera, y posiciones de reserva en el Fondo Monetario Internacional. Se necesitaba, pues, un activo de reserva internacional que fuera aceptado por todos los países y cuya oferta pudiera ampliarse según aumentara la demanda de reservas.

En 1969 el Fondo Monetario Internacional creó un nuevo activo de reserva que actuaba como complemento de las reservas ya existentes de los países miembros. Este activo se denominó **derechos especiales de giro** y puede ser trasladado entre las naciones participantes para liquidar déficits de la balanza de pagos o para estabilizar tipos de cambio. Si Malasia tiene que obtener libras esterlinas para financiar un déficit, puede hacerlo cambiando algunos de sus DEG por las libras de otro país designado por el IMF, por ejemplo Canadá. Además de libras, los DEG pueden ser cambiados por dólares estadunidenses, yenes japoneses y euros. Sólo los gobiernos usan los DEG, las entidades privadas no pueden tenerlos ni usarlos. Los DEG se asignan a los países miembros, en seguimiento de las políticas del FMI, en proporción a sus respectivos puestos en la economía mundial. El FMI ha creado en ciertas ocasiones desde la década de 1970 una determinada cantidad adicional de DEG.

El valor de los DEG se define como una canasta de monedas que incluye al dólar estadunidense, al yen japonés, a la libra esterlina y al euro. Los porcentajes de las monedas en la canasta se determinan por el volumen de exportaciones de bienes y servicios y por la cantidad de moneda denominada que los otros miembros de FMI mantuvieron de las monedas en cuestión durante los cinco años previos.

TABLA 10.1

Activos de la reserva de Estados Unidos, 2013*

Tipo	Cantidad (miles de millones de dólares)
Reservas en oro**	11.0
Derechos especiales de giro	54.9
Posiciones de reservas en el Fondo Monetario Internacional	33.4
Monedas extranjeras convertibles	48.3
Total	147.6

*Al mes de septiembre
** Oro valuado en $42.22/onza troy fina.

Fuente: Tomado de Board of Governors of the Federal Reserve System, disponible en www.federalreserve.gov.

TABLA 10.2	
Pasivos seleccionados de Estados Unidos con instituciones extranjeras oficiales, 2013*	
	Cantidad (miles de millones de dólares)
POR TIPO	
Pasivos reportados por bancos de EU**	227.3
Letras y certificados del Tesoro de EU	372.9
Bonos y pagarés del Tesoro de EU	3,600.1
Otros valores de EU	1,388.9
Total	5,589.2
POR ÁREA	
Europa	856.8
Canadá	32.5
Latinoamérica y el Caribe	503.8
Asia	4,117.2
Otros	78.9
Total	5,589.2

*Al mes de agosto
** Incluye depósitos a la vista, depósitos a plazo, aceptaciones bancarias, papel comercial, certificados de depósito a plazo negociables y préstamos a contratos de recompra.
Fuente: Tomado de Board of Governors of the Federal Reserve System, disponible en www.federalreserve.gov.

En 2014, los porcentajes de la canasta eran: dólar = 42%; euro = 35%, yen = 12% y libra = 11%. El valor más reciente de los DEG se puede encontrar en el sitio web del FMI, que se actualiza todos los días.

Discrepancia estadística: errores y omisiones

El proceso de recolección de datos sobre el que se basan las cifras publicadas de la balanza de pagos está lejos de ser perfecto. El costo de recabar las estadísticas de la balanza de pagos es alto y un sistema de recolección preciso tiene un costo prohibitivo. Por lo tanto, los estadísticos del gobierno basan sus cifras parcialmente en información recabada y parcialmente en estimados. Quizá la información más confiable reside en los datos del comercio de mercancías, que principalmente se recolectan de los registros aduanales. La información de capital y financiera se deriva de informes de las instituciones financieras que indican cambios en sus pasivos y cobros de los extranjeros; estos datos no son verificados contra las transacciones específicas de la cuenta corriente. Como los estadísticos no tienen un sistema con el que registrar en forma simultánea los lados de cargo y abono de cada transacción, dicha información tiende a venir de diferentes fuentes. Un alto número de las transacciones no se registra.

No sorprende que, cuando los estadísticos suman los cargos y los abonos, los dos totales no concuerden. Como los abonos totales deben ser, por principio, iguales a los cargos totales, los estadísticos insertan un *residual* para igualarlos. Este asiento de corrección se conoce como **discrepancia estadística** o errores u omisiones. En el estado de la balanza de pagos, la discrepancia estadística se considera parte de la cuenta de capital y financiera porque las transacciones financieras a corto plazo por lo general son la fuente más frecuente de error.

BALANZA DE PAGOS ESTADUNIDENSE

El método que utiliza el Departamento de Comercio de Estados Unidos para presentar las estadísticas de la balanza de pagos se muestra en la tabla 10.3. Este formato agrupa transacciones específicas a lo largo de líneas funcionales para proporcionar a los analistas información acerca del impacto de las transacciones internacionales en la economía nacional. Los *saldos parciales* publicados regularmente incluyen el saldo comercial de mercancías, el saldo de bienes y servicios, el saldo de cuenta corriente e información acerca de transacciones de capital y finanzas.

La *balanza comercial de mercancías*, comúnmente llamada **balanza comercial** por los noticiarios, se deriva de calcular las exportaciones netas en las cuentas de mercancías. Debido a que se centra en los productos comerciados, la balanza comercial de mercancías ofrece un conocimiento limitado de la política. La popularidad de la balanza comercial de mercancías se debe en gran medida a su disponibilidad mensual. Los datos del comercio de mercancías pueden ser recabados e informados con rapidez, mientras que medir el comercio en los servicios requiere de cuestionarios que consumen tiempo.

Como se puede ver en la tabla 10.3, Estados Unidos tuvo un déficit comercial de mercancías de 738,400 millones de dólares en 2011, que resultó de la diferencia entre las exportaciones de mercancía de Estados Unidos (1,497,400 millones) e importaciones de mercancía de Estados Unidos (–$2,235,800 millones). Recuerde que las exportaciones se registran con signo de *más* y las importaciones con signo de *menos*. Así, en 2011 Estados Unidos fue un importador neto de mercancía. En la tabla 10.4 se muestra que Estados Unidos ha enfrentado frecuentes déficits comerciales de mercancía en las décadas recientes. Esta situación contrasta con las décadas de los cincuenta y sesenta, cuando los superávit comerciales de mercancías eran comunes para Estados Unidos.

Por lo general los residentes y quienes elaboran las políticas nacionales no favorecen los déficits comerciales porque tienden a ejercer consecuencias adversas en los términos del comercio y los niveles de empleo de la nación de origen, así como en la estabilidad de los mercados monetarios internacionales. Para Estados Unidos las preocupaciones de los economistas por los déficits comerciales tan persistentes se enfocan más bien a sus efectos posibles en los términos en los que Estados Unidos

TABLA 10.3

La balanza de pagos de Estados Unidos, 2011 (miles de millones de dólares)

Cuenta corriente		Cuenta de capital y financiera	
Balanza comercial de mercancías	–738.4	Transacciones de la cuenta de capital, netas	–1.2
Exportaciones	1,497.4		
Importaciones	–2,235.8	Transacciones de la cuenta financiera, netas	556.3
		Activos en el extranjero, propiedad de EU*	–483.6
Balanza de servicios	178.5	Activos en EU de propiedad extranjera	1,000.9
Viajes y transporte, netos	31.3	Derivados financieros, netos	39.0
Transacciones militares, netas	–11.6		
Otros servicios, netos	158.8	Discrepancia estadística	–89.2
Balanza de bienes y servicios	–559.9	Saldo de la cuenta de capital y financiera	465.9
Balanza de ingresos	227.0		
Balanza de transferencias unilaterales	–133.0		
Saldo de cuenta corriente	–465.9		

*Excluyendo derivados financieros.

Fuente: Tomado de Departamento de Comercio Estadunidense, *Survey of Current Business*, junio de 2012. Vea también Bureau of Economic Analysis, *U.S. International Transactions Account Data*, disponible en http://www.bea.gov/ y *Economic Report of the President*.

	TABLA 10.4				

Balanza de pagos de Estados Unidos, 1980-2012 (miles de millones de dólares)

Año	Balanza comercial de mercancías	Balanza de servicios	Balanza de bienes y servicios	Balanza de ingresos	Balanza de transferencias unilaterales	Saldo de cuenta corriente
1980	–$25.5	$6.1	–$19.4	–$30.1	–$8.3	$2.4
1984	–112.5	3.3	–109.2	30.0	–20.6	–99.8
1988	–127.0	12.2	–114.8	11.6	–25.0	–128.2
1992	–96.1	55.7	–40.4	4.5	–32.0	–67.9
1996	–191.3	87.0	–104.3	17.2	–42.1	–129.2
2000	–452.2	76.5	–375.7	–14.9	–54.1	–444.7
2004	–665.4	47.8	–617.6	30.4	–80.9	–668.1
2008	–820.8	139.7	–681.1	127.6	–119.7	–673.2
2012	–735.3	195.8	–539.5	198.6	134.1	–475.0

Fuente: Tomado de Departamento de Comercio Estadunidense, *Survey of Current Business*, varios temas.

comercia con otros países. Con un déficit comercial, el valor del dólar puede caer en los mercados monetarios internacionales, ya que los pagos salientes en dólares exceden a los pagos entrantes. Las monedas extranjeras se volverían más costosas en términos de dólares, así que las importaciones se volverían más costosas para los residentes estadunidenses. Un déficit comercial que induce una disminución en el valor internacional del dólar impone un costo real en los residentes estadunidenses en forma de costos de importación más altos.

Otra consecuencia anunciada con frecuencia es su impacto adverso en los niveles de empleo en ciertas industrias nacionales, como la acerera o la automotriz. Una balanza comercial que empeora puede dañar a los trabajadores nacionales, no sólo por el número de empleos perdidos a causa de los trabajadores extranjeros que producen las importaciones estadunidenses sino también por las pérdidas de empleo debidas al deterioro de las ventas por exportaciones. No sorprende que los sindicatos de la nación de origen eleven fuertes protestas acerca de los daños de los déficits comerciales para la economía nacional. Sin embargo, tenga en mente que el déficit comercial de una nación, que lleva a un menor empleo en ciertas industrias, se contrarresta por flujos entrantes de la cuenta de capital y finanzas que generan empleo en otras industrias. Más que determinar el empleo nacional total, un déficit comercial influye en la distribución del empleo entre las industrias nacionales.

La discusión sobre la competitividad de Estados Unidos en el comercio de mercancías con frecuencia da la impresión de que este país ha tenido un consistente mal desempeño en relación con otras naciones industriales. Sin embargo, el déficit comercial de mercancías es un concepto estrecho, porque los productos son sólo parte de lo que el mundo comercia. Una mejor indicación de la posición de pagos internacionales del país es la *balanza de bienes y servicios*. En la tabla 10.3 se muestra que en 2011, Estados Unidos generó un superávit de $178,500 millones en transacciones de servicio. La combinación de este superávit con el déficit comercial de mercancías de –$738,400 millones de dólares arroja un déficit en la balanza de bienes y servicios de –559,900 millones de dólares. Esto significa que Estados Unidos transfirió menos recursos (bienes y servicios) a otras naciones de los que recibió de ellas durante 2011.

En décadas recientes Estados Unidos ha generado un superávit en su cuenta de servicios, como se puede ver en la tabla 10.4. Estados Unidos se ha vuelto competitivo en categorías de servicios como transporte, construcción, ingeniería, comisiones de corredores (o *brokers*) y ciertos servicios de cuidados médicos. También, por tradición, Estados Unidos ha registrado grandes recepciones netas de transacciones que tienen que ver con derechos de propiedad: cuotas, regalías y otras recepciones derivadas en su mayoría de añejas relaciones entre empresas matrices con sede en Estados Unidos y sus filiales en el extranjero.

Ajustar la balanza de bienes y servicios por recepciones y pagos de ingresos y transferencias unilaterales netas produce el saldo de la cuenta corriente. Como se muestra en la tabla 10.3, Estados Unidos tuvo un déficit de *cuenta corriente* de –$465,900 millones en 2011. Esto significa que un exceso de importaciones sobre las exportaciones (de productos, servicios, flujos entrantes y transferencias unilaterales) resultó en disminución de la inversión extranjera neta para Estados Unidos. Sin embargo, *no* hay que preocuparse de más por el saldo de la cuenta corriente, ya que no toma en cuenta las transacciones de la cuenta de capital y financiera. Si los extranjeros compran más activos estadunidenses en Estados Unidos (como terrenos, edificios y bonos) entonces este país puede permitirse comprar más bienes y servicios del extranjero. Observar un aspecto de la posición de pagos internacionales de un país sin considerar los demás aspectos, resulta engañoso.

Tomado como un todo, las transacciones internacionales estadunidenses siempre se equilibran. Esto significa que cualquier fuerza que lleva a un aumento o una disminución en una cuenta de la balanza de pagos pone en movimiento un proceso que realiza cambios que contrarrestan exactamente los saldos de otras cuentas. Como se puede ver en la tabla 10.3, Estados Unidos tuvo un déficit de la cuenta corriente en 2011 por –$465,900 millones de, que se contrarrestó con un superávit combinado de $465,900 millones en las cuentas restantes de capital y financiera, de la siguiente forma: *1)* transacciones de cuenta de capital, netas, –1,200 millones de dólares de flujo saliente; *2)* transacciones de cuenta financiera, netas, $556,300 millones de flujo entrante y *3)* discrepancia estadística, –89,200 millones de flujo saliente.

¿QUÉ SIGNIFICA UN DÉFICIT (SUPERÁVIT) DE LA CUENTA CORRIENTE?

En relación con la balanza de pagos, la cuenta corriente y la cuenta de capital y financiera no están aisladas; en esencia cada una es reflejos de la otra. Como la balanza de pagos es un sistema contable de partida doble, los abonos totales siempre serán iguales a los cargos totales. La consecuencia es que si la cuenta corriente registra un *déficit* (los abonos superan los cargos), la cuenta de capital y financiera debe registrar un *superávit* o un flujo *entrante* neto de capital/financiero (los cargos superan los abonos). Por el contrario, si la cuenta corriente registra un *superávit*, la cuenta de capital y financiera debe registrar un *déficit* o un flujo *saliente* neto de capital/financiero.

Para entender mejor este concepto, suponga que cierto año su gasto es mayor que su ingreso. ¿Cómo financiará su "déficit"? La respuesta sería pedir prestado o vender parte de sus activos. Usted podría liquidar algunos activos reales (por ejemplo, vender su computadora personal) o tal vez algunos activos financieros (vender una garantía del gobierno que usted posea). De igual manera, cuando una nación experimenta un déficit de la cuenta corriente, sus gastos por bienes y servicios extranjeros son mayores que el ingreso recibido por las ventas internacionales de sus propios bienes y servicios, después de hacer concesiones para flujos de ingresos de inversión y donaciones a extranjeros y de extranjeros. La nación de alguna manera debe financiar su déficit de la cuenta corriente. ¿Pero cómo? La respuesta reside en la venta de activos y la solicitud de préstamos. En otras palabras, un déficit de la cuenta corriente de un país (cuando los abonos superan los cargos) se financia por un flujo entrante financiero neto (cuando los cargos superan los abonos) en su cuenta de capital y financiera.

Uno no debe imaginarse que los flujos de capital internacionales responden pasivamente a lo que esté ocurriendo en la cuenta corriente. Algunas personas dirían que el déficit de la cuenta corriente se "financia" mediante préstamos extranjeros a EUA. Sin embargo los inversionistas internacionales no compran activos de EUA con el propósito de financiar el déficit de la cuenta corriente de EUA sino, más bien, porque creen que éstos son inversiones seguras, que ofrecen una buena combinación de seguridad y rentabilidad. Por otro lado, muchas de estas inversiones no tienen nada qué ver en lo absoluto con pedir un préstamo como se entiende comúnmente, sino que se refieren, más bien, a la compra de terrenos, empresas y acciones en Estados Unidos.

La inversión extranjera neta y el saldo de la cuenta corriente

El saldo de la cuenta corriente es sinónimo de **inversión extranjera neta** en la contabilidad de ingresos nacionales. Un *superávit de la cuenta corriente* significa un exceso de las exportaciones sobre las importaciones de bienes y servicios, ingreso de inversión y transferencias unilaterales. Esto permite una recepción neta de cobros financieros para los residentes del país de origen. Estos fondos pueden ser utilizados por la nación de origen para construir sus activos financieros o reducir sus pasivos con el resto del mundo, mejorando, así, su posición de inversión extranjera (su valor neto frente al resto del mundo). Así, el país de origen se vuelve un *proveedor* neto de fondos (prestamista) para el resto del mundo. Por el contrario, un *déficit de cuenta corriente* implica un exceso de las importaciones sobre las exportaciones de productos, servicios, ingreso de inversión y transferencias unilaterales. Esto lleva a un aumento en los cobros extranjeros sobre la nación de origen. El país de origen se vuelve un *demandante* neto de fondos del extranjero, demanda que se cumple a través de la solicitud de préstamos de otras naciones o de la liquidación de los activos extranjeros. El resultado es un deterioro mayor de la posición de inversión extranjera del país de origen.

Entonces, el saldo de la cuenta corriente representa la línea de fondo de la declaración de ingresos de una nación. Si es positivo, entonces la nación gasta menos de su ingreso total y acumula cobros de activos en el resto del mundo. Si es negativo, entonces el gasto nacional excede al ingreso y la nación solicita préstamos al resto del mundo.

La deuda neta de una economía puede expresarse como la suma de la deuda neta de cada uno de sus sectores: el gobierno y el sector privado, incluidas empresas y hogares. La deuda neta por parte del gobierno es igual a su déficit presupuestal: el exceso de gastos (G) sobre impuestos (T). Las deudas netas del sector privado igualan el exceso de inversión privada (I) sobre un ahorro privado (S). La deuda neta de la nación está dada por la siguiente identidad:

$$\underset{\text{(deuda neta)}}{\text{Déficit de cuenta corriente}} = \underset{\substack{\text{Déficit} \\ \text{gubernamental}}}{(G-T)} + \underset{\substack{\text{Inversión} \\ \text{privada}}}{(I} - \underset{\substack{\text{Ahorros} \\ \text{privados}}}{S)}$$

Un aspecto importante de esta identidad es que el déficit de la cuenta corriente es un fenómeno macroeconómico: refleja los desequilibrios entre las erogaciones del gobierno y los impuestos así como los desequilibrios entre la inversión privada y el ahorro. Cualquier política eficaz para reducir el déficit de la cuenta corriente requiere disminuciones en el déficit presupuestal del gobierno o aumentos en el ahorro privado en relación con la inversión o ambos. Sin embargo, estas opciones son difíciles de alcanzar. Reducir los déficits presupuestales puede requerir aumentos de impuestos poco populares o recortes de programas gubernamentales. Los esfuerzos por reducir el gasto de inversión encontrarían resistencia porque la inversión es un determinante clave de la productividad y el estándar de vida de un país. Finalmente, los incentivos para estimular el ahorro, como exenciones de impuestos, son impopulares, ya que favorecen a los ricos más que a los pobres.

Disminuir un déficit de cuenta corriente no depende del país de origen. Para el mundo como un todo, la suma de los saldos de cuenta corriente de todos los países debe ser igual a cero. Así, una reducción en el déficit de cuenta corriente de un país va de la mano con una disminución en el superávit de cuenta corriente del resto del mundo. La política complementaria en los países extranjeros, en especial aquellos con grandes superávit de cuenta corriente, puede ayudar a una transición exitosa.

Impacto de los flujos financieros en la cuenta corriente

En la sección anterior se describieron los flujos de capital y financieros de un país como respuesta a los acontecimientos en la cuenta corriente. Sin embargo, el proceso puede funcionar de manera contraria: con flujos de capital y financieros que inician cambios en la cuenta corriente. Por ejemplo, si los extranjeros quieren comprar instrumentos financieros que exceden la cantidad de las obligaciones financieras extranjeras que los estadunidenses quieren tener, deben pagar por el exceso con embarques de bienes y servicios extranjeros. Por tanto, un flujo entrante hacia Estados Unidos está asociado con un déficit de cuenta corriente de Estados Unidos.

Observe cómo un déficit de la cuenta corriente de Estados Unidos puede ser causado por un flujo entrante financiero hacia Estados Unidos. Suponga que los ahorros nacionales caen por debajo de la inversión nacional deseada. Por tanto, las tasas de interés estadunidenses aumentan en relación con las tasas de interés en el extranjero, lo que atrae un flujo entrante de ahorros extranjeros para ayudar a respaldar la inversión estadunidense. Así, Estados Unidos se convierte en un importador neto de ahorro extranjero, por medio del poder de compra que ha pedido prestado para adquirir bienes y servicios extranjeros, lo que resulta en un flujo entrante neto de igual tamaño: un déficit de cuenta corriente. Pero ¿cómo un flujo entrante financiero ocasiona un déficit de cuenta corriente para Estados Unidos? Cuando los extranjeros empiezan a comprar más de los activos estadunidenses de lo que los estadunidenses compran los de ellos, el dólar se encarece en el mercado cambiario extranjero (vea el capítulo 11). Esto ocasiona que los productos estadunidenses se vuelvan más caros para los extranjeros, lo que ocasiona una declinación en las exportaciones; también, los productos extranjeros se vuelven más baratos para los estadunidenses, lo que resulta en un aumento de las importaciones. El resultado es un aumento en el déficit de cuenta corriente o una declinación en el superávit de cuenta corriente, como lo resume el siguiente esquemas:

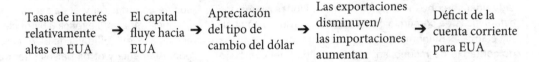

Los economistas creen que en la década de los ochenta, un masivo flujo financiero interno ocasionó un déficit de cuenta corriente para Estados Unidos. El flujo financiero entrante fue el resultado de un aumento en la tasa de interés estadunidense en comparación con las tasas de interés en el extranjero. A su vez, la tasa de interés más alta se debió a los efectos combinados del déficit presupuestal creciente del gobierno federal estadunidense y a una declinación en la tasa de ahorros privados.

En lugar de pensar que los flujos de capital están financiando el déficit de cuenta corriente, puede más bien pensarse que el déficit de cuenta corriente está siendo impulsado por los flujos de capital: los flujos entrantes de capital mantienen el dólar más fuerte de como estaría en otras circunstancias; esto tiende a aumentar importaciones y suprimir las exportaciones, el resultado es, entonces, un déficit de la cuenta corriente.

¿Se debe considerar un déficit en la cuenta corriente como un problema?

Contrario al punto de vista popular, un déficit en la cuenta corriente tiene poco que ver con las prácticas comerciales extranjeras o cualquier incapacidad inherente de un país para vender sus productos en el mercado mundial. En lugar de eso, se debe a condiciones macroeconómicas subyacentes nacionales que requieren, para cumplir con la demanda local actual de bienes y servicios, más importaciones de las que se pueden pagar por medio de las ventas de exportación. En efecto, la economía nacional gasta más de lo que produce y este exceso de demanda se cumple por un flujo entrante neto de bienes y servicios extranjeros que lleva al déficit de la cuenta corriente. Esta tendencia se minimiza durante periodos de recesión, pero se expande de forma significativa con el creciente ingreso asociado con la recuperación y expansión económica. En términos sencillos, los déficits de cuenta corriente no se revierten de manera eficiente con políticas comerciales que intentan alterar los niveles de importaciones o exportaciones como aranceles, cuotas o subsidios.

Cuando una nación obtiene un déficit de cuenta corriente, se vuelve un solicitante de deuda neta de fondos del resto del mundo. ¿Es esto un problema? No necesariamente. Los flujos de capital entrante aumentan las fuentes nacionales de capital, lo que, a su vez, mantienen las tasas de interés más bajas de lo que estarían sin el capital extranjero. El beneficio de un déficit de cuenta corriente es la

GLOBALIZACIÓN LA COMPLICADA CADENA DE SUMINISTRO DEL IPHONE REVELA LAS LIMITACIONES DE LAS ESTADÍSTICAS DE COMERCIO

¿Resultan los productos de alta tecnología inventados por compañías estadounidenses en un superávit de la balanza comercial para Estados Unidos? No necesariamente. Considere el caso del iPhone.

Diseñado y comercializado por Apple Inc. (una compañía estadunidense), el iPhone funciona como teléfono con cámara, incluye correo de voz visual, mensajes de texto, un reproductor media portátil y servicio de Internet, con correo electrónico, navegación de la red y conectividad Wi-Fi. Obviamente, se trata de un producto de alta tecnología. Sin embargo, en vez de contribuir a un superávit de la balanza comercial para Estados Unidos, el iPhone resulta en un déficit comercial bilateral con China. Esto se debe a que China envía a Estados Unidos todos los iPhones que compran los consumidores estadunidenses.

En 2009 el iPhone incrementó el déficit comercial estadunidense con China por $1.9 mil millones según las estadísticas de comercio convencionales. ¿Cómo es posible esto? Las maneras convencionales de medir los flujos de comercio no reconocen la complejidad del comercio mundial actual, en donde el diseño, la fabricación y el ensamble de un artículo a menudo involucra a numerosos países. El defecto del enfoque convencional es que considera el valor total de un iPhone como una exportación china a Estados Unidos, aun cuando está diseñado por una compañía de EUA y es fabricado con componentes producidos en varios países asiáticos y europeos. La única contribución de China al valor de un iPhone es el paso final de ensamble y envío a Estados Unidos.

Como puede ver en la tabla 10.5, la totalidad del costo de mayoreo de un iPhone de $ 178.96 que fue enviado a Estados Unidos en 2009, se acreditó a las exportaciones de China, aunque el valor del trabajo de los ensambladores chinos era de $6.50, o sea, sólo 3.6 por ciento del total. Esto resultó en una exageración del déficit comercial bilateral entre Estados Unidos y China. Si a China se le acreditara la producción de sólo su parte del valor de un iPhone, sus exportaciones a Estados Unidos para ese mismo número de iPhones habrían sido una cifra mucho menor. Por esta razón muchos economistas consideran que desglosar las importaciones y exportaciones según el valor añadido de cada país que participa en su producción es un método más exacto que el convencional para medir estadísticas de comercio.

Las estadísticas de comercio convencionales tienden a inflar los déficits comerciales bilaterales entre un país que una compañía multinacional usa como zona para procesos de exportación y el países de destino. En el caso del iPhone, China sólo explica 3.6 por ciento del déficit comercial de $1.9 mil millones de EUA, el resto se origina de Japón, Alemania y otros países que produjeron los componentes usados para hacer el iPhone. Al exagerar el déficit comercial bilateral con China, las estadísticas de comercio convencionales aumentan las tensiones políticas que ya son muy fuertes en Washington, D.C. sobre qué hacer con la moneda presuntamente infravalorada de China y sus prácticas comerciales injustas.

Fuentes: Yuqing Xing y Neal Detert, *How iPhone Widens the U.S. Trade Deficits with PRC*, National Graduate Institute for Policy Studies, Tokio, Japón, noviembre de 2010 y Andrew Batson, "Not Really Made in China", *Wall Street Journal*, 15 de diciembre de 2010, pp. B1–B2.

iStockphoto.com/photosoup

TABLA 10.5		
Producción global y costo de manufactura del iPhone		
De los $178.96 del costo al mayoreo de un iPhone, los costos de los componentes provienen de muchos países y sólo se ensamblan en China. A continuación el desglose:		
Costo de manufactura (mano de obra y componentes)	**En dólares de EUA**	**Porcentaje del costo de manufactura total**
Japón	60.60	33.9
Alemania	30.15	16.8
Corea del Sur	22.96	12.8
Estados Unidos	10.75	6.0
China	6.50	3.6
Otros	48.06	26.9
	178.96	100.0

Fuente: Yuqing Xing y Neal Detert, *How iPhone Widens the U.S. Trade Deficits with PRC*, National Graduate Institute for Policy Studies, Tokio, Japón, noviembre de 2010.

capacidad para impulsar el gasto actual más allá de la producción existente. Sin embargo, el costo es el mantenimiento de deuda que se debe pagar en la solicitud de préstamos al resto del mundo.

¿Es bueno o malo que un país incurra en deudas? Evidentemente la respuesta depende de lo que el país hace con el dinero. Lo que importa para los futuros ingresos y los estándares de vida es si el déficit se utiliza para financiar más consumo o más inversión. Si el uso es exclusivo para financiar un aumento de la inversión extranjera, la carga podría ser ligera. Se sabe que el gasto de inversión aumenta la existencia de capital de un país y expande la capacidad de la economía para promover bienes y servicios. El valor de esta producción adicional puede ser suficiente tanto para pagar a los acreedores extranjeros como para aumentar el gasto nacional. En este caso, como el consumo futuro no debe caer por debajo de lo pronosticado, no habría ninguna carga económica verdadera. Si, por otro lado, se utiliza la solicitud de préstamos extranjeros para financiar o aumentar el consumo nacional (privado o público) no hay un impulso dado a la capacidad productiva futura. Por tanto, para cumplir con el gasto de servicio de deudas, el consumo futuro se debe reducir por debajo de lo que hubiera sido de otra manera. Dicha reducción representa la carga de la solicitud de préstamos. Eso no es necesariamente malo; todo depende de cómo se valora el consumo actual frente al futuro.

Durante la década de los ochenta, cuando Estados Unidos obtuvo déficits de cuenta corriente, la tasa de ahorro nacional disminuyó en relación con la tasa de inversión. De hecho, la declinación de la tasa general de ahorros se debió a una disminución de su componente de ahorros públicos, ocasionada por grandes y persistentes déficits presupuestales federales en ese periodo; los déficits presupuestales son en efecto ahorros negativos que se restan del conjunto de ahorros. Esto indicó que Estados Unidos utilizó la solicitud de préstamos extranjeros para aumentar el consumo actual, no la inversión pública que mejora la productividad. Por tanto, los déficits de la cuenta corriente estadunidense de la década de los ochenta causaron preocupación en muchos economistas.

Sin embargo, en la década de los noventa, los déficits de la cuenta corriente fueron impulsados por aumentos en la inversión nacional. Este impulso de inversión contribuyó a expandir el empleo y la producción. Sin embargo, no podía haber sido financiado sólo por el ahorro nacional. Los préstamos extranjeros proporcionaron el capital adicional necesario para financiar este auge. En la ausencia de préstamos del extranjero, las tasas de interés estadunidenses hubieran tenido que ser más altas y la inversión inevitablemente hubiera sido restringida por la oferta de ahorro nacional. Por tanto, la acumulación del capital y el crecimiento de la producción y del empleo hubieran sido menores si Estados Unidos no hubiera sido capaz de manejar un déficit de cuenta corriente en la década de los noventa. Más que ahogar el crecimiento y el empleo, el déficit de cuenta corriente grande permitió, a largo plazo, un crecimiento más rápido en la economía estadunidense, lo que mejoró el bienestar económico.

Ciclos de negocios, crecimiento económico y la cuenta corriente

¿Cómo se relaciona la cuenta corriente con el ciclo de negocios de un país y el crecimiento económico a largo plazo? En cuanto al ciclo de negocios, un crecimiento de producción y empleo *rápido* se asocia con un comercio grande o creciente y con *déficits* de cuenta corriente, mientras que un crecimiento de producción y empleo *lento* se asocia con *superávits* grandes o crecientes.

Durante una recesión tanto el ahorro como la inversión tienden a caer. El ahorro cae mientras los hogares tratan de mantener sus patrones de consumo frente a una caída temporal en el ingreso; la inversión declina debido a que el uso de la capacidad decrece y las utilidades caen. Sin embargo, como la inversión es altamente sensible a la necesidad de una capacidad adicional, tiende a caer con mayor estrépito que el ahorro durante las recesiones. Así, el saldo de la cuenta corriente tiende a aumentar. En consecuencia, pero visto desde un ángulo distinto, por lo general la balanza comercial mejora durante una recesión, porque las importaciones tienden a caer con el consumo y la demanda de inversión. Ocurre lo contrario durante periodos de auge, cuando aumentos abruptos en la demanda de inversión superan los aumentos en el ahorro, lo que produce una declinación de la cuenta corriente. Desde luego, hay factores distintos al ingreso que influyen en el ahorro y la inversión, de manera que la tendencia de la cuenta corriente de un país a incurrir menos en déficit durante las recesiones no es inflexible.

La relación que se acaba de describir entre la cuenta corriente y el desempeño económico, por lo general no sólo es a corto plazo o cíclica, sino también actúa a largo plazo. Con frecuencia los países que disfrutan de un crecimiento económico *rápido* poseen *déficits* de cuenta corriente a largo plazo; en sentido inverso, los que tienen un crecimiento económico más *lento* tienen *superávit* de cuenta corriente a largo plazo. Esta relación quizá se deriva de que un crecimiento económico rápido y una fuerte inversión van de la mano. Cuando la fuerza impulsora da con el descubrimiento de nuevos recursos naturales, el progreso tecnológico o la implementación de una reforma económica, los periodos de rápido crecimiento económico absorben una inversión nueva inusualmente rentable. Sin embargo, la inversión debe ser financiada con ahorro y si el ahorro nacional de un país no es suficiente para financiar todos los nuevos proyectos de inversión rentables, el país recurrirá a ahorros extranjeros para financiar la diferencia. Así, experimenta un flujo entrante financiero neto y un correspondiente déficit de cuenta corriente. Siempre y cuando las nuevas inversiones sean rentables, generarán las ganancias adicionales necesarias para volver a pagar los cobros contraídos para realizarlas. De modo que, cuando los déficits de cuenta corriente reflejan programas de inversión fuertes y rentables, trabajan para aumentar la tasa de producción y el crecimiento del empleo, no para destruir los empleos y la producción.

Noruega proporciona un buen ejemplo de una de estas oportunidades de producción. En la década de los sesenta, se descubrieron en el Mar del Norte ricos depósitos de petróleo. Noruega fue uno de los beneficiarios más importantes de este descubrimiento. Poder aprovechar estos valiosos depósitos de petróleo y gas requirió de grandes y repetidas inversiones en plataformas de petróleo extranjeras, en oleoductos de transporte, en barcos y helicópteros. Noruega también tuvo que desarrollar un conocimiento de exploración y extracción para localizar con precisión y explotar estos recursos. Adquirir todos estos elementos requirió de importaciones considerables que promovieron déficits comerciales para Noruega. Al momento de los descubrimientos, Noruega carecía del equipo y la experiencia para aprovechar la oportunidad. Aunque el ingreso del petróleo eventualmente costearía estas inversiones, debían pagarse por adelantado. Así, Noruega financió las inversiones mediante préstamos provenientes del resto del mundo. Los inversionistas extranjeros estaban felices de hacer estos préstamos porque el capital de Noruega se consideraba más productivo y, por tanto, se obtendría un rendimiento más alto del que se podría ganar en el extranjero. Una vez que el petróleo empezó a producirse, Noruega comenzó a tener superávits comerciales persistentes, que eran utilizados para restituir el pago de sus préstamos originales y ahorrar para cuando se terminaran las reservas de petróleo. En términos sencillos, el déficit comercial inicial de Noruega fue una señal de un crecimiento económico fuerte y continuo y, por tanto, era una buena noticia.

Cómo Estados Unidos ha pedido préstamos con costos extremadamente bajos

Durante las cuatro décadas pasadas, la cuenta corriente de Estados Unidos se ha desplazado de un pequeño superávit a un déficit enorme. Este déficit se financia, ya sea con préstamos o vendiendo activos a extranjeros. Como el déficit de cuenta corriente ha aumentado para Estados Unidos, el país se ha convertido en un gran deudor neto. Cuando un país aumenta los préstamos que recibe del extranjero, se espera que aumente el costo de la recaudación de los intereses de su deuda. Esto es porque el país debe hacer pagos más grandes de intereses y de capital a los prestamistas extranjeros.

Durante las dos décadas pasadas, se ha presentado una paradoja en las transacciones internacionales estadunidenses: los residentes de Estados Unidos consistentemente han ganado más ingresos de sus inversiones foráneas de lo que ganan los extranjeros en sus inversiones más grandes en Estados Unidos. Por tanto, Estados Unidos ha podido ser una nación deudora grande sin cargar con el costo negativo del mantenimiento de la deuda. Esto sugiere que los déficits de cuenta corriente estadunidenses pueden ser menos onerosos de lo que se muestra con frecuencia.

¿Por qué se presenta esta paradoja? Una explicación alude a los rendimientos de inversión asimétricos. Estados Unidos ha tendido a ganar de manera consistente altos rendimientos por sus inversiones extranjeras en comparación con lo que los extranjeros ganan en sus inversiones en Estados

Unidos. Esta tasa general de ventaja en el rendimiento por lo general ha sido de 1 a 2 puntos porcentuales. Una razón para esto es que las empresas estadunidenses toman mayores riesgos cuando invierten en países extranjeros, tales como inestabilidad económica y política. Las inversiones que incluyen un mayor riesgo no se realizarán a menos que ofrezcan el potencial de mayores recompensas. Por el contrario, como Estados Unidos generalmente se considera como un paraíso seguro para la inversión, es más probable que los inversionistas extranjeros compren activos estadunidenses que ofrecen un menor rendimiento y un riesgo bajo.

Esta paradoja explica por qué los préstamos masivos a Estados Unidos han sido prácticamente indoloros en las últimas dos décadas. Sin embargo, las perspectivas futuras de préstamos pueden no ser tan favorables. Los escépticos temen que si las tasas de interés globales aumentan, Estados Unidos tendría que pagar tasas de interés más altas para atraer la inversión extranjera, con lo que aumentaría los pagos de intereses estadunidenses a los extranjeros. Esto podría cambiar la balanza de inversión-ingreso de Estados Unidos de un superávit a un déficit y ocasionar que los costos del mantenimiento de la deuda estadunidense fueran muy gravosos. Conforme creciera este costo, el déficit de la cuenta corriente estadunidense y sus consecuencias se volverían temas de creciente preocupación para quienes elaboran las políticas económicas.[2]

¿Los déficits de la cuenta corriente cuestan empleos estadunidenses?

Cuando se leen los periódicos, uno podría llevarse la impresión de que los crecientes déficits comerciales (de la cuenta corriente) destrozan la economía o, por lo menos, demoran el crecimiento económico. ¿Por qué? Las importaciones en aumento afectan negativamente el empleo nacional y al crecimiento conjunto al reducir la demanda de los bienes y servicios producidos nacionalmente. Cada teléfono celular, cada radio o cada camisa que importamos representa un celular, un radio o una camisa menos que podían haber sido producidos en Estados Unidos, lo que resulta en el despido de trabajadores estadunidenses que solían trabajar produciendo esos artículos.

Sin embargo, aunque las tendencias de exportación y de importación plantean preocupaciones por la pérdida de empleos en Estados Unidos, los economistas del Banco de la Reserva Federal de Nueva York y el Cato Institute han demostrado que las estadísticas del empleo no muestran la relación entre un creciente déficit de la cuenta corriente y un menor empleo.[3] ¿Por qué es esto?

Un déficit alto de cuenta corriente puede dañar el empleo en determinadas empresas e industrias conforme los trabajadores son desplazados por las crecientes importaciones. No obstante, a lo ancho de la economía, el déficit de la cuenta corriente se recompensa con un flujo entrante igual de fondos extranjeros que financian el gasto de inversión en el sostenimiento de empleos, lo que no ocurriría de otra manera. Una región de los Estados Unidos que se beneficiaría de la compra extranjera de maíz cultivado en EUA se beneficiaría presumiblemente igual, si no es que más, si los japoneses invirtieran en una planta de automóviles en Estados Unidos. Las compras extranjeras de valores del Tesoro de EUA reducen las tasas de interés a largo plazo, ayudando a estimular la economía estadunidense. Las compras extranjeras de acciones y de bienes raíces de EUA ponen dólares en las manos de los estadunidenses que están vendiendo esos activos, quienes, a su vez, estarán tentados a gastar más libremente en artículos producidos nacionalmente. Ya sea que los dólares fluyan hacia Estados Unidos para comprar nuestros productos o para comprar nuestros activos, la actividad económica se fomenta de cualquier modo. La compra extranjera de activos estadunidenses puede estimular la economía de EUA tanto como la exportación de bienes y servicios.

---

[2] Juann Hung y Angelo Mascaro, *Why Does U.S. Investment Abroad Earn Higher Returns Than Foreign Investment in the United States? Congressional Budget Office*, Washington, DC, 2005; Craig Elwell, *U.S. External Debt: How Has the United States Borrowed Without Cost?* Congressional Research Service, Washington, DC, 2006; y William Cline, *The United States as a Debtor Nation*, Institute for International Economics, Washington, DC, 2005.

[3] "Matthew Higgins y Thomas Klitgaard, "Viewing the Current Account Deficit as a Capital Inflow", *Current Issues and Economics and Finance*, Federal Reserve Bank of New York, diciembre de 1999 y Daniel Griswold, *The Trade-Balance Creed: Debunking the Belief that Imports and Trade Deficits Are a Drag on Growth*, Washington DC, The Cato Institute, 11 de abril de 2011.

Cuando el déficit de cuenta corriente es visto como el flujo entrante neto de inversión extranjera, produce empleos para la economía: tanto por los efectos directos de un empleo más alto en las industrias orientadas a la inversión como por los efectos indirectos de un gasto de inversión más alto en el empleo a lo ancho de la economía. Si se considera el déficit de la cuenta corriente como una entrada neta de inversión extranjera, esto ayuda a disipar las concepciones erróneas acerca de las consecuencias adversas de la globalización económica en el mercado laboral nacional.

Aunque los análisis económicos indican que los déficits de la cuenta corriente no ocasionan una pérdida neta de producción o empleos en la economía general, tienden a cambiar la composición de la producción y el empleo. Por ejemplo, la evidencia sugiere que durante las últimas tres décadas, los déficits persistentes de la cuenta corriente causaron una reducción en el tamaño del sector de manufactura de Estados Unidos, al tiempo que aumentó la producción y el empleo en el sector servicios de la economía.

¿Puede Estados Unidos continuar, año tras año, con déficits de cuenta corriente?

Estados Unidos se ha beneficiado de un excedente de ahorros sobre inversión en muchas áreas del mundo y esto le ha proporcionado un suministro de reservas. Este excedente de ahorro ha sido posible para Estados Unidos porque los extranjeros han seguido dispuestos a prestar ese ahorro en la forma de adquisiciones de activos de EUA, como valores del Tesoro, que financian los déficits de la cuenta corriente. Durante la década de 1990 y la primera década del 2000, Estados Unidos experimentó una disminución en su tasa de ahorros y un aumento en la tasa de inversión nacional. El gran aumento en el déficit de cuenta corriente de EUA no habría sido posible sin los flujos entrantes de capital extranjero provenientes de naciones con altas tasas de ahorro como Japón y China, según se puede ver en la tabla 10.6.

China es un proveedor muy importante de capital para Estados Unidos. Esto se debe en parte a la política cambiaria de China que mantiene el valor de su *yuan* bajo (barato) para exportar sus artículos a Estados Unidos y para crear más empleos para sus trabajadores (vea el capítulo 15). Para contrarrestar un aumento en el valor del yuan frente al dólar, el Banco Central de China ha comprado dólares con yuanes. Ahora bien, en vez de mantener dólares que no generan interés, el Banco Central de China ha convertido gran parte de sus dólares en valores del Tesoro de EUA que pagan interés. Esta situación ha puesto a los Estados Unidos en una situación única en la que puede beneficiarse

TABLA 10.6

Países que poseen deuda de los Estados Unidos hasta 2012*

País	Billones USD	Porcentaje del total
Japón	1,835	13.8
China	1,592	12.0
Islas Cayman	1,592	7.8
Reino Unido	1,008	7.6
Luxemburgo	837	6.3
Canadá	635	4.8
Suiza	566	4.3
Países del Medio Oriente	489	3.7

* Junio

Fuente: Departamento del tesoro de Estados Unidos, *Report on Foreign Portfolio Holdings of U.S. Securities as of June 30, 2012*, 30 de abril, 2013.

de la disposición de China y, así, financiar su déficit de cuenta corriente: Estados Unidos podría "imprimir el dinero" que los chinos resguardan para financiar su gasto excesivo. La acumulación de las reservas en dólares de China ayuda a respaldar los mercados bursátiles y de valores de EUA y permite al gobierno estadunidense incurrir en gastos crecientes y reducciones de impuestos sin disparar las tasas de interés de EUA (que, de otro modo, serían más altas). Algunos analistas se preocupan de que llegará el momento en que los inversionistas chinos puedan considerar el aumento en la deuda extranjera estadunidense como insostenible o riesgoso y repentinamente desplacen su capital a otro lugar. También expresan preocupación por el hecho de que Estados Unidos se hará políticamente más dependiente de China quien podría usar sus grandes reservas de valores de EUA como una palanca para implementar políticas a las que EUA tradicionalmente se opone.

¿Puede Estados Unidos continuar de manera indefinida con déficits de cuenta corriente y recurrir a flujos entrantes de capital extranjero? Como el déficit de cuenta corriente surge debido a que los extranjeros desean comprar activos estadunidenses, no hay una razón económica por la que no puedan continuar de forma indefinida. Siempre y cuando las oportunidades de inversión sean suficientemente grandes para proporcionar a los inversionistas extranjeros tasas de rendimiento competitivas, estarán contentos de continuar el suministro de fondos a Estados Unidos. En términos sencillos, no hay una razón por la que el proceso no pueda continuar de forma indefinida: ninguna fuerza automática ocasionará que se revierta ni un déficit de cuenta corriente ni un superávit de cuenta corriente.

La historia de Estados Unidos ilustra este punto. De 1820 a 1875, Estados Unidos obtuvo déficits de cuenta corriente casi de manera continua. En este tiempo, Estados Unidos era un país relativamente pobre (para los estándares europeos) pero de rápido crecimiento. La inversión extranjera ayudó a fomentar este crecimiento. Esta situación cambió después de la Primera Guerra Mundial. Estados Unidos fue más rico y las oportunidades de inversión eran más limitadas. Así, los superávits de cuenta corriente estuvieron presentes de forma casi continua entre 1920 y 1970. Durante los últimos 40 años, la situación se revirtió de nuevo. Los déficits de cuenta corriente de Estados Unidos están basados en su sistema de derechos de propiedad, un ambiente político y monetario estable y una fuerza de trabajo de rápido crecimiento (en comparación con Japón y Europa), lo que hace que Estados Unidos sea un lugar atractivo para la inversión. Por otro lado, la tasa de ahorros de Estados Unidos es baja en comparación con la de sus socios comerciales más importantes. El déficit de cuenta corriente estadunidense refleja esta combinación de factores y es probable que continúe mientras estén presentes. En términos sencillos, el déficit de cuenta corriente de Estados Unidos reflejaba un superávit de buenas oportunidades de inversión en Estados Unidos y un déficit de perspectivas de crecimiento en cualquier parte del mundo.

Algunos economistas sostienen que debido a una globalización que se extiende, el conjunto de ahorros ofrecidos a Estados Unidos por los mercados financieros mundiales es más grande y más líquido que nunca. Esto permite que los inversionistas extranjeros continúen proveyendo a Estados Unidos del dinero que necesita, sin demandar a cambio tasas de interés más altas. Presumiblemente un déficit de cuenta corriente de 6 por ciento o más del PIB no hubiera sido tan rápidamente costeable hace varias décadas. La capacidad de mover tanto ahorro del mundo hacia Estados Unidos en respuesta a tasas de rendimiento relativamente altas hubiera sido obstaculizada por un menor grado de integración financiera internacional. Sin embargo, en años recientes, la creciente integración de los mercados financieros ha creado una clase, en expansión, de extranjeros dispuestos y con la capacidad para invertir en Estados Unidos.

La consecuencia de un déficit de cuenta corriente implica necesariamente una creciente propiedad de las acciones de capital de Estados Unidos en manos de extranjeros y una creciente fracción del ingreso estadunidense que debe ser desviada al extranjero en forma de interés y dividendos. Un serio problema podría surgir si los extranjeros perdieran la confianza en la capacidad de Estados Unidos para generar los recursos necesarios para repagar los fondos que pidió prestados al exterior. Como resultado, suponga que los extranjeros decidieran reducir la fracción de ahorro que envían a Estados Unidos. El efecto inicial podría ser tanto una declinación súbita y grande en el valor del dólar, conforme aumenta la oferta de dólares en el mercado cambiario extranjero, y un aumento súbito y grande en las tasas de interés estadunidenses, ya que una fuente importante de ahorro se retira de los mercados financieros. Grandes aumentos en las tasas de interés podrían ocasionar problemas para la economía estadunidense, ya que reducen el valor del mercado de los valores de deuda, causan que los precios en la bolsa de valores disminuyan y planteen dudas acerca de la solvencia de diversos deudores. En términos sencillos, el que Estados Unidos pueda sostener su déficit de cuenta corriente a lo largo del futuro previsible depende de que los extranjeros estén dispuestos a aumentar sus inversiones en los activos estadunidenses. El déficit de cuenta corriente pone, parcialmente, las fortunas económicas de Estados Unidos en manos de inversionistas extranjeros.

Sin embargo, la capacidad de la economía de lidiar con grandes déficits de cuenta corriente depende de las mejoras continuas en eficiencia y tecnología. Si la economía se vuelve más productiva, entonces su riqueza real puede crecer lo suficientemente rápido para cubrir su deuda. Los optimistas señalan que los grandes aumentos en la productividad de Estados Unidos, en años recientes, han hecho que los déficits de cuenta corriente sean costeables. Pero si se estanca el crecimiento de productividad, la capacidad de la economía para lidiar con los déficits de cuenta corriente se deteriora.

Aunque el nivel apropiado del déficit de cuenta corriente estadunidense es difícil de evaluar, al menos dos principios son relevantes si se demuestra que es necesario reducir el déficit. Primero, Estados Unidos tiene un interés en políticas que estimulen el crecimiento extranjero, porque es mejor reducir el déficit de cuenta corriente a través de un crecimiento más rápido en el extranjero que a través de un crecimiento más lento en el país de origen. Una recesión en el país de origen evidentemente sería un remedio indeseable para reducir el déficit. Segundo, cualquier reducción en el déficit se alcanza mejor a partir de un mayor ahorro nacional que a través de inversión nacional reducida. Si hay oportunidades atractivas de inversión en Estados Unidos, los estadunidenses estarán mejor si las piden prestadas del extranjero para financiar estas oportunidades, que si se privan de ellas. Por otro lado, los ingresos en Estados Unidos serían aún más altos en el futuro, si estas inversiones se financiaran a través de un ahorro nacional más alto. Los aumentos en los ahorros nacionales permiten que las tasas de interés sigan siendo más bajas de lo que serían de otra manera. Las tasas de interés más bajas llevarían a una mayor inversión nacional que, a su vez, impulsaría la demanda de equipo y construcción. Para cualquier nivel de inversión determinado, un mayor ahorro resultaría también en exportaciones netas más altas, lo que de nuevo aumentaría el empleo en estos sectores.

Sin embargo, la reducción del déficit de la cuenta corriente de Estados Unidos puede ser difícil. Las economías de las naciones extranjeras tal vez no sean lo suficientemente fuertes para absorber las exportaciones estadunidenses y los estadunidenses pueden estar renuentes a modificar su apetito de productos extranjeros. También el gobierno estadunidense ha mostrado un sesgo hacia el gasto del déficit. Invertir un déficit se asocia con una caída considerable en el tipo de cambio y una disminución en la producción en el país de ajuste, temas que se analizarán en los capítulos subsecuentes.

BALANZA DE LA DEUDA INTERNACIONAL

Una principal característica de la balanza de pagos estadunidense es que mide las transacciones económicas de Estados Unidos durante un año o un trimestre. Pero en cualquier momento en particular, una nación tendrá una existencia fija de activos y pasivos en contra del resto del mundo. El estado que resume esta situación se conoce como **balanza de la deuda internacional**. Es un registro de la posición internacional de Estados Unidos en un momento en particular (datos al cierre del ejercicio).

La balanza de la deuda internacional indica la posición de inversión internacional de Estados Unidos, que refleja el valor de sus propios activos en el extranjero comparado con el valor de los activos de extranjeros en EUA. Estos activos incluyen activos financieros como bonos, acciones y títulos del gobierno, o inversión directa en empresas y bienes raíces. El valor de estas posesiones puede cambiar como consecuencia de las compras y ventas de nuevas activos existentes o por los cambios causados por la apreciación/depreciación o la inflación, etc. Estados Unidos se considera un **acreedor neto** ante el resto del mundo cuando el valor acumulado de sus activos en el extranjero excede al valor de los activos propiedad de extranjeros en EUA. Cuando ocurre lo contrario, Estados Unidos asume una posición de **deudor neto**. La tabla 10.7 muestra la posición de la inversión internacional de EUA durante varios años.

TABLA 10.7

Posición de la inversión internacional de Estados Unidos al cierre del ejercicio (miles de millones de dólares)

Tipo de inversión*	1995	2000	2012
Activos de propiedad estadunidense en el extranjero			
Activos del gobierno de Estados Unidos	257	274	666
Activos privados estadunidenses	3,149	5,954	20,971
Total	3,406	6,168	21,637
Activos de propiedad extranjera en Estados Unidos			
Activos extranjeros oficiales	672	922	5,692
Activos extranjeros privados	3,234	7,088	19,810
Total	3,906	8,010	25,502
	–500	–1,842	–3,865
Participación relativa: posición de la inversión internacional neta/PIB de EUA	6%	15%	25%

* Al costo corriente.

Fuente: Tomado del U.S. Department of Commerce, Bureau of Economic Analysis, *The International Investment Position of the United States at Year End*, disponible en http://www.bea.gov/. Vea también U.S. Department of Commerce, *Survey of Current Business*, varios ejemplares de junio y julio.

¿Qué uso tiene la balanza de deuda internacional? Tal vez lo que tiene mayor trascendencia es que desglosa las propiedades de inversión internacional en diversas categorías para que puedan tomarse de cada categoría separada las implicaciones de políticas acerca de la *posición de liquidez* de la nación. Para la posición de la inversión a corto plazo, el factor estratégico es la cantidad de obligaciones a corto plazo (depósitos bancarios y valores del gobierno) que mantienen los extranjeros. Esto es porque estas propiedades potencialmente pueden retirarse con muy corta anticipación, lo que ocasionaría una alteración de los mercados financieros nacionales. El saldo de las propiedades monetarias oficiales también es significativo. Suponga que este saldo es negativo desde el punto de vista de Estados Unidos. Si las autoridades monetarias extranjeras decidieran liquidar sus valores del gobierno estadunidense y convertirlas en activos oficiales de reserva, la fuerza financiera del dólar se reduciría. En cuanto a la posición de inversión a largo plazo de una nación, es de menos importancia para la posición de liquidez de Estados Unidos, porque las inversiones a largo plazo por lo general responden a tendencias económicas básicas y no están sujetas a retiros erráticos.

Estados Unidos como nación deudora

En las primeras etapas de su desarrollo industrial, Estados Unidos era un deudor internacional neto. Echó mano considerablemente de fondos extranjeros y construyó sus industrias al hipotecar parte de su riqueza a los extranjeros. Después de la Primera Guerra Mundial, Estados Unidos se volvió un acreedor internacional neto. Sin embargo, para 1987, Estados Unidos se había convertido en un deudor internacional neto y ha continuado como tal desde entonces, como se puede ver en la tabla 10.7.

¿Cómo ocurrió este cambio con tanta rapidez? La razón fue que los inversionistas extranjeros colocaban más fondos en Estados Unidos de los que invertían en el extranjero los residentes de este país. Estados Unidos se consideraba atractivo para los inversionistas de otros países debido a su rápida recuperación económica de la recesión a principios de la década de los ochenta, su estabilidad política y sus altas tasas de interés. Las inversiones estadunidenses en el extranjero cayeron debido a una demanda lenta de préstamos en Europa, un deseo de los bancos comerciales de reducir su exposición en el extranjero como reacción a los problemas de restitución del pago de deuda de los países de América Latina y a las disminuciones en la demanda de crédito por parte de las naciones en desarrollo importadoras de petróleo, como resultado de la declinación de los precios. De los fon-

CONFLICTOS COMERCIALES DESEQUILIBRIOS MUNDIALES

Si usted considera la economía mundial en 2014 como un todo, se dará cuenta de que no hay un equilibrio. Los países avanzados, como Estados Unidos, han tendido a consumir más, ahorrar menos, depender de los déficits fiscales y causar enormes déficits de cuenta corriente. Los socios comerciales de Estados Unidos, algunos de los cuales son pobres, han prestado a Estados Unidos, un país próspero, las reservas necesarias para financiar el desequilibrio. A la inversa, los países emergentes, como China, han tendido a consumir menos, ahorrar más, mantener su moneda infravalorada y obtener enormes superávits de cuenta corriente. El capital fluye desde los países emergentes con crecimiento rápido (en los que los rendimientos de la inversión son presumiblemente altos) hacia los países adinerados maduros. ¿Es esta situación sostenible o deseable? ¿Debería el resto del mundo depender de los consumidores estadounidenses como una fuente de demanda para sus exportaciones?

Aunque es difícil pronosticar cómo se desarrollarán estas tendencias, la mayoría de los economistas sostiene que es preciso equilibrar la economía mundial. Advierten que los países avanzados deben consumir menos, ahorrar más, volverse fiscalmente más disciplinados y reducir los déficits de su cuenta corriente. Los países emergentes deben permitir que los valores de intercambio de sus monedas aumenten (se aprecien), consumir más, ahorrar menos, reducir los superávits de su cuenta corriente y continuar invirtiendo, en parte con capital extranjero. Si los gobiernos más importantes del mundo trabajan en conjunto para conseguir este equilibrio y coordinan sus políticas comerciales, fiscales, monetarias y cambiarias, el proceso de ajuste puede ser gradual y no perturbaría la economía mundial.

Tal reajuste de políticas, sin embargo, no es fácil de conseguir. Los políticos de los países avanzados deben responder a las preferencias de sus votantes que, a menudo, no comprenden cómo funciona la economía mundial y desean sólo políticas que provocan déficits fiscales. A menudo quieren gobiernos que gastan en programas sociales (en los Estados Unidos, por ejemplo, los programas de Medicare y de seguridad social), pero que esto no cause un aumento de impuestos para financiar el gasto adicional. La respuesta típica de los gobiernos de los países avanzados ante tales demandas es incurrir en déficits cada vez mayores y pedir prestado más dinero. No obstante, muchos gobiernos de países avanzados han estado agotando rápidamente su capacidad para pedir prestado y algunas naciones, como Grecia, Portugal, Irlanda y España, han experimentado serias crisis fiscales. En el futuro los países más importantes podrían no tener la capacidad o la disposición de rescatar a los gobiernos altamente endeudados. Inevitablemente ocurrirán entonces los impagos y las reestructuraciones de deuda.

Las naciones emergentes tienen preocupaciones diferentes: generalmente tienen una baja proporción entre deuda y PIB, mantienen amplias reservas de divisas, continúan obteniendo superávits de cuenta corriente y proveen a los países avanzados más capital del que reciben de ellos. Sus economías se basan en monedas infravaloradas, mano de obra barata, altas tasas de ahorros, de exportaciones y de inversión en infraestructura. Estos países están aprensivos ante el crecimiento demasiado acelerado o ante los excesivos influjos de capital que pueden ocasionar burbujas de precios en los activos. Se muestran también escépticos de cualquier cosa que pueda limitar su crecimiento, debido a las crecientes expectativas de sus poblaciones.

Ambos lados, por supuesto, tienen que modificar su comportamiento. Si no lo hacen, los mercados de capitales se verán obligados a imponer disciplina a los gobiernos si los desequilibrios, particularmente los déficits fiscales de los países avanzados, continúan creciendo.

Fuentes: Jane Sneddon Little (ed.), *Global Imbalances and the Evolving World Economy*, Federal Reserve Bank of Boston, Boston, Massachusetts 2008; Lowell Bryan, "Globalization's Critical Imbalances", *McKinsey Quarterly*, McKinsey & Co., Boston, Massachusetts, junio de 2010, pp. 57–68; y John Williamson, *Getting Surplus Countries to Adjust, Policy Brief*, Peterson Institute for International Economics, enero de 2011.

iStockphoto.com/photosoup

dos de inversión extranjeros en Estados Unidos, menos de una cuarta parte fueron a una propiedad directa de bienes raíces y empresas estadounidenses. La mayor parte de los fondos estaban en activos financieros como depósitos bancarios, acciones y bonos.

Para el típico residente estadounidense, la transición de ser acreedor neto a deudor neto pasó desapercibida. Sin embargo, el estatus de deudor neto de Estados Unidos hizo surgir el tema de la propiedad. Para muchos observadores, parecía inapropiado para Estados Unidos, uno de los países más ricos del mundo, pedir prestado en una escala masiva al resto del mundo.

EL DÓLAR COMO MONEDA DE RESERVA MUNDIAL

Antes de terminar nuestra discusión sobre la balanza de pagos, consideremos al dólar estadunidense como una divisa internacional.

Hoy el dólar es la principal moneda de reserva del mundo entero. Los dólares se usan en todo el mundo como un medio de intercambio, unidad de cuenta y reserva de valores; muchas naciones guardan su riqueza en activos denominados en dólares (como los valores del Tesoro de EUA). Casi dos tercios de las reservas oficiales de divisas del mundo se mantienen en dólares, mientras que más de cuatro quintas partes de las transacciones diarias de intercambio de divisas involucran dólares. El euro, la segunda moneda de reserva más importante, está muy a la zaga del dólar, seguido luego de la libra esterlina y del yen japonés. La popularidad del dólar está respaldada por una poderosa y sofisticada economía estadunidense y por su atractivo como resguardo seguro para los inversionistas internacionales. Los crecientes déficits comerciales y la dilatada deuda externa en la que Estados Unidos ha incurrido en las décadas recientes han debilitado, no obstante, al prestigio del dólar.

Después de la Segunda Guerra Mundial, conforme más personas usaban dólares en las transacciones internacionales, la eficacia del dólar para el intercambio aumentaba, solidificando así su papel como primera moneda mundial. Algunos han comparado la popularidad del dólar con la del sistema operativo Windows de Microsoft. Muchos usuarios de computadora podrían sentir que otro *software* sería más fácil de usar pero la conveniencia de poder transferir archivos alrededor del mundo a cualquiera persona que usa Microsoft incrementa considerablemente la popularidad del sistema operativo. En el caso del dólar, su uso extendido hace que los tratos de divisas sean más fáciles y menos costosos que con cualquier otra moneda: entre más países hacen transacciones en dólares, más barato resulta hacer transacciones en dólares. Cualquier país del mundo dudaría mucho para dejar de negociar en dólares, incluso si desea usar una moneda diferente, a menos que esté seguro de que muchos otros países harán lo mismo. Esta renuencia puede ser la razón principal de por qué es tan difícil desplazar al dólar como la principal moneda de reserva mundial.

Beneficios para Estados Unidos

Estados Unidos disfruta cuantiosos beneficios de que el dólar sea la principal moneda de reserva mundial. En primer lugar, los estadunidenses pueden comprar productos a precios marginalmente más baratos que las otras naciones que deben cambiar su moneda en cada compra y pagar un porcentaje por cada transacción. Además, los estadunidenses pueden pedir préstamos con tasas de interés más bajas para comprar casas o automóviles y el gobierno estadunidense puede financiar déficits más grandes, por más tiempo y con tasas de interés más bajas. Estados Unidos puede expedir deuda (valores) en su propia moneda y así desviar el riesgo del tipo de cambio hacia los prestamistas extranjeros: este riesgo significa que son los extranjeros quienes enfrentan la posibilidad de que una baja en el tipo de cambio del dólar anule los ingresos de sus inversiones en Estados Unidos.

Por ejemplo, si un inversionista chino obtiene un ingreso de 5% sobre sus valores del Tesoro de EUA y si el dólar se deprecia 5% frente al *yuan* chino, el inversionista automáticamente no obtendrá ninguna ganancia. China, que en 2009 tenía reservas de activos denominados en dólares por alrededor de un billón de dólares, ha estado particularmente preocupada ante la posibilidad de pérdida de su poder adquisitivo en caso de una depreciación considerable del dólar.

A pesar del atractivo del dólar, hay una creciente preocupación sobre el futuro de su papel como principal moneda de reserva mundial. Algunos países como China temen que Estados Unidos esté cavando un agujero con su economía basada en enormes déficits y préstamos inmensos que nublan el futuro del dólar. Se preocupan por la volatilidad del dólar y el efecto desestabilizador que puede tener en el comercio y las finanzas internacionales. Los críticos afirman que todo crédito basado en una moneda de reserva como el dólar es intrínsecamente peligroso, suscita desequilibrios mundiales y promueve la multiplicación de las crisis financieras. Por consiguiente, argumentan que el dólar ya no debe seguir siendo la principal moneda de reserva mundial.

Antes de que el dólar sea desplazado como moneda de reserva, sin embargo, debe haber un nuevo contendiente al trono. Ni la libra esterlina, cuyos mejores días están en el pasado, ni el yuan chino cuyo estatus de reserva mundial todavía debe madurar muchos años para ocurrir (si es que ocurre) podrían ser candidatos. En cuanto al euro, una mejor liquidez y la amplitud de los mercados financieros de Europa han minado algunas de las ventajas que históricamente respaldaron la preeminencia del dólar como moneda de reserva. Sin embargo, los problemas financieros recientes que atormentan a Europa han quitado toda fuerza al euro. Aunque Japón y Suiza tienen instituciones y mercados financieros fuertes, en los últimos años han presionado muy activamente a la baja el valor de su moneda, haciendo estas divisas poco atractivas como resguardo de valores. Así las cosas, el dólar ha mantenido su lugar como moneda de reserva dominante, por la ventaja que los mercados financieros de EUA aún tienen sobre otros mercados dado su tamaño, calidad de crédito, liquidez, así como por la inercia del uso en las divisas internacionales. El dólar se considera un espacio seguro y a salvo para resguardar dinero a pesar de los problemas económicos y políticos recientes que han atormentado a Estados Unidos.

¿Una nueva moneda de reserva?

En 2009, los funcionarios del Banco Central de China propusieron una revisión del sistema monetario internacional en la que se planteaba que los DEG reemplazaran en un futuro al dólar como principal moneda de reserva mundial. La propuesta tenía por objetivo adoptar una moneda de reserva que no estuviera vinculada a un solo país (Estados Unidos) y que, por lo tanto, pudiera mantenerse estable a la larga, disminuyendo los riesgos financieros causados por la volatilidad del dólar. Para lograr este objetivo, los chinos propugnaban, pues, por una nueva moneda de reserva mundial basada en una canasta de monedas y no sólo en el dólar. Este moneda correspondería, precisamente, a los DEG cuyo valor se basa actualmente en el euro, el yen, la libra esterlina y el dólar según la importancia relativa de cada una de ellas en el comercio y las finanzas internacionales. China proponía, además que el tamaño de la canasta de monedas se ampliara para incluir a todas las monedas más importantes como el yuan chino y el rublo ruso. Los DEG, como moneda, estarían controlados por el Fondo Monetario Internacional.

Para ampliar el uso de los DEG de manera que puedan cumplir los requisitos impuestos por los propios países miembros del FMI para una moneda de reserva, se requerirían de varios pasos: tendría que establecerse un sistema de equivalencias entre los DEG y las otras monedas para que los DEGs fueran aceptados ampliamente en el comercio y las transacciones financieras mundiales; por otro lado, actualmente, los DEG son usados como una unidad de cuenta sólo por el FMI y otras organizaciones internacionales, así pues, los DEG tendrían que ser impulsados activamente para su uso en el comercio, la fijación de precios de productos primarios, la inversión y la contabilidad corporativa; además, se tendrían que crear activos financieros (valores) denominados en DEG para incrementar su atractivo. Conseguir todo esto requerirá de mucho tiempo.

Los defensores de la propuesta mantienen que permitir que los DEG sirvan como moneda de reserva mundial traería numerosas ventajas y beneficios. Para los chinos, amortiguaría cualquier depreciación del tipo de cambio del dólar porque el dólar sólo sería una parte de la canasta de monedas; esto ayudaría a estabilizar el valor de los valores del Tesoro de EUA que China posee. Por otro lado, una moneda de reserva de canasta ayudaría a respaldar la demanda conjunta del mundo entero disminuyendo los temores por la volatilidad de la moneda (tales temores han sido los que motivaron a países como China a resguardar grandes cantidades de reservas para protegerse contra pérdidas debido a la volatilidad de la moneda internacional). Además, el bienestar económico mundial no debe depender del comportamiento de una sola moneda, es decir el dólar: el riesgo monetario se diversificaría gracias a una unidad de reserva de canasta, aumentando la estabilidad y la confianza en todo el mundo. También está el asunto de la equidad: dado que el dólar es la principal moneda de reserva a la que acuden todos los inversionistas en busca de seguridad cuando hay turbulencias económicas, Estados Unidos atrae hacia sí muchos ahorros de otros países incluso cuando sus tasas de interés son muy bajas.

Hay algunos escollos potenciales por el uso de los DEG como moneda de reserva. Un problema es que los DEG no tienen más sustento que la buena fe y el crédito del FMI; es decir, el FMI no produce nada para sustentar el valor de los DEG. Por contraste, el dólar está avalado por los bienes y servicios producidos por los estadunidenses y por su disposición para cambiar esos bienes y servicios por dólares. ¿Quién determinaría el "precio correcto" de los DEG? ¿El FMI? ¿Acaso no cedería el FMI ante presiones políticas para cambiar el porcentaje de participación de cada moneda participante en la canasta de los DEG, favoreciendo a ciertas naciones? El uso de los DEG añadiría otro paso a cada transacción internacional, pues los compradores y los vendedores tendrían que convertir su moneda nacional en DEG; esta conversión incrementaría los costos de los negocios para todas las empresas, para todos los inversionistas, etcétera.

Para Estados Unidos, la pérdida de su puesto como país de moneda de reserva implicaría varios costos. Primero, los estadunidenses tendrían que pagar más por los artículos importados ya que el dólar se depreciaría cuando los extranjeros ya no compraran dólares como lo hicieron antes, cuando el dólar servía de moneda de reserva. Las tasas de interés sobre la deuda tanto privada como gubernamental aumentarían. El creciente costo de endeudamiento podría resultar en un consumo débil, una inversión reducida y un crecimiento lento. La supremacía económica de Estados Unidos se vería, pues, disminuida si el dólar pierde su función como moneda de reserva. Naturalmente, Estados Unidos ha objetado severamente la propuesta de reemplazar el dólar por los DEG como moneda de reserva.

Adoptar los DEG como moneda de reserva es técnicamente posible y podría ocurrir si Estados Unidos mantuviera una política económica persistentemente mala con gastos deficitarios, alta inflación y depreciación de su moneda. Si los extranjeros consideran que los costos de mantener dólares (en términos de pérdida de poder adquisitivo) excedieran los beneficios, podrían optar por una moneda de reserva alternativa. Muy probablemente un reemplazo del dólar por los DEG como moneda de reserva no ocurrirá pronto porque las personas aún obtienen considerables beneficios de eficiencia al realizar sus transacciones internacionales en dólares. Hasta que los DEG se ajusten a estos beneficios, no reemplazarán al dólar como primera moneda mundial.

RESUMEN

1. La balanza de pagos es un registro de las transacciones económicas de una nación con todas las demás naciones por un año determinado. Una transacción de cargo resulta en la recepción de pagos de extranjeros mientras que una transacción de abono lleva a un pago en el extranjero. Debido a una contabilidad de partida doble, la balanza de pagos de una nación siempre estará en equilibrio.

2. Desde un punto de vista funcional, la balanza de pagos identifica las transacciones económicas como a) transacciones de cuenta corriente y b) transacciones de capital y financieras.

3. La balanza de bienes y servicios es importante para quienes elaboran las políticas, porque indica la transferencia neta de los recursos reales en el extranjero. También mide el grado en que las exportaciones e importaciones de una nación son parte de su producto interno bruto.

4. La cuenta de capital y financiera de la balanza de pagos muestra el movimiento internacional de préstamos, inversiones y demás. Los flujos entrantes de capital y financiera (flujos salientes) son análogos a las exportaciones (importaciones) de bienes y servicios porque ocasionan la recepción (pago) de fondos desde (hacia) otros países.

5. Las reservas oficiales consisten en los activos financieros de un país: a) propiedades monetarias en oro, b) monedas convertibles, c) derechos especiales de retiro y d) posiciones de retiro en el Fondo Monetario Internacional.

6. El Departamento de Comercio, al presentar la posición de pagos internacionales de Estados Unidos, emplea un formato funcional que enfatiza los siguientes saldos parciales: a) balanza comercial de mercancías, b) balanza de bienes y servicios y c) saldo de la cuenta corriente.

7. Como la balanza de pagos es un sistema contable de partida doble, los abonos totales siempre igualarán los cargos totales. Por consiguiente, si la cuenta corriente registra un déficit (superávit), la cuenta de capital y finanzas debe

registrar un superávit (déficit) o un flujo entrante (flujo saliente) de capital o finanzas netas. Si un país obtiene un déficit (superávit) en su cuenta corriente, se convierte en un demandante neto (proveedor) de fondos del (al) resto del mundo.

8. En relación con el ciclo de negocios, un crecimiento rápido de la producción y del empleo se asocia por lo común con un comercio grande o en crecimiento y con déficits de cuenta corriente, mientras que un crecimiento lento de la producción y el empleo se asocian con superávit grandes o crecientes de la cuenta corriente.

9. La posición de la inversión internacional de Estados Unidos en un momento en particular es medida por la balanza de deuda internacional. A diferencia de la balanza de pagos, que es un concepto de flujo (durante un periodo), el balance de deuda internacional es un concepto de acciones (al cierre del ejercicio).

CONCEPTOS Y TÉRMINOS CLAVE

Acreedor neto (p. 348)

Activos de reserva oficial
   (p. 335)

Balanza comercial (p. 337)

Balanza comercial de mercancías
   (p. 332)

Balanza de bienes y servicios (p. 331)

Balanza de ingresos (p. 332)

Balanza de la deuda internacional
   (p. 348)

Balanza de pagos (p. 329)

Contabilidad de partida doble (p. 330)

Cuenta corriente (p. 331)

Cuenta de capital y financiera (p. 332)

Derechos especiales de giro (DEG)
   (p. 335)

Deudor neto (p. 349)

Discrepancia estadística (p. 336)

Inversión extranjera neta (p. 340)

Transacción de abono (p. 329)

Transacción de cargo (p. 329)

Transacciones oficiales de liquidación
   (p. 334)

Transferencias unilaterales (p. 332)

PREGUNTAS PARA ANÁLISIS

1. ¿Qué es la balanza de pagos?

2. ¿Qué transacciones económicas dan surgimiento a la recepción de dólares de extranjeros? ¿Qué transacciones económicas dan surgimiento a los pagos a extranjeros?

3. ¿Por qué queda en "equilibrio" la balanza de pagos?

4. Desde un punto de vista funcional, la balanza de pagos de una nación puede ser agrupada en varias categorías. ¿Cuáles son estas categorías?

5. ¿Qué activos financieros se clasifican como activos de reserva oficiales para Estados Unidos?

6. ¿Qué significa un superávit (déficit) en a) la balanza comercial de mercancías, b) la balanza de bienes y servicios y c) el saldo de la cuenta corriente?

7. ¿Por qué la balanza de bienes y servicios en ocasiones ha mostrado un superávit mientras que la balanza comercial de mercancías muestra un déficit?

8. ¿Qué mide la balanza de la deuda internacional? ¿En qué difiere este enunciado de la balanza de pagos?

9. Indique si cada uno de los siguientes conceptos representa un abono o un cargo en la balanza de pagos estadunidense:
   a. Un importador estadunidense compra un embarque de vino francés.

b. Una empresa japonesa de automóviles construye una planta de ensamble en Kentucky.

c. Un fabricante británico exporta maquinaria a Taiwán en un barco estadunidense.

d. Un estudiante universitario de Estados Unidos pasa un año de estudio en Suiza.

e. La beneficencia de Estados Unidos dona alimentos a personas afectadas por la sequía en África.

f. Inversionistas japoneses cobran intereses por sus propiedades de valores del gobierno de Estados Unidos.

g. Un residente alemán envía dinero a sus parientes en Estados Unidos.

h. Lloyds of London vende una póliza de seguros a una empresa de negocios estadunidense.

i. Un residente suizo recibe dividendos por sus acciones de IBM.

10. En la tabla 10.8 se resumen transacciones hipotéticas en miles de millones de dólares que se realizaron durante un año dado.
    a. Calcule las balanzas estadunidenses de comercio de mercancías, servicios, bienes y servicios, ingresos, transferencias unilaterales y cuenta corriente.

TABLA 10.8

Transacciones internacionales de Estados Unidos (miles de millones de dólares)

Recepciones de ingresos por transporte y turismo, netas	25
Importaciones de mercancía	450
Transferencias unilaterales, netas	−20
Asignación de DEG	15
Recepciones por inversiones estadunidenses en el extranjero	20
Discrepancia estadística	40
Compensación de empleados	−5
Cambios en los activos estadunidenses en el extranjero, netos	−150
Exportaciones de mercancías	375
Otros servicios, netos	35
Pagos de inversiones en el extranjero en Estados Unidos	−10

© Cengage Learning®

b. ¿Cuál de estas balanzas se relaciona con la posición de inversión extranjera neta de Estados Unidos? ¿Cómo describiría esa posición?

11. Dados los conceptos hipotéticos que se muestran en la tabla 10.9, determine la posición de inversión internacional de Estados Unidos. ¿Es Estados Unidos un país acreedor neto o un país deudor neto?

TABLA 10.9

Posición de inversión internacional de Estados Unidos (miles de millones de dólares)

Activos oficiales extranjeros en Estados Unidos	25
Otros activos extranjeros en Estados Unidos	225
Activos del gobierno estadunidense en el extranjero	150
Activos privados estadunidenses en el extranjero	75

© Cengage Learning®

Divisas

Entre los factores que hacen de la economía internacional una disciplina claramente definida se encuentra el hecho de que existen distintas unidades monetarias nacionales. En Estados Unidos, los precios y el dinero se miden en términos del dólar. El peso representa la unidad monetaria de México, mientras que el *franco* y el *yen* son las unidades monetarias de Suiza y Japón, respectivamente.

Una transacción internacional típica requiere de dos compras diferentes: primero se compra la divisa y, en segundo lugar, se utiliza para facilitar la transacción internacional. Por ejemplo, antes de que los importadores franceses puedan comprar mercancía a los exportadores estadunidenses, deberán comprar los dólares necesarios para cubrir su pago internacional. Se requiere de arreglos institucionales para proporcionar un mecanismo eficiente en el que sea posible fijar los títulos monetarios con el mínimo de inconveniencias para ambas partes. Este mecanismo existe en la forma del mercado de divisas.[1]

En este capítulo se estudia la naturaleza y operación de este mercado.

MERCADO DE DIVISAS

El término **mercado de divisas** se refiere al escenario organizacional en el que individuos, empresas, gobiernos y bancos compran y venden divisas y otros instrumentos de deuda.[2] Sólo una pequeña parte de las transacciones cotidianas en el cambio de divisas implica un verdadero intercambio de monedas. La mayoría de las transacciones de divisas comprenden la transferencia electrónica de saldos entre los bancos comerciales o los corredores de divisas. Los principales bancos estadunidenses, como JPMorgan Chase o Bank of America mantienen inventarios de divisas en forma de depósitos nominados en otras monedas, resguardados en sus sucursales o en sus bancos corresponsales en ciudades del extranjero. Los estadunidenses pueden obtener estas divisas en los bancos de su ciudad que, a su vez, las compran al Bank of America.

---

[1] Este capítulo considera el mercado de divisas en ausencia de restricciones gubernamentales. En la práctica, los mercados extranjeros para muchas divisas están controlados por los gobiernos; por tanto, no son posibles todas las actividades de cambio de divisas analizadas en este capítulo.

[2] Esta sección se basa en Sam Cross, *The Foreign Exchange Market in the United States*, Banco de la Reserva Federal de Nueva York, 1998.

El mercado de divisas es, con mucho, el mercado más grande y de mayor liquidez en el mundo. La cantidad estimada de transacciones de divisas en el mundo es de alrededor de 4 billones de dólares al día. Son muy comunes las transacciones individuales de 200 millones a 500 millones de dólares. Los precios cotizados cambian hasta 20 veces por minuto. Se calcula que los tipos de cambio más activos del mundo cambian hasta 18,000 veces en un solo día.

El mercado de divisas está dominado por cuatro divisas: el dólar de EUA, el euro, el yen y la libra esterlina. No todas las divisas se intercambian en los mercados de divisas. Las monedas que no se intercambian se evitan por razones que van desde la inestabilidad política hasta la incertidumbre económica. En ocasiones, la moneda de un país no se intercambia por la sencilla razón de que esa nación produce muy pocos productos de interés para otros países.

A diferencia de los intercambios de acciones o de mercancías, el mercado de divisas no es una estructura organizada. No tiene un lugar de reunión centralizado ni requisitos formales para participar. Tampoco está limitado a un solo país. Para cualquier divisa, como el dólar, el mercado de divisas lo constituyen todos aquellos lugares en los que el dólar se intercambia por monedas locales de otros países. Tres de los mercados de divisas más grandes del mundo son los de Londres, Nueva York y Tokio; éstos se ocupan de la mayor parte de todas las transacciones de divisas. Asimismo, hay alrededor de una docena de otros centros cambiarios en todo el mundo, como París y Zúrich. Como los corredores de divisas están en contacto constante por teléfono y por computadora, el mercado es muy competitivo; en efecto, funciona de modo muy similar a un mercado centralizado.

El mercado de divisas abre los lunes por la mañana en Hong Kong, cuando aún es domingo por la noche en Nueva York. A medida que avanza el día abren los mercados de Tokio, Fráncfort, Londres, Nueva York, Chicago, San Francisco y otras ciudades. Cuando los mercados de la costa oeste de Estados Unidos están por cerrar, en Hong Kong sólo falta una hora para comenzar las transacciones del martes. De hecho el mercado de divisas funciona las 24 horas del día.

El mercado de divisas típico funciona en tres niveles: *1)* en las transacciones entre los bancos comerciales y sus clientes comerciales, quienes son los primordiales demandantes y proveedores de divisas extranjeras; *2)* en el mercado interbancario nacional operado a través de corredores; y *3)* en el intercambio activo de divisas con bancos en el extranjero.

Exportadores, importadores, inversionistas y turistas compran y venden divisas a bancos comerciales, en lugar de hacerlo entre ellos. Como ejemplo de lo anterior, considere la importación de automóviles alemanes por parte de una distribuidora estadunidense. La distribuidora tiene que pagar 50,000 euros por cada automóvil importado y no puede extender un cheque por esta cantidad porque no tiene una cuenta de cheques denominada en euros. En vez de ello, la distribuidora automotriz acude al departamento de divisas de Bank of America, por ejemplo, para realizar el pago. Si el tipo de cambio es de 1.1 euros = 1 dólar, la distribuidora automotriz extiende un cheque a Bank of America por 45,454.55 dólares (50,000/1.1 = 45,454.55) por automóvil. Después, Bank of America pagará al fabricante alemán 50,000 euros por automóvil en Alemania. Bank of America puede hacer esto porque tiene una cuenta de cheques en euros en su sucursal en Bonn.

Por lo general, los principales bancos que manejan divisas no tratan directamente entre sí, sino que utilizan los servicios de *corredores de divisas* (*brokers*). La función de un corredor es permitir que los bancos comerciales mantengan los saldos de divisas deseados. Si en un momento determinado un banco no tiene los saldos de divisas apropiados, puede recurrir a un corredor para comprar divisas adicionales o vender su superávit. De este modo, los corredores representan un mercado interbancario mayorista en el que los bancos que comercian pueden comprar y vender divisas. Los corredores reciben una comisión por sus servicios de venta al banco.

El tercer ámbito del mercado de divisas consiste en las transacciones entre los bancos comerciales y sus sucursales o corresponsales en el extranjero. Aunque varias docenas de bancos estadunidenses participan en el intercambio de divisas, por lo regular, son los principales bancos en Nueva York los que realizan transacciones con bancos extranjeros. Los demás bancos comerciales internos cubren sus necesidades de divisas manteniendo relaciones de corresponsalía con los bancos de Nueva York. El comercio con los bancos extranjeros permite igualar la oferta y la demanda de divisas en el mercado de Nueva York. Estas transacciones internacionales se llevan a cabo sobre todo por teléfono y por computadora.

Las transacciones comerciales y financieras en el mercado de divisas representan grandes cantidades nominales; aún así, son pequeñas en comparación con las cantidades relacionadas con la especulación. Con mucho, la mayor parte del comercio de divisas surge de la especulación en la que los intermediarios financieros compran y venden para obtener ganancias a corto plazo a partir de las fluctuaciones de precio que se dan minuto a minuto, hora a hora y día a día. Se estima que la especulación representa aproximadamente 90 por ciento de la actividad cambiaria diaria en el mercado de divisas.

Hasta la década de los ochenta, la mayor parte del comercio de divisas se hacía por teléfono. Sin embargo, en la actualidad, casi todo este comercio se realiza electrónicamente. El comercio ocurre a través de terminales de computadora en miles de lugares en todo el mundo. Al realizar un intercambio de divisas, un operador hace un pedido a través de su computadora, indicando la cantidad en una divisa, el precio y la instrucción de comprar o vender. Si es posible cubrir el pedido a partir de otros pedidos y si el precio es el mejor disponible de otros operadores en el sistema, la transacción tendrá lugar. Si un nuevo pedido no se puede cubrir con otros pedidos disponibles, este nuevo pedido ingresará al sistema y los operadores de otros bancos en el sistema tendrán acceso a él. Otro operador puede entonces aceptar el pedido presionando el botón de "comprar" o "vender" y el botón de transferencia. Los defensores del comercio electrónico advierten que los beneficios de éste son la certidumbre y la claridad de la ejecución; no es como el comercio por teléfono, en el que a veces ocurren conflictos entre los corredores en cuanto a los precios acordados para las divisas.

Antes del 2000, las empresas que necesitaban divisas todos los días para cubrir sus nóminas en el extranjero o para convertir a dólares ventas hechas en otras monedas casi siempre negociaban con los corredores de los principales bancos, como JP Morgan Chase. Para ello era necesario que los clientes corporativos estuvieran siempre al teléfono, hablando con corredores de varios bancos a la vez para obtener las cotizaciones correctas. Sin embargo, como existía muy poca competencia entre los bancos, los clientes corporativos buscaban alternativas. Todo esto cambió cuando la nueva empresa Currenex, Inc. creó un mercado en línea donde los bancos podían competir para ofrecer el servicio de transacciones de divisas a las empresas. El concepto fue adoptado por los principales bancos y por clientes corporativos como The Home Depot. El hecho de realizarlo en línea hace que el proceso de transacciones de divisas sea más transparente: los clientes corporativos pueden ver varias cotizaciones al instante y elegir la mejor oferta.

TIPOS DE TRANSACCIONES DE DIVISAS

Al realizar compras y ventas de divisas, los bancos prometen pagar una cantidad estipulada a otro banco o cliente en una fecha acordada. Por lo general, los bancos realizan tres tipos de transacciones en divisas: *spot*, a futuro y *swap*.

Una **transacción *spot*** es la compra y venta directas de una divisa *en el momento* ("on the spot"). La operación *spot* se pagará (es decir, el intercambio físico de divisas tendrá lugar) dos días hábiles después de cerrar el trato. Este periodo de dos días se conoce como *entrega inmediata*. Por lo general, la fecha de pago es el segundo día hábil después de la fecha en que ambas partes acuerdan la transacción. El periodo de dos días da tiempo suficiente para que ambas partes confirmen el acuerdo y arreglen el pago, así como el cargo y el abono necesarios en las cuentas bancarias residentes en distintos lugares del mundo. El tipo de cambio *spot* se acerca lo más posible o es idéntico al tipo de cambio del mercado porque la transacción ocurre en el tiempo real y no en algún momento futuro.

He aquí cómo funciona una transacción *spot*:

- Un operador llama a otro operador y pregunta por el precio de una divisa, digamos, por ejemplo, el euro. Esta llamada representa sólo un interés potencial en hacer el trato, sin que el operador exprese si quiere comprar o vender.
- El segundo operador proporciona al primero los precios tanto de compra como de venta.
- Cuando los operadores convienen hacer trato, uno transferirá euros y el otro transferirá, digamos, dólares. Por convención, el pago real se efectúa dos días después.

Las transacciones *spot* ofrecen la ventaja de ser la forma más sencilla de cubrir los requerimientos de divisas de empresas e individuos, pero también son las operaciones con mayor riesgo de fluctuaciones en las divisas, ya que no existe ninguna seguridad en cuanto al tipo de cambio sino hasta que se realiza la transacción. Las fluctuaciones en el tipo de cambio pueden, en la práctica, aumentar o reducir los precios considerablemente y pueden representar una pesadilla de planeación financiera para compañías e individuos.

En muchos casos, una empresa o institución financiera sabe que recibirá o pagará una cantidad de divisas en una fecha futura específica. Por ejemplo, un importador estadunidense puede hacer, en agosto, los preparativos necesarios para un envío especial para Navidad de radios japoneses que deberá llegar en octubre. El contrato estipula que el fabricante japonés requiere el pago en yenes el 20 de octubre. Para protegerse en caso de que el yen aumente su precio frente al dólar, el importador puede convenir con un banco la compra de yenes a un precio estipulado, aunque en realidad no los recibirá sino hasta el 20 de octubre cuando los necesita. Al vencimiento del contrato, el importador estadunidense paga los yenes con una cantidad de dólares establecida. Esto se conoce como una **transacción a plazo** o **a futuro** (*forward*). Una transacción a futuro protege de los movimientos desfavorables en el tipo de cambio, pero no permite ninguna ganancia en caso de que el tipo de cambio se mueva a su favor durante el periodo entre la firma del contrato de la transacción y el pago final de las divisas.

Las transacciones a futuro difieren de las transacciones *spot* en que su fecha de vencimiento es mayor a dos días hábiles. La fecha de vencimiento de un contrato a futuro de divisas puede ser de algunos meses o incluso años. El tipo de cambio se establece al firmar el contrato. El dinero no cambia de manos sino hasta que la transacción se realiza, aunque es probable que los corredores pidan a algunos clientes que hagan un pago parcial en garantía. Dese cuenta de que en una transacción a futuro, el comprador y el vendedor están comprometidos por un contrato con un precio fijo que no puede ser afectado por fluctuaciones en el tipo de cambio del mercado. Esta herramienta permite a los que participan en el mercado planear con mayor seguridad, ya que saben con anticipación cuanto costarán sus divisas. También les permite evitar un desembolso inmediato de efectivo.

Las transacciones de divisas interbancarias y entre los bancos y las empresas también pueden ser transacciones *swap*. Un ***swap* de divisas** es la conversión de una moneda a otra en un momento determinado, con el acuerdo de volver a convertirla a la divisa original después de un tiempo específico. Las cotizaciones de ambas conversiones se pactan con anticipación.

Así es como funciona un transacción *swap*:

- Suponga que una compañía estadunidense necesita 15 millones de francos suizos para una inversión de tres meses en Suiza.
- Puede acordar una tasa de 1.5 francos por dólar e intercambiar (*swap*) $10 millones de dólares con una compañía que esté dispuesta a intercambiar 15 millones francos por tres meses.
- Después de los tres meses, la compañía estadunidense devuelve los 15 millones de francos a la otra compañía y recibe sus $10 millones de dólares, aplicando los ajustes derivados de las diferencias en las tasas de interés.

Lo fundamental de este tipo de operación es que ambos bancos acuerden el *swap* como una sola transacción en la que convienen pagar y recibir cantidades previamente estipuladas de divisas a un

TABLA 11.1

Distribución global de las transacciones de divisas

VOLUMEN PROMEDIO DIARIO (MILLONES DE DÓLARES)

Instrumento de divisas	Cantidad	Porcentaje
Swaps de divisas	$2,282	42.7
Transacciones *spot*	2,046	38.3
Transacciones a futuro	680	12.7
Opciones de divisas	337	6.3
Total	5,345	100.0

Fuente: Tomado del Banco de la Reserva Federal de Nueva York, 2013, *Triennial Central Bank Survey of Foreign Exchange and Derivatives Market*, disponible en http://www.newyorkfed.org/. Vea también Bank for International Settlements, *Triennial Central Bank Survey of Foreign Exchange and Derivatives Market*.

tipo de cambio previamente especificado. Los *swaps* ofrecen un mecanismo eficiente mediante el que los bancos pueden cubrir sus necesidades de divisas para un tiempo determinado. Los operadores pueden utilizar una moneda durante un tiempo a cambio de otra que no se necesite en ese momento.

La tabla 11.1 ilustra la distribución de las transacciones de divisas de las instituciones bancarias estadunidenses por tipo de transacción. Hasta 2004, las transacciones spot representaban la mayor parte de las transacciones de divisas. Los *swaps* de divisas y las transacciones *spot* son los dos tipos más importantes de transacciones cambiarias.

OPERACIONES INTERBANCARIAS

En el mercado de divisas las monedas se comercian en forma activa a todas horas y en todo el mundo. Los bancos están unidos por un equipo de telecomunicaciones que permite la comunicación instantánea. Un número de pequeños bancos centrales monetarios realizan la mayor parte de las transacciones de divisas en Estados Unidos. Virtualmente todos los grandes bancos de Nueva York realizan activamente operaciones en divisas, al igual que sus contrapartes en Londres, Tokio, Hong Kong, Fráncfort y otros centros financieros. Los grandes bancos en ciudades como Los Ángeles, Chicago, San Francisco y Detroit también tienen operaciones activas de divisas. Para casi todos los bancos estadunidenses, las transacciones de divisas no constituyen la mayor parte de su negocio; estos bancos tienen vínculos con bancos corresponsales en Nueva York y otros lugares del mundo que se encargan de realizar las transacciones de divisas.

Todos estos bancos están preparados para comprar o vender divisas y facilitar así la especulación para sus propias cuentas y ofrecer servicios cambiarios a sus clientes, como las corporaciones, las agencias gubernamentales o individuos adinerados. Las compras y ventas de los bancos a sus clientes se clasifican como *transacciones al menudeo* si la cantidad involucrada es menor a un millón de unidades monetarias. Por lo general, las *transacciones al mayoreo*, que comprenden más de un millón de unidades monetarias, ocurren entre los bancos o con los grandes clientes corporativos.

Una comunidad internacional de alrededor de 400 bancos es la que realiza los intercambios de divisas diarios para compradores y vendedores de todo el mundo. Los corredores de divisas de un banco están en contacto constante con otros corredores para comprar y vender las monedas. En la mayoría de los bancos, los corredores se especializan en una o más monedas extranjeras. El corredor en jefe establece la política operativa general, así como la dirección del cambio, tratando de cubrir las necesidades de divisas de los clientes del banco y de obtener alguna utilidad para el banco. El comercio de divisas se realiza las 24 horas del día, y los tipos de cambio pueden fluctuar en cualquier momento. Los corredores de los bancos no pueden dormir mucho y deben estar preparados para reaccionar a una llamada telefónica nocturna que indique que los tipos de cambio se mueven con rapidez en los mercados extranjeros. A menudo, los bancos permiten que los corredores más experimentados lleven a cabo transacciones de divisas desde su casa en respuesta a estos movimientos.

Con el equipo electrónico más reciente, las divisas se negocian en las computadoras; donde es posible confirmar una transacción con sólo presionar un botón. Los corredores utilizan pizarrones electrónicos, como los de Reuters Dealing y los de EBS, que les permiten registrar las transacciones al instante y verificar sus posiciones bancarias. Además de intercambiar divisas durante las horas del día, los principales bancos han establecido mesas de transacciones nocturnas para aprovechar las fluctuaciones de las divisas durante la noche y cubrir las necesidades corporativas de transacciones de divisas. En el mercado interbancario, las divisas se intercambian en cantidades que comprenden al menos un millón de unidades de una divisa específica. La tabla 11.2 muestra los principales bancos que participan en el mercado de divisas.

¿De qué manera obtienen los bancos, como Bank of America, utilidades en las transacciones de divisas en el mercado interbancario? Los bancos presentan tanto una cotización de compra como una cotización de venta. El **tipo de cambio de compra** se refiere al precio que el banco está dispuesto a pagar por una unidad de divisa; el **tipo de cambio de venta** es el precio por el cual el banco está dispuesto a vender una unidad de divisa. La diferencia entre ambas cotizaciones es el **margen** (*spread*), que varía según el tamaño de la transacción y la liquidez de las monedas intercambiadas. En todo momento, el tipo de cambio de compra de un banco por una divisa será menor que su tipo de cambio de venta. El *spread* debe cubrir los costos que el intercambio de divisas representan para el banco. Los grandes bancos que intercambian divisas están dispuestos a "generar un mercado" en una divisa ofreciendo bajo pedidos específicos tipos de cambio a la compra y a la venta. Este uso de tipos a la compra y a la venta permite a los bancos obtener ganancias en las transacciones cambiarias *spot* y a futuro.

Los corredores de divisas que compran y venden monedas al mismo tiempo reciben el margen (*spread*) como su ganancia. Por ejemplo, Citibank puede presentar tipos de cambio de compra y venta para el franco suizo en $0.5851/$0.5854. El tipo de compra es de $0.5851 por franco. A ese tipo de cambio a la compra, Citibank estaría preparado para comprar un millón de francos en 585,100 dólares. El tipo de cambio a la venta es $0.5854 por franco. Citibank estaría dispuesto a vender un millón de francos por 585,400 dólares. Si Citibank puede comprar y vender un millón de francos de

---

TABLA 11.2

Los diez principales bancos según su participación en el mercado de divisas, 2013

Banco	Participación en el mercado
Deutsche Bank	15.2%
Citigroup	14.9
Barclays Capital	10.2
UBS	10.1
HSBC	6.9
JPMorgan	6.1
RBS	5.6
Credit Suisse	3.7
Morgan Stanley	3.2

Fuente: Tomado de "Foreign Exchange Survey", *Euromoney*, 2013, disponible en www.euromoney.com.

forma simultánea, ganará 300 dólares en la transacción. Esta utilidad es igual al margen ($0.0003) multiplicado por la cantidad de la transacción (un millón de francos).

Además de obtener utilidades del *spread* de compra/venta de una divisa, los corredores de divisas tratan de obtenerlas anticipándose de forma correcta a la dirección futura de los movimientos de esa divisa. Suponga que un corredor de Citibank considera que el yen japonés está a punto de *apreciarse* (fortalecerse) frente al dólar. Es probable que el corredor *aumente* tanto el tipo de cambio de compra como el de venta, tratando de convencer a algunos corredores de que vendan yenes a Citibank y de disuadir a otros de la compra de yenes al mismo banco. De esta manera, el corredor compra más yenes de los que vende. Si el yen aumenta su valor frente al dólar, como lo previó, el corredor de Citibank podrá vender los yenes a un tipo de cambio más alto y obtener una utilidad. Por el contrario, en caso de que el corredor de Citibank anticipe que el yen está a punto de *depreciarse* (debilitarse) frente al dólar, seguramente *disminuirá* los tipos de cambio de compra y de venta. Esta acción fomenta las ventas y reduce las compras; por tanto, el corredor vende más yenes de los que compra. Si el yen se deprecia como lo esperaba, el corredor podrá volver a comprar los yenes a un precio más bajo para obtener una utilidad.

Si los tipos de cambio se mueven en la dirección deseada, los corredores de divisas obtienen una utilidad. Sin embargo, las pérdidas aumentan si los tipos de cambio se mueven en la dirección opuesta a la esperada. Para limitar las posibles pérdidas en las transacciones en el mercado de divisas, los bancos imponen restricciones financieras sobre el volumen de cambio de sus corredores. Estos últimos están sujetos a *límites de posición* que estipulan la cantidad de compras y ventas que se pueden realizar con una moneda en particular. Aunque los bancos mantienen restricciones formales, en ocasiones tienen que absorber pérdidas sustanciales debido a operaciones de divisas no autorizadas que sobrepasan los límites de posición. Como la administración de los bancos considera que los departamentos de cambio de divisas son centros de utilidades, los corredores se sienten presionados para generar un índice de ganancias aceptable sobre los fondos bancarios invertidos en esta operación.

Cuando un banco vende divisas a sus clientes empresariales e individuales, cobra un tipo de cambio "minorista", basado en el tipo interbancario (mayorista) que el banco paga al comprar las divisas más un margen de ganancia bruta que compensa al banco por sus servicios. Este margen de ganancia bruta depende del tamaño de la transacción de divisas, la volatilidad del mercado y los pares de divisas.

LECTURA DE LAS COTIZACIONES DE DIVISAS

La mayoría de los periódicos publican los tipos de cambio para las divisas más importantes. El **tipo de cambio** es el precio de una moneda en términos de otra; por ejemplo, el número de dólares necesario para comprar una libra esterlina (£). En resumen, TC = $/£, donde TC es el tipo de cambio. Por ejemplo, si TC = 2, entonces para comprar £1 es necesario pagar 2 dólares (2/1 = 2). También es posible definir el tipo de cambio como el número de unidades de una moneda extranjera necesario para comprar una unidad de la moneda nacional, o TC' = £/$. En este ejemplo, TC' = 0.5 (½ = 0.5), que implica que se necesitan £0.5 para comprar un dólar. Desde luego, TC' es recíproco de TC (TC' = 1/TC).

La tabla 11.3 muestra los tipos de cambio publicados para el 29-30 de octubre de 2013. En las columnas 2 y 3 de la tabla, los precios de venta de las divisas se presentan en dólares (en $EU). Las columnas indican cuántos dólares se necesitan para comprar una unidad de una divisa determinada. Por ejemplo, la cotización para el peso argentino el miércoles (30 de octubre) fue de 0.1693 dólares. Esto significa que se requerían 0.1693 dólares para comprar un peso argentino. Las columnas 4 y 5 (por $EU) muestran los tipos de cambio desde el punto de vista contrario e indican la cantidad de unidades de la moneda extranjera que se requiere para comprar un dólar. Nuevamente refiriéndose al miércoles, se requerirían 5.9053 pesos argentinos para adquirir un dólar.

TABLA 11.3

Cotizaciones de tipos de cambio

Tipos de cambio   29-30 de octubre de 2013*

Los siguientes tipos de cambio se aplican en las transacciones interbancarias en cantidades de un millón de dólares y más, citadas por Reuters y otras fuentes a las 4 p.m. hora del este de Estados Unidos. Las transacciones al menudeo proporcionan menos unidades de monedas extranjeras por dólar.

Banco	En $EU		Por $EU	
	Miércoles	Martes	Miércoles	Martes
América				
Argentina peso	.1693	.1698	5.9053	5.8901
Brasil real	.4565	.4581	2.1905	2.1828
Canadá dólar	.9542	.9552	1.0480	1.0469
Chile peso	.001965	.001966	508.80	508.60
Colombia peso	.0005310	.0005310	1883.24	1883.24
Ecuador dólar EU	1	1	1	1
México peso	.0773	.0774	12.9344	12.9187
Perú nuevo sol	.3625	.3631	2.759	2.754
Uruguay peso	.04630	.04643	21.5975	21.5375
Venezuela bolívar	.157480	.157480	6.3500	6.3500
Asia-Pacífico				
Australia dólar	.9484	.9480	1.0544	1.0548
A un plazo de 1 mes	.9465	.9462	1.0565	1.0568
A un plazo de 3 meses	.9426	.9423	1.0609	1.0612
A un plazo de 6 meses	.9373	.9369	1.0669	1.0673
China yuan	.1641	.1642	6.0946	6.0896
Hong Kong dólar	.1290	.1290	7.7534	7.7534
India rupia	.01630	.01627	61.340	61.455
Indonesia rupia	.0000917	.0000921	10901	10855
Japón yen	.010151	.010184	98.52	98.19
A un plazo de 1 mes	.010152	.010186	98.50	98.18
A un plazo de 3 meses	.010157	.010190	98.46	98.13
A un plazo de 6 meses	.010163	.010197	98.40	98.07
Malasia ringgit	.3176	.3177	3.1484	3.1474
Nueva Zelanda dólar	.8267	.8258	1.2096	1.2110
Pakistán rupia	.00940	.00939	106.395	106.550
Filipinas peso	.0232	.0232	43.103	43.103

Banco	En $EU		Por $EU	
	Miércoles	Martes	Miércoles	Martes
Singapur dólar	.8067	.8058	1.2396	1.2411
Corea del Sur won	.0009439	.0009417	1059.40	1061.88
Taiwán dólar	.03399	.03394	29.421	29.465
Tailandia baht	.03215	.03219	31.106	31.064
Vietnam dong	.00004738	.00004738	21105	21105
Europa				
República Checa				
corona checa	.05340	.05333	18.726	18.751
Dinamarca corona danesa	.1842	.1843	5.4299	5.4262
Eurozona euro	1.3736	1.3746	.7280	.7275
Hungría florín húngaro	.004673	.004676	214.00	213.86
Noruega corona	.1696	.1695	5.8977	5.8987
Polonia zloty	.3285	.3283	3.0443	3.0460
Rusia rublo	.03125	.03114	32.001	32.112
Suecia corona sueca	.1564	.1567	6.3934	6.3826
Suiza franco	1.1121	1.1125	.8992	.8989
A un plazo de 1 mes	1.1124	1.1127	.8990	.8987
A un plazo de 3 meses	1.1130	1.1133	.8985	.8982
A un plazo de 6 meses	1.1139	1.1143	.8978	.8975
Turquía lira	.5013	.5021	1.9948	1.9917
Reino Unido libra	1.6039	1.6047	.6235	.6232
A un plazo de 1 mes	1.6036	1.6043	.6236	.6233
A un plazo de 3 meses	1.6028	1.6035	.6239	.6236
A un plazo de 6 meses	1.6017	1.6024	.6243	.6241
Medio Oriente/África				
Baréin dinar	2.6530	2.6528	.3769	.3770
Egipto libra	.1452	.1452	6.8880	6.8880
Israel shekel	.2841	.2845	3.5196	3.5151
Jordania dinar	1.4119	1.4139	.7083	.7073
Kuwait dinar	3.5499	3.5499	.2817	.2817
Líbano libra	.0006636	.0006639	1506.90	1506.35
Arabia Saudita riyal	.2666	.2666	3.7503	3.7503
Sudáfrica rand	.1005	.1011	9.9457	9.8920
Emiratos Árabes	.2723	.2723	3.6724	3.6724
Unidos dhíram				

* Martes, 29 de octubre de 2013; miércoles, 30 de octubre de 2013.

Fuente: Tomado de Reuters, *Currency Calculator*, disponible en http://www.reuters.com. Véase también Banco de la Reserva Federal de Nueva York, *Foreign Exchange Rates*, disponible en http://www.newyorkfed.org.

El término *tipo de cambio* en el encabezado de la tabla se refiere al precio al que el banco de Nueva York venderá a otro banco la divisa, para montos iguales o superiores a un millón de dólares. El encabezado de la tabla indica también la hora del día en que se hizo la cotización (4 p.m. hora del este de Estados Unidos) porque los precios de las divisas fluctúan durante el día en respuesta a las condiciones cambiantes en la oferta y la demanda. Las transacciones de divisas al menudeo, en cantidades menores a un millón de dólares, manejan un cargo adicional por el servicio y, por tanto, se realizan con un tipo de cambio diferente.

¿Cuánto paga normalmente un cliente por cantidades pequeñas de divisas en condiciones al menudeo? Estos tipos de cambio a la venta al menudeo añaden comisiones de 1 a 10 por ciento, o hasta más. Por ejemplo:

- Los cajeros automáticos normalmente añaden comisiones de 2% más cargos adicionales por servicio en muchas partes del mundo.
- Las tarjetas de crédito normalmente añaden comisiones de 3% para las divisas más importantes y porcentajes más altos para las otras divisas.
- Las casas de cambio y los bancos añaden normalmente 4% cuando usted cambia dinero en efectivo a las monedas más importantes y porcentajes más altos más para otras divisas.

Un tipo de cambio determinado por las fuerzas del libre mercado cambia con frecuencia. Por ejemplo, cuando el precio en dólares de la libra aumenta, de $2 = £1 a $2.10 = £1, el dólar se *deprecia* en relación con la libra. La **depreciación** de divisas significa que se necesitan más unidades de la moneda de un país para comprar una unidad de otra moneda. Por el contrario, cuando el precio del dólar aumenta en relación con la libra, de $2 = £1 a $1.90 = £1, el valor del dólar se *aprecia* con respecto a la libra. La **apreciación** de una divisa significa que se necesitan menos unidades de la moneda de una nación para comprar una unidad de alguna otra moneda.

En la tabla 11.3, observe la relación entre las columnas 2 y 3 (en $EU). Si pasa del martes (29 de octubre) al miércoles (30 de octubre), verá que el costo en dólares estadunidenses de un dólar australiano aumentó de $0.9480 a $0.9484 dólares; por tanto, el dólar de EU se depreció frente al dólar australiano; esto significa que el dólar australiano se apreció frente al dólar de EU. Para verificar esta conclusión, consulte las columnas 4 y 5 de la tabla (Por $EU). Si pasa del martes al miércoles, verá que el costo del dólar en dólares australianos disminuyó de 1.0548 dólares australianos = 1 dólar de EU a 1.0544 dólares australianos = 1 dólar de EU. De modo similar, verá que del martes al miércoles el dólar de EU se apreció frente al peso mexicano de $0.0774 = 1 peso a $0.0773 = 1 peso; por consiguiente, el peso se depreció frente al dólar, de 12.9187 pesos = 1 dólar a 12.9344 pesos = 1 dólar.

Casi todas las tablas con cotizaciones de tipos de cambio expresan los valores de las divisas en relación con el dólar de EU, sin importar el país en el que se proporcionen. Sin embargo, en muchos casos, el dólar no forma parte de una transacción de divisas. Entonces, las personas que participan en ella necesitan obtener una cotización de cambio entre dos monedas que no son el dólar. Por ejemplo, si un importador del Reino Unido necesita francos para comprar relojes suizos, el tipo de cambio que le interesa es el del franco suizo en relación con la libra esterlina. El tipo de cambio entre dos divisas (como el franco y la libra) se puede derivar de los tipos de cambio entre las dos monedas en términos de una tercera divisa (el dólar). El tipo de cambio resultante se conoce como **tipo de cambio cruzado**.

Consulte una vez más la tabla 11.3 y vea que el miércoles el valor en dólares de la libra esterlina fue de $1.6039 y el valor en dólares del franco suizo fue de $1.1121. Con base en lo anterior, calcule el valor de la libra esterlina en relación con el franco suizo de esta manera:

$$\frac{\$ \text{ Valor en dólares de la libra esterlina}}{\$ \text{ Valor en dólares del franco suizo}} = \frac{\$1.6039}{\$1.1121} = 1.4422$$

Por tanto, cada libra esterlina compra alrededor de 1.44 francos suizos; éste es el tipo de cambio cruzado entre la libra y el franco. De modo similar, es posible calcular los tipos de cambio cruzados entre otras dos monedas que no sean el dólar en la tabla 11.3. El convertidor *NASDAQ Currency Converter* que está disponible en www.nasdaq.com/aspx/currency-converter.aspx/ puede realizar automáticamente estas conversiones.

iStockphoto.com/photosoup

CONFLICTOS COMERCIALES LA DEPRECIACIÓN DEL YEN DISPARA LAS GANANCIAS DE TOYOTA

En 2013 los fabricantes de automóviles japoneses se encontraron con que sus vehículos se volvieron mucho más asequibles para los consumidores mundialmente. ¿Por qué? El tipo de cambio del yen estaba cayendo. Considere el caso de Toyota Motor Corporation.

Durante 2012-2013, el yen se depreció sistemáticamente frente al dólar estadunidense porque Sinzo Abe, el primer ministro de Japón, impulsó esa depreciación para que mejorara la competitividad de los fabricantes de automóviles japoneses en los mercados globales. En 2012, un dólar equivalía a menos de 80 yenes mientras que en 2013 equivalía aproximadamente a 100 yenes. Cuando Toyota vendía un Camry a Estados Unidos por $30,000 en 2012, estos dólares representaban 2.4 millones de yenes ($30,000 x 80¥ = 2,400,000¥). En 2013, en cambio, Toyota recibía aproximadamente 3 millones de yenes por cada venta ($30,000 x 100¥ = $3,000,000). Esto significaba un incremento del 25% en la cantidad de yenes recibidos. Esto explica por qué Toyota, el fabricante de automóviles que más vende en el mundo, duplicó sus utilidades durante 2012-2013. De acuerdo con los analistas de Morgan Stanley, Toyota obtuvo aproximadamente $2,000 más por cada vehículo cuando el yen se depreció de 78 a 100 yenes por dólar.

La caída del tipo de la moneda produjo una ganancia financiera por automóvil para Toyota y para los otros fabricantes japoneses este beneficio lo podían usar para reducir precios, aumentar la publicidad y mejorar sus productos, y esto ayudó a que las ventas de automóviles japoneses en EUA se dispararan cuando la economía empezó a fortalecerse tras la gran recesión de 2007-2009.

En 2013, Toyota exportó casi el doble de automóviles de los que exportó Honda Motor Company y Nissan Motor Company, por lo que se benefició de la depreciación del yen más que sus rivales japoneses. Sin embargo, los funcionarios de Toyota reconocieron que esta depreciación de la moneda era sólo temporal y afirmaron que continuarían incrementando la productividad, reduciendo costos y mejorando la calidad de sus productos para incrementar las ventas y así disminuir su vulnerabilidad frente a posibles fluctuaciones futuras de la moneda.

Fuentes: Morgan Stanley, *100 Yen: Global Auto Implications*, 18 de abril de 2013; Kiroko Tabuchi, "Toyota Bounces Back with Help from Eager American Buyers and a Weak Yen", *The New York Times*, 8 de mayo de 2013; "Toyota Ups Profit Forecast on Yen Fall", *The Japan Times News*, 2 de agosto de 2013; Yoshio Takahashi, "Toyota's Net Soars 70 Percent as Yen Falls", *The Wall Street Journal*, 7 de noviembre de 2013; Daniel Inman, "Japan's Signals Sink the Yen", *The Wall Street Journal*, 15 de noviembre de 2013.

MERCADOS A FUTURO Y MERCADOS DE FUTUROS

Es posible comprar y vender divisas para entregarlas de inmediato (el **mercado *spot***) o en el futuro (el **mercado a futuro,** *forward*). Por lo regular, los contratos a futuro los firman quienes van a recibir o hacer un pago en una divisa unas semanas o meses más adelante. Como se observa en la tabla 11.3, el mercado de divisas de Nueva York es un mercado *spot* para la mayoría de las monedas del mundo. Sin embargo, existen mercados regulares a futuro sólo para las monedas más comerciales. Los exportadores e importadores que van a recibir y pagar en divisas en un futuro son los participantes más significativos en el mercado a futuro. Las cotizaciones a futuro de divisas como la libra esterlina, el dólar canadiense, el yen japonés y el franco suizo son para entregas que se realizarán a un mes, tres o seis meses de la fecha indicada en la tabla (30 de octubre de 2013).

El intercambio de divisas también se puede realizar en el *mercado de futuros*. En este mercado, las partes acuerdan los tipos de cambio de futuro y establecen los tipos de cambio aplicables en forma anticipada. El mercado de futuros se distingue del mercado a futuro (*forward*) en que sólo se intercambia con una cantidad limitada de divisas; además, el intercambio tiene lugar en cantidades contratadas estandarizadas y una ubicación geográfica específica. La tabla 11.4 resume las principales diferencias entre el mercado a futuro y el mercado de futuros.

Uno de estos mercados de futuros es el **Mercado Monetario Internacional (MMI)** de la Bolsa Mercantil de Chicago. Fundado en 1972, el MMI es una extensión de los mercados mercantiles a futuro en los que se compran y venden cantidades específicas de trigo, maíz y otras mercancías para su entrega futura en fechas específicas. El MMI proporciona una instalación comercial para la compra

TABLA 11.4

Contratos a futuro frente a contratos de futuros

	Contrato a futuro	Contrato de futuros
Emisor	Banco comercial	Mercado monetario internacional (MMI) de la Bolsa Mercantil de Chicago y otros mercados de divisas internacionales como La Bolsa de Futuros Financieros Internacionales de Tokio
Operación	"En mostrador" por teléfono	En el piso comercial del MMI
Tamaño del contrato	Adaptado a las necesidades del exportador/importador/inversionista; no hay un tamaño establecido	Estandarizado en lotes por ronda
Fecha de entrega	Negociable	Sólo en fechas particulares
Costos del contrato	Basados en el spread de la venta/oferta	Cuotas de corretaje para órdenes de venta y compra
Pago	Sólo en la fecha de expiración, a un precio preestablecido	Las utilidades o pérdidas se pagan todos los días al cierre de la operación

TABLA 11.5

Divisas a futuro, 30 de octubre de 2013

	Apertura	Alto	Bajo	Cierre	Cambio	Interés abierto
YEN JAPONÉS (CME): 12.5 millones de yenes; dólares por 100 yenes						
13 de diciembre	1.0247	1.0264	1.0228	1.0240	−.0034	150,637
14 de marzo	1.0253	1.0281	1.0236	1.0247	−.0034	1,131

Fuente: Tomado de la Bolsa Mercantil de Chicago, Mercado Monetario Internacional, disponible en http://www.cme.com/trading.

y venta de instrumentos financieros (como divisas) y metales preciosos (como oro), para entregarlos a futuro. El MMI es muy popular sobre todo entre empresas y bancos pequeños. Asimismo, el MMI es uno de los pocos lugares en que los individuos pueden especular sobre las variaciones en los tipos de cambio.

Las operaciones de divisas en el MMI están limitadas a las monedas más importantes. Se establecen contratos para entregas el tercer miércoles de marzo, junio, septiembre y diciembre. Los precios se cotizan en términos de dólares por unidad de otra moneda, pero los contratos de futuros son por una cantidad fija (por ejemplo, 62,500 libras esterlinas).

Ahora conviene señalar cómo leer los precios a futuro del MMI como se presentan en la tabla 11.5.[3] El *tamaño del contrato* se muestra en la misma línea que el nombre de la divisa y el país. Por ejemplo, un contrato en yenes japoneses cubre el derecho para comprar 12.5 millones de yenes. A la derecha del tamaño del contrato aparece la expresión "dólares por 100 yenes". La primera columna de la tabla muestra los **meses al vencimiento** del contrato; tomando junio como ejemplo, el resto de las columnas presentan la información siguiente:

Apertura se refiere al precio en el que el yen se vendió en un principio, a la apertura del MMI el 30 de octubre de 2013. Dependiendo de los eventos nocturnos en el mundo, es probable que el precio de apertura no sea idéntico al precio del cierre del día anterior. Como los precios se expresan en térmi-

---

[3] Esta sección está adaptada de R. Wurman *et al.*, *The Wall Street Journal: Guide to Understanding Money and Markets*, Simon and Schuster, Nueva York, 1990.

nos de dólares por 100 yenes, la cantidad de $1.0247 implica que el yen abrió a la venta en 1.0247 dólares por 100 yenes. Si multiplica este precio por el tamaño de un contrato, puede calcular el valor total del contrato a la apertura de ese día: ($1.0247 × 12.5 millones)/100 yenes = 128,087.50 dólares.

Las columnas *Alto*, *Bajo* y *Cierre* indican el precio más alto, el precio más bajo y el precio al cierre del contrato. Juntas, estas cifras ofrecen una indicación de la volatilidad del mercado para el yen durante el día. Después de abrir en 1.0247 dólares por 100 yenes, el yen para su entrega en diciembre nunca se vendió en más de 1.0264 dólares por 100 yenes ni en menos de 1.0228 dólares por 100 yenes; finalmente, el tipo de cambio se estableció o se cerró en 1.0240 dólares por 100 yenes. Al multiplicar el tamaño del contrato en yenes por el precio de cierre del yen se obtiene el valor total del contrato al cierre del día comercial: (1.0240 × 12.5 millones)/100 = 128,000 dólares.

La columna *Cambio* compara el precio al cierre del día de hoy con el precio al cierre en el día anterior. Un signo de más (+) significa que los precios terminaron más altos; un signo de menos (−) significa que los precios terminaron más bajos. En el caso del yen, los yenes para entregarse en diciembre cerraron en 0.0034 dólares por 100 yenes más abajo que el día anterior.

Interés abierto se refiere al total de contratos circulantes, es decir, aquellos que no se han cancelado con operaciones compensatorias; esta columna muestra el interés que existe para un contrato en particular.

OPCIONES DE DIVISAS

Durante la década de los ochenta, se desarrolló una nueva característica del mercado de divisas: el mercado de opciones. Una **opción** es simplemente un acuerdo entre un tenedor (comprador) y un suscriptor (vendedor) que da al tenedor el *derecho*, pero no la obligación, de comprar o vender instrumentos financieros en cualquier momento hasta una fecha específica. Aunque el tenedor no está obligado a comprar o vender divisas, el suscriptor sí está obligado a cumplir una transacción. Como presentan la posibilidad de desecharse, las opciones son un tipo único de contrato financiero en el sentido de que sólo se utilizan si se quiere. Por el contrario, los contratos a futuro *obligan* a una persona a realizar la transacción a un precio específico, aun cuando el mercado haya cambiado y la persona prefiera no hacerlo.

Las **opciones de divisas** dan al tenedor de las opciones el derecho a comprar o vender una cantidad fija de divisas a un precio previamente establecido, dentro de unos días o un par de años. El tenedor de las opciones puede elegir el tipo de cambio que desee como garantía, así como la duración del contrato. Normalmente las opciones de divisas las aprovechan las empresas que buscan protegerse contra el riesgo de los tipos de cambio, así como los especuladores de divisas.

Hay dos tipos de opciones de divisas. Una **opción de compra** (*call option*) da al tenedor el derecho de *comprar* divisas a un precio específico, mientras que una **opción de venta** (*put option*) otorga al tenedor el derecho de *vender* divisas a un precio específico. El precio al que se puede ejercer la opción (es decir, el precio al que se compra o vende la divisa) se conoce como **precio de ejercicio** (*strike price*). El tenedor de una opción de divisas tiene el derecho de ejercer el contrato, pero puede preferir no hacerlo si resulta improductivo. El suscriptor del contrato de opciones (por ejemplo, Bank of America, Citibank, Merrill Lynch) debe entregar las divisas si lo requiere el tenedor de una opción de compra, o debe comprar las divisas si las ofrece el tenedor de una opción de venta. Para esta obligación, el suscriptor del contrato de opciones recibe una *prima*, o cuota (el precio de las opciones). Las instituciones financieras están dispuestas a suscribir opciones de divisas, porque generan un ingreso sustancial por la prima (el monto de una prima de un trato de 5 millones de dólares puede ser de 100,000 dólares o más). Sin embargo, suscribir opciones de divisas es un negocio riesgoso, porque el suscriptor se arriesga a un engaño en los precios. Las opciones de divisas se comercian en diversas monedas en Europa y Estados Unidos. *The Wall Street Journal* publica todos los días las listas de contratos de opciones de divisas; corresponde a libros más avanzados analizar la mecánica del comercio de las opciones de divisas.

Para saber de qué manera los exportadores pueden utilizar las opciones de divisas con el fin de manejar el riesgo de los tipos de cambio, considere el caso de Boeing, que presenta una licitación para la venta de aviones a una aerolínea de Japón. Boeing no sólo debe enfrentar la incertidumbre de ganar la licitación, sino que además se enfrenta al riesgo de los tipos de cambio. Si Boeing gana la venta, recibirá yenes en el futuro. Pero ¿qué pasará si, entretanto, el yen se deprecia, por ejemplo de 115 yenes = 1 dólar a 120 yenes = 1 dólar? Los yenes que tenga Boeing se convertirían en menos dólares, afectando así la productividad de la venta de aviones. Como Boeing quiere vender yenes a cambio de dólares, puede compensar este riesgo del mercado de cambio comprando opciones de venta que otorguen a la empresa el derecho de vender los yenes por dólares a un precio específico. Una vez obtenida una opción de venta, si Boeing gana la licitación, habrá limitado el riesgo de los tipos de cambio. Por otra parte, si pierde la licitación, las pérdidas de Boeing se limitarán al costo de la opción. De esta manera, las opciones de divisas ofrecen un tipo de cambio límite para las empresas que realizan negocios internacionales. La cantidad máxima que la empresa puede perder al protegerse contra el riesgo de los tipos de cambio es la cantidad del precio de la opción.

CÓMO SE DETERMINAN LOS TIPOS DE CAMBIO

¿Qué determina los tipos de cambio de equilibrio en el libre mercado? Considere el tipo de cambio desde la perspectiva de Estados Unidos; en dólares por unidad de una moneda extranjera. Como los demás precios, el tipo de cambio en el libre mercado está determinado por las condiciones de la oferta y la demanda.

Demanda de divisas

La *demanda de divisas* de un país es una demanda derivada; depende de la demanda extranjera de productos y valores nacionales (como cuentas bancarias, acciones, bonos y bienes raíces). Esta demanda corresponde a los elementos de *débito* en su balanza de pagos. Por ejemplo, la demanda de libras en Estados Unidos puede surgir por el deseo de importar bienes y servicios del Reino Unido, de realizar inversiones en el Reino Unido o de realizar transferencias de pagos a residentes en el Reino Unido.

Como la mayoría de las curvas de demanda, la demanda de libras en Estados Unidos varía de manera inversa según su precio; es decir, existirá una demanda de menos libras con precios altos que con precios bajos. La curva D_0 en la figura 11.1 ilustra esta relación. Conforme el dólar se deprecia frente a la libra (aumenta el precio de la libra en dólares), los bienes y servicios del Reino Unido se vuelven más costosos para los importadores estadounidenses. Esto se debe a que se necesitan más dólares para comprar cada libra requerida para financiar las compras de importaciones. El tipo de cambio más alto reduce el número de importaciones, disminuyendo la cantidad de libras demandadas por residentes estadounidenses. De modo similar, se esperaría un aumento del precio del dólar en relación con la libra para inducir más importaciones y más libras demandadas por residentes estadounidenses.

Oferta de divisas

La *oferta de divisas* se refiere a la cantidad de divisas que se ofrecen en el mercado a distintos tipos de cambio, mientras todos los demás factores permanecen constantes. Por ejemplo, la oferta de libras se genera por el deseo de los habitantes y negocios del Reino Unido de importar bienes y servicios estadounidenses, de prestar fondos y hacer inversiones en Estados Unidos, de pagar las deudas a deudores estadounidenses y de realizar pagos de transferencias a residentes de ese país. En cada uno de estos casos, los habitantes y empresas del Reino Unido ofrecen libras en el mercado de divisas para obtener los dólares que necesitan para realizar los pagos a los estadounidenses. Recuerde que la oferta de libras resulta de las transacciones que aparecen en el lado del *crédito* de la balanza

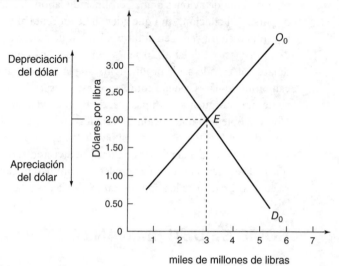

FIGURA 11.1

Cómo se determinan los tipos de cambio

El tipo de cambio de equilibrio se establece en el punto de la intersección de las curvas de oferta y demanda de las divisas. La demanda de divisas corresponde a los elementos de débito en la balanza de pagos de un país; la oferta de divisas corresponde a los elementos del crédito o del haber.

de pagos de Estados Unidos; por tanto, es posible hacer una conexión entre la balanza de pagos y el mercado de divisas.

En la figura 11.1, O_0 indica la curva de oferta de libras, que representa la cantidad de libras ofrecida por el Reino Unido para obtener dólares con los que comprar bienes, servicios y activos estadunidenses. En la figura se ilustra como una función positiva del tipo de cambio en Estados Unidos. Conforme el dólar se deprecia frente a la libra (el precio de la libra en dólares aumenta), los consumidores del Reino Unido presentarán una tendencia a comprar más bienes estadunidenses. Desde luego, la razón es que con los precios cada vez más altos de la libra, estos consumidores podrán obtener más dólares y, por tanto, más bienes de ese país por libra esterlina. De esta manera, los bienes estadunidenses se volverán más baratos para los habitantes del Reino Unido, quienes se verán inducidos a comprar cantidades adicionales. Como resultado de ello, habrá mayor oferta de libras en el mercado de divisas para comprar dólares con los que pagarles a los exportadores estadunidenses.

Tipos de cambio de equilibrio

Siempre y cuando las autoridades monetarias no traten de estabilizar los tipos de cambio o moderar sus movimientos, las fuerzas de la oferta y la demanda en el mercado determinan el *tipo de cambio de equilibrio*. En la figura 11.1, el equilibrio en el mercado de divisas ocurre en el punto *E*, donde se intersecan D_0 y O_0. Tres mil millones de libras se cambiarán a un precio de 2 dólares por libra. El mercado de divisas hace que la cantidad ofrecida sea igual a la cantidad demandada y no se presenten excesos de oferta ni de demanda de libras.

Dadas las curvas de oferta y demanda en la figura 11.1, no existe ninguna razón para que el tipo de cambio se desvíe de su nivel de equilibrio. Pero en la práctica, es poco probable que el tipo de cambio de equilibrio permanezca durante mucho tiempo en su nivel existente. Esto se debe a que las fuerzas subyacentes a la ubicación de las curvas de oferta y demanda suelen cambiar con el tiempo, provocando cambios en éstas. Si la *demanda* de libras cambia *hacia la derecha* (un aumento en la demanda), el dólar se va a *depreciar* frente a la libra; los cambios *hacia la izquierda* en la demanda de

TABLA 11.6

Ventajas y desventajas de un dólar fortalecido y debilitado

DÓLAR FORTALECIDO (APRECIADO)	
Ventajas	**Desventajas**
1. Los consumidores estadunidenses observan precios más bajos en los bienes extranjeros.	1. A las empresas exportadoras estadunidenses se les dificulta competir en los mercados extranjeros.
2. Los precios más bajos de los bienes extranjeros ayudan a mantener baja la inflación en Estados Unidos.	2. A las empresas estadunidenses en los mercados de importaciones competitivos se les dificulta más competir con los bienes importados con precios bajos.
3. Los consumidores estadunidenses se benefician cuando viajan al extranjero.	3. Para los turistas extranjeros es más costoso viajar a Estados Unidos.

DÓLAR DEBILITADO (DEPRECIADO)	
Ventajas	**Desventajas**
1. A las empresas exportadoras estadunidenses se les facilita vender sus bienes en los mercados extranjeros.	1. Los consumidores estadunidenses enfrentan precios más altos en los bienes extranjeros.
2. Las empresas en Estados Unidos tienen menos presión competitiva por mantener los precios bajos.	2. Los precios más altos sobre los bienes extranjeros contribuyen a una inflación más alta en Estados Unidos.
3. Más turistas extranjeros pueden visitar Estados Unidos.	3. Para los consumidores estadunidenses es más costoso viajar al extranjero.

libras (una baja en la demanda) provocan que el dólar se *aprecie* frente la libra. Por el contrario, un cambio *hacia la derecha* en la *oferta* de libras (incremento en la oferta) hace que el dólar se *aprecie* frente a la libra; un cambio *hacia la izquierda* en la oferta de libras (reducción en la oferta) da como resultado una *depreciación* del dólar. Los efectos de la depreciación y la apreciación del dólar se resumen en la tabla 11.6.

¿Un dólar fuerte siempre es bueno y un dólar débil siempre es malo?

¿Un dólar fuerte (apreciado) siempre es bueno y un dólar débil (depreciado) siempre es negativo? Un dólar fortalecido o debilitado puede afectar a muchas partes, entre ellas a consumidores, turistas, inversionistas, exportadores e importadores. La tabla 11.6 resume estos efectos.

ÍNDICES DEL TIPO DE CAMBIO DEL DÓLAR: TIPO DE CAMBIO NOMINAL Y REAL

Desde 1973 el valor del dólar en términos de las monedas extranjeras cambia todos los días. En este entorno de tipos de cambio determinados por el mercado, medir el valor internacional del dólar es una tarea confusa. Las páginas financieras de los periódicos pueden presentar encabezados que anuncian la *depreciación* del dólar frente a algunas monedas, al tiempo que reportan una *apreciación* en relación con otras. Estos eventos confunden al público en general en cuanto al valor real del dólar.

Suponga que el dólar aumenta 10 por ciento en relación con el yen y se deprecia 5 por ciento frente a la libra. El cambio en el valor del dólar es un promedio ponderado de los cambios en estos dos tipos de cambio bilaterales. A lo largo del día, el valor del dólar puede cambiar en relación con los valores de varias monedas bajo los tipos de cambio determinados por el mercado. Por tanto, una comparación directa del tipo de cambio del dólar a través del tiempo requiere de un *promedio ponderado* de todos los tipos de cambios bilaterales. Este promedio se llama índice de **tipos de cambio** del dólar; aunque también se conoce como **tipo de cambio efectivo** o **dólar comercial ponderado**.

El índice de tipos de cambio es un promedio ponderado de los tipos de cambio entre la moneda nacional y los socios comerciales más importantes del país, con las ponderaciones dadas con base en la importancia relativa del comercio de la nación con cada uno de sus socios. Un índice de tipos de cambio popular es el llamado "índice de las principales monedas", conformado por la Junta de Gobernadores de la Reserva Federal de Estados Unidos. Este índice refleja el impacto de las variaciones en el tipo de cambio del dólar sobre las exportaciones e importaciones estadunidenses con siete socios comerciales importantes de ese país. El periodo base del índice es marzo de 1973.

La tabla 11.7 ilustra el índice de **los tipos de cambio nominales** del dólar. Éste es el valor promedio del dólar, sin ajustarlo a los cambios en los niveles de precios en Estados Unidos ni en sus socios comerciales. Un *incremento* en el índice nominal de tipos de cambio (de un año a otro) indica una *apreciación* del dólar en relación con las monedas de otros países en el índice y una *pérdida* de la competitividad de Estados Unidos. Por el contrario, una *baja* en el tipo de cambio nominal implica una *depreciación* del dólar en relación con las otras monedas en el índice y un *incremento* de la competitividad internacional de Estados Unidos. En pocas palabras, el índice de los tipos de cambio nominales se basa en los **tipos de cambio nominales** que no reflejan los cambios en los niveles de precios en los socios comerciales.

Sin embargo, surge un problema al interpretar los cambios en el índice de los tipos de cambio nominales cuando los precios no son constantes. Cuando los precios de los bienes y los servicios cambian en Estados Unidos o en un país socio (o en ambos), no se conoce la variación en el precio relativo de los bienes y servicios extranjeros con sólo observar las variaciones en el tipo de cambio nominal, sin considerar el nuevo nivel de precios en ambos países. Por ejemplo, si el dólar se aprecia 5 por ciento frente al peso, se espera que, siempre y cuando otros factores permanezcan constantes, los bienes estadunidenses sean 5 por ciento menos competitivos frente a los productos mexicanos en los mercados mundiales. Sin embargo, suponga que, al mismo tiempo que el dólar se aprecia, los precios de los bienes estadunidenses se incrementan más rápido que aquéllos de los productos mexicanos. En esta situación, la reducción de la competitividad de Estados Unidos frente a los productos mexicanos será de más de 5 por ciento, y la variación del 5 por ciento en el tipo de cambio nominal sería engañosa. En términos sencillos, la competitividad internacional general de los bienes fabricados en Estados Unidos depende no sólo del comportamiento de los tipos de cambio nominales, sino de los movimientos en los tipos de cambio nominales en relación con los precios.

TABLA 11.7

Índices de los tipos de cambio del dólar (marzo de 1973 = 100)*

Año	Índice de los tipos de cambio nominales	Índice de los tipos de cambio reales
1973 (marzo)	100.0	100.0
1980	87.4	91.3
1984	138.3	117.7
1988	92.7	83.5
1992	86.6	81.8
1996	87.4	85.3
2000	98.3	103.1
2004	85.4	90.6
2008	80.7	88.5
2012	73.6	82.8
2013 (octubre)	75.2	85.2

* El "índice principal de monedas" incluye las monedas de Estados Unidos, Canadá, Eurozona, Japón, Reino Unido, Suiza, Australia y Suecia.

Fuente: Tomado de la Reserva Federal, *Foreign Exchange Rates*, disponible en http://www.federalreserve. gov/releases/H10/Summary/.

Como resultado de ello, los economistas calculan el **tipo de cambio real**, que comprende los cambios en los precios en los países que participan en el cálculo. En pocas palabras, el tipo de cambio real es el tipo de cambio nominal ajustado según los niveles de precios relativos. Para calcular el tipo de cambio real, utilice la fórmula siguiente:

$$\text{Tipo de cambio real} = \text{Tipo de cambio nominal} \times \frac{\text{Nivel de precios en el país extranjero}}{\text{(Nivel de precios en el país de origen)}}$$

donde tanto el tipo de cambio nominal como el real se miden en unidades de la moneda nacional por unidad de la moneda extranjera.

Para ilustrar lo anterior suponga que en el 2005 el tipo de cambio nominal para Estados Unidos y Europa es de 90 centavos por euro; para 2014, el tipo de cambio nominal disminuye a 80 centavos por euro. Se trata de una apreciación de 11 por ciento del dólar frente al euro: $(90 - 80)/90 = 0.11$, lo que lleva a esperar una reducción sustancial en la competitividad de los bienes estadunidenses en relación con los productos europeos. Para calcular el tipo de cambio real, deben observarse los precios. Suponga que el año base es 2013, durante el cual los precios al consumidor se establecen en 100. Sin embargo, para 2014, los precios al consumidor de Estados Unidos aumentan a un nivel de 108, mientras que en Europa aumentan a un nivel de 102. Entonces, el tipo de cambio real se calcularía como sigue:

$$\text{Tipo de cambio real 2014} = (80 \text{ centavos} \times \$1.02/\$1.08) = 75.6 \text{ centavos por euro}$$

En este ejemplo, el tipo de cambio real indica que los bienes estadunidenses son menos competitivos en los mercados internacionales que lo sugerido por el tipo de cambio nominal. Este resultado se presenta porque el dólar se apreció en términos nominales *y* los precios estadunidenses aumentan con *mayor* rapidez que los precios europeos. En términos reales, el dólar incrementa su valor no 11 por ciento (como con el tipo de cambio nominal) sino 16 por ciento: $(90 - 75.6)/90 = 0.16$. Para que las variaciones en el tipo de cambio tengan un efecto en la composición de la producción estadunidense, el crecimiento de la producción, el empleo y el comercio, debe haber un ajuste en el tipo de cambio real. Es decir, la variación en el tipo de cambio nominal debe alterar la cantidad de bienes y servicios que el dólar compra en monedas extranjeras. Los tipos de cambio reales ofrecen esta comparación y, por tanto, proporcionan una mejor medida de la competitividad internacional que los tipos de cambio nominales.

Además de construir un índice de los tipos de cambio nominales, los economistas elaboran un índice de los tipos de cambio reales para una muestra más extensa de socios comerciales de Estados Unidos. La tabla 11.7 también muestra el índice de **tipos de cambio reales** del dólar. Éste es el valor promedio del dólar con base en los tipos de cambio reales. El índice se construye de modo que una apreciación del dólar corresponde a valores más altos en el índice. La importancia que las autoridades monetarias dan al índice de los tipos de cambio reales se deriva de la teoría económica, que establece que un aumento en el tipo de cambio real suele reducir la competitividad internacional de las empresas estadunidenses; por el contrario, una disminución en el tipo de cambio real suele aumentar la competitividad internacional de las empresas estadunidenses.[4]

ARBITRAJE

Ya estudiamos cómo la oferta y la demanda de divisas pueden establecer el tipo de cambio de mercado. Este análisis se realizó desde la perspectiva del mercado de divisas de Estados Unidos (Nueva York). Pero ¿qué sucede con la relación entre el tipo de cambio en el mercado estadunidense y en otros países? Cuando las restricciones no modifican la capacidad del mercado de divisas para operar

---

[4] Para un análisis de los índices de los tipos de cambio reales y nominales, vea "New Summary Measures of the Foreign Exchange Value of the Dollar", *Federal Reserve Bulletin*, octubre de 1998, pp. 811-818 y "Real Exchange Rate Indexes for the Canadian Dollar", *Bank of Canada Review*, otoño de 1999, pp. 19-28.

con eficiencia, las fuerzas de mercado normales dan como resultado una relación consistente entre los tipos de cambio de mercado de todas las monedas. Es decir, si £1 = $2 en Nueva York, entonces $1 = £0.5 en Londres. Los precios de la misma moneda en distintos lugares del mundo serán idénticos.

El factor subyacente en la congruencia de los tipos de cambio se conoce como **arbitraje de divisas**. El arbitraje de divisas se refiere a la compra y venta *simultáneas* de una moneda en distintos mercados de divisas con el fin de obtener una utilidad de las diferencias en los tipos de cambio en ambos lugares. Este proceso da como resultado un precio idéntico para la misma moneda en distintos lugares y, por tanto, un mercado.

Suponga que el tipo de cambio del dólar y la libra es £1 = $2 en Nueva York, pero £1 = $2.01 en Londres. Los operadores de divisas considerarán productivo comprar libras en Nueva York a $2 por libra y revenderlas de inmediato en Londres a $2.01. Obtendrían una ganancia de 1 centavo por cada libra vendida, menos del costo de la transferencia bancaria y los intereses sobre el dinero inmovilizado durante el proceso de arbitraje. Esta ganancia puede parecer insignificante, pero en una transacción de arbitraje de un millón de dólares generaría una utilidad aproximada de 5 000 dólares; ¡cantidad nada despreciable por unos minutos de trabajo! Conforme la demanda de libras aumenta en Nueva York, el precio del dólar por libra aumentará por encima de $2; conforme la oferta de libras se incrementa en Londres, el precio del dólar por libra caerá por debajo de $2.01. Este proceso de arbitraje continuará hasta que el tipo de cambio entre el dólar y la libra en Nueva York sea aproximadamente el mismo que en Londres. De esta manera, el arbitraje entre las dos monedas unifica los mercados de divisas.

El ejemplo anterior ilustra el **arbitraje bilateral**, en el que se comercializan dos monedas entre dos centros financieros. Una forma más complicada de arbitraje, que comprende tres monedas y tres centros financieros, se conoce como **arbitraje trilateral**, o arbitraje triangular. Este arbitraje comprende el intercambio de fondos entre tres monedas con el fin de obtener una utilidad de las diferencias en los tipos de cambio, como se aprecia en el ejemplo siguiente.

Considere tres monedas: el dólar, el franco suizo y la libra esterlina que se comercializan en Nueva York, Ginebra y Londres. Suponga que los tipos de cambio que prevalecen en los tres centros comerciales son las siguientes: *1)* 1£ = 1.50 dólares; *2)* £1 = 4 francos y *3)* 1 franco = 0.50 dólares. Como los mismos tipos de cambio (precios) prevalecen en los tres centros financieros, el arbitraje bilateral no resulta productivo. Sin embargo, estos tipos de cambio cotizados son mutuamente inconsistentes. Por tanto, un árbitro con 1.5 millones de dólares podría obtener una utilidad como sigue:

1. Vender 1.5 millones por un millón de libras esterlinas.
2. Vender al mismo tiempo un millón de libras esterlinas por 4 millones de francos.
3. De forma simultánea, vender 4 millones de francos por 2 millones de dólares.

¡El árbitro acaba de obtener una utilidad sin riesgos de 500,000 dólares (2 millones de dólares – 1.5 millones de dólares) antes de los costos de transacción!

Estas transacciones suelen provocar variaciones en los tres tipos de cambio que los alinean de forma apropiada y eliminan la rentabilidad del arbitraje. Desde un punto de vista práctico, las oportunidades de obtener una rentabilidad por el arbitraje de divisas han disminuido en años recientes, en vista de la gran cantidad de operadores de divisas (ayudados por sistemas de información por computadora muy avanzados), que monitorean las cotizaciones de divisas en todos los mercados financieros. El resultado de esta actividad es que los tipos de cambio suelen ser consistentes en todo el mundo, con una desviación mínima debida a los costos de transacción.

EL MERCADO A FUTURO (FORWARD)

Como ya sabe, los mercados de divisas pueden ser *spot* o a futuro. En el *mercado spot* las monedas se compran y se venden para su entrega inmediata (por lo general, dos días hábiles después del cierre del trato). En el *mercado a futuro*, las monedas se compran y venden en este momento para su entrega en el futuro; casi siempre un mes, tres meses o seis meses a partir de la fecha de la transacción.

El tipo de cambio se pacta en el momento del contrato, pero el pago se realiza hasta que la entrega tiene lugar. Los operadores de divisas pueden pedir a los clientes que proporcionen por adelantado alguna fianza para asegurar que cumplirán las obligaciones adquiridas con el operador. El mercado a futuro regular sólo incluye las monedas más comerciales, pero es posible negociar contratos a largo plazo para casi cualquier divisa. Los contratos a futuro tienen generalmente un valor igual o superior a un millón de dólares y sólo los suscriben las empresas más grandes. Los clientes individuales y las empresas pequeñas no suelen suscribir contratos a futuro.

Los bancos como Citibank y Bank of America compran acuerdos de divisas a futuro a algunos de sus clientes y los venden a otros. Los bancos prestan este servicio para obtener alguna utilidad, que se deriva de la compra de la moneda a un precio (el precio de venta) y su venta a un precio ligeramente más alto (el precio de compra). Por ejemplo, Bank of America puede suscribir un contrato con Walmart por el que le venderá a la compañía euros dentro de 180 días a partir de hoy a $1.20 por euro. Esto representa la tasa de compra del banco. Al mismo tiempo, el banco puede suscribir un contrato con Boeing para comprar euros dentro de 180 días a partir de hoy a $1.19 por euro. El margen venta/compra es, por lo tanto, de $0.01 por euro. Este margen (*spread*) debe cubrir los costos del banco derivados de los procedimientos para cambiar divisas e incluir, además, un margen de ganancia para el banco.

El margen entre los tipos de cambio de compra y de venta para una divisa dependen de la amplitud y profundidad del mercado para esa moneda así como de su volatilidad. Para las divisas más comerciales, como el euro y el yen, el margen tiende a ser una cantidad más pequeña; las divisas menos comerciales, como el *won* y el *real* brasilero, producen márgenes más amplios. Además, cuando los tipos de cambio de las divisas fluctúan considerablemente, los márgenes tienden a incrementarse.

El tipo de cambio a futuro

El tipo de cambio utilizado en el pago de las transacciones a largo plazo se conoce como **tipo de cambio a futuro** y se cotiza de la misma manera que el tipo de cambio *spot*: el precio de una moneda en términos de otra. La tabla 11.8 proporciona ejemplos de tipos de cambio a futuro cotizados al 29-30 de octubre de 2013. Según las cotizaciones del miércoles (30 de octubre), el precio de venta a futuro a un mes de las libras esterlinas es de 1.6036 dólares por libra; el precio de venta a futuro a tres meses de las libras es de 1.6028 dólares por libra, y el precio de venta a futuro a seis meses de las libras es de 1.6017 dólares por libra.

Se acostumbra establecer el tipo de cambio a futuro de una moneda en relación con su tipo de cambio *spot*. Cuando una divisa vale más en el mercado a futuro que en el mercado *spot*, se dice que se vende con una **prima**; por el contrario, cuando la moneda vale menos en el mercado a futuro que en el *spot*, se dice que se vende con un **descuento**. La prima anual (descuento) porcentual en las cotizaciones a futuro se calcula con la fórmula siguiente:

$$\text{Prima (descuento)} = \frac{\text{Tipo de cambio futuro} - \text{Tipo de cambio spot}}{\text{Tipo de cambio spot}} \times \frac{12}{\text{Número de meses a futuro}}$$

Si el resultado es una prima a futuro negativa, significa que la divisa es ofrecida con un descuento a futuro.

Según la tabla 11.8, el miércoles, la libra esterlina a un mes se vendió en $1.6036, mientras que el precio *spot* de la libra era de $1.6039. Como el precio a futuro de la libra era menor que su precio *spot*, la libra tenía un descuento a futuro de $0.0003 a un mes, o un descuento anual a futuro de 0.2 por ciento frente al dólar:

$$\text{Prima} = \frac{\$1.6036 - \$1.6039}{\$1.6039} \times \frac{12}{1} = -0.0022$$

Observe que si el precio a futuro de la libra hubiera sido mayor que el precio *spot*, la libra habría tenido una prima a futuro y aparecería, por ende, un signo positivo antes de la cifra de la prima anual a futuro frente al dólar.

TABLA 11.8				

Tipos de cambio a futuro: ejemplos seleccionados

Tipos de cambio   **29-30 de octubre de 2013**

Los tipos de cambio siguientes se refieren a transacciones interbancarias en cantidades de un millón de dólares o más, cotizadas a las 4 p.m. hora del este de Estados Unidos por Reuters y otras fuentes. Las transacciones al menudeo ofrecen menos unidades de divisas por dólar.

País/divisa	En $ EUA		Por $ EUA	
	Miércoles	**Martes**	**Miércoles**	**Martes**
Japón yen	.010151	.010184	98.52	98.19
A un plazo de 1 mes	.010152	.010186	98.50	98.18
A un plazo de 3 meses	.010157	.010190	98.46	98.13
A un plazo de 6 meses	.010163	.010197	98.40	98.07
Reino Unido libra	1.6039	1.6047	.6235	.6232
A un plazo de 1 mes	1.6036	1.6043	.6236	.6233
A un plazo de 3 meses	1.6028	1.6035	.6239	.6236
A un plazo de 6 meses	1.6017	1.6024	.6243	.6241

Fuente: Tomado de la tabla 11.3 de este capítulo

Relación entre el tipo de cambio a futuro y el tipo de cambio spot

Al consultar la tabla 11.8 se aprecia que el precio a un mes del franco suizo es más alto que su precio *spot*; lo mismo aplica en el caso del precio a tres y a seis meses. ¿Significa esto que los inversionistas en el mercado esperan que el precio *spot* del franco aumente en el futuro? Es lógico pensar así, pero las expectativas tienen muy poco que ver con la relación entre el tipo de cambio a futuro y el *spot*. Esta relación es un cálculo basado sólo en las matemáticas.

El tipo de cambio a futuro se basa en el tipo de cambio *spot* prevaleciente más (o menos) una prima (o descuento) determinada por la diferencia en las tasas de interés sobre títulos comparables entre los dos países involucrados. Por ejemplo, si las tasas de interés en el Reino Unido son *más altas* que en Estados Unidos, la libra muestra un *descuento* a futuro, que significa que el tipo de cambio a futuro es menor que el tipo de cambio *spot*. Por el contrario, cuando las tasas de interés en el Reino Unido son *más bajas* que en Estados Unidos, la libra muestra una *prima* a futuro, que significa que el tipo de cambio a futuro es más alto que el *spot*.

Para ilustrar esto suponga que la tasa de interés sobre los certificados del Tesoro a tres meses es de 2 por ciento en el caso de Estados Unidos y de 6 por ciento en el caso del Reino Unido; por lo que existe una diferencia de 4 por ciento a favor del Reino Unido. Suponga también que tanto el tipo de cambio *spot* como el tipo de cambio a futuro entre el dólar y la libra esterlina son idénticos a $2 = 1 libra. En esta situación los inversionistas estadunidenses comprarán libras con dólares al tipo de cambio *spot* prevaleciente y utilizarán las libras para comprar certificados del Tesoro del Reino Unido. Para asegurarse de que no perderán dinero al volver a convertir las libras a dólares cuando venzan los certificados del Tesoro, suscribirán un contrato a futuro de tres meses que permite vender las libras por dólares a un tipo de cambio garantizado (el tipo de cambio a futuro). Cuando los inversionistas compren las libras con dólares en el mercado *spot*, y vendan las libras por dólares en el mercado a futuro, sus acciones elevarán el precio de la libra en el mercado *spot* y reducirán su precio en el mercado a futuro. Por tanto, la libra tendrá un descuento en el mercado a futuro. Las ganancias relativas por las diferencias en las tasas de interés tienden a contrarrestarse con las pérdidas por las conversiones en el mercado de divisas, reduciendo o eliminando, así, los incentivos para invertir en certificados del Tesoro del Reino Unido.[5] El siguiente diagrama de flujo ilustra este proceso.

| Para obtener una utilidad de las tasas de interés relativamente altas en el Reino Unido, los inversionistas estadunidenses van a: | ➔➔ | Comprar libras con dólares en el mercado spot

vender libras por dólares en el mercado a futuro | ➔➔ | El precio spot de la libra aumenta, digamos a $2.01 por libra

El precio a futuro de la libra disminuye, digamos a $1.99 por libra | ➔➔ | La libra tendrá un descuento en el mercado a futuro y las ganancias relativas de invertir en certificados del Tesoro del Reino Unido disminuyen |

Por esta razón las monedas de los países cuyas tasas de interés son relativamente altas suelen venderse con un descuento a futuro en relación con el tipo de cambio *spot*, y las monedas de los países con tasas de interés relativamente bajas suelen venderse con una prima a futuro en relación con el tipo de cambio *spot*.

Las diferencias internacionales en las tasas de interés ejercen una influencia muy importante en la relación entre el tipo de cambio *spot* y el tipo de cambio a futuro. No obstante, en cualquier día específico, apenas podría esperarse que el margen por las tasas de interés a corto plazo entre los centros financieros iguale exactamente el descuento o la prima del cambio de divisas, por varias razones. En primer lugar, los cambios en las diferencias de las tasas de interés no siempre producen en los inversionistas la reacción inmediata necesaria para eliminar las ganancias por la inversión. En segundo lugar, los inversionistas a veces transfieren fondos con una base descubierta; tales transferencias no tienen un impacto sobre el tipo de cambio a futuro. En tercer lugar, algunos factores, como los controles gubernamentales sobre el intercambio de divisas y la especulación, pueden debilitar el vínculo entre la diferencia de las tasa de interés y los tipos de cambio *spot* y a futuro.

Manejo del riesgo cambiario: contrato de divisas a futuro

Aunque las transacciones *spot* son populares, exponen al comprador de divisas a riesgos financieros potencialmente peligrosos. Las fluctuaciones en el tipo de cambio pueden elevar o reducir considerablemente los precios y pueden convertirse en una pesadilla de planeación financiera para compañías e individuos. Para ilustrar los riesgos de las transacciones *spot*, suponga que una compañía estadunidense hace un pedido de herramientas de maquinaria a una compañía en Alemania.

- Las herramientas estarán listas en seis mes y costarán 10 millones de euros.
- Al momento de hacer el pedido el euro se cotiza a 1.40 dólares por euro.
- La compañía estadunidense presupuesta 14 millones de dólares que serán pagado (en euros) cuando reciba las herramientas (10,000,000 euros @ $1.40 por euro = $14,000,000).

No hay garantía de que el tipo de cambio permanecerá igual seis meses después. Suponga que el tipo de cambio aumenta a $1.60 por euro. Los costos en dólares estadunidenses se elevan en $2 millones (10,000,000 euros @ $1.60 por euro = $16,000,000). Por el contrario, si el tipo de cambio disminuye a $1.20 por euro, los costos en dólares estadunidenses disminuirían en $2 millones (10,000,000 euros @ $1.20 por euro = $12,000,000).

¿De qué manera las empresas y los inversionistas pueden protegerse de la volatilidad de los valores de las divisas? Al entrar al mercado a futuro pueden recurrir a varias estrategias de **protección** o **cobertura** (*hedging*) mediante las cuales evitan completamente o se cubren anticipadamente de los riesgos del mercado. Considere los ejemplos siguientes de protección contra riesgos del mercado de divisas:

---

[5] De acuerdo con la teoría de la paridad de la tasa de interés, este proceso continuará hasta que la diferencia de las tasas de interés entre ambos países se compense exactamente con un descuento a futuro de 2 por ciento para la libra. Cuando esto ocurra, los inversionistas estadunidenses no tendrán ya ningún incentivo para invertir en el Reino Unido. Corresponde a manuales más avanzados que éste explicar con todo detalle este punto.

Caso 1

Un importador estadunidense se cubre contra la *depreciación* del dólar. Suponga que la compañía Macys debe un millón de francos a un fabricante de relojes suizos con un vencimiento de tres meses. Durante este periodo, Macys se encuentra en una posición expuesta o *descubierta*. Macys acepta el riesgo de que el precio del franco en dólares aumente en tres meses (el dólar podría depreciarse frente al franco), de 0.60 a 0.70 dólares por franco; de ser así, para comprar un millón de francos necesitaría 100,000 dólares adicionales.

Para cubrirse del riesgo, Macys podría comprar de inmediato un millón de dólares en el mercado *spot*, pero esto inmovilizaría sus fondos durante tres meses. De manera alterna, Macys podría suscribir un contrato para comprar un millón de francos en el mercado a futuro, al tipo de cambio a futuro actual, para entregarlos en tres meses. Dentro de tres meses, Macys compraría los francos con dólares al precio contratado y utilizaría los francos para pagar al exportador suizo. De esta forma, Macys se cubre contra la posibilidad de que los francos cuesten más de lo proyectado en un periodo de tres meses. Esta cobertura en el mercado a futuro no obliga a Macys a inmovilizar sus fondos por haber adquirido el contrato a futuro. Sin embargo, ésta es una obligación que sí puede afectar el crédito de la empresa. El banco de Macys querrá estar seguro de que la empresa tenga un saldo o una línea de crédito adecuada para pagar la cantidad necesaria en tres meses. Ahora bien, Macys no obtendrá ningún beneficio si el tipo de cambio se mueve a su favor y ya ha suscrito un contrato de venta a futuro que debe cumplir.

Caso 2

Un exportador estadunidense se protege de una *apreciación* del dólar. Suponga que Microsoft Corporation proyecta recibir un millón de francos dentro de tres meses, producto de sus exportaciones de *software* para computadora a un minorista suizo. Durante este periodo, Microsoft se encuentra en una posición *descubierta*. Si el precio del franco en dólares disminuye (el dólar se aprecia frente al franco), de 0.50 a 0.40 dólares por franco, el recibo de Microsoft valdrá 100,000 dólares menos al convertir el millón de francos en dólares (1 millón de francos @ $0.50 por franco es igual a $500,00; 1 millón de francos @ $0.40 por franco es igual a $400,000).

Para evitar este riesgo cambiario, Microsoft puede celebrar un contrato para vender en el mercado a futuro la cantidad en francos que espera recibir a un tipo de cambio a futuro actual. Al asegurar un tipo de cambio a futuro, Microsoft tendrá la garantía de que el valor de la cantidad que reciba en francos se mantendrá en términos del dólar, aun cuando el valor del franco disminuya.

De esta manera, el mercado a futuro elimina de las transacciones internacionales la incertidumbre de los tipos de cambio *spot* fluctuantes. Los exportadores se pueden cubrir de la posibilidad de que la moneda nacional se deprecie frente a la moneda extranjera, y los importadores se cubren de la posibilidad de que la moneda de su país se deprecie frente a una moneda extranjera. Pero esta protección no es sólo para exportadores e importadores; la puede usar cualquiera que, en un futuro, esté obligado a hacer un pago o vaya a recibir un pago en una moneda extranjera. Por ejemplo, los inversionistas internacionales también utilizan el mercado a futuro para cubrirse.

Como estos ejemplos indican, importadores y exportadores participan en el mercado a futuro para evitar el riesgo de las fluctuaciones en los tipos de cambio. Como realizan transacciones a futuro a través de bancos comerciales, el riesgo de los tipos de cambio pasa a esos bancos, que pueden minimizarlo al compensar las compras a futuro de los exportadores con las ventas a futuro de los importadores. Sin embargo, debido a que, por lo regular, la oferta y la demanda de transacciones con divisas a futuro por parte de exportadores e importadores no coinciden, los bancos podrían asumir una parte del riesgo.

Suponga que, un día determinado, las compras a futuro de un banco comercial no coinciden con sus ventas a futuro de una divisa en particular. El banco puede entonces buscar otros bancos en el mercado que tengan posiciones compensatorias. De este modo, si Bank of America tiene un excedente de compras a futuro de 50 millones de euros en comparación con las ventas a futuro durante el día, tratará de encontrar otro banco (o bancos) que tengan un exceso de ventas a futuro en relación con sus compras. Así, estos bancos pueden participar en contratos a futuro entre ellos mismos para eliminar cualquier riesgo cambiario que pudiera existir.

Cómo sobrellevan Markel, Volkswagen y Nintendo las fluctuaciones en los tipos de cambio

Para los gigantes corporativos como General Electric y Ford Motor Company, las fluctuaciones de las divisas son un hecho cotidiano, dada la producción global. Sin embargo, para las pequeñas empresas como Markel Corporation, las fluctuaciones en el mercado mundial de divisas tienen implicaciones importantes para su productividad.[6] Markel Corporation es una empresa familiar dedicada a la fabricación de tuberías, con sede en Pensilvania. Sus tuberías y cables de plomo aislados se utilizan en las industrias de electrodomésticos, automotriz y purificación de agua. Alrededor de 40 por ciento de los productos de Markel se exportan, sobre todo a Europa.

Para protegerse de las fluctuaciones en los tipos de cambio, Markel compra contratos a futuro a través de PNC Financial Services Group en Pittsburgh. Markel promete al banco 50,000 euros en tres meses y el banco garantiza cierta cantidad de dólares, sin importar lo que suceda con el tipo de cambio. Cuando los ejecutivos financieros de Markel piensan que el dólar está a punto de apreciarse frente al euro, puede cubrir sus ingresos totales esperados en euros con un contrato a futuro; cuando creen que el dólar se va a depreciar, se cubrirán por la mitad de esos ingresos, por ejemplo, y tomarán el riesgo por la otra mitad, que queda sin cobertura, para quizás ganar algunos dólares si las fluctuaciones de la moneda les son favorables.

Sin embargo, los ejecutivos financieros no siempre aciertan. Por ejemplo, en 2003, Markel tuvo que dar a PNC 50,000 euros por un contrato que la empresa había comprado tres meses antes. El banco pagó 1.05 dólares por euro, o sea, 52,500 dólares. Si Markel hubiera esperado, podrían haberlos vendido al tipo de cambio vigente, 1.08 dólares, y ganar otros 1,500 dólares.

Otro ejemplo de protección contra las fluctuaciones en los tipos de cambio es el de Volkswagen, compañía automotriz con sede en Alemania. En 2005 Volkswagen anunció que aumentaría su protección contra el riesgo cambiario. La empresa había estado expuesta a este riesgo debido a que la mayor parte de sus costos operativos, en especial los de mano de obra, estaban nominados en euros, mientras que una parte importante de sus ingresos estaba nominada en dólares. De esta manera, Volkswagen pagaba a sus empleados en euros y recibía dólares por los automóviles que vendía en Estados Unidos.

Entre 2002 y 2004, el euro se apreció de forma considerable frente al dólar. Es decir, eran necesarios más dólares para comprar cada euro. Como Volkswagen no podía o no estaba dispuesta a cambiar el precio de sus automóviles vendidos en Estados Unidos para compensar esta fluctuación en el tipo de cambio, los ingresos en dólares de la empresa provenientes de las ventas en Estados Unidos perdían mucho valor en términos de euros. Con los costos constantes y los ingresos a la baja, las utilidades de Volkswagen sobre las operaciones en Estados Unidos disminuyeron por una variación desfavorable en el tipo de cambio entre el euro y el dólar.

Para evitar pérdidas similares en el futuro, la empresa eligió combatir la apreciación del euro y aumentó su cobertura contra el riesgo cambiario. Entre 2004 y 2005, Volkswagen incrementó en más del doble el uso de una gran variedad de contratos en el mercado de divisas. En esencia, esta estrategia de protección comprendía la compra de contratos a futuro para los euros a un tipo de cambio predeterminado de modo que, si el euro se apreciaba frente al dólar y provocaba una baja inesperada en los ingresos en dólares, la empresa recibiría una utilidad compensatoria gracias a este contrato a futuro. Si el euro se depreciaba y provocaba un incremento inesperado en los ingresos en dólares, la empresa incurriría en una pérdida compensatoria debida a su posición en el mercado de divisas. De esta manera, Volkswagen pudo cubrir su flujo de ingresos de la volatilidad de las divisas por la duración de sus contratos a futuro.[7]

Una estrategia diferente para protegerse del riesgo cambiario es la de Nintendo Co., el productor de Super Mario, el sistema de juegos DS portátil y similares. En 2010, las utilidades de Nintendo cayeron en picada debido a la apreciación del yen. A diferencia de otras compañías japonesas, la reducción en las exportaciones no era el problema principal de Nintendo: el principal problema eran sus $7 mil millones de reservas en efectivo en moneda extranjera, principalmente en dólares

---

[6] Tomado de "Ship Those Boxes: Check the Euro", *The Wall Street Journal*, 7 de febrero de 2003, p. C1.
[7] "Hedging Against Foreign-Exchange Rate Fluctuations", *Economic Report*

estadunidenses; estas reservas constituían aproximadamente 70 por ciento de las reservas totales de efectivo de Nintendo. Aunque Nintendo había suscrito contratos a futuro para protegerse en parte del riesgo de la apreciación del yen, decidió efectuar tantos pagos en dólares como fueran posibles en el extranjero antes que convertirlos a yenes y sufrir pérdidas. Dado que la compañía debía realizar algunos pagos en yenes (como impuestos, por ejemplo) debía asegurarse de contar con suficientes yenes para cubrir esos pagos. Así, Nintendo convertía sólo esporádicamente parte de sus divisas extranjeras en yenes, siempre que los tipos de cambio fueran favorables. Nintendo justificó su estrategia de divisas argumentando que era una manera de aprovechar las tasas de interés más altas en el extranjero mientras ahorraba, a la vez, en los costos que suponía cambiar sus divisas extranjeras.

¿Vale la pena cubrirse contra el riesgo cambiario?

El grado en que una compañía recurre a la cobertura cambiaria depende del tipo de la empresa y de cuán predecible sea su exposición al cambio de divisas. Muchas empresas que realizan transacciones en el extranjero generalmente intentan eliminar la mitad de su riesgo cambiario. Ciertas compañías cuyos márgenes de ganancia son pequeños (como las compañías productoras de productos primarios y agrícolas) pueden cubrirse por hasta cuatro quintas partes de sus necesidades conocidas de cambio de divisas. Sin embargo, cuando las divisas fluctúan dramáticamente, una política precavida de cobertura cambiaria puede ser demasiado costosa para muchas compañías. Incluso el más sabio tesorero corporativo tiende a evitar los tratos cambiarios puramente especulativos sólo para incrementar ganancias: es una manera muy fácil de perder mucho dinero con apuestas desastrosas.

Algunas compañías no se cubren en absoluto porque les es imposible determinar cuánto serán sus ingresos del extranjero o porque siguen una estrategia sistemática de permitir que las divisas se equilibren por sí solas alrededor del mundo. Como una empresa que lleva a cabo más de la mitad de sus ventas en monedas extranjeras, Minnesota Mining & Manufacturing Co. (3M) es muy sensible a las fluctuaciones en los tipos de cambio. Cuando el dólar se aprecia frente a otras monedas, las utilidades de 3M disminuyen; cuando el dólar se deprecia, sus utilidades aumentan. De hecho, si los mercados de divisas salen de control, como ocurrió en 1997-1998, cuando las monedas de Asia y el rublo ruso se desplomaron en relación con el dólar, la decisión de protegerse o no resultaba crucial. Sin embargo, 3M no recurrió a ninguna medida de protección, ni en el mercado a futuro ni en el mercado de opciones de divisas, para protegerse contra las fluctuaciones de la moneda.[8]

En 1998, el productor de Scotch Tape y Post-It anunció que la apreciación del dólar le costó a la empresa 330 millones de dólares en utilidades y 1,800 millones de dólares en ingresos en los últimos tres años. De hecho, la política antiprotección de 3M puso nerviosos a los inversionistas. ¿Cometía 3M un error al no querer protegerse contra el riesgo cambiario? No en realidad, según muchos analistas y según otras grandes empresas que también elegían protegerse muy poco, o no protegerse en lo absoluto. Muchas empresas, que van desde ExxonMobil hasta Deere y Kodak, sostienen que las fluctuaciones en las divisas elevan las utilidades con la misma frecuencia que las disminuyen. En otras palabras, aunque una apreciación del dólar reduciría sus utilidades, una depreciación posterior las incrementaría; como resultado, no es necesario protegerse, ya que las alzas y bajas de las divisas tienden a compensarse a la larga.

El argumento común a favor de la cobertura arguye que ésta incrementa la estabilidad en los flujos de efectivo y las ganancias. Encuestas realizadas entre las empresas más grandes de Estados Unidos han descubierto que sólo una tercera parte de ellas se protege de alguna manera contra las fluctuaciones de la moneda. Por ejemplo, el gigante de los medicamentos Merck and Co., protege parte de sus flujos de efectivo en divisas mediante el mercado de opciones de divisas para vender las monedas en dólares a tasas fijas. Merck afirma que puede protegerse contra los movimientos adversos en las divisas ejerciendo sus opciones, así como también beneficiarse de los movimientos favorables al no ejercerlas. De cualquier forma, la empresa busca garantizar que el flujo de efectivo proveniente de sus ventas en

---

[8] "Perils of the Hedge Highwire", *Business Week*, 26 de octubre de 1998, pp. 74-76.

el extranjero permanezca estable con el fin de sostener los gastos de investigación científica en años en los que un dólar apreciado reduce las ganancias en el extranjero. De acuerdo con el director de finanzas de Merck, la empresa paga seguros para amortiguar la volatilidad de los eventos inesperados.

Sin embargo, muchas empresas establecidas no ven ninguna necesidad de pagar para protegerse del riesgo cambiario. En vez de ello, a menudo, prefieren cubrir los riesgos con su propio bolsillo. Según algunos funcionarios de 3M, si se considera el costo de la cobertura contra riesgo cambiario durante todo un ciclo, las ganancias se reducen en gran medida al comprar este tipo de seguros. De hecho, la protección contra el riesgo cambiario suele comerse las utilidades: un sencillo contrato a futuro que establece un tipo de cambio fijo cuesta hasta medio punto porcentual del ingreso protegido al año. Otras técnicas como las opciones de divisas son incluso más costosas. Es más, las fluctuaciones del propio negocio de una empresa pueden reducir la efectividad misma de la protección.

CONFLICTOS COMERCIALES EL RIESGO CAMBIARIO Y LOS PELIGROS DE LA INVERSIÓN EN EL EXTRANJERO

Para un inversionista estadunidense, apostar en valores extranjeros (acciones o bonos) supone riesgos mayores de los riesgos de invertir en valores en EUA. Estos riesgos incluyen: incertidumbre política, normatividades financieras y contables diferentes, ámbitos diferentes de regulación financiera, así como muchos otros factores económicos diversos en países que son esencialmente diferentes de Estados Unidos. Las fluctuaciones en los tipos de cambio se suman a estos riesgos de invertir en valores extranjeros.

Cuando los inversionistas compran acciones en un fondo internacional de valores, están apostando por las compañías a las que ese fondo sostiene, por su desempeño y por su estilo gerencial. También apuestan por las monedas nacionales en las que los valores extranjeros están nominados, ya sea que el fondo recurra a protección cambiaria o prefiera emplear un fondo de cobertura. Algunos inversionistas no desean asumir el riesgo de las fluctuaciones de tipo de cambio además del riesgo de las acciones y entonces prefieren cubrir su exposición al riesgo cambiario en dólares. Otros ven las fluctuaciones en los tipos cambiarios como una forma conveniente de diversificación. Si las utilidades de los valores extranjeros y las fluctuaciones del tipo de cambio son ambas favorables, las ganancias totales pueden aumentar considerablemente. Sin embargo, los inversionistas también pueden perder dinero en periodos en los que ambas son desfavorables.

Los inversionistas internacionales que se cubren del riesgo cambiario en general usan los instrumentos cambiarios a futuro. Estos son contratos entre dos participantes para comprar o vender una cantidad de divisas en un momento futuro específico a un precio acordado en el presente. El costo de la protección contra el riesgo cambiario varía según los periodos de tiempo y según la divisa. Esto se debe a que estos costos dependen básicamente de la diferencia entre las tasas de interés de Estados Unidos y las de otros países. Para los inversionistas corporativos mayores,

como por ejemplo una sociedad de inversión, el uso de los contratos a futuro es, por lo general, económico. Entre las divisas más comerciales, como el dólar y el yen, el mercado a futuro es de muy alta fluidez y los márgenes tienden a ser pequeños. La cobertura para divisas más exóticas, como el rublo ruso o la rupia india, cuesta un poco más. La desventaja principal de cubrirse consiste en que se pierde el costo de oportunidad de sacar provecho de eventuales fluctuaciones favorables en los tipos de cambio. Por eso es que la mayoría de los fondos de valores internacionales no protegen su exposición a las fluctuaciones cambiarias y otros fondos sólo se protegen parcialmente. Los directores de Oakmark Funds, un fondo internacional de acciones, se cubren solamente cuando tienen considerable exposición a una divisa que ellos calculan que está al menos 20% sobrevaluada en comparación con el dólar.

Para ofrecer diversificación a sus inversionistas, Tweedy Browne Co., una sociedad de inversión con sede en Nueva York, ofrece dos fondos internacionales. El Tweedy's Global Value Fund, inaugurado en 1993, recurre a cobertura contra fluctuaciones para proteger a sus inversionistas de los riesgos cambiarios. Después de enterarse de que a algunos de sus inversionistas les gustaba su selección de acciones para el fondo, pero no su política de cobertura cambiaria, Tweedy abrió su Tweedy's Global Value Fund II, en 2009. Este fondo tiene la misma cartera de acciones que el fondo anterior, pero no usa protección contra fluctuaciones cambiarias. Esto da a los inversionistas la oportunidad de aprovechar las fluctuaciones favorables del tipo de cambio además de los movimientos favorables en los precios de las acciones. Los inversionistas asumen el riesgo de perder dinero si ocurren fluctuaciones adversas del tipo de cambio o de los precios de las acciones.

Fuentes: Annelena Lobb, "Making Sense of Currency Effects," *The Wall Street Journal*, 4 de octubre de 2010, p. R10 y *Global Value Fund* y *Global Value Fund II*, disponibles en www.tweedy.com

ARBITRAJE DE INTERESES, RIESGO CAMBIARIO Y PROTECCIÓN CONTRA FLUCTUACIONES CAMBIARIAS

Los inversionistas toman sus decisiones financieras comparando las tasas de retorno de las inversiones en el extranjero con aquéllas de las inversiones en su país. Si las primeras son más altas, querrán cambiar sus fondos al extranjero. El término **arbitraje de intereses** se refiere al proceso de cambiar los fondos a monedas extranjeras para aprovechar los rendimientos más altos de las inversiones en otros países. Pero los inversionistas enfrentan la posibilidad de pérdidas o ganancias impredecibles cuando las utilidades de la inversión en el extranjero se convierten a moneda nacional. Este tipo de riesgo se denomina **riesgo cambiario**.

Un estadunidense que compra una acción de BASF, una compañía química alemana, tendrá que comprar y vender la acción en euros. Si el valor en euros de la acción sube un 4 por ciento, pero el euro se deprecia frente al dólar un 7 por ciento, el inversionista tendrá una pérdida neta en términos de sus utilidades totales al vender la acción y cambiar de vuelta a dólares estadunidenses. El inversionista puede reducir este riesgo monetario usando coberturas cambiarias y otras técnicas diseñadas para compensar cualquier pérdida relacionada con divisas. En la práctica, crear una cobertura contra una moneda puede ser muy costoso y complicado y no todos los inversionistas preferirán esta estrategia, como se analiza a continuación.

Arbitraje de intereses sin cobertura

El **arbitraje de intereses sin cobertura** ocurre cuando un inversionista no tiene una cobertura en el mercado de divisas para proteger las ganancias de su inversión ante las fluctuaciones en los tipos de cambio. Esta práctica puede darse cuando el costo de una cobertura contra la fluctuación de una moneda específica es muy alto. También puede convenir cuando prevalecen condiciones económicas estables y las divisas tienden a una volatilidad relativamente baja, de manera que una cobertura resulta innecesaria.

Suponga que la tasa de interés sobre los certificados del Tesoro a tres meses es de 6 por ciento (al año) en Nueva York y de 10 por ciento (al año) en Londres y que el tipo de cambio *spot* actual es de 2 dólares por libra. Un inversionista estadunidense buscaría obtener una utilidad de esta oportunidad cambiando los dólares por libras al tipo de cambio de 2 dólares por libra y utilizando estas libras para comprar certificados del Tesoro del Reino Unido a tres meses en Londres. El inversionista ganaría 4 por ciento más al año, o uno por ciento más en tres meses, que si utilizara los mismos dólares para comprar certificados del Tesoro a tres meses en Nueva York. La tabla 11.9 resume estos resultados.

Ahora bien, *no* necesariamente es cierto que nuestro inversionista estadunidense aprovechará la tasa de rendimiento de uno por ciento adicional (por tres meses) cambiando sus fondos a Londres. Esta cantidad sólo se obtiene si el valor de cambio de la libra permanece constante durante el periodo de la inversión: si la libra se *deprecia* frente al dólar, el inversionista ganará *menos*; si la libra se *aprecia* frente al dólar, el inversionista ganará *más*.

Suponga que el inversionista gana uno por ciento más al comprar los certificados del Tesoro del Reino Unido a tres meses en lugar de los estadunidenses. En el mismo periodo, suponga que el precio de la libra en dólares disminuye de 2 a 1.99 dólares (la libra se *deprecia* frente al dólar). Al volver a con-

TABLA 11.9		

Arbitraje de intereses sin cobertura: un ejemplo

	Tasa anual	Tasa por 3 meses
Tasa de interés de los certificados del Tesoro del Reino Unido a 3 meses	10%	2.5%
Tasa de interés de los certificados del Tesoro de EU a 3 meses	6%	1.5%
Diferencial de tasas de interés sin cobertura a favor del Reino Unido	4%	1.0%

vertir las utilidades en dólares, el inversionista *pierde* 0.5 por ciento: ($2 − $1.99)/$2 = 0.005. De modo que sólo gana 0.5 por ciento más (1 por ciento − 0.5 por ciento) que si hubiera invertido los fondos en certificados del Tesoro estadunidenses. El lector puede verificar que, si el precio de la libra en dólares disminuye de 2 a 1.98 dólares durante el periodo de la inversión, el inversionista estadunidense no obtiene ninguna ganancia adicional invirtiendo en certificados del Tesoro del Reino Unido.

Ahora bien, suponga que durante ese periodo de tres meses la libra aumenta de 2 a 2.02 dólares, una *apreciación* de uno por ciento frente al dólar. En esta ocasión, además de la ganancia adicional de uno por ciento en los certificados del Tesoro del Reino Unido, el inversionista obtiene una utilidad de uno por ciento gracias al incremento del valor de la libra. ¿La razón? Cuando compró las libras para financiar su compra de certificados del Tesoro del Reino Unido, pagó 2 dólares por libra; al convertir las ganancias de la inversión otra vez en dólares, recibió 2.02 dólares por libra: ($2.02 − $2)/$2 = 0.01. Como la apreciación de la libra se suma a la utilidad de su inversión, gana 2 por ciento más que si hubiera comprado certificados del Tesoro de Estados Unidos.

En resumen, la tasa de rendimiento adicional de un inversionista estadunidense sobre una inversión en el Reino Unido, comparada con otra en Estados Unidos, es igual a la diferencia en las tasas de interés ajustada a cualquier cambio en el valor de la libra, como sigue:

Rendimiento adicional = (Tasa de interés en el Reino Unido − Tasa de interés en Estados Unidos) − Depreciación porcentual de la libra

o bien:

Rendimiento adicional = (Tasa de interés en el Reino Unido − Tasa de interés en Estados Unidos) + Apreciación porcentual de la libra

Arbitraje de intereses cubierto (reducción del riesgo cambiario)

La inversión de fondos en un centro financiero en el extranjero comprende un riesgo debido a los tipos de cambio. Si prevalecen condiciones económicas de inestabilidad, las divisas tenderán al intercambio con relativamente alta volatilidad. La cobertura contra las fluctuaciones del tipo de cambio puede considerarse benéfica: esta práctica se denomina arbitraje de intereses cubierto

El **arbitraje de intereses cubierto** comprende dos pasos básicos. En primer lugar, un inversionista cambia la moneda nacional por una extranjera, al tipo de cambio *spot* actual, y utiliza la moneda extranjera para financiar una inversión en otro país. Al mismo tiempo, el inversionista suscribe un contrato en el mercado a futuro para vender la cantidad de la moneda extranjera que recibirá como utilidad de su inversión, con una fecha de entrega que coincida con el vencimiento de la inversión. Al inversionista le conviene hacer la inversión en el extranjero si la diferencia positiva en las tasas de interés a favor supera el costo de obtener una cobertura a futuro.

Suponga que la tasa de interés sobre los certificados del Tesoro a tres meses es 12 por ciento (al año) en Londres y 8 por ciento (anual) en Nueva York; la diferencia en el interés a favor de Londres es 4 por ciento anual, o uno por ciento por tres meses. Suponga, asimismo, que el tipo de cambio *spot* actual para la libra es de 2 dólares, mientras que la libra a futuro de tres meses se vende en 1.99 dólares. Esto significa que la libra a futuro de tres meses tiene un *descuento* de 0.5 por ciento: ($1.99 − $2)/$2 = −0.005.

Al comprar certificados del Tesoro a tres meses en Londres, un inversionista estadunidense podría ganar uno por ciento más por los tres meses que si comprara certificados del Tesoro a tres meses en Nueva York. Para eliminar la incertidumbre sobre la cantidad de dólares que va a recibir al volver a convertir las libras en dólares, el inversionista vende suficientes libras en el mercado a futuro de tres meses para que coincidan con las ganancias proyectadas de la inversión. El costo de la cobertura a futuro es igual a la diferencia entre el tipo de cambio *spot* y el tipo de cambio del contrato de tres meses a futuro; esta diferencia es el descuento sobre la libra a futuro, ó 0.5 por ciento. Al restar este 0.5 por ciento de la diferencia en el tipo de interés de uno por ciento, el inversionista obtendrá una tasa de ganancia neta 0.5 por ciento más alta que si hubiera comprado certificados del Tesoro de Estados Unidos. La tabla 11.10 resume estos resultados.

	TABLA 11.10	
Arbitraje de intereses cubierto: un ejemplo		
	Tasa anual	**Tasa a 3 meses**
Tasa de interés de los certificados del Tesoro del Reino Unido a 3 meses	12%	3%
Tasa de interés de los certificados del Tesoro de Estados Unidos a 3 meses	8%	2%
Diferencial de tasas de interés sin cobertura a favor del Reino Unido	4%	1%
Descuento a futuro sobre la libra a 3 meses		−0.5%
Diferencia en la tasa de interés con cobertura a favor del Reino Unido		0.5%

© Cengage Learning®

Esta oportunidad de inversión no durará mucho tiempo, porque el margen de utilidad bruto pronto desaparecerá conforme otros inversionistas estadounidenses hagan la misma inversión. Conforme los inversionistas estadounidenses compren libras *spot*, el tipo de cambio *spot* se elevará. Al mismo tiempo, la venta de libras a futuro hará que el tipo de cambio a futuro disminuya. El resultado es una *ampliación* del descuento en las libras a futuro, que significa un incremento en el costo de la cobertura contra riesgo cambiario. Este proceso de arbitraje continuará hasta que el descuento a futuro de la libra se amplíe a uno por ciento, punto en el que se desvanece la utilidad adicional de la inversión en el extranjero. La tasa *spot* de la libra puede aumentar de 2 a 2.005 dólares por libra y el precio de la libra a futuro de tres meses podría bajar de 1.99 a 1.985 dólares por libra; el descuento a futuro de la libra es entonces 1 por ciento: ($1.985 − $2.005) / $2 = −0.01. Esto contrarresta el 1 por ciento extra de ganancia que podía lograrse al invertir en certificados del Tesoro británicos en vez de certificados del Tesoro estadounidenses.

ESPECULACIÓN EN EL MERCADO DE DIVISAS

Además de utilizarse para financiar transacciones comerciales e inversiones, el mercado de divisas se usa para la especulación relacionada con los tipos de cambio. La **especulación** es el intento de obtener una utilidad mediante las expectativas sobre los precios en el futuro. Algunos especuladores son operadores de las instituciones financieras o de las empresas; otros son individuos. De cualquier modo, los especuladores compran monedas que esperan que aumenten de valor y venden otras que esperan que disminuyan. En el mercado de divisas abundan los especuladores: cerca de 90 por ciento del volumen diario de intercambio es de naturaleza especulativa.

Es importante distinguir claramente entre arbitraje y especulación. Con el arbitraje, un corredor de divisas compra *al mismo tiempo* una moneda a un precio bajo y la vende a un precio alto, obteniendo una utilidad libre de riesgos. La meta de un especulador es comprar una moneda en un momento dado (como hoy) y venderla a un precio más alto en el futuro (mañana, por ejemplo). Por tanto, la especulación implica asumir de forma deliberada el riesgo cambiario: si el precio de la moneda cae entre hoy y mañana, el especulador pierde dinero. Un especulador del mercado de divisas asume de forma deliberada el riesgo con la expectativa de obtener una utilidad gracias a los cambios futuros en el tipo de cambio *spot*. Los especuladores asumen riesgos al tomar una posición en el mercado *spot*, en el mercado a futuro, en el mercado de futuros o en el mercado de opciones.

Posición a largo plazo y posición a corto plazo

En general asociamos las ganancias en el mercado de divisas con la estrategia de comprar una divisa a un precio bajo y luego venderla a un precio más alto: "comprar a la baja y vender a la alza".

Esto es lo que ocurre si uno adopta una **posición larga**: obtener ganancias de una *apreciación* esperada de una divisa.

Pero también se pueden obtener ganancias desde una **posición corta** en la que se empieza por vender una divisa (que no se posee) a un alto precio y luego comprarla de vuelta a un precio bajo:

"vender a la alta y comprar a la baja". En este caso se busca obtener ganancias gracias a una *depreciación* forzada de la moneda.

Suponga que usted quiere comerciar con dólares estadunidenses y euros. Suponga que el tipo de cambio actual es: 1 euro = 1.25 dólares ($1 = 0.80 euros). También, suponga que usted pide prestado 1 millón de euros a su corredor de bolsa y vende esta suma para obtener 1,250,000 dólares (1,000,000 × $1.25 = $1,250,000). Suponga luego que el día siguiente el tipo de cambio del euro se deprecia a: 1 euro = $1.20 ($1 = 0.83 euros). Usted vende sus $1,250,000 y consigue $1,037,500 euros ($1,250,000 × 0.83 = $1,037,500). Usted paga su préstamo por 1 millón de euros y se queda con 37,500 euros como ganancia (menos comisiones). En este caso, usted estaría sacando provecho de una depreciación del euro. El diagrama de flujo que sigue ilustra este procedimiento:

| Pida prestado 1 millón de euros a su corredor. Use ese monto para comprar 1.25 millones de dólares al tipo de cambio de hoy de $1.25 = 1 euro | → | Asuma que el euro se depreciará mañana a $1.20 = 1 euro. Venda sus 1.25 millones de dólares por 1,037,500 euros | → | Pague de vuelta el préstamo de 1 millón de euros a su corredor y quédese con 37,500 euros como ganancia |

Consideremos ahora dos ejemplos notables de especulación de divisas.

Andy Krieger vende en corto el dólar neozelandés

Uno de los tratos más espectaculares en el merado cambiario de todos los tiempos fue el que logró Andy Krieger, un corredor de 32 años de la empresa Bankers Trust Company de Nueva York. Krieger era uno de los comerciantes más agresivos del mundo que contaba además con todo el apoyo de su institución bancaria. Mientras que la mayoría de los corredores de su banco tenían un techo de negociación de $50 millones, el techo de Krieger era de alrededor de $700 millones (aproximadamente la cuarta parte de todo el capital del banco en ese momento). Echando mano de las opciones de divisas, Krieger podía apalancar ampliamente su exposición al riesgo cambiario: 100,000 dólares de opciones de divisas podrían comprar un control de 30 a 40 millones de dólares en moneda verdadera. En 1987 Krieger aprovechó esto para emprender un ataque especulativo contra el dólar neozelandés.

Krieger seguía de cerca las divisas que se estaban apreciando frente el dólar después del crac del 19 de octubre de 1987 en los mercados de valores de todo el mundo. Mientras los inversionistas y las compañías se apresuraban a abandonar sus valores en dólares estadunidense en busca de divisas que sufrieran menos daño por la caída de la bolsa, era obvio que muchas de esas divisas se sobrevaluarían, lo que generaría una excelente oportunidad para ganancias por especulación. Considerando que el dólar neozelandés estaba sobrevaluado, Krieger apostó a la baja de esta divisa y se dedicó a vender de golpe cientos de millones de dólares neozelandeses con lo que forzó a que el valor de la divisa cayera hasta 5% en un solo día. Cuando el valor del dólar neozelandés tocó fondo en 59 centavos, Krieger se dedicó entonces a comprar de vuelta los dólares neozelandeses y obtuvo ganancias espectaculares. Sacó provecho de una disminución en el valor del dólar neozelandés entre la venta que hizo y la readquisición de la divisa que consiguió porque pagó mucho menos por comprar los dólares de lo que había recibido cuando los vendió. Krieger renunció a Bankers Trust al año siguiente, aparentemente descontento porque la empresa sólo le había pagado $3 millones de dólares por semejante despliegue de estrategia de asedio al dólar neozelandés que, sin embargo, le había generado al banco una ganancia de más de $300 millones de dólares.

George Soros vende en corto el yen

George Soros es un célebre especulador de divisas que ha obtenido miles de millones de dólares apostando en contra de monedas que él considera que valdrán menos en el futuro próximo (se depreciarán) frente a alguna otra divisa. Aunque no todas las apuestas de Soros han tenido éxito, una de sus apuestas resultó especialmente lucrativa en 2012-2013.

En diciembre de 2012 Shinzo Abe fue elegido como primer ministro de Japón. Abe anunció inmediatamente su deseo de asumir una política monetaria expansionista para confrontar la lenta economía japonesa del momento; la política consistiría en aumentar radicalmente la oferta de dinero para provocar una baja en las tasas de interés y aumentar, a su vez, el gasto público. Un efecto secundario de semejante baja en las tasas de interés sería la depreciación del yen debido a que los inversionistas no estarían dispuestos a colocar fondos en activos nominados en yenes. Ante la expectativa de una pronta depreciación del yen, Soros consideró que se aproximaba el momento ideal para hacer apuestas enormes en contra de la divisa. Adoptó una posición corta sobre el yen para aprovechar su prevista depreciación futura. Los analistas calculan que Soros obtuvo ganancias cercanas a los mil millones de dólares entre noviembre de 2012 y febrero 2013 gracias a sus apuestas contra el yen.

Hay que aclarar que apostar en contra del yen en aquel momento requería de mucha valentía, pues durante muchos años previos a 2012-2013, Japón jamás se había decidido a forzar su moneda a la baja y estimular así su economía; de hecho, muchos especuladores en el pasado, que habían adoptado posiciones cortas sobre el yen, habían perdido sumas colosales cada vez que la moneda volvía a fortalecerse.

El People's Bank of China amplía su banda de fluctuación para castigar a los especuladores de divisas

En 2014, el People's Bank of China (el banco central del país) se empezó a preocupar por los especuladores que apostaban sobre el tipo de cambio del yuan esperando obtener grandes ganancias. Los especuladores conseguían obtener ganancias del mercado al comprar yuanes a un precio relativamente bajo y luego venderlos cuando la moneda se apreciaba. ¿Por qué representaba esto un problema para China? Cuando los especuladores compraban yuanes, se generaba un flujo de dinero hacia China que inflaba los precios de activos como los bienes raíces (esto se debía a que el sector de bienes raíces era precisamente el favorito de las afluencias de capital especulativos). Los grandes flujos de dinero del exterior elevaban los riesgos en el sistema bancario de China y hacían que la economía china se tornara vulnerable ante las turbulencias financieras.

Para reducir el flujo de dinero del extranjero hacia China, el People's Bank of China buscó eliminar la posibilidad de que los especuladores contaran con una "apuesta unilateral" sobre el yuan; es decir, cancelar la convicción de que el yuan necesariamente se apreciaría frente al dólar estadunidense. Esto se consiguió mediante dos acciones. Primero, el banco central ordenó a los más grandes bancos estatales chinos que compraran agresivamente dólares con yuanes, obligando así a que el yuan se depreciara frente al dólar. En segundo lugar, el banco central amplió la banda de fluctuación del yuan frente al dólar. Así, el yuan podía fluctuar ahora hasta 2 por ciento a la alza o a la baja sobre el pivote diario que fijaba directamente el banco central. Con anterioridad, el banco central había permitido que los corredores forzaran el valor diario del yuan sólo hasta un 1 por ciento a la alza o a la baja. Ampliar la banda de fluctuación produjo una expansión repentina en ambas direcciones de la volatilidad en el tipo de cambio del yuan y generó un riesgo mucho mayor para quienes se propusieran especular sobre el valor a futuro del yuan. Así, al duplicar la amplitud de la banda de fluctuación del yuan, las apuestas cambiarias sencillas se tornaron cada vez más riesgosas para los especuladores. Estas acciones consiguieron reducir los flujos entrantes de dinero hacia China.

Los analistas han considerado esta acción de ampliar la banda de fluctuación del yuan al doble como un importante primer paso de China hacia el establecimiento de un sistema cambiario basado en el mercado (en vez de un sistema controlado) en el que el yuan fluctuaría a la alza o a la baja igual que cualquier otra divisa.

Especulación estabilizadora y desestabilizadora

La especulación de divisas puede ejercer una influencia estabilizadora o desestabilizadora sobre el mercado de divisas. La **especulación estabilizadora** va en contra de las fuerzas del mercado *moderando* o *revirtiendo* un aumento o una reducción en el tipo de cambio de una moneda. Por ejemplo, ocurre cuando un especulador compra moneda extranjera con la moneda de su país en el momento en que el precio interno de la moneda extranjera disminuye o se deprecia. El especulador tiene la esperanza de que el precio nacional de esa divisa aumente en poco tiempo y le genere una ganancia. Estas compras incrementan la demanda de una divisa extranjera y moderan su depreciación. La especulación estabilizadora tiene una función útil para banqueros y hombres de negocios, quienes desean tipos de cambio estables.

La **especulación desestabilizadora** va en la misma dirección de las fuerzas del mercado *reforzando* las fluctuaciones en un tipo de cambio de divisas. Por ejemplo, ocurre cuando un especulador vende una moneda extranjera en el momento en que se deprecia, con la expectativa de que se deprecie aún más en el futuro. Esta venta reduce el valor de la moneda. La especulación desestabilizadora afecta las transacciones internacionales de varias formas. Debido a la incertidumbre que existe en el financiamiento de exportaciones e importaciones, el costo de la protección contra el riesgo cambiario puede llegar a ser tan alto que represente un impedimento para el comercio internacional. Esto se debe a que el costo de obtener una mayor cobertura para las transacciones de capital internacionales puede aumentar en gran medida al intensificarse el riesgo cambiario.

Para reducir la especulación desestabilizadora, algunos funcionarios públicos proponen la regulación de los mercados de divisas por parte de los gobiernos. Sin embargo, si el gobierno regulara los mercados de divisas, ¿dicha intervención sería superior al resultado que ocurre en un mercado no regulado? ¿Podría el gobierno identificar mejor que los mercados el tipo de cambio "correcto"? Muchos analistas aseguran que el gobierno cometería errores mucho más graves. Los mercados son más certeros que cualquier gobierno a la hora de admitir sus errores y corregirlos. Esto se debe a que, a diferencia de los gobiernos, los mercados no tienen orgullo. En el capítulo 15 se estudiará más a fondo la especulación desestabilizadora. En la sección *Exploración profunda 11.1*, que se puede encontrar en www.cengage.com/economics/Carbaugh, podrá usted aprender más sobre las técnicas de especulación en el mercado de divisas.

EL COMERCIO DE DIVISAS COMO CARRERA PROFESIONAL

Cuando usted termine este curso de economía internacional y se disponga a titularse de su universidad, podría considerar la posibilidad de convertirse en un corredor de bolsa. Podría obtener un empleo en un banco o en una compañía que se ocupa del intercambio de divisas o podría trabajar independientemente como operador de día.

Operadores de bolsa en bancos comerciales, empresas y bancos centrales

Un operador cambiario puede ser contratado por los bancos comerciales, como JP Morgan Chase y Bank of America que obtienen ganancias con el intercambio y la venta de divisas entre sí. Las grandes empresas que tienen necesidad de divisas para comerciar también contratan corredores y los bancos centrales, como la Reserva Federal de EUA, que participan en el mercado de divisas para influir en el valor de sus monedas, requieren asimismo de operadores de bolsa.

Un operador de divisas estudia los diversos factores que afectan las economías locales y los tipos de cambio y luego aprovecha cualquier valuación incorrecta de las monedas para comprar y vender en diversos mercados de divisas. Solamente aquellos que se sienten cómodos bajo un alto grado de riesgo y bajo una continua incertidumbre deberían considerar esta profesión como carrera: una sola decisión puede causar importantes ganancias o pérdidas. La confianza y el arrojo son las cualidades primordiales que se requieren para la correduría bursátil.

Un corredor de bolsa tiene que saber manejar cuentas, analizar diariamente reportes de muy diversos tipos y estar muy actualizado sobre los pormenores de las principales economías mundiales. Un corredor se pasa la mayor parte de su tiempo laboral al teléfono o frente a una computadora. La comunicación en el mercado de divisas debe ser extremadamente rápida; se requieren de agudas habilidades de razonamiento para la toma rápida de decisiones. Una licenciatura en economía o una licenciatura en matemáticas suelen ser las más adecuadas para obtener un puesto como operador de bolsa. También es de suma utilidad contar con una sólida formación contable para poder identificar con toda claridad las posiciones de ganancia o de pérdida en medio de un frenético ambiente laboral. Se requiere forzosamente de licenciatura pero son muy pocas las personas que dejan su ámbito laboral para obtener un posgrado en este campo.

Al inicio de su carrera profesional el operador financiero suele especializarse en una sola divisa y en la economía vinculada a esa moneda. Cuando los operadores adquieren suficiente experiencia pueden confiársele negociaciones con más de una moneda y entonces pueden especializarse en grupos de países geográficamente vinculados, como por ejemplo los corredores que se ocupan de las divisas de la Cuenca del Pacífico.

Los corredores de bolsa deben poder disfrutar del influjo de adrenalina que supone la participación activa en un mercado sumamente agitado. Un operador debe estar cada día y en todo momento al pendiente de todos los eventos alrededor del mundo pues uno solo puede influir en el valor de una moneda y crear oportunidades de ganancia. La mayoría de los corredores de bolsa confiesan que al final

CONFLICTOS COMERCIALES CÓMO MANEJAR EL DÓLAR A LA BAJA (ALZA)

Cuando se espera que el dólar se deprecie, los inversionistas estadunidenses recurren a los mercados extranjeros para obtener ganancias muy altas. ¿Por qué? Un dólar a la baja hace que los instrumentos financieros nominados en otras monedas valgan más en términos de dólares. Sin embargo, quienes están en el negocio enfatizan que el comercio de divisas es "especulación" y no inversión. Si el dólar vuelve a aumentar, cualquier inversión nominada en una moneda extranjera ofrecerá ganancias más bajas. En pocas palabras, pueden ocurrir grandes pérdidas si la proyección es errónea.

La manera más directa de manejar una disminución anticipada en el dólar sería acudir a Bank of America y comprar 10,000 dólares de euros, guardar los certificados en una caja de seguridad y volver a convertirlos a dólares en seis meses. Sin embargo, no es una forma muy eficiente de realizar el trabajo, gracias a los costos de transacción.

Otra manera es comprar bonos nominados en una moneda extranjera. Un inversionista extranjero que proyecta que el valor del yen tendrá una apreciación significativa en un futuro cercano podría comprar bonos emitidos por corporaciones o por el gobierno japonés. Es posible adquirir estos bonos de empresas de corretaje como Charles Schwab y JP Morgan Chase & Co., y se pagan en yenes, mismos que se compran convirtiendo dólares en yenes al tipo de cambio *spot* prevaleciente. Si el yen aumenta, el especulador no sólo recibe el interés acumulado del bono, sino también su apreciación en dólares. El problema es que, muy probablemente, otros tienen las mismas expectativas. La demanda general de los bonos quizá sea suficiente para aumentar el precio del bono, dando como resultado una tasa de interés más baja. Para que el inversionista gane, la apreciación del yen frente al dólar debe ser mayor que la pérdida del ingreso por intereses. En muchos casos las fluctuaciones en los tipos de cambio no son lo suficientemente altas para que esas inversiones valgan la pena. Además de invertir en un bono extranjero en particular, es posible invertir en un fondo mutualista de bonos en el extranjero, que ofrecen las empresas de co-

rretaje como Merrill Lynch. Aunque un bono extranjero se puede adquirir por 2,500 dólares, en general, es necesario invertir 100,000 dólares o más.

En lugar de invertir en bonos extranjeros, algunos inversionistas prefieren comprar acciones de corporaciones extranjeras, nominadas en otras divisas. En este caso, el inversionista trata de predecir la tendencia no sólo de la moneda extranjera sino también del mercado accionario. Es preciso que el inversionista conozca muy bien las cuestiones financieras y económicas del país extranjero. En lugar de comprar acciones individuales, un inversionista puede adquirir un fondo mutualista de acciones en el extranjero.

Para los inversionistas que esperan que el tipo de cambio *spot* de una divisa aumente en poco tiempo, la respuesta está en una cuenta de ahorro nominada en una moneda extranjera. Por ejemplo, un inversionista estadunidense puede comunicarse con el Citibank o una sucursal en Estados Unidos de un banco extranjero y obtener un certificado de depósito que dé intereses nominado en una moneda extranjera. Una ventaja de una cuenta de ahorro de este tipo es que el inversionista tendrá la garantía de una tasa de interés fija. Un inversionista que toma la decisión correcta también goza de las ganancias derivadas de la apreciación de la divisa. Sin embargo, el inversionista debe estar consciente de la posibilidad de que los gobiernos graven o cancelen estos depósitos, o bien interfieran con la libertad del inversionista de conservar la moneda de otro país.

Por último, es posible manejar el dólar a la baja invirtiendo el dinero en gran variedad de derivados de divisas, que son muy riesgosos. Por ejemplo, es posible negociar contratos a futuro en la Bolsa Mercantil de Chicago; o negociar divisas directamente abriendo una cuenta en una empresa que se especialice en ese negocio, como Saxo Bank (Dinamarca) o CMC (Reino Unido). A menudo el lote mínimo es de 10,000 dólares, y es posible apalancar hasta 95 por ciento. Por tanto, para una negociación de 100,000 dólares, el tamaño típico, sólo se necesitan 5,000 dólares. Para una apreciación del dólar, las técnicas de especulación de divisas serían las opuestas.

de su día laboral acaban exhaustos. La sección *Exploración detallada 11.2* que puede encontrar en www. cengage.com/economics/Carbaugh ofrece una introducción básica al mundo del comercio de divisas.

Los mercados de divisas atraen a los operadores del día

Durante décadas sólo los grandes bancos y las empresas como Deutsche Bank y General Electric practicaban las negociaciones con divisas. En un momento determinado, los inversionistas individuales en Europa y Asia empezaron a negociar con divisas para obtener utilidades especulativas del mercado. Para el 2000, muchos estadunidenses decidieron participar en este juego de póker electrónico, entre los que se encuentran estrellas de rock, atletas profesionales, funcionarios de la policía, abogados, médicos y profesores.

Considere el caso de Marc Coppola, hermano del actor Nicolas Cage y sobrino del director de cine Francis Ford Coppola. En 2005 se informó que Coppola había ganado 1,400 dólares al apostar 60,000 dólares a que el euro aumentaría su valor frente al dólar. Luego, cambió de dirección y apostó 40,000 dólares a que el euro se depreciaría. Cuando esta moneda disminuyó de 1.31 a 1.30 dólares, cambió la mitad de la suma y pronto cambió el resto. Sin embargo, Coppola afirmó que había sido demasiado precavido: temía que el valor de cambio del euro cambiara de dirección de forma repentina y, por tanto, se salió de la negociación muy pronto. Coppola habría deseado llegar a un valor de cambio del euro de 1.20 dólares aproximadamente, obteniendo así utilidades especulativas adicionales.

El mercado de divisas se ha convertido en un campo de especulación para los operadores individuales, que establecen cuentas en línea que, como el mercado de divisas mismo, operan las 24 horas del día. Gain Capital Group, FX Solutions, Interbank FX y Forex Capital Markets (FXCM) son algunas de las empresas más populares que ofrecen este tipo de cuentas. Para abrir una, los especuladores necesitan desde 250 dólares, y pueden pedir prestado hasta 400 veces el valor de la cuenta, aunque un apalancamiento de 15 a 20 veces es más común.

Así es como funciona. Una relación de 400 a 1 significa que un especulador puede invertir 5,000 dólares (conocidos como el margen) para hacer una apuesta de 2 millones de dólares a que el dólar se depreciará frente al euro. La diferencia entre el margen y el valor de la apuesta es el apalancamiento. La apuesta ganará 200 por cada 0.01 puntos porcentuales que el dólar se deprecie frente al euro. Entonces, si el dólar cae uno por ciento frente al euro, la apuesta de 2 millones de dólares gana 20,000 dólares. Sin embargo, las pérdidas pueden ser muy altas si la apuesta sale mal.

En comparación con otras oportunidades de inversión, el mercado de divisas ofrece varias ventajas. Las actividades continuas en este mercado permiten a los especuladores invertir en cualquier momento, y no sólo entre 9:30 a.m. y 4 p.m., hora del este de Estados Unidos, como la bolsa de valores estadunidense. Como los costos de transacción son más bajos, la negociación de divisas también es menos costosa que las acciones; y es más sencilla porque sólo seis pares de monedas (por ejemplo, el dólar frente al euro) representan alrededor de 90 por ciento del volumen de negociaciones, en comparación con miles de acciones. A diferencia de las acciones, no puede haber un mercado bajista para las divisas: como el valor de una divisa se establece en relación con las demás, cuando algunas se deprecian otras aumentan su valor. Por último, las negociaciones de divisas pueden ser menos riesgosas que la inversión en acciones porque, a menudo, las monedas se mueven en ciclos de varios años, por lo que es más fácil identificar una tendencia.

Sin embargo, los corredores profesionales sugieren tener precaución con los amateurs que especulan con las divisas. Calculan que sólo 15 por ciento de los negociadores obtienen una utilidad. Aunque el apalancamiento financiero que se puede obtener mediante una cuenta en línea puede ayudar a generar utilidades muy altas si un especulador toma la decisión correcta, también puede dar como resultado grandes pérdidas si las cosas salen mal. En pocas palabras, la especulación con divisas es un negocio muy riesgoso. Lo más recomendable es no arriesgarse a adivinar si el próximo semestre el dólar se depreciará o se apreciará.[9]

---

[9] "Currency Markets Draw Speculation, Fraud", *The Wall Street Journal*, 26 de Julio de 2005, p. C1 y "Young Traders Run Currency Markets", *The Wall Street Journal*, 5 de noviembre de 1987, p. A26.

RESUMEN

1. El mercado de divisas proporciona el marco de trabajo institucional dentro del cual individuos, empresas e instituciones financieras compran y venden divisas. Dos de los mercados de divisas más grandes del mundo se localizan en Nueva York y Londres.

2. El tipo de cambio es el precio de una unidad de una divisa en términos de la moneda nacional. Desde el punto de vista de Estados Unidos, el tipo de cambio se refiere, por ejemplo, a la cantidad de dólares necesarios para comprar un franco suizo. Una depreciación (apreciación) del dólar es un incremento (decremento) del número de dólares requeridos para comprar una unidad de una moneda extranjera.

3. En el mercado de divisas las monedas se intercambian las 24 horas y en todo el mundo. La mayor parte del intercambio de divisas se lleva a cabo en el mercado interbancario. Por lo general, los bancos participan en tres tipos de transacciones de divisas: *spot*, a futuro y *swap*.

4. El tipo de cambio de equilibrio en un mercado libre está determinado por la intersección de las curvas de la oferta y la demanda de divisas. Estas curvas se derivan de las entradas de créditos y activos en la balanza de pagos de un país.

5. El arbitraje de intercambio permite que los tipos de cambio en distintas partes del mundo se mantengan iguales. Esto se logra vendiendo una moneda cuando su precio es alto y comprándola cuando su precio es bajo.

6. A menudo los inversionistas y operadores extranjeros negocian en el mercado a futuro para protegerse de las posibles fluctuaciones en el tipo de cambio. Sin embargo, los especuladores también compran y venden monedas en los mercados a futuro anticipando utilidades considerables. En general, el arbitraje de intereses determina la relación entre el tipo de cambio *spot* y el tipo de cambio a futuro.

7. La especulación en los mercados de divisas puede ser estabilizadora o desestabilizadora.

CONCEPTOS Y TÉRMINOS CLAVE

Apreciación (p. 365)

Arbitraje bilateral (p. 374)

Arbitraje de intereses (p. 382)

Arbitraje de intereses cubierto (p. 383)

Arbitraje de intereses sin cobertura (p. 382)

Arbitraje de divisas (p. 385)

Arbitraje trilateral (p. 374)

Cobertura cambiaria (p. 377)

Depreciación (p. 365)

Descuento (p. 375)

Dólar comercial ponderado (p. 371)

Especulación (p. 384)

Especulación desestabilizadora (p. 387)

Especulación estabilizadora (p. 386)

Índice de tipos de cambio (p. 383)

Índice de tipos de cambio nominales (p. 372)

Índice de tipos de cambio reales (p. 373)

Margen (*spread*) (p. 362)

Mercado a futuro, *forward* (p. 366)

Mercado de futuros (p. 366)

Mercado de divisas (p. 357)

Mercado Monetario Internacional (MMI) (p. 366)

Mercado *spot* (p. 366)

Meses al vencimiento (p. 367)

Opción (p. 368)

Opción de compra (p. 368)

Opción de venta (p. 368)

Opciones de divisas (p. 368)

Precio de ejercicio (*strike price*) (p. 368)

Prima (p. 375)

Riesgo cambiario (p. 382)

Swap de divisas (p. 360)

Tipo de cambio (p. 373)

Tipo de cambio a futuro (p. 375)

Tipo de cambio cruzado (p. 365)

Tipo de cambio de compra (p. 362)

Tipo de cambio de venta (p. 362)

Tipo de cambio efectivo (p. 371)

Tipo de cambio nominal (p. 372)

Tipo de cambio real (p. 373)

Transacción a futuro (p. 360)

Transacción *spot* (p. 359)

PREGUNTAS PARA ANÁLISIS

1. ¿Qué es el mercado de divisas? ¿Dónde se encuentra?

2. ¿Qué es el mercado a futuro? ¿En qué se diferencia del mercado *spot*?

3. La oferta y la demanda de divisas se consideran curvas derivadas. Explique esta afirmación.

4. Explique por qué las cotizaciones de los tipos de cambio en distintos centros financieros tienden a ser consistentes entre sí.

5. ¿Quiénes son los participantes en el mercado de divisas a futuro? ¿Qué ventajas ofrece este mercado a estos participantes?

6. ¿Qué explica la relación entre el tipo de cambio *spot* y el tipo de cambio a futuro?

7. ¿Cuál es la estrategia de especular en el mercado a futuro? ¿De qué otras maneras es posible especular con el tipo de cambio?

8. ¿Cuál es la diferencia entre la especulación estabilizadora y la especulación desestabilizadora?

9. Si el tipo de cambio disminuye de 1.70 dólares = una libra a 1.68 dólares = una libra, ¿qué significa para el dólar? ¿Para la libra? ¿Qué sucede si cambia de 1.70 a 1.72 dólares por una libra?

10. Suponga que el tipo de cambio es de 1.69 dólares = una libra en Nueva York y de 1.71 dólares = una libra en Londres. ¿De qué manera los árbitros del tipo de cambio pueden obtener una utilidad de estos tipos de cambio? Explique cómo el arbitraje del tipo de cambio da como resultado el mismo tipo de cambio entre el dólar y la libra en Nueva York y en Londres.

11. La tabla 11.11 muestra las curvas de oferta y demanda para la libra esterlina. Suponga que los tipos de cambio son flexibles.

TABLA 11.11

Oferta y demanda de libras esterlinas

Cantidad de libras ofrecidas	Dólares por libra	Cantidad de libras demandadas
50	$2.50	10
40	2.00	20
30	1.50	30
20	1.00	40
10	0.50	50

© Cengage Learning®

a. El tipo de cambio de equilibrio es igual a:_____. A este tipo de cambio, ¿cuántas libras se van a comprar y a qué costo en términos del dólar?

b. Suponga que el tipo de cambio es de 2 dólares por libra. A este tipo de cambio hay un exceso de (oferta/demanda) libras. Este desequilibrio provoca un (incremento/decremento) en el precio de la libra en dólares, lo que da lugar a un(a) _____ en la cantidad de libras ofrecidas y un(a) _____ en la cantidad de libras demandadas.

c. Suponga que el tipo de cambio es de un dólar por libra. A este tipo de cambio hay un exceso de (oferta/demanda) de libras. Este desequilibrio provoca un (aumento/decremento) en el precio de la libra, que da lugar a un(a) _____ en la cantidad de libras ofrecidas y un(a) _____ en la cantidad de libras demandadas.

12. Suponga que el tipo de cambio *spot* de la libra hoy es de 1.70 dólares y el tipo de cambio a futuro de tres meses es de 1.75 dólares.

   a. ¿De qué manera se puede proteger del riesgo del tipo de cambio un importador estadounidense que tiene que pagar 20,000 libras dentro de tres meses?

   b. ¿Qué sucede si el importador estadounidense no se protege y el tipo de cambio *spot* de la libra en tres meses es de 1.80 dólares?

13. Suponga que la tasa de interés (anual) sobre los certificados del Tesoro a tres meses es de 10 por ciento en Londres y de 6 por ciento en Nueva York, y el tipo de cambio *spot* de la libra es de 2 dólares.

   a. ¿De qué manera un inversionista estadounidense obtiene una utilidad del arbitraje de intereses descubierto?

   b. Si el precio de la libra a futuro de tres meses es de 1.99 dólares, ¿un inversionista estadounidense se va a beneficiar con el arbitraje de intereses cubierto? Si es así, ¿qué tanto?

14. La tabla 11.12 proporciona los valores hipotéticos del dólar/franco para el miércoles 5 de mayo de 2008.

TABLA 11.12

Tipos de cambio de dólar/franco

	EN $EUA		DIVISAS POR $EUA	
	miér.	**mart.**	**miér.**	**mart.**
Suiza (franco)	.5851	.5846		
A un plazo de 30 días	.5853	.5848		
A un plazo de 90 días	.5854	.5849		
A un plazo de 180 días	.5851	.5847		

© Cengage Learning®

a. Complete las dos últimas columnas de la tabla con el precio recíproco del dólar en términos del franco.

b. El miércoles el precio *spot* de las dos monedas era _____ dólares por franco, o _____ francos por dólar.

c. De martes a miércoles, en el mercado *spot*, el dólar se (apreció/depreció) frente al franco; el franco se (apreció/depreció) frente al dólar.

d. En el mercado *spot* del miércoles, el costo de comprar 100 francos era _____ dólares; el costo de comprar 100 dólares era _____ francos.

e. El miércoles, el franco a futuro de 30 días tenía un(a) (descuento/prima) de _____ dólares, igual a _____ por ciento anual. ¿Qué sucedió con el franco a futuro de 90 días?

15. Suponga que un especulador estima que, dentro de tres meses, el tipo de cambio *spot* del franco será más bajo que el tipo de cambio a futuro de tres meses actual del franco, 0.50 dólares = un franco.

   a. ¿De qué manera este especulador puede utilizar un millón de dólares para especular en este mercado a futuro?

   b. ¿Qué ocurre si el tipo de cambio *spot* del franco en tres meses es de 0.40 dólares? ¿0.60 dólares? ¿0.50 dólares?

16. A usted le proporcionan los siguientes tipos de cambio *spot*: un dólar = 3 francos, un dólar = 4 chelines y un franco = 2 chelines. Ignorando los costos de transacción, ¿qué utilidad puede obtener una persona a través del arbitraje trilateral?

EXPLORACIÓN DETALLADA

Para una discusión de las técnicas de especulación en el mercado de divisas, consulte *Exploración Detallada 11.1* en: **www.cengage.com/economics/Carbaugh.**

Determinación de los tipos de cambio

Desde que en la década de los setenta las principales naciones industrializadas introdujeron los tipos de cambio determinados por el mercado, éstos han presentado grandes fluctuaciones. Si bien los cambios a largo plazo han registrado movimientos graduales, al analizar intervalos más breves es claro que el tipo de cambio es algo muy volátil. De hecho, en un mismo día los tipos de cambio fluctúan varios puntos porcentuales. En este capítulo, se explican las fuerzas que determinan las fluctuaciones de las divisas cuando impera un sistema de tipos de cambio determinado por el mercado (flotantes).

¿QUÉ DETERMINA LOS TIPOS DE CAMBIO?

Como ya sabe, los mercados de divisas, por naturaleza, son sumamente competitivos. Un gran número de compradores y vendedores se reúnen en estos mercados, ubicados en las ciudades más importantes del mundo y se conectan vía electrónica de modo que conforman un solo mercado mundial. Los individuos que participan en los mercados de divisas cuentan con información excelente, minuto a minuto, respecto de los tipos de cambio de cualquier divisa. En consecuencia, los valores de las monedas los establecen las libres fuerzas de la oferta y la demanda, siempre y cuando los bancos centrales no traten de estabilizarlas. La oferta y la demanda de una moneda la determinan las personas físicas y las empresas, los bancos y los organismos gubernamentales que no son bancos centrales. En un mercado libre, el tipo de cambio de equilibrio se presenta en el punto donde la cantidad demandada de una divisa es igual a la cantidad ofrecida de ella.

Decir que la oferta y la demanda determinan los tipos de cambio en un mercado libre es decir todo y nada. Si quiere entender por qué algunas monedas se deprecian y otras se aprecian, debe investigar los factores que provocan variaciones en las curvas de oferta y de demanda de las divisas. Estos factores incluyen los **fundamentos del mercado** (variables económicas) como la productividad, las tasas de inflación, las tasas de interés reales, las preferencias de los consumidores y la política comercial del gobierno. También incluyen las **expectativas del mercado**, como las noticias sobre el futuro de los fundamentos del mercado y las opiniones de los intermediarios respecto del futuro de los tipos de cambio.[1]

---

[1] Este enfoque para determinar el tipo de cambio se conoce como enfoque de la balanza de pagos. Hace hincapié en el flujo de los bienes, los servicios y los fondos de inversión, y en su efecto en las transacciones en divisas y los tipos de cambio. El enfoque plantea que la depreciación del tipo de cambio (apreciación) suele ocurrir en el caso de una nación que gasta más (menos) en el exterior, en una combinación de compras e inversiones, que adquiere en el exterior a lo largo de un periodo sostenido.

Debido a que los economistas piensan que los determinantes de las fluctuaciones de los tipos de cambio son bastante diferentes a corto plazo (unas cuantas semanas o incluso días), a mediano plazo (varios meses) y a largo plazo (1, 2 o hasta 5 años), al analizar los tipos de cambio se deben considerar estos distintos plazos. En el caso de las transacciones de divisas *a corto plazo* dominan las transferencias de activos financieros (depósitos bancarios, bonos gubernamentales) que responden a las diferencias en las tasas de interés reales y al cambio de las expectativas en cuanto al futuro de los tipos de cambio. *A mediano plazo*, los tipos de cambio se rigen por factores cíclicos, como las fluctuaciones cíclicas de la actividad económica. *A largo* plazo las transacciones en divisas están dominadas por los flujos de bienes, servicios y capital de inversión, que responden a fuerzas como las tasas de inflación, la rentabilidad de las inversiones, los gustos de los consumidores, el ingreso real, la productividad y la política comercial del gobierno; estos factores afectan los tipos de cambio a largo plazo porque tienden a cambiar lentamente.

Advierta que las influencias diarias sobre los tipos de cambio provocan que el tipo oscile en sentido contrario al que indican los fundamentos de plazo más largo. Aun cuando el tipo de cambio del día pueda no estar en línea con los fundamentos a largo plazo, no debe pensar que esto implica que no es congruente, necesariamente, con los determinantes de corto plazo; por ejemplo, los diferenciales de las tasas de interés, que se cuentan entre los fundamentos más importantes en el extremo de la dimensión del corto plazo.

La figura 12.1 muestra el marco que determina los tipos de cambio.[2] La figura parte de que las fuerzas estructurales de largo plazo, las cíclicas de mediano plazo y las especulativas de corto plazo establecen, de forma simultánea, los tipos de cambio. La figura representa la idea de que existe un nivel de equilibrio o trayectoria hacia la cual la divisa se orientará a la larga. Esta trayectoria de equilibrio es como un imán o ancla a largo plazo, es decir, evita que los tipos de cambio fluctúen sin sentido indefinidamente, además de que los hace gravitar hacia la trayectoria de equilibrio a largo plazo.

Las fuerzas cíclicas de mediano plazo producen fluctuaciones de la divisa por encima o por debajo de su trayectoria de equilibrio a largo plazo. Sin embargo, las fuerzas fundamentales sirven para impulsar la divisa hacia su trayectoria de equilibrio a largo plazo. Advierta que en ocasiones las fluctuaciones cíclicas de la divisa a mediano plazo pueden ser grandes, respecto de su trayectoria de equilibrio a largo plazo, si las perturbaciones económicas producen cambios significativos en los flujos del comercio o del capital.

Las fuerzas estructurales de largo plazo y las fuerzas cíclicas de mediano plazo interactúan y establecen el curso de equilibrio fundamental de la divisa. En ocasiones los tipos de cambio se alejan de esta trayectoria de equilibrio fundamental, si las fuerzas de corto plazo (por ejemplo, el cambio de expectativas del mercado) provocan que los tipos de cambio fluctúen más allá de los tipos basados en factores fundamentales. Si bien esta reacción exagerada puede persistir durante largos periodos, las fuerzas fundamentales, por lo general, vuelven a llevar a la divisa a la trayectoria de equilibrio fundamental.

Por desgracia, prever los movimientos de los tipos de cambio es una tarea muy difícil, porque las fuerzas económicas los afectan por diversas vías y algunas de ellas pueden tener un efecto negativo en el valor de la divisa, mientras que otras pueden tener un efecto positivo. Algunas de estas vías tendrán mayor importancia para determinar las tendencias de corto o mediano plazo, mientras que otras serán más importantes para explicar la tendencia que seguirá la divisa a largo plazo.

Con el propósito de simplificar el análisis de los tipos de cambio conviene dividirlo en dos partes. Primero, entender la forma en que se determinan los tipos de cambio a largo plazo. A continuación,

---

[2] La figura y su análisis han sido adaptadas de Michael Rosenberg, Currency Forecasting, Richard D. Irwin, Homewood, IL, 1996, pp. 3-5.

FIGURA 12.1

La trayectoria del tipo de cambio del yen

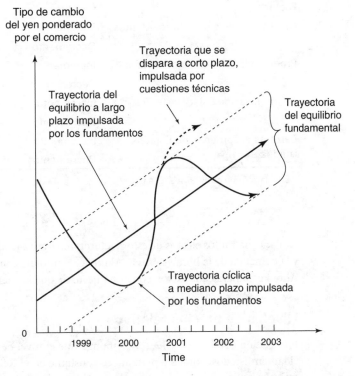

La figura considera que el valor de cambio de la moneda de una nación está determinado por las fuerzas estructurales de largo plazo, las cíclicas de mediano plazo y las especulativas de corto plazo.

© Cengage Learning®

a partir del conocimiento de los determinantes del tipo de cambio a largo plazo conocerá cómo son determinadas a corto plazo.

Para comprender mejor estos determinantes consulte la columna "Forex View" que *The Wall Street Journal* publica todos los días en su tercera sección "Money and Investing". La columna suele mencionar los factores que provocan fluctuaciones en el valor de cambio del dólar.

DETERMINACIÓN DE LOS TIPOS DE CAMBIO A LARGO PLAZO

Las fluctuaciones del valor del tipo de cambio a largo plazo se deben a las reacciones de los intermediarios del mercado de divisas ante los cambios de cuatro factores clave: los niveles de los precios relativos, los niveles de la productividad relativa, las preferencias de los consumidores por bienes nacionales o extranjeros y las barreras al comercio. Observe que estos factores subyacen al comercio de bienes nacionales y extranjeros y, en consecuencia, a los cambios de la demanda de exportaciones e importaciones. La tabla 12.1 resume los efectos de esos factores.

TABLA 12.1

Determinantes del tipo de cambio del dólar a largo plazo

Factor*	Cambio	Efecto en el tipo de cambio del dólar
Nivel de precios de Estados Unidos	Incremento	Depreciación
	Decremento	Apreciación
Productividad de Estados Unidos	Incremento	Apreciación
	Decremento	Depreciación
Preferencias de Estados Unidos	Incremento	Depreciación
	Decremento	Apreciación
Barreras al comercio de Estados Unidos	Incremento	Apreciación
	Decremento	Depreciación

* En relación con otros países. El análisis de un cambio en una determinante presupone que las demás permanecen inalteradas.

© Cengage Learning®

Para ilustrar los efectos de estos factores, refiérase a la figura 12.2 que ilustra las curvas de la oferta y la demanda de la libra esterlina. Al inicio, el tipo de cambio de equilibrio es 1.50 dólares por libra. Ahora estudiará cada factor, con el supuesto de que los demás permanecen constantes.

Niveles de precios relativos

En relación con la figura 12.2(a), suponga que el nivel de precios internos se incrementa con velocidad en Estados Unidos y permanece constante en el Reino Unido, lo cual provoca que los consumidores estadounidenses quieran obtener bienes británicos de precio bajo. Por tanto, la demanda de libras se incrementa a D_1 en la figura. Por otra parte, a medida que los consumidores británicos compran menos bienes estadounidenses de precio alto, la oferta de libras disminuye a O_1. El incremento de la demanda de libras y el decremento de la oferta de libras provocan una depreciación del dólar a 1.60 por libra. Este análisis sugiere que un incremento del nivel de precios en Estados Unidos respecto de los niveles de precios de otros países provoca una depreciación del dólar a largo plazo.

Niveles de productividad relativos

El crecimiento de la productividad mide el incremento del producto de un país para un nivel dado de insumos. Si un país se torna más productivo que otros, producirá bienes de forma más barata que sus competidores extranjeros. Si los incrementos de la productividad se transfieren a los compradores nacionales y extranjeros en la forma de precios más bajos, las exportaciones del país tenderán a aumentar y las importaciones a reducirse.

En referencia a la figura 12.2(b), suponga que el crecimiento de la productividad en Estados Unidos es más rápido que en el Reino Unido. A medida que los bienes estadounidenses se tornan relativamente menos costosos, los consumidores británicos demandarán más bienes estadounidenses, lo que producirá un incremento de la oferta de libras a O_2. Asimismo, los estadounidenses demandarán menos bienes británicos, que se tornan relativamente más costosos, lo cual provoca que la demanda de libras se reduzca a D_2. Por tanto, el dólar se apreciará a 1.40 por libra. En pocas palabras, a medida que un país se torna más productivo respecto de otros países, su moneda se apreciará.

Preferencias por bienes nacionales o extranjeros

En cuanto a la figura 12.2(c), suponga que los consumidores estadounidenses manifiestan una mayor preferencia por bienes manufacturados en el Reino Unido, como automóviles o aparatos de CD. La

FIGURA 12.2

Fundamentos del mercado que afectan el tipo de cambio del dólar a largo plazo

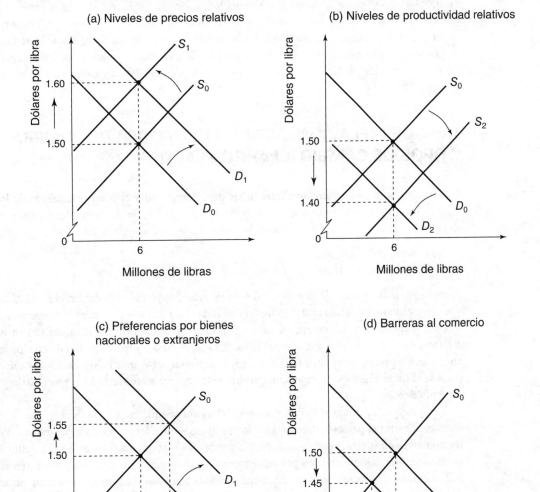

(a) Niveles de precios relativos

(b) Niveles de productividad relativos

(c) Preferencias por bienes nacionales o extranjeros

(d) Barreras al comercio

A largo plazo el tipo de cambio entre el dólar y la libra refleja los niveles de precios relativos, los niveles de productividad relativos, las preferencias por bienes nacionales o extranjeros y las barreras al comercio.

© Cengage Learning®

mayor demanda de bienes británicos provoca que los estadunidenses demanden más libras para comprarlos. Cuando la demanda de libras incrementa a D_1, el dólar se deprecia a 1.55 por libra. Por otra parte, si los consumidores británicos demandaran más *software* de computadora, maquinaria y manzanas estadunidenses, el dólar se apreciaría frente a la libra. La conclusión es que el incremento de la demanda de exportaciones de un país provoca que su moneda se aprecie a la larga y, por el contrario, que el incremento de la demanda de importaciones provoque una depreciación de la moneda nacional.

Barreras al comercio

Las barreras al libre comercio también afectan a los tipos de cambio. Suponga que el gobierno de Estados Unidos impone aranceles al acero del Reino Unido. Dado que el arancel provoca que el acero importado sea más costoso que el acero nacional, desalienta a los estadunidenses de comprar acero inglés. En la figura 12.2(d), lo anterior provoca que la demanda de libras se reduzca a D_2, lo que produce una apreciación del dólar a 1.45 por libra. En pocas palabras, las barreras al comercio, como los aranceles y las cuotas, provocan que la moneda del país que impone las barreras se aprecie a largo plazo.

TASA DE INFLACIÓN, PARIDAD DEL PODER DE COMPRA Y TIPOS DE CAMBIO A LARGO PLAZO

Los determinantes expuestos son muy útiles para comprender el comportamiento de los tipos de cambio a largo plazo. A continuación, se abordan la paridad del poder adquisitivo y cómo se sustenta en la determinante del precio relativo de los tipos de cambio a largo plazo.

Ley del precio único

El concepto más sencillo de la paridad del poder adquisitivo es la **ley del precio único**, la cual dice que bienes idénticos deben costar lo mismo en todas las naciones si se hace la conversión a una sola moneda, suponiendo que no cuesta nada enviarlo de un país a otro y que no existen barreras al comercio y que los mercados son competitivos. Esta ley se basa en la suposición de que los vendedores buscarán los precios más altos posibles y los compradores los más bajos. Cualquier diferencia que surja se elimina rápidamente mediante arbitraje, la compra simultánea a un precio bajo y la venta a uno más alto.

La ley del precio único se cumple bastante bien para productos primarios que se comercian mundialmente como el petróleo, los metales, los productos químicos y algunos productos agrícolas. La ley no parece cumplirse en el caso de bienes y servicios no comerciables como el alquiler de un taxi, la renta de una casa y servicios personales como, por ejemplo, un corte de pelo. Estos servicios se hallan en mayor medida aislados de la competencia mundial y sus precios pueden variar notablemente de lugar en lugar.

Antes de que se puedan comparar los costos de los bienes en diferentes naciones es preciso convertir su precio a una divisa común. Una vez convertido al tipo de cambio vigente en el mercado, el precio de un bien idéntico, de dos naciones cualesquiera, debe ser idéntico. Por ejemplo, al convertir francos a dólares, entonces la maquinaria adquirida en Suiza debería costar lo mismo que una maquinaria idéntica comprada en Estados Unidos. Esto significa que el poder adquisitivo del franco y del dólar está a la par y que prevalece la ley del precio único.

En teoría, la búsqueda de ganancias suele igualar el precio de un producto idéntico en distintas naciones. Suponga que la maquinaria comprada en Suiza es más barata que las misma maquinaria pero adquirida en Estados Unidos una vez que haya convertido los francos a dólares. Los exportadores suizos realizarían una ganancia si compraran la maquinaria en Suiza, a un precio bajo, y la vendieran en Estados Unidos a un precio más alto. Estas transacciones incrementarían los precios en Suiza y reducirían los precios en Estados Unidos, hasta que, con el tiempo, el precio de la maquinaria sería igual en las dos naciones, sin importar que los precios estén denominados en francos o en dólares. Por tanto, prevalecería la ley del precio único.

Si bien esta ley parece bastante razonable, un análisis de ejemplos reales indica por qué en la práctica no se aplicaría un precio único. En primer término, tal vez no tenga sentido comprar maquinaria barata en Suiza para enviarla a Estados Unidos. Podría ser muy difícil obtener una ganancia por esos precios relativamente más altos, si la maquinaria más barata tiene que enviarse hasta Estados Unidos, si se tienen que establecer redes de distribución para venderla, etc. Estos costos de operación pueden provocar que las diferencias de precio en la maquinaria persistan. Por otra parte, la existencia de aranceles impuestos por Estados Unidos a la maquinaria importada podría alterar la diferencia de precios entre Estados Unidos y Suiza.

El índice "Big Mac" y la ley del precio único

La hamburguesa Big Mac que vende McDonald's ofrece un ejemplo de la ley del precio único. Estas hamburguesas se venden en más de 40 países y sus recetas sólo tienen diferencias mínimas. Esta hamburguesa se acerca tanto al concepto de "producto idéntico" que se puede aplicar para la ley del precio único. Naturalmente existen otros productos globales que se podrían utilizar como herramienta en este ejercicio; por ejemplo, una Coca Cola o un café de Starbucks, pero a lo largo de los años el "Índice Big Mac" se ha establecido como una útil guía rápida de los precios en muchos países.

A partir de 1986 la revista *The Economist* publica cada año el "Índice Big Mac", que representa un intento por medir el verdadero valor de equilibrio de una moneda con base en un producto: una Big Mac. Según la ley del precio único, una Big Mac debe costar lo mismo en una moneda dada en cualquier lugar del mundo donde se compre, y entonces el tipo de cambio de mercado prevaleciente es el del verdadero equilibrio. Ahora bien, en la práctica, ¿ sucede siempre así?

El "Índice Big Mac" sugiere que el tipo de cambio del dólar y el yen está en equilibrio cuando el precio de la hamburguesa es igual en Estados Unidos que en Japón. Por lo mismo, las Big Mac costarían lo mismo en los dos países una vez que los precios se convierten a dólares. Si las hamburguesas no cuestan lo mismo, la ley del precio único es inoperante. Por tanto, en esos casos se dice que el yen está sobrevaluado o subvaluado frente al dólar. Así, es posible utilizar el Índice Big Mac para determinar la diferencia que existe entre el tipo de cambio de mercado y el tipo de cambio de verdadero equilibrio.

La tabla 12.2 presenta lo que costaba una Big Mac en diferentes países en 2013. Salta a la vista que en todos los países comparados el precio de la Big Mac en dólares era diferente al de Estados Unidos, contrario a lo que dice la ley del precio único. En la tabla los precios equivalentes a los de Estados Unidos denotan cuáles divisas están sobrevaluadas y subvaluadas frente al dólar. En Estados Unidos

TABLA 12.2		

El índice Big Mac

EL PRECIO DE UNA BIG MAC, 2013
PRECIOS DE UNA BIG MAC

País/Moneda	En moneda local	En dólares	Moneda local sobrevaluación (+), subvaluación (−) (porciento)
Estados Unidos (dólar)	$4.20	$4.20	—
Venezuela (bolívar)	30.00	6.99	+66.4
Suiza (franco)	6.50	6.81	+62.1
Suecia (corona)	41.00	5.91	+40.7
Eurozona (euro)	3.49	4.43	+5.5
Nueva Zelandia (dólar)	5.10	4.05	−3.6
México (peso)	37.00	2.70	−35.7
Taiwán (dólar)	75.00	2.50	−40.5
India (rupia)	84.00	1.62	−61.4

* A tipo de cambio de mercado, 2013. El precio de cada país se basa en el promedio de cuatro ciudades.

Fuente: "Big Mac Currencies", *The Economist*, disponible en http://www.economist.com.

una Big Mac costaba 4.20 dólares. En Suiza, el precio de una Big Mac equivalía a 6.81 dólares. En comparación con el dólar, el franco suizo estaba *sobrevaluado* 62% ($6.81/$4.20 = 1.62). Por otro lado, la Big Mac en India era una ganga, porque su precio equivalía a 1.62 dólares; o sea que la rupia india estaba *subvaluado* aproximadamente 61% ($1.62/$4.20 = 0.39).

El Índice Big Mac muestra que en 2013 los precios de las hamburguesas no estaban alineados. En teoría, alguien que pretenda practicar el arbitraje podría comprar hamburguesas Big Mac por el equivalente a 2.70 dólares, por decir, en México, cuyo peso estaba subvaluado frente al dólar y venderlas en Suiza a $6.81, porque el franco estaba sobrevaluado frente al dólar. Esta búsqueda de utilidades incrementaría los precios en México y los reduciría en Suiza hasta que el precio de las hamburguesas fuera igual en los dos países. En la práctica, esta intermediación comercial no conseguiría igualar los precios. Los precios de la Big Mac muestran que la ley del precio único no se mantiene entre los países.

¿Por qué los precios de las Big Mac cambian de una nación a otra, incluso si hace la conversión por el tipo de cambio? Una razón son los costos de llevar artículos a través de las fronteras. El Big Mac en sí mismo no es internacionalmente comercializable, pero muchos de sus ingredientes lo son. Los costos de transporte de la carne de res congelada, el aceite, los bollos con ajonjolí y demás ingredientes comerciables de la Big Mac crean brechas de precio entre un país y otro. Los costos impuestos por los aranceles y otras barreras comerciales pueden contribuir a las disparidades de precio entre los diferentes países pues representan una cuña entre estos precios. Finalmente, las disparidades de los ingresos de nación en nación ayudan a explicar por qué el Big Mac se vende a precios diferentes en países diferentes: los precios tienden a ser más altos en países ricos donde las personas tienen mayor capacidad para pagar precios más altos.

No cabe duda de que el Índice Big Mac es primitivo y tiene muchas fallas. No obstante, las personas que no son economistas lo entienden muy fácilmente e indica aproximadamente cuáles monedas son demasiado débiles o fuertes y en qué proporción. Si bien este índice al principio fue elaborado por diversión, ha resultado asombrosamente útil para prever las fluctuaciones de los tipos de cambio. Al parecer, quienes al principio dudaban de la validez del Índice Big Mac ahora incluso le sacan provecho.

Paridad del poder adquisitivo

Una teoría importante de cómo cambian los tipos de cambio es la **teoría de la paridad del poder adquisitivo**. Ésta postula que los tipos de cambio se adaptan para hacer que los productos y servicios cuesten lo mismo en todos lados y, por lo tanto, es una aplicación de la ley del precio único.

Nuestro análisis de los tipos de cambio comenzará con la ley del precio único para un artículo: el acero, como se muestra en la tabla 12.3. Suponga que el precio en yenes del acero japonés es 50,000 yenes por tonelada y que el precio en dólares del acero estadunidense es de $500 por tonelada. Por lo tanto, la ley del precio único dice que el tipo de cambio entre los yenes y el dólar debe ser de 100 yenes por dólar (50,000 yenes/tonelada / $500/tonelada = 100 yenes/$) para asegurarse de que el

---

TABLA 12.3

Aplicación de la ley del precio único a un sólo producto: el acero

De acuerdo con la ley del precio único, si el precio en yenes del acero aumenta un 10 por ciento y el precio en dólares del acero se mantiene constante, el yen se depreciará un 10 por ciento frente al dólar para asegurar que el precio sea el mismo en ambos países.

Precio en yenes de una tonelada de acero	Precio en dólares de una tonelada de acero	Tipo de cambio: yenes por dólar
50,000 yenes	$500	100
55,000	500	110

CONFLICTOS COMERCIALES CÓMO MANEJAR EL DÓLAR A LA BAJA (ALZA)

La teoría de la paridad del poder adquisitivo sirve para explicar el comportamiento del valor de cambio de una moneda. La teoría dice que, a la larga, los cambios de los niveles relativos de precios de un país determinan las fluctuaciones de los tipos de cambio. Cabe esperar que una moneda se deprecie en un monto equivalente a la cantidad en que la inflación nacional supera a la extranjera; por el contrario, se apreciaría en un monto igual a la cantidad en que la inflación extranjera supere a la nacional.

La figura muestra la relación entre la inflación y el tipo de cambio en algunos países. El eje horizontal representa

la inflación promedio del país menos la inflación promedio de Estados Unidos durante el periodo de 1960-1997. El eje vertical representa el cambio porcentual promedio del tipo de cambio de un país (divisa extranjera por dólar) durante ese periodo. Tal como prevé la teoría de la paridad del poder adquisitivo, la figura muestra que los países con tasas de inflación bajas suelen tener monedas que se aprecian, mientras que los que registran una inflación alta suelen tener monedas que se deprecian.

Fuente: tomado de Fondo Monetario Internacional, *IMF Financial Statistics*, varios números.

FIGURA 12.3

Diferenciales entre la inflación y tipo de cambio del dólar

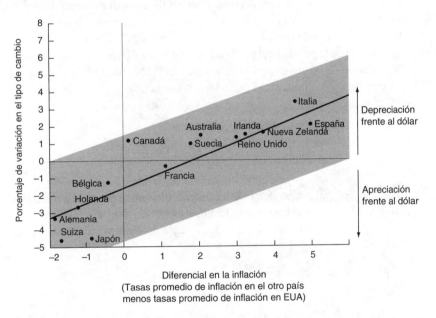

precio es el mismo en ambos países. Suponga que el precio en yenes de acero japonés aumenta 10%, a 55,000 yenes por tonelada y el precio en dólares del acero estadunidense se queda constante en $500 por tonelada. De acuerdo con la ley de un precio, el tipo de cambio debe incrementar a $110 yenes por dólar (55,000 yenes/ tonelada/$500/tonelada = 110 yenes/$), o sea una depreciación del 10% del yen frente al dólar. Al aplicar la ley del precio único a los precios del acero en Japón y los Estados Unidos, llegaremos a la conclusión de que si el nivel de precios japoneses se eleva en diez por ciento en comparación con el nivel de precios estadunidense, los yenes se depreciarán diez por ciento frente al dólar.

Si bien la ley del precio único se aplica a un bien, los economistas tienen interés por conocer cómo los precios de muchos bienes, medidos con base en el índice de precios al consumidor o al productor de un país, determinan los tipos de cambio. La teoría de la paridad del poder de compra ofrece una explicación general de los tipos de cambio con base en los precios de muchos bienes. Por lo tanto, la teoría de la paridad del poder adquisitivo no es otra cosa que la aplicación de la ley del precio único a los niveles de precios de un país.

De acuerdo con la ley de la paridad del poder adquisitivo, lo importante son las diferencias relativas de la inflación entre una economía y otra. Si la tasa de inflación es mucho más alta en un país, su moneda habrá perdido poder para comprar bienes nacionales. Así, cabe esperar que se deprecie para restaurar la paridad con los precios de bienes extranjeros (la depreciación provocaría que los bienes importados fueran más costosos para los consumidores del país y que las exportaciones de éste fueran menos costosas para los extranjeros). Por tanto, según la teoría de la paridad del poder adquisitivo, las exportaciones y las importaciones de bienes y servicios (flujos del comercio) representan el mecanismo que provoca la apreciación o la depreciación de una moneda.

En un siguiente paso, esta teoría sugiere que las *fluctuaciones* de los niveles de los precios relativos nacionales determinan las *fluctuaciones* de los tipos de cambio a largo plazo. Además, prevé que el valor de cambio de una moneda tiende a apreciarse o depreciarse en igual medida que la diferencia entre la inflación nacional y la extranjera.[3]

Suponga que compara los índices de precios al consumidor de Estados Unidos y Suiza y que encuentra que la inflación de Estados Unidos es superior a la de Suiza cuatro puntos porcentuales al año. Esto significa que el poder adquisitivo del dólar disminuirá en relación con el franco. Por tanto, según la teoría de la paridad del poder adquisitivo, el valor de cambio del dólar se depreciará 4% al año frente al franco. Por otra parte, el dólar se apreciará ante el franco si la inflación de Estados Unidos es inferior a la de Suiza.

La teoría de la paridad del poder adquisitivo es útil para prever los tipos de cambio de largo plazo. Considere el siguiente ejemplo con los índices de precios (P) de Estados Unidos y Suiza. Si 0 es el periodo base y 1 representa el periodo 1, la teoría de la paridad del poder adquisitivo está dada por la fórmula:

$$O_1 = O_0 \frac{P_{EU1}/P_{EU0}}{P_{S1}/P_{S0}}$$

donde O_0 es igual al tipo de cambio de equilibrio que existe en el periodo base y O_1 es igual al objetivo estimado al que el tipo actual debería estar en el futuro.

Por ejemplo, si los índices de precios de Estados Unidos y de Suiza y el tipo de cambio de equilibrio son:

$$P_{EU0} = 100 \quad P_{S0} = 100 \quad S_0 = \$0.50$$
$$P_{EU1} = 200 \quad P_{S1} = 100$$

Al escribir estas cifras en la ecuación anterior, se determina el nuevo tipo de cambio de equilibrio para el periodo 1:

$$O_1 = \$0.50 \left(\frac{200/100}{100/100} \right) = \$0.50 \ (2) = \$1.00$$

Entre un periodo y otro la tasa de inflación de Estados Unidos aumentó 100%, mientras que la tasa de Suiza no sufrió cambio alguno. Para conservar la paridad del poder adquisitivo del dólar y

---

[3] Este capítulo presenta lo que se conoce como la versión relativa de la teoría de la paridad del poder adquisitivo, que aborda los cambios de precios y de los tipos de cambio dentro de un periodo. La versión absoluta es otra variante de esta teoría, la cual dice que el tipo de cambio de equilibrio es igual a la proporción de los precios nacionales respecto de los extranjeros de una canasta adecuada de bienes y servicios de un mercado en un momento cualquiera.

el franco, el dólar se tendrá que depreciar ante el franco por un monto equivalente a la diferencia porcentual de las tasas de inflación entre Estados Unidos y Suiza. Para mantener la paridad del poder adquisitivo, el dólar se tendrá que depreciar 100%, de 0.50 a 1 dólar por franco. En cambio, si el ejemplo supusiera que la tasa de inflación de Suiza se duplica, mientras que la de Estados Unidos no sufre cambio alguno, entonces, según la teoría de la paridad del poder adquisitivo, el dólar se apreciará a un nivel de 0.25 dólares por franco.

Si bien esta teoría es muy útil para prever los niveles adecuados a los que se deben ajustar los valores de las monedas, no representa una guía infalible para determinar los tipos de cambio. Por ejemplo, la teoría no considera el hecho de que los flujos de la inversión pueden influir en las fluctuaciones de los tipos de cambio. Además, adolece de elegir el índice de precios adecuado que se utilizará para calcular los precios (por ejemplo, precios al consumidor o al productor) y para determinar el periodo del equilibrio que servirá de base. Es más, las políticas públicas pueden impedir que opere la teoría si instituyen restricciones al comercio que alteran el flujo de las exportaciones y las importaciones entre los países.

La eficacia de predicción de la teoría de la paridad del poder adquisitivo es más evidente a largo plazo. Como muestra la figura 12.3, de 1973 a 2003, el nivel de precios del Reino Unido aumentó alrededor de 99% respecto del de Estados Unidos, como lo muestra la figura 12.4. Tal y como la teoría lo preveía, la libra se depreció frente al dólar, si bien lo hizo alrededor de 73% durante este periodo, es decir, un monto inferior al incremento de 99% previsto por la teoría. Es más, la figura muestra que la teoría prácticamente no tiene capacidad para prever a corto plazo. Por ejemplo, de 1985 a 1988, el nivel de precios del Reino Unido aumentó respecto del de Estados Unidos. La libra, en lugar de depreciarse como prevería la teoría de la paridad del poder adquisitivo, de hecho se apreció frente al dólar. En pocas palabras, esta teoría es más adecuada para la **predicción de los tipos de cambio** a largo plazo y no sirve de mucho para prever los tipos de cambio a corto plazo.

FIGURA 12.4

Paridad del poder adquisitivo: Estados Unidos-Reino Unido, 1973-2011

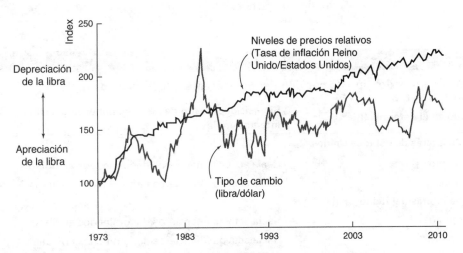

La figura indica que la capacidad de la teoría de la paridad del poder adquisitivo para prever es más evidente a largo plazo, porque a corto plazo es casi nula.

Fuente: Economic Report of the President y National Statistics Online, disponible en http://www.statistics.gov.uk/.

© Cengage Learning®

DETERMINACIÓN DE LOS TIPOS DE CAMBIO A CORTO PLAZO: EL ENFOQUE DEL MERCADO DE ACTIVOS FINANCIEROS

Ha visto que las fluctuaciones del tipo de cambio a largo plazo provienen de la volatilidad de los fundamentos del mercado, incluyendo los niveles de precios relativos (paridad del poder adquisitivo), los niveles de productividad relativos, las preferencias por bienes nacionales o extranjeros y las barreras al comercio. No obstante, las fluctuaciones de los tipos de cambio en ocasiones son demasiado grandes y repentinas como para que sólo se expliquen en razón de estos factores. Por ejemplo, los tipos de cambio pueden variar dos puntos porcentuales o más en un solo día. Sin embargo, las variaciones de los determinantes por lo habitual no se presentan con frecuencia ni en grado suficientemente grande como para explicar del todo la volatilidad de los tipos de cambio. Por tanto, para comprender las pronunciadas fluctuaciones que en un día o semana tienen los tipos de cambio, debe considerar otros factores además del comportamiento del nivel de los precios relativos, las tendencias de la productividad, las preferencias y las barreras al comercio. Es preciso desarrollar un marco que explique las fluctuaciones a corto plazo de los tipos de cambio.

Para comprender el comportamiento de los tipos de cambio a corto plazo es importante reconocer que la actividad del mercado de divisas está dominado por personas que invierten en activos como bonos del Tesoro, bonos de empresas, cuentas bancarias, acciones y bienes raíces. Hoy en día, sólo alrededor de 2% del total de las operaciones de divisas se relacionan con el financiamiento de las exportaciones y las importaciones, lo cual indica que alrededor de 98% son atribuibles a las transacciones de activos financieros en los mercados globales. Dado que estos mercados están conectados por complejos sistemas de telecomunicación y que las operaciones tienen lugar las 24 horas del día, las personas que invierten en activos financieros pueden realizarlas rápidamente y modificar sus proyecciones de los valores de las divisas casi al instante. En pocas palabras, en el caso de los periodos cortos, como un mes, las decisiones sobre poseer activos financieros nacionales o extranjeros desempeñan un papel mucho más importante para determinar los tipos de cambio que la demanda de importaciones y exportaciones.

Según el **enfoque del mercado de activos financieros**, las personas consideran dos factores clave cuando deciden entre optar por invertir en el país o en el exterior: los niveles relativos de las tasas de interés y las fluctuaciones del tipo de cambio esperado dentro del plazo de la inversión. A su vez, estos factores explican las fluctuaciones de los tipos de cambio a corto plazo. La tabla 12.4 resume los efectos de estos factores.

TABLA 12.4		

Determinantes del tipo de cambio del dólar frente a la libra a corto plazo

Cambio en el determinante*	Reposicionamiento de las inversiones financieras internacionales	Efecto en el tipo de cambio del dólar
Tasa de interés de Estados Unidos		
Incremento	Hacia activos financieros denominados en dólares	Apreciación
Decremento	Hacia activos financieros denominados en libras	Depreciación
Tasa de interés del Reino Unido		
Incremento	Hacia activos financieros denominados en libras	Depreciación
Decremento	Hacia activos financieros denominados en dólares	Apreciación
Fluctuación esperada a futuro para el tipo de cambio del dólar		
Apreciación	Hacia activos financieros denominados en dólares	Apreciación
Depreciación	Hacia activos financieros denominados en libras	Depreciación

* El análisis del cambio de una determinante presupone que las otras determinantes no cambian.

Niveles relativos en las tasas de interés

El nivel de la **tasa de interés nominal** (del dinero) es la primera aproximación a la tasa de rendimiento sobre los activos financieros que se puede ganar en un país. Por tanto, las diferencias en el nivel de las tasas de interés nominal entre economías afectarán los flujos internacionales de la inversión, porque los inversionistas buscan las tasas de rendimiento más altas.

Cuando las tasas de interés de Estados Unidos son más altas que las del exterior, la demanda externa de valores y cuentas bancarias estadounidenses se incrementará, lo que aumenta la demanda de dólares que se necesitan para comprar esos activos financieros y provoca que el dólar se aprecie frente a las divisas extranjeras. En cambio, si las tasas de interés de Estados Unidos son, en promedio, más bajas que las del exterior, la demanda de valores y cuentas de banco extranjeros se fortalecerá y la demanda de valores y cuentas bancarias estadounidenses se debilitará, lo cual provocará que la demanda de divisas extranjeras necesarias para comprar activos financieros extranjeros se incremente y que la demanda de dólares se reduzca, lo que producirá la depreciación del dólar frente a otras divisas.

Para ilustrar los efectos de las tasas de interés relativas como determinante del tipo de cambio, remítase a la figura 12.5, que muestra las curvas de la demanda y oferta de libras. Al principio, el tipo de cambio de equilibrio es 1.50 dólares por libra. En relación con la figura 12.5(a), suponga que una política de expansión monetaria por parte de la Reserva Federal produce una reducción de la tasa de interés a 3%, mientras que la tasa de interés del Reino Unido es 6%. Los inversionistas estadounidenses se sentirán atraídos por la tasa de interés relativamente alta del Reino Unido y demandarán más libras para comprar bonos del Tesoro inglés. Así, la demanda de libras aumenta a D_1 en la figura. Al mismo tiempo, los inversionistas británicos encontrarán que invertir en Estados Unidos es menos atractivo que antes, por lo que se ofrecerán menos libras para comprar dólares para adquirir activos financieros estadounidenses. Por tanto, la oferta de libras disminuye a O_1 en la figura. El efecto combinado de estas dos fluctuaciones provoca que el dólar se deprecie a 1.60 dólares por libra. En cambio, si la tasa de interés fuera más baja en el Reino Unido que en Estados Unidos, el dólar se apreciaría frente a la libra, porque los estadounidenses invertirían menos en el Reino Unido y los inversionistas británicos invertirían más en Estados Unidos.

FIGURA 12.5

Factores que afectan el tipo de cambio del dólar a corto plazo

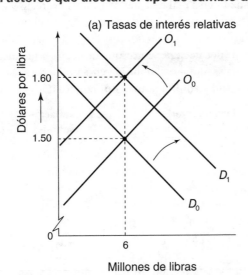

(a) Tasas de interés relativas

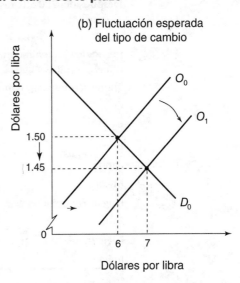

(b) Fluctuación esperada del tipo de cambio

A corto plazo, el tipo de cambio del dólar y la libra refleja las tasas de interés relativas y las fluctuaciones para el tipo de cambio esperado.

Sin embargo, cuando se trata de la relación entre las tasas de interés, los flujos de inversión y los tipos de cambio, las cosas no siempre son tan simples. Es importante marcar la diferencia entre la tasa de interés nominal y la **tasa de interés real** (la tasa de interés nominal menos la tasa de inflación).

$$\text{Tasa de interés real} = \text{Tasa de interés nominal} - \text{Tasa de inflación}$$

Los cambios de la tasa de interés real son los que le interesan a los inversionistas internacionales.

Si un incremento en la tasa de interés nominal de Estados Unidos va acompañado de un incremento igual en la tasa de inflación de ese país, la tasa de interés real permanece constante. En este caso, la tasa de interés nominal más alta no provoca que los inversionistas británicos encuentren más atractivos los activos financieros nominados en dólares, porque la inflación creciente en Estados Unidos provocará que los compradores estadounidenses busquen bienes británicos de precio bajo, lo cual incrementará la demanda de libras y provocará que el dólar se deprecie. Los inversionistas británicos esperarán que el tipo de cambio del dólar, en términos de la libra, se deprecie al mismo tiempo que el decreciente poder adquisitivo del dólar. Por tanto, el mayor rendimiento nominal sobre los activos financieros estadounidenses se verá compensado por la expectativa de un tipo de cambio más bajo a futuro, sin afectar la motivación para una mayor inversión británica en Estados Unidos. El dólar sólo se apreciará si la tasa de interés nominal más alta de Estados Unidos envía la señal de un incremento de la tasa de interés real, pero si la señal es la expectativa de que aumente la inflación y que disminuya la tasa de interés real, el dólar se depreciará. La tabla 12.5 presenta ejemplos de las tasas de interés real a corto plazo de varios países.

Como presenta la figura 12.6, las fluctuaciones de las tasas de interés reales sirven para explicar el comportamiento del dólar durante el periodo de 1974-2006. A finales de la década de los setenta, la tasa de interés real de Estados Unidos estaba a un nivel bajo y también el valor del dólar ponderado por el comercio. Para principios de la década de los ochenta, la tasa de interés de Estados Unidos estaba aumentando, lo cual atrajo fondos de inversión al país y provocó que el valor de cambio del dólar incrementara. Después de 1985, la tasa de interés real disminuyó y el valor de la moneda se debilitó. La relación positiva entre la tasa de interés real y el tipo de cambio del dólar decayó después de 1995: mientras que las tasas de interés real de Estados Unidos permanecieron iguales, el dólar se apreció; esta apreciación se debió a un floreciente mercado estadounidense de divisas al final de la década de los noventa que atrajo flujos de inversión extranjera y empujó el tipo de cambio del dólar aun cuando las tasas de interés reales del Estados Unidos se mantuvieran constantes. Después del 2002, la tasa de interés real de Estados Unidos decreció y el tipo del cambio del dólar

TABLA 12.5			
Tasas de interés nominales y reales a corto plazo, 2012			
País	**Tasa de interés nominal* (porcentaje)**	**Tasa de inflación** (porcentaje)**	**Tasa de interés real (porcentaje)**
Brasil	7.1	5.8	1.3
Japón	0.9	−0.1	1.0
México	4.2	3.4	0.8
Nueva Zelandia	2.5	1.7	0.8
Argentina	10.4	10.3	0.1
Alemania	1.6	2.0	−0.4
India	9.0	11.2	−2.2

* Las tasas se refieren a certificados del Tesoro a tres meses.
**Medido en razón del índice de precios al consumidor.

Fuente: Tomado de *International Financial Statistics*, diciembre de 2013 y Banco Mundial, *Data and Statistics*, disponible en www.data.worldbank.org.

FIGURA 12.6

Diferenciales entre las tasas de interés y los tipos de cambio

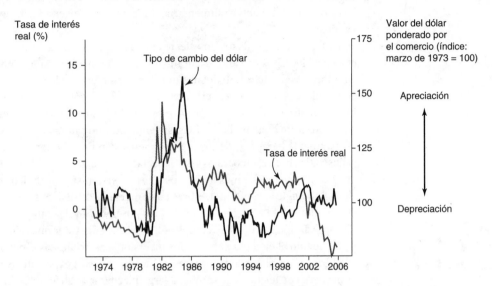

Un incremento de la tasa de interés real de Estados Unidos incrementa el rendimiento esperado sobre los activos financieros en dólares, como los bonos del Tesoro y los certificados de depósito, lo cual incrementa el flujo de inversiones extranjeras que ingresan al país y provocan que el valor de cambio del dólar se aprecie. Por el contrario, una reducción de la tasa de interés real de Estados Unidos disminuye la rentabilidad esperada sobre los activos financieros en dólares, lo que provoca una depreciación del valor de cambio del dólar.

---

se depreció al mismo tiempo, con lo que se repitió la experiencia de la década de los ochenta. En pocas palabras, en los países donde las tasas de interés reales son más altas que en el exterior, habrá monedas que se aprecian, porque esos países atraerán fondos de inversión de todo el mundo. Los países que registran tasas de interés reales bajas suelen tener monedas que se deprecian.

Fluctuaciones en el tipo de cambio esperado

Las diferencias de las tasas de interés podrían no representar todo lo que debe conocer un inversionista para tomar su decisión. También debe considerar que el rendimiento sobre una inversión será pagado en un periodo futuro. Esto significa que el valor realizado de ese pago futuro se podría ver alterado por las fluctuaciones del tipo de cambio a lo largo del plazo de la inversión. En pocas palabras, además de las tasas de interés sobre los activos financieros, los inversionistas deben considerar las posibles pérdidas o ganancias sobre las operaciones en divisas.

Las expectativas respecto de la trayectoria futura del tipo de cambio mismo figurarán en un lugar muy destacado dentro del cálculo que hace el inversionista de lo que ganará de hecho de una inversión denominada en otra divisa. Incluso una tasa de interés alta no sería atractiva si uno espera que la divisa dominante se deprecie a un ritmo similar o mayor y que borre toda ganancia económica. En cambio, si se espera que la divisa dominante se aprecie, la ganancia realizada sería superior a lo que sugeriría la sola tasa de interés y el activo financiero parece más lucrativo.

Suponga que los inversionistas del Reino Unido esperan que el dólar se aprecie frente a la libra durante los próximos tres meses, de $1.50 por libra a $1.45 por libra. Dado un tipo de cambio actual $1.50 por libra, los inversionistas podían gastar 100,000 libras y comprar 150,000 dólares para comprar certificados del Tesoro de EUA en esa cantidad. Cuando los certificados expiren en tres meses, los inversionistas podrán cobrarlos y recibir $150,000 (más los intereses respectivos), luego convertir estos dólares en libras al tipo de cambio del $1.45 por libra, recibir 103,448 libras ($150,000/$1.45/ libra = 103,448 libras) y obtener una ganancia de 3,448 libras. La ganancia sobre los certificados sería mayor de lo que sugiere la sola tasa de interés de EUA, y esto haría que los certificados parezcan más lucrativos; de tal manera, aumentaría el incentivo de inversionistas británicos a invertir en Estados Unidos.

La figura 12.5(b) ilustra los efectos de las expectativas del inversionista respecto de las fluctuaciones de los tipos de cambio durante el plazo de una inversión. Suponga que el tipo de cambio de equilibrio es al inicio 1.50 dólares por libra, también que los inversionistas británicos esperan que, en un plazo de tres meses, el valor de cambio del dólar se aprecie frente a la libra. Por tanto, si invierten en certificados del Tesoro de Estados Unidos a tres meses, los inversionistas británicos anticiparán una ganancia de divisas: vendiendo hoy libras a cambio de dólares cuando éstos son relativamente baratos y, dentro de tres meses, comprando libras con dólares cuando éstos son más valiosos (las libras son baratas). La expectativa de la ganancia de divisas provocará que los certificados del Tesoro luzcan más atractivos y los inversionistas británicos comprarán mayor cantidad de ellos. En la figura, la oferta de libras en el mercado de divisas se desplazará hacia la derecha de O_0 a O_1 y la moneda se apreciará a 1.45 dólares por libra hoy. De tal suerte que las expectativas futuras de una apreciación del dólar se cumplirían en el caso del valor que tiene el dólar hoy.

En cuanto al ejemplo anterior, los inversionistas británicos esperan que el dólar se aprecie frente a la libra en un plazo de tres meses. ¿Qué alienta estas expectativas? La respuesta reside en los determinantes de los tipos de cambio a largo plazo que analizó antes en este mismo capítulo. Se espera que el dólar se aprecie si existen expectativas de que el nivel de precios de Estados Unidos disminuya en relación con el del Reino Unido; la productividad estadounidense aumentará en relación con la del Reino Unido; los aranceles estadounidenses se incrementarán, la demanda estadounidense de importaciones se reducirá o la demanda británica de exportaciones estadounidenses aumentará. Dadas las ganancias que se esperan en razón de la apreciación del dólar, la inversión británica fluirá a Estados Unidos, lo que provoca un incremento en el valor presente del dólar en términos de la libra, como muestra la siguiente gráfica de flujo:

| Determinantes del tipo de cambio del dólar a largo plazo | → | Apreciación del dólar esperada dentro de un plazo de tres meses | → | Ganancia de divisas esperada en el caso de los inversionistas británicos | → | Flujos de inversión británica que ingresan a Estados Unidos hoy | → | El dólar se aprecia frente a la libra hoy |

En pocas palabras, todo factor de largo plazo que provoque que el valor futuro esperado del dólar se aprecie provocará que el dólar se aprecie hoy.

Diversificación, paraísos fiscales y flujos de inversión

Aun cuando los niveles relativos de las tasas de interés entre países y las fluctuaciones esperadas de los tipos de cambio suelan ser fuerzas de peso para dirigir los flujos de la inversión entre economías, otros factores también pueden afectarlos. Por ejemplo, el cúmulo de activos financieros nominados en una divisa dada dentro de las carteras de los inversionistas puede inducir un cambio en las preferencias de los inversionistas. ¿Por qué? Los inversionistas saben que es producente tener un grado correcto de *diversificación* entre distintos tipos de activos financieros, incluso las divisas en las que están nominados. Por tanto, aun cuando los valores del Tesoro nominados en dólares pudieran ofrecer un rendimiento relativo alto, si la acumulación ha sido considerable, los inversionistas extranjeros, al considerar el riesgo y el premio, en algún punto decidirán que la fracción de valores estadounidenses de su portafolio o cartera ya es suficientemente grande. Para mejorar la diversidad de sus portafolios, los inversionistas desacelerarán o suspenderán sus compras de valores estadounidenses.

También existe la probabilidad de que detrás de algunos flujos de inversiones haya el efecto sustancial de un *paraíso fiscal*. Algunos inversionistas podrían estar dispuestos a sacrificar un monto

GLOBALIZACIÓN COMPARACIONES INTERNACIONALES DE PIB: LA PARIDAD DE PODER ADQUISITIVO

Cuando los economistas calculan el producto interno bruto de un país (PIB), suman los valores del mercado de los bienes y servicios que su economía produce y llegan a un total (en dólares para Estados Unidos, en yuanes para China). Para comparar los PIB de los diferentes países, hay dos métodos de conversión de esa cifra a dólares.

La manera más simple es sencillamente usar el tipo de cambio del mercado. En 2010, China produjo 39,800 mil millones de yuanes en bienes y servicios. Al aplicar el tipo de cambio del mercado de 6.77 yuanes por dólar, el PIB de China fue de $5,879 mil millones (39,800 mil millones de yuanes/$6.77 por yuan = $5,879 mil millones). Sin embargo, esta cifra es demasiado baja. En primer lugar, muchos artículos de las economías en desarrollo como China son mucho más baratos que los de países como los Estados Unidos: China ha fijado su yuan a una tasa que le permite mantenerlo más barato que el dólar y, por consiguiente, es más barato producir artículos en China, lo que provoca, también, que sea más barato comprar artículos de consumo. Por lo tanto, no es justo comparar el PIB de China en dólares con el de otros países sin tomar en consideración que su moneda es más barata.

Un problema al sólo usar el tipo de cambio del mercado para convertir el PIB de China a dólares es que no todos los bienes y servicios son comprados y vendidos en el mercado mundial. Innumerables servicios como un corte de pelo o la instalación de una cañería no participan del comercio internacional. Si todos los bienes y servicios fueran comerciados en mercados mundiales sin obstáculos (es decir, sin aranceles o sin costos de transporte), los precios serían los mismos en todos lados después de hacer la conversión por el tipo de cambio. En la práctica, muchos bienes y servicios no son comerciados internacionalmente y, por consiguiente, usar el tipo de cambio del mercado para convertir el PIB de China a dólares arroja

un resultado engañoso: los tipos de cambio *exageran* el tamaño de las economías con niveles de precios relativamente altos y *minimizan* el tamaño de las economías con niveles de precios relativamente bajos. Los tipos de cambio están a menudo sujetos a considerables fluctuaciones. Estas fluctuaciones significan que los países pueden parecer repentinamente "más ricos" o "más pobres" aunque en realidad haya habido poco o ningún cambio en el respectivo volumen de bienes y servicios producidos.

La paridad del poder adquisitivo resuelve este problema pues toma en consideración el respectivo costo de vida y las tasas de inflación de los diferentes países, antes que sólo comparar los PIBs con base en los tipos de cambio del mercado. Así, el PIB que se ha convertido a una moneda usando paridades de poder adquisitivo se determinan con un nivel de precios uniforme y reflejan efectivamente sólo diferencias en los volúmenes de bienes y servicios producidos en esos países.

Hoy en día, las organizaciones como el Banco Mundial, el Fondo Monetario Internacional y la Agencia Central de Inteligencia consideran el método de paridad del poder adquisitivo como uno más realista para hacer comparaciones internacionales de PIB, en vez del método basado en los tipos de cambio del mercado. Estas instituciones presentan las estadísticas internacionales del PIB de cada país según la paridad poder adquisitivo en términos del dólar estadunidense. Consulte la tabla 12.6 y advierta que en 2012 China tenía el segundo PBI más grande del mundo; mientras que el monto era de $8,227 mil millones según el tipo de cambio del mercado, crecía a $12,471 mil millones según el método de paridad de poder adquisitivo.

Fuente: Organization for Economic Cooperation and Development, "International Comparisons of GDP", *PPP Methodological Manual*, París, Francia, 30 de junio de 2005, capítulo 1.

TABLA 12.6

Comparación internacional de PIB, 2012: los 8 países (miles de millones de dólares)

País	PIB basado en la paridad del poder adquisitivo	País	PIB basado en el tipo de cambio del mercado
Estados Unidos	$15,685	Estados Unidos	$15,685
China	12,471	China	8,227
India	4,793	Japón	5,960
Japón	4,487	Alemania	3,399
Federación Rusa	3,373	Francia	2,613
Alemania	3,349	Reino Unido	2,435
Brasil	2,366	Brasil	2,253
Reino Unido	2,333	India	1,842

Fuente: Banco Mundial, *Data and Statistics*, disponible en www.data.worldbank.org/. Vea también Agencia Central de Inteligencia, *CIA World Factbook* y Fondo Monetario Internacional, *World Economic Outlook Database*.

significativo del rendimiento si una economía les ofrece ser un depósito de muy poco riesgo para sus fondos. En décadas recientes, como Estados Unidos tiene un largo historial de contar con un gobierno estable, un crecimiento económico constante y mercados financieros grandes y eficientes, cabe esperar que el país atraiga inversiones extranjeras.

Desde el lanzamiento del euro a comienzos del siglo XXI, ha habido preocupaciones sobre la prodigalidad de algunos miembros de la Unión Monetaria Europea. La principal preocupación era que países que gastaban libremente, como Italia, podrían excederse en sus gastos, pedir prestado de más y pasar luego la factura injustamente a sus hermanos más ahorrativos, como Alemania. Hacia 2010, Grecia ya se hallaba al borde del incumplimiento de su deuda externa y otros países como Portugal, España, Irlanda e Italia enfrentaban serios desequilibrios fiscales. Los inversionistas se mostraban cada vez más ansiosos ante la posible inestabilidad de la Eurozona; por consiguiente, vendieron grandes cantidades de euros y compraron dólares estadounidenses; esto trajo una depreciación considerable del euro frente al dólar. Aparentemente los inversionistas consideraron a EUA como una suerte de paraíso fiscal en términos de estabilidad económica por comparación con las economías de la Eurozona.

En este capítulo, ha aprendido sobre los factores determinantes de los tipos de cambio. Para aprender cómo estos determinantes operan de manera diaria, remítase al apartado *Currency Trading* de la sección *Money and Investing* (sección C) del *Wall Street Journal*. Ahí aprenderá sobre las tendencias en los tipos de cambio y los factores que contribuyen a la depreciación y la apreciación de las divisas: es una manera muy provechosa de aplicar en el mundo real lo que usted ha aprendido en este capítulo.

REACCIÓN EXAGERADA DE LOS TIPOS DE CAMBIO

Las fluctuaciones de los valores esperados a futuro de los fundamentos del mercado contribuyen a la volatilidad de los tipos de cambio a corto plazo. Por ejemplo, si la Reserva Federal anuncia que modificará las metas del crecimiento monetario o si el presidente y el Congreso hablan de cambios en el gasto o los programas fiscales, se producirán modificaciones en las expectativas tocantes a los tipos de cambio futuros que, de inmediato, alterarán los tipos de cambio de equilibrio. De tal manera que las frecuentes modificaciones de la política contribuyen a estimular la volatilidad de los tipos de cambio en un sistema de tipos determinados por el mercado.

El fenómeno de la **reacción exagerada** (*overshooting*) acentúa la volatilidad de los tipos de cambio. Se dice que un tipo de cambio reacciona de forma exagerada cuando su respuesta a corto plazo (depreciación o apreciación) ante una variación en los fundamentos del mercado es *mayor* que su respuesta a largo plazo. Por tanto, las variaciones en los fundamentos del mercado tienen un efecto desproporcionadamente grande en los tipos de cambio *a corto plazo*. La reacción exagerada representa un fenómeno importante, porque sirve para explicar por qué los tipos de cambio se deprecian o aprecian de manera tan pronunciada de un día para otro.

Las elasticidades tienden a ser menores en el corto que en el largo plazo, lo que explica la reacción exagerada de los tipos de cambio. En la figura 12.7, las curvas de oferta y de demanda de la libra británica, a corto plazo, están denotadas por O_0 y D_0, respectivamente, y el tipo de cambio de equilibrio es de 2 dólares por libra. Si la demanda de libras incrementa a D_1, el dólar se deprecia a 2.20 dólares por libra a corto plazo. Sin embargo, debido a la depreciación del dólar, el precio británico de las exportaciones estadounidenses registra un decremento, hay un incremento en la cantidad de las exportaciones estadounidenses demandadas y, por tanto, un incremento de la cantidad de libras ofrecidas. Cuanto más largo sea el periodo en cuestión, tanto mayor será el aumento de la cantidad de exportaciones y tanto mayor será el aumento de la cantidad de libras ofrecidas. Por tanto, la curva de oferta de libras a largo plazo es más elástica que la curva oferta a corto plazo, como muestra O_1 en la figura. Después del incremento de la demanda de libras a D_1, el tipo de cambio de equilibrio a largo plazo es de 2.10 dólares por libra, en comparación con el tipo de cambio de equilibrio a corto

FIGURA 12.7

Tipos de cambio de equilibrio a corto y largo plazo: una reacción exagerada

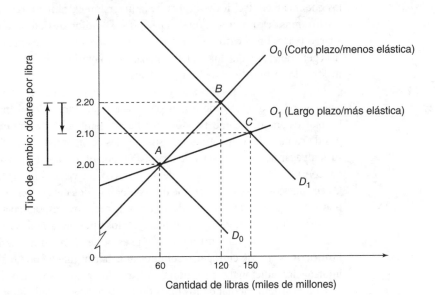

Dada la oferta de libras a corto plazo (O0), si la demanda de libras incrementa de D0 a D1, el dólar se deprecia de 2 dólares por libra a un equilibrio de corto plazo de 2.20 dólares por libra. A largo plazo la oferta de libras es más elástica (O1) y el tipo de cambio de equilibrio es más bajo, a 2.10 dólares por libra. Dada la diferencia de estas elasticidades, la depreciación del dólar a corto plazo produce una reacción exagerada a largo plazo.

plazo de 2.20 por libra. Debido a las diferencias de estas elasticidades, la depreciación del dólar a corto plazo provoca una reacción exagerada en su depreciación a largo plazo.

El hecho de que los tipos de cambio tienden a ser más flexibles que muchos otros precios también explica una reacción exagerada. Numerosos precios están fundados en contratos a largo plazo (por ejemplo, los sueldos y salarios) y no responden de inmediato a los cambios en los fundamentos del mercado. Los tipos de cambio, sin embargo, suelen ser sumamente sensibles a las condiciones corrientes de la oferta y la demanda. Así, los tipos de cambio con frecuencia se deprecian o aprecian más a corto que a largo plazo, de modo que compensan otros precios que son más lentos para ajustar sus niveles de equilibrio a largo plazo. A medida que el nivel general de precios gravita lentamente hacia su nuevo nivel de equilibrio, la reacción exagerada del tipo de cambio se disipa y el tipo de cambio avanza hacia su nivel de equilibrio a largo plazo.

PRONÓSTICO DE LOS TIPOS DE CAMBIO

Las secciones anteriores de este capítulo analizaron diversos factores que determinan las fluctuaciones de los tipos de cambio. Sin embargo, incluso si se entiende con claridad cómo estos factores influyen en los tipos de cambio, ello no garantiza que se pueda prever cómo cambiarán. Los determinantes del tipo de cambio no sólo apuntan en el sentido contrario muchas veces, sino que es sumamente difícil proyectar cómo cambiarán. Pronosticar los tipos de cambio es una tarea muy engañosa, especialmente en el corto plazo.

Sin embargo, los exportadores, los importadores, los inversionistas, los banqueros y los intermediarios de divisas necesitan pronosticar los tipos de cambio. Por ejemplo, las empresas a menudo tienen grandes montos de dinero durante periodos breves y los utilizan para efectuar depósitos bancarios en distintas monedas. Elegir en cuál de ellas efectuar los depósitos requiere que se tenga cierta idea de cuáles serán los tipos de cambio futuros. Los planes de las empresas a largo plazo, sobre todo los que incluyen decisiones acerca de la inversión extranjera, requieren saber hacia dónde se dirigirán los tipos de cambio durante un periodo extendido de tiempo y, para ello, se necesitan pronósticos a largo plazo. En el caso de las empresas multinacionales, los pronósticos a corto plazo suelen estar más generalizados que los de largo plazo. La mayoría de las empresas revisa, al menos de forma trimestral, los pronósticos de los tipos de cambio.

El hecho de que las empresas y los inversionistas necesiten pronósticos de los tipos de cambio ha generado el surgimiento de firmas de consultoría, como Global Insights y Goldman Sachs. Además, los bancos grandes, como JP Morgan Chase y Bank of America, proporcionan pronósticos de los tipos de cambio de forma gratuita a sus clientes corporativos. Los clientes de las firmas de consultoría suelen pagar tarifas que ascienden a 100,000 dólares o más al año para obtener la opinión de expertos. Las consultorías ofrecen servicios de pronósticos que van desde las videoconferencias hasta las entrevistas en "puestos de intercomunicación" con empleados del servicio de pronósticos, quienes ofrecen sus previsiones de los movimientos de los tipos de cambio y responden a preguntas concretas del cliente.

Casi todos los métodos para pronosticar los tipos de cambio se basan en las relaciones económicas aceptadas para formular un modelo, que es perfeccionado mediante el análisis estadístico de datos históricos. Antes de entregar resultados al usuario final, el que realiza el pronóstico suele recurrir a información adicional o a su intuición para afinar los pronósticos generados por el modelo.

Con el sistema actual de los tipos de cambio determinados por el mercado, los valores de las divisas responden con fluctuaciones casi inmediatas a la nueva información respecto de cambios en las tasas de interés, las tasas de inflación, la oferta monetaria, las balanzas comerciales y demás. Para pronosticar debidamente las fluctuaciones de los tipos de cambio es necesario calcular los valores futuros de estas variables económicas y establecer su relación con los tipos de cambio futuros. Sin embargo, incluso el más complejo de los análisis perdería todo su valor si cambiaran las políticas públicas, la psicología de los mercados, etc. De hecho, las personas que operan en los mercados de divisas todos los días piensan que la psicología de los mercados tiene una influencia dominante en los tipos de cambio futuros.

No obstante estos problemas, en la actualidad existe una enorme demanda de personas capaces de pronosticar los tipos de cambio. Los enfoques que emplean para preparar sus pronósticos se clasifican según si emplean juicios de opinión, recursos técnicos o fundamentos. Una investigación de Citigroup Inc., llevada a cabo en 2010 con 3000 comerciantes de divisas, demostró que 53% de los comerciantes se vale de una combinación de estrategias basadas en criterios técnicos y en fundamentos, 36% se vale de estrategias exclusivamente técnicas y sólo 11% se vale de una estrategia basada puramente en fundamentos pero complementada con análisis de juicios de opinión.[4] La tabla 12.7 presenta algunos ejemplos de organizaciones que pronostican tipos de cambio y las metodologías que emplean.

Pronósticos basados en juicios de opinión

Los **pronósticos basados en juicios de opinión** también se conocen como *modelos subjetivos* o *de sentido común*. Requieren que la persona reúna una amplia variedad de datos económicos y políticos y que los interprete en términos de tiempos, direcciones y magnitud de las fluctuaciones de los tipos de cambio. Estas personas formulan sus pronósticos con base en un análisis a fondo de cada nación. Consideran indicadores económicos, como las tasas de inflación y los datos del comercio; factores políticos, como una elección nacional futura; factores técnicos, como una posible intervención de un banco central en el mercado de las divisas; y factores psicológicos relacionados con "presentimientos respecto del mercado".

---

[4] CitiFx Pro, *Survey of Forex Traders*, Nueva York, noviembre de 2010.

TABLA 12.7		
Organizaciones que pronostican los tipos de cambio		
Organización que pronostica	**Metodología**	**Plazo**
Global Insights	Econométrica	24 meses
JP Morgan Chase	Juicio de opinión	Menos de 12 meses
	Econométrica	Más de 12 meses
Bank of America	Econométrica	Más de 12 meses
	Técnica	Menos de 12 meses
Goldman Sachs	Técnica	Menos de 12 meses
	Econométrica	Más de 12 meses
UBS Global Asset Management	Juicio de opinión	8 meses
	Econométrica	12 meses

Fuente: datos recabados por el autor.

Pronósticos técnicos

El **análisis técnico** requiere que el analista utilice datos históricos de los tipos de cambio para estimar sus valores futuros. El enfoque es técnico porque extrapola tendencias a partir de tipos de cambio del pasado y no toma en cuenta los determinantes económicos ni políticos de las fluctuaciones de los tipos de cambio. Los analistas técnicos buscan patrones específicos de los tipos de cambio. Cuando han determinado el inicio de un patrón, ello implica, automáticamente, cuál será el comportamiento de la divisa a corto plazo. Así pues, el enfoque técnico se fundamenta en la idea de que la historia tiende a repetirse.

Los analistas técnicos emplean una serie de recursos gráficos que incluyen el precio de la divisa, los ciclos o la volatilidad. Un punto de partida común para un análisis técnico es una gráfica que representa los precios de apertura, los máximos, los mínimos y los correspondientes al cierre de un periodo de operaciones. Estas gráficas suelen representar el abanico de precios de un día de operaciones, pero también existen para plazos de una semana, un mes y un año. Los operadores buscan los nuevos máximos y mínimos, las tendencias interrumpidas y los patrones que, en su opinión, prevén blancos de precios y movimientos.

Para ilustrar un análisis técnico, suponga que se ha formado una opinión respecto del valor de cambio del yen frente al dólar, con base en el análisis de los fundamentos de la economía. Ahora quiere averiguar qué le dicen los mercados; es decir, usted está buscando tendencias de precios y puede emplear gráficas para hacerlo. Como muestra la figura 12.8, si usted quiere analizar los máximos y los mínimos del yen en los meses próximos pasados, las líneas de las tendencias de la figura conectan los máximos más altos y los mínimos más bajos del yen. Si el tipo de cambio del yen aumenta de forma considerable por encima de las tendencias, o si queda por debajo de ellas, podría ser indicio de que una tendencia está cambiando. Los cambios en las tendencias le ayudarán a decidir cuándo comprar o vender yenes en el mercado de divisas.

Como el análisis técnico sigue al mercado muy de cerca, se utiliza para pronosticar las fluctuaciones de los tipos de cambio a corto plazo. No obstante, la determinación de un patrón del tipo de cambio sólo servirá mientras el mercado siga ese patrón de forma consistente. Sin embargo, no se puede confiar que un patrón continúe más de unos cuantos días, o quizá semanas. Por tanto, el cliente debe responder rápidamente a las recomendaciones técnicas para comprar o vender una divisa. Los clientes requieren que las recomendaciones técnicas se les comuniquen de inmediato, de modo que puedan tomar sus decisiones financieras.

Si bien los modelos basados en los fundamentos con frecuencia sólo pueden proporcionar un pronóstico de las fluctuaciones del tipo de cambio a largo plazo, el análisis técnico es el principal

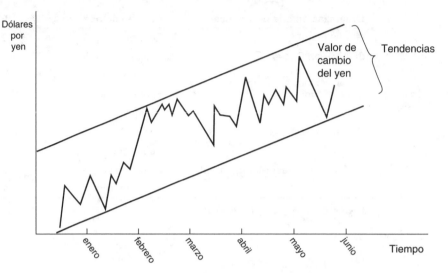

FIGURA 12.8

Análisis técnico del valor de cambio del yen

Cuando los analistas técnicos prevén los tipos de cambio buscan nuevos máximos y mínimos, tendencias interrumpidas y patrones que, en su opinión, predicen los blancos de los precios y el movimiento.

método para analizar las fluctuaciones a plazo más corto. Los resultados del análisis técnico se utilizan para prever la dirección que un tipo de cambio seguirá en el mercado y generar señales para el operador de divisas de cuándo debe comprar o vender una moneda. No es raro que la mayor parte de los intermediarios de divisas recurran a cierta información que se deriva de modelos técnicos y que la utilicen como ayuda para formular sus pronósticos de los tipos de cambio, sobre todo para plazos de un solo día o de una semana.

Análisis de los fundamentos

El **análisis de los fundamentos** es justo lo contrario del técnico, pues implica considerar las variables macroeconómicas que probablemente afectarán la oferta y la demanda de una moneda y, por lo tanto, su tipo de cambio. Este análisis emplea modelos econométricos computacionales, que son estimaciones estadísticas de las teorías económicas. Los econometristas, para generar pronósticos, desarrollan modelos para cada nación, en los cuales tratan de incorporar las variables fundamentales que sustentan las fluctuaciones de los tipos de cambio: las tasas de interés, el equilibrio del comercio, la productividad, las tasas de inflación y demás. Si usted toma un curso de econometría en su universidad, podría considerar la posibilidad de preparar un pronóstico de los tipos de cambio como proyecto de clase. La sección *Exploración detallada 12.1* le dará una idea de los tipos de variables que podría incluir en su modelo econométrico; puede encontrar esta sección en www.cengage.com/economics/Carbaugh.

Sin embargo, los modelos econométricos usados para pronosticar los tipos de cambio tienen algunas limitaciones. Con frecuencia dependen de pronósticos de las variables independientes básicas, como las tasas de inflación o las de interés, y puede ser muy difícil obtener información confiable al respecto. Es más, siempre existen factores que afectan los tipos de cambio que no son fáciles de cuantificar (como la intervención del banco central de un país en los mercados de divisas). Asimismo, los

GLOBALIZACIÓN   COMERCIAL MEXICANA SE QUEMA CON LA ESPECULACIÓN

Aunque algunos especuladores, como George Soros, pueden obtener ganancias enormes en el mercado de divisas, a veces la apuestas con divisas pueden resultar devastadoras. Considere el caso de Controladora Comercial Mexicana SAB (Comercial Mexicana), propietaria de supermercados y de las tiendas Costco en México.

En octubre de 2008, Comercial Mexicana prosperaba como tercer minorista más grande de México y rival de Walmart (el gigante de descuento). Apenas unos días después, la empresa se declaraba en quiebra, diezmada por pérdidas en divisas que provocaron la pérdida de casi la mitad de su valor. ¿Cómo ocurrió esto?

Comercial Mexicana y otras empresas mexicanas hicieron apuestas desafortunadas a través de contratos de divisas celebrados con bancos grandes como J.P. Morgan Chase & Co; estos contratos estaban ligados al tipo de cambio dólar-peso. Sus apuestas se basaban en las expectativas de un peso más fuerte. Sin embargo, la crisis mundial de 2008 provocó una caída en picada del peso. El Banco Central de México, que percibía un riesgo real a su economía, vendió miles de millones de dólares de sus reservas en un intento por rescatar al debilitado peso y apuntalar su valor. En esta estrategia, el banco central quemó hasta 13% de sus reservas en divisas internacionales, decisión que resultó finalmente inútil: el peso de México cayó en picada hasta 24% en octubre de 2008 debido a que los inversionistas, que huían de todo riesgo, retiraron su dinero de México.

Bajo el contrato de divisas que habían celebrado, J.P. Morgan Chase & Co. ofrecía a Comercial Mexicana financiación y negocios de divisas con tasas favorables, pero había una salvedad: si el dólar se fortaleciera (si el peso se depreciara) más allá de cierto límite, entonces la empresa tendría que vender dólares con pérdidas. En algunos casos, los contratos tenían condiciones que obligaban hasta duplicar el número de dólares que la empresa tenía que vender.

Cuando Comercial Mexicana celebró estos contratos, el negocio fue inicialmente rentable. Pero pronto las cosas se deterioraron porque los inversionistas entraron en pánico durante la crisis financiera mundial y empezaron a retirar su dinero de México. Cuando el peso se depreció, Comercial Mexicana se enfrentó a pérdidas de hasta $1.4 mil millones. Incapaz de pagar su deuda, la empresa se declaró en quiebra.

Por no limitarse a su negocio de vender jitomates y cámaras digitales a consumidores mexicanos, Comercial Mexicana había intentado ganar dinero apostando en el tipo de cambio dólar-peso. Sin embargo, no estaba preparada para los efectos desestabilizadores de la crisis financiera mundial del 2008.

Fuente: William Freebairn, "Comercial Mexicana Drops 44 Percent After Saying Debt Rose", Bloomberg.com, 24 de octubre de 2008; "Big Currency Bets Backfire", *The Wall Street Journal*, 22 de octubre de 2008, p. A1; "Commercial Mexicana Crisis in 2008", *Explorando Mexico*; Carlos Omar Trejo-Pech, Susan White y Magdy Noguera, *Financial Distress at Commercial Mexicana, 2008–2011*, Robert H. Smith School of Business, University of Maryland, 2011.

cálculos precisos de los tiempos en que el factor tendrá efecto en el tipo de cambio de una divisa podrían no estar muy claros. Por ejemplo, las variaciones de la tasa de inflación tal vez no tengan pleno efecto en el valor de una divisa hasta tres o seis meses más adelante. Por tanto, los modelos econométricos son más aconsejables para pronosticar tendencias a largo plazo en las fluctuaciones de un tipo de cambio. Sin embargo, por lo general no proporcionan a los intermediarios de divisas información precisa de los precios que les sirva para saber cuándo comprar o vender una divisa determinada. Por tanto, cuando los intermediarios de divisas preparan una estrategia de operaciones suelen preferir los análisis técnicos en lugar de los de fundamentos. A pesar del atractivo de los análisis técnicos, la mayoría de los pronosticadores suelen emplear una combinación de análisis de los fundamentos, análisis técnicos y análisis por juicio de opinión, y el énfasis que ponen en ellos varía dependiendo de los cambios que registran las condiciones. Se forman una idea general de si una divisa dada está sobrevaluada o subvaluada en un plazo más largo. Dentro de ese marco, evalúan todos los pronósticos económicos actuales, los hechos que son noticia, el acontecer político, las estadísticas publicadas, los rumores y los cambios de sentimientos, al mismo tiempo que estudian con cuidado las gráficas y los análisis técnicos.

RESUMEN

1. En un mercado libre los tipos de cambio están determinados por los fundamentos del mercado y las expectativas respecto del mercado. Los primeros incluyen las tasas de interés reales, las preferencias de los consumidores por productos nacionales o extranjeros, la productividad, la rentabilidad de las inversiones, la disponibilidad de productos, las políticas monetaria y fiscal, y la política comercial del gobierno. Los economistas normalmente aceptan que los determinantes más importantes de las fluctuaciones de los tipos de cambio a corto plazo son diferentes a los de largo plazo.

2. Los determinantes de los tipos de cambio a largo plazo difieren de los determinantes de los tipos de cambio a corto plazo. A largo plazo, los tipos de cambio son determinados por cuatro factores clave: los niveles de precios relativos, los niveles de productividad relativos, las preferencias de los consumidores por bienes nacionales o extranjeros y las barreras al comercio. Estos factores subyacen en el comercio de bienes nacionales y extranjeros y, por consiguiente, cambian la demanda de exportaciones e importaciones.

3. A largo plazo, la moneda nacional tiende a apreciarse cuando el país tiene niveles de inflación relativamente bajos, niveles de productividad relativamente altos, una demanda de sus productos de exportación relativamente fuerte y barreras al comercio relativamente altas.

4. Según la teoría de la paridad del poder adquisitivo, los cambios de los niveles de precios relativos del país determinan las fluctuaciones de los tipos de cambio a largo plazo. Una moneda conserva la paridad de su valor adquisitivo si se deprecia (aprecia) en un monto equivalente a la cantidad que la inflación interna (externa) excede a la externa (interna).

5. En el muy corto plazo, la decisión de tener activos financieros nacionales o extranjeros tienen un papel mucho más importante para determinar el tipo de cambio que la demanda de importaciones y exportaciones. Según el enfoque del mercado de activos financieros para determinar el tipo de cambio, los inversionistas consideran dos factores clave para decidir entre las inversiones nacionales o las extranjeras: las tasas de interés relativas y las fluctuaciones del tipo de cambio esperado. A su vez, los cambios de estos factores explican las fluctuaciones de los tipos de cambio que se observan a corto plazo.

6. Los diferenciales de las tasas de interés a corto plazo de dos países cualesquiera son determinantes importantes de los flujos internacionales de inversión y de los tipos de cambio a corto plazo. Un país que tiene tasas de interés relativamente altas (bajas) suele encontrar que el valor de cambio de su moneda se aprecia (deprecia) a corto plazo.

7. A corto plazo las expectativas del mercado también influyen en las fluctuaciones del tipo de cambio. Las expectativas futuras de un crecimiento económico rápido del país, una reducción de sus tasas de interés y tasas de inflación interna altas tienden a provocar que la moneda nacional se deprecie.

8. El fenómeno de la reacción exagerada acentúa la volatilidad de los tipos de cambio. Se dice que un tipo de cambio reacciona de forma exagerada cuando su respuesta ante un cambio en los fundamentos del mercado es más grande a corto que a largo plazo.

9. Las personas que hacen pronósticos de los tipos de cambio utilizan varios métodos para prever las fluctuaciones futuras de los tipos de cambio: *a)* los pronósticos basados en juicios de opinión; *b)* los análisis técnicos y *c)* los análisis de los fundamentos.

CONCEPTOS Y TÉRMINOS CLAVE

Análisis de los fundamentos (p. 414)

Análisis técnico (p. 413)

Enfoque del mercado de activos financieros (p. 404)

Expectativas del mercado (p. 394)

Fundamentos del mercado (p. 393)

Ley del precio único (p. 398)

Pronóstico de tipos de cambio (p. 403)

Pronósticos basados en juicios de opinión (p. 412)

Reacción exagerada (*overshooting*) (p. 410)

Tasa de interés nominal (p. 405)

Tasa de interés real (p. 406)

Teoría de la paridad del poder adquisitivo (p. 400)

PREGUNTAS PARA ANÁLISIS

1. En un mercado libre, ¿qué factores subyacen a los valores de cambio de las divisas? ¿Qué factores se aplican mejor a los tipos de cambio a largo y a corto plazo?

2. ¿Por qué los inversionistas internacionales se interesan más por la tasa de interés real que por la tasa nominal?

3. ¿Qué dice la teoría de la paridad del poder adquisitivo respecto del efecto que la inflación interna produce en el tipo de cambio de la moneda nacional? ¿Cuáles son algunas de las limitaciones de la teoría de la paridad del poder adquisitivo?

4. Cuando una moneda está sobrevaluada en el mercado de divisas, ¿qué impacto podría tener en la balanza comercial de ese país? ¿Qué ocurre cuando la moneda del país está subvaluada?

5. Identifique los factores que explican las fluctuaciones del valor de una moneda a corto plazo.

6. ¿Qué factores subyacen a los cambios del valor de una moneda a corto plazo?

7. Explique cómo los siguientes factores afectan el tipo de cambio del dólar en un sistema con tipos de cambio determinados por el mercado: *a)* un aumento del nivel de precios de Estados Unidos, mientras que el nivel de precios del exterior permanece constante; *b)* los aranceles y las cuotas de impuestos sobre las importaciones de Estados Unidos; *c)* un incremento de la demanda de exportaciones de Estados Unidos y un decremento de su demanda de importaciones; *d)* un aumento de la productividad de Estados Unidos en relación con otros países; *e)* un aumento de las tasas de interés real en el exterior, en relación con las tasas de Estados Unidos; *f)* un incremento de la masa monetaria de Estados Unidos; *g)* un incremento de la demanda de dinero en Estados Unidos.

8. ¿Qué significa reacción exagerada de los tipos de cambio? ¿Por qué ocurre?

9. ¿Qué métodos usan las personas que hacen pronósticos de las divisas para prever las fluctuaciones futuras de los tipos de cambio?

10. Si los tipos de cambio están determinados por el mercado, use las curvas de oferta y de demanda de libras para analizar el efecto en el tipo de cambio (dólares por libras) del dólar de Estados Unidos y la libra británica en cada una de las circunstancias siguientes:

    a. Las encuestas de opinión sugieren que el gobierno conservador de Gran Bretaña será sustituido por los radicales que prometen que nacionalizarán todos los activos financieros propiedad de extranjeros.

    b. La economía británica y la estadunidense caen en una recesión, pero la británica es menos grave que la estadunidense.

    c. La Reserva Federal adopta una política de contracción monetaria que aumenta enormemente las tasas de interés de Estados Unidos.

    d. La producción de petróleo del Reino Unido en el Mar del Norte y las exportaciones de Estados Unidos disminuyen.

    e. Estados Unidos reduce unilateralmente los aranceles sobre productos británicos.

    f. El Reino Unido padece una inflación aguda, pero los precios son estables en Estados Unidos.

    g. El miedo al terrorismo disminuye el turismo estadunidense que viaja a Gran Bretaña.

    h. El gobierno británico invita a empresas estadunidenses a invertir en los campos petroleros británicos.

    i. El crecimiento de la tasa de productividad disminuye de forma acentuada en el Reino Unido.

    j. El Reino Unido registra un auge económico, el cual provoca que los consumidores británicos compren más automóviles, camiones y computadoras fabricados en Estados Unidos

    k. Tanto el Reino Unido como Estados Unidos registran una inflación de 10%.

11. Explique por qué está de acuerdo o no con cada una de las afirmaciones siguientes:

    a. "La moneda de una nación se depreciará si su tasa de inflación es inferior a la de sus socios comerciales."

    b. "Si la tasa de interés de una nación disminuye a mayor velocidad que la de otras naciones, esa nación esperaría la depreciación del valor de cambio de su moneda."

    c. "Una nación que registra tasas de crecimiento de la productividad más altas que las de sus socios comerciales esperaría una apreciación del valor de cambio de su moneda."

12. La apreciación del valor de cambio del dólar registrada entre 1980 y 1985 provocó que los productos estadunidenses fueran (menos/más) caros y los productos extranjeros fueran (menos/más) caros, (disminuyó/incrementó) las importaciones de Estados Unidos y (disminuyó/incrementó) las exportaciones de Estados Unidos.

13. Suponga que el tipo de cambio del dólar/franco es 0.50 dólares por franco. Según la teoría de la paridad del po-

der adquisitivo, ¿qué ocurrirá con el valor de cambio del dólar en cada una de las circunstancias siguientes?:

a. El nivel de precios de Estados Unidos aumenta 10% y el de Suiza permanece constante.

b. El nivel de precios de Estados Unidos aumenta 10% y el de Suiza 20%.

c. El nivel de precios de Estados Unidos disminuye 10% y el de Suiza aumenta 5%.

d. El nivel de precios de Estados Unidos disminuye 10% y el de Suiza 15%.

14. Suponga que la tasa de interés nominal para certificados del Tesoro a 3 meses es de 8% en Estados Unidos y de 6% en el Reino Unido y que la tasa de inflación es 10% en Estados Unidos y 4% en el Reino Unido:

a. ¿Cuál es la tasa de interés real de cada nación?

b. ¿En qué dirección fluirá la inversión internacional en respuesta a estas tasas de interés real?

c. ¿Qué efecto tendrían estos flujos de inversión en el valor de cambio del dólar?

EXPLORACIÓN DETALLADA

Para una discusión sobre el uso del análisis de regresión para el pronóstico de los tipos de cambio, consulte *Exploración Detallada 12.1* en: *www.cengage.com/economics/Carbaugh.*

Mecanismos de ajuste internacional

En el capítulo 10, aprendió acerca de la balanza de pagos. Recuerde que, debido a la contabilidad de partida doble, cuando se consideran todas las cuentas de la balanza de pagos, el total de pagos que entran (cargos) siempre es igual al total de pagos que salen (abonos). Hay un déficit cuando los pagos que salen superan a los que entran, en el caso de algunas cuentas agrupadas, siguiendo las líneas de las funciones. Un déficit en cuenta corriente indica que hay más importaciones que exportaciones de bienes, servicios, flujos de ingreso y transferencias unilaterales. Un superávit en cuenta corriente indica justo lo contrario.

Una nación financia o cubre el déficit de su cuenta corriente empleando sus reservas internacionales o atrayendo inversiones (por ejemplo, compras de fábricas) de sus socios comerciales o tomando préstamos de otras naciones. La capacidad de una nación deficitaria para cubrir el exceso de pagos que salen en comparación con los que entran está limitada por los fondos de sus reservas internacionales y la disposición de otras naciones para invertir en ella o para prestarle. En el caso de una nación superavitaria, cuando considera que los fondos de sus reservas internacionales o de sus inversiones en el exterior son adecuadas (la historia demuestra que esta consideración tarda mucho en ocurrir), no querrá tener excedentes durante mucho tiempo. En general, el incentivo para reducir el superávit de la cuenta corriente no es tan directo e inmediato como el de reducir el déficit de la cuenta corriente.

El **mecanismo de ajuste** opera para volver al equilibrio después de que el balance inicial se ha visto alterado. El proceso de ajuste de los pagos adopta dos formas: en primer término, en ciertas condiciones, existen factores de ajuste que automáticamente propician el equilibrio. En segundo, si los ajustes automáticos no pudieran restaurar el equilibrio, el gobierno, a discreción, podría adoptar políticas para lograr este objetivo.

Este capítulo explica el proceso de **ajuste automático** de la balanza de pagos que ocurre con un sistema de tipos de cambio fijos.[1] Las variables de ajuste que se analizan incluyen los precios, las tasas de interés y el ingreso. También se examina el efecto de las tasas de interés en las cuentas financiera y de capital de un país. En los capítulos siguientes verá el mecanismo de ajuste cuando concurren tipos de cambio flexibles y el papel que desempeña la política del gobierno para propiciar el ajuste de los pagos.

---

[1] Con un sistema de tipos de cambio fijos, la oferta y la demanda de divisas reflejan las transacciones de cargo y abono de la balanza de pagos. Sin embargo, no permite que estas fuerzas de la oferta y la demanda determinen el tipo de cambio. Por el contrario, los funcionarios del gobierno atan, o fijan, el tipo de cambio a un nivel establecido interviniendo en los mercados de divisas para comprar y vender divisas. En el siguiente capítulo se aborda este tema más a fondo.

Aun cuando los diversos enfoques del ajuste automático tienen sus partidarios, cada uno de ellos fue formulado en un periodo concreto y son el reflejo de un clima filosófico distinto. La idea de que los precios servían para ajustar la cuenta corriente surgió del pensamiento económico *clásico* del siglo xix y principios del xx. El enfoque clásico era sobre el patrón oro que existía entonces y que estaba asociado a tipos de cambio fijos. La idea de que los cambios en el ingreso podían propiciar los ajustes de la cuenta corriente refleja la teoría *keynesiana* de la determinación del ingreso, que surgió de la Gran Depresión de la década de los treinta.

AJUSTES DE LOS PRECIOS

La teoría original del ajuste de la cuenta corriente se debe a David Hume (1711-1776), el filósofo y economista inglés. La teoría de Hume surgió de su preocupación por la visión mercantilista que era partidaria de los controles del gobierno para garantizar una cuenta corriente favorable. Según él, esta estrategia, a largo plazo, estaba condenada al fracaso, porque la cuenta corriente de una nación tiende a moverse *automáticamente* hacia el equilibrio. La teoría de Hume subraya el papel que los ajustes de los *niveles de precios* del país desempeñan para propiciar el equilibrio de la balanza de pagos.

El patrón oro

El **patrón oro** clásico, que imperó desde finales del siglo xix hasta principios del xx, se distinguía por tres condiciones: *1)* la oferta monetaria de cada nación estaba compuesta por oro o papel moneda respaldado por oro; *2)* cada nación miembro definía el precio oficial del oro en términos de su moneda nacional y estaba dispuesta a comprar y vender oro a ese precio, y *3)* las naciones miembros permitían la libre importación y exportación de oro. En estas circunstancias, la oferta monetaria de una nación estaba directamente atada a su cuenta corriente. La nación con un superávit en su cuenta corriente adquiriría oro, expandiendo directamente la oferta monetaria. Por el contrario, la oferta monetaria de una nación deficitaria disminuía a consecuencia de la salida de oro.

La cuenta corriente también puede estar vinculada directamente a la oferta monetaria de una nación con un patrón oro modificado, el cual requiere que los fondos monetarios de una nación estén parcialmente respaldados por oro, en una proporción constante. También se aplicaría a un sistema con un tipo de cambio fijo, en cuyo caso los desequilibrios de la cuenta corriente son financiados por algún activo aceptable de las reservas internacionales, suponiendo que se mantiene una razón constante de las reservas internacionales de la nación con relación a su oferta monetaria.

Teoría cuantitativa del dinero

La **teoría cuantitativa del dinero** representa la esencia del **mecanismo de ajuste de precios** clásico. Considere la *ecuación de intercambio*:

$$MV = PQ$$

donde M se refiere a la oferta monetaria de una nación y V significa la velocidad del dinero, es decir, el número de veces al año que la unidad monetaria promedio se gasta en bienes terminados. La expresión MV corresponde a la demanda agregada, el total de dinero gastado en bienes terminados. Por otra parte, es posible interpretar que el dinero gastado en el producto de un año cualquiera repre-

---

[2] David Hume, "Of the Balance of Trade", reproducido en Richard N. Cooper (ed.), International Finance: Selected Readings, Penguin Books, Harmondsworth, Inglaterra, 1969, cap. 1.

senta el volumen material de todos los bienes terminados producidos (Q) multiplicado por el precio promedio al que se vende cada uno de los bienes terminados (P). De ahí que $MV = PQ$.

Esta ecuación es una identidad. Expresa que el total de gastos monetarios para bienes terminados es igual al valor monetario de los bienes terminados vendidos; es decir, el monto gastado en bienes terminados es igual al monto recibido por venderlos.

Los economistas clásicos empleaban otros dos supuestos. En primer término, consideraban que el volumen de producto terminado (Q) era fijo, a largo plazo, en el nivel de pleno empleo. En segundo, suponían que la velocidad del dinero (V) era constante, dependiendo de factores institucionales, estructurales y materiales que rara vez cambiaban. Si V y Q son relativamente estables, un cambio en M debe provocar un *cambio directo y proporcional* en P. El modelo que liga los cambios en M a los cambios en P se conoce como la teoría cuantitativa del dinero.

Ajuste de la cuenta corriente

El análisis anterior demostraba cómo, sujeto al patrón oro clásico, la cuenta corriente se ligaba a la oferta monetaria de una nación, que está sujeta al nivel de sus precios internos. Vea cómo el nivel de precios se vincula con la cuenta corriente.

Suponga que, sujeto al patrón oro clásico, una nación registrara un déficit en su cuenta corriente. La nación deficitaria registrará la salida de oro y ello reducirá su oferta monetaria y, por tanto, su nivel de precios. La competitividad internacional de la nación mejoraría, de modo que sus exportaciones aumentarían y sus importaciones disminuirían. Este proceso proseguiría hasta que el nivel de precios aumentara al punto donde se restaurara el equilibrio de la cuenta corriente. Por el contrario, la nación con superávit en su cuenta corriente registrará ingreso de oro y un incremento en su oferta monetaria; este proceso proseguiría hasta que el nivel de precios alcanzara el punto donde se restaurara el equilibrio de la cuenta corriente. Por tanto, el proceso contrario de ajuste de precios ocurriría al mismo tiempo en cada uno de los socios comerciales.

El mecanismo del ajuste de precios concebido por Hume ilustraba la imposibilidad de la concepción mercantilista de mantener continuamente una cuenta corriente con superávit. Los nexos (cuenta corriente-oferta monetaria-nivel de precios-cuenta corriente) demostraron a Hume que, con el transcurso del tiempo, el equilibrio de la cuenta corriente tiende a darse de manera automática.

Con la promulgación de este mecanismo de ajustes de precios de Hume, los economistas clásicos contaron con una teoría muy poderosa e influyente. No fue sino hasta la revolución keynesiana del pensamiento económico, ocurrida en la década de 1930, que esta teoría fue cuestionada seriamente. Incluso hoy en día el mecanismo de ajuste de precios suscita acaloradas discusiones. Aquí cabe un breve análisis de algunas de las críticas fundamentales contra el mecanismo de ajuste de precios.

La relación clásica entre los cambios de la oferta de oro de una nación y los cambios de su oferta monetaria ya no es válida. Los bancos centrales pueden compensar fácilmente, al adoptar una política de expansión (o contracción) monetaria, la salida (o entrada) de oro. La experiencia del patrón oro de finales del siglo XIX y principios del XX indica que estas políticas monetarias compensatorias se presentaban con frecuencia. La idea clásica de que siempre existen condiciones de pleno empleo también ha sido cuestionada; cuando una economía está muy por debajo de su nivel de pleno empleo, existen menos probabilidades de que los precios aumenten, en general, como respuesta a un incremento de la oferta monetaria, que cuando la economía se encuentra en pleno empleo. También se ha dicho que, en el mundo industrial moderno, los precios y los salarios son inflexibles a la baja, por lo cual los cambios de M no afectarán a P, sino a Q. La oferta monetaria descendente de una nación deficitaria producirá una caída del producto y el empleo. Es más, la estabilidad y la previsibilidad de V han sido cuestionadas. Si el ingreso de oro que produce un incremento de M fuera compensado por una disminución de V, entonces el gasto total (MV) y PQ no se verían alterados.

Estos temas forman parte de la polémica actual en torno a la importancia del mecanismo de ajuste de los precios. Han despertado suficientes dudas en los economistas como para ameritar la búsqueda de otras explicaciones para los ajustes. Las más importantes se relacionan con el efecto que los cambios de las tasas de interés tienen en los movimientos de capital y el efecto que los cambios del ingreso tienen en los flujos del comercio.

FLUJOS FINANCIEROS Y DIFERENCIALES DE LAS TASAS DE INTERÉS

Aunque los economistas clásicos subrayaban el efecto del mecanismo de ajuste de los precios en la cuenta corriente de un país, también estaban conscientes del impacto que los cambios de las tasas de interés tenían en los movimientos internacionales de inversión (de capital). Dada la estrecha integración de los sistemas financieros nacionales de hoy, se reconoce que las fluctuaciones de las tasas de interés pueden producir cambios significativos en la cuenta de capital y financiera de una nación, como se explicó en el capítulo 10.

Recuerde que las operaciones financieras y de capital incluyen todas las compras o ventas internacionales de activos financieros, como bienes raíces, acciones y bonos de empresas, depósitos en bancos mercantiles y certificados del gobierno. La gran mayoría de las operaciones que se asienta en la cuenta de capital y financiera proviene de operaciones financieras. El factor más importante que provoca el cruce de las fronteras nacionales de los activos financieros son las tasas de interés del mercado nacional y extranjero. Sin embargo, existen otros factores importantes, como la rentabilidad de las inversiones, las políticas fiscales de las naciones y la estabilidad política.

La figura 13.1 muestra las curvas hipotéticas de la cuenta de capital y financiera de Estados Unidos. El eje vertical mide los *superávits* y los *déficits* de la cuenta de capital y financiera. En particular, supone que los flujos financieros entre Estados Unidos y el resto del mundo responden a los *diferenciales de las tasas de interés* entre las dos zonas (la tasa de interés de Estados Unidos menos la tasa de interés externa) en el caso de un conjunto dado de circunstancias económicas en Estados Unidos y en el exterior.

En cuanto a la curva CCF_0, la cuenta de capital y finanzas de Estados Unidos está en *equilibrio* en el punto A, donde la tasa de interés de ese país es igual a la del exterior. Si Estados Unidos redujera su crecimiento monetario, la escasez de dinero tendería a incrementar sus tasas de interés en comparación con las del resto del mundo. Suponga que las tasas de interés de EUA se elevan uno por ciento por arriba de las de otros países. Los inversionistas, ante estas tasas de interés más altas, tenderán a vender los activos financieros extranjeros para comprar activos estadounidenses que ofrecen mayor rendimiento. El diferencial de 1% de las tasas de interés lleva a una *entrada neta de capital* de 5 mil millones de dólares, y el país pasa al punto B de la curva CCF_0. Por otra parte, si las tasas de interés externas aumentan más que las de Estados Unidos, el país registrará una *salida neta de capital*, pues los inversionistas venderán valores estadounidenses para comprar valores extranjeros que ofrecen un rendimiento más alto.

La figura 13.1 supone que los diferenciales de las tasas de interés son el determinante básico de los flujos financieros en el caso de Estados Unidos. Es decir, los movimientos a lo largo de la curva CCF_0 son provocados por los cambios de la tasa de interés de Estados Unidos con relación a las del resto del mundo. No obstante, existen otros determinantes, además de los diferenciales de las tasas de interés, que pueden llevar a Estados Unidos a importar (o exportar) más o menos activos financieros con cada diferencial posible de las tasas de interés y, por tanto, modificarían su ubicación en la curva CCF_0.

Por ejemplo, suponga que Estados Unidos se encuentra en la curva CCF_0 en el punto A y que el creciente ingreso de ese país conduce a más ventas y ganancias. La inversión directa (por ejemplo, en una armadora de automóviles) se torna más rentable en Estados Unidos. Las naciones como Japón invertirán más en sus subsidiarias en Estados Unidos, mientras que General Motors invertirá menos en el exterior. La mayor rentabilidad de la inversión directa genera un mayor flujo de fondos que ingresan a Estados Unidos con cada uno de los diferenciales posibles de las tasas de interés y un desplazamiento hacia arriba en la curva a CCF_1.

FIGURA 13.1

Curva de la cuenta de capital y financiera de Estados Unidos

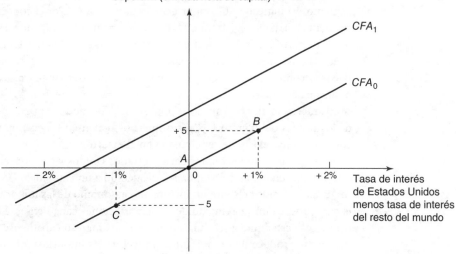

Los diferenciales de las tasas de interés entre Estados Unidos y el resto del mundo provocan movimientos en la curva de la cuenta de capital y financiera de Estados Unidos. Las tasas de interés relativamente altas (bajas) de ese país desatan entradas (salidas) financieras netas y un movimiento ascendente (descendente) a lo largo de la curva de la cuenta de capital y financiera, que se desplaza hacia arriba/abajo frente a los cambios de determinantes, aparte de la tasa de interés, como la rentabilidad de la inversión, las políticas fiscales y la estabilidad política.

Suponga que el gobierno de Estados Unidos aplica un *impuesto para nivelar los intereses*, como lo hizo de 1964 a 1974. Este impuesto pretendía contribuir a revertir los enormes flujos de capital que salían del país cuando las tasas de interés de Europa eran superiores a las de Estados Unidos. Al gravar los ingresos de los inversionistas estadunidenses por concepto de dividendos e intereses de sus valores extranjeros, el impuesto redujo la rentabilidad neta (es decir, el rendimiento después de impuestos) de los valores extranjeros. Al mismo tiempo, el gobierno estadunidense instituyó un programa para restringir el crédito exterior, que imponía restricciones directas a los préstamos externos otorgados por bancos e instituciones financieras estadunidenses y, más adelante, a los préstamos externos de empresas no financieras. Al desalentar la salida de capital de Estados Unidos hacia Europa, estas políticas dieron por resultado un desplazamiento hacia arriba en la curva de la cuenta de capital y financiera de Estados Unidos en la figura 13.1, el cual sugiere que saldrían menos fondos el país como respuesta a las tasas de interés más altas del exterior.

AJUSTES DEL INGRESO

Cuando los economistas clásicos consideraban mecanismos de ajuste internacional, subrayaban sobre todo los cambios automáticos en los precios para generar ajustes en la cuenta corriente de una nación. Una debilidad de la teoría clásica es que prácticamente desdeñaba el efecto de los ajustes del ingreso en la cuenta corriente. Para contrarrestar esta debilidad, John Maynard Keynes formuló en su teoría el **mecanismo de ajuste del ingreso** en la década de 1930.[3] Esta teoría se funda en que los cambios automáticos del ingreso propician un ajuste en la cuenta corriente de una nación.

Keynes aseveraba que, con un sistema de tipos de cambio fijos, la influencia de los cambios del ingreso en las naciones con superávit y déficit de la cuenta corriente contribuirá a restaurar, automáticamente, el equilibrio. Dado un superávit persistente en la cuenta corriente, la nación registrará un aumento del ingreso y sus importaciones aumentarán. Por el contrario, la nación con un déficit en su cuenta corriente registrará una disminución en el ingreso, que dará por resultado una reducción de las importaciones. Los efectos que los cambios en el ingreso tendrán en los niveles de las importaciones revertirán el desequilibrio de la balanza de pagos. La sección *Exploración detallada 13.1* que puede encontrar en: www.cengage.com/economics/Carbaugh explica con más detalle el mecanismo de ajuste del ingreso.

El anterior análisis del ajuste del ingreso se debe modificar para incluir los efectos que los cambios de los niveles del ingreso y el gasto internos tienen en las economías extranjeras, con un proceso conocido como **efecto de repercusión en el exterior**.

Suponga un mundo con dos países, Estados Unidos y Canadá, en el que la cuenta corriente está inicialmente en equilibrio. Suponga que, debido a un cambio en las preferencias de los consumidores, Estados Unidos registra un incremento autónomo de las importaciones procedentes de Canadá, el cual provoca un incremento de las exportaciones canadienses. El resultado será un decremento del ingreso estadunidense y un incremento del ingreso canadiense. La reducción del ingreso estadunidense produce una reducción del nivel de las importaciones de ese país (y una reducción de las exportaciones de Canadá). Al mismo tiempo, el incremento del ingreso canadiense produce un aumento de las importaciones del país (y un incremento de las exportaciones estadunidenses). Este proceso de retroalimentación se repite una y otra vez.

La consecuencia de este proceso es que amortigua tanto el incremento del ingreso del país superavitario (Canadá) como la reducción del ingreso de la nación deficitaria (Estados Unidos). Esto se debe a que el incremento autónomo en las importaciones de Estados Unidos (y las exportaciones de Canadá) provocará un decremento en el ingreso de Estados Unidos conforme las importaciones se sustituyen por productos nacionales. El decremento en el ingreso de Estados Unidos provocará una reducción de sus importaciones. Dado que las importaciones de Estados Unidos son la exportaciones de Canadá, el incremento en el ingreso de Canadá se verá disminuido. Desde la perspectiva de Estados Unidos, la disminución del ingreso estadunidense se amortiguará con el incremento de exportaciones a Canadá que se deriva del incremento del ingreso canadiense.

La importancia del efecto de la repercusión en el exterior depende, en parte, del tamaño de la economía de un país por cuanto se refiere al comercio internacional. Una nación pequeña que incrementa sus importaciones de una nación más grande no tendrá gran impacto en el nivel del ingreso de esa nación. Sin embargo, en el caso del comercio de países grandes, el efecto de la repercusión en el exterior será muy probablemente de gran importancia y se debe tomar en cuenta cuando se considera el mecanismo de ajuste del ingreso.

DESVENTAJAS DE LOS MECANISMOS DE AJUSTE AUTOMÁTICO

Las secciones anteriores han considerado mecanismos de ajuste automático de la balanza de pagos cuando existe un sistema de tipos de cambio fijos. Según la escuela clásica de pensamiento, los cambios automáticos de los precios provocan los ajustes de la cuenta corriente. La teoría keynesiana puso énfasis en otro proceso de ajuste: el efecto que los cambios del ingreso nacional tienen en la cuenta corriente de una nación.

---

[3] John Maynard Keynes, *The General Theory of Employment, Interest, and Money*, Macmillan, Londres, 1936.

Si bien los elementos de ajustes de los precios y del ingreso operarían en el mundo real, de manera general estos mecanismos de ajuste presentan una gran falla: un mecanismo eficiente de ajuste supone que los bancos centrales nunca emplean políticas monetarias para promover la meta del pleno empleo sin inflación; es decir, cada nación debe estar dispuesta a aceptar la inflación o la recesión cuando el ajuste de la cuenta corriente lo requiera. Considere el caso de una nación que registra un déficit generado por un incremento autónomo de las importaciones o un decremento de las exportaciones. Para que el ajuste del ingreso revierta el déficit, las autoridades monetarias deben permitir que el ingreso interno disminuya, sin emprender políticas para compensar la reducción. En el caso de una nación con un superávit en su balanza de pagos ocurriría justo lo contrario. Las naciones modernas son reacias a hacer sacrificios internos significativos para alcanzar el equilibrio externo, por lo tanto, depender de un proceso de ajuste automático de pagos sencillamente no es una política aceptable.

AJUSTES MONETARIOS

En las secciones anteriores se vio que los cambios en el precio interno, la tasa de interés y el nivel del ingreso funcionan como mecanismos de ajuste internacional. En la década de 1960 surgió una teoría nueva: el *enfoque monetarista a la balanza de pagos*.[4] La noción principal del enfoque monetarista es que la balanza de pagos se ve afectada por las discrepancias entre la cantidad de dinero que las personas desean tener y la cantidad que proporciona el banco central. Si los estadunidenses buscan más dinero del que proporciona la Reserva Federal de Estados Unidos, entonces la demanda excesiva de dinero se cumplirá con flujos de dinero de otro país, por ejemplo China. A la inversa, si la Reserva Federal ofrece más dinero del que requieren los estadunidenses, la oferta excesiva de dinero se elimina por flujos de dinero hacia China. Por lo tanto, el enfoque monetarista centra la atención en los factores determinantes de la demanda de dinero y de la oferta de dinero, así como su impacto en la balanza de pagos. Corresponde a manuales más avanzados la discusión del enfoque monetarista para la balanza de pagos.

RESUMEN

1. Como el desequilibrio persistente de la cuenta corriente (sea un superávit o un déficit) tiende a producir consecuencias económicas negativas, es preciso ajustarlo.

2. El ajuste de la cuenta corriente puede ser clasificado como automático o discrecional. Con un sistema de tipos de cambio fijos, los ajustes automáticos ocurren en razón de variaciones en los precios, las tasas de interés y el ingreso. La demanda y la oferta de dinero también influyen en el proceso de ajuste.

3. La teoría de David Hume ofrecía una explicación del proceso automático de ajuste que se daba sujeto al patrón oro. A partir de la condición del equilibrio de pagos, todo

superávit o déficit sería eliminado automáticamente en razón de los cambios en los niveles internos de precios. La teoría de Hume dependía notablemente de la teoría cuantitativa del dinero.

4. Con la llegada de la economía keynesiana, en la década de los treinta, se concedió mayor importancia a los efectos del comercio en el ingreso como explicación del ajuste.

5. El efecto de repercusión en el exterior se refiere a una situación en la que un cambio en las variables macroeconómicas de una nación en relación con otra provocará una reacción en cadena en las economías de ambas naciones.

---

[4] El enfoque monetarista aplicado a la balanza de pagos tiene su origen intelectual en la Universidad de Chicago. Lo iniciaron Robert Mundell, con su obra *International Economics* (Macmillan, Nueva York, 1968) y Harry Johnson con "The Monetary Approach to Balance of Payments Theory" (*Journal of Financial and Quantitative Analysis*, marzo de 1972).

CONCEPTOS Y TÉRMINOS CLAVE

Ajuste automático (p. 419)
Determinación del ingreso (p. 437)
Efecto de repercusión en el exterior
    (p. 424)

Mecanismo de ajuste
    (p. 419)
Mecanismo de ajuste de precios
    (p. 420)

Mecanismo de ajuste del ingreso
    (p. 424)
Patrón oro (p. 420)

PREGUNTAS PARA ANÁLISIS

1. ¿Qué se entiende por *mecanismos de ajuste internacional*? ¿Por qué la nación que registra un déficit tiene un incentivo para implementar un ajuste? ¿Qué ocurre con la nación que registra un superávit?

2. Con un sistema de tipos de cambio fijos, ¿qué ajustes automáticos propician el equilibrio de los pagos?

3. ¿Qué explica la teoría cuantitativa del dinero? ¿Cómo se relaciona con el mecanismo clásico de ajuste de los precios?

4. ¿Cómo contribuyen los ajustes en las tasas de interés internas a afectar los flujos internacionales de inversión?

5. La teoría keynesiana sugiere que, con un sistema de tipos de cambio fijos, la influencia que los cambios en el ingreso ejercen en las naciones que tienen un superávit o un déficit ayuda a propiciar el equilibrio de la cuenta corriente. Explique.

6. Cuando se analiza el mecanismo de ajuste del ingreso, hay que tomar en cuenta el efecto de sus repercusiones en el exterior. Explique.

7. ¿Cuáles son las principales desventajas del mecanismo automático de ajuste en un sistema con tipos de cambio fijos?

EXPLORACIÓN DETALLADA

Para una discusión más detallada del mecanismo de ajuste del ingreso, consulte *Exploración Detallada 13.1* en: *www.cengage.com/economics/Carbaugh*.

Ajustes al tipo de cambio y a la balanza de pagos

En el capítulo anterior se demostró que los ajustes automáticos de los precios, las tasas de interés y los ingresos suelen revertir el desequilibrio de la balanza comercial. No obstante, si se permite que estos ajustes operen, podría ocurrir que la reversión de los desequilibrios del comercio se registre a expensas de una recesión interna o de la inflación de precios. El remedio puede ser peor que la enfermedad.

En vez de confiar en que los ajustes de los precios, las tasas de interés y los ingresos corrijan los desequilibrios del comercio, los gobiernos permiten que los tipos de cambio se modifiquen. El país que adopta un sistema de tipo de cambio flotante permite que su moneda se deprecie o aprecie, en un mercado libre, como respuesta a los cambios de la oferta o la demanda de su moneda.

Con un sistema de cambio fijo, el gobierno establece los tipos a corto plazo. Sin embargo, si en un periodo el tipo de cambio se sobrevalúa, el gobierno puede aplicar políticas para *devaluar* su moneda. Esta devaluación, iniciada por una política pública y no por las fuerzas de la oferta y la demanda del libre mercado, provoca la depreciación del valor de cambio. Cuando la moneda de un país está subvaluada, el gobierno la puede *revaluar* y esta política provoca una apreciación de su valor de cambio. En el siguiente capítulo se explica con más detenimiento la devaluación y la revaluación de una moneda.

En este capítulo se analizará el efecto que tienen los ajustes al tipo de cambio en la balanza de pagos. Verá las condiciones en las cuales la depreciación (apreciación) de una moneda mejora (empeora) la posición comercial de un país.

EFECTOS DE LAS VARIACIONES DEL TIPO DE CAMBIO EN LOS COSTOS Y LOS PRECIOS

Las fluctuaciones de los tipos de cambio afectan ostensiblemente a las industrias que compiten con los productores extranjeros o que dependen de insumos importados para su producción. Estas oscilaciones influyen en la competitividad internacional de las industrias de una nación porque determinan los costos relativos. ¿Cómo afectan las fluctuaciones del tipo de cambio a los costos relativos? La respuesta depende de la medida en que los costos de una empresa estén nominados en la moneda del país o en una divisa extranjera.

Caso 1. Sin abasto externo: todos los costos están nominados en dólares

La tabla 14.1 ilustra los costos de producción hipotéticos de Nucor, una siderúrgica estadunidense. Suponga que la empresa emplea trabajo, carbón, hierro y otros insumos estadunidenses para producir acero y que nomina sus costos en dólares. En el periodo 1 el valor de cambio del dólar es de 50 centavos de dólar por franco suizo (2 francos por dólar); además, la empresa tiene un costo de 500 dólares por tonelada de acero producida o, con el mencionado tipo de cambio, un monto equivalente a 1,000 francos.

Suponga que las condiciones del mercado han cambiado en el periodo 2 y, por tanto, el valor de cambio del dólar se aprecia de 50 a 25 centavos por franco, o una apreciación de 100% (el franco se deprecia de 2 a 4 francos por dólar). Dada la apreciación del dólar, los costos del trabajo, hierro, carbón y otros insumos permanecen constantes en términos de dólares. Sin embargo, en términos del franco, los costos aumentan de 1,000 a 2,000 francos por tonelada, un incremento de 100%. Esta apreciación de 100% del dólar provoca que los costos de producción de Nucor, nominados en francos, registren un incremento de 100%, con lo que disminuye la competitividad internacional de la empresa.

Este ejemplo supone que la empresa adquiere todos los insumos en el país y que sus costos están nominados en la moneda local. No obstante, en muchas industrias las empresas adquieren algunos de sus insumos en mercados exteriores (abasto externo) y los costos de los mismos están en divisas. En tal caso, ¿qué efecto produce la fluctuación del valor de cambio de la moneda nacional en los costos de la empresa?

Caso 2. Con abasto externo: algunos costos están nominados en dólares y otros en francos

La tabla 14.2 también ilustra los costos de producción hipotéticos de Nucor, pero ahora suponga que los costos del trabajo, hierro, carbón y algunos otros insumos están nominados en dólares. Sin embargo, suponga que Nucor compra chatarra a proveedores suizos (abasto externo) y que estos costos están nominados en francos. De nueva cuenta, el valor de cambio del dólar se aprecia de 50 a 25 centavos por franco. Al igual que antes, después de la apreciación del dólar, el costo del trabajo, hierro, carbón y algunos otros insumos de Nucor aumenta 100% en términos de francos. Sin embargo, el costo de la chatarra en francos permanece constante. Como se aprecia en la tabla, el costo por tonelada de acero para Nucor aumenta de 1,000 a 1,640 francos, es decir, un incremento de sólo 64%. Por tanto, la apreciación del dólar empeora la competitividad internacional de la empresa, pero no tanto como en el ejemplo anterior.

Además de influir en el costo del acero, para Nucor, nominado en francos, una apreciación del dólar afecta su costo nominado en dólares cuando intervienen insumos nominados en francos. Como los costos de la chatarra están nominados en francos, éstos se mantienen en 360 francos tras la

---

TABLA 14.1

Efectos de la apreciación del dólar en los costos de producción de una siderúrgica estadunidense cuando todos los costos están nominados en dólares

	COSTO DE PRODUCCIÓN DE UNA TONELADA DE ACERO			
	PERIODO 1 $0.50 POR FRANCO (2 FRANCOS = $1)		PERIODO 2 $0.25 POR FRANCO (4 FRANCOS = $1)	
	Costo en dólares	Equivalente en francos	Costo en dólares	Equivalente en francos
Trabajo	$160	320 francos	$160	640 francos
Materiales (hierro/carbón)	300	600	300	1,200
Otros costos (energía)	40	80	40	160
Total	$500	1,000 francos	$500	2,000 francos
Cambio porcentual	–	–	–	100%

TABLA 14.2

Efectos de la apreciación del dólar en los costos de producción de una siderúrgica estadunidense cuando algunos costos están nominados en dólares y otros en francos

	COSTO DE PRODUCCIÓN DE UNA TONELADA DE ACERO			
	PERIODO 1 $0.50 POR FRANCO (2 FRANCOS = $1)		PERIODO 2 $0.25 POR FRANCO (4 FRANCOS = $1)	
	Costo en dólares	Equivalente en francos	Costo en dólares	Equivalente en francos
Trabajo	$160	320 francos	$160	640 francos
Materiales nominados en dólares (hierro/carbón)	120	240	120	480
Nominados en francos (chatarra)	180	360	90	360
Total	300	600	210	840
Otros costos (energía)	40	80	40	160
Total de costos	$500	1,000 francos	$410	1,640 francos
Cambio porcentual	—	—	–18%	+64%

apreciación del dólar, pero el costo de la chatarra en dólares disminuye de 180 a 90 dólares. Dado que los costos de otros insumos de Nucor están nominados en dólares y que no cambian después de la apreciación de esta moneda, el costo total para la empresa disminuye de 500 a 410 dólares por tonelada, es decir, un decremento de 18%. Esta reducción del costo compensa parte de la desventaja de costos, derivada de la apreciación del dólar (depreciación del franco), que sufre Nucor frente a los exportadores suizos.

Los ejemplos anteriores permiten plantear la generalización siguiente: cuando los costos nominados en francos representan una fracción mayor del total de costos de Nucor, entonces la apreciación (depreciación) del dólar lleva a un incremento (decremento) menor del costo del acero para Nucor en francos, así como a un decremento (incremento) mayor en su costo del acero en dólares, en comparación con los cambios que sufren los costos cuando los costos de todos los insumos están nominados en dólares. Cuando los costos nominados en francos representan una fracción menor del total de costos, la conclusión sería la contraria. Estas conclusiones han tenido enorme importancia para el sistema comercial mundial desde 1980 hasta el 2000, porque las industrias (por ejemplo automóviles y computadoras) se han ido internacionalizando y ahora sus procesos de producción utilizan grandes cantidades de insumos importados.

Los cambios de los costos relativos derivados de fluctuaciones en los tipos de cambio también influyen en los precios relativos y en el volumen de bienes que intercambian las naciones. Como una *apreciación* del dólar *incrementa* los costos de producción relativos de Estados Unidos, también incrementa los precios de las exportaciones estadunidenses en términos de las divisas, lo que provoca un decremento en la cantidad de bienes que el país vende al exterior y, por otra parte, la apreciación del dólar provoca un incremento en las importaciones estadunidenses. Dado que una *depreciación* del dólar *reduce* los costos de producción relativos de Estados Unidos, también disminuye los precios de las exportaciones en términos de la divisa y ello provoca un incremento en la cantidad de bienes que Estados Unidos vende al exterior y, por otra parte, la depreciación del dólar provoca un decremento en las importaciones estadunidenses.

Varios factores dictan la medida en que las fluctuaciones del tipo de cambio llevan a modificaciones en los precios relativos de las naciones. Algunos exportadores estadunidenses, para conservar su competitividad, podrían reducir sus márgenes de utilidad para compensar el incremento de precios que se deriva de la apreciación del valor de cambio del dólar. Las percepciones relativas a las tendencias de los tipos de cambio a largo plazo también propician la rigidez de los precios; es decir, si los exportadores estadunidenses piensan que la apreciación del dólar será temporal, entonces estarían menos dispuestos a incrementar los precios. Las industrias aplicarán estrategias de precios dependiendo de qué tan sustituibles sean sus productos; es decir, cuanto más se diferencie el producto (por ejemplo, en calidad o servicio), tanto mayor será el control que los productores ejerzan sobre los precios, de modo que las políticas de precios de estos productores estarán bastante protegidas contra las fluctuaciones de los tipos de cambio.

¿Las empresas pueden compensar, de alguna manera, el efecto de las fluctuaciones de las divisas en su competitividad? Suponga que el valor de cambio del yen japonés se aprecia frente a otras divisas, lo cual provoca que los bienes japoneses sean menos competitivos en los mercados mundiales. Para protegerse contra la merma de utilidades provocada por la apreciación del yen, las empresas japonesas podrían trasladar su producción a filiales ubicadas en países donde las monedas se hayan depreciado frente al yen. Esto seguramente ocurriría si la apreciación del yen es significativa y si se piensa que será permanente. Incluso si la apreciación del yen no fuera permanente, el hecho de trasladar la producción al exterior ayudaría a reducir la incertidumbre asociada a las fluctuaciones de las divisas. Las empresas japonesas, de hecho, han recurrido a la producción en el exterior para protegerse contra la apreciación del yen.

ESTRATEGIAS DE LOS FABRICANTES PARA ABATIR COSTOS ANTE LA APRECIACIÓN DE SU MONEDA

Los fabricantes llevan muchos años observando atónitos cómo la moneda de su país llega a alturas sin precedente y les dificulta la posibilidad de obtener utilidad de las exportaciones. Esto pone a prueba su ingenio para ser más eficientes y seguir siendo competitivos en los mercados mundiales. Ahora considere la respuesta que los fabricantes japoneses y estadunidenses dieron a la apreciación de sus respectivas monedas.

Apreciación del yen: los fabricantes japoneses

Entre 1990 y 1996, el valor del yen japonés frente al dólar se incrementó alrededor de 40%. Es decir, si los precios en yenes y en dólares no hubieran cambiado en las dos naciones en 1996, los productos japoneses, en comparación con los productos estadunidenses, habrían sido aproximadamente 40% más caros que en 1990. ¿Cómo respondieron los fabricantes japoneses a una situación que podría haber tenido consecuencias desastrosas para su competitividad en los mercados mundiales?

Las empresas japonesas conservaron su competitividad empleando la fortaleza del yen para establecer, a bajo costo, bases integradas de producción en Estados Unidos y en la parte de Asia ligada al dólar. Esto permitió a las empresas japonesas jugar en los dos lados de las fluctuaciones del tipo de cambio del yen-dólar; es decir, emplear partes y materiales más baratos, nominados en dólares, para compensar los costos más altos debidos al yen. Al mismo tiempo que conservaban sus mercados en Estados Unidos, muchas empresas japonesas también emplearon un yen fuerte para comprar componentes más baratos en todo el mundo, enviándolos a Japón para su montaje. Esto brindó una ventaja competitiva a estas empresas en Japón.

Considere el caso de Hitachi, el fabricante japonés de aparatos electrónicos que, como muestra la figura 14.1, produjo televisores recurriendo a las actividades globales a mediados de la década de los noventas. Los pequeños tubos que proyectan información en las pantallas de los televisores Hitachi provenían de una subsidiaria ubicada en Carolina del Sur, mientras que el bastidor y los circuitos del televisor eran fabricados por una filial en Malasia. Lo único que provenía de Japón eran los chips de computadora y los lentes, que representaban 30% del valor de las partes utilizadas. Hitachi, para producir sus televisores, se abasteció en países con monedas que habían disminuido frente al yen y, así, pudo mantener bajo el precio en dólares de sus televisores, a pesar del aumento del yen.

Para limitar su vulnerabilidad frente al aumento del yen, los exportadores japoneses dejaron a un lado los bienes tipo *commodity* o materia prima, para fabricar, en cambio, productos de alto valor. La

FIGURA 14.1

Cómo afrontar la apreciación del yen: la diversificación geográfica de Hitachi, el fabricante de televisores

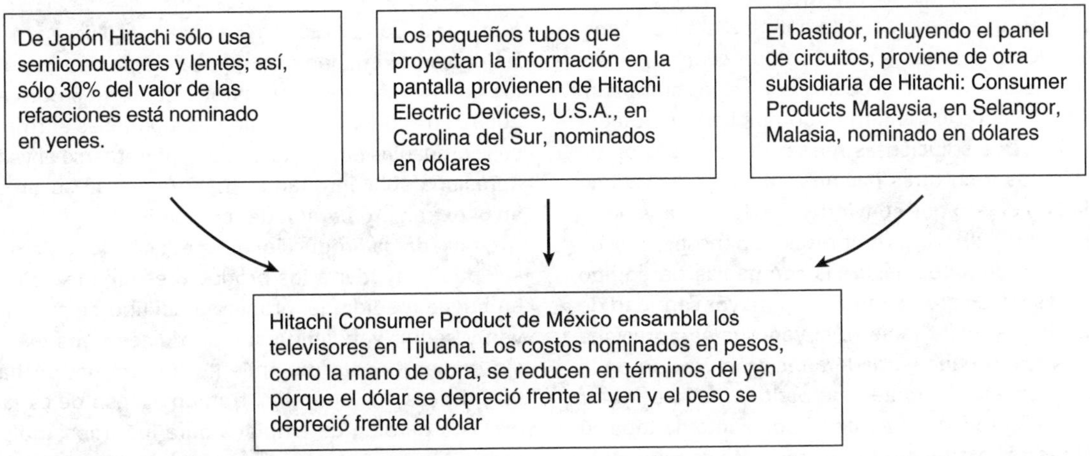

| De Japón Hitachi sólo usa semiconductores y lentes; así, sólo 30% del valor de las refacciones está nominado en yenes. | Los pequeños tubos que proyectan la información en la pantalla provienen de Hitachi Electric Devices, U.S.A., en Carolina del Sur, nominados en dólares | El bastidor, incluyendo el panel de circuitos, proviene de otra subsidiaria de Hitachi: Consumer Products Malaysia, en Selangor, Malasia, nominado en dólares |

Hitachi Consumer Product de México ensambla los televisores en Tijuana. Los costos nominados en pesos, como la mano de obra, se reducen en términos del yen porque el dólar se depreció frente al yen y el peso se depreció frente al dólar

Cuando el yen se apreció frente al dólar, la diversificación global de Hitachi permitió que la empresa vendiera televisores en Estados Unidos sin aumentar los precios.

© Cengage Learning®

demanda de estos *commodities* (por ejemplo, metales y textiles) es muy sensible a los cambios de precio, porque son prácticamente iguales y sólo se distinguen por su precio. Por tanto, si un incremento del yen aumentara más el precio de las exportaciones japonesas en dólares, los clientes podrían optar con facilidad por proveedores que no fueran japoneses. Por otra parte, los productos más sofisticados y de mayor valor (por ejemplo, el equipo de transporte y la maquinaria eléctrica) son menos sensibles a los incrementos de precio. En el caso de estos bienes, algunos factores, como la tecnología avanzada que incluyen y los altos estándares de calidad, operan para neutralizar el efecto de la apreciación del yen en la demanda, en caso de que ésta incremente los precios. Así, las empresas japonesas, entre 1990 y 1996, dejaron de producir bienes tipo *commodity* para fabricar productos de alto valor que reforzaron su competitividad.

Otro ejemplo es la industria automotriz japonesa. Los fabricantes japoneses de automóviles, para compensar el incremento del yen, redujeron los precios de sus vehículos en yenes y, por tanto, alcanzaron menores márgenes de utilidad. Asimismo, redujeron los costos de producción, incrementando la productividad de sus trabajadores, importando materiales y partes con precios nominados en divisas que se habían depreciado frente al yen y el *outsourcing* o subcontratación de una mayor fracción de la producción de sus vehículos en fábricas trasplantadas a otros países, con divisas que se habían depreciado frente al yen.

En 1994 Toyota Motor Corporation anunció que su competitividad se había erosionado hasta 20% por la apreciación reciente del yen. Por tanto, la empresa convenció a sus subcontratistas de que redujeran 15% los precios de sus partes a lo largo de tres años. Toyota empezó a emplear partes comunes en diversos vehículos y redujo el tiempo necesario para diseñar, probar y comercializar los automóviles, con lo que pudo reducir sus costos. Es más, presionó a los productores japoneses de acero para que fabricaran lámina de acero galvanizado menos cara para sus vehículos. Por último, Toyota reintrodujo modelos menos caros, con menos opciones, para reducir los costos y los precios y, con ello, reactivar las ventas en el segmento del mercado correspondiente a los automóviles familiares de tamaño mediano.

Las partes elaboradas en el exterior, que los fabricantes japoneses habían rechazado por ser de menor calidad que las producidas en su país, se volvieron más comunes para ellos en la década de los noventa. Las partes extranjeras se fueron abriendo paso de forma sostenida para llegar a los automóviles japoneses, con la ayuda de un yen fuerte y la urgencia de los fabricantes japoneses por

CONFLICTOS COMERCIALES LAS EMPRESAS JAPONESAS TRASLADAN SU PRO-DUCCIÓN AL EXTERIOR PARA CONTRARRESTAR LOS EFECTOS DE UN YEN FUERTE

Con un yen que se aprecia durante los últimos años, los exportadores japoneses se han dado cuenta de que sus productos se tornan más costosos y menos competitivos en los mercados extranjeros. ¿Cómo pueden proteger sus ganancias? La solución es reubicar la producción en Estados Unidos y en otras naciones, además de reducir la cantidad de dinero que convierten de dólares a yenes.

Durante 2010-2011 las empresas japonesas, desde los fabricantes de autos hasta las compañías de equipo electrónico, se dedicaron a reubicar la mayor cantidad de su producción en el extranjero: el yen que se apreciaba estaba provocando una verdadera reestructuración de la economía japonesa. Durante este periodo, Toyota Motor Corp. produjo aproximadamente 57 por ciento de toda su producción en el extranjero (un incremento considerable en comparación con el 48 por ciento de producción en el extranjero de 2005). El fabricante mundial más importante de automóviles declaró que empezaría a producir su popular modelo Prius en una planta cerca de Bangkok: ésta era la primera vez que el célebre modelo híbrido (el que más se asocia con la empresa) se fabricaba en serie

fuera de Japón. De 2010 a 2011, su rival, Nissan Motor Co., fabricó aproximadamente 71 por ciento de sus automóviles en el extranjero (comparado con un 66 por ciento en 2009). Los líderes empresariales japoneses afirmaron que sus compañías habían tenido que enfrentarse al yen que se apreciaba subcontratando más y más de su producción en el extranjero para poder competir.

Trasladar la producción a Estados Unidos y a otros países puede ayudar a los productores japoneses a librarse en buena medida del problema del tipo de cambio dólar/yen y seguir vendiendo sus productos a los extranjeros, sin embargo, este movimiento de producción hace que las fábricas en Japón incurran en exceso de capacidad y provoca pérdida de empleos para los trabajadores japoneses. Muchos temen que si el yen continúa fortalecido la economía de Japón se enfrentará a un verdadero vacío.

Fuentes: "Japan Firms Send Work Overseas", *The Wall Street Journal*, 25 de octubre de 2010, p. B1 y "Japanese Firms Practice Yen Damage Control", *The Wall Street Journal*, 26 de septiembre de 2003, p. A7. Mike Ramsey y Neal Boudette, "Honda Revs Up Outside Japan", *The Wall Street Journal*, 21 de diciembre de 2011, p. A1

abatir sus costos. Es más, los fabricantes japoneses de autopartes establecieron operaciones fabriles en el sudeste de Asia y en Sudamérica para abatir sus costos y para, después, exportarlas a Japón para armar los automóviles.

Apreciación del dólar: los fabricantes estadunidenses

De 1996 a 2002, los fabricantes estadunidenses se alarmaron enormemente cuando el dólar se apreció un promedio de 22% frente a las divisas de sus principales socios comerciales. Esto dio por resultado que los fabricantes estadunidenses buscaran la manera de aprovechar los mercados exteriores y de proteger su terreno en casa.

Considere el caso de American Feed Co., una empresa con sede en Napoleon, Ohio, que fabrica maquinaria para plantas de automóviles. En 2001, la empresa firmó un contrato con una empresa fabril española homóloga. Las dos empresas producen máquinas que las fábricas de automóviles emplean para desenredar enormes rollos de acero y luego alimentar a los troqueles que producen las partes. Según el contrato, cuando entran los pedidos, los directores de las dos empresas se reúnen para decidir cuál planta fabricará las partes, en esencia dividiéndose el trabajo para que las dos fábricas sigan en operación. En consecuencia, American Feed puede compartir los beneficios de contar con una base de producción en Europa, sin tener que correr los riesgos de construir su propia fábrica ahí. Asimismo, la empresa rediseñó sus máquinas para aumentar su eficiencia, y reducir el costo de fabricación. Estos esfuerzos redujeron los costos de producción de la máquina en alrededor de 20%.

También está el caso de Spico Molding Technologies, fabricante de herramientas y moldes con sede en Meadville, Pensilvania, que también tuvo que reducir costos para sobrevivir después de la apreciación del dólar. Durante años, Spico había sido socia de una empresa austriaca, que diseñaba una línea especial de herramientas que Spico había fabricado en Estados Unidos. Sin embargo, ante la fortaleza del dólar, la empresa austriaca asumió la responsabilidad de diseñar y fabricar las herramientas, mientras que Spico simplemente las revendía. Estos esfuerzos ayudaron a la empresa a reducir costos, pero dieron por resultado que 30% de sus empleados perdieran su empleo.

¿LA DEPRECIACIÓN DE UNA MONEDA REDUCE EL DÉFICIT COMERCIAL? EL ENFOQUE DE LA ELASTICIDAD

Hemos visto que la depreciación de una moneda suele mejorar la competitividad de una nación porque reduce sus costos y precios, mientras que una apreciación tiende a hacer lo contrario. ¿En qué circunstancias la depreciación de una moneda reduce el déficit comercial?

Debe tomar en consideración los distintos enfoques que existen para depreciar la moneda, por lo cual verá cada uno de ellos en una sección por separado. El **enfoque de la elasticidad** se enfatiza en los *efectos de los precios* relativos derivados de la depreciación y sugiere que ésta funciona mejor cuando la demanda es muy elástica. El **enfoque de la absorción** se refiere a los *efectos en el ingreso* de la depreciación e implica que debe haber un decremento en el gasto interno, con relación a la inversión, para que la depreciación lleve al equilibrio del comercio. El **enfoque monetarista** se refiere a los efectos de la depreciación en el *poder adquisitivo del dinero* y su consecuente impacto en los niveles del gasto interno. Primero hay que considerar el enfoque de la elasticidad.

La depreciación de la moneda afecta la balanza comercial de un país, porque cambia los precios relativos de los bienes y servicios en el ámbito internacional. La nación que tiene un déficit comercial podría revertir el desequilibrio si disminuye sus precios relativos, de modo que las exportaciones aumenten y las importaciones disminuyan. La nación puede reducir sus precios relativos si permite que su tipo de cambio se deprecie en un mercado libre o si devalúa formalmente su moneda en razón de un sistema de tipos de cambio fijos. El resultado último de la depreciación de la moneda dependerá de la elasticidad-precio de la demanda de importaciones de una nación y de la elasticidad-precio de la demanda de sus exportaciones.

Recuerde que *elasticidad de la demanda* se refiere a la medida en que los compradores responden a los cambios de precio. Indica el cambio porcentual en la cantidad demandada que se deriva de un cambio de 1% en el precio. En términos matemáticos, la elasticidad es la razón del cambio porcentual de la cantidad demandada al cambio porcentual del precio. Se expresa así:

$$\text{Elasticidad} = (\Delta Q/Q) \div (\Delta P/P)$$

El coeficiente de la elasticidad se enuncia en términos numéricos, sin importar su signo algebraico. Si la razón anterior fuera superior a 1, un cambio porcentual dado en el precio dará por resultado un cambio porcentual más grande en la cantidad demandada; esto se conoce como una demanda *elástica*. Si la razón fuera inferior a 1, se dice que la demanda es *inelástica*, porque el cambio porcentual de la cantidad demandada es inferior al cambio porcentual del precio. Una razón exacta de 1:1 denota una demanda de *elasticidad unitaria*, lo cual indica que el cambio porcentual de la cantidad demandada es justo igual al cambio porcentual del precio.

A continuación se explican los efectos de la depreciación de una moneda en la balanza comercial de un país; es decir, el valor de sus exportaciones menos las importaciones. Suponga que la libra esterlina se deprecia 10% frente al dólar. La balanza comercial británica mejorará o no, dependiendo de lo que ocurra con los pagos en dólares que entren por concepto de las exportaciones británicas, en comparación con los pagos en dólares que salgan por sus importaciones. Esto, a su vez, dependerá de que la demanda estadounidense de exportaciones británicas sea elástica o inelástica y de que la demanda británica de importaciones sea elástica o inelástica.

A partir del tamaño de la elasticidad de la demanda de las exportaciones y las importaciones británicas, la balanza comercial del Reino Unido puede mejorar, empeorar o permanecer igual ante la depreciación de la libra. La regla general que determina el resultado real es la llamada **condición de Marshall-Lerner**, que dice: *1)* La depreciación *mejorará* la balanza comercial si la elasticidad de la demanda de importaciones de la nación que deprecia la moneda y la elasticidad de la demanda externa de las exportaciones de esta nación suman más de 1. *2)* Si las elasticidades de la demanda suman menos de 1, entonces la depreciación *empeorará* la balanza comercial. *3)* La balanza comercial *no se verá afectada ni beneficiada* si las elasticidades de la demanda suman 1. La condición de Marshall-Lerner se puede plantear en términos de la moneda de la nación que está sufriendo una depreciación o en los de su socio comercial. Esta explicación se limita a la moneda del país que deprecia, en este caso el Reino Unido.

Caso 1: La balanza comercial mejora La tabla 14.3 ilustra el efecto que una depreciación de la libra tiene en la balanza comercial del Reino Unido. En referencia con la tabla 14.3(a), suponga que la elasticidad de la demanda británica de importaciones es 2.5 y que la elasticidad de la demanda estadunidense de exportaciones británicas es 1.5; es decir, las elasticidades suman 4.0. Además, la libra se deprecia 10% frente al dólar. Una evaluación del efecto global que la depreciación tiene en la posición de pagos del Reino Unido requiere identificar el efecto que la depreciación tiene en el gasto para importaciones y en el ingreso por exportaciones.

Si los precios de las importaciones permanecen constantes en términos de la divisa, entonces la depreciación incrementa el precio de los bienes importados en la moneda local. En razón de la devaluación, el precio de las importaciones británicas en libras incrementa 10%. Por tanto, cabe esperar que los consumidores británicos compren menos bienes del exterior. Dada una elasticidad de la demanda de importaciones de 2.5, la depreciación desata una caída de 25% en el volumen de importaciones demandadas. El incremento de precio de 10% sumado a la reducción de 25% del volumen da por resultado un decremento del orden de 15% en los pagos en libras que salen de Gran Bretaña. Esta reducción de las compras de importaciones, de hecho disminuye el gasto para importaciones y ello reduce el déficit británico.

¿Qué pasa con el ingreso por exportaciones? El precio de las exportaciones en libras permanece constante, pero tras la depreciación de la libra, los consumidores estadunidenses encuentran que las exportaciones británicas cuestan 10% menos en términos de dólares. Dada una elasticidad de la demanda estadunidense de exportaciones británicas de 1.5, la depreciación británica de 10% estimulará las ventas al exterior 15%, de modo que los ingresos en libras por concepto de exportaciones aumentarán alrededor de 15%. Esto reforzará la posición de pagos del Reino Unido. La reducción de 15% del gasto para importaciones sumado al incremento de 15% del ingreso por exportaciones significa

---

TABLA 14.3

Efecto de la depreciación en la balanza comercial del Reino Unido

(A) LA BALANZA COMERCIAL MEJORA

Sector	Cambio del precio en libras (%)	Cambio de la cantidad demandada (%)	Efecto neto (en libras)
Importador	+10	−25	−15% pagos realizados
Exportador	0	+15	+15% pagos recibidos

Supuestos:

Elasticidad de la demanda británica de importaciones = 2.5

Elasticidad de la demanda estadunidense de exportaciones = 1.5 Suma = 4.0

Depreciación de la libra = 10%

(B) LA BALANZA COMERCIAL MEJORA

Sector	Cambio del precio en libras (%)	Cambio de la cantidad demandada (%)	Efecto neto (en libras)
Importador	+10	−2	−8% pagos realizados
Exportador	0	+1	+1% pagos recibidos

Supuestos:

Elasticidad de la demanda británica de importaciones = 0.2

Elasticidad de la demanda estadunidense de exportaciones = 0.1 Suma = 0.3

Depreciación de la libra = 10%

que la depreciación de la libra disminuirá el déficit de pagos del Reino Unido. *Como las elasticidades suman más de 1, la depreciación fortalece la posición comercial del Reino Unido.*

Caso 2: La balanza comercial empeora En la tabla 14.3(b), la elasticidad de la demanda británica de importaciones es 0.2 y la elasticidad de la demanda estadunidense de exportaciones británicas es 0.1; es decir, las elasticidades suman 0.3. La depreciación de 10% de la libra incrementa el precio de las importaciones en libras 10%, provocando una reducción de 2% en la cantidad de importaciones demandadas. A diferencia del caso anterior, en condiciones relativamente inelásticas, la depreciación contribuye a un *incremento* —y no a un decremento— de las importaciones de 8%. Como en el caso anterior, la depreciación no afecta el precio de las exportaciones británicas en libras, mientras que su precio en dólares disminuye 10%. Las compras de Estados Unidos al exterior incrementan 1%, dando por resultado un incremento de 1% en las libras que ingresan. Como el gasto para las importaciones es 8% más alto, mientras que el ingreso por las exportaciones sólo incrementa 1%, el déficit británico *empeorará.* Como dice la condición de Marshall-Lerner: *si las elasticidades suman menos de 1, entonces la depreciación deteriorará la posición comercial de una nación.* El lector tendrá que comprobar si, cuando las elasticidades de la demanda suman 1, una depreciación no afecta la balanza comercial de una nación.

Si bien la condición de Marshall-Lerner ofrece una regla general para saber cuándo la depreciación de una moneda puede restaurar el equilibrio de los pagos, ésta depende de algunos supuestos muy simples. En primer término, supone que, cuando ocurre la depreciación, la balanza comercial de una nación está en equilibrio. Si de inicio existe un déficit comercial muy cuantioso, con más importaciones que exportaciones, entonces la depreciación podría provocar que el gasto para importaciones cambiará más que el ingreso por exportaciones, a pesar de que las elasticidades de la demanda sumen más de 1. El análisis también supone que los precios de los vendedores en su moneda no cambian. Sin embargo, esto tal vez no siempre sea cierto. Para proteger su posición competitiva, los vendedores extranjeros podrían reducir sus precios en respuesta a una depreciación de la moneda del país; los vendedores nacionales podrían aumentar sus precios en la moneda nacional para que los efectos de la depreciación no se transmitan del todo a precios más bajos para sus bienes en la divisa. Sin embargo, ninguno de estos supuestos invalida la esencia de la condición de Marshall-Lerner, la cual sugiere que las depreciaciones de las monedas funcionan mejor cuando las elasticidades de la demanda son considerables.

En términos sencillos, la condición Marshall-Lerner ilustra el efecto precio de la depreciación de la moneda en la balanza comercial del país anfitrión. La magnitud en que los cambios de precio afecten el volumen de los bienes comerciados depende de la elasticidad de la demanda de las importaciones y exportaciones. Si la elasticidad se conoce por anticipado, será posible determinar la política apropiada de tipo de cambio para restablecer el equilibrio de los pagos. La tabla 14.4 presenta la elasticidad precio de la demanda estimada para el total de las importaciones y exportaciones por país.

TABLA 14.4

Elasticidad precio de la demanda a largo plazo para el total de importaciones y exportaciones de algunos países

País	Elasticidad del precio de las importaciones	Elasticidad del precio de las exportaciones	Suma de las elasticidades de la exportación y la importación
Canadá	0.9	0.9	1.8
Francia	0.4	0.2	0.6
Alemania	0.1	0.3	0.4
Italia	0.4	0.9	1.3
Japón	0.3	0.1	0.4
Reino Unido	0.6	0.6	1.2
Estados Unidos	0.3	1.5	1.8

Fuente: Tomado de Peter Hooper, Karen Johnson y Jaime Marques, "Trade Elasticities for the G-7 Countries", *Princeton Studies in International Economics*, núm. 87, agosto de 2000, p. 9.

EFECTO DE LA CURVA J: SENDA TEMPORAL DE LA DEPRECIACIÓN

Los cálculos empíricos de las elasticidades de los precios en el comercio internacional sugieren que, según la condición de Marshall-Lerner, la depreciación con frecuencia mejorará la balanza comercial de un país. Sin embargo, un problema para medir las elasticidades de los precios mundiales es que suele transcurrir un *intervalo* entre las modificaciones de los tipos de cambio y su efecto último en el comercio real. Una descripción popular de la senda temporal de los flujos del comercio es el **efecto de la curva J**. Esta posición sugiere que, a plazo muy corto, la depreciación de una moneda empeorará la balanza comercial de la nación. Sin embargo, a medida que transcurra el tiempo, es probable que la balanza comercial mejore. Esto se debe a que la nueva información de los efectos de la depreciación en los precios tarda en difundirse dentro de la economía y a que las unidades económicas también tardan en adaptar su comportamiento.

La depreciación de una moneda afecta la balanza comercial de una nación debido a su efecto neto en los ingresos por exportaciones y en los egresos para importaciones. Estos ingresos y egresos se calculan multiplicando el precio unitario de la mercancía por la cantidad demandada. La figura 14.2 ilustra el proceso mediante el cual la depreciación influye en el ingreso por exportaciones y el egreso para importaciones.

El efecto inmediato de la depreciación es un cambio en los precios relativos. Si la moneda nacional se deprecia 10%, esto significa que, de inicio, los precios de las importaciones aumentan 10% en términos de la moneda local. A continuación, la cantidad de importaciones demandadas disminuirá dependiendo de la elasticidad de la demanda local. Al mismo tiempo, al principio, los exportadores recibirán 10% más en la moneda local por cada unidad de la divisa que perciban. Esto significa que pueden ser más competitivos y disminuir sus precios de exportación, medidos en términos de divisas. Así, las ventas de exportaciones aumentarán con base en las elasticidades de la demanda externa. El problema de este proceso es que debe transcurrir tiempo, para que la depreciación tenga efecto y para que el mecanismo de los precios provoque cambios en el volumen de las exportaciones y de las importaciones.

La senda temporal que los flujos comerciales toman para responder a una depreciación se describe en términos del efecto de la curva J, así llamada porque la balanza comercial sigue empeorando durante cierto tiempo después de la depreciación (deslizándose por la curva de la J) y después mejora (cuando empieza a subir después de la curva de la J). Esto ocurre porque el efecto inicial de la depreciación es un incremento en el gasto destinado a las importaciones; es decir, el precio de las importaciones en la moneda nacional se ha incrementado, pero el volumen no ha cambiado en razón de compromisos que fueron contraídos con anterioridad. A medida que transcurre el tiempo, el efecto del ajuste del volumen adquiere importancia, es decir, que el volumen de las importaciones disminuye, mientras que las exportaciones le resultan más atractivas a los compradores extranjeros.

FIGURA 14.2

Diagrama de flujo de la depreciación

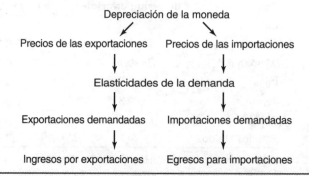

Los partidarios del efecto de la curva J citan la experiencia de la balanza comercial de Estados Unidos en las décadas de los ochenta y noventa. Como muestra la figura 14.3, entre 1980 y 1987, el déficit comercial de ese país creció a enorme velocidad. El déficit disminuyó de forma significativa entre 1988 y 1991. El veloz incremento del déficit comercial que se registró a principios de la década de los ochenta se debió principalmente a la apreciación que entonces registró el dólar, que generó un incremento constante de las importaciones y una disminución de las exportaciones estadunidenses. La depreciación del dólar que empezó en 1985 condujo a que las exportaciones se dispararan en 1988 y que el déficit comercial disminuyera a todo lo largo de 1991.

¿Qué factores explicarían los plazos del proceso de ajuste a una depreciación? Los tipos de plazos que se presentan entre los cambios de los precios relativos y los volúmenes de bienes intercambiados son, entre otros:

- *Plazos para reconocer* las condiciones cambiantes de la competencia
- *Plazos para decidirse* a establecer nuevos contactos comerciales y colocar pedidos nuevos
- *Plazos de entrega* que transcurren entre el momento en que se colocan los pedidos nuevos y el momento de percibir su efecto en el comercio y el flujo de los pagos
- *Plazos de reposición*, mientras se agotan los inventarios y se desgasta la maquinaria existente, antes de colocar pedidos nuevos
- *Plazos de producción* requeridos para incrementar la producción de mercancías necesarias debido al incremento de la demanda

FIGURA 14.3

Senda temporal de la balanza comercial de Estados Unidos (en miles de millones de dólares), en respuesta a la apreciación y la depreciación del dólar

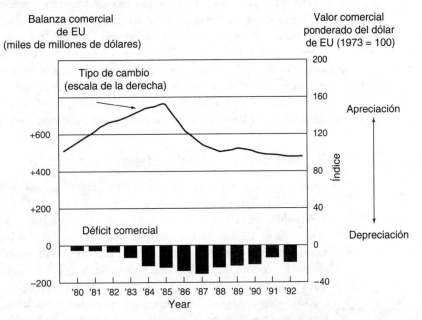

Entre 1980 y 1987, el déficit comercial de mercancías de Estados Unidos creció a enorme velocidad. El déficit comercial disminuyó de forma significativa entre 1988 y 1991. El veloz incremento del déficit comercial registrado a principios de la década de los ochenta se debió, sobre todo, a la apreciación que registró el dólar entonces, que dio por resultado un incremento sostenido de las importaciones y una disminución de las exportaciones estadunidenses. La depreciación del dólar que inició en 1985 disparó las exportaciones en 1988 y disminuyó el déficit comercial a todo lo largo de 1991.

La evidencia empírica indica que los efectos de la depreciación en la balanza comercial tardan años en materializarse. Los plazos de ajuste pueden ser de cuatro años o más, si bien una fracción importante del ajuste se registra en un par de años.[1]

EL EFECTO TRANSMISIÓN DE LA TASA DE CAMBIO

El análisis de la curva J presupone que una modificación cualquiera en el tipo de cambio produce un cambio proporcional en los precios de las importaciones. En la práctica, esta relación puede distar mucho de ser proporcional y, por lo mismo, debilitará la influencia que una modificación en el tipo de cambio ejerce en el volumen del comercio.

El grado en que los cambios de los valores de las divisas lleven a cambios en los precios de las importaciones y las exportaciones se conoce como el **efecto transmisión de la tasa de cambio**. El efecto transmisión es importante porque los compradores sólo tendrán incentivos para modificar sus compras de bienes extranjeros en la medida en que los precios de estos bienes cambien, en términos de su propia moneda, después de una modificación en el tipo de cambio. Esto depende de qué tan dispuestos estén los exportadores a permitir que la modificación del tipo de cambio afecte los precios que cobran por sus bienes, medidos en términos de la moneda del comprador.

Suponga que Toyota de Japón exporta automóviles a Estados Unidos y que sus precios han sido establecidos en yenes; además, que el valor del dólar se deprecia 10% frente al yen. Si Toyota no toma medida compensatoria alguna, los precios de las importaciones de Estados Unidos aumentarán 10%, porque se necesita esa cantidad de dólares para comprar los yenes que se usarán para pagar las importaciones compradas. Por tanto, la repercusión del traslado es completa; es decir, los precios de las importaciones en dólares aumentan en igual proporción que la depreciación del dólar.

Para ilustrar cómo se calcula una repercusión completa del efecto transmisión, suponga que Caterpillar fija un precio de 50,000 dólares por un tractor que exporta a Japón. Si el tipo de cambio es 150 yenes por dólar, el comprador japonés pagará un precio de 7,500,000 yenes. Si el precio del tractor en dólares permanece constante, una apreciación de 10% en el valor de cambio del dólar incrementará 10% el precio del tractor en yenes, a 8,250,000 yenes (165 x 50,000 = 8,250,000). Por otra parte, si el dólar se deprecia 10%, el precio del tractor en yenes disminuirá 10%, a 6,750,000. Siempre y cuando Caterpillar mantenga constante el precio de su tractor en dólares, las fluctuaciones del tipo de cambio del dólar se reflejarán por completo en los cambios del precio de las exportaciones, en la divisa. La razón de los cambios del precio de las exportaciones en la divisa a las fluctuaciones del tipo de cambio será 100%, es decir una conversión cambiaria completa.

Repercusión parcial del efecto transmisión

La repercusión completa del efecto transmisión de la tasa de cambio existe como una posibilidad, pero en la práctica la relación suele ser parcial. La tabla 14.5 presenta cálculos de los índices promedio de la repercusión del efecto transmisión para Estados Unidos y otros países avanzados en el periodo de 1973-2003. Por ejemplo, en el caso de Estados Unidos la repercusión del efecto transmisión durante este periodo fue 0.42, lo cual significa que un cambio de 1% en el tipo de cambio del dólar produjo un cambio de 0.42% en los precios de las importaciones estadunidenses. Dado que el cambio porcentual de los precios de las importaciones fue inferior al del tipo de cambio, el efecto transmisión de la tasa de cambio tuvo una repercusión "parcial" en ese país. Conclusiones similares son válidas para los otros países incluidos en la tabla. Cuando el efecto transmisión tiene una repercusión parcial en el país y en el extranjero, se amortigua el efecto de las fluctuaciones del tipo de cambio en el volumen del comercio, porque previene los movimientos de los precios relativos del comercio.

---

[1] Helen Junz y Rudolf R. Rhomberg, "Price Competitiveness in Export Trade Among Industrial Countries", *American Economic Review*, mayo de 1973, pp. 412-419.

TABLA 14.5

Repercusión del efecto transmisión de la tasa de cambio en los precios de las importaciones después de un año

País	Conversión cambiaria (por cada 1% que se deprecia/aprecia la moneda de un país, el precio de sus importaciones aumenta/disminuye por)*
Promedio de la OCDE**	0.9
Estados Unidos	0.4
Zona del euro	0.1
Japón	0.4
Otros países avanzados	0.3

* Cálculos basados en datos de 1973 a 2003.
**La Organización para la Cooperación y el Desarrollo Económico está compuesta por Australia, Austria, Bélgica, Canadá, República Checa, Dinamarca, Finlandia, Francia, Alemania, Grecia, Hungría, Irlanda, Islandia, Italia, República de Corea, Japón, Luxemburgo, México, Holanda, Nueva Zelanda, Noruega, Polonia, Portugal, España, Suecia, Suiza, Turquía, Reino Unido y Estados Unidos.

Fuentes: Jose Campa y Linda Goldberg, "Exchange Rate Pass-Through into Import Prices", *Review of Economics and Statistics*, noviembre de 2005, pp. 984-985; y Hamid Faruquee, "Exchange Rate Pass-Through in the Euro Area", *IMF Staff Papers*, abril de 2006, pp. 63-88.

¿Por qué el traslado cambiario tiende a tener una repercusión parcial? Al parecer, la respuesta está en las prácticas de facturación, en algunas consideraciones de la participación de mercado y en los costos de distribución.[2]

Prácticas de facturación Las empresas que participan en el comercio internacional eligen la moneda que quieren utilizar para expresar el precio de sus exportaciones. Pueden facturar sus exportaciones en la moneda nacional o en la de sus clientes. La evidencia sobre la facturación de las importaciones y las exportaciones en años recientes revela que el dólar es la divisa dominante en las facturas de los países que no pertenecen a Europa, como muestra la tabla 14.6. Por ejemplo, los precios de 93% de las importaciones de Estados Unidos y 99% de sus exportaciones estaban en dólares a principios del 2000.

El uso dominante de los dólares para la facturación del comercio estadunidense explica las modificaciones del tipo de cambio del dólar en su conversión parcial a los precios de las importaciones de ese país. Cuando los productores extranjeros facturan en dólares sus exportaciones a Estados Unidos, el precio de estos bienes permanece fijo en términos del dólar, si esta moneda se deprecia frente a otras. Los movimientos del tipo de cambio sólo afectan las utilidades de los productores extranjeros, pero no incrementan el precio en dólares que pagarán los importadores estadunidenses. Por supuesto que, pasado cierto tiempo, los productores extranjeros podrían optar por ajustar sus precios en respuesta al tipo de cambio.

Consideraciones relativas a la participación de mercado Otro factor que contribuye a la repercusión parcial del efecto transmisión de la tasa de cambio durante el periodo siguiente a una depreciación del dólar es el deseo de los productores extranjeros de conservar la participación de mercado de los bienes que venden en Estados Unidos. En la práctica, muchos bienes y servicios son producidos en mercados competitivamente imperfectos. En términos de los precios de estos bienes, las empresas pueden obtener un margen de utilidad sobre los costos y optar por no repercutir todo el cambio de costos que producen las fluctuaciones de los tipos de cambio y, en cambio, optar por modificar sus márgenes de utilidad, reduciendo con ello la sensibilidad de los precios al consumidor al tipo de cambio. Por ende, los exportadores a Estados Unidos podrían aceptar un margen de utilidad más bajo cuando

---

[2] Esta sección está tomada de Linda Goldberg y Elanor Wiske Dillon, "Why a Dollar Depreciation May Not Close the U.S. Trade Deficit", *Current Issues in Economics and Finance*, Federal Reserve Bank of New York, junio de 2007.

	TABLA 14.6		

Uso del dólar de EU para la facturación de exportaciones e importaciones, 2002-2004

País	Participación de dólares en el financiamiento de exportaciones	Participación de dólares en el financiamiento de importaciones	Participación de EU en las exportaciones
Estados Unidos	99.8%	92.8%	—
Japón	48.0	68.7	24.8
Corea del Sur	83.2	79.6	17.0
Malasia	90.0	90.0	20.5
Tailandia	84.4	76.0	17.0
Australia	69.6	50.5	8.1
Reino Unido	26.0	37.0	15.5
Zona del euro	30.4	38.0	14.2
Países con acceso a la UE*	17.5	23.9	3.2

* Bulgaria, República Checa, Estonia, Hungría y Polonia.

Fuentes: Linda Goldberg y Cedric Tille, "The International Role of the Dollar and Trade Balance Adjustment", *The Group* of Thirty Occasional Paper No. 71, 2006; y Annette Kamps, "The Determinants of Currency Invoicing in International *Trade", European Central Bank Working Paper Num. 665, agosto de 2006.*

su moneda se aprecia para mantener constantes sus precios en dólares frente a los competidores estadunidenses. Esto se aplica especialmente al caso de Estados Unidos, que tiene un mercado muy grande, en el que las importaciones captan una participación más pequeña del consumo que en mercados más pequeños. Dado que los consumidores estadunidenses por lo general pueden sustituir las importaciones por bienes nacionales, los exportadores extranjeros no repercuten toda la fluctuación del tipo de cambio en los precios por temor a perder participación de mercado. En pocas palabras, en Estados Unidos, una competencia interna relativamente fuerte por los bienes importados tiende a reducir las repercusiones del efecto transmisión de la tasa de cambio en los precios de las importaciones.

Por ejemplo, Kellwood Co., un importante comercializador de ropa como Calvin Klein, señaló que algunos de sus proveedores asiáticos, como los talleres de costura y las fábricas de textiles, se preguntaron si debían incrementar sus precios cuando el dólar se depreció frente a sus monedas a principios del 2000. Sin embargo, estos proveedores sabían que si incrementaban sus precios, Kellwood compraría los insumos a otros proveedores de la competencia. Para mantener a Kellwood entre sus clientes, estos proveedores redujeron sus márgenes de utilidad y, por tanto, no incrementaron sus precios, permitiendo que Kellwood mantuviera sus precios para la ropa Calvin Klein.

Costos de distribución Hasta aquí, hemos considerado la repercusión de las fluctuaciones de los tipos de cambio en los precios de las importaciones que llegan a las fronteras de un país. No obstante, se presentan otros costos entre el momento en que un bien llega a la frontera y el momento en que se vende al consumidor. Son los costos de distribución del bien importado para que llegue al consumidor final; entre otros, están los costos de transporte, marketing, mayoreo y menudeo. Por ejemplo, en 1996, una muñeca Barbie enviada de China a Estados Unidos costaba unos dos dólares, pero era vendida en 10 dólares en el país. Mattel, el fabricante, obtenía una utilidad aproximada de un dólar por muñeca. Los otros siete dólares correspondían a los pagos para su transporte a Estados Unidos y otros costos de marketing y distribución. En Estados Unidos los costos de distribución suman un promedio de 40% de los precios al consumidor en el país en general.[3] Dado que los servicios nacionales de distribu-

---

[3] Sidney S. Alexander, "Effects of a Devaluation on a Trade Balance!", *IMF Staff Papers*, abril de 1952, pp. 263-278.

CONFLICTOS COMERCIALES ¿OFRECE LA DEPRECIACIÓN DE LA MONEDA UNA OPORTUNIDAD A LOS PAÍSES DÉBILES PARA SALIR DE SU CRISIS?

¿Ofrece la depreciación de la moneda una solución a los problemas de un país deficitario con empresas crónicamente no-competitivas y con mercados laborales inflexibles? En 2012 esta pregunta se planteó para los miembros más débiles de la Eurozona, como Grecia, que dudaban si retirarse del sistema monetario común. Grecia resentía especialmente el éxito de Alemania, cuyas exportaciones en aumento traían por consecuencia una apreciación del euro y esto alteraba negativamente los precios y los costos en otros países de la zona monetaria común. Si Grecia se saliera de la Eurozona, el tipo de cambio de su nueva moneda (el dracma) muy probablemente experimentaría una considerable depreciación. ¿No promovería esto entonces una competitividad renovada entre los productores griegos?

Algunos analistas sostienen que la depreciación de la moneda puede ofrecer una oportunidad a los países débiles porque trae consigo una caída de los precios de exportación para sus productores. La depreciación de la moneda incrementa el precio de las importaciones y, por ende, proporciona una ventaja a los productores que compiten con las importaciones en el propio mercado nacional.

Sin embargo, hay una salvedad: la depreciación de la moneda funcionará como solución siempre y cuando no resulte en demandas de aumento salarial entre los trabajadores nacionales (aunque la moneda depreciada incremente el precio de las importaciones). Un trabajador aislado podría no darse cuenta de que la depreciación de la moneda perjudica el poder adquisitivo de su sueldo conforme aumenta la inflación, pero los trabajadores afiliados a sindicatos fuertes en general están muy conscientes de este fenómeno. Por consiguiente, los contratos colectivos de trabajo celebrados por estos sindicatos suelen incluir protecciones contra la inflación. Dado que los sindicatos consiguen entonces sueldos más altos para una época en la que la moneda se deprecia, la inflación de sueldos que deriva de ello contrarresta cualquier incremento en la competitividad disparado por la depreciación. La depreciación de la moneda no ofrece, pues, una solución simple para la falta de la competitividad de un país.

Fuente: tomado de Fondo Monetario Internacional, *IMF Financial Statistics*, varios números.

ción no se intercambian de forma internacional, las fluctuaciones del tipo de cambio del dólar no afectan sus costos. Por tanto, si los costos de distribución representan un porcentaje considerable del precio al consumidor, la sensibilidad del precio al consumidor a las fluctuaciones del tipo de cambio disminuirá en esa medida. En la sección *Exploración detallada 14.1* (que puede encontrar en www.cengage.com/economics/Carbaugh) se explican las repercusiones del traslado cambiario con más detenimiento.

ENFOQUE DE LA ABSORCIÓN DE LA DEPRECIACIÓN DE UNA MONEDA

Según el enfoque de las elasticidades, la depreciación de una moneda ofrece un incentivo para reducir las importaciones y aumentar las exportaciones con base en los precios. Sin embargo, aun cuando las condiciones de la elasticidad sean favorables, el hecho de que la balanza comercial del país de origen mejore o no, dependerá de la reacción que observe su economía ante la depreciación. El enfoque de la absorción[4] da luz sobre este tema, porque considera el efecto que la depreciación tiene en el comportamiento del gasto de la economía interna y la influencia del gasto interno en la balanza comercial.

El enfoque de la absorción parte de la idea de que el valor del producto interno total (Y) es igual al nivel del gasto total. El gasto total está compuesto por el consumo (C), la inversión (I), el gasto público (G) y las exportaciones netas ($X - M$), expresados como:

$$Y = C + I + G + (X - M)$$

---

[4] Vea Donald S. Kemp, "A Monetary View of the Balance of Payments", *Review*, Federal Reserve Bank of St. Louis, abril de 1975, pp. 14-22; y Thomas M. Humphrey, "The Monetary Approach to Exchange Rates: Its Historical Evolution and Role in Policy Debates", *Economic Review*, Federal Reserve Bank of Richmond, julio-agosto de 1978, pp. 2-9.

A continuación, el enfoque de la absorción consolida $C + I + G$ en un solo término, A, que se llama absorción, y designa las exportaciones netas $(X - M)$ como B. El total del producto interno, por tanto, es igual a la suma de la absorción y las exportaciones netas, esto es

$$Y = A + B$$

Que reformulado es:

$$B = Y - A$$

Esta fórmula sugiere que el saldo del comercio (B) es igual a la diferencia entre el total del producto interno (Y) y el grado de absorción (A). Si el producto nacional es superior a la absorción interna, la balanza comercial será positiva. Por otra parte, una balanza comercial negativa sugiere que la economía gasta más allá de su capacidad para producir.

El enfoque de la absorción dice que la depreciación de una moneda mejorará la balanza comercial de una economía sólo si el producto interno aumenta en comparación con la absorción. Esto significa que un país debe aumentar su producto total, reducir su absorción o aplicar alguna combinación de las dos cosas. Los siguientes ejemplos se refieren a estas posibilidades.

Suponga que una economía tiene *desempleo* y un *déficit comercial*. Con una economía que opera por debajo de su capacidad máxima, los incentivos de una depreciación para los precios tenderían a dirigir los recursos inactivos a la producción de bienes de exportación, además de desviar el gasto de las importaciones para dirigirlo a sustitutos producidos en el país. Por tanto, el efecto de la depreciación es expandir el producto interno y mejorar la balanza comercial. No es raro que los encargados de formular las políticas consideren que la depreciación de la moneda es un instrumento eficaz cuando la economía afronta desempleo con un déficit comercial.

Sin embargo, en el caso de una economía que tiene *pleno empleo* no hay recursos inactivos disponibles para una producción adicional. El producto nacional está en un nivel fijo. La única manera en que la depreciación puede mejorar la balanza comercial es que la economía reduzca, de alguna manera, la absorción interna, liberando recursos necesarios para producir más bienes de exportación y sustitutos de importaciones. Por ejemplo, quienes diseñan la política nacional podrían disminuir la absorción adoptando políticas fiscales y monetarias restrictivas ante los precios más altos que se derivan de la depreciación. Sin embargo, esto significaría el sacrificio de quienes cargan el peso de estas medidas. Por tanto, cabe considerar que la depreciación no es conveniente cuando la economía opera al máximo de su capacidad.

El enfoque de la absorción va más allá del enfoque de la elasticidad, que considera que la balanza comercial es distinta del resto de la economía y que, en cambio, analiza la depreciación en relación con la utilización de los recursos y el grado de producción de la economía. Por tanto, estos dos enfoques se complementan.

EL ENFOQUE MONETARISTA PARA LA DEPRECIACIÓN DE UNA MONEDA

Un repaso de los enfoques tradicionales para la depreciación revela una falla fundamental: según el enfoque de las elasticidades y el de la absorción, las consecuencias monetarias no están asociadas al ajuste de la balanza de pagos o, en la medida que existan estas consecuencias, las autoridades monetarias del país podrán neutralizarlas. Estos dos enfoques sólo son aplicables a la cuenta comercial de la balanza de pagos y no toman en cuenta las implicaciones de los movimientos del capital. El *enfoque monetarista* para la depreciación ataca esta falla.[5] Según el enfoque monetarista, la depreciación de la moneda puede provocar una mejora *temporal* en la posición de la balanza de pagos de una nación. Por ejemplo,

---

[5] Giovanni Olivei, "Exchange Rates and the Prices of Manufacturing Products Imported into the United States", *New England Economic Review*, primer trimestre, 2002, pp. 4-6.

suponga que en principio el mercado monetario del país está en equilibrio. Una depreciación de la moneda nacional incrementaría el nivel de los precios; es decir, los precios en moneda nacional de las posibles importaciones y exportaciones. Este incremento aumentaría la demanda de dinero, porque se necesitaría mayor cantidad de éste para las transacciones. Si el incremento de la demanda no se satisface con fuentes internas, entonces se registrará una entrada de dinero externo. Esta entrada produce un superávit en la balanza de pagos y un aumento en las reservas internacionales. Sin embargo, el superávit no dura para siempre. La depreciación, como aumenta el componente internacional de la oferta de la moneda local, lleva a un incremento en el gasto (absorción) que disminuye el superávit. El superávit desaparece con el transcurso del tiempo, cuando el mercado monetario del país vuelve al equilibrio. Los efectos de la depreciación en las variables económicas reales son, por tanto, temporales. *Al largo plazo, la depreciación de la moneda sólo aumenta el nivel de los precios internos.*

RESUMEN

1. La depreciación (devaluación) de una moneda puede afectar la posición comercial de una nación debido a su efecto en los precios relativos, los ingresos y el poder adquisitivo de los saldos monetarios.

2. Cuando todos los insumos de una empresa son adquiridos internamente y sus costos están nominados en la moneda del país, una apreciación del valor de cambio de la moneda nacional tiende a incrementar los costos de la empresa en igual proporción, en términos de la divisa. Por otra parte, una depreciación del valor de cambio de la moneda del país tiende a reducir los costos de la empresa en igual proporción, en términos de la divisa.

3. Los fabricantes a menudo obtienen sus insumos en el exterior (abasto extranjero) que tienen costos nominados en términos de una moneda extranjera. Cuando los costos nominados en la divisa representan una parte más grande del total de costos del productor, una apreciación del valor de cambio de la moneda nacional provoca un incremento menor en el costo del producto de la empresa, en la moneda extranjera y un decremento mayor en el costo interno del producto de la empresa, en comparación con el costo de los cambios que se registran cuando todos los costos de los insumos están nominados en la moneda nacional. En el caso de una depreciación de la moneda ocurre lo contrario.

4. Una apreciación (depreciación) del dólar incrementa (disminuye) los costos relativos de la producción estadunidense y tiende a aumentar (disminuir) los precios de las exportaciones estadunidenses en términos de una divisa, lo que provoca una disminución (aumento) de la cantidad de bienes estadunidenses vendidos en el exterior; por otra parte, una apreciación (depreciación) del dólar tiende a aumentar (disminuir) el volumen de importaciones de Estados Unidos.

5. Según el enfoque de las elasticidades, la depreciación de una moneda mejora más la posición comercial de un país cuando las elasticidades de la demanda son altas. Estudios empíricos recientes indican que las elasticidades estimadas de la demanda de casi todas las naciones son bastante altas.

6. La senda temporal que sigue la depreciación de una moneda se explica en términos del efecto de la curva J. Según este concepto, la respuesta que presentan los flujos del comercio ante los cambios de los precios relativos aumenta con el transcurso del tiempo. La depreciación de la moneda tiende a empeorar la balanza comercial de un país a corto plazo, pero a continuación viene una mejora a largo plazo (si las elasticidades son favorables).

7. La medida en que las modificaciones de los tipos de cambio provocan cambios en los precios de las importaciones y las exportaciones se conoce como efecto transmisión de la tasa de cambio. La transmisión completa completa (parcial) se presenta cuando la fluctuación del tipo de cambio produce un cambio proporcional (o de proporción menor) en los precios de las importaciones y las exportaciones. La evidencia empírica indica que la transmisión de la tasa de cambio suele ser más bien parcial que completa. La transmisión parcial se explica mediante: facturación de divisas, estrategias de participación en el mercado y costos de distribución considerables.

8. El enfoque de la absorción se centra en los efectos de la depreciación de la moneda en el ingreso. Según esta posición, la depreciación inicialmente estimularía las exportaciones de una nación y la producción de bienes que compiten con las importaciones. Sin embargo, esto alentará un gasto interno excesivo, a no ser que la nación consiga aumentar el producto real o disminuir la absorción interna. El resultado sería, de nueva cuenta, un déficit de pagos.

9. El enfoque monetarista para la depreciación subraya el efecto que la depreciación tiene en el poder adquisitivo de los saldos monetarios y el consecuente efecto en el gasto interno y los niveles de las importaciones. Según el enfoque monetarista, una depreciación monetaria sólo producirá una influencia temporal en el producto real, pues, a largo plazo, la depreciación simplemente aumenta el nivel de los precios internos.

CONCEPTOS Y TÉRMINOS CLAVE

Condición de Marshall-Lerner (p. 433)

Efecto de la curva J (p. 436)

Enfoque de la absorción (p. 433)

Enfoque de la elasticidad (p. 433)

Enfoque monetarista (p. 433)

Efecto transmisión de la tasa de cambio (p. 438)

PREGUNTAS PARA ANÁLISIS

1. ¿Cómo afecta a la balanza comercial de una nación la depreciación de una moneda?

2. Tres enfoques fundamentales para analizar el efecto económico que produce la depreciación de una moneda son: *a)* el enfoque de las elasticidades; *b)* el enfoque de la absorción, y *c)* el enfoque monetarista. Explique las diferencias entre los tres.

3. ¿Qué es la condición de Marshall-Lerner? ¿Los estudios empíricos recientes indican que las condiciones mundiales de elasticidad son lo bastante altas como para permitir que sucesivas depreciaciones tengan éxito?

4. ¿Qué relación existe entre el efecto de la curva J y la senda temporal de la depreciación de una moneda?

5. ¿Qué repercusiones tiene el efecto transmisión de la tasa de cambio en una nación que deprecia su moneda?

6. Según el enfoque de la absorción, ¿existe alguna diferencia cuando una nación deprecia su moneda y la economía opera por debajo de su plena capacidad o cuando lo hace operando a pleno empleo?

7. ¿Cómo pueden contribuir al equilibrio de los pagos los cambios en los saldos monetarios de los hogares que provocan una depreciación?

8. Suponga que ABC Inc., un fabricante estadunidense de automóviles, adquiere todos los componentes de sus vehículos en Estados Unidos y que sus costos están nominados en dólares. También que el valor de cambio del dólar se aprecia 50% frente al peso mexicano. ¿Qué efecto tiene la apreciación del dólar en la competitividad internacional de la empresa? ¿Qué ocurre en caso de una depreciación del dólar?

9. Suponga que ABC Inc., un fabricante estadunidense de automóviles, adquiere en México parte de los componentes de sus vehículos y que los costos de éstos están nominados en pesos y los costos de los componentes restantes en dólares. Asuma que el valor de cambio del dólar se aprecia 50% frente al peso. En comparación con la respuesta a la pregunta 8, ¿qué efecto produciría la apreciación del dólar en la competitividad internacional de la empresa? ¿Qué ocurriría en caso de la depreciación del dólar?

10. Suponga que Estados Unidos exporta 1,000 computadoras a un precio de 3,000 dólares cada una y que importa 150 automóviles británicos a un precio de 10,000 libras cada uno. Además asuma que el tipo de cambio es de dos dólares por libra.

    a. Calcule, en términos de dólares, los ingresos por exportaciones, los pagos para importaciones y la balanza comercial de Estados Unidos antes de una depreciación del valor de cambio del dólar.

    b. Suponga que el valor de cambio del dólar se deprecia 10%. Si la elasticidad-precio de la demanda de las exportaciones estadunidenses es 3.0 y la elasticidad-precio de las importaciones es 2.0, ¿la depreciación del dólar mejora o empeora la balanza comercial de ese país? ¿Por qué?

    c. Ahora suponga que la elasticidad-precio de la demanda de las exportaciones estadunidenses es 0.3 y la elasticidad-precio de la demanda de importaciones estadunidenses es 0.2. ¿Esto cambia el resultado? ¿Por qué?

EXPLORACIÓN DETALLADA

Para una discusión más detallada sobre los efectos del traslado cambiario, consulte *Exploración Detallada 14.1* en: **www.cengage.com/economics/Carbaugh.**

Sistemas cambiarios y crisis monetarias

En capítulos anteriores hemos visto cómo se determinan los tipos de cambio y cuáles son sus efectos en la balanza de pagos. Este capítulo explica las prácticas cambiarias que se utilizan en la actualidad. La explicación se centra en la esencia de los sistemas cambiarios reales y en su forma de operar; asimismo, se identifican los factores económicos que influyen en la elección de un sistema en particular entre los existentes. Finalmente, se expone por qué se presentan las crisis monetarias y cuáles son sus efectos.

PRÁCTICAS CAMBIARIAS

Cuando una nación elige un sistema de tipos de cambio debe decidir si permite o no que las fuerzas del libre mercado determinen el valor de su moneda (tipo flotante) o si lo ata (indexado) a un parámetro. Si la nación adopta un tipo flotante, entonces tendrá que decidir si permite que la flotación sea independiente, que ocurra al unísono de otras divisas o que su moneda se deslice sujeta a una fórmula determinada previamente, como las tasas de inflación relativas. La decisión de anclar una moneda incluye las opciones de atarla a una sola moneda, a un grupo de divisas o al oro. Sin embargo, desde 1971 no se acostumbra expresar los tipos de cambio oficiales en términos de oro, porque éste se ha eliminado de forma gradual del sistema monetario internacional. En el capítulo 17 se estudiará con más detenimiento la función del oro en el sistema monetario internacional.

Los miembros del Fondo Monetario Internacional (FMI) han gozado de libertad para aplicar toda política cambiaria que se ciña a tres principios: *1)* no deben manipular los tipos de cambio con la intención de evitar los ajustes de su balanza de pagos ni de obtener una ventaja competitiva desleal frente a otros miembros; *2)* deben actuar para contrarrestar desórdenes de corto plazo que se presenten en los mercados de divisas y *3)* deben tomar en cuenta los intereses de otros miembros cuando intervengan en los mercados de divisas. La tabla 15.1 resume las prácticas cambiarias empleadas por los países que pertenecen al FMI.

¿Cuáles características hacen que los tipos fijos y no los flexibles sean más convenientes para un país? Algunas serían el tamaño del país, su apertura al comercio, el grado de movilidad del trabajo y la existencia de una política fiscal que amortigüe las desaceleraciones. La tabla 15.2 resume el uso de estos factores. El punto a destacar es que no existe un sistema cambiario que sea el correcto para todos los países ni en todo momento. La elección de un sistema cambiario dependerá de las circunstancias particulares que afronte el país en cuestión.

TABLA 15.1

Diversos arreglos cambiarios de los miembros del FMI, 2012

Arreglo de tipos de cambio	Número de países
Arreglos cambiarios sin moneda en curso por separado*	13
Arreglos con consejo monetario	12
Tipos de cambio fijos (indexados) convencionales	59
Tipos de cambio indexados dentro de bandas horizontales	1
Tipos de cambio indexados con deslizamiento	16
Tipos de cambio con flotación controlada	44
Tipos de cambio con flotación independiente	43
	188

* La moneda de otro país (divisa) es la que circula como única moneda en curso, o el miembro pertenece a una unión monetaria o de dinero, donde todos los miembros de la unión comparten una misma moneda en curso.

Fuente: International Monetary Fund, *Classification of Exchange Rate Arrangements and Monetary Policy Frameworks*, 31 de julio de 2006, disponible en: http://www.imf.org/. Vea también *International Financial Statistics*, diversos números.

TABLA 15.2

Cómo elegir un sistema cambiario

Características de la economía	Implicaciones para el grado deseado de flexibilidad cambiaria
Tamaño y apertura de la economía	Si el comercio representa una parte importante del producto nacional, entonces los costos de las fluctuaciones cambiarias pueden ser muy altas. Esto sugiere que las economías pequeñas y abiertas harían bien en optar por los tipos de cambio fijos.
Tasa de inflación	Si un país tiene una inflación mucho mayor que la de sus socios comerciales, su tipo de cambio debe ser flexible para evitar que sus bienes pierdan competitividad en los mercados mundiales. Si los diferenciales de la inflación son módicos, un tipo de cambio fijo es menos problemático.
Flexibilidad del mercado de trabajo	Cuanto más rígidos sean los salarios, tanto mayor será la necesidad de un tipo de cambio flexible para ayudar a que la economía pueda responder a un choque externo.
Grado de desarrollo financiero	En los países en desarrollo que tienen mercados financieros inmaduros tal vez no sea sensato tener un tipo de cambio que flote libremente, porque el escaso número de operaciones cambiarias podría provocar grandes bandazos en sus monedas.
Credibilidad de quienes elaboran las políticas	Cuanto más débil sea la reputación del banco central, tanto más sólidas serán las razones para indexar el tipo de cambio y crear confianza en que la inflación estará controlada.
Movilidad del capital	Cuanto mayor sea la apertura de la economía al capital internacional, tanto más difícil será sostener un tipo fijo.

© Cengage Learning®

CÓMO ELEGIR UN SISTEMA CAMBIARIO: LIMITACIONES IMPUESTAS POR EL LIBRE FLUJO DE CAPITALES

La elección de un sistema cambiario depende de muchas variables, entre ellas la libertad de flujo de los capitales para entrar y salir de un país. Una de las consecuencias que sufre un país que permite el libre flujo de capitales es que limita su capacidad para elegir su sistema cambiario y operar una política monetaria independiente. El hecho de que los capitales tiendan a fluir a lugares donde los rendimientos son más altos provoca que un país sólo pueda aplicar dos de las tres políticas siguientes: el libre flujo de capitales, un tipo de cambio fijo y una política monetaria independiente. La figura 15.1 ilustra esta tendencia. Los países tienen que optar por colocarse en uno de los lados del triángulo, adoptar las políticas que se señalan en cada punta, pero sacrificar la política en la punta contraria. Los economistas utilizan la frase **trinidad imposible** para referirse a esta restricción.[1]

La forma más fácil de comprender esta restricción es con ejemplos específicos. Estados Unidos permite el libre flujo de capitales y tiene una política monetaria independiente con un tipo de cambio flexible (es decir, sacrifica un tipo de cambio fijo). Suponga que, para combatir la inflación, la Reserva Federal incrementa su tasa de interés meta frente a las tasas de interés extranjeras, induciendo con ello que los capitales fluyan a Estados Unidos. Al incrementar la demanda de dólares en relación con otras divisas, esta entrada de capitales provocaría una apreciación del dólar frente a otras monedas. Por otra parte, si la Reserva Federal reduce su tasa de interés meta, la salida neta de capital disminuiría la demanda de dólares, provocando con ello que esta moneda se deprecie frente a otras. Por tanto, Estados Unidos, al sacrificar un tipo de cambio fijo, puede mantener una política monetaria independiente y también el libre flujo de capitales.

Por su parte Hong Kong fija el valor de su moneda en relación con el dólar y permite el libre flujo de capitales. El inconveniente es que Hong Kong debe sacrificar su posibilidad de emplear la política monetaria para influir en las tasas de interés domésticas. A diferencia de Estados Unidos, Hong Kong no puede reducir las tasas de interés para estimular a una economía débil. Si las tasas de interés de

FIGURA 15.1

La trinidad imposible

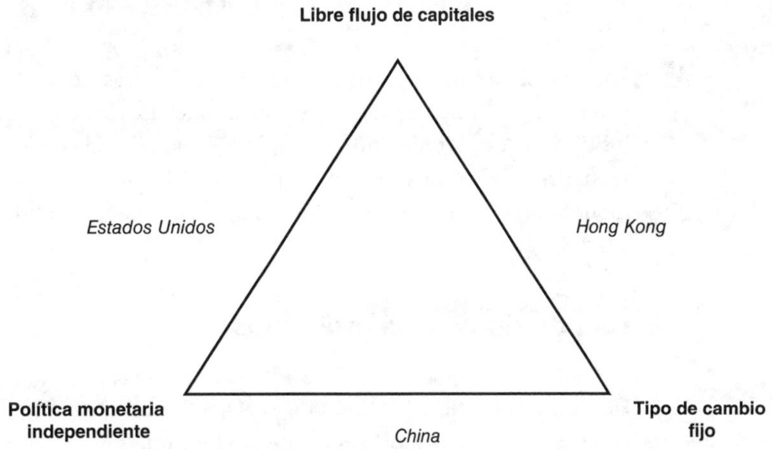

Los países sólo pueden adoptar dos de las tres políticas siguientes: el libre flujo de capitales, un tipo de cambio fijo y una política monetaria independiente.

© Cengage Learning®

---

[1] Vea Robert Mundell, "The Appropriate Use of Monetary and Fiscal Policy for Internal and External Stability", *IMF Staff Papers*, marzo de 1962 y "Capital Mobility and Stabilization Policy under Fixed and Flexible Exchange Rates", *Canadian Journal of Economics*, noviembre de 1963.

Hong Kong se alejaran mucho de las mundiales, el capital entraría o saldría de la economía de Hong Kong, tal como en el caso antes mencionado de Estados Unidos. Con un tipo de cambio flexible, estos flujos provocarían que el valor de cambio del dólar de Hong Kong cambiara en relación con el de otras divisas. No obstante, con un tipo de cambio fijo, la autoridad monetaria tiene que compensar estos flujos de capital comprando moneda nacional o divisas para mantener fija la oferta y la demanda de su moneda y, por tanto, para mantener constante el tipo de cambio. En pocas palabras, Hong Kong sacrifica su posibilidad de tener una política monetaria independiente, porque permite el libre flujo de capitales y mantiene un tipo de cambio fijo.

China, de forma parecida a Hong Kong, ató su tipo de cambio al dólar hasta 2005. Sin embargo, ese país pudo seguir una política monetaria independiente porque restringe los flujos de capital. En el caso de China, las tasas de interés domésticas y las mundiales podían ser diferentes, porque los controles sobre las transferencias de fondos que entraban y salían del país limitaban los consecuentes cambios de la oferta monetaria y las presiones correspondientes en el tipo de cambio. Como muestran estos tres ejemplos, si un país opta por permitir que el capital fluya libremente, entonces también debe optar entre tener una política monetaria independiente o un tipo de cambio fijo.

¿Cómo decide un país si debe sacrificar un tipo de cambio fijo, una política monetaria independiente o el libre flujo de capitales? La respuesta depende, en gran medida, de las tendencias de la economía mundial. Por ejemplo, después de la Segunda Guerra Mundial, los mercados registraron una ostensible integración y el comercio internacional creció enormemente. Países como Estados Unidos quisieron facilitar el incremento del comercio mediante la eliminación del riesgo de las fluctuaciones cambiarias. En 1944, los representantes de los principales países industrializados diseñaron e implementaron un plan que fomentaba los tipos de cambio fijo para el dólar y otras monedas, al mismo tiempo que aplicaban políticas monetarias independientes. Al igual que en el caso de los sistemas antes descritos, tuvieron que sacrificar algo: el libre flujo de los capitales. Los países participantes establecieron techos para las tasas de interés que los bancos podían ofrecer a los depositantes y restricciones para los tipos de activos en los que podían invertir los bancos. Es más, los gobiernos intervinieron en los mercados financieros para dirigir el capital hacia sectores nacionales estratégicos. Ninguno de estos controles, por sí mismo, evitaba el flujo de los capitales internacionales, pero combinados permitieron que los gobiernos redujeran el volumen de operaciones internacionales de capital.[2]

SISTEMA DE TIPOS DE CAMBIO FIJOS

Pocas naciones han permitido que sólo las fuerzas de la oferta y la demanda de un mercado libre determinen el valor de cambio de sus monedas. Hasta que las naciones industrializadas adoptaron los tipos de cambio flotantes controlados en la década de los setenta, la práctica general fue que las monedas locales conservaran un patrón de **tipos de cambio fijos**. Se suponía que las autoridades monetarias del país modificarían sus tipos de cambio cuando lo requirieran las fuerzas del mercado a largo plazo.

Uso de tipos de cambio fijos

Los países pequeños en desarrollo, cuyas monedas están ancladas a una **divisa clave**, como el dólar, suelen usar los tipos de cambio fijos. Una divisa clave es una moneda que se intercambia de forma extensa en los mercados monetarios del mundo, que ha demostrado que su valor es relativamente estable a lo largo del tiempo y que ha sido ampliamente aceptada como medio de pago internacional. La tabla 15.3 identifica las principales divisas clave del mundo. Un país, en lugar de anclar el valor de su moneda al de otra moneda, podría fijar ese valor atándola a un bien como el oro, presentando así una característica fundamental del patrón oro que se explicará en el capítulo 17.

---

[2] Vea *Economic Report of the President*, 2004, cap. 13-14.

Una razón que explica la opción de los países en desarrollo por anclar sus monedas a una divisa clave es que ésta se utilice como medio de pago internacional. Piense en un importador noruego que desea comprar carne argentina el año próximo. Si el exportador argentino no está seguro del valor que tendrá la *corona* noruega todo el año, podría rechazarla como medio de pago. Por otra parte, el importador noruego podría tener dudas respecto del valor del peso argentino. Una solución es que los términos del contrato prevean las operaciones en una divisa clave. Por lo general, las naciones pequeñas con economías poco diversificadas y grandes sectores de comercio exterior se han inclinado a atar sus monedas a alguna de las divisas clave.

Los países en desarrollo obtienen varios beneficios al anclarse a una divisa clave. En primer término, dado que los precios de los productos que intercambian muchos países en desarrollo son determinados primordialmente en los mercados de los países industrializados, como Estados Unidos, cuando ellos se anclan, por decir, al dólar, pueden estabilizar los precios de sus importaciones y exportaciones en su moneda nacional. En segundo, muchos países que registran una inflación muy alta se han anclado al dólar (Estados Unidos tiene una inflación relativamente baja) para restringir las políticas internas y reducir la inflación. Los gobiernos esperan que, al comprometerse a estabilizar sus tipos de cambio frente al dólar, podrán convencer a sus ciudadanos de que están dispuestos a adoptar las políticas monetarias responsables que se necesitan para registrar una baja inflación. Por tanto, el tipo de cambio anclado puede reducir las expectativas de la inflación, lo que conduce a tasas de interés más bajas, reduce la pérdida de producto debido a la desinflación y modera las presiones sobre los precios.

Las naciones, cuando mantienen tipos de cambio fijos, deben decidir si atan su moneda a otra divisa o a una canasta de divisas. Por lo general, los países en desarrollo, que tienen relaciones financieras y comerciales principalmente con un solo país industrializado como socio, son los que se anclan a *una sola divisa*. De tal manera, el país en desarrollo ancla su moneda a la de su socio comercial preponderante.

Los países en desarrollo que tienen más de un socio comercial importante a menudo anclan sus monedas a un grupo o a una *canasta de divisas*. La canasta está compuesta por cantidades establecidas de divisas extranjeras en proporción con el volumen del comercio realizado con el país al que está anclada su moneda. Una vez seleccionada la canasta, el valor de la moneda nacional se calcula utilizando los tipos de cambio de las divisas que la componen. El hecho de anclar el valor de la moneda nacional a la canasta permite que, en promedio, el país elimine las fluctuaciones de los precios de

---

TABLA 15.3

Divisas clave: composición de las reservas oficiales de divisas de los países miembros del FMI, 2013

Divisa clave	Composición de las reservas oficiales de divisas
Dólar de EUA	62%
Euro	24
Libra esterlina	4
Yen japonés	4
Dólar canadiense	2
Dólar australiano	1
Otras	3
	100

Fuente: Tomado de *Currency Composition of Official Foreign Exchange Reserves* (COFER), Fondo Monetario Internacional, 2013, disponible en: www.imf.org.

las exportaciones o las importaciones provocadas por los movimientos cambiarios. Así, se reducen los efectos que las fluctuaciones cambiarias tienen en la economía interna. Algunos países, en lugar de construir su propia canasta de divisas, anclan el valor de sus monedas a los **derechos especiales de giro (DEG)** que, como se explicará en el capítulo 17, son una canasta de cuatro monedas establecida por el FMI.

Valor par y tipo de cambio oficial

Con un sistema de tipos de cambio fijos, los gobiernos asignan a sus monedas un **valor par** en términos del oro o de otras divisas clave. Al comparar la paridad de dos monedas se determina su **tipo de cambio oficial**. Por ejemplo, con el patrón oro, el tipo de cambio oficial del dólar y la libra esterlina era de 2.80 dólares = 1 libra, siempre y cuando Estados Unidos comprara y vendiera oro al precio fijo de 35 dólares por onza y que Gran Bretaña comprara y vendiera oro a 12.50 libras por onza ($35.00/£12.50 = $2.80). Las principales naciones industrializadas establecieron el valor par de sus monedas en términos del oro hasta que el metal quedó gradualmente eliminado del sistema monetario internacional a principios de la década de los setenta.

En lugar de definir el valor par de una moneda en términos de una mercancía, los países pueden anclar sus monedas a otra divisa clave. Los países en desarrollo con frecuencia establecen el valor de sus monedas atándolo a la moneda de un país grande, con poca inflación, como Estados Unidos. Por ejemplo, la autoridad monetaria de Bolivia podría definir su tipo de cambio oficial en 20 pesos por dólar.

Estabilización del tipo de cambio

Hemos visto que el primer requisito que debe cumplir una nación que adopta un sistema de tipos de cambio fijos es definir el tipo de cambio oficial de su moneda. El siguiente paso es constituir un **fondo de estabilización del tipo de cambio** para defender el tipo de cambio oficial. Con este fondo se pretende garantizar, mediante la compra y venta de divisas, que el tipo de cambio de mercado no aumente ni disminuya del tipo de cambio oficial.

En la figura 15.2 se supone que el tipo de cambio de mercado es 2.80 dólares por libra, como se aprecia en la intersección de las curvas de demanda y de oferta de libras esterlinas, D_0 y O_0. Asimismo, el tipo de cambio oficial establecido es de 2.80 dólares por libra. Ahora suponga que el aumento de las tasas de interés en el Reino Unido provoca que los inversionistas estadunidenses demanden más libras para financiar la compra de valores británicos; entonces la demanda de libras aumenta de D_0 a D_1 en la figura 15.2(a). En un mercado libre, el dólar se depreciaría de 2.80 dólares por libra a 2.90 dólares por libra. Sin embargo, con un sistema de tipos de cambio fijos, la autoridad monetaria tratará de defender el tipo oficial de 2.80 dólares por libra. Con este tipo de cambio, se presenta un exceso de demanda de libras de 40 mil millones, lo cual significa que los británicos registrarán un exceso en la oferta de dólares en igual cantidad. Para evitar que el tipo de cambio de mercado se deprecie más allá de 2.80 dólares por libra, el fondo de estabilización de cambios de Estados Unidos compraría con libras el excedente de la oferta de dólares. Por tanto, la oferta de libras aumenta de O_0 a O_1, dando por resultado la estabilización del tipo de cambio de mercado en 2.80 dólares por libra.

Por el contrario, suponga que la mayor prosperidad del Reino Unido lleva a un incremento de las importaciones procedentes de Estados Unidos y, por tanto, la oferta de libras aumenta, por decir, de O_0 a O_1 en la figura 15.2(b). Al tipo de cambio oficial de 2.80 dólares por libra, la cantidad excedente de la oferta de libras será 40 mil millones. Para evitar que el dólar se aprecie frente a la libra, el fondo estadunidense de estabilización compraría el excedente de la oferta de libras con dólares. Por tanto, la demanda de libras aumentará de D_0 a D_1, dando por resultado la estabilización del tipo de cambio de mercado a 2.80 dólares por libra.

Este ejemplo ilustra la forma en que opera un fondo de estabilización del tipo de cambio para compensar las fluctuaciones cambiarias en el mercado a corto plazo. No obstante, a largo plazo, el tipo de cambio oficial y el tipo de cambio de mercado se pueden mover por separado, reflejando con

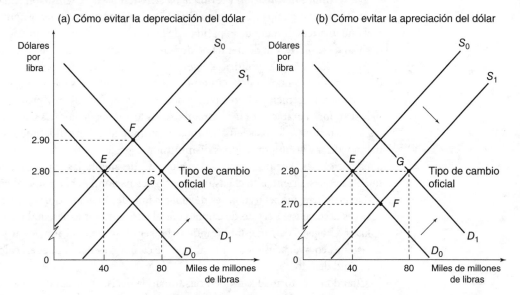

FIGURA 15.2

Estabilización cambiaria con un sistema de tipos de cambio fijos

El banco central, para defender el tipo de cambio oficial de 2.80 dólares por libra, tendrá que ofrecer la cantidad íntegra de moneda nacional que sea demandada al tipo oficial y demandar la cantidad íntegra de la moneda nacional que le ofrezcan al tipo oficial. El banco central, para evitar una depreciación del dólar, tendrá que comprar la cantidad excedente de la oferta de dólares con una cantidad equivalente de libras. El banco central, para evitar la apreciación del dólar, tendrá que comprar la cantidad excedente de la oferta de libras con una cantidad equivalente de dólares.

ello cambios en las condiciones económicas fundamentales, en los niveles de ingreso, los gustos y las preferencias y los factores tecnológicos. En el caso de un **desequilibrio fundamental**, el costo por defender el tipo oficial existente podría resultar prohibitivo.

Considere el caso de una nación deficitaria que encuentra que su moneda se debilita. Para mantener el tipo oficial, su fondo de estabilización de cambios tendría que comprar cantidades considerables de su propia moneda con sus reservas de divisas extranjeras o de otros activos. Esta medida mermaría enormemente el volumen de las reservas internacionales de la nación deficitaria. Si bien ésta podría tomar a préstamo reservas de otras naciones o del Fondo Monetario Internacional para seguir defendiendo su tipo de cambio, la magnitud de estos privilegios crediticios suele ser limitada. Al mismo tiempo, la nación deficitaria estará sufriendo ajustes internos para frenar el desequilibrio, con medidas que probablemente tendrán el propósito de controlar las presiones inflacionarias y de incrementar las tasas de interés para fomentar el ingreso de capital y desalentar las importaciones. Si el desequilibrio persiste, la nación deficitaria podría considerar que estos ajustes internos son demasiado costosos en términos de la caída de los niveles del ingreso y del empleo. En lugar de recurrir constantemente a estas medidas, este país podría decidir que se requiere de un ajuste en el tipo de cambio para revertir el desequilibrio. Con un sistema de tipos de cambio fijos, una devaluación o una reevaluación de la moneda podrían contrarrestar el desequilibrio crónico.

Devaluación y revaluación

Con un sistema de tipos de cambio fijos, la autoridad monetaria de una nación podría optar por encontrar el equilibrio de la balanza de pagos devaluando o revaluando su moneda. El objeto de la **devaluación** es *depreciar* el valor de cambio de la moneda del país para contrarrestar el *déficit* de pagos. El objeto de la **revaluación** de la moneda es *apreciar* el valor de cambio de la moneda del país para contrarrestar el *superávit* de pagos.

Los términos *devaluación* y *revaluación* se refieren a la redefinición legal del valor par de la moneda en un sistema de tipos de cambio fijos. Los términos *depreciación* y *apreciación* se refieren al efecto real que una redefinición de la paridad de la moneda o las modificaciones del tipo de cambio que se derivan de la oferta y la demanda de divisas producen en el tipo de cambio de mercado.

Se considera que las políticas de devaluación o de revaluación repercuten en los precios relativos de modo que orientan el gasto interno y el externo entre los bienes nacionales y los extranjeros. La devaluación incrementa el precio interno de la divisa extranjera y provoca que las exportaciones del país sean más baratas para los extranjeros, en términos de la divisa, al mismo tiempo que encarece las importaciones del país, en términos de su moneda. A medida que las exportaciones nacionales incrementan y las importaciones disminuyen, el gasto se aleja de los bienes extranjeros y se orienta a los nacionales. Por otra parte, la revaluación desalienta las exportaciones del país y estimula sus importaciones, orientando el gasto de los bienes nacionales hacia los extranjeros.

La autoridad monetaria, antes de aplicar una devaluación o una revaluación, debe decidir *1)* si se necesita un ajuste del tipo de cambio oficial para corregir el desequilibrio de los pagos, *2)* cuándo se aplicará el ajuste y *3)* qué tan grande debe ser el ajuste. Los funcionarios públicos pueden tomar decisiones equivocadas en cuanto al tipo de cambio; es decir, pueden calcular mal los tiempos o la magnitud de éstos.

Cuando las autoridades monetarias toman la decisión de aplicar una devaluación o una revaluación por lo general procuran mantener el asunto en secreto. A menudo, los funcionarios públicos niegan, incluso pocas horas antes de que apliquen la decisión, que existe la posibilidad de que se recurra a esta política. Con ello, pretenden evitar que los especuladores medren desviando fondos de la moneda que perderá valor a otra cuyo valor esté aumentando. Dado el efecto desestabilizador que una especulación masiva puede provocar en los mercados financieros, difícilmente se podría criticar a las autoridades monetarias por guardar sus actos en secreto. Sin embargo, como la necesidad de una devaluación suele ser evidente tanto para los funcionarios públicos como para los extraños, en el pasado, casi siempre ha llevado a fuertes presiones especulativas. La tabla 15.4 resume las ventajas y las desventajas de los tipos de cambio fijos.

El sistema de tipos de cambio fijos Bretton Woods

El **sistema Bretton Woods** ofrece un ejemplo de tipos de cambio fijos. En 1944, delegados de 44 países pertenecientes a las Naciones Unidas se reunieron en Bretton Woods, New Hampshire, para crear un nuevo sistema monetario internacional. Conscientes de la terrible experiencia monetaria de la década de los treinta, durante la cual el patrón internacional del oro se derrumbó como consecuencia de la crisis económica y financiera de la Gran Depresión, las naciones probaron, infructuosamente, los tipos de cambio flotantes y los controles de cambios. Los delegados querían establecer un orden monetario internacional y evitar la inestabilidad y las prácticas nacionalistas que habían operado hasta 1944.

El orden monetario internacional que crearon se llamó el sistema Bretton Woods. Los creadores pensaban que los tipos de cambio totalmente fijos o flotantes no eran lo óptimo y, en su lugar, adoptaron una especie de sistema de cambios semifijos llamado **tipos de cambio indexados ajustables**, el que duró de 1946 a 1973.

La característica central del sistema indexado ajustable era que las monedas estaban atadas entre sí de modo que proporcionaban tipos de cambio estables para las transacciones comerciales y financieras. No obstante, cuando la balanza de pagos se alejaba de su posición de equilibrio a largo plazo, un país podía volver a indexar su tipo de cambio por medio de políticas de devaluación o reevaluación. En principio los miembros convinieron en defender los valores existentes en la medida de lo posible cuando se presentaran desequilibrios en la balanza de pagos. Se esperaba que primero emplearan las políticas monetaria y fiscal para corregir los desequilibrios de pagos. Sin embargo, si revertir un desequilibrio de pagos persistente significaba una alteración grave para la economía interna en términos de inflación o desempleo, los países podrían corregir este *desequilibrio fundamental* volviendo a indexar sus monedas un máximo de 10% sin autorización del FMI o más con autorización del fondo.

Con el sistema Bretton Woods, cada miembro establecía el valor par de su moneda en términos del oro o, alternativamente, del contenido de oro del dólar en 1944. Los tipos de cambio de mercado eran casi fijos, aun cuando no del todo, y se mantenían dentro de una banda de 1% hacia ambos lados de la paridad, con un margen total de 2%. Se utilizaban los fondos nacionales de estabilización de cambios para mantener los límites de la banda. En 1971, los márgenes de apoyo cambiario se ampliaron a 2.25% en ambos lados de la paridad para eliminar los desequilibrios de pagos mediante movimientos correctivos del comercio y el capital. Se podían utilizar devaluaciones o revaluaciones para ajustar el valor par de una moneda cuando se sobrevaluaba o subvaluaba.

Si bien los tipos indexados ajustables tienen por objeto ofrecer un mecanismo viable de ajuste de la balanza de pagos, adolecen de múltiples problemas. En el sistema Bretton Woods, los ajustes de precios y de ingresos con frecuencia chocaban con los objetivos de la estabilización interna. Asimismo, se consideraba que la devaluación de la moneda era indeseable porque al parecer señalaba el fracaso de las políticas internas y una pérdida de prestigio internacional. Por otra parte, las revaluaciones resultaban inaceptables para los exportadores, cuya forma de ganarse la vida se veía afectada por dichas políticas. Reindexar los tipos de cambio como último recurso a menudo significaba que, cuando se hacían ajustes, éstos eran significativos. Es más, los tipos indexados ajustables planteaban dificultades para calcular el tipo de equilibrio al que se debía reindexar una moneda. Por último, cuando el tipo de cambio de mercado llegaba al margen de la banda permitida de paridad se convertía en un tipo cambio fijo rígido que ofrecía a los especuladores una vía para apostar. Dada una presión debilitante persistente, por ejemplo, en el límite exterior de la banda, los especuladores tenían un incentivo para abandonar una moneda que se debilitaba y cuyo valor se depreciaría más como resultado de la devaluación oficial.

Estos problemas llegaron a su clímax a principios de la década de los setenta. Estados Unidos, ante los continuados y crecientes déficits de la balanza de pagos, suspendió la convertibilidad del dólar a oro en agosto de 1971. La suspensión puso fin al compromiso de Estados Unidos de cambiar oro por dólares a 35 dólares por onza, el cual había durado 37 años. Esta política abolió el nexo entre el oro y el valor internacional del dólar, dejando así que el dólar flotara y permitiendo que las fuerzas del mercado determinaran su tipo de cambio. La flotación del dólar puso fin al apoyo estadunidense al sistema Bretton Woods de los tipos de cambio fijos y llevó al ocaso de éste.

TIPOS DE CAMBIO FLOTANTES

En lugar de adoptar los tipos de cambio fijos, algunas naciones permiten que sus monedas floten en el mercado de divisas. Por **tipos de cambio flotantes** (o flexibles) se entienden los precios de las divisas que son establecidos todos los días en el mercado de cambios, sin restricciones impuestas por las políticas públicas sobre el grado en que se pueden mover los precios. Con los tipos de cambio flotantes existe un tipo de cambio de equilibrio que nivela la oferta y la demanda de la moneda de un país. Las fluctuaciones del tipo de cambio idealmente corregirán el desequilibrio de pagos, provocando estos virajes en las importaciones de bienes y servicios y los movimientos de capital de corto plazo. El tipo de cambio depende de los niveles relativos de la productividad, las tasas de interés, las tasas de inflación y otros factores analizados en el capítulo 12.

A diferencia de los tipos de cambio fijos, los flotantes no se caracterizan por valores par ni por tipos de cambio oficiales, sino que están determinados por las condiciones de la oferta y la demanda del mercado y no por el banco central. Aun cuando los tipos flotantes no cuentan con un fondo de estabilización cambiaria para mantener los tipos de cambio existentes, esto no quiere decir que los tipos de cambio flotantes siempre fluctúen de forma errática. Lo harán cuando las fuerzas subyacentes del mercado se desestabilicen. Dado que con los tipos de cambio flotantes no existe un fondo de estabilización cambiaria, todos los fondos de reservas internacionales funcionan como saldos de operación y no para mantener un tipo de cambio dado para una divisa cualquiera.

Cómo alcanzar el equilibrio del mercado

¿Cómo los tipos de cambios flotantes propician el equilibrio de los pagos de una nación? Vea la figura 15.3, la cual ilustra el mercado cambiario de los francos suizos en Estados Unidos. La intersección de la curva de oferta O_0 y la curva de demanda D_0 determinan el tipo de cambio de equilibrio de 0.50 dólares por franco.

En la figura 15.3(a) suponga que un aumento en el ingreso real provoca que los habitantes de Estados Unidos demanden más queso y relojes suizos y, por lo mismo, más francos; la demanda de francos aumenta de D_0 a D_1. Al inicio, el mercado está desequilibrado, porque la cantidad de francos demandados (60 francos) es superior a la cantidad ofrecida (40 francos) al tipo de cambio de 0.50 dólares por franco. El exceso de demanda de francos lleva a un incremento del tipo de cambio de 0.50 a 0.55 dólares por franco. Por tanto, el valor del dólar disminuye frente al franco, o se deprecia, mientras que el valor del franco aumenta frente al dólar, o se aprecia. El valor más alto del franco lleva a los habitantes de Suiza a incrementar la cantidad de francos ofrecida en el mercado de divisas para comprar más bienes estadounidenses, que ahora son más baratos en términos del franco; al mismo tiempo, disminuye la demanda estadounidense de bienes suizos que ahora son más caros. El equilibrio del mercado se restaura al tipo de 0.55 dólares por franco, en cuyo caso la cantidad de francos ofrecidos es igual a la de los demandados.

Suponga, en cambio, que el ingreso real de Estados Unidos disminuye, provocando que los estadounidenses demanden menos queso y relojes suizos y, por lo mismo, menos francos. En la figura

---

FIGURA 15.3

Ajuste del mercado con tipos de cambio flotantes

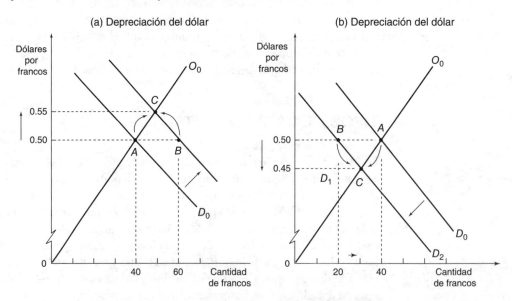

Con un sistema de tipos de cambio flotantes, las modificaciones constantes de los valores de las divisas restauran el equilibrio de pagos en el punto donde la cantidad ofrecida de una divisa y la cantidad demandada sean iguales. Partiendo del punto de equilibrio *A*, un incremento de la demanda de francos lleva a una depreciación del dólar frente al franco; por otra parte, un decremento de la demanda de francos lleva a una apreciación del dólar ante el franco.

15.3(b) la demanda de francos disminuye de D_0 a D_2. Inicialmente, el mercado está desequilibrado porque la cantidad de francos ofrecidos (40 francos) es superior a la cantidad demandada (20 francos) al tipo de cambio de 0.50 dólares por franco. El exceso de la oferta de francos provoca que el tipo de cambio disminuya de 0.50 a 0.45 dólares por franco. Así, el dólar se aprecia frente al franco, mientras que el franco se deprecia frente al dólar. El equilibrio del mercado se restaura al tipo de cambio de 0.45 dólares por franco, en cuyo caso la cantidad de francos ofrecida es igual a la demandada.

Este ejemplo ilustra un argumento a favor de los tipos flotantes: cuando se permite que el tipo de cambio se ajuste libremente en respuesta a las fuerzas del mercado, el equilibrio del mercado quedará establecido en el punto donde la cantidad de divisas ofrecida sea igual a la demandada. Si el tipo de cambio lleva al equilibrio del mercado, las autoridades monetarias no necesitarán las reservas internacionales para intervenir en los mercados con objeto de mantener la paridad de los tipos de cambio. Estos recursos se podrán utilizar de forma más productiva en otros puntos de la economía.

Restricciones al comercio, el empleo y tipos de cambio flotantes

Durante la desaceleración económica, los sindicatos con frecuencia cabildean para que se restrinjan las importaciones y en consecuencia se conserve el empleo de los trabajadores del país, ¿generan estas restricciones a las importaciones un incremento del total del empleo en la economía?

Siempre y cuando Estados Unidos mantenga un tipo de cambio flotante, la aplicación de restricciones a las importaciones para ayudar a una industria hará un traslado gradual de los empleos de otras industrias de la economía a la industria protegida, sin un efecto significativo en el empleo agregado. El incremento de los empleos que registra una industria protegida a corto plazo se equilibrará con los que se pierden en otras industrias a largo plazo.

Suponga que Estados Unidos aumenta los aranceles para los automóviles importados de Japón. Esta política disminuiría las importaciones de automóviles, provocando un decremento de la demanda estadunidense de yenes para pagar los vehículos importados. Con los tipos de cambio flotantes, el yen se depreciaría frente al dólar (el dólar se apreciaría frente al yen) hasta llegar al equilibrio de las transacciones internacionales. La modificación del tipo de cambio llevaría a los estadunidenses a comprar más bienes de Japón y a los japoneses a comprar menos bienes de Estados Unidos. Por tanto, otras industrias estadunidenses perderían ventas y empleos. Así pues, las restricciones al comercio provocan una suma cero en Estados Unidos. Los aumentos de empleos en Detroit quedan equilibrados por la disminución de empleos en Los Ángeles y Portland, y las modificaciones del tipo de cambio imponen sus costos a los desprotegidos trabajadores de la economía estadunidense.

Argumentos a favor y en contra de los tipos de cambio flotantes

Una ventaja que se adjudica a los tipos de cambio flotantes es que son muy sencillos. El supuesto es que los tipos de cambio flotantes responden muy pronto a las condiciones cambiantes de la oferta y la demanda, así compensan la escasez o el excedente de una divisa en el mercado. En lugar de que los bancos centrales cuenten con reglas formales de conducción que rijan los movimientos del tipo de cambio, el mercado determina los tipos de cambio flotantes. Éstos operan sujetos a arreglos institucionales simples que son relativamente fáciles de aplicar.

Como los tipos de cambio flotantes fluctúan a lo largo del día, permiten un constante ajuste de la balanza de pagos. Los efectos negativos de un desequilibrio prolongado que se suelen presentar con los tipos de cambio fijos se reducen al mínimo con los tipos de cambio flotantes. También se argumenta que los tipos de cambio flotantes aíslan parcialmente a la economía del país de las fuerzas externas. Esto significa que los gobiernos no tendrán que restaurar el equilibrio de los pagos por medio de dolorosas políticas de ajuste inflacionarias o deflacionarias. La nación que opta por los tipos de cambio flotantes ya no tiene que pagar el precio de adoptar políticas que perpetúan el desequilibrio interno para que su balanza de pagos mantenga una posición satisfactoria. Por tanto, las naciones

	TABLA 15.4	
Ventajas y desventajas de los tipos de cambio fijos y los flotantes		
	Ventajas	**Desventajas**
Tipos de cambio fijos	Sencillez y claridad del tipo de cambio meta	Sacrifican una política monetaria independiente
	Regla automática para conducir la política monetaria	Vulnerables a ataques especulativos
	Mantienen controlada la inflación	
Tipos de cambio flotantes	Ajuste continuo de la balanza de pagos	Llevan a la inflación de precios
	Operan sujetos a arreglos institucionales simplificados	Los mercados de divisas desordenados pueden alterar los patrones del comercio y la inversión
	Permiten que los gobiernos establezcan políticas fiscales y monetarias independientes	Fomentan que el gobierno aplique políticas financieras despiadadas

© Cengage Learning®

gozan de más libertad para aplicar políticas que llevan al equilibrio interno mejor que con los tipos de cambio fijos.

Aun cuando existen argumentos sólidos a favor de los tipos de cambio flotantes, con frecuencia se piensa que este sistema no tiene gran utilidad para los banqueros y los empresarios. Los críticos de los tipos de cambio flotantes afirman que un mercado no regulado puede llevar a enormes fluctuaciones en los valores de las divisas, lo que ahuyenta el comercio y la inversión extranjera. Si bien los comerciantes y los inversionistas se pueden proteger contra el riesgo cambiario realizando operaciones en el mercado de futuros, el costo de esta protección puede resultar prohibitivamente alto.

En teoría, se supone que los tipos flotantes permiten a los gobiernos establecer políticas monetarias y fiscales independientes. Sin embargo, esta flexibilidad puede ocasionar un problema de otro tipo: el *sesgo inflacionario*. Con un sistema de tipos de cambio flotantes, las autoridades monetarias tal vez no tengan la disciplina que requiere un sistema de tipos de cambio fijos. Suponga que las tasas de inflación de una nación son relativamente altas en comparación con el resto del mundo. La inflación interna no tendrá un efecto negativo en la balanza comercial de la nación que tiene tipos de cambio flotantes, porque su moneda automáticamente se depreciará en el mercado de divisas. No obstante, la postergación de la depreciación de la moneda produciría el aumento persistente de los precios de las importaciones y del nivel de precios, provocando que la inflación se perpetúe y también una depreciación constante. Dado que los tipos de cambio flotantes permiten una mayor libertad en el manejo de las finanzas internas, podría haber menos resistencia al gasto excesivo y a su consecuente presión en los salarios y los precios. La tabla 15.4 resume las ventajas y las desventajas de los tipos de cambio flotantes.

SISTEMAS DE TIPOS DE CAMBIO CONTROLADOS

En 1973 Estados Unidos y otras naciones industrializadas adoptaron los tipos de cambio con una flotación controlada, después de la descomposición del sistema monetario internacional basado en los tipos de cambio indexados ajustables. Antes de la década de los setenta sólo un puñado de economistas consideró en serio la posibilidad de un sistema general de tipos flotantes. Sin embargo, debido a los defectos del proceso de decisión provocados por las dificultades de los procedimientos y los sesgos políticos, los ajustes a los valores par del sistema Bretton Woods con frecuencia eran postergados y también discontinuos. Se sabía que los tipos de cambio se debían ajustar más rápido ante las fuerzas cambiantes del mercado y en cantidades pequeñas, pero constantes. En 1973 se adoptó el sistema de **tipos de cambio controlados**, para lo cual el FMI estableció lineamientos informales a efecto de coordinar las políticas cambiarias de los diversos países.

El motivo para formular los lineamientos sobre la flotación obedeció a dos preocupaciones. La primera era que las naciones podían intervenir en los mercados de divisas para evitar modificaciones al tipo de cambio que debilitaran su posición competitiva. Cuando Estados Unidos suspendió su compromiso con la conversión al patrón oro y permitió que su dólar sobrevaluado flotara en los mercados de divisas, tenía la esperanza de que el ajuste del mercado libre produjera una depreciación del dólar ante las otras divisas, subvaluadas. En lugar de permitir que hubiera una **flotación limpia** (una solución del libre mercado), los bancos centrales extranjeros se negaron a permitir la depreciación del dólar interviniendo en el mercado de divisas. Estados Unidos consideró que esto era una **flotación sucia**, porque no se permitió que las fuerzas de la oferta y la demanda de un libre mercado cumplieran con su función estabilizadora. El otro motivo que explica los lineamientos de la flotación fue la preocupación de que la flotación libre, con el tiempo, podría llevar a mercados desordenados, con fluctuaciones erráticas en los tipos de cambio. Esta actividad desestabilizadora podría crear un clima de incertidumbre en los negocios y reduciría el comercio mundial.

Con una flotación controlada, una nación puede modificar el grado de su intervención en el mercado de divisas. Una intervención más intensa lleva a la nación a acercase más a la situación del tipo de cambio fijo, mientras que una más leve la acerca al caso del tipo de cambio flotante. Debido a los movimientos cambiarios, de un día para otro y de una semana para otra, el objetivo central de los lineamientos de la flotación ha sido evitar que se presenten fluctuaciones erráticas. Las naciones miembro deben intervenir en el mercado de divisas cuando sea necesario para evitar fluctuaciones pronunciadas que alteren los tipos de cambio, de un día para otro y de una semana para otra. Esta política se conoce como **volar con el viento**, es decir, intervenir para disminuir las fluctuaciones de los tipos de cambio a corto plazo, sin tratar de ceñirse a un tipo de cambio particular a largo plazo. Además, los miembros no deben actuar agresivamente respecto al tipo de cambio de sus monedas, es decir, no deben reforzar su valor cuando se está apreciando, ni reducirlo cuando se está depreciando.

Con la flotación controlada algunas naciones optan por **tipos de cambio meta** e intervienen para apoyarlos. Los tipos de cambio meta pretenden reflejar las fuerzas económicas de largo plazo que provocan sus fluctuaciones. Una forma de estimar el tipo de cambio meta que se utiliza cuando opera un sistema de flotación controlada es seguir los índices estadísticos que responden a las mismas fuerzas económicas que la tendencia del tipo de cambio. Así, cuando cambian los valores de los índices, el tipo de cambio meta se puede ajustar en consecuencia. Algunos de estos índices son los de las tasas de inflación de distintas naciones, los niveles de reservas oficiales de divisas y los desequilibrios persistentes en las cuentas de pagos internacionales. En la práctica, definir un tipo de cambio meta es muy difícil en un mercado que está fundado en condiciones económicas volátiles.

Los tipos de cambio flotantes controlados a corto y a largo plazos

Los tipos de cambio flotantes controlados tratan de combinar los tipos determinados por el mercado y la intervención en el mercado de divisas a efecto de aprovechar las mejores características de los tipos de cambio flotantes y los fijos. Con una flotación controlada, la intervención en el mercado sirve para estabilizar los tipos de cambio a corto plazo, mientras que la flotación controlada permite que las fuerzas del mercado determinen los tipos de cambio a largo plazo.

La figura 15.4 ilustra la teoría de la flotación controlada en el mercado de dos países, Suiza y Estados Unidos. Las curvas de oferta y de demanda de francos están denotadas por O_0 y D_0 y el tipo de equilibrio, en donde la cantidad de francos ofrecidos es igual a la cantidad demandada, es decir, 0.50 dólares por franco.

Suponga que el ingreso real de Estados Unidos registra un incremento permanente y, en consecuencia, los habitantes de este país demandan más francos para comprar más chocolate suizo, por lo que la demanda de francos aumenta de D_0 a D_1, como muestra la figura 15.4(a). Dado que este aumento de la demanda es el resultado de las fuerzas del mercado al largo plazo, la flotación controlada

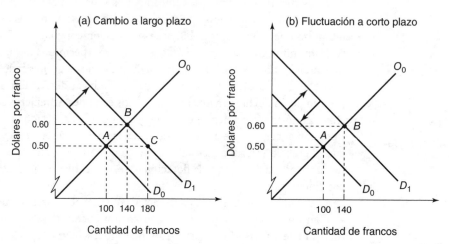

FIGURA 15.4

Tipos de cambio flotantes controlados

Con este sistema, la intervención del banco central sirve para estabilizar los tipos de cambio a corto plazo, permitiendo que las fuerzas del mercado determinen los tipos de cambio a largo plazo.

permite que las condiciones de la oferta y la demanda determinen el tipo de cambio. Debido al incremento de la demanda de francos, la cantidad demandada de esta moneda (180 francos) excede la cantidad ofrecida (100 francos) al tipo de cambio de 0.50 dólares por franco. El exceso de la demanda provoca un aumento en el tipo de cambio a 0.60 dólares por franco y, en este punto, la cantidad de francos ofrecida es igual a la demandada. De esta manera, los movimientos del tipo de cambio a largo plazo están determinados por la oferta y la demanda de varias divisas.

La figura 15.4(b) ilustra el caso del incremento de la demanda de francos a corto plazo. Suponga que los inversionistas estadunidenses demandan más francos para financiar la compra de valores suizos, que pagan tasas de interés relativamente altas y, de nueva cuenta, que la demanda de francos aumenta de D_0 a D_1. Suponga que, en cuestión de semanas, las tasas de interés de Suiza disminuyen, lo cual provoca que la demanda estadunidense de francos vuelva a su nivel original de D_0. Con tasas flotantes el precio de los francos en dólares aumentaría de 0.50 a 0.60 dólares por franco y, después, volvería a 0.50 dólares por franco. Este tipo de sensibilidad cambiaria está considerado, normalmente, como una de las desventajas de los tipos flotantes, porque provoca incertidumbre respecto a la rentabilidad del comercio internacional y las transacciones comerciales y, en consecuencia, el patrón del comercio y las finanzas se vería alterado.

Con los tipos de cambio flotantes controlados, la respuesta a esta alteración temporal es la intervención de la Reserva Federal en el tipo de cambio, a efecto de que éste permanezca en su nivel de equilibrio a largo plazo de 0.50 dólares por franco. Durante el periodo en que la demanda está en D_1, el banco central tendrá que vender francos para cubrir el exceso de demanda. Tan pronto como concluya el desequilibrio y la demanda vuelva a D_0, la intervención en el mercado de divisas dejará de ser necesaria. En pocas palabras, la intervención del banco central sirve para compensar las fluctuaciones temporales de los tipos de cambio que contribuyen a la incertidumbre cuando se realizan operaciones en el comercio y las finanzas internacionales.

Desde que aparecieron los tipos flotantes controlados en 1973, Estados Unidos ha intervenido en los cambios en distinta medida y frecuencia. La intervención fue importante de 1977 a 1979, cuando se consideró que el valor de cambio del dólar era inadmisiblemente bajo. Las operaciones de estabilización fueron mínimas durante el primer periodo de gobierno de Reagan, acorde con su meta de limitar la intervención del gobierno en los mercados, y tenían el objeto de compensar las alteraciones del mercado a corto plazo. La intervención volvió a ser relevante en 1985, cuando se consideró que el valor de cambio del dólar era inadmisiblemente alto y que afectaba la competitividad de los productores estadunidenses. Las operaciones de intervención más extendidas de Estados Unidos tuvieron lugar después del Acuerdo de Louvre de 1987, cuando las principales naciones industrializadas llegaron a un acuerdo informal en cuanto a los límites de tolerancia de las fluctuaciones de los tipos de cambio.

Estabilización cambiaria y política monetaria

Hemos visto que los bancos centrales compran y venden divisas para estabilizar su valor con un sistema de tipos de cambio flotantes controlados. Otra técnica de estabilización implica emplear la *política monetaria* de una nación. Como verá, el banco central, para estabilizar el valor de cambio de una moneda, tiene que adoptar *1)* una política monetaria *expansionista* para compensar la *apreciación* de la moneda y *2)* una política monetaria *contraccionista* para compensar la *depreciación* de la moneda.

La figura 15.5 ilustra el mercado de divisas de Estados Unidos. Suponga que la curva de oferta de libras esterlinas está denotada por O_0 y que la curva de demanda de libras está denotada por D_0. El tipo de cambio de equilibrio, donde la cantidad de libras ofrecidas es igual a la de las demandadas; es decir, 2 dólares por libra.

Suponga que debido al cierre de fábricas en el Reino Unido, provocado por huelgas laborales, los habitantes estadunidenses compran menos productos británicos y, por tanto, demandan menos libras. Considere que la demanda de libras disminuye de D_0 a D_1, en la figura 15.5(a). En ausencia de la intervención del banco central, el precio de la libra en dólares disminuye de 2 a 1.80 dólares, por tanto, el dólar se aprecia frente a la libra.

Para compensar la apreciación del dólar, la Reserva Federal puede aumentar la oferta de dinero en Estados Unidos, lo que reducirá las tasas de interés internas a corto plazo. Esta reducción de las tasas de interés provocará que descienda la demanda de valores estadunidenses. Por tanto, en el mercado

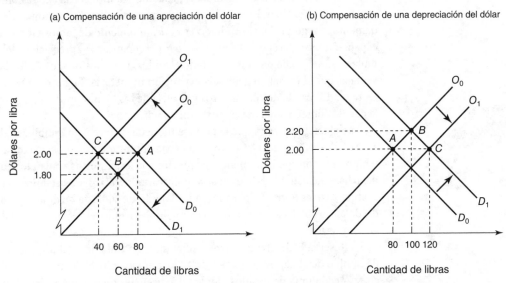

FIGURA 15.5

Estabilización cambiaria y política monetaria

(a) Compensación de una apreciación del dólar

(b) Compensación de una depreciación del dólar

En ausencia de una coordinación de políticas internacionales, para estabilizar el valor de cambio de una moneda se requiere que un banco central aplique a) una política monetaria expansionista para compensar la apreciación de su moneda y b) una política monetaria contraccionista para compensar la depreciación de su moneda.

de divisas habrá menor oferta de libras para comprar los dólares que se emplearán para comprar valores de Estados Unidos. Cuando la curva de oferta de libras se desplaza hacia la izquierda hasta O_1, el valor de cambio del dólar vuelve a 2 dólares por libra. De esta manera, la política de expansión monetaria ha compensado la apreciación del dólar.

Ahora bien, en la figura 15.5(b), suponga que un brote temporal en las tasas de interés del Reino Unido provoca que los inversionistas estadounidenses demanden más dólares para comprar más valores británicos. La demanda de libras aumenta de D_0 a D_1. En ausencia de la intervención del banco central, el valor de cambio del dólar aumentaría de 2 a 2.20 dólares por libra, es decir el dólar se depreciaría frente a la libra.

Para compensar esta depreciación del dólar, la Reserva Federal puede reducir la oferta de dinero en Estados Unidos, lo que incrementará las tasas internas de interés y atraerá inversión británica. Por tanto en el mercado de divisas se ofrecerá una mayor cantidad de libras para comprar dólares para adquirir valores estadounidenses. Cuando la oferta de libras incrementa de O_0 a O_1, el valor de cambio del dólar vuelve a 2 dólares por libra. Por tanto, la política monetaria contraccionista ayuda a compensar la depreciación del dólar.

Estos ejemplos ilustran el uso de políticas monetarias internas para estabilizar los valores de las divisas. Estas políticas, sin embargo, no dejan de tener sus costos, como verá en el ejemplo siguiente.

Suponga que el gobierno de Estados Unidos incrementa el gasto federal sin un incremento correspondiente en los impuestos. Para financiar el déficit presupuestal resultante, el gobierno toma fondos a préstamo en el mercado de dinero, lo que incrementa las tasas de interés internas. Estas altas tasas de interés aumentan el atractivo de los valores nominados en dólares, lo cual conduce a que los extranjeros compren más valores, a un aumento de la demanda de dólares y a una apreciación del valor de cambio del dólar. El aumento de valor de esta moneda hace que los bienes estadounidenses sean más caros en el exterior y que los bienes extranjeros sean menos caros en Estados Unidos, provocando con ello que la cuenta comercial de Estados Unidos registre un déficit.

Ahora suponga que la Reserva Federal interviene y adopta una política monetaria expansionista. El consecuente incremento en la oferta de dinero amortigua el aumento de las tasas de interés en Estados Unidos y la apreciación del dólar. Al restringir el incremento del valor de cambio del dólar, la política monetaria expansionista mejora la competitividad de las empresas estadounidenses y permite que la cuenta comercial del país se equilibre.

No obstante, los efectos favorables de la política monetaria expansionista en la economía interna son temporales. Cuando la política de incrementar la oferta monetaria interna se sigue indefinidamente a largo plazo, el resultado es el *debilitamiento* de la posición comercial del país, porque la expansión monetaria que se requiere para compensar la apreciación del dólar, con el tiempo, estimula el aumento de precios en Estados Unidos. Los altos precios de los bienes internos cancelan las ventajas que al principio genera la expansión monetaria. El gasto de Estados Unidos, con el tiempo, regresa a los productos extranjeros y se aleja de los bienes producidos en el país, lo cual provoca que la cuenta comercial del país registre un déficit.

Este ejemplo muestra que la política monetaria sirve para estabilizar el valor de cambio del dólar a corto plazo. Sin embargo, cuando la expansión monetaria prosigue durante un periodo largo y sostenido, trae consigo incrementos de precios a la larga y éstos anulan los aumentos de competitividad del país. La efectividad de utilizar la política monetaria para estabilizar el valor de cambio del dólar a largo plazo es limitada, porque el incremento de la oferta de dinero para compensar la apreciación del dólar no corrige para siempre la causa fundamental del déficit comercial, es decir, el incremento del gasto interno.

La Reserva Federal puede tener dificultades si trata de estabilizar la economía nacional y el valor de cambio del dólar. A principios de 1995, por ejemplo, el dólar caía en picada frente al yen y el marco, y la economía de Estados Unidos daba señales de una desaceleración. La Reserva Federal, para incrementar el valor de cambio del dólar, habría tenido que adoptar una política monetaria restrictiva, que habría provocado tasas de interés más altas y la entrada neta de inversiones. No obstante, el aumento de las tasas internas de interés aumentaría el peligro de que la economía estadounidense cayera en una recesión al año siguiente. Por tanto, la Reserva Federal tuvo que elegir entre apoyar la expansión económica del país o el valor de cambio del dólar. En este caso, el organismo optó por la política de reducir las tasas de interés, al parecer en respuesta a las necesidades internas de Estados Unidos.

¿Resulta efectivo estabilizar el tipo de cambio?

Muchos gobiernos han intervenido en los mercados de divisas para tratar de reducir la volatilidad y desacelerar o revertir los movimientos de las monedas.[3] Su preocupación es que una volatilidad excesiva a corto plazo y las fluctuaciones de los tipos de cambio a largo plazo que "disparan" los valores con la justificación de las condiciones fundamentales puedan afectar sus economías, sobre todo a los sectores que participan intensamente en el comercio internacional. Además, el mercado de divisas puede ser muy volátil. Por ejemplo, en enero de 1999 un euro costaba alrededor de 1.15 dólares, disminuyó a 0.85 dólares para finales del 2000 y después pasó a 1.18 dólares en junio de 2003. Durante este mismo periodo, un dólar llegó a comprarse tanto como 133 yenes y tan poco como 102 yenes, con una fluctuación de 30%. En años recientes, los precios de muchas otras monedas han registrado fluctuaciones similares.

Muchos bancos centrales intervienen en los mercados cambiarios. El jugador más grande es Japón. Por ejemplo, entre 1991 y 2000, el Banco de Japón compró dólares en 168 ocasiones, por un monto acumulado de 304 mil millones de dólares, y vendió esta moneda en 33 ocasiones, por un monto acumulado de 38 mil millones. Un caso típico: el 3 de abril del 2000, el Banco de Japón compró 13,200 millones de dólares en el mercado de divisas, en un intento por detener una depreciación de más de 4% del dólar frente al yen que se había registrado la semana anterior. La magnitud de las intervenciones de Japón provoca que las intervenciones oficiales de otros países parezcan muy pequeñas. Por ejemplo, en el periodo de 1991-2000, excedió a la intervención de Estados Unidos por un factor mayor de 30. No obstante, en comparación con las transacciones globales realizadas en el mercado de divisas, la magnitud de las intervenciones de Japón ha sido bastante pequeña.

No es de extrañar que la intervención respaldada por los cambios aplicados por los bancos centrales a las tasas de interés tienda a producir un efecto mayor en los tipos de cambio que la sola intervención. Es más, los casos en que dos bancos centrales coordinaron la intervención, como la Reserva Federal y el Banco de Japón, produjeron un efecto en los tipos de cambio mayor que las operaciones unilaterales. No obstante, los casos de una intervención coordinada son muy raros.

Los investigadores académicos han cuestionado muchas veces la utilidad de una intervención oficial en los tipos de cambio. No obstante, los partidarios de la intervención señalan que podría ser útil cuando el tipo de cambio es objeto de un ataque especulativo; es decir, cuando los fundamentos no justifican una modificación del tipo de cambio. También podría servir para coordinar las expectativas del sector privado. Investigaciones recientes respaldan en cierta medida la efectividad de la intervención a corto plazo. Sin embargo, lo anterior no se debe interpretar como una lógica para sustentar la intervención como un instrumento administrativo a plazo más largo.[4]

AJUSTE GRADUAL DE LA TASA DE CAMBIO (THE CRAWLING PEG)

En lugar de adoptar tipos de cambios fijos o flotantes, por qué no probar un enfoque entre ambos: **el crawling peg**. Muchos países han utilizado este sistema, entre ellos Bolivia, Brasil, Costa Rica, Nicaragua, las Islas Salomón y Perú. El sistema crawling peg significa que una nación aplica pequeños cambios frecuentes al valor par de su moneda a efecto de corregir los desequilibrios de la balanza de

---

[3] Esta sección está basada en Michael Hutchinson, "Is Official Floating Exchange Intervention Effective?", *Economic Letter*, Federal Reserve Bank of San Francisco, 18 de julio de 2003.
[4] Michael Hutchinson, "Intervention and Exchange Rate Stabilization Policy in Developing Countries", *International Finance* 6, 2003, pp. 41-59.

pagos. Los países que registran un déficit o un superávit van ajustando el tipo de cambio hasta llegar al nivel deseado. El término *crawling peg* implica que las modificaciones al tipo de cambio se van aplicando mediante muchos pequeños pasos, lo cual hace que, para efectos prácticos, el proceso de ajuste del valor sea continuo. Así, el tipo de cambio pasa de una paridad a otra.

El mecanismo del crawling peg ha sido utilizado principalmente por naciones que tienen altas tasas de inflación. Algunos países en desarrollo, sobre todo de Sudamérica, han reconocido que el sistema del crawling peg puede operar en un entorno inflacionario, sólo si se hacen cambios frecuentes en los valores a la par. Estos países, que asocian las tasas de inflación a la competitividad internacional, por lo general han recurrido a los índices de precios como base para ajustar los tipos de cambio gradualmente. En estos países la inquietud básica está en el criterio que rige los movimientos en el tipo y no en la moneda o la canasta de monedas que sirven para definir el valor al que estará atada la moneda.

El sistema crawling peg no es igual al sistema de tipos indexados ajustables. En el segundo caso, las monedas se atan a una paridad que cambia con poca frecuencia (quizás una vez cada varios años), pero lo hace repentinamente y, por lo general, cambia a grandes saltos. La idea que sustenta el sistema crawling peg es que una nación puede aplicar pequeños cambios frecuentes a los valores par, tal vez varias veces al año, de modo que se muevan lentamente en respuesta a las condiciones cambiantes del mercado.

Los partidarios del crawling peg argumentan que el sistema combina la flexibilidad de los tipos flotantes con la estabilidad que por lo general se asocia a los tipos de cambio fijos. Sostienen que un sistema que proporciona ajustes constantes y continuos responde mejor a las condiciones cambiantes de la competencia y evita el problema central de los tipos indexados ajustables; es decir, que los cambios de los valores par suelen estar muy lejos de dar en el blanco. Es más, los cambios pequeños y frecuentes en la paridad, aplicados a intervalos aleatorios, frustran a los especuladores en razón de su irregularidad.

En años recientes, la fórmula del crawling peg ha sido empleada por los países en desarrollo que afrontan una inflación veloz y persistente. Sin embargo, el FMI ha dicho, normalmente, que este sistema no sería benéfico para los intereses de naciones como Estados Unidos o Alemania, responsables de los niveles internacionales de divisas. El FMI opina que este sistema difícilmente se podría aplicar a las naciones industrializadas, que tienen monedas que sirven como fuente de liquidez internacional. Hasta los más fervientes partidarios del crawling peg admiten que todavía no ha llegado la hora de que el sistema se adopte a nivel general y, por ello, es posible que continúe la polémica en torno a sus posibles méritos.

MANIPULACIÓN DE MONEDA Y GUERRAS MONETARIAS

Durante la primera década del siglo xxi han proliferado, entre los dirigentes del mundo, las acusaciones de manipulación de moneda. Estados Unidos ha acusado a Japón y a China de mantener el tipo de cambio de su moneda artificialmente bajo para aumentar su competitividad internacional y el superávit de su balanza comercial. Ambos países, por su parte, han respondido a tales acusaciones señalando que Estados Unidos ha estado practicando sistemáticamente aquello de lo que acusa.

La manipulación de la moneda consiste en la compra o venta de una moneda en el mercado cambiario por parte de la autoridad fiscal o monetaria de un país para influir en su valor internacional. Al vender yenes y comprar certificados del Tesoro de EU denominados en dólares, Japón puede depreciar su yen frente al dólar. ¿Por qué? La venta masiva de yenes impulsa el precio del yen hacia abajo y la compra del dólar impulsa su precio hacia arriba, así, el yen se deprecia frente el dólar. Para Estados Unidos, un yen depreciado implica que los artículos japoneses sean artificialmente más baratos en Estados Unidos, mientras que en Japón los artículos estadunidenses se vuelven más costosos de lo que deberían ser. Las exportaciones de EUA a Japón disminuyen y las importaciones hacia EUA desde Japón aumentan. El valor inferior del yen implica que es más barato contratar a los trabajadores japoneses e incita a las fábricas estadunidenses a trasladarse a Japón. Esto es nocivo para quien trabaja en una línea industrial en Estados Unidos y busca vender artículos a Japón. Una moneda débil abarata el precio de las exportaciones de un país y, al ser más baratas que las de los competidores, se vuelven más atractivas para los compradores internacionales. Esto proporciona una ventaja a las economías orientadas a la exportación sobre sus competidores globales.

Durante 2003-2004, el Bank of Japan intervino durante un período de 15 meses en el mercado cambiario del yen-dólar creando 35 billones de yenes. Esta moneda creada se usó para comprar 320 mil millones de dólares que luego fueron invertidos en certificados del Tesoro de EUA. Esto incrementó la oferta de yenes y depreció el tipo de cambio del yen frente al dólar, lo que produjo un aumento en las exportaciones de Japón y sacó al país de un periodo deflacionario.

A comienzos de la década de 2000, muchos países buscaron la depreciación —o, por lo menos, la no apreciación— de su moneda para reforzar sus economías y para crear empleos. La lista de manipuladores de moneda ha incluido a países como China, Japón, Suiza, Corea del Sur, Hong Kong, Singapur, Malasia y Taiwán. Otros países que suelen manipular moneda suelen ser los grandes exportadores de petróleo.

La infravaloración artificial del tipo de cambio de la moneda de un país hace que sus exportaciones sean más baratas y promueve el crecimiento interno. Esto genera problemas para otros países porque una moneda sólo puede caer si otra aumenta. Este desequilibrio puede provocar una guerra monetaria: una lucha desestabilizadora en la que los países compiten entre sí para forzar a la baja su tipo de cambio. En la década de 1930 esto fue precisamente lo que ocurrió y trajo consecuencias desastrosas. Cuando los países abandonaron el patrón oro durante la Gran Depresión, se valieron de depreciaciones de moneda (devaluaciones) para estimular sus economías. Dado que esto lo que provocaba era el traslado efectivo del desempleo hacia el extranjero, los socios comerciales rápidamente respondieron orquestando sus propias depreciaciones; el resultado fue una guerra monetaria, el colapso del comercio internacional y una rápida contracción de la economía mundial.

El gobierno estadunidense se ha quejado de ser víctima de manipulación monetaria deliberada por parte de algunos de sus socios comerciales, especialmente China, que intentan robar la demanda de sus competidores estadunidenses. Diversos proyectos de ley se han propuesto al Congreso de EUA (pero no se han aprobado) para imponer sanciones a los manipuladores de moneda. Se podría poner en práctica una iniciativa que contrarreste la intervención monetaria consistente en que Estados Unidos compre la divisa de los manipuladores en cantidades suficientes para que se cancele el impacto que la manipulación tiene sobre el tipo de cambio; otra posible sanción consistiría en imponer aranceles de represalia sobre las exportaciones de los países manipuladores.

Ahora bien, los otros países se quejan de la política monetaria de Estados Unidos por la cual la Reserva Federal ha estimulado sistemáticamente la economía estadunidense desde la gran recesión de 2007-2009. El propósito principal de la política de la Reserva Federal ha sido propiciar el crecimiento de la economía estadunidense a través de un aumento en la oferta de moneda, una reducción en las tasas de interés y un aumento en el gasto de inversión. Esta política también ha provocado que el valor de cambio del dólar se deprecie. ¿Cómo ocurre esto? Cuando la Reserva Federal reduce las tasas de interés nacionales, la inversión extranjera hacia EUA se contrae y desciende la demanda del dólar, en consecuencia, el tipo de cambio del dólar también baja. La baja en el tipo de cambio es una consecuencia indirecta de una política monetaria expansionista.

Es difícil determinar cuál sería una política monetaria aceptable y cuál no. Una cosa es una economía en la que el banco central incrementa la oferta de dinero para promover el crecimiento económico (piense en el caso de Estados Unidos donde la baja en el tipo de cambio es consecuencia indirecta de la política monetaria expansionista) y otra cosa es una economía en la que el banco central interviene activamente en el mercados de divisas para depreciar su moneda, aumentar las exportaciones y robar la demanda de otros países (piense en el caso de China donde la baja en el tipo de cambio es el objetivo específico de la política principal). Aunque podríamos juzgar que la estrategia de EUA es aceptable y la práctica de China es inaceptable, es perfectamente comprensible que a los países que sufren los efectos inmediatos de la manipulación monetaria no les preocupe gran cosa cuál es el motivo detrás del fenómeno; todo lo que ven es que su moneda se aprecia y sus exportaciones y su crecimiento económico están amenazados. Sin embargo, hay que decir que el motivo subyacente sí importa: en los últimos años el mundo ha sufrido de una inadecuada demanda agregada y de mucho desempleo. Las preocupaciones relacionadas con una onerosa deuda gubernamental han provocado una renuencia para implementar políticas fiscales expansionistas (reducción de impuestos e incremento del gasto público) en Estados Unidos y Europa; por lo tanto, se depende exclusivamente de las políticas monetarias.

A continuación consideraremos el conflicto por manipulación monetaria entre Estados Unidos y China.

¿Es China un manipulador de moneda?

Las tensiones comerciales entre Estados Unidos y China se multiplicaron notablemente durante la primera década del siglo XXI. En 2009 el secretario del Tesoro de EUA, Timothy Geithner, dio nuevo impulso a la acusación estadunidense (sostenida durante ya mucho tiempo) de que la determinación de China de manipular su moneda afecta directamente a la economía de EUA. Geithner señalaba que, con el propósito de evitar la apreciación del yuan, el People's Bank of China había intervenido de manera radical, mediante la venta masiva de yuanes y la compra masiva de activos financieros nominados en dólares (como certificados del Tesoro de EUA).

Según este argumento, la política monetaria de China ha provocado que el yuan se mantenga notablemente infravalorado en comparación con el dólar, dando a los chinos una ventaja competitiva injusta. Un yuan infravalorado hace que las exportaciones de EUA a China sean mucho más costosas de lo que serían si el tipo de cambio estuviera determinado por las fuerza del mercado. Esta infravaloración daña la producción y los empleos estadunidenses en algunas industrias (como la textil, la de la ropa o la de los muebles) que tienen que competir con productos chinos artificialmente baratos. Un yuan infravalorado también hace que los artículos chinos sean más baratos para los consumidores estadunidenses, animándolos a importar más productos de China. Por consiguiente, China arrebata empleos a los trabajadores estadunidenses. Si el tipo de cambio dólar-yuan se fijara por las fuerzas del mercado en vez de ser manipulado por el banco central de China, el yuan se apreciaría bruscamente, incrementando el precio de las exportaciones chinas y quitando la presión a las industrias manufactureras estadunidenses. El inmenso superávit comercial que China mantiene con Estados Unidos y su inmensa acumulación de reservas de dólares se esgrimen como prueba de que China ha manipulado el valor de su moneda frente el dólar tan sólo para obtener una injusta ventaja competitiva. Por el bien de la estabilidad en las economías tanto de Estados Unidos como de China —y también por el bien de la economía mundial— sería indispensable, desde este punto de vista, actuar para que sean las fuerzas del mercado las que determinen la paridad dólar-yuan.

Otros analistas argumentan, por el contrario, que el vínculo entre el yuan y la salud del sector manufacturero estadunidense es muy leve o, de plano, inexistente: advierten que el proceso de transición por el que Estados Unidos ha ido alejándose del sector manufacturero es una tendencia de muy amplio alcance que va mucho más allá de la competencia que presentan las exportaciones de China. Los empleos se han ido reduciendo drásticamente porque las mejoras tecnológicas han generado trabajadores cada vez más productivos. Si Estados Unidos quiere hacer a sus trabajadores más competitivos con respecto a China, debe reformar su sistema educativo en vez de depender de los ilusorios beneficios relacionados con el tipo de cambio.

Por otro lado, detrás de la determinación de China de mantener un tipo de cambio estable frente al dólar, existe un razonamiento sólido: mientras que un tipo de cambio fijo sea mantenga en el rango de lo creíble, funcionará como un anclaje monetario eficaz para el nivel de precios internos de China. Después de que la inflación se disparó a más de 20 por ciento entre 1993-1995, el establecimiento del tipo de cambio fijo permitió a China recuperar la estabilidad en el nivel de precios.

Además, la intervención monetaria que practica China tiene también resultados positivos para la economía de EUA. China ha invertido enormemente en la deuda de EUA y esto ha ayudado a que las tasas de interés estadunidenses se mantengan bajas, permitiendo que las empresas estadunidenses hagan inversiones que serían muy poco atractivas si el costo de los préstamos fuera más alto. Tales inversiones incrementan la cantidad de capital disponible y hacen crecer el tamaño de la economía. Un yuan infravalorado también propicia una tasa de inflación inferior en Estados Unidos. China argumenta que su política de moneda indexada no pretende favorecer las exportaciones sobre las importaciones, sino más bien promover una aceptable estabilidad económica. Los funcionarios chinos advierten que muchos países en vías de desarrollo, incluyendo China, atan sus monedas al dólar en un tipo de cambio fijo para promover la estabilidad económica. Los dirigentes chinos temen que abandonar esta política de moneda indexada provocaría una crisis económica en China y dañaría de manera grave su sector de exportaciones justo cuando se están llevando a cabo difíciles reformas económicas (como el cierre de empresas estatales ineficientes y la reestructuración del sistema bancario). Los funcionarios chinos consideran, por otro lado, la estabilidad económica como un elemento absolutamente crucial para la estabilidad política: su mayor preocupación es que la apreciación del yuan cortaría empleos, reduciría los sueldos en varias industrias y provocaría descontento generalizado entre los trabajadores.

Ahora bien, ¿por que no recurrir al crecimiento salarial en vez de la apreciación del yuan para reducir el superávit comercial de China? A la larga, la apreciación de los tipos de cambio y el crecimiento salarial son sustitutos. Para el 2011, China estaba empezando a sufrir carencia de mano de obra conforme la fuerza laboral ya envejecida se jubilaba y la oferta de mano joven decrecía debido a la política del hijo único. La restricción a la emigración de los campesinos de las provincias interiores hacia las ciudades costeras donde están agrupadas todas las fábricas, también ha contribuido a la escasez de mano de obra. Presionar a China para que permita la apreciación de su yuan podría resultar contraproducente: si los empleadores chinos temen que el yuan se aprecie en el futuro en grado tal que reduzca su competitividad internacional, entonces estarán renuentes a conceder grandes aumentos salariales en el presente. Al momento de redactar de este texto, en 2014, aún está por verse cómo se desarrollará el conflicto monetario entre EUA y China.

CRISIS MONETARIAS

Una falla del sistema monetario internacional es que en años recientes las grandes crisis monetarias han sido bastante comunes. Una **crisis monetaria**, también llamada **ataque especulativo**, se refiere a la situación en la que una moneda débil registra una fuerte presión para su venta. Existen varios indicadores de esta presión. Uno son las pérdidas cuantiosas de reservas de divisas que tiene el banco central de un país. Otro es la depreciación de los tipos de cambio en el mercado de futuros, en el cual los compradores y los vendedores se comprometen a cambiar su moneda en una fecha futura y no de inmediato. Por último, en casos extremos de una inflación desbocada, la presión para vender consiste en una huida de la moneda nacional hacia una divisa o hacia bienes que las personas piensan que conservarán su valor, como el oro o los bienes inmuebles. La experiencia muestra que las crisis monetarias pueden reducir el crecimiento del producto interno bruto de un país 6% o más. En la mayoría de los países es como si perdieran uno o dos años de crecimiento económico. La tabla 15.5 contiene algunos ejemplos de crisis monetarias.

La crisis monetaria llega a su fin cuando se detiene la presión por vender. Una forma de terminar con la presión es devaluar la moneda; es decir, establecer un nuevo tipo de cambio a un nivel de depreciación suficiente. Por ejemplo, el banco central de México dejaría de cambiar pesos por dólares al tipo anterior de diez pesos por dólar y establecer un nuevo nivel de 20 pesos por dólar. Otra forma de poner fin a la presión por vender consiste en adoptar un tipo de cambio flotante. La flotación permite que el tipo de cambio "encuentre su nivel", que casi siempre significa una depreciación en comparación con el tipo anterior indexado. La devaluación y el permitir la depreciación provocan que las divisas y los bienes extranjeros sean más costosos en términos de la moneda nacional, lo que suele reducir la demanda de divisas, poniendo fin al desequilibrio que desató la presión por vender. No obstante, en algunos casos, sobre todo cuando la confianza en la moneda es poca, la crisis prosigue y se presentan otras rondas de devaluación o depreciación.

CONFLICTOS COMERCIALES LA CRISIS FINANCIERA MUNDIAL DE 2007-2009

Las crisis económicas tienden a ocurrir casi cada década y ocurren en países diversos, desde Suecia hasta Argentina, desde Rusia hasta Corea, desde Japón hasta Estados Unidos. Cada crisis es única y, sin embargo, cada una se parece un poco a las demás. En general, las crisis económicas han sido causadas por ciertos factores como la reacción exagerada de los mercados, el apalancamiento excesivo de deuda, la rápida proliferación del crédito, los errores de cálculo de riesgo, los rápidos flujos de capital saliente de un país y las políticas macroeconómicas no sustentables.

En el caso de la crisis económica mundial de 2007-2009, cuando reventó la burbuja hipotecaria en EUA se dio un vertiginoso aumento en las ejecuciones hipotecarias y pronto se provocó una crisis financiera y económica mundial. En consecuencia, algunos de los bancos más grandes y prestigiosos, así como sociedades de inversión y compañías de seguros se declararon en quiebra o tuvieron que ser rescatados financieramente. En la industria automotriz, General Motors y Chrysler declararon la quiebra y fueron nacionalizados por el gobierno estadunidense. Muchos culparon a Estados Unidos por la crisis y vieron en este país un ejemplo de los excesos de una nación que no practicaba principios financieros sólidos.

La crisis económica mundial probó, en todo caso, un punto importante: Estados Unidos es un centro muy importante del mundo financiero. Las crisis financieras regionales, como la crisis financiera asiática de 1997-1998, pueden ocurrir sin contagiar seriamente al resto del sistema financiero mundial. Cuando el sistema financiero de EUA se colapsa, sin embargo, tiende a arrastrar en su caída a sectores muy importantes del resto del sistema financiero mundial. La razón es que Estados Unidos es el garante principal del sistema financiero internacional; es el proveedor de dólares, es decir, la moneda de reserva más ampliamente usada en el mundo, el fundamental medio internacional de intercambio y un participante fundamental de gran parte del capital financiero que gira alrededor del mundo en busca de rendimientos más altos. Es posible que el resto del mundo no lo aprecia en su cabal dimensión, pero una crisis financiera en Estados Unidos adquiere muy a menudo dimensiones mundiales.

La crisis financiera que comenzó en Estados Unidos se extendió rápidamente a otros países industrializados, así como a los mercados y las economías emergentes. Los inversionistas retiraron su capital de muchos países, incluso de aquellos con bajos niveles percibidos de riesgo y causaron que los valores de las acciones y las monedas nacionales cayeran en picada. El desplome en las exportaciones y los precios de los productos básicos contribuyeron a agudizar el problema y empujaron a las economías en todo el mundo hacia una recesión o hacia un período de lento crecimiento. Cuando las economías de todo el mundo se deterioraron, quedó claro que ni Estados Unidos ni los demás países podrían salir de la recesión valiéndose sólo de sus exportaciones: no había ninguna economía suficientemente grande que pudiera fungir de motor económico para sacar a los otros países de su letargo económico.

La crisis mundial se desarrolló en dos niveles. El primer nivel se dio entre los países industrializados del mundo donde ocurrió la mayoría de las pérdidas financieras debido a la deuda hipotecaria *subprime*, al excesivo apalancamiento en las inversiones y al capital inadecuado que avalaba a las instituciones financieras. El segundo nivel de la crisis se dio entre los mercados emergentes y otras economías que no eran sino espectadores inocentes de la crisis pero que tenían economías suficientemente débiles como para resultar impactadas por las actividades en los mercados globales. Estas naciones tenían fuentes insuficientes de capital y tuvieron que pedir ayuda al Fondo Monetario Internacional, al Banco Mundial y a las naciones con superávit de capital como Japón.

Para poder afrontar esta crisis financiera mundial, Estados Unidos y otros países intentaron detener el contagio, minimizar las pérdidas sociales, restituir la confianza en las instituciones y los instrumentos financieros y engrasar las ruedas de sus economías de manera que fueran de nuevo completamente operativas. Para conseguir estos objetivos, algunos países como Estados Unidos, China, Corea del Sur, España, Suecia y Alemania implantaron una variedad de medidas como:

- Inyectar capital a través de préstamos o compras de acciones para prevenir la quiebra de las instituciones financieras.
- Incrementar los límites de seguridad de depósito para reducir los retiros excesivos en los bancos.
- Comprar la deuda tóxica de instituciones financieras al borde del incumplimiento con el propósito de que empezarían a conceder préstamos otra vez.
- Coordinar las reducciones en las tasas de interés de los bancos centrales para inyectar liquidez a la economía.
- Implantar políticas fiscales de estímulo para contrarrestar la decreciente demanda agregada.

En la Cumbre G-20 sobre Mercados Financieros y la Economía Mundial, en noviembre de 2008, los países participantes reconocieron que una crisis económica no era

iStockphoto.com/photosoup

(continúa)

(continuación)

simplemente una aberración que podía ser arreglada con pequeños cambios al sistema general: no parecía existir, más bien, ningún mecanismo internacional capaz de poder lidiar con las crisis mundiales ni prevenir su surgimiento. Los países llegaron a la conclusión de que se requieren cambios importantes en el sistema financiero mundial para reducir riesgos, mantener vigilancia financiera e implementar un sistema de alerta avanzada ante crisis financieras inminentes. Las reformas que se necesi-

tan sólo funcionarán si se fundamentan en un serio compromiso con los principios de libre mercado. El grado en que Estados Unidos y los demás países estén dispuestos a modificar profundamente sus sistemas financieros aún está por verse.

Fuente: Dick Nanto, *The Global Financial Crisis: Analysis and Policy Implications*, 3 de abril de 2009, Congressional Research Service, U.S. Library of Congress, Washington, DC, U.S. Government Printing Office.

TABLA 15.5

Ejemplos de crisis monetarias

- **México, diciembre de 1994-1995.** El banco central de México mantuvo el valor del peso dentro de una banda que depreciaba la moneda 4% al año frente al dólar. A efecto de reducir las tasas de interés sobre su deuda, el gobierno mexicano empezó a emitir deuda ligada al dólar en abril de 1994. La cantidad de esta deuda pronto excedió las reservas internacionales de divisas del banco central. El levantamiento armado en el estado de Chiapas llevó a un ataque especulativo contra el peso. A pesar de que el gobierno devaluó el peso 15% ampliando la banda, la crisis persistió. Entonces el gobierno dejó flotar el peso, que se depreció de 3.46 por dólar antes de la crisis a más de 7 por dólar. Al término de la crisis, el gobierno de Estados Unidos y el FMI se comprometieron a otorgar préstamos a México por 49 mil millones de dólares. La economía mexicana registró una depresión y un problema bancario que llevó al gobierno al rescate de estas instituciones.

- **Rusia, 1998.** El gobierno ruso estaba pagando altas tasas de interés sobre su deuda a corto plazo. La caída de los precios del petróleo, una mayor exportación, y una economía débil también contribuyeron a ataques especulativos contra el rublo, que estaba sujeto a una banda deslizable oficial frente al dólar. Aun cuando el FMI autorizó préstamos por 11 mil millones de dólares para Rusia y que el gobierno ruso amplió la banda del rublo 35%, la crisis persistió, lo que condujo a la flotación del rublo y a su depreciación frente al dólar en 20%. A continuación Rusia cayó en recesión y registró una burbuja inflacionaria. Muchos bancos cayeron en la insolvencia. El gobierno incumplió el pago de su deuda nominada en rublos e impuso una moratoria para los pagos de la deuda extranjera que debía realizar el sector privado.

- **Turquía, 2001.** La lira turca estaba sujeta a un ajuste gradual oficial, diseñado por el FMI, frente al dólar. En noviembre de 2000, los rumores respecto a una investigación penal a 10 bancos paraestatales condujeron a un ataque especulativo contra la lira. Las tasas de interés interbancarias aumentaron a 2,000%. El banco central intervino entonces. Ocho bancos cayeron en la insolvencia y fueron estatizados. Las intervenciones del banco central habían infringido el acuerdo de Turquía con el FMI, pero esta institución prestó a Turquía 10,000 millones de dólares. En febrero de 2001, una disputa entre el presidente y el primer ministro provocó que los inversionistas perdieran confianza en la estabilidad del gobierno de coalición del país. Las tasas de interés interbancarias aumentaron a 7,500%. Ante la situación, el gobierno impuso la flotación de la lira y la moneda se depreció de 668,000 por dólar antes de la crisis a 1.6 millones por dólar para octubre de 2001. La economía turca se estancó y la inflación se disparó a 60%.

Fuente: Tomado de Kurt Schuler, *Why Currency Crisis Happen*, Joint Economic Committee, U.S. Congress, enero de 2002.

Las crisis monetarias que terminan en devaluaciones o depreciaciones aceleradas a veces se llaman **caídas de la moneda**, pero no todas las crisis terminan en choques. Una manera de tratar de poner fin a la presión por vender en una crisis, pero sin sufrir una caída, es imponer restricciones a la capacidad de las personas para comprar y vender divisas. No obstante, estos controles crean oportunidades de lucro para las personas que encuentran la manera de eludirlos, de modo que con el transcurso del tiempo los controles pierden efectividad, a no ser que las imponga la intrusión de la burocracia. Otra manera de poner fin a la presión por vender consiste en que la autoridad monetaria obtenga un crédito para aumentar las reservas de divisas. Los países que quieren incrementar sus reservas de divisas con frecuencia piden un préstamo al FMI. Si bien el préstamo puede ser una ayuda temporal, también puede demorar la presión por vender en lugar de acabar con ella. La última forma de acabar con la presión por vender consiste en restaurar la confianza en el tipo de cambio existente, por ejemplo anunciando cambios adecuados y creíbles en la política monetaria.

Fuentes de las crisis monetarias

¿Por qué ocurren las crisis monetarias?[5] Una explicación popular es que los grandes especuladores monetarios instigan las crisis para sacar provecho de ellas. El especulador monetario más conocido del mundo, George Soros, ganó más de 2,000 millones de dólares en 1992 especulando contra las monedas europeas. No obstante, la especulación también puede producir enormes pérdidas. George Soros se retiró en el 2000, después de haber perdido cerca de 2,000 millones de dólares a consecuencia de una mala especulación. No obstante, la especulación monetaria no es sólo una actividad de los grandes especuladores. Millones de personas comunes y corrientes también especulan cuando guardan divisas extranjeras en sus billeteras, debajo de sus colchones y demás. Millones de pequeños especuladores pueden mover los mercados tanto como los grandes especuladores. En pocas palabras, las crisis monetarias no son causadas sólo por los grandes especuladores monetarios que surgen de la nada. Debe existir una razón subyacente que explique por qué ocurren las crisis monetarias.

Una fuente de una crisis monetaria son los déficits presupuestales financiados con inflación. Si el gobierno no puede financiar fácilmente su déficit presupuestal mediante un incremento de impuestos o tomando préstamos, podría presionar al banco central para que lo financie creando más dinero. Esta creación de dinero incrementa la oferta de dinero a mayor velocidad que el crecimiento de la demanda, provocando así la inflación. Los déficits presupuestales financiados con inflación al parecer representaron la esencia de muchas crisis monetarias hasta la década de los ochenta. Sin embargo, para la década de los noventa parecía que esta explicación no era completa. En las crisis monetarias registradas en Europa entre 1992-1993, los déficits presupuestales en la mayoría de los países afectados negativamente fueron pequeños y sustentables. Es más, la mayoría de los países del este de Asia afectados por la crisis monetaria de 1997-1998 registraban superávits presupuestales y un fuerte crecimiento económico. Por tanto, los economistas han buscado otras explicaciones para las crisis monetarias.

Los sistemas financieros débiles también pueden provocar crisis monetarias. Los bancos débiles pueden desatar ataques especulativos si las personas piensan que el banco central rescatará a los bancos, aun cuando hacerlo les cueste gastar gran parte de sus reservas de divisas. La promesa explícita o implícita de rescatar a los bancos es una forma de riesgo moral (una situación en la que las personas no pagan el costo completo de sus errores). Cuando las personas sienten temor respecto al valor futuro de la moneda nacional, la venden para obtener divisas más estables.

Algunas de las grandes crisis monetarias registradas en los pasados 20 años han ocurrido en países que recién desregularon sus sistemas financieros. Antes, muchos gobiernos utilizaban la regulación financiera para canalizar la inversión hacia salidas favorecidas en el ámbito político. A cambio, restringían la competencia entre los bancos, las compañías de seguros, etc. Las utilidades obtenidas de la competencia restringida subsidiaban las inversiones dirigidas por el gobierno que no eran rentables. La desregulación alteró el mapa, porque redujo la capacidad del gobierno para dirigir las inversiones y permitió mayor competencia entre las instituciones. No obstante, los gobiernos no pudieron garantizar que, en el nuevo entorno de una mayor libertad para cosechar los premios del éxito, las instituciones financieras también cargaran con una mayor responsabilidad por el fracaso. Por tanto, las instituciones financieras cometieron errores en el desconocido entorno de la desregulación, fracasaron y fueron rescatadas a expensas de la gente. Esto despertó el temor de la gente por el valor futuro de la moneda nacional y provocó que la vendieran para obtener divisas más estables.

Una economía débil puede desatar una crisis monetaria porque despierta dudas acerca de la decisión del gobierno y del banco central de continuar con la política monetaria si prosigue la debilidad. Una economía débil se caracteriza por el decreciente crecimiento del PIB per cápita, una tasa

---

[5] Kurt Schuler, *Why Currency Crises Happen*, Joint Economic Committee, U.S. Congress, enero de 2002.

creciente de desempleo, un mercado de valores a la baja y un comportamiento decreciente de las exportaciones. Si la gente espera que el banco central incremente la oferta monetaria para estimular la economía, podría sentir temor respecto al valor futuro de la moneda nacional y empezar a venderla en los mercados de divisas.

Los factores políticos también pueden provocar crisis monetarias. Históricamente, los países en desarrollo tienden más a las crisis monetarias que los desarrollados, porque suelen tener un estado de derecho más débil, gobiernos más propensos a ser derrocados por la fuerza, bancos centrales que no son independientes en términos políticos y otras características que crean incertidumbre política respecto de la política monetaria.

Los factores externos son otra fuente de crisis monetarias. Por ejemplo, un incremento de las tasas de interés de las principales divisas puede desatar una crisis monetaria si un banco central se resiste a incrementar las tasas de interés que cobra. Los fondos en la moneda local se pueden ir a divisas, disminuyendo las reservas del banco central a niveles inaceptablemente bajos y, por tanto, presionando al gobierno para que devalúe su moneda si está indexada. Es más, un importante choque externo que altere la economía, como una guerra o un alza en el precio del petróleo importado, también desata una crisis monetaria. Históricamente, los choques externos han sido una característica fundamental de muchas crisis monetarias.

Por último, la elección de un sistema cambiario también afecta la posibilidad de que ocurran crisis monetarias y de cómo se presenten. En años recientes la fijación del valor de la moneda nacional a la de un país grande y con baja inflación ha adquirido popularidad en razón de que ayuda a mantener controlada la inflación porque la tasa de inflación de los bienes intercambiados en el ámbito internacional se liga a la que existe en el país ancla. Por ejemplo, antes de 2002, el tipo de cambio del peso argentino estaba indexado a un peso por dólar estadunidense. Por tanto, una tonelada de maíz vendida en el mercado mundial a 4 dólares, tenía un precio de 4 pesos. Si la gente espera que este tipo de cambio sea inmutable, el tipo fijo ofrece la ventaja extra que ancla las expectativas de inflación de Argentina a la tasa de inflación de Estados Unidos, país que tiene una inflación relativamente baja.

No obstante la ventaja de que un sistema de tipos de cambio fijos produce una inflación relativamente baja, también provoca que los países sean más vulnerables a ataques especulativos contra sus monedas. Recuerde que para preservar los tipos de cambio fijos se requiere que los gobiernos compren o vendan moneda nacional a cambio de divisas a un tipo de cambio meta. Esto obliga al banco central a mantener una cantidad de reservas internacionales suficiente para satisfacer la demanda de la gente que quiere vender la moneda nacional a cambio de las divisas al tipo de cambio fijo. Si la gente piensa que las existencias de las reservas internacionales del banco central han disminuido al grado en que no podrá satisfacer la demanda para vender al tipo de cambio fijo la moneda nacional por la divisa, se anticipará una devaluación de la moneda nacional. Esta anticipación puede producir un ataque especulativo contra las reservas remanentes de divisas internacionales del banco central. El ataque consiste en ventas enormes de la moneda nacional a cambio de la divisa de modo que el decremento de las reservas internacionales se acelera y se presenta una devaluación en razón de la reducción de las reservas. No es extraño que las crisis monetarias recientes más importantes hayan ocurrido en países que tienen tipos de cambio fijos pero que exhiben una falta de voluntad política para corregir los problemas económicos existentes.

A continuación se analizará cómo los ataques especulativos contra las monedas de países del este de Asia contribuyeron a una enorme crisis monetaria.

Los especuladores atacan las monedas de los países de Asia Oriental

Las autoridades de Tailandia, después de mantener el baht atado al dólar estadunidense durante más de diez años, abandonaron la indexación en julio de 1997.[6] Para octubre, las fuerzas del mercado

---

[6] Ramón Moreno, "Lessons from Thailand", *Economic Letter*, Federal Reserve Bank of San Francisco, 7 de noviembre de 1997.

habían provocado que el baht se depreciara 60% frente al dólar. La depreciación desató una ola de especulación contra otras monedas del sudeste de Asia. En este mismo periodo, la rupia de Indonesia, el ringgit de Malasia, el peso de Filipinas y el won de Corea del Sur se habían desvinculado del dólar y se habían depreciado 47%, 35%, 34% y 16%, respectivamente. Este episodio volvió a plantear una de las polémicas más viejas de la economía: si una moneda debe tener un tipo de cambio fijo o uno flotante. Vea el caso de Tailandia.

Si bien se consideraba que Tailandia era uno de los países del sudeste de Asia que había tenido mejor actuación a lo largo de las décadas de los ochenta y noventa, el país dependió mucho del ingreso de capital extranjero de corto plazo, atraído por la estabilidad del baht y las tasas de interés del país, que eran mucho más altas que las ofrecidas por otras naciones. La entrada de capital sustentó un auge económico general que fue especialmente visible en el mercado de los bienes raíces.

Sin embargo, el auge económico de Tailandia se había apagado en 1996 y, en consecuencia, los inversionistas nacionales y extranjeros se pusieron nerviosos y empezaron a retirar sus fondos del sistema financiero tailandés, presionando al baht a la baja. No obstante, el gobierno tailandés resistió la presión para aplicar una depreciación y compró bahts con dólares en el mercado de divisas, al mismo tiempo que incrementó las tasas de interés para aumentar el atractivo del baht. Sin embargo, la compra de bahts redujo de forma considerable las reservas monetarias de Tailandia. Es más, el aumento de las tasas de interés afectó negativamente a un sector financiero de por sí debilitado, porque redujo la actividad económica. Al final de cuentas, estos factores contribuyeron a que el baht dejara de estar indexado al dólar.

Tailandia y otros países del sudeste de Asia abandonaron los tipos de cambio fijos en 1997, pero algunos economistas se preguntaron si esta política les resultaría benéfica a largo plazo. Argumentaban que estas economías eran relativamente pequeñas y que estaban muy abiertas a los flujos del comercio y la inversión internacionales. Es más, las tasas de inflación eran módicas, de acuerdo con parámetros de un país en desarrollo, y los mercados de trabajo eran relativamente flexibles. Es decir, los tipos de cambio con flotación libre probablemente no representaban la mejor opción a largo plazo. De hecho, estos economistas afirmaban que, a no ser que los gobiernos del sudeste de Asia anclaran sus monedas a algo, éstas podrían caer en un círculo vicioso de depreciación y mayor inflación. Sin duda que existía la idea de que los bancos centrales de la región carecían de la credibilidad necesaria para aplicar políticas monetarias estrictas, sin la limitación exterior de un tipo de cambio fijo. En pocas palabras, ni los tipos de cambio fijos ni los flotantes ofrecían una solución mágica. Lo que realmente hace una diferencia en la perspectiva de un país es la calidad de todas las políticas económicas que aplica.

CONTROLES DE CAPITAL

Dado que los flujos de capitales muchas veces han sido un elemento importante de las crisis monetarias, se han establecido controles para su movimiento de modo que apoyen los tipos de cambio fijos y, así, se eviten los ataques especulativos contra las monedas. Los **controles de capital**, también llamados **controles de cambio**, son barreras que impone el gobierno a los ahorradores extranjeros que invierten en los activos del país (por ejemplo, bonos del gobierno, acciones o depósitos bancarios) o a los ahorradores nacionales que invierten en activos extranjeros. En un extremo, el gobierno puede buscar mayor control de su posición de pagos esquivando directamente las fuerzas del mercado mediante la imposición de controles directos sobre las transacciones internacionales. Por ejemplo, un gobierno que tiene prácticamente el monopolio de las operaciones de divisas podría exigir que todos los ingresos de divisas sean entregados a operadores autorizados. A continuación el gobierno distribuirá las divisas entre los agentes y los inversionistas nacionales a precios establecidos por él.

La ventaja de este sistema es que el gobierno puede influir en su posición de pagos porque regula la cantidad de divisas asignadas a las importaciones o a las salidas de capital, limitando el volumen de estas transacciones. Los controles de capital también permiten que el gobierno estimule o desincentive ciertas transacciones al ofrecer distintos tipos de cambio para divisas con diferentes propósitos. Es más, los controles de capital permiten que las políticas monetarias y fiscales del país gocen de mayor libertad en su función estabilizadora. Al controlar la balanza de pagos por medio de los controles de capital, un gobierno puede aplicar políticas económicas internas sin temor a repercusiones en la balanza de pagos.

En México y el este de Asia, los ataques especulativos se debieron, en parte, a grandes cambios en las salidas y entradas de capital. Por ello, algunos economistas y políticos eran partidarios de restringir los movimientos de capital en países en desarrollo. Por ejemplo, Mahathir, el primer ministro de Malasia, impuso límites para la salida de capitales en 1998, con el propósito de que la economía pudiera recuperar su estabilidad financiera.

Si bien la restricción de la salida de capitales parece atractiva, no deja de presentar varios problemas. Hay evidencia de que estas salidas se pueden incrementar después de que se aplican los controles, porque la confianza en el gobierno se debilita. Asimismo, la restricción de la salida de capitales muchas veces produce evasión, dado que los funcionarios públicos son sobornados para permitir a ciertos habitantes del país enviar fondos al exterior. Por último, los controles de capital podrían brindar a los funcionarios públicos un sentimiento de falsa seguridad porque no tienen que reformar sus sistemas financieros para superar la crisis.

Aun cuando los economistas suelen tener dudas respecto de los controles de la salida de capitales, más bien apoyan los controles de la entrada de capitales. Los partidarios de esta política sostienen que si el capital especulativo no puede ingresar a un país, entonces no podrá abandonarlo súbitamente y crear una crisis. Señalan que la crisis financiera registrada en el este de Asia en 1997-1998 ilustró que la entrada de capitales puede llevar a una enorme actividad crediticia, a que la banca nacional corra riesgos excesivos y, a final de cuentas, a la crisis financiera. No obstante, la restricción de la entrada de capitales es muy problemática porque puede impedir que ingresen al país fondos que, de lo contrario, se emplearían para financiar inversiones productivas. Además, los límites para la entrada de capitales rara vez son efectivos porque el sector privado encuentra la manera de eludirlos y de introducir fondos al país.[7]

¿Se deberían gravar las operaciones de divisas?

La crisis financiera registrada en el este de Asia en 1997-1998, cuando varias naciones tuvieron que abandonar sus sistemas de tipos de cambio fijos, produjo la exigencia de una mayor estabilidad y regulación gubernamental de los mercados de divisas. De hecho, se culpó a la volatilidad de los mercados de gran parte de los problemas que asolaron a la región.

Los economistas suelen argumentar que el libre mercado es el mejor instrumento para determinar la cantidad de dinero que se debe invertir. Los mercados globales de capital proporcionan a los países necesitados los fondos para crecer, al mismo tiempo que permiten que los inversionistas extranjeros diversifiquen sus portafolios. Sostienen que, si se permite que el capital fluya libremente, los mercados premiarán a los países que apliquen políticas económicas sanas y que presionarán a los demás para que hagan lo mismo. De hecho, la mayoría de los países aceptan gustosos, y hasta fomentan, la entrada de capital, como la inversión extranjera directa en fábricas y empresas, porque representa compromisos de largo plazo. Sin embargo, ahora algunos expresan escepticismo acerca de instrumentos financieros, como acciones y bonos, depósitos bancarios y títulos de deuda a corto plazo, que se pueden sacar de un país oprimiendo una tecla de computadora. Esto es lo que ocurrió en el este de Asia en 1997, en México en 1994 y 1995 y en el Reino Unido e Italia en 1992 y 1993.

A efecto de evitar las crisis financieras internacionales varios economistas destacados han pedido que se frenen las ruedas de las finanzas internacionales gravando un impuesto sobre las operaciones en divisas. La idea es que un impuesto incrementaría el costo de estas operaciones y ello desalentaría las respuestas masivas a cambios menores en la información acerca de la situación económica y, por

---

[7] Sebastian Edwards, "How Effective Are Capital Controls?", *Journal of Economic Perspective*, vol. 13, núm 4, invierno de 2000, pp. 65-84.

lo mismo, disminuiría la volatilidad cambiaria. Los partidarios de este impuesto argumentan que daría a los operadores un incentivo para analizar las tendencias de la economía a largo plazo, y no sólo las corazonadas de corto plazo, cuando compraran y vendieran divisas y valores. Los operadores tendrían que pagar un pequeño impuesto, por decir, de 0.1% sobre cada operación, de modo que no comprarán ni venderán a no ser que los rendimientos esperados justificaran el gasto adicional. Una menor cantidad de operaciones sugiere menos volatilidad y tipos de cambio más estables.

Los partidarios del impuesto tal vez afirmen que no estarían tratando de intervenir en los mercados libres y que sólo procurarían evitar una volatilidad excesiva. No obstante, no se sabe cómo se mediría una volatilidad excesiva o irracional. Ciertamente, los economistas no pueden explicar toda la volatilidad cambiaria en términos de los cambios en los fundamentos económicos de las naciones, pero eso no quiere decir que se deba tratar de regular estas fluctuaciones. De hecho, la incertidumbre respecto de las políticas públicas bien podría causar parte de esta volatilidad.

La idea de gravar las operaciones de divisas tiene otros inconvenientes. Tal gravamen impondría una carga a los países que toman préstamos bastante racionales en el exterior. Si se incrementa el costo del capital para esos países, ello desincentivaría la inversión y demoraría su desarrollo. Además, un impuesto sobre las operaciones de divisas sería difícil de aplicar. Las operaciones de divisas se pueden realizar prácticamente en cualquier lugar del mundo y un convenio universal para gravar este impuesto es algo poco probable. Los países que se negaran a gravar el impuesto serían centro de operaciones de divisas.

MAYOR CREDIBILIDAD PARA LOS TIPOS DE CAMBIO FIJOS

Como hemos visto, cuando los especuladores piensan que un banco central no puede defender el tipo de cambio de una moneda débil, venden la moneda nacional para obtener divisas más estables. ¿Hay manera de convencer a los especuladores de que el tipo de cambio no cambiará? El propósito explícito de los consejos monetarios y la dolarización es mantener los tipos de cambio fijos y, con ello, evitar las crisis monetarias.

Consejo monetario

Un **consejo monetario** es una autoridad monetaria que gira billetes y monedas que se pueden convertir a una moneda extranjera ancla a un tipo de cambio *fijo*. La divisa ancla es una moneda que se elige en razón de su aceptación internacional y estabilidad esperada. En el caso de muchos consejos monetarios, el dólar estadunidense o la libra inglesa han sido elegidos como la divisa ancla; otros consejos monetarios han usado el oro como ancla. Por lo habitual, el tipo de cambio fijo es establecido por ley, provocando que las modificaciones del tipo de cambio resulten muy costosas para los gobiernos. En pocas palabras, los consejos monetarios ofrecen la forma más firme posible de un tipo de cambio fijo, excepción hecha de una unión monetaria completa.

El compromiso de cambiar la moneda nacional por una divisa extranjera a un tipo de cambio fijo requiere que el consejo monetario cuente con una cantidad suficiente de divisas para honrar su compromiso. Esto significa que sus reservas de la divisa deben ser equivalentes, cuando menos, a 100% de sus billetes y monedas en circulación, según lo establecido por ley. Un consejo monetario puede operar en lugar de un banco central o como emisor paralelo al lado de un banco central existente. Por lo habitual, un consejo monetario adopta el papel de un banco central para fortalecer la moneda de un país en desarrollo.

Por su diseño, un consejo monetario no goza de facultades discrecionales. Sus operaciones son enteramente pasivas y automáticas. La única función de un consejo monetario es cambiar sus billetes y monedas por la moneda ancla a un tipo fijo. A diferencia de un banco central, el consejo monetario no presta dinero al gobierno nacional, a las empresas nacionales ni a los bancos nacionales. En el caso de un sistema con un consejo monetario, el gobierno sólo puede financiar su gasto gravando impuestos o tomando préstamos, pero no imprimiendo dinero, con lo que creará inflación. Esto se debe a la estipulación de que la moneda del país debe estar respaldada, cuando menos, a 100%.

El país que adopta un consejo monetario coloca su política monetaria en piloto automático. Es como si el presidente del consejo de gobernadores del Sistema de la Reserva Federal fuera sustituido por una computadora personal. Cuando la moneda ancla entra en el país, el consejo gira moneda nacional y las tasas de interés disminuyen; cuando la moneda ancla sale del país, las tasas de interés aumentan. El gobierno sólo se sienta a observar, incluso si las tasas de interés se disparan a las nubes y se presenta una recesión.

Numerosos economistas sostienen que, sobre todo en el mundo en desarrollo, los bancos centrales no son capaces de conservar su independencia de la política y, por lo mismo, generan menos confianza de la que se necesita para el buen funcionamiento de un sistema monetario. Responden a las prerrogativas del populismo o la dictadura y están sujetos a los avatares de los cambios políticos. El fondo del asunto es que los bancos centrales no deben cargar con la onerosa responsabilidad de mantener el valor de las monedas. Esta tarea debe quedar en manos de una entidad independiente, cuyo único mandato sea girar moneda contra un conjunto de directrices estrictas e inalterables que requieren que un volumen fijo de divisas extranjeras o de oro sean depositados por cada unidad de la moneda nacional que se gire.

Los consejos monetarios pueden conferir una credibilidad considerable a los sistemas de tipos de cambio fijos. La aportación más vital que un consejo monetario puede hacer para la estabilidad del tipo de cambio es imponer disciplina al proceso de la creación de dinero. El resultado es una mayor estabilidad de los precios internos lo que, a su vez, estabiliza el valor de la moneda del país. En pocas palabras, los principales beneficios del sistema de consejo monetario son:

- Permitir que el régimen monetario y del tipo de cambio de un país estén más limitados a reglas y sean más previsibles
- Imponer un límite superior a la oferta de la base monetaria del país
- Frenar las tendencias de la economía hacia la inflación
- Obligar al gobierno a restringir su endeudamiento a la cantidad que los prestamistas extranjeros y nacionales están dispuesto a prestarle a tasas de interés de mercado
- Engendrar confianza en la solidez del dinero del país, asegurando con ello a los ciudadanos y a los inversionistas extranjeros que la moneda nacional siempre se podría cambiar por otra divisa fuerte
- Crear confianza y promover el comercio, la inversión y el crecimiento económico

Los partidarios citan a Hong Kong como país que se ha beneficiado de tener un consejo monetario. A principios de la década de los ochenta, Hong Kong tenía un tipo de cambio flotante. La causa inmediata de los problemas económicos de Hong Kong fue la incertidumbre sobre su futuro político. En 1982, el Reino Unido y China iniciaron conversaciones en torno a la suerte de Hong Kong después de que el título de dominio del Reino Unido sobre el territorio expirara en 1997. El temor de que China abandonara el sistema capitalista de Hong Kong hizo que su mercado de valores cayera 50%. El mercado de bienes raíces también se debilitó y los bancos pequeños con gran exposición en bienes raíces sufrieron problemas. El resultado fue una depreciación de 16% del dólar de Hong Kong frente al de Estados Unidos. Ante esta pérdida de confianza, muchos comerciantes se negaron a aceptar dólares de Hong Kong y cotizaban sus precios en dólares estadunidenses. Las compras de pánico de aceite vegetal, arroz y otros bienes básicos dejaron vacíos los anaqueles de las tiendas.

En 1983, el gobierno de Hong Kong puso fin a su crisis económica cuando anunció que adoptaría un sistema de consejo monetario. Indexó su tipo de cambio a 7.8 dólares de HK = 1 dólar estadunidense. La reforma monetaria de inmediato revirtió la falta de confianza respecto de la economía de Hong Kong a pesar de que siguieron los problemas en las pláticas entre el Reino Unido y China. Una moneda estable sentó las bases para que el veloz crecimiento económico de Hong Kong prosiguiera.

Dado que el consejo monetario tiene el compromiso legal de intercambiar la moneda del país por una divisa a un tipo de cambio fijo y de girar dinero sólo cuando está respaldado por reservas de divisas, puede representar un buen camino para restaurar la confianza en un país asolado por el caos económico. Si bien un consejo monetario no puede resolver todos los problemas económicos de un país, podría tener mayor credibilidad financiera que el banco central.

Aun cuando los consejos monetarios contribuyen a disciplinar el gasto público, reduciendo así una fuente importante de inflación en los países en desarrollo, existen ciertas preocupaciones en torno a ellos. La objeción más común sería que un consejo monetario no permite que el país siga una política monetaria discrecional y, con ello, disminuye su independencia económica. Asimismo, en ocasiones se afirma que el sistema de un consejo monetario es susceptible a los pánicos financieros, porque carece de un prestamista de último recurso. Otra objeción es que el sistema de un consejo monetario crea una relación colonialista con la divisa ancla. Los críticos citan la experiencia de las colonias británicas, que operaron con sistemas de consejo monetario desde principios del siglo XX.

El sistema monetario de una nación puede ser ordenado y disciplinado con un consejo monetario y también con un sistema de banco central. Sin embargo, ninguno de los dos sistemas garantiza que haya orden o disciplina. La eficacia de ambos sistemas depende de otros factores, como la disciplina fiscal y un sistema bancario sólido. Es decir, lo que permite que haya una moneda sólida y tipos de cambio estables es toda una red de políticas e instituciones de apoyo responsable y recíproco. Ningún régimen monetario, sin importar cuán bien concebido esté, puede cargar con todo el peso.

El consejo monetario no es panacea para Argentina

Durante gran parte del tiempo transcurrido después de la Segunda Guerra Mundial, cuando la prensa financiera hablaba de Argentina, era para referirse a brotes de una inflación muy alta y de fallidos esfuerzos por conseguir la estabilización. La hiperinflación estuvo desatada en las décadas de los setenta y ochenta, y los precios aumentaron más de 1,000% en 1989 y en 1990.

En 1991, para reducir la tendencia a financiar el gasto público emitiendo más dinero, Argentina impuso la convertibilidad del peso a dólares, a un tipo de cambio fijo de uno a uno. Para controlar la emisión de dinero, los argentinos abandonaron el régimen monetario basado en un banco central porque, en su opinión, carecía de credibilidad y constituyeron un consejo monetario. Con este arreglo, sólo se podría emitir dinero si el consejo monetario tenía un monto equivalente de dólares.

El tipo de cambio fijo y el consejo monetario estaban diseñados para garantizar que Argentina registrara una tasa de inflación baja, similar a la de Estados Unidos. Al principio parecía que el programa funcionaría y, en 1995, los precios aumentaban a menos del 2% anualmente.

No obstante, a finales de la década de los noventa, la economía argentina sufrió el efecto de cuatro choques externos: *1)* la apreciación del dólar, que tuvo efectos negativos en las industrias de exportación y en las que competían con importaciones iguales a las producidas en industrias similares de Estados Unidos; *2)* el incremento de las tasas de interés en Estados Unidos repercutió en la economía argentina provocando un decremento en el gasto para bienes de capital; *3)* los precios de las mercancías disminuyeron en los mercados mundiales y afectaron de forma significativa a las industrias argentinas que las exportaban, y 4) la depreciación del real brasileño, la cual provocó que los bienes de Brasil fueran relativamente más bajos en Argentina y que los bienes argentinos se encarecieran relativamente en Brasil. Estos choques internos tuvieron un efecto deflacionario importante en la economía argentina y produjeron una reducción del producto y un incremento del desempleo.

Para reactivar la economía, Argentina afrontó sus problemas gastando mucho más de lo que recaudaba por concepto de impuestos. Para financiar el déficit presupuestario, Argentina tomó créditos en dólares en el mercado internacional. En 2001, cuando ya no pudo endeudarse más, Argentina cayó en incumplimiento de pagos, acabó con la convertibilidad del peso a dólares y congeló la mayor parte de los depósitos bancarios. Los argentinos manifestaron su rechazo a los políticos con protestas y violencia.

Algunos economistas se han preguntado si haber constituido un consejo monetario fue un error en el caso de Argentina. Señalan que aun cuando Argentina se ató a la zona de la moneda estadunidense, como si fuera Utah o Massachusetts, no sacó beneficio alguno de los mecanismos que permiten que la zona monetaria de Estados Unidos funcione debidamente ante los choques externos negativos. Por ejemplo, cuando el desempleo aumentó en Argentina, la gente no podía trasladarse a Estados Unidos donde el empleo era relativamente abundante. Asimismo, la política de la Reserva Federal está dirigida a las condiciones de Estados Unidos y no a las de Argentina. Es más, el Congreso de Estados Unidos no dirigió la política fiscal estadunidense a la meta de zonas problemáticas de Argentina. Por tanto, los choques negativos en la economía argentina fueron afrontados con la deflación de precios y salarios. Fue una consecuencia de haber atado su moneda rígidamente al dólar.

Dolarización

En lugar de usar un consejo monetario para propiciar una moneda estable, ¿por qué no "dolarizar" la economía? La **dolarización** se presenta cuando los habitantes de, por ejemplo, Ecuador usan el dólar estadunidense al mismo tiempo que el *sucre* o en lugar de éste. La dolarización extraoficial (dolarización parcial) se presenta cuando los ecuatorianos tienen depósitos bancarios nominados en dólares o documentos de la Reserva Federal para protegerse contra la inflación alta del sucre. La dolarización extraoficial ha existido en muchos países de América Latina y el Caribe desde hace muchos años, porque Estados Unidos es un socio comercial importante y una gran fuente de inversión extranjera.

La dolarización total significa que se elimina el sucre de Ecuador y se sustituye enteramente por el dólar estadunidense. La base monetaria de Ecuador, inicialmente compuesta por moneda nominada en sucres, se convertiría a documentos de la Reserva Federal de Estados Unidos. Ecuador, para sustituir su moneda, tendría que vender sus reservas de divisas (principalmente valores del Tesoro de Estados Unidos) para comprar dólares e intercambiar todos los sucres en circulación por dólares. El dólar sería la única moneda de curso legal y la unidad de cuenta de Ecuador. La dolarización oficial ha ocurrido en las islas Vírgenes, de Estados Unidos, las Islas Marshall, Puerto Rico, Guam, Ecuador y otros países de América Latina.

Hoy, la dolarización total es muy rara debido al simbolismo que los países adjudican a la moneda nacional y a las consecuencias políticas de la percepción de pérdida de soberanía ligada a la adopción de la moneda y unidad de cuenta de otro país. Cuando llega a ocurrir, suele ser aplicada por países pequeños o territorios que están estrechamente ligados en términos políticos y geográficos, o que tienen grandes nexos económicos y comerciales con el país de la moneda que adoptan.

¿Por qué dolarizarse? ¿Por qué un país pequeño querría dolarizarse? Algunos beneficios que la dolarización implica son la credibilidad y la disciplina de las políticas que se derivan de la irrevocabilidad implícita en la dolarización. Detrás está la promesa de tasas de interés e inflación más bajas, de una mayor estabilidad financiera y de una mayor actividad económica. Los países con un historial de inflación alta e inestabilidad financiera con frecuencia consideran muy atractivo el potencial que ofrece la dolarización. Consideran que ésta es una vía para evitar la salida de capitales que con frecuencia anteceden o van de la mano con una situación monetaria difícil.

Un beneficio importante de la dolarización es que reduce los costos de transacción porque se maneja una misma moneda. La desaparición del riesgo monetario y la protección cambiaria permiten que haya más comercio e inversión dentro de la zona de la moneda unificada. Otro beneficio actúa en el terreno de la inflación. Elegir otra divisa necesariamente significa que la tasa de inflación de la economía dolarizada estará ligada a la del país emisor. En la medida en que la moneda elegida sea más aceptada, estable y reconocida, tanto mayor será la inflación presente y futura que se espere como resultado de la dolarización. Por último, la mayor apertura se deriva de un sistema donde los controles de cambios no son necesarios y las crisis de la balanza de pagos se reducen al mínimo. La dolarización no garantiza la ausencia de problemas en la balanza de pagos, pero sí asegura que estas crisis serán administradas de manera que obliguen al gobierno a manejar los hechos en forma abierta, en lugar de hacerlo emitiendo dinero, lo que contribuye a la inflación.

Efectos de la dolarización   Una forma fácil de entender cómo operará el país que proyecta adoptar el dólar como moneda oficial es pensar que se trata de uno más de los 50 estados de la Unión Americana. Así, cuando se habla de la política monetaria de ese país, se supone que la Reserva Federal dirige la política monetaria considerando las condiciones económicas nacionales y no las de un estado o una zona individuales, a pesar de que dichas condiciones económicas no sean uniformes en todo el país. Esto se explica en razón de que la política monetaria funciona por medio de las tasas de interés en mercados de crédito de alcance nacional. Por tanto, es imposible que la política monetaria esté hecha para tratar con las condiciones de las empresas de un estado o región individuales que difieren de las de la economía nacional. Cuando Ecuador dolarizó su economía aceptó, en esencia, la política monetaria de la Reserva Federal.

En el caso de la dolarización de Ecuador, se suponía que la política monetaria de Estados Unidos sería aplicada tal como lo es ahora. Si los ciclos de los negocios ecuatorianos no coinciden con los de Estados Unidos, Ecuador no puede contar con que la Reserva Federal acuda a su rescate, tal como ninguno de los estados de la Unión Americana puede contar con que la Reserva Federal vaya a su rescate si las condiciones de los negocios no están en sincronía con el patrón nacional. Esto podría ser un inconveniente para los ecuatorianos. Sin embargo, Ecuador podría estar mejor sin la supuesta válvula de seguridad que implica una política monetaria independiente.

Otra limitación que afecta a los ecuatorianos es que la Reserva Federal no es un prestamista de último recurso, como lo es para los estadunidenses. Es decir, si el sistema financiero estadunidense se viera presionado, la Reserva Federal puede recurrir a sus facultades monetarias para ayudar a estas instituciones y detener su posible quiebra. Sin consentimiento del Congreso, la Reserva Federal no podría desempeñar esta función en el caso de Ecuador ni de algún otro país que decidiera adoptar el dólar como moneda oficial.

Otro inconveniente derivado de la adopción del dólar como moneda oficial es que Ecuador ya no tendría el **señoreje** de su sistema monetario. El costo para Ecuador se deriva de la pérdida de sus reservas de divisas (principalmente valores del Tesoro de Estados Unidos) que tendría que vender a cambio de dólares. Estas reservas generan intereses y, por tanto, son una fuente de ingresos para Ecuador. Este ingreso se llama señoreje. Cuando las reservas de Ecuador sean sustituidas por dólares, esta fuente de ingresos desaparecerá.

Con la dolarización Ecuador disfrutaría de la misma libertad que los 50 estados de la Unión Americana respecto de cómo gastar sus dólares de la recaudación fiscal. El gasto público de Ecuador para educación, protección policial, seguridad social y demás no se vería afectado por usar dólares. Asimismo, Ecuador podría fijar sus propios aranceles, subsidios y otras políticas comerciales. Por tanto, la soberanía de Ecuador no se vería comprometida en estos campos. Sin embargo, habría una limitación general para su política fiscal. El país no gozaría del recurso de imprimir más pesos para financiar el déficit de los presupuestos y, por tanto, tendría que ser muy cauteloso con las políticas de su gasto.

La dolarización oficial de la economía de Ecuador también tiene implicaciones para Estados Unidos. En primer término, cuando los ecuatorianos adquieren dólares proporcionan bienes y servicios a los estadunidenses. Así, por cada dólar enviado al extranjero, los estadunidenses disfrutan de un incremento único en el volumen de los bienes y servicios que pueden consumir. En segundo término, al optar por tener dólares, en lugar de una deuda que genera intereses, Estados Unidos de hecho obtiene de Ecuador un préstamo sin intereses. Los intereses que no tienen que ser pagados serán en la medida del dominio que anualmente resulte a favor de Estados Unidos. Por otra parte, el uso de la moneda estadunidense en el exterior podría entorpecer la actividad de la Reserva Federal cuando formula y ejecuta la política monetaria. Asimismo, la dolarización incrementa la dependencia de Ecuador de la política monetaria de Estados Unidos, lo cual podría ser una presión sobre la Reserva Federal para que se siga una política más sujeta a los intereses de Ecuador que a los de Estados Unidos.

RESUMEN

1. Casi ninguna nación impone tipos de cambio totalmente fijos ni enteramente flotantes. Los sistemas contemporáneos incluyen algunas características de estos dos parámetros.

2. Las naciones pequeñas, en desarrollo, con frecuencia atan sus monedas a una sola divisa o a una canasta de éstas. Las naciones pequeñas que tienen comercio y relaciones financieras principalmente con un socio comercial son las que se suelen atar a una divisa. Las naciones pequeñas que tienen más de un socio comercial grande por lo habitual atan sus monedas a una canasta de divisas.

3. Los derechos especiales de giro (DEG) son una canasta compuesta por cuatro divisas de miembros del Fondo Monetario Internacional. La técnica para evaluar la canasta trata de conseguir que el valor de los DEG sea más estable que el de una sola divisa de las varias que componen la canasta. Las naciones en desarrollo con frecuencia atan sus tipos de cambio a los DEG.

4. Cuando impera un sistema de tipos de cambio fijos, el gobierno define el tipo de cambio oficial de su moneda. Después constituye un fondo de estabilización cambiaria, que compra y vende divisas para evitar que el tipo de cambio de mercado aumente o disminuya más allá del tipo oficial. Las naciones pueden devaluar o revaluar oficialmente sus monedas para restaurar el equilibrio de su balanza comercial.

5. Cuando impera un sistema de tipos de cambio flotantes, las fuerzas de la oferta y la demanda de mercado determinan el valor de la moneda. Algunos de los argumentos más sólidos a favor de los tipos flotantes son: *a)* su sencillez; *b)* el ajuste continuo; *c)* las políticas nacionales independientes, y *d)* una menor necesidad de tener reservas internacionales. Algunos argumentos en contra de los tipos de cambio flotantes subrayan que *a)* producen mercados de divisas desordenados; *b)* políticas financieras descuidadas por parte de los gobiernos y *c)* conducen a la inflación de precios.

6. Cuando se desmanteló el sistema Bretton Woods de los tipos fijos de cambio, los principales países industrializados adoptaron el sistema cambiario flotante controlado. Cuando impera este sistema, la intervención del banco central en el mercado de divisas tiene por objeto evitar las condiciones de desorden en el mercado a corto plazo. Sin embargo, a largo plazo, se deja que los tipos de cambio floten en razón de los cambios que registran la oferta y la demanda.

7. Para compensar una depreciación del valor de cambio de la moneda de un país, su banco central puede *a)* usar sus reservas internacionales para comprar ciertas cantidades de esa moneda en el mercado de divisas; *b)* imponer una política monetaria contraccionista que conlleve a tasas de interés locales más altas, mayor entrada de inversión y mayor demanda de la moneda del país. Para compensar la apreciación del valor de cambio de la moneda de un país, su banco central puede vender una cantidad mayor de su moneda en el mercado de divisas o aplicar una política monetaria expansionista.

8. Cuando impera un sistema de tipo de cambio que se ajusta gradualmente (crawling peg), una nación puede devaluar (o revaluar) su moneda a efecto de restaurar el equilibrio de los pagos. Las naciones en desarrollo que adolecen de tasas de inflación altas han usado mucho este mecanismo.

9. Una crisis monetaria, también llamada *ataque especulativo*, se refiere a una situación en la que una moneda débil sufre mucha presión para su venta. Algunas de las causas de una crisis monetaria son los déficits presupuestales financiados con inflación, los sistemas financieros débiles, la incertidumbre política y los cambios de las tasas de interés en los mercados mundiales. Aun cuando un sistema de tipos de cambio fijos tiene la ventaja de que propicia una inflación baja, el mismo es especialmente vulnerable a los ataques especulativos.

10. Los gobiernos a veces utilizan los controles de capital con la intención de apoyar los tipos de cambio fijos y de evitar los ataques especulativos contra su moneda. No obstante, el sector privado entorpece los controles de capital cuando encuentra la manera de eludirlos para poder introducir y sacar dinero del país.

11. Los consejos monetarios y la dolarización tienen el propósito explícito de mantener los tipos de cambio fijos y, con ello, evitar las crisis monetarias. Un consejo monetario es una autoridad que emite billetes y monedas que se pueden convertir a una divisa a un tipo de cambio fijo. La contribución más importante que el consejo monetario puede hacer para la estabilidad del tipo de cambio es imponer disciplina en el proceso de la creación de dinero, lo que produce una mayor estabilidad en los precios locales y ésta, a su vez, estabiliza el valor de la moneda del país. La dolarización se presenta cuando los habitantes de un país utilizan el dólar al lado o en lugar de su propia moneda. Se considera que la dolarización es una manera de proteger el crecimiento y la prosperidad del país contra brotes de inflación, depreciación de la moneda y ataques especulativos contra la moneda nacional.

CONCEPTOS Y TÉRMINOS CLAVE

Ataque especulativo (p. 465)

Caída de la moneda (p. 467)

Consejo monetario (p. 472)

Controles de cambio (p. 470)

Controles de capital (p. 470)

Crisis monetaria (p. 465)

Derechos especiales de giro (DEG) (p. 450)

Desequilibrio fundamental (p. 451)

Crawling peg (p. 462)

Devaluación (p. 452)

Divisa clave (p. 448)

Dolarización (p. 475)

Flotación limpia (p. 457)

Flotación sucia (p. 457)

Fondo de estabilización del tipo de cambio (p. 450)

Revaluación (p. 452)

Señoreje (p. 476)

Sistema Bretton Woods (p. 452)

Sistema de tipo de cambio controlados (p. 457)

Tipo de cambio oficial (p. 450)

Tipos de cambio relativamente fijos (p. 448)

Tipos de cambio flotantes (p. 453)

Tipos de cambio indexados ajustables (p. 452)

Tipos de cambio meta (p. 457)

Trinidad imposible (p. 447)

Valor par (p. 450)

Volar con el viento (p. 457)

PREGUNTAS PARA ANÁLISIS

1. ¿Qué factores sustentan la decisión de una nación que adopta los tipos de cambio flotantes o los tipos fijos?

2. ¿Cómo funcionan los tipos flotantes controlados? ¿Por qué los adoptaron las naciones industrializadas en 1973?

3. ¿Por qué algunos países en desarrollo constituyen consejos monetarios? ¿Por qué hay otros que dolarizan sus sistemas monetarios?

4. Exponga la filosofía y el funcionamiento del sistema de tipos de cambio indexados ajustables Bretton Woods?

5. ¿Por qué algunos países han adoptado un sistema de ajuste gradual del tipo de cambio?

6. ¿Qué objeto tiene el control de cambios?

7. ¿Qué factores contribuyen a que se presenten las crisis monetarias?

8. ¿Por qué las naciones pequeñas adoptan canastas de divisas para atar el valor de cambio de su moneda a ellas?

9. ¿Qué ventajas ofrecen los DEG a las naciones pequeñas que quieren atar el valor de cambio de sus monedas?

10. Presente argumentos a favor y en contra de un sistema de tipos de cambio flotantes.

11. ¿Qué técnicas puede utilizar un banco central para estabilizar el valor de cambio de su moneda?

12. ¿Qué objeto tiene devaluar una moneda? ¿Qué objeto tiene revaluarla?

Política macroeconómica en una economía abierta

Después de la Gran Depresión de la década de los treintas, los gobiernos han perseguido la meta de una economía con pleno empleo y precios estables; han utilizado las políticas fiscal y monetaria para alcanzar esa meta. La nación que tiene una economía cerrada (que no está expuesta al comercio internacional ni a los flujos financieros) puede utilizar estas políticas en razón de sus propias metas. No obstante, la nación que tiene una economía abierta encuentra que el éxito de las mismas depende de factores como sus exportaciones e importaciones de bienes y servicios, la movilidad internacional del capital financiero y la flexibilidad de su tipo de cambio. Estos factores pueden reforzar o debilitar la capacidad de las políticas monetaria y fiscal para llegar al pleno empleo con precios estables.

Este capítulo analiza la política macroeconómica en una economía abierta: primero explica cómo funcionarían las políticas monetaria y fiscal en una economía cerrada; a continuación describe el efecto que una economía abierta tiene en las políticas referidas.

OBJETIVOS ECONÓMICOS DE LAS NACIONES

¿Qué objetivos básicos persigue la política macroeconómica? Conocida como **equilibrio interno**, esta meta tiene dos dimensiones: *1)* una economía de pleno empleo y *2)* nula inflación o, en un plano más realista, una medida razonable de inflación. Las naciones, por tradición, han considerado que el equilibrio interno es de primordial importancia y formula políticas económicas para alcanzarlo. Quienes diseñan las políticas también saben que la posición de la balanza de pagos de una nación es muy importante. Se dice que una nación logra el **equilibrio externo** cuando su cuenta corriente no registra déficit ni superávit. Por último, una economía logra su **equilibrio global** cuando alcanza el equilibrio interno y el externo.

Además de perseguir el equilibrio interno y el externo, las naciones tienen otras metas, como el desarrollo económico a largo plazo y una distribución razonablemente equitativa del ingreso nacional. Aun cuando estos compromisos y otros más podrían influir en la política económica internacional, el planteamiento de este capítulo se refiere tan sólo a la consecución del equilibrio interno y el externo.

INSTRUMENTOS POLÍTICOS

Con el propósito de lograr los objetivos del equilibrio externo y el interno, las autoridades de un país aplican políticas para modificar el gasto, para reorientar el gasto y controles directos.

Las **políticas para modificar el gasto** cambian el monto total del gasto (la demanda agregada) para bienes y servicios, incluso los producidos en el país y los importados. Éstas incluyen la **política fiscal**, que regula los cambios del gasto público y los impuestos, y la **política monetaria**, que ordena los cambios que el banco central de la nación (por ejemplo la Reserva Federal) aplica a la oferta monetaria y a las tasas de interés. Las políticas para modificar el gasto, dependiendo de la dirección en que se oriente el cambio, pueden incrementar el gasto o reducirlo.

Las **políticas para reorientar el gasto** modifican la dirección en la que se orienta la demanda y la desvían del producto interno a las importaciones, o viceversa. Con un sistema de tipos de cambio fijos, la nación que registra un déficit comercial podría devaluar su moneda para aumentar la competitividad internacional de sus empresas, desviando así el gasto de los bienes producidos en el extranjero hacia los de producción nacional. La nación, para aumentar su competitividad con un sistema de tipos de cambio flotantes controlados, podría comprar otras divisas con su propia moneda, provocando con ello una depreciación del valor de cambio de su moneda. El éxito de estas políticas para conseguir el equilibrio de la balanza comercial depende, en gran medida, de que se pueda desviar la demanda en el sentido y el monto convenientes, así como de la capacidad de la economía nacional para satisfacer la demanda adicional mediante la oferta de más bienes.

Los **controles directos** son restricciones impuestas por el gobierno a la economía de mercado. Son políticas para reorientar el gasto selectivamente y tienen por objeto controlar rubros particulares de la cuenta corriente. Los controles directos, por ejemplo los aranceles, se imponen a las importaciones con la intención de reorientar el gasto, desviándolo de los bienes extranjeros hacia los nacionales. La nación también podría usar los controles directos para los flujos de capital, de modo que restrinjan la salida excesiva de capital o que estimulen la entrada de éste.

La política macroeconómica se formula a partir de las limitaciones que implican las consideraciones de la justicia y la equidad. Quienes diseñan las políticas toman en cuenta las necesidades de los grupos que representan, como el sector privado y el obrero, sobre todo cuando persiguen objetivos económicos que se contraponen. Por ejemplo, ¿en qué medida deberían incrementar la tasa de interés interna para eliminar un déficit en la cuenta corriente? La protesta de los grupos afectados del país seguramente bastará para convencer a quienes diseñan las políticas de que no persigan la meta del equilibrio de la cuenta de capital. La negociación y el compromiso suelen ser característicos de la formulación de la política, de modo que refleje percepciones de justicia y equidad.

DEMANDA AGREGADA Y OFERTA AGREGADA: UN BREVE REPASO

En su curso de principios de macroeconomía usted aprendió un modelo que se emplea para analizar el producto y el nivel de precios de una economía a corto plazo, que se conoce como modelo de la demanda agregada y la oferta agregada. Con el marco de la figura 16.1, repase las características del modelo aplicadas a Canadá.

En la figura 16.1, la curva de la demanda agregada (*DA*) muestra el nivel del producto real (producto interno bruto real) que los canadienses comprarán a niveles alternos de precios durante un año determinado. La demanda agregada está compuesta por el gasto de las familias consumidoras, las empresas, el gobierno y los compradores extranjeros (exportaciones netas). A medida que el nivel de precios disminuye, la cantidad de producto real demandado se incrementa.

La figura 16.1 también ilustra la curva de la oferta agregada de la economía (*OA*), que muestra la relación entre el nivel de los precios y el volumen del producto real que producirá la economía

FIGURA 16.1

Equilibrio macroeconómico: el modelo de la demanda agregada y la oferta agregada

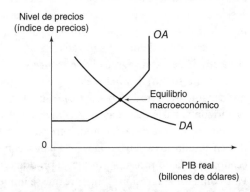

La economía estará en equilibrio en el punto donde la curva de la demanda agregada cruza la curva de la oferta agregada. La intersección determina el nivel de precios y de producto del equilibrio de la economía. Los incrementos (decrementos) de la demanda agregada o la oferta agregada hacen que estas curvas se desplacen hacia la derecha (o la izquierda).

© Cengage Learning®

durante un año determinado. Por lo general, la curva de la oferta agregada es ascendente en razón de los costos de producción por unidad y, por tanto, los precios que las empresas deben recibir se incrementan a medida que el producto real aumenta.[1] La economía estará en equilibrio cuando la demanda agregada sea igual a la oferta agregada, o en el punto de la figura donde se cruzan las dos líneas.

Un incremento (decremento) de la demanda agregada se describe con un deslizamiento de la curva hacia la derecha (izquierda). Los cambios de la demanda agregada son provocados por modificaciones en los determinantes de la demanda agregada: el consumo, la inversión, las compras públicas o las exportaciones netas. Por otra parte, un incremento (decremento) de la oferta agregada se describe con un deslizamiento de la curva hacia la derecha (izquierda). Los cambios de la curva de la oferta agregada se presentan en respuesta a las modificaciones del precio de los recursos, la tecnología, las expectativas empresariales, etc. A continuación se utiliza el marco de la demanda-oferta agregadas para analizar los efectos de las políticas monetaria y fiscal.

LAS POLÍTICAS MONETARIA Y FISCAL EN UNA ECONOMÍA CERRADA

Las políticas monetaria y fiscal son los principales instrumentos macroeconómicos que permiten a los gobiernos influir en el desempeño de una economía. Si el producto agregado es demasiado bajo

---

[1] De hecho, la curva de la oferta agregada tiene tres partes diferentes. La primera es cuando la economía está en franca recesión o depresión y la curva de la oferta agregada es horizontal. Dado que el exceso de capacidad de la economía no presiona los precios a la alza, los cambios en la curva de la demanda agregada producen cambios en el producto real, pero no modifican el nivel de precios. En la segunda, a medida que la economía se acerca al pleno empleo, se presenta escasez en los mercados de recursos. El incremento de la demanda agregada presiona a la alza los precios de los recursos, incrementando los costos de producción por unidad y provocando que la curva de la oferta agregada tenga pendiente positiva: sólo se puede producir más producto a un nivel de precios más alto. Por último, la curva de la oferta agregada se vuelve vertical cuando la economía está en pleno empleo.

y el desempleo demasiado alto, la solución tradicional es que el gobierno incremente la demanda agregada del producto real por medio de políticas de expansión monetaria o fiscal. Esto produce un incremento del PIB real del país. Por otra parte, si la inflación es problemática, por lo habitual se debe a un nivel de la demanda agregada que excede al índice de producción que pueden sostener los recursos de la economía a precios constantes. En esta situación, la solución es que el gobierno reduzca el nivel de la demanda agregada por medio de una política de contracción monetaria o fiscal. A medida que la curva de la demanda agregada desciende, la presión a la alza sobre los precios, ocasionada por el exceso de demanda agregada, se reduce y la inflación se modera.

La figura 16.2(a) ilustra los efectos de una política monetaria o fiscal expansionista en una economía canadiense cerrada. En aras de la sencillez, suponga que la curva de la oferta agregada de Canadá es horizontal hasta que se alcanza el nivel de pleno empleo del PIB real en 800 billones de dólares; en este punto la curva de la demanda agregada es vertical. Suponga también que el PIB real de la economía en equilibrio es 500 billones de dólares, como muestra la intersección de DA_0 y OA_0. Por tanto, la economía está en recesión porque su producto de equilibrio está debajo del nivel del pleno empleo. Para combatir la recesión, conjeture que se implementa una política monetaria o fiscal expansionista que incrementa la demanda a DA_1. El PIB real del equilibrio ascendería de 500 billones a 700 billones de dólares y el desempleo disminuiría en la economía.

Con el fin de expandir la demanda agregada, el Banco de Canadá (al igual que los bancos centrales de otros países), por lo habitual, incrementaría la oferta monetaria mediante la compra de valores en el mercado abierto.[2] El incremento de la oferta monetaria disminuye la tasa de interés interna y, a su vez, incrementa el consumo y el gasto de inversión. El incremento resultante de la demanda agregada genera un incremento multiplicador del PIB real.[3] Para detener la inflación, el Banco de Canadá reduciría la oferta monetaria mediante la venta de valores en el mercado abierto, y la tasa de interés aumentaría. El incremento de la tasa de interés reduce el consumo y el gasto de inversión, disminuyendo con ello la demanda agregada. Esto reduce la presión que el exceso de demanda ejerce en los precios.

En lugar de utilizar la política monetaria para estabilizar la economía, Canadá podría utilizar la política fiscal, que opera modificando el gasto público o los impuestos. Dado que el gasto público es un componente de la demanda agregada, el gobierno canadiense puede afectar directamente la demanda agregada porque modifica su gasto. Por ejemplo, para combatir la recesión, el gobierno aumentaría su gasto a efecto de incrementar la demanda agregada, dando por resultado un incremento multiplicador en el PIB real del equilibrio. Por otra parte, el gobierno podría combatir la recesión con la disminución del impuesto al ingreso o impuesto sobre la renta, lo que incrementaría el monto del ingreso disponible en manos de las familias. Esto produciría un incremento en el gasto de consumo, un incremento en la demanda agregada y un incremento multiplicador en el PIB real del equilibrio. Una política de contracción fiscal opera en el sentido contrario.

---

[2] Las operaciones en el mercado abierto son el instrumento monetario más importante de la Reserva Federal (Fed). Representan la compra o la venta de valores por parte de la Fed: esta operación se realiza con un banco o con otra empresa o individuo. Las compras en el mercado abierto producen un incremento de las reservas del banco y de la oferta monetaria. Las ventas en el mercado abierto provocan que las reservas del banco y la oferta monetaria disminuyan. Otros instrumentos de la política monetaria son los cambios en la tasa de descuento, la tasa de interés que la Reserva Federal le cobra a los bancos por los préstamos de reservas y la modificación de la proporción requerida de reservas, es decir, el porcentaje de sus depósitos que los bancos están obligados a tener en forma de reservas.

[3] Las políticas monetaria y fiscal se sustentan en el efecto multiplicador. Según este principio, los cambios de la demanda agregada se multiplican para producir cambios mayores en el producto y el ingreso del equilibrio. Este proceso se deriva de que las familias reciben ingresos y, a continuación, los gastan, generando con ello ingresos para otros, y así sucesivamente.

FIGURA 16.2

Efecto de una política monetaria expansionista o fiscal en el equilibrio del PIB real

(a) Política monetaria o fiscal expansionista en una economía cerrada

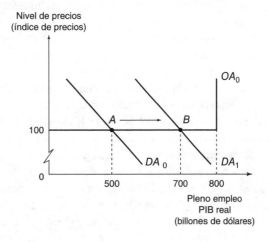

(b) Política monetaria o fiscal expansionista en una economía abierta

(1) Política monetaria o fiscal expansionista en una economía abierta se refuerzan entre sí

(2) El efecto inicial y el secundario de la política se contraponen entre sí

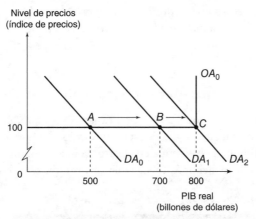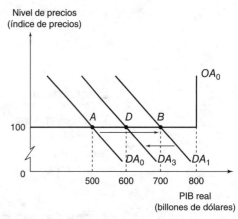

(a) La política monetaria o fiscal expansionista en una economía cerrada *(b)* La política monetaria o fiscal expansionista en una economía abierta: *(1)* El efecto inicial y el secundario de la política se refuerzan entre sí. *(2)* El efecto inicial y el secundario de la política se contraponen.

LAS POLÍTICAS MONETARIA Y FISCAL EN UNA ECONOMÍA ABIERTA

En la sección anterior usted aprendió cómo las políticas monetaria y fiscal se convierten en instrumentos para estabilizar la economía en el caso de una economía cerrada. A continuación se analizarán los efectos de estas políticas en una economía abierta. La pregunta clave es saber si una política monetaria o fiscal expansionista, en una economía abierta, es más o menos efectiva para incrementar el PIB real que en una economía cerrada.[4]

Como se explica a continuación, la decisión de un país de adoptar un sistema de tipos de cambio fijos o flotantes influye en la respuesta a esta pregunta. Observe que en la práctica muchos países no mantienen tipos de cambio rígidamente fijos ni libremente flotantes. Por el contrario, mantienen tipos de cambio flotantes controlados, en cuyo caso el banco central compra o vende divisas en su intento por impedir que las fluctuaciones del tipo de cambio sean desordenadas. Una intervención más notoria en el tipo de cambio provoca que un país se acerque más a la conclusión de las políticas monetaria y fiscal con un tipo de cambio fijo y una intervención más leve provoca que un país se acerque más a la conclusión cuando existe un tipo de cambio flotante.

Observe que estas conclusiones dependen de los efectos de expansión o contracción que la política monetaria o la fiscal tienen en la demanda agregada. En una economía cerrada, una política monetaria o fiscal expansionista tiene un solo efecto en la demanda agregada: provoca que se expanda porque incrementa el consumo, la inversión o el gasto público. En una economía abierta la política tiene un segundo efecto en la demanda agregada: provoca que ésta aumente o disminuya porque cambia las exportaciones netas y otros determinantes de la demanda agregada. Si el efecto inicial y el secundario producen incrementos en la demanda agregada, entonces el efecto expansionista de la política se fortalece. Sin embargo, si el efecto inicial y el secundario tienen repercusiones encontradas en la demanda agregada, entonces el efecto expansionista de la política se debilita. Los ejemplos que se presentan a continuación aclaran este punto.

Primero conviene asumir que, en el caso de Canadá, la inversión internacional (capital) tiene gran movilidad, lo cual sugiere que un cambio leve en la tasa de interés relativa de las naciones produce un cuantioso flujo de inversiones internacionales. Este supuesto coincide con los movimientos de la inversión entre muchos países, como Estados Unidos, Japón y Alemania, y las conclusiones de muchos analistas en el sentido de que la movilidad de la inversión incrementa a medida que los mercados financieros nacionales se globalizan.

Efecto de las políticas monetaria y fiscal con tipos de cambio fijos

Vea los efectos que una política monetaria o fiscal expansionista producen con un sistema de tipos de cambio fijos. La conclusión que surgirá de esta explicación es que una política fiscal expansionista tiene más éxito para estimular la economía en el caso de una economía cerrada, y que una política monetaria expansionista tiene menos éxito. La tabla 16.1 resume esta conclusión.[5]

TABLA 16.1		
Efectividad de las políticas fiscal y monetaria para propiciar el equilibrio interno en una economía con mucha movilidad de capitales		
Régimen cambiario	**Política monetaria**	**Política fiscal**
Tipos de cambio flotantes	Fortalecida	Debilitada
Tipos de cambio fijos	Debilitada	Fortalecida

© Cengage Learning*

---

[4] Este capítulo sólo considera los efectos de una política monetaria y fiscal expansionista. Una política de contracción monetaria y fiscal tiende a producir los efectos contrarios.

[5] Este análisis tiene su origen en R. Mundell, "The Appropriate Use of Monetary and Fiscal Policy for Internal and External Mobility", *IMF Staff Papers*, marzo de 1961, pp. 70-77 y J. M. Flemming, "Domestic Financial Policies Under Fixed and Under Flexible Exchange Rates", *IMF Staff Papers*, 1962, pp. 369-379.

La política fiscal se fortalece con los tipos de cambio fijos   Con referencia a la figura 16.2 (b-1), suponga que Canadá opera con un sistema de tipos de cambio fijos y que el gobierno inicialmente tiene un presupuesto equilibrado, en el que el gasto público es igual a la recaudación fiscal. Además que, para combatir una recesión, el gobierno adopta una política fiscal expansionista, por ejemplo, un incremento de su gasto para bienes y servicios. El efecto inicial de un aumento del gasto público es un incremento de la demanda agregada de DA_0 a DA_1, la misma cantidad que se presenta en el ejemplo de una política fiscal expansionista en una economía cerrada. Esto provoca que el PIB real del equilibrio se expanda de 500 a 700 billones de dólares.

El segundo efecto de la política fiscal expansionista es que el incremento del gasto provoca que el presupuesto del gobierno canadiense registre un déficit. A medida que el gobierno demanda más dinero para financiar su gasto excesivo, la tasa de interés interna aumenta. Una tasa de interés más alta atrae el ingreso de inversión extranjera, lo que produce un incremento de la demanda de dólares canadienses en el mercado de divisas. Por ende, el tipo de cambio del dólar está sometido a una presión para su apreciación. Sin embargo, ésta no puede ocurrir porque Canadá tiene un sistema de tipos de cambio fijos. Para evitar que su dólar se aprecie, el gobierno canadiense debe intervenir en el mercado y comprar divisas con dólares, lo que produce un incremento de la oferta de dinero del país. El efecto del incremento de la oferta monetaria es que aumenta el volumen de fondos disponibles para préstamos que hay en la economía. A medida que estos fondos son canalizados al gasto interno, la demanda agregada vuelve a incrementar, de DA_1 a DA_2, y el PIB real del equilibrio asciende a 800 billones de dólares.

Dado que el efecto inicial y el secundario de la política fiscal expansionista se refuerzan entre sí, el PIB real incrementa en un monto más grande que en el caso de una política fiscal expansionista en una economía cerrada. En pocas palabras, el efecto de una política fiscal expansionista es más pronunciado en una economía con movilidad de capitales y tipos de cambio fijos que en una economía cerrada.

La política monetaria se debilita con los tipos de cambio fijos   Compare este resultado con el de la política monetaria. Como verá, en una economía abierta con movilidad de capitales y tipos de cambio fijos, la política monetaria expansionista es menos efectiva para incrementar el PIB real que en una economía cerrada.

Con referencia a la figura 16.2(b-2), suponga de nueva cuenta que Canadá está en recesión, también que, para combatir la recesión, el Banco de Canadá implementa una política monetaria expansionista. El efecto inicial de la expansión monetaria es que reduce la tasa de interés interna, lo cual provoca un incremento en el consumo y la inversión, lo que a su vez expande la demanda agregada de DA_0 a DA_1. Esto provoca que el PIB real del equilibrio incremente de 500 a 700 billones de dólares.

El segundo efecto de la expansión monetaria es que un tipo de interés más bajo en Canadá desalienta a los inversionistas extranjeros de colocar sus fondos en los mercados de capital del país. A medida que disminuye la demanda de dólares canadienses, su valor de cambio está sometido a una presión para su depreciación. El Banco de Canadá, para mantener un tipo de cambio fijo, interviene en el mercado de divisas y compra dólares con divisas, lo cual provoca que la oferta de dinero del país disminuya, al igual que la disponibilidad de fondos para préstamos en la economía. El consecuente decremento del gasto público provoca una disminución de la demanda agregada de DA_1 a DA_3 la cual da lugar a que el PIB real del equilibrio disminuya de 700 a 600 billones de dólares. Esta contracción de la demanda agregada contrarresta la expansión inicial que tenía por objeto estimular la economía. Por tanto, la política de expansión monetaria es debilitada cuando su efecto inicial y el secundario se contraponen. En pocas palabras, con un sistema de tipos de cambio fijos y movilidad de capitales, la política monetaria es menos efectiva para estimular la economía que en una economía cerrada.

Efecto de las políticas fiscal y monetaria con tipos de cambio flotantes

Ahora modifique este ejemplo sustituyendo el sistema de tipos de cambio fijos de Canadá con un sistema de tipos de cambio flotantes. La conclusión que surge de esta explicación es que cuando existe una gran movilidad de capitales y tipos de cambio flotantes, la política monetaria expansionista estimula mejor la economía que en el caso de una economía cerrada, y la política fiscal expansionista tiene menos éxito.

La política monetaria se fortalece con los tipos de cambio flotantes De nueva cuenta suponga que Canadá está en recesión. Para estimular su economía el Banco de Canadá adopta una política monetaria expansionista. Como en el caso de una economía cerrada, un incremento de la oferta de dinero produce una tasa de interés interna más baja, la cual al inicio genera más gasto para consumo e inversión y provoca que aumente la demanda agregada. Con referencia a la figura 16.2(b-1), cuando la demanda agregada aumenta de DA_0 a DA_1, el PIB real del equilibrio aumenta de 500 a 700 billones de dólares.

El segundo efecto de la política monetaria expansionista es que como la inversión tiene enorme movilidad entre países, la tasa de interés decreciente de Canadá lleva a los inversionistas a colocar sus fondos en mercados de capital extranjeros. A medida que los inversionistas canadienses venden dólares para comprar las divisas que utilizan para facilitar las inversiones extranjeras, el dólar se deprecia y provoca un incremento en las exportaciones, un decremento en las importaciones y una mejora en la cuenta corriente de Canadá, la cual impulsa más la demanda agregada, que se expande de DA_1 a DA_2; ello provoca que el PIB real del equilibrio aumente de 700 a 800 billones de dólares.

Como el efecto inicial y el secundario de la política monetaria expansionista se complementan, la política se fortalece al incrementar el producto y el empleo de Canadá. En pocas palabras, en el caso de una economía con movilidad de capitales y tipos de cambio flotantes, la política monetaria expansionista es más efectiva para estimular la economía que en una economía cerrada.

La política fiscal se debilita con los tipos de cambio flotantes El resultado es otro si el gobierno canadiense utiliza una política fiscal para combatir la recesión. En la figura 16.2(b-2), el efecto inicial de un incremento en el gasto público es que la demanda agregada aumenta de DA_0 a DA_1 lo cual provoca que el PIB real del equilibrio incremente de 500 a 700 billones de dólares. En segundo lugar, como el incremento del gasto público provoca que el presupuesto del gobierno registre un déficit, la tasa de interés de Canadá aumenta. Una tasa de interés más alta genera la entrada de inversión extranjera, lo que deriva en un incremento de la demanda de dólares canadienses en el mercado de divisas. Por tanto, el valor de cambio del dólar se aprecia y ello da lugar a una disminución de las exportaciones, un incremento de las importaciones y un deterioro de la cuenta corriente de Canadá. A medida que la cuenta corriente empeora, la demanda agregada disminuye de DA_1 a DA_3 y el PIB real del equilibrio se contrae de 700 a 600 billones de dólares. Dado que el efecto inicial y el secundario de la política fiscal se contraponen, el efecto de la política de expansión se debilita. Por tanto, una política fiscal expansionista en una economía con movilidad de capitales y tipos de cambio flotantes es menos efectiva para estimular la economía que en el caso de una economía cerrada.

ESTABILIDAD MACROECONÓMICA Y CUENTA CORRIENTE: POLÍTICAS QUE COINCIDEN FRENTE A POLÍTICAS QUE SE CONTRAPONEN

Hasta aquí hemos supuesto que la meta de las políticas monetaria y fiscal es encontrar el equilibrio interno de Canadá, es decir, el pleno empleo sin inflación. Además de que los canadienses desean el equilibrio, suponga que quieren que su economía llegue al equilibrio (externo) de la cuenta corriente, donde sus exportaciones sean iguales a sus importaciones. Eso sugiere que Canadá prefiere "financiar su camino" en el comercio internacional ganando de sus exportaciones el monto de dinero que necesita para pagar sus importaciones. ¿Quienes diseñan las políticas de Canadá podrán alcanzar el equilibrio interno y el externo al mismo tiempo o se presentará un conflicto entre estos dos objetivos?

CONFLICTOS COMERCIALES · LAS POLÍTICAS MONETARIA Y FISCAL RESPONDEN A LA AGITACIÓN FINANCIERA EN LA ECONOMÍA

Luego de seis años consecutivos de expansión, la economía de EU alcanzó un máximo en diciembre de 2007 y después experimentó una recesión que continuó desde comienzos de 2008 hasta finales de 2009. Esto fue provocado por las caídas de algunos mercados de crédito clave y planteó un riesgo serio al sistema financiero y a la economía en el sentido más amplio.

La Reserva Federal respondió con medidas sin precedentes para destrabar los mercados de crédito y liberar flujos financieros vitales para una economía de correcto funcionamiento. Además de bajar la meta de la tasa de los fondos federales a prácticamente cero, la Reserva Federal amplió su papel como prestamista de último recurso proveyendo crédito a bancos y otras instituciones financieras así como a empresas que no podían aspirar a obtener crédito suficiente de las instituciones bancarias.

Para suministrar un estímulo adicional a la debilitada economía, el gobierno estadunidense promulgó la Ley de Estímulo Económico 2008. Ésta fue diseñada específicamente para ofrecer (por una sola vez) devoluciones de impuestos a aquellos individuos de ingresos medios y bajos y a las familias que, muy probablemente, tenderían a gastarlo inmediatamente. Se distribuyeron alrededor de $113 mil millones, que equivalían a aproximadamente el 0.8 por ciento de PIB. El gobierno esperaba que estas devoluciones de impuestos fueran un aliciente tal para los bolsillos de la gente común, que no resistirían gastarlos, aumentando así la demanda agregada. Sin embargo, este optimismo no estaba debidamente justificado: ocurrió que solamente se gastó entre el 10 y el 20 por ciento de los dólares de estas devoluciones de impuesto: la mayor parte del dinero se ocupó en el ahorro familiar o en el pago de deudas previas (como tarjetas de crédito), lo que no contribuyó a ampliar directamente la economía.

Así, cuando Barack Obama fue elegido presidente, en 2009, heredó una economía que estaba cayendo en una recesión todavía más profunda. Obama advirtió que la caída en el consumo y el gasto de inversión continuaba arrastrando la economía hacia abajo. El resultado fue un programa de estímulo fiscal de $789 mil millones: el más amplio despliegue de poder de estímulo fiscal del gobierno desde la Segunda Guerra Mundial. El estímulo incluía $507 mil millones en programas de gasto y $282 mil millones en exención de impuestos, y estaba diseñado específicamente para incrementar la demanda agregada: si se compran más bienes y servicios, ya sea cemento para una nueva autopista o abarrotes que ahora podía comprar una familia gracias a la eliminación de algún impuesto, habrá menos riesgo de que se reduzca la demanda, reducción que causaría despidos en empresas y, en consecuencia, contracción aún mayor de la demanda y una recesión más grave.

De nueva cuenta suponga que la economía canadiense está en recesión. También que la cuenta corriente de Canadá registra un déficit porque las importaciones exceden a las exportaciones, de modo que el país es un prestatario neto en el resto del mundo. Recuerde que, dado un sistema de tipos de cambio flotantes, una política monetaria expansionista resultará en una depreciación del dólar canadiense y, por tanto, en un aumento de sus exportaciones y una disminución de sus importaciones. El incremento neto de las exportaciones contribuye a reducir el déficit de la cuenta corriente del país. La conclusión es que una política monetaria expansionista, que es indicada para combatir la recesión canadiense, también es compatible con el objetivo de reducir el déficit de la cuenta corriente del país. En pocas palabras, una sola política económica propicia el equilibrio global de Canadá.

En cambio, suponga que Canadá padece inflación y un déficit en su cuenta corriente. Si el Banco de Canadá adopta una política de contracción monetaria para combatir la inflación, provocará que la tasa de interés interna aumente y ello provocará la apreciación de su dólar, dando por resultado una caída de las exportaciones canadienses, un incremento de sus importaciones y un déficit más grande en la cuenta corriente. La conclusión es que la política de contracción monetaria para combatir la inflación en Canadá se contrapone con su objetivo de propiciar el equilibrio de su cuenta corriente. Por tanto, la política monetaria produce un conflicto de políticas. No obstante, si al inicio Canadá tuviera un superávit en su cuenta corriente, una política monetaria expansionista serviría para reducirlo.

En pocas palabras, cuando Canadá está en la zona de políticas que se contraponen, la política monetaria (o la política fiscal) sola no restaurará el equilibrio interno ni el externo. Se necesita una combinación de políticas. Por ejemplo, suponga que Canadá tiene una recesión con un déficit en su cuenta corriente. Una política monetaria expansionista para combatir la recesión podría ir acompañada de aranceles o cuotas para reducir las importaciones y mejorar la cuenta corriente. Cada objetivo económico está sujeto a una política adecuada que sirve de instrumento para lograr los dos objetivos al mismo tiempo. Este tema se analiza en libros más avanzados.

INFLACIÓN CON DESEMPLEO

Hasta aquí, el análisis se ha referido a la economía en circunstancias especiales. Se ha supuesto que, a medida que la economía se dirige al pleno empleo, los precios internos no cambian hasta que la economía llega al pleno empleo. Cuando la nación ha alcanzado su capacidad de producción, los aumentos posteriores de la demanda agregada llevan los precios hacia arriba. Este tipo de inflación se conoce como **inflación por demanda**. En estas circunstancias cabe decir que el equilibrio interno (pleno empleo con precios estables) es una sola meta que sólo requiere de una política instrumental: la reducción de la demanda agregada por vía de la política monetaria o la fiscal.

Un problema más difícil radica en saber cuál es la política que se debe aplicar cuando una nación registra *inflación con desempleo*. En este caso, el problema es que el equilibrio interno no se puede alcanzar con sólo manipular la demanda agregada. Para reducir la inflación, se requiere de una reducción de la demanda agregada y para disminuir el desempleo se requiere de una expansión de la demanda agregada. Por tanto, no es posible considerar que el objetivo del pleno empleo y el de los precios estables representen una sola meta, sino por el contrario, son dos metas independientes, que requieren de dos políticas instrumentales distintas.

En consecuencia, para alcanzar el equilibrio general se deben considerar tres metas independientes: *1)* el equilibrio de la cuenta corriente, *2)* el pleno empleo y *3)* la estabilidad de precios. Las políticas monetaria y fiscal podrían no bastar para lograr estos tres objetivos al mismo tiempo, sino que tal vez se necesiten también los controles directos.

La inflación con desempleo ha sido un problema para Estados Unidos. En 1971, por ejemplo, su economía registró inflación con recesión y un déficit en la cuenta corriente. El incremento de la demanda agregada para llegar al pleno empleo presuntamente intensificaría las presiones inflacionarias. Por tanto, el presidente instituyó un sistema general de **controles de precios y salarios** para eliminar el freno de la inflación. Más adelante, ese mismo año, la realineación de los tipos de cambió de Estados Unidos produjo una depreciación de 12% del valor de cambio del dólar, ponderado para el comercio, frente a otras divisas importantes. La depreciación del dólar buscaba ayudar al país a revertir el déficit de cuenta corriente. En pocas palabras, el presidente pensaba que Estados Unidos no podría acabar con sus problemas internos y externos tan sólo con políticas para modificar el gasto.

COORDINACIÓN DE LA POLÍTICA ECONÓMICA INTERNACIONAL

Desde hace mucho tiempo, quienes diseñan las políticas saben que el bienestar de sus economías está ligado a la economía mundial. Dada la movilidad internacional de los bienes, los servicios, el capital y el trabajo, las políticas económicas de una nación tienen repercusiones en las demás. Los gobiernos las han reconocido y, por lo mismo, han tratado de coordinar sus políticas económicas.

La figura 16.3 ilustra las relaciones económicas entre naciones a lo largo de un espectro, que va desde el *conflicto* abierto hasta la *integración*, donde las naciones aplican las políticas mancomunadamente en un foro supranacional al que han cedido un grado importante de sus facultades, como sería el caso de la Unión Europea. En el punto medio del espectro están las políticas *independientes*: las naciones asumen los actos de otras naciones y no tratan de influir en ellos ni se someten a su

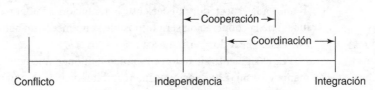

FIGURA 16.3

Relaciones entre los gobiernos nacionales

Cabe decir que las relaciones entre gobiernos nacionales se ubican a lo largo de un espectro, que va desde las políticas en conflicto hasta la integración de las políticas. Entre estos dos extremos se encuentra toda una serie de formas de cooperación y coordinación.

influencia. Entre el punto de independencia y el de integración se encuentran diversas formas de coordinación de políticas y de cooperación.

La creación de políticas en cooperación puede adoptar muchas formas, pero normalmente se presenta siempre que los funcionarios de distintas naciones se reúnen para evaluar las condiciones económicas del mundo. En esas reuniones los políticos presentan resúmenes de sus economías individuales y discuten sus políticas corrientes. Estas reuniones representan una forma simple de cooperación. Un formato más complejo implicaría estudios económicos de un tema concreto, en combinación con una discusión a fondo de las posibles soluciones. No obstante, la verdadera coordinación de políticas trasciende estas dos formas de cooperación, es decir, es un acuerdo formal entre las naciones para aplicar políticas concretas.

La **coordinación de la política económica internacional** representa un intento por modificar de forma significativa las políticas nacionales (políticas monetaria, fiscal y cambiaria) dado el reconocimiento de la interdependencia económica internacional. La coordinación de políticas no siempre implica que las naciones den preferencia a los intereses internacionales por encima de los nacionales. Sin embargo, sí reconoce que las políticas de una nación repercuten e influyen en los objetivos de otras. Por tanto, las naciones deben comunicarse unas con otras y tratar de coordinar sus políticas de modo que tomen en cuenta estos vínculos. Presuntamente, estarán en mejor posición que si hubieran actuado de forma independiente.

En la búsqueda de facilitar la coordinación de las políticas, los funcionarios de economía de los principales países industrializados hablan con frecuencia entre sí en el contexto del Fondo Monetario Internacional y de la Organización para la Cooperación y el Desarrollo Económico. Asimismo, los principales funcionarios de los bancos centrales se reúnen mensualmente en el Banco de Pagos Internacionales.

La coordinación de las políticas en la teoría

Si la política económica de una nación afecta a la de otra, es bastante obvio argumentar que las dos deberían coordinar sus políticas. En el mundo moderno se piensa que esta coordinación es muy importante porque las alteraciones económicas pasan velozmente de una nación a otra. Si no ocurriera esta coordinación, la política económica de una nación podría desestabilizar a otras. El problema del espectador de básquetbol ilustra la lógica de la coordinación de las políticas.

Suponga que usted asiste a un partido de básquetbol entre los Supersónicos de Seattle y los Toros de Chicago. Si todos están sentados, la persona que se ponga de pie verá mejor. Los espectadores normalmente pueden ver bien si todos están sentados o si todos se ponen de pie. Estar sentado en las localidades es más cómodo que estar de pie. Cuando no hay cooperación, todos se ponen de pie y cada espectador hace lo que más le conviene, considerando los actos de los demás espectadores.

Si todos los espectadores permanecen sentados, alguien, dando por hecho lo que harán los otros, se pondrá de pie. Si todos los espectadores están de pie, entonces es más conveniente permanecer de pie. Si los espectadores cooperan, la solución es que todos permanezcan sentados. El problema es que cada espectador puede sentir la tentación de ponerse de pie para ver mejor. Por tanto, la solución de la cooperación será imposible si no media un acuerdo explícito sobre la coordinación, en este caso, que todos permanezcan sentados.

Vea el siguiente ejemplo económico. Suponga que en el mundo sólo existen dos naciones, Alemania y Japón. Estas naciones intercambian bienes libremente, pero quieren aplicar sus prioridades económicas. Alemania quiere evitar el déficit comercial con Japón, al mismo tiempo que su economía llega al pleno empleo. Japón quiere tener una economía con pleno empleo, pero evitar el déficit comercial con Alemania. Suponga que las dos naciones tienen un comercio equilibrado entre sí, pero que la economía de cada una opera por debajo del pleno empleo. Alemania y Japón consideran la posibilidad de aplicar una política de expansión del gasto público, que estimularía la demanda, la producción y el empleo. No obstante, las dos rechazan la idea, porque reconocen que la política tendrá un efecto negativo en la balanza comercial. Alemania y Japón saben que incrementar el ingreso interno para aumentar el empleo tiene el efecto secundario de estimular la demanda de importaciones, lo que provocará un déficit en la cuenta comercial.

La situación que antecede es favorable para que la coordinación de las políticas tenga éxito. Si Alemania y Japón acuerdan expandir de forma simultánea su gasto público, entonces su producción, empleo e ingreso aumentarán al mismo tiempo. Si bien el ingreso más alto de Alemania propicia un incremento de importaciones de Japón, el ingreso más alto de Japón propicia el incremento de importaciones de Alemania. Un incremento adecuado del gasto público provoca que el incremento de la demanda de importaciones de las dos naciones quede compensado con el incremento de la demanda de exportaciones, lo que genera un comercio equilibrado entre Alemania y Japón. En el ejemplo de la aplicación mutua de una política fiscal expansionista, la coordinación de las políticas permite que las dos naciones lleguen al pleno empleo y a un comercio equilibrado.

Ésta es una descripción optimista de la coordinación de la política económica internacional. La sincronización de las políticas parece sencilla, porque sólo hay dos economías y dos objetivos. Sin embargo, en el mundo real, la coordinación de políticas por lo general involucra a muchos países y numerosos objetivos distintos, como baja inflación, mucho empleo, crecimiento económico y equilibrio comercial.

Si los beneficios de la coordinación de la política económica internacional son tan evidentes, quizá resulte extraño que no haya más acuerdos de los que existen. Varios obstáculos entorpecen la buena coordinación de las políticas. Aun cuando los objetivos económicos nacionales estén en armonía, no existe garantía alguna de que los gobiernos puedan diseñar y aplicar políticas coordinadas. En el mundo real, los creadores de políticas no siempre cuentan con información suficiente para entender la esencia del problema económico ni para saber de antemano la forma en que sus políticas afectarán a las economías. Cuando los gobiernos no están de acuerdo en los fundamentos de la economía, la aplicación de políticas adecuadas resulta sumamente difícil por varias razones.

- Algunas naciones, por ejemplo, dan mayor prioridad a la estabilidad de precios o al pleno empleo que otras.
- Algunas naciones tienen leyes más fuertes o sindicatos más débiles que otras.
- Los péndulos de los partidos de distintos países, por ejemplo, oscilan con las elecciones que tienen lugar en distintos años.
- Una nación puede registrar una recesión económica; mientras que otra, una veloz inflación.

Aun cuando las ventajas teóricas de la coordinación de la política económica internacional han sido establecidas con bastante claridad, casi no ha habido intentos por cuantificar las ganancias. Los escépticos señalan que, en la práctica, las ganancias debidas a la coordinación de las políticas no son tantas como se suele sugerir. Conviene analizar algunos ejemplos de coordinación de políticas económicas internacionales.

¿Sirve de algo coordinar las políticas?

¿La coordinación de las políticas económicas mejora el desempeño de las naciones? Los partidarios de esta coordinación mencionan el ejemplo del Acuerdo del Hotel Plaza de 1985 y el Acuerdo del Louvre de 1987.

El deterioro de la balanza comercial era un aspecto muy preocupante para la recuperación económica de Estados Unidos a principios de la década de los ochenta. Este deterioro se vio influido por una dramática apreciación del dólar que contrarrestó cualquier otro determinante en la competitividad internacional de costos. Entre 1980 y 1985 la apreciación del dólar elevó la proporción entre los costos unitarios de mano de obra estadunidense y los costos unitarios de mano de obra extranjera hasta un 39% afectando la competitividad internacional de la manufactura estadunidense. Las exportaciones netas de productos y servicios estadunidenses disminuyeron y esto provocó enormes déficits comerciales. A medida que la recuperación estadunidense se desaceleró, aumentaron las presiones que pedían medidas proteccionistas en el Congreso.

Los funcionarios de los gobiernos del **Grupo de los Cinco (G-5)** (Estados Unidos, Japón, Alemania, Gran Bretaña y Francia), temerosos de un desastre en el sistema comercial del mundo, se reunieron en el Hotel Plaza de Nueva York en 1985. Todos estuvieron de acuerdo en que el dólar estaba sobrevaluado y que el déficit combinado de Estados Unidos (comercial y presupuesto federal) era demasiado abultado. Cada país adquirió diferentes compromisos para su política macroeconómica y también convinieron en iniciar ventas masivas coordinadas de dólares para empujarlo a la baja. Para 1986, el dólar se había depreciado dramáticamente, especialmente frente al marco alemán y al yen japonés.

No obstante, la pronunciada disminución del valor de cambio del dólar despertó una nueva preocupación: una caída descontrolada del dólar. Por tanto, en 1987 tuvo lugar otra ronda para coordinar las políticas a efecto de estabilizar el dólar. Los ministros de economía de los países del G-5 se reunieron en París y, mediante el Acuerdo del Louvre, convinieron llevar a cabo políticas intervencionistas para frenar la depreciación del dólar que estarían acompañadas de ajustes macroeconómicos.

Aun cuando los episodios del Acuerdo del Hotel Plaza y del Acuerdo del Louvre indican que la coordinación de políticas tuvo éxito, para principios del 2000, los funcionarios de los gobiernos mostraban menos entusiasmo por la misma. Pensaban que la coordinación de las políticas se había dificultado mucho debido a la manera en que se formulaban, sobre todo debido al surgimiento de los bancos centrales independientes. En la década de los ochenta los gobiernos de Japón y Alemania podían dictar lo que harían sus bancos centrales. Después de esa fecha, el Banco de Japón y el Banco Central de Europa han adquirido mayor independencia y se consideran protectores de la disciplina frente a los funcionarios públicos que gastan mucho. Esto dificulta la coordinación de las políticas fiscal y monetaria internas y provoca que los esfuerzos internacionales por coordinar las políticas resulten incluso más difíciles. Además, el enorme crecimiento de los mercados financieros mundiales ha provocado que la intervención monetaria sea mucho menos efectiva.

Un ejemplo de una coordinación fallida de la coordinación internacional de las políticas tuvo lugar en el 2000. En ese año, las naciones industrializadas del **Grupo de los Siete (G-7)** (Estados Unidos, Canadá, Japón, Reino Unido, Alemania, Francia e Italia) efectuaron compras coordinadas del euro para incrementar su valor. Aun cuando el euro fue instituido en 1999, a un valor de cambio de 1.17 dólares por euro, a mediados del 2000 su valor había disminuido a 0.84 dólares por euro. Muchos economistas temían que la continuación de los ataques especulativos contra el euro diera por resultado que su valor cayera en picada, lo que desestabilizaría el sistema financiero internacional. Para evitar que ocurriera, las naciones del G-7 efectuaron una intervención coordinada con la compra de euros con sus monedas en el mercado de divisas. La demanda adicional del euro contribuyó a incrementar su valor a más de 0.88 dólares. No obstante, el éxito de la intervención no duró mucho. A dos semanas de la misma, el valor del euro cayó a un mínimo sin precedentes. Casi todos los economistas consideraron que la intervención coordinada había sido un fracaso.

CONFLICTOS COMERCIALES ¿EL EFECTO EXPULSIÓN OCURRE EN UNA ECONOMÍA ABIERTA?

En su curso de principios de macroeconomía usted aprendió lo que es "el efecto" en la economía interna: es la disminución del consumo o del gasto de inversión privados como corolario del incremento del gasto público y el consecuente déficit presupuestal. La fuente de la disminución del gasto privado son las tasas de interés más altas provocadas por el déficit presupuestal.

Por ejemplo, suponga que el gobierno aplica una política fiscal expansionista, por ejemplo un incremento en el gasto para la defensa nacional. La política se debe financiar mediante el incremento de impuestos o tomando fondos a préstamo para permitir el incremento del déficit federal. Si el gobierno toma fondos a préstamo, la demanda total de fondos incrementará a medida que el gobierno compita con el sector privado para tomar la oferta de fondos disponibles. Por tanto, los préstamos adicionales del gobierno incrementan la demanda total de fondos y empujan las tasas de interés a la alza. Ante tasas de interés más altas, las empresas demorarán o cancelarán las compras de maquinaria y equipo, pospondrán la edificación de viviendas y los consumidores evitarán comprar bienes sensibles a los intereses, como electrodomésticos grandes y automóviles. En consecuencia, las tasas de interés más altas, provocadas por los préstamos que tomó el gobierno, expulsan los préstamos hacia el sector privado. Esta expulsión disminuye la efectividad de una política fiscal expansionista.

Aun cuando los economistas tienden a aceptar la lógica del argumento de la expulsión, reconocen que los déficits del gobierno no siempre expulsan el gasto privado. En las recesiones, el problema principal es que la gente no gasta todos sus fondos disponibles. Por lo normal, los consumidores ahorran más de lo que las empresas pretenden invertir. Esta reducción del gasto es el principal motivo para incrementar el gasto público. En esta situación de recesión, el gasto público financiado con déficit no expulsa el gasto privado.

Es más, en una economía abierta, los flujos de capital suelen reducir la medida de la expulsión, porque la entrada de capital extranjero tiende a mantener las tasas de interés más bajas de lo que habrían sido en caso contrario. El gobierno puede tomar más dinero a préstamo sin provocar que aumenten las tasas de interés que expulsan del mercado a los prestamistas privados.

La experiencia de Estados Unidos a principios del 2000 despierta dudas respecto de la hipótesis efecto expulsión. No obstante el creciente déficit del presupuesto federal, las tasas de interés permanecieron bajas en Estados Unidos porque los extranjeros estaban dispuestos a comprar grandes cantidades de valores girados por el gobierno. Los analistas señalaron que, de no haber sido por la entrada de capital extranjero, la tasa de interés del país habría sido alrededor de 1.5 puntos más alta. Sin embargo, los escépticos señalaron que la política de gasto libre con el tiempo se detendría si los extranjeros empezaban a dudar de la capacidad del país para reembolsar su deuda con una moneda sólida. Esto provocaría que los inversionistas privados demandaran tasas de interés más altas para seguir prestando al país el dinero que necesitaba o tal vez simplemente dejarían de prestar dinero a Estados Unidos, provocando que fuera más probable la expulsión.

RESUMEN

1. La política económica internacional se refiere a las diversas actividades del gobierno que influyen en los patrones del comercio entre naciones e incluyen *a)* las políticas monetaria y fiscal; *b)* los ajustes a los tipos de cambio; *c)* las barreras arancelarias y no arancelarias; *d)* los controles de cambios y de las inversiones, y *e)* las medidas para fomentar la exportación.

2. A partir de la década de los treinta, las naciones han perseguido activamente el equilibrio interno (pleno empleo sin inflación) como su principal objetivo económico. Las naciones también consideran que el equilibrio externo (equilibrio de la cuenta corriente) es un objetivo económico. Una nación logra el equilibrio general cuando consigue el equilibrio interno y el externo.

3. Las naciones, para alcanzar el equilibrio general, instituyen políticas para modificar el gasto (fiscal y monetaria), políticas para reorientar el gasto (ajustes al tipo de cambio) y controles directos (de precios y de salarios).

4. En el caso de una economía abierta con un sistema de tipos de cambio fijos y gran movilidad de capitales, la política fiscal tiene más éxito, y la monetaria menos éxito, para propiciar el equilibrio interno que en una economía cerrada. Si la economía abierta tiene un sistema de tipos de cambio flotante, la política monetaria tiene más éxito, y la política fiscal menos éxito, para propiciar el equilibrio interno que en una economía cerrada.

5. Cuando una nación registra inflación con desempleo, la persecución del equilibrio general incluye tres metas separadas: el equilibrio de la cuenta corriente, el pleno empleo y la estabilidad de precios. Seguramente se necesitarán tres políticas instrumentales para alcanzar estas metas.

6. La coordinación de la política económica internacional se entiende como un intento por modificar de forma significativa las políticas nacionales en razón del reconocimiento de la interdependencia económica internacional. Las naciones por lo regular se consultan entre sí en el contexto del Fondo Monetario Internacional, la Organización para la Cooperación y el Desarrollo Económico, el Banco de Pagos Internacionales y el Grupo de los Siete. El Acuerdo del Plaza y el Acuerdo del Louvre son ejemplos de coordinación de la política económica internacional.

7. La coordinación de la política económica internacional afronta varios problemas: *a)* los diferentes objetivos económicos de las naciones; *b)* sus diferentes instituciones; *c)* sus distintos climas políticos, y *d)* las diferentes fases del ciclo de los negocios. Es más, no existe garantía alguna de que los gobiernos puedan diseñar e implementar políticas capaces de obtener los resultados pretendidos.

CONCEPTOS Y TÉRMINOS CLAVE

Controles de precios y salarios (p. 488)

Controles directos (p. 480)

Coordinación de la política económica internacional (p. 489)

Equilibrio externo (p. 479)

Equilibrio global (p. 479)

Equilibrio interno (p. 479)

Grupo de los Cinco (G-5) (p. 491)

Grupo de los Siete (G-7) (p. 492)

Inflación por demanda (p. 488)

Política fiscal (p. 480)

Política monetaria (p. 480)

Políticas para modificar el gasto (p. 480)

Políticas para reorientar el gasto (p. 480)

PREGUNTAS PARA ANÁLISIS

1. Señale las diferencias entre equilibrio externo, equilibrio interno y equilibrio general.

2. ¿Cuáles son los instrumentos más importantes de la política económica internacional?

3. ¿Qué es la *política para modificar el gasto* y la *política para reorientar el gasto*? Presente algunos ejemplos de las dos.

4. ¿Qué limitaciones institucionales repercuten en la creación de las políticas económicas?

5. Cuando existe un sistema de tipos fijos de cambio y gran movilidad de capital, ¿cuál es la mejor política para propiciar el equilibrio interno: la monetaria o la fiscal? ¿Por qué?

6. ¿Qué se entiende por *políticas que coinciden* y las *políticas que se contraponen*?

7. ¿Cuáles son algunos obstáculos para que la coordinación de la política económica internacional tenga éxito?

Banca internacional: reservas, deuda y riesgo

El sistema bancario mundial desempeña una función esencial para facilitar las transacciones internacionales y mantener la prosperidad económica. Los bancos mercantiles, como Citicorp, ayudan a financiar el comercio y la inversión y suministran préstamos a los prestatarios internacionales. Los bancos centrales, como la Reserva Federal, sirven como prestamistas de última instancia para los bancos mercantiles y, a veces, intervienen en los mercados de divisas para estabilizar los valores de las monedas. Por último, el Fondo Monetario Internacional (FMI) sirve como prestamista para las naciones que tienen un déficit de largo plazo en sus balanzas de pagos. Este capítulo se centra en el papel que desempeñan los bancos en los mercados financieros mundiales, los riesgos asociados a la banca internacional y las estrategias empleadas para manejar estos riesgos.

Primero se investiga la naturaleza de las reservas internacionales y de su importancia para el sistema financiero mundial. A continuación se aborda a los bancos como prestamistas internacionales y a los problemas asociados con la deuda internacional.

NATURALEZA DE LAS RESERVAS INTERNACIONALES

En el caso de las reservas internacionales, la necesidad de tener un banco central, como el Banco de Inglaterra, es similar al afán de un individuo por tener un saldo monetario (depósitos en firme y cheques). En los dos casos, las reservas monetarias pretenden tender un puente entre el dinero que ingresa y los pagos que salen.

Suponga que un individuo recibe ingresos, en forma de pagos, iguales cada minuto del día y que sus gastos en bienes y servicios también están sujetos a plazos iguales a lo largo del tiempo. Este individuo sólo requerirá de una reserva mínima de dinero para financiar sus compras, porque no hay desequilibrios importantes entre el dinero que entra y el dinero que sale. Sin embargo, en la realidad, las personas compran bienes y servicios, en forma regular, todos los días, pero reciben su cheque de nómina cada semana o en plazos más largos. Por tanto, requieren de cierta cantidad de efectivo para financiar la discrepancia que se presenta entre el dinero que reciben y el que pagan.

Cuando un individuo acaba de recibir su cheque, su saldo monetario será alto. Pero a medida que pasa el tiempo, el dinero que tiene puede bajar prácticamente a cero, justo antes de que reciba su siguiente remuneración. Por consiguiente, las personas se preocupan por el monto de dinero que normalmente necesitan para operar hasta que reciben su siguiente pago.

Si bien las personas tienen saldos monetarios, más que nada para llenar la brecha entre el dinero que reciben y el que pagan, hay una serie de factores que influyen en su interés por tenerlos. La cantidad de dinero que necesitan tener puede ser mayor si el volumen absoluto de dólares de sus transacciones aumenta, porque entonces se presentará un desequilibrio mayor entre lo que reciben y lo que pagan. Por otra parte, en la medida que los individuos puedan financiar sus transacciones a crédito no necesitarán tener tanto efectivo disponible.

Así como un individuo desea tener dinero en efectivo, los gobiernos nacionales necesitan tener **reservas internacionales**. El objeto principal de estas reservas es que permiten a las naciones financiar el desequilibrio de la posición de su balanza de pagos. Cuando una nación encuentra que recibe menos dinero del que necesita para hacer sus pagos, entonces liquida su déficit con sus reservas internacionales. A la larga, tendrá que eliminar su déficit, dado que los bancos centrales tienden a tener existencias limitadas de reservas.

Desde una perspectiva política, la ventaja de tener reservas internacionales es que permiten a las naciones registrar un déficit *temporal* en su balanza de pagos, hasta que las medidas de ajuste aceptables operen para corregir el desequilibrio. Las reservas internacionales de una nación le permiten formular políticas eficaces, porque no tendrá que aplicar medidas de ajuste correctivas en forma apresurada. Así pues, si una nación deficitaria posee abundantes existencias de reservas, podrá operar sin imponer medidas de ajuste poco populares, las cuales provocarán que los ajustes posteriores resulten aun más problemáticos.

DEMANDA DE RESERVAS INTERNACIONALES

Cuando los pagos monetarios internacionales de una nación suman más que sus ingresos internacionales, tendrá que encontrar alguna forma de financiamiento para liquidar su déficit de pagos. La liquidación no es otra cosa que la transferencia de reservas internacionales de un país a otro. Las existencias de reservas internacionales de un país limitan, en ausencia de ajustes equilibrantes, tanto la magnitud como el tiempo que la nación podrá sostener el déficit de la balanza de pagos.

En un ámbito mundial, la **demanda de reservas internacionales** depende de dos factores relacionados: *1)* el valor monetario de las transacciones internacionales y *2)* los desequilibrios que se podrían presentar en las posiciones de las balanzas de pagos. La demanda de reservas internacionales también depende de cuestiones como la velocidad y la fuerza del mecanismo de ajuste de la balanza de pagos y el marco institucional general de la economía mundial.

Flexibilidad de los tipos de cambio

Un determinante de la demanda de reservas internacionales es el *grado de flexibilidad de los tipos de cambio* del sistema monetario internacional. Esto se debe a que la flexibilidad de los tipos de cambio es la base, en parte, de la eficiencia del proceso de ajuste de las balanzas de pagos.

La figura 17.1 presenta la posición de Estados Unidos, en el mercado de divisas, en su comercio con el Reino Unido. A partir del punto de equilibrio E, suponga que un incremento de las importaciones aumenta la demanda estadounidense de libras de D_0 a D_1. El sistema cambiario que prevalezca determinará la cantidad de reservas internacionales que se necesitan para salvar la brecha que separa la cantidad de libras demandadas y la cantidad ofrecida.

Si los tipos de cambio son fijos o si han sido indexados por las autoridades monetarias, entonces las reservas internacionales desempeñan un papel fundamental en el proceso de estabilización de los cambios. En la figura 17.1, el supuesto es que el tipo de cambio está indexado a 2 dólares por libra. Dado el aumento de la demanda de libras de D_0 a D_1, Estados Unidos registraría un exceso de demanda de libras equivalente a 100 libras, al tipo de cambio indexado. Si el dólar de Estados Unidos no es depreciado de su tipo de cambio indexado, las autoridades monetarias (es decir, la Reserva Federal) deben intervenir en el mercado para ofrecer libras, a cambio de dólares, en suficiente cantidad para eliminar el desequilibrio. En la figura, el tipo de cambio indexado a 2 dólares por libra se podrá mantener, siempre y cuando las autoridades ofrezcan 100 libras en el mercado. La oferta adicional,

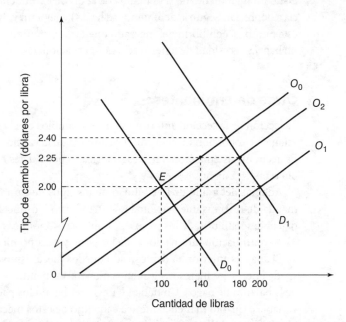

FIGURA 17.1

Demanda de reservas internacionales y flexibilidad del tipo de cambio

Cuando las autoridades monetarias establecen tipos de cambio fijos (indexados), una nación necesitará emplear sus reservas internacionales para financiar los desequilibrios de pagos y para estabilizar los tipos de cambio. Con tipos de cambio flotantes, las fluctuaciones del tipo de cambio provocadas por el mercado tienden a corregir los desequilibrios y, entonces, desaparece la necesidad de estabilizar el tipo de cambio y la de tener reservas internacionales.

sumada a la curva de oferta existente, O_0, producirá una nueva curva de oferta, O_1 y el equilibrio del mercado será restaurado al tipo de cambio indexado.

Suponga que una nación, en lugar de operar con un sistema de tipos rígidamente indexados, firma un acuerdo para facilitar algunos ajustes automáticos, permitiendo que los tipos de mercado floten dentro de una banda estrecha en torno al tipo de cambio oficial. Esta limitada flexibilidad cambiaria pretende corregir los desequilibrios menores de pagos, pero un desequilibrio grande y persistente requerirá de otras medidas para el ajuste.

En la figura 17.1, suponga que el tipo de cambio oficial de Estados Unidos es de 2 dólares por libra, pero con una banda que permite las fluctuaciones del tipo de cambio, dentro de un límite superior a 2.25 dólares por libra. Dado el aumento de la demanda estadunidense de libras, el valor del dólar empezará a descender. Cuando el tipo de cambio se deprecie a 2.25 dólares por libra, las autoridades monetarias tendrán que ofrecer 40 libras al mercado, a efecto de defender el límite exterior de la banda. Esto provocará que la curva de oferta del mercado pase de O_0 a O_2. Así pues, con un sistema de tipos de cambio con flexibilidad limitada, los movimientos de éstos sirven para disminuir el desequilibrio de los pagos. Con este sistema la nación requerirá una cantidad menor de reservas internacionales para estabilizar el tipo de cambio que con uno de tipo de cambio rígidamente fijo.

Un propósito fundamental de las reservas internacionales es facilitar la intervención de los gobiernos en los mercados de divisas para estabilizar los valores de las monedas. Cuanto mayor sea la cantidad de actividades de un gobierno para conseguir la estabilidad, tanto mayor será la cantidad de reservas que necesite. Hoy día casi todos los parámetros cambiarios implican algunas operaciones de estabilización y requieren de reservas internacionales. No obstante, en teoría, si se permitiera que los tipos de cambio flotaran libremente, sin intervención de los gobiernos, no se necesitaría reserva alguna, porque el tipo flotante eliminaría un desequilibrio de pagos incipiente y anularía la necesidad de operaciones para conseguir la estabilización. De nueva cuenta remítase a la figura 17.1 y admita que el mercado de divisas está en equilibrio, inicialmente, al tipo de cambio de 2 dólares por libra. Dado un incremento de la demanda de la divisa extranjera de D_0 a D_1, la moneda del país se empezaría a depreciar. Seguiría debilitándose hasta llegar a un valor de cambio de 2.40 dólares por libra y, en este punto, el equilibrio del mercado quedaría restaurado. Por tanto, si los tipos flotaran libremente, no habría necesidad de tener reservas internacionales.

Otros determinantes

La lección de la sección anterior es que los cambios en el grado de flexibilidad de los tipos de cambio están en proporción inversa con los cambios de la cantidad demandada de reservas internacionales. Es decir, un sistema monetario caracterizado por ajustes más rápidos y flexibles en los tipos de cambio requerirá menos reservas y viceversa.

Además del grado de flexibilidad de los tipos de cambio, algunos otros factores sustentan la demanda de reservas internacionales, entre ellos: *1)* los mecanismos de ajuste automático que respondan al desequilibrio de los pagos; *2)* políticas económicas que propicien el equilibrio de los pagos, y *3)* la coordinación internacional de las políticas económicas.

El análisis anterior ha demostrado que los mecanismos de ajuste que entrañan los precios, las tasas de interés, los ingresos y los flujos monetarios tienden a corregir, automáticamente, el desequilibrio de la balanza de pagos. Un déficit o un superávit en los pagos originan cambios en cada una de estas variables. Cuanto más eficiente sea cada uno de estos mecanismos de ajuste, tanto más pequeños serán los desequilibrios, más breve será su duración y menor la cantidad de reservas que se necesiten. Por tanto, la demanda de reservas internacionales tiende a ser más baja cuando los mecanismos de ajuste automático son más rápidos y completos.

La eficacia de las políticas que el gobierno adopta para corregir los desequilibrios de los pagos también influye en la demanda de reservas internacionales. A diferencia de los mecanismos de ajuste automático, que dependen de un mercado libre para identificar a las industrias y a los grupos de trabajadores que deben cargar el peso del ajuste, las políticas que elija el gobierno entrañan decisiones políticas. En igualdad de condiciones, cuanto mayor sea la propensión de un país a aplicar políticas comerciales (incluso aranceles, cuotas y subsidios) en sectores clave, tanto menor será la cantidad de reservas internacionales que necesite. Evidentemente, en este caso, se supone que las políticas sirven para reducir el desequilibrio de los pagos. Sin embargo, dada la incertidumbre respecto a la naturaleza y los tiempos de las alteraciones en los pagos, las naciones con frecuencia tardan en poner en marcha estas políticas comerciales y encuentran que necesitan de las reservas internacionales para sortear los periodos de desequilibrio de los pagos.

La coordinación internacional de las políticas económicas es otro de los determinantes de la demanda de reservas internacionales. Una meta básica de la cooperación económica de los ministros de finanzas es reducir la frecuencia y el grado de los desequilibrios de pagos y, por ende, la demanda de reservas internacionales. A partir de la Segunda Guerra Mundial, las naciones han avanzado hacia la concertación de los objetivos económicos nacionales, estableciendo programas por vía de organizaciones como el Fondo Monetario Internacional y la Organización para la Cooperación y el Desarrollo Económico. La Unión Europea es otro ejemplo de una organización económica internacional que pretende llegar a una política macroeconómica común y a una unión monetaria completa. Esta coordinación de políticas reduce la intensidad de las alteraciones de la balanza de pagos y disminuye la necesidad de reservas internacionales.

Algunos otros factores influyen en la demanda de reservas internacionales. La cantidad demandada guarda una relación positiva con el nivel de los precios y el ingreso mundiales. Así pues, cabe esperar que el aumento de los niveles de precios infle el valor de mercado de las transacciones internacionales y, por tanto, aumente la posible demanda de reservas. Asimismo, la cantidad de reservas requerida aumentaría con el nivel del ingreso y la actividad comercial del mundo.

En resumen, los bancos centrales deben tener reservas internacionales para cubrir el exceso de pagos, posibles o esperados, a otras naciones en el futuro. La cantidad demandada de reservas internacionales está en proporción directa con el monto y la duración de estas brechas en los pagos. Si la nación que tiene un déficit de pagos está dispuesta (y puede) tomar medidas inmediatas para aumentar los ingresos o disminuir los pagos, el monto de las reservas que necesite será pequeño. De lo contrario, la demanda de reservas será grande si las naciones no aplican medidas para corregir los desequilibrios de pagos o si adoptan políticas que prolongan este desequilibrio.

OFERTA DE RESERVAS INTERNACIONALES

Hasta aquí, el análisis se ha centrado en la demanda de reservas internacionales, pero ¿qué pasa con la **oferta de reservas internacionales**?

El total de la oferta de reservas internacionales está compuesto por dos categorías distintas: las *reservas propias* y las *reservas a crédito*. Normalmente se considera que los activos de las reservas, como el oro, las divisas extranjeras aceptables y los derechos especiales de giro (DEG) son propiedad directa de las naciones que los tienen. Sin embargo, si las naciones que tienen un déficit de pagos encuentran que las existencias de las reservas que poseen caen a niveles inaceptablemente bajos, podrán tomar a préstamo reservas internacionales como un instrumento amortiguador. Los prestamistas pueden ser otras naciones que tienen un exceso de reservas, instituciones financieras extranjeras u organismos internacionales como el FMI.

DIVISAS EXTRANJERAS

Las reservas internacionales son una forma de pago empleada para financiar las transacciones con el exterior. Uno de estos activos son las carteras de *monedas de otras naciones* (divisas extranjeras). La mayor parte de las reservas internacionales está compuesta por las carteras de monedas nacionales.

A lo largo de los siglos xix y xx dos monedas nacionales han adquirido preeminencia como medio para financiar las transacciones internacionales, a saber: el dólar de Estados Unidos y la libra inglesa. Se considera que estas dos monedas son *divisas de reserva* (o *divisas clave*) porque las naciones que realizan operaciones comerciales tradicionalmente han aceptado tenerlas como activos de sus reservas internacionales. A partir de la Segunda Guerra Mundial, el dólar de Estados Unidos ha sido la divisa de reserva dominante. Otras divisas de reserva son el yen de Japón y algunas otras monedas que son aceptadas en el pago de las transacciones internacionales.

El papel de la libra como divisa de reserva se debe, en gran parte, a las circunstancias de finales del siglo xix y principios del xx. En ese periodo, Gran Bretaña (ahora el Reino Unido) no sólo tuvo un papel dominante en el comercio mundial, sino que la eficiencia de Londres, como mercado monetario internacional, era ampliamente reconocida. Esa fue la edad del auge del patrón oro y la libra se convertía, libremente, a oro. Los comerciantes y los inversionistas se sentían confiados cuando financiaban sus transacciones con libras. Con el ocaso del patrón oro y la presencia de la Gran Depresión en la década de los treinta, el estatus comercial y financiero de Gran Bretaña se empezó a deteriorar y la libra perdió parte de su brillo internacional. Hoy, la libra sigue siendo un activo importante de las reservas internacionales, pero ya no es la divisa de reserva de mayor prestigio.

El surgimiento del dólar como divisa de reserva nace de un conjunto de circunstancias. Después de la Segunda Guerra Mundial, la economía de Estados Unidos no sólo estaba ilesa, sino que, de hecho, estaba más sólida. Dado el enorme ingreso de oro que registró ese país en las décadas de los treinta y cuarenta, el dólar estaba en mejor posición que la libra para asumir el papel de divisa de reserva.

El mecanismo que ofreció al mundo saldos en dólares fue el déficit de la balanza de pagos de Estados Unidos. Este déficit se debía, en parte, a la ayuda que el país proporcionó a Europa justo después de la Segunda Guerra Mundial, así como a la salida de fondos de inversión privada enviados al exterior por residentes estadunidenses. Los primeros años de la década de los cincuenta se caracterizaron por ser *tiempos de escasez de dólares*, cuando los enormes programas de desarrollo de las naciones europeas produjeron una excesiva demanda de dólares, empleados para financiar estas actividades. Cuando Estados Unidos empezó a registrar un déficit modesto de pagos a principios de los cincuenta, los dólares que salían del país eran muy apreciados por las naciones que los recibían.

A finales de la década de los cincuenta, el déficit de pagos de Estados Unidos había adquirido mayores dimensiones. Cuando las otras naciones empezaron a acumular saldos en dólares más grandes que los acostumbrados, los tiempos de la escasez de dólares cedieron el paso a una *inundación de dólares*. A todo lo largo de la década de los sesenta, Estados Unidos siguió proporcionando reservas al mundo por vía de su déficit de pagos. No obstante, la posición persistentemente débil de la balanza de pagos de Estados Unidos fue llevando a los extranjeros a dudar de la solidez del dólar como divisa de reserva. Para 1970, el monto de pasivos en dólares en manos de extranjeros era varias veces mayor que los activos de las reservas de Estados Unidos. La falta de confianza en la solidez del dólar llevó a varias naciones europeas a ejercitar su derecho de exigir al Tesoro de Estados Unidos que convirtiera a oro los dólares que poseía y, en 1971, esto llevó a ese país a suspender su compromiso con el mundo de convertir las divisas en oro.

El hecho de usar al dólar como divisa de reserva significaba que la oferta de reservas internacionales variaba de acuerdo con la posición de pagos de Estados Unidos. En la década de los sesenta, esta situación dio lugar a un **problema de liquidez**. Estados Unidos, para conservar la confianza en el dólar como divisa de reserva, tuvo que reforzar la posición de sus pagos mediante la eliminación de su déficit. Sin embargo, corregir ese déficit significaba eliminar los dólares adicionales como fuente de reservas para el sistema monetario internacional. La creación de los DEG como activo de reserva en 1970 y sus posteriores asignaciones han tenido el propósito de resolver este problema.

EL ORO

No se debe menospreciar la importancia histórica del oro como activo de las reservas internacionales. En alguna época, el oro fue el activo monetario básico del mecanismo de pagos internacionales y, además, fue la base de la oferta monetaria de muchas naciones.

El oro, como dinero internacional, cumplía varias funciones importantes. Con el histórico **patrón oro**, el metal servía directamente como medio internacional de pagos. También era unidad de cuenta para cotizar los precios de mercancías y las paridades de las monedas nacionales. Las reservas de oro no producen ingresos por intereses, pero generalmente han servido como una reserva viable de valor, a pesar de la inflación, las guerras y las revoluciones. La mayor ventaja del oro como activo monetario es su aceptación general, sobre todo cuando se compara con otras monedas internacionales.

Hoy, el papel del oro como activo de las reservas internacionales se ha ido apagando. En los pasados treinta años, el oro ha bajado de 70% de las reservas mundiales a menos de 3%. Las personas rara vez usan el oro como forma de pago y casi nunca como unidad de cuenta. En la actualidad los bancos centrales tampoco usan el oro como unidad oficial de cuenta para establecer las paridades de las monedas nacionales. Hoy sólo un puñado de naciones, sobre todo del Medio Oriente, reconoce el papel monetario del oro. Fuera de Estados Unidos, los residentes de casi todas las naciones han podido comprar y vender oro desde hace mucho, como si se tratara de otra mercancía cualquiera. El 31 de diciembre de 1974, el gobierno de Estados Unidos revocó un decreto que durante 41 años prohibió que los ciudadanos estadunidenses poseyeran oro. En la actualidad, el papel monetario del oro sólo es el de un brillante fantasma empeñado en reformar el sistema monetario internacional.

El patrón internacional del oro

En la era del auge del patrón internacional del oro, allá entre 1880 y 1914, los valores de casi todas las monedas nacionales se sujetaban al oro. Las monedas de oro circulaban al interior y entre ellos y, en general, era una forma aceptada de pago. Las autoridades monetarias se dedicaban a mantener la confianza del público en el papel moneda, que complementaba el papel del oro como circulante. Los gobiernos, para mantener la integridad del papel moneda, acordaron que fuera convertible a oro a un tipo fijo. La previsión era que este requisito impidiera que las autoridades monetarias imprimieran una cantidad excesiva de papel moneda. La llamada *disciplina* al patrón oro se consiguió porque se exigía que la oferta monetaria mantuviera una relación fija con sus reservas monetarias de oro. Dado el costo de la producción de oro en relación con el costo de otros productos, se establecía un precio monetario del oro para producir el crecimiento del oro monetario (y, por tanto, la oferta monetaria) a una tasa que correspondía al crecimiento del producto nacional real.

A lo largo de la era del patrón oro su importancia empezó a decaer, mientras que el papel moneda y los depósitos a la vista registraron un notable incremento. De 1815 a 1913, la fracción de la oferta monetaria agregada de Estados Unidos, Francia y Gran Bretaña correspondiente al oro disminuyó aproximadamente de 33% a 10%. Al mismo tiempo, la proporción de depósitos bancarios se disparó de un modesto 6% a cerca de 68%. Para 1913, el papel moneda y los depósitos a la vista representaban alrededor de 90% de la oferta monetaria de Estados Unidos.

Después de la Primera Guerra Mundial, el sentimiento popular favorecía un retorno a la disciplina del patrón oro, en parte debido a la inflación que afectó a muchas economías durante los años de la guerra. Estados Unidos fue el primero en volver al patrón oro, seguido por varias naciones europeas. Sin embargo, los esfuerzos previos a la guerra por restaurarlo, terminaron en una verdadera catástrofe en la década de los treinta. Ante las dificultades económicas de la Gran Depresión, las naciones fueron anunciando, una por una, que ya no lo apoyarían.

En Estados Unidos la Gran Depresión produjo una modificación importante al patrón oro. En 1934, la Gold Reserve Act (Ley de las Reservas de Oro) otorgó al gobierno el título de propiedad de todo el oro monetario y exigió a los ciudadanos que entregaran el oro que poseían al Departamento del Tesoro. La medida pretendía terminar con la presión ejercida sobre los bancos mercantiles estadunidenses para que convirtieran sus pasivos en oro. Además, el dólar estadunidense fue devaluado en 1934, cuando el precio oficial del oro aumentó de 20.67 a 35 dólares por onza. La devaluación del dólar no pretendía, específicamente, defender la balanza comercial de Estados Unidos. La lógica de la medida se basaba en el supuesto de que un aumento del precio interno del oro alentaría la producción del metal, lo que aumentaría la oferta monetaria y el nivel de la actividad económica. ¡La Gran Depresión quedaría resuelta! Al mirar atrás, es posible decir que la devaluación quizá tuvo efectos económicos menores, pero no hay indicio alguno de que haya servido de algo para sacar a la economía de su depresión.

El patrón de cambio del oro

Las discusiones de las potencias mundiales durante la Segunda Guerra Mundial dieron origen a una nueva organización monetaria internacional, el Fondo Monetario Internacional. Un objetivo principal del Fondo era establecer de nuevo un sistema de tipos de cambio fijos, donde el oro sería el activo primario de las reservas. Así, el oro se convirtió en unidad internacional de cuenta cuando los países miembros acordaron, oficialmente, establecer la paridad de sus monedas en términos de oro o, alternativamente, del contenido de oro del dólar estadunidense.

El sistema monetario internacional surgido después de la Segunda Guerra Mundial, tal como lo constituyeron los países miembros, era nominalmente un **patrón de cambio del oro**. La idea era reducir las reservas monetarias de oro como reservas internacionales, porque éstas no podían crecer a la misma velocidad que estaba registrando el comercio internacional. Lo anterior exigía que Estados Unidos, que salió de la guerra con una economía dominante en términos de capacidad productiva y riqueza nacional, asumiera el papel de banquero del mundo. El dólar se convertiría en la principal moneda de reserva del sistema monetario internacional. La coexistencia de los dólares y el oro, como activos de las reservas internacionales, dio origen al nombre de *sistema oro-dólar*.

Estados Unidos, como banquero del mundo, asumía la responsabilidad de comprar y vender oro a un precio fijo a los extranjeros dueños oficiales de dólares. El dólar era la única moneda que se podía convertir en oro y las monedas de otras naciones estaban sujetas a él. El dólar, por tanto, era considerado una divisa de reserva tan válida como el oro, porque se pensaba que conservaría su valor en relación con otras divisas y se podría convertir en oro.

Mientras las reservas monetarias de oro de Estados Unidos fueron bastante grandes, en relación con sus pasivos externos pendientes en dólares, la confianza en el dólar como divisa viable de reserva estuvo intacta. Justo después de la Segunda Guerra Mundial, sus reservas monetarias de oro llegaron a un máximo de 24 mil millones de dólares, aproximadamente las dos terceras partes del total mundial. Sin embargo, con el transcurso del tiempo, el monto de las reservas extranjeras en dólares aumentó de forma significativa debido a un déficit de pagos de Estados Unidos, pero sus reservas monetarias de oro decrecieron porque los dólares eran enviados al Departamento del Tesoro para ser intercambiados por oro. Para 1965, el total de la oferta de dólares en posesión de extranjeros era superior a las reservas monetarias de oro de Estados Unidos. Como el país no tenía capacidad para convertir todos los dólares en circulación en oro, a 35 dólares por onza, se puso en tela de juicio su capacidad como banquero del mundo.

Estas circunstancias despertaron la especulación de que Estados Unidos podría tratar de resolver el problema de su escasez de oro con una devaluación del dólar. Al incrementar el precio oficial del oro, la devaluación de éste habría aumentado el valor de las reservas monetarias de oro de Estados Unidos. Para evitar las ganancias de los especuladores, debidas a un aumento del precio oficial del oro, Estados Unidos y algunas naciones más establecieron, en 1968, un sistema de *dos niveles del oro*. El sistema tenía un *nivel oficial*, donde los bancos centrales podían comprar y vender oro para efectos monetarios, al precio oficial de 35 dólares por onza, y un *mercado privado*, donde el oro, como un producto, podía ser negociado a precio de mercado libre. El sistema de dos niveles, que separaba el mercado oficial del oro del mercado privado del oro, significó un paso hacia la total desmonetización del oro.

Desmonetización del oro

La creación del sistema de los dos niveles del oro fue un remedio que sólo serviría para demorar el colapso inevitable del patrón de cambio del oro. Para 1971, las reservas monetarias de oro de Estados Unidos habían disminuido a 11 mil millones de dólares, sólo una fracción de los pasivos en dólares estadunidenses que estaban en manos de bancos centrales extranjeros. La posición de la balanza de pagos de Estados Unidos también se estaba deteriorando. En agosto de 1971, el presidente Richard Nixon anunció que Estados Unidos ponía fin a su compromiso de comprar y vender oro a 35 dólares por onza. Cuando se cerró la ventana del oro para sus dueños oficiales extranjeros, el patrón de cambio del oro llegó a su fin y se rompió el último vínculo funcional entre el dólar y el oro monetario.

Pasaron varios años para que las autoridades monetarias del mundo formalizaran la **desmonetización del oro** como activo de las reservas internacionales. El 1 de enero de 1975, el precio del oro dejó de ser la unidad de cuenta del sistema monetario internacional. Las autoridades monetarias nacionales podían celebrar transacciones en oro a precios determinados por el mercado y el FMI puso fin a su uso. Se acordó que una sexta parte del oro del fondo fuera subastada a los precios prevalecientes y que las ganancias fueran repartidas entre las naciones en desarrollo.

Por cuanto a Estados Unidos, la prohibición que durante 41 años inhibió que los residentes del país poseyeran oro fue levantada el 1 de enero de 1975. En cuestión de semanas, el Departamento del Tesoro subastó parte de su oro en los mercados de productos. Estas medidas enviaron la señal de que Estados Unidos daría al oro el mismo trato que a otro producto cualquiera.

¿Debería Estados Unidos regresar al patrón oro?

Cuando Estados Unidos abandonó el patrón oro se mudó hacia un orden basado en el dinero fiduciario; en ese orden los billetes de dólar circulan como moneda de curso legal y no son redimibles en oro. En lugar de ello, lo único que da valor al dinero fiduciario es su relativa escasez y la confianza que quienes lo usan fincan en él. Quienes critican este funcionamiento se preocupan porque en un sistema de dinero fiduciario no hay restricciones sobre la cantidad de dinero que puede crearse. Temen que el gobierno pueda incurrir en déficits presupuestarios grandes y valerse de préstamos federales financiados con la impresión de más papel moneda. Este proceso podría ocasionar inflación en los precios y pérdida del poder adquisitivo del dinero.

Si Estados Unidos regresara al patrón oro, su gobierno estaría limitado en su capacidad para inflar los precios a través de la emisión excesiva de papel moneda. Esto es porque el dólar sería avalado por una cantidad específica de oro: por ejemplo, $1 sería equivalente a 1/100 de una onza de oro. El gobierno puede imprimir tanto dinero como oro tiene Estados Unidos. Esto desanima la inflación, es decir, la existencia de demasiado dinero detrás de pocos artículos. Por otro lado, no alienta déficits presupuestarios del gobierno ni deuda que pueda exceder la oferta de oro. Por esta razón el anterior director de la Reserva Federal de EU, Alan Greenspan y el congresista Ron Paul han argüido en favor de la restitución del patrón oro.

Regresar al patrón oro acarrearía muchos problemas para la economía estadunidense: limitaría la habilidad del gobierno para administrar la economía. La Reserva Federal ya no podría incrementar la oferta de dinero durante una recesión o reducirla durante periodos de inflación, porque la oferta de dinero tendría que mantenerse constante. Sin embargo, precisamente por esto es que muchos proponen un retorno al patrón oro. Ahora bien, Estados Unidos no podría asumir unilateralmente un patrón oro si los demás países no lo adoptaran también: si lo hiciera, el mundo entero podría exigir que Estados Unidos reemplazara sus dólares por oro. Estados Unidos no tiene suficiente oro, según las tasas actuales, para pagar la parte de su deuda a los inversionistas extranjeros. Estos problemas y otros han resultado en la falta del entusiasmo del gobierno estadunidense por la propuesta de un retorno al patrón oro.

DERECHOS ESPECIALES DE GIRO

La liquidez y los problemas del patrón de cambio del oro que se derivaron de la dependencia del oro y del dólar como monedas internacionales llevaron a que, en 1970, el FMI creara otro activo de reserva, llamado **derechos especiales de giro** (DEG). El objeto era introducir al mecanismo de pagos un nuevo activo de reserva, además del dólar y del oro, que pudiera ser transferido entre las naciones participantes para liquidar el déficit de sus pagos. Como el FMI administraría las reservas de DEG, las reservas mundiales presuntamente crecerían al mismo tiempo que el comercio mundial.

Con el sistema Bretton Woods de tipos de cambio fijos, un país participante debía tener reservas oficiales (reservas de oro y de divisas ampliamente aceptadas por el gobierno o el banco central) que pudiera emplear para comprar la moneda nacional en los mercados mundiales de divisas y en la medida necesaria para mantener su tipo de cambio. Sin embargo, la oferta internacional de dos activos clave de las reservas, el oro y el dólar estadunidense, no resultaron adecuados para sostener la expansión del comercio mundial y el desarrollo financiero que se estaba registrando. Por tanto, la comunidad internacional decidió crear un activo nuevo para las reservas internacionales bajo los auspicios del FMI. No obstante, a principios de la década de los setenta, el sistema Bretton Woods se había derrumbado y las principales monedas cambiaron a un régimen de tipo de cambio flotante. Asimismo, el crecimiento de los mercados internacionales de capital facilitó los préstamos para los países con buen crédito. Estas dos circunstancias redujeron la necesidad de los DEG.

Hoy en día los DEG tienen un uso limitado como activo de reserva y su principal función es servir como unidad de cuenta del FMI y algunas otras organizaciones internacionales. Además, algunos de los países que pertenecen al FMI indexan los valores de sus monedas a los DEG. En lugar de ser una moneda internacional, los DEG representan un derecho de libre uso de las monedas de los miembros del FMI. Los poseedores de DEG pueden obtener estas divisas a cambio de sus DEG.

FACILIDADES PARA TOMAR RESERVAS A PRÉSTAMO

Hasta aquí se ha hablado de los distintos tipos de *reservas propiedad* de un país, las monedas nacionales, el oro y los DEG. Pero también se han instituido distintas facilidades para que las naciones con balanzas de pagos en posiciones débiles puedan tomar *reservas a préstamo*. Éstas no eliminan la necesidad de tener reservas propias, pero sí aumentan la flexibilidad del sistema monetario internacional, porque amplían los plazos que tienen las naciones para corregir el desequilibrio de sus pagos. Vea cuáles son las formas principales de créditos internacionales.

Giros del FMI

Uno de los propósitos principales del FMI era ayudar a las naciones miembros a financiar el déficit de sus balanzas de pagos. El organismo ha ofrecido un fondo de crédito revolvente a las naciones que necesitan reservas. El fondo facilita préstamos temporales de divisas extranjeras a las naciones deficitarias y éstas los deben rembolsar dentro de un plazo determinado. La transacción para facilitar préstamos de divisas extranjeras se conoce como **giros del FMI**.

Las naciones deficitarias no toman préstamos del Fondo, sino que compran con su propia moneda las divisas extranjeras necesarias para ayudar a financiar el déficit. Cuando mejora la posición de la balanza de pagos de la nación, se espera que revierta la transacción y efectúe el reembolso mediante la recompra de su moneda depositada en el fondo. En la actualidad, el Fondo permite que los miembros compren otras divisas, a su elección, por un máximo del primer 50% de sus cuotas en el Fondo, que están basadas en el tamaño económico de la nación. El Fondo debe otorgar un permiso especial para que la nación compre divisas extranjeras más allá de esta cifra. El organismo otorga este permiso cuando está convencido de que la nación deficitaria ha aplicado medidas razonables para restaurar el equilibrio de los pagos.

Desde principios de la década de los cincuenta, el Fondo también ha fomentado políticas cambiarias liberales celebrando *convenios de contingencia* con las naciones interesadas. Estos convenios garantizan que la nación miembro podrá sacar ciertos montos de divisas del Fondo durante plazos determinados. La ventaja es que las naciones participantes pueden contar con un crédito del Fondo en caso de que lo necesiten. También evitan que la nación tenga que sufrir las demoras administrativas que se presentan hasta que de hecho se efectúan los préstamos.

Convenios generales de crédito

A principios de la década de los sesenta se dudaba que el FMI tuviera un monto suficiente de divisas como para satisfacer los montos que se necesitarían para estabilizar los tipos de cambios de las naciones miembros deficitarias. Como existía la posibilidad de que los abultados giros de las naciones grandes pudieran agotar las reservas de divisas del Fondo, en 1962 se empezaron a celebrar **Convenios Generales de Crédito**. Las diez naciones industrializadas más grandes, llamadas el Grupo de los Diez, originalmente acordaron prestar al Fondo hasta un máximo de 6 mil millones de dólares. En 1964, el Grupo de los Diez aumentó con el ingreso de Suiza. Dado que servía como intermediario y garante, el Fondo podía usar estas reservas para ofrecer apoyo financiero compensatorio a uno o varios de los países participantes. Se suponía que estos convenios de crédito sólo serían utilizados cuando el préstamo que necesitara la nación deficitaria excediera el monto de la ayuda que se le podía proporcionar de acuerdo con las facilidades de giro del propio Fondo.

Los Convenios Generales de Crédito *no* proporcionan un incremento permanente de la oferta de reservas mundiales una vez que los préstamos han sido rembolsados y las reservas mundiales vuelven a sus niveles originales. Sin embargo, estos convenios han permitido que las reservas mundiales sean más flexibles y adaptables a las necesidades de las naciones deficitarias.

Acuerdos swap

A principios de la década de los sesenta se registró una oleada de ataques especulativos contra el dólar estadunidense, basada en las expectativas de que éste se devaluaría en términos de otras divisas. A efecto de compensar el flujo de capital de corto plazo que abandonaba al dólar para optar por divisas más fuertes, en 1962 la Reserva Federal acordó con varios bancos centrales que celebraría convenios monetarios recíprocos, comúnmente llamados **acuerdos** *swap*. Hoy, la red de acuerdos *swap* de la que depende Estados Unidos para financiar sus intervenciones en el mercado de divisas incluye a los bancos centrales de Canadá y México.[1]

Los acuerdos *swap* son convenios bilaterales entre bancos centrales. Cada gobierno aporta una cantidad para el intercambio de divisas con el propósito de ayudar a financiar el desequilibrio temporal de los pagos. Por ejemplo, si México no tiene suficientes dólares, puede solicitar a la Reserva Federal que se los proporcione a cambio de pesos. Un giro contra la red de acuerdos *swap* por lo general se inicia con una llamada telefónica y, a continuación se intercambian telegramas en los que se especifican los términos y las condiciones. El acuerdo *swap* real adopta la forma de un contrato de divisas que requiere que la Reserva Federal venda dólares a cambio de la moneda de un banco central extranjero. La nación que solicita el acuerdo *swap* tiene que emplear los fondos para aliviar su déficit de pagos y desalentar la salida especulativa de capital. Los acuerdos *swap* se deben rembolsar (cancelar) dentro de un plazo determinado, normalmente de entre 3 a 12 meses.

RIESGO DE CRÉDITO INTERNACIONAL

En muchos sentidos, los principios que se aplican a los préstamos internacionales son parecidos a los de los préstamos nacionales. El prestamista debe determinar el riesgo de que el prestatario no pague el crédito. Sin embargo, cuando los banqueros hacen préstamos internacionales, afrontan otros dos riesgos: el riesgo país y el riesgo cambiario.

El **riesgo crediticio** es financiero y se refiere a la probabilidad de que no se reembolse una parte o la totalidad del principal o de los intereses del préstamo. Cuanto mayor sea la probabilidad de incumplimiento de un préstamo, tanto mayor será la tasa de interés que el banco le cobre al prestatario.

La evaluación del riesgo crediticio suele ser más difícil para los préstamos internacionales que para los nacionales. Los bancos estadunidenses con frecuencia saben mucho menos de las prácticas comerciales y de las condiciones económicas del extranjero que de las de Estados Unidos. La obtención de información confiable para evaluar el riesgo de un crédito extranjero requiere de mucho tiempo y puede ser un proceso muy costoso. Por tanto, muchos de ellos limitan sus préstamos internacionales a las grandes empresas multinacionales y a las instituciones financieras. Para obtener un crédito de bancos estadunidenses, un gobierno extranjero puede recurrir a un prestatario privado local a efecto de presentar garantías para casos de incumplimiento, así reduce el riesgo crediticio del préstamo.

El **riesgo país** es político y está estrechamente relacionado con los hechos políticos de un país, en especial con la posición de su gobierno respecto a las inversiones y los créditos internacionales. Algunos gobiernos fomentan el ingreso de fondos extranjeros para alentar el desarrollo económico del

---

[1] Ante la constitución del Banco Central de Europa, y a la luz de que llevaban 15 años sin ser usados, los acuerdos *swap* bilaterales de la Reserva Federal con muchos bancos centrales de Europa, como Austria, Alemania y Bélgica, dejaron de ser considerados algo necesario por todos ellos, dados los convenios para la cooperación monetaria internacional de la actualidad, que ahora están ya bien establecidos. Por tanto, las partes de estos convenios acordaron mutuamente que terminaran en 1998.

país. Otros, que temen perder soberanía nacional, desincentivan estos ingresos y aplican impuestos adicionales, restricciones sobre las utilidades y controles de precios y salarios que entorpecen la capacidad de los prestatarios locales para rembolsar los préstamos. En un caso extremo pueden expropiar los activos de los inversionistas extranjeros o decretar que el reembolso de préstamos extranjeros es ilícito.

El **riesgo cambiario** es económico y está ligado a la depreciación y la apreciación de las monedas, así como a los controles de cambios. Algunos préstamos de bancos estadounidenses están nominados en divisas en lugar de dólares. Si la moneda en la que se ha facilitado el préstamo se deprecia ante el dólar durante el plazo de éste, el reembolso valdrá menos dólares. Si la divisa tiene un mercado a futuro bien desarrollado, el préstamo puede ser protegido. Sin embargo, muchas divisas, sobre todo las de países en desarrollo, no tienen estos mercados y los préstamos nominados en estas divisas no siempre pueden tener una protección cambiaria contra este tipo de riesgo cambiario. Otro riesgo de la moneda se deriva de los controles de cambios, que son muy comunes en los países en desarrollo. El control de cambios restringe el movimiento de fondos que salen del país o limitan la convertibilidad de la moneda a dólares para el reembolso, aumentando así el riesgo de los prestamistas internacionales.

Cuando los banqueros prestan en el exterior, deben evaluar el riesgo crediticio, el riesgo país y el riesgo cambiario. La evaluación de los riesgos de los préstamos extranjeros suele dar por resultado detallados análisis, realizados por el departamento de investigaciones del banco, sustentados en las condiciones financieras, económicas y políticas de una nación. Cuando los prestamistas internacionales consideran que los análisis detallados son demasiado caros, con frecuencia usan informes e índices estadísticos para determinar el riesgo de los préstamos.

EL PROBLEMA DE LA DEUDA INTERNACIONAL

En años recientes se ha manifestado enorme preocupación por el volumen de los préstamos internacionales. En ocasiones, se ha debido a que los préstamos internacionales no han sido suficientes, como ocurrió después de las crisis del petróleo de 1974-1975 y 1979-1980, cuando se pensó que algunas naciones en desarrollo, importadoras de petróleo, podrían no obtener préstamos para financiar su déficit comercial, que era resultado del enorme incremento de los precios de éste. Sin embargo, muchas naciones importadoras de petróleo obtuvieron créditos en dólares de bancos mercantiles. Éstas pagaban dólares a las naciones de la OPEP, que depositaban el dinero en bancos mercantiles, mismo que volvían a prestar a los importadores de petróleo y, así, sucesivamente. En la década de los setenta, los bancos fueron parte de la solución, pues si no hubieran prestado grandes cantidades de dinero a las naciones en desarrollo, las crisis del petróleo habrían dañado mucho más a la economía mundial.

Sin embargo, para la década de los ochenta, los bancos mercantiles eran considerados parte del problema de la deuda internacional, porque habían prestado demasiado dinero a las naciones en desarrollo. Los bancos, llenos de dinero de la OPEP después de los aumentos de precios del petróleo de la década de los setenta, buscaron activamente a prestatarios y no tuvieron dificultad alguna para encontrarlos en las naciones en vías de desarrollo. Algunas naciones contrataron préstamos para reforzar el consumo, porque su nivel de vida era bajo y se habían visto muy afectados por los aumentos del precio del petróleo. Casi todas las naciones contrataron préstamos para no recortar sus programas de desarrollo e invertir en programas energéticos. En términos generales, se reconocía que los bancos habían conseguido reciclar sus depósitos de la OPEP hacia las naciones en desarrollo después de la primera ronda de aumentos del precio del petróleo, en 1974 y 1975. Sin embargo, los mecanismos para los préstamos internacionales encontraron cada vez más dificultades a partir de la recesión mundial de principios de la década de los ochenta. En particular, algunos países en desarrollo no pudieron pagar puntualmente sus deudas externas.

Otro índice del peso de la deuda es la **razón del pago del servicio/exportaciones**, que se refiere a los pagos programados, de intereses y principal, como porcentaje de los ingresos de exportaciones.

Esta razón permite concentrarse en dos índices básicos de la posible reducción del peso de la deuda a corto plazo: *1)* las tasas de interés que la nación paga sobre su deuda externa y *2)* el crecimiento de sus exportaciones de bienes y servicios. Con todos los demás factores constantes, un aumento de la tasa de interés incrementa la proporción del servicio de la deuda respecto de las exportaciones, mientras que un aumento en las exportaciones disminuye esa proporción. Una regla bien conocida de las finanzas internacionales dice que el peso de la deuda de una nación aumenta cuando la tasa de interés sobre la deuda es superior a la tasa de crecimiento de las exportaciones.

Cómo afrontar la dificultad para pagar el servicio de la deuda

Una nación puede tener problemas para cumplir con el servicio de su deuda por varias razones: *1)* puede haber seguido políticas económicas incorrectas que hayan contribuido a un gran déficit en su balanza de pagos, *2)* se puede haber endeudado excesivamente o sujetado a términos desfavorables, o *3)* circunstancias económicas adversas, fuera de su control, la pueden haber afectado.

La nación que tiene dificultades para pagar su deuda tiene varias opciones. En primer término, puede suspender los pagos. Sin embargo, esta medida socava la confianza depositada en ella, lo cual dificulta (por no decir que impide) que reciba préstamos en el futuro. Es más, se puede declarar un incumplimiento, en cuyo caso los activos de la nación (como sus barcos y aviones) pueden ser confiscados y vendidos en descargo de la deuda. Sin embargo, los países en desarrollo endeudados podrían tener bastante peso, como grupo, para obtener concesiones de los prestamistas.

Otra opción es que la nación trate de pagar su deuda al costo que fuere. Para ello, tendría que restringir el gasto de otras divisas, paso que no sería bien considerado en términos sociales.

Por último, la nación podría solicitar la reprogramación de su deuda, lo que normalmente implica una extensión del calendario original de pagos. Lo anterior tiene un costo, porque la nación deudora debe pagar intereses sobre el monto pendiente, hasta que termine de pagar.

Cuando una nación tiene problemas para cubrir el servicio de su deuda, sus acreedores tratan de reducir su exposición mediante el cobro de todos los pagos de intereses y principal a su vencimiento, y no otorgan ningún crédito adicional. Sin embargo, un viejo consejo dice que si un hombre debe a un banco mil dólares, éste será su dueño, pero si el hombre debe al banco un millón de dólares, entonces el hombre será dueño del banco. De modo que los bancos que han otorgado un volumen considerable de préstamos internacionales consideran que es más conveniente ayudar a la recuperación financiera del deudor. Por tanto, las naciones deudoras y sus acreedores, para manejar los problemas del servicio de la deuda, procuran negociar convenios de reprogramación. Es decir, los acreedores aceptan prolongar el plazo para el reembolso del principal y, a veces, parte de los intereses sobre los préstamos existentes. Los bancos casi no tienen otra opción, sino aceptar la necesidad de reprogramar la deuda, porque no quieren que el deudor caiga en incumplimiento oficial del préstamo. En caso de incumplimiento, los activos del banco no son ejecutables y los reguladores del gobierno les aplican reducciones. Esto podría provocar que la gente retire sus depósitos y la insolvencia del banco.

Además de reprogramar la deuda con los bancos mercantiles, los países en desarrollo pueden obtener préstamos de emergencia del FMI. El Fondo otorga préstamos a las naciones que tienen problemas con su balanza de pagos, siempre y cuando los prestatarios emprendan programas para corregirlos. El FMI insiste en la **condicionalidad** y pide a los prestatarios que adopten programas de austeridad para reforzar sus economías y poner sus malas finanzas en orden. Estas medidas han provocado enormes recortes del gasto público, el consumo privado y, en algunos casos, la inversión de capital. Los prestatarios también deben recortar las importaciones y aumentar las exportaciones. El FMI considera que los programas de austeridad son necesarios porque con un deudor soberano, no existe otro camino para conseguir que reembolse sus préstamos. El FMI afronta la difícil situación de decidir qué tan estricto se debe poner con los prestatarios. Si adopta una actitud blanda y ofrece dinero con términos más flexibles, sienta el precedente para otras naciones deudoras. Pero si calcula mal y exige medidas excesivas de austeridad, corre el riesgo de desatar el descontento político y, posiblemente, una declaración de incumplimiento.

El FMI ha sido criticado, sobre todo por los países en desarrollo, por exigir políticas de austeridad que subrayan demasiado la mejora de la balanza de pagos a corto plazo, en lugar de fomentar el crecimiento económico a largo plazo. Los países en desarrollo también afirman que los programas de austeridad del FMI presionan la actividad económica a la baja en países que ya están expuestos a fuerzas recesivas. El problema central que afronta el FMI es cómo resolver los problemas económicos de las naciones deudoras de la forma más ventajosa para ellas, para sus acreedores y para el mundo entero. La solución que aporta beneficios para todas las partes permite que estas naciones registren un crecimiento económico sostenido, no inflacionario, lo cual asegura que los acreedores recibirán sus pagos y beneficiará a la economía mundial en razón de la expansión del comercio y la actividad económica.

REDUCIR LA EXPOSICIÓN DE LOS BANCOS ANTE LA DEUDA DE LOS PAÍSES EN DESARROLLO

Cuando los países en desarrollo no pueden cumplir con las obligaciones de su deuda con bancos extranjeros, la estabilidad del sistema financiero internacional se tambalea. Los bancos pueden reaccionar ante esta amenaza mediante el aumento de su base de capital, la separación de reservas para cubrir pérdidas y la reducción de nuevos créditos a los países deudores.

Los bancos tienen otros medios para mejorar su posición financiera. Una forma es liquidar la deuda del país en desarrollo mediante la *venta del préstamo* directamente a otros bancos en el mercado secundario. Sin embargo, si el riesgo de incumplimiento de estos préstamos aumentara inesperadamente, su valor de mercado sería inferior a su valor nominal. Por tanto, el banco vendedor absorbe costos porque debe vender sus préstamos con un descuento. Después de la venta, el banco debe ajustar su balance general de modo que incluya toda diferencia que no haya registrado entre el valor nominal de los préstamos y su valor de mercado. En la década de los ochenta, muchos bancos medianos y pequeños de Estados Unidos, deseosos de deshacerse de sus préstamos incobrables, estaban dispuestos a venderlos en el mercado secundario con descuentos hasta de 70%, es decir a 30 centavos por dólar. Empero, muchos bancos no podían darse el lujo de conceder descuentos tan grandes y, lo que es peor, si todos los bancos corrieran a vender sus préstamos incobrables al mismo tiempo, los precios bajarían aún más. Con mucha frecuencia, las ventas de préstamos en el mercado secundario eran consideradas como una medida de última instancia.

Otra técnica para reducir la deuda es la *readquisición de la deuda*, en cuyo caso el gobierno de la nación deudora le compra los préstamos al banco mercantil con un descuento. Los bancos también han recurrido a los *canjes de deuda por deuda*, en cuyo caso el banco intercambia sus préstamos por valores suscritos por el gobierno de la nación deudora, pero con una tasa de interés más baja o un descuento.

La reducción de las pérdidas por concepto de los préstamos otorgados a los países en desarrollo a veces ha llevado a los bancos a optar por los **canjes de deuda/capital accionario**. Con este enfoque, el banco mercantil vende sus préstamos con un descuento a cambio de la moneda local y después utiliza este dinero para financiar una inversión en acciones de capital en la nación deudora.

Para ver cómo funcionan un canje de deuda/acciones de capital, suponga que Brasil debe mil millones de dólares a Manufacturers Hanover Trust (de Nueva York). Manufacturers Hanover decide cambiar parte de su deuda por acciones de capital de Companhia Suzano del Papel e Celulose, un productor de pulpa y papel. La operación ocurre así:

- Manufacturers Hanover lleva 115 millones de dólares en préstamos garantizados por el gobierno de Brasil a un intermediario brasileño. El agente lleva los préstamos a la subasta mensual de deuda del banco central de Brasil, donde tienen un valor promedio de 87 centavos por dólar.
- Por medio del agente, Manufacturers Hanover intercambia los préstamos que están en el banco central por una cantidad de reales brasileños equivalente a 100 millones de dólares. El agente recibe una comisión y el banco central retira los préstamos.

- Con sus reales, Manufacturers Hanover compra 12% de las acciones de Suzano, que utiliza los fondos del banco para aumentar su capacidad y sus exportaciones.

Aun cuando los canjes de deuda por acciones de capital mejoran las posibilidades de que un banco pueda vender deuda de un país en desarrollo, no siempre disminuyen el riesgo. Algunas inversiones de capital en los países en desarrollo podrían representar un riesgo tan grande como los préstamos que fueron canjeados por fábricas o terrenos en ellos. Es más, los bancos que adquieren un interés accionario en activos del país en desarrollo suelen carecer del conocimiento necesario para administrar esos activos. Las naciones deudoras también se preocupan de que los canjes de deuda por acciones de capital lleven a las grandes empresas a caer en manos de extranjeros.

REDUCCIÓN Y CONDONACIÓN DE LA DEUDA

Los programas para reducir o condonar la deuda son otra forma de afrontar la deuda de los países en desarrollo. La **reducción de la deuda** se entiende como todo plan voluntario para reducir el peso del servicio de la deuda externa que recae en la nación deudora. Esta reducción se consigue por dos caminos. En primer lugar, se pueden negociar modificaciones en los términos y las condiciones de la deuda contratada, como serían la reprogramación de la deuda, la recalendarización de los pagos de intereses y la mejora de los términos del crédito. Otras medidas, como los canjes de deuda por acciones de capital o la readquisición de la deuda también sirven para reducirla. Esta reducción tiene por objeto estimular políticas generales para conseguir el crecimiento económico y mejorar la capacidad de la nación deudor para cubrir el servicio de su deuda, lo que libera recursos que se utilizarán en inversiones.

Algunos partidarios de aliviar el peso de la deuda sostienen que las naciones prestamistas deberían permitir la **condonación de la deuda**, lo cual se entiende como todo arreglo que reduce el valor de las obligaciones contractuales de la nación deudora e incluye planes como descuentos o cancelaciones de la deuda de los países en desarrollo o la cancelación de la obligación de pagar intereses.

Los partidarios de la condonación afirman que las naciones en desarrollo más endeudadas no tienen capacidad para pagar el servicio de su deuda externa y sostener una tasa de crecimiento aceptable del ingreso per cápita, porque el peso de la deuda es abrumador. Sostienen que si fuera condonada una parte de esta deuda, la nación deudora podría usar las divisas liberadas como recursos para aumentar sus importaciones e invertir en el país, lo que incrementaría sus tasas de crecimiento económico. Al verse liberadas de la limitación de divisas, la nación deudora tendría más incentivos para invertir, porque no tendría que compartir una parte tan grande de los beneficios de su mayor crecimiento e inversión con sus acreedores en forma de pago de intereses. Es más, la condonación de la deuda les permitiría pagarla con mayor facilidad, pues disminuiría el peso de la deuda que carga la nación deudora y posiblemente conduciría a un ingreso mayor de inversiones extranjeras.

Los críticos de la condonación de la deuda se preguntan si el monto de la misma es una limitación importante para el crecimiento de un país en desarrollo y si ese crecimiento se reanudaría, dada la condonación de una parte importante de ella. Afirman que naciones como Indonesia y Corea del Sur han registrado una abultada deuda externa en relación con el producto interno, pero no han tenido problemas para pagar su servicio. Además, la condonación no garantiza que las divisas liberadas se vayan a utilizar en forma productiva, es decir, invertidas en sectores que, a final de cuentas, generarán más divisas.

EL MERCADO DEL EURODÓLAR

Uno de los temas peor comprendidos de las finanzas internacionales es el referente a la naturaleza y el funcionamiento del **mercado de eurodólares**, también llamado mercado de la euromoneda.

Este mercado opera como intermediario financiero, porque reúne a prestamistas y prestatarios. El nombre de eurodólares se debe a que, al principio, los depósitos de esta divisa estaban casi exclusivamente en Europa. La mayoría de ellos sigue estando en bancos mercantiles de Londres, París y otras ciudades de Europa, pero también en lugares como Bahamas, Bahréin, Hong Kong, Japón, Panamá y Singapur. Independientemente del lugar en el que se encuentren, se conocen como eurodólares. El monto del mercado de los eurodólares se ha incrementado en 1,000 millones en la década de los cincuenta a más de 5 billones a principios del 2000.

Los eurodólares son obligaciones bancarias, como los depósitos a plazo, nominados en dólares estadunidenses y otras divisas en bancos fuera de Estados Unidos, incluso las sucursales bancarias de bancos estadunidenses. Las operaciones en dólares representan alrededor de tres cuartas partes del volumen. Los depósitos en eurodólares pueden ser depositados de nuevo, a su vez, en otros bancos extranjeros, prestados a empresas mercantiles, invertidos o retenidos para mejorar las reservas o la liquidez general. El depósito promedio es de millones y su plazo de vencimiento es inferior a seis meses. Por tanto, el mercado del eurodólar sólo está al alcance de los muy ricos. La mayoría de las personas sólo puede invertir en este mercado indirectamente por medio de un fondo del mercado monetario.

Los depósitos en eurodólares están prácticamente exentos de regulaciones impuestas por el país anfitrión, incluso las autoridades reguladoras de Estados Unidos. Por ejemplo, no están sujetos a las reservas obligatorias que requiere la Reserva Federal ni a las tarifas que impone la Federal Deposit Insurance Corporation. Dado que, en ese país, los eurodólares están sujetos a menos regulaciones que depósitos similares, los bancos que ofrecen depósitos en eurodólares pueden operar con márgenes o diferenciales más estrechos entre las tasas de interés sobre créditos y deudas que los bancos nacionales de Estados Unidos. Esto permite que los depósitos en eurodólares tengan una ventaja competitiva en relación con los depósitos ofrecidos por los demás bancos estadunidenses. Por tanto, los que ofrecen depósitos en eurodólares pueden competir de forma efectiva contra los otros bancos estadunidenses en el terreno de los préstamos y los depósitos.

El mercado de los eurodólares ha crecido rápidamente a partir de la década de los cincuenta, en parte debido a los reglamentos bancarios que prohibían que los bancos estadunidenses paguen tasas de interés competitivas sobre cuentas de ahorro (Reglamento Q) y que han incrementado los costos de los créditos para los bancos. Además, el continuo déficit de la cuenta corriente de Estados Unidos ha incrementado la cantidad de dólares que pueden poseer los extranjeros, como ocurrió con el pronunciado incremento de los precios del petróleo que produjo una inmensa riqueza en los países exportadores de petróleo. Estos factores, en combinación con la relativa libertad concedida a los bancos de muchos países que manejan divisas, dieron por resultado el veloz crecimiento del mercado.

Como dinero internacional, los eurodólares incrementan la eficiencia del comercio y las finanzas internacionales. Ofrecen un medio de pago aceptado internacionalmente, un depósito de valor y un parámetro de valor. Como los eurodólares eliminan los riesgos y los costos asociados a la conversión de una moneda a otra, permiten que los ahorradores busquen con más facilidad, en todo el mundo, cuáles son los rendimientos más altos y que los prestatarios busquen cuál es el costo más bajo de fondos. Por tanto, son el enlace entre distintos mercados regionales de capital y ayudan a crear un mercado mundial de capitales.[2]

---

[2] Vea Charles J. Woelfel, "Eurodollars", *Encyclopedia of Banking and Finance*, 10a. ed., 1995, Fitzroy Dearborn Publishers, Londres, Reino Unido.

RESUMEN

1. El objeto de las reservas internacionales es que las naciones puedan superar la brecha que separa el dinero que reciben del que pagan. Las naciones deficitarias usan las reservas internacionales para ganar tiempo y así posponer las medidas de ajuste.

2. La demanda de reservas internacionales depende de dos factores básicos: *a)* el valor monetario de las transacciones internacionales y *b)* el tamaño y la duración del desequilibrio de la balanza de pagos.

3. La necesidad de reservas internacionales suele ser menos acentuada cuando impera un sistema de tipos de cambio flotantes que con un sistema de tipo de cambio fijo. Cuanto más eficiente sea el mecanismo de ajuste internacional y cuanto mayor sea el grado de coordinación de las políticas internacionales, tanto menor será la necesidad de tener reservas internacionales.

4. La oferta de reservas internacionales está compuesta por reservas propias y prestadas. Algunas de las fuentes de reservas más importantes son: *a)* las divisas, *b)* las reservas monetarias de oro, *c)* los derechos especiales de giro, *d)* las posiciones de giro del FMI, *e)* los Convenios Generales de Crédito y *f)* los acuerdos *swap*.

5. Cuando los banqueros facilitan préstamos internacionales, afrontan el riesgo crediticio, el riesgo país y el riesgo cambiario.

6. Algunos de los índices usados para analizar la posición de la deuda externa de una nación son la razón de la deuda y las exportaciones y el servicio de la deuda a las exportaciones.

7. Las naciones que tienen dificultad para pagar el servicio de la deuda tienen varias opciones: *a)* suspender el reembolso de la deuda, *b)* pagar su deuda al costo que fuere o *c)* reprogramar su deuda. En años recientes las naciones prestatarias han recurrido mucho a la reprogramación de su deuda.

8. Un banco puede reducir su exposición ante la deuda de un país en desarrollo mediante la venta de la deuda directamente en el mercado secundario, la recompra de la deuda, o el canje de deuda por deuda o de deuda por acciones de capital.

9. Los eurodólares son depósitos, nominados y pagaderos en dólares y otras divisas, colocados en bancos fuera de Estados Unidos. El mercado de los eurodólares opera como un intermediario financiero que reúne a prestamistas y prestatarios.

CONCEPTOS Y TÉRMINOS CLAVE

Acuerdos *swap* (p. 505)
Deuda/acciones de capital
  (p. 508)
Condicionalidad (p. 507)
Condonación de la deuda (p. 509)
Convenios generales de crédito (p. 504)
Demanda de reservas internacionales
  (p. 496)

Desmonetización del oro (p. 502)
Giros del FMI (p. 504)
Mercado de eurodólares (p. 510)
Oferta de reservas internacionales
  (p. 499)
Patrón de cambio del oro (p. 502)
Patrón oro (p. 500)
Problema de liquidez (p. 500)

Razón del pago del servicio/
  exportaciones (p. 507)
Reducción de la deuda (p. 509)
Reservas internacionales (p. 496)
Riesgo crediticio (p. 505)
Riesgo cambiario (p. 506)
Riesgo país (p. 506)

PREGUNTAS PARA ANÁLISIS

1. Una nación necesita reservas internacionales de forma similar tanto como el afán que pone un individuo por tener saldos monetarios. Explique por qué.

2. ¿Cuáles son los factores básicos que determinan la demanda de reservas internacionales de una nación?

3. La oferta total de reservas internacionales tiene dos categorías: *a)* las reservas propias y *b)* las reservas de préstamos. ¿Qué incluyen estas categorías?

4. En términos de volumen, ¿qué componente de las reservas mundiales es el más importante en la actualidad? ¿Cuál es el menos importante?

5. ¿Qué es una divisa de reserva? Históricamente, ¿qué monedas han desempeñado este papel?

6. ¿Qué papel desempeña actualmente el oro en el sistema monetario internacional?

7. ¿Qué ventajas tiene el patrón de cambio del oro en comparación con el patrón oro puro?

8. ¿Qué son los derechos especiales de giro? ¿Por qué fueron creados? ¿Cómo se determina su valor?

9. ¿Qué facilidades tienen las naciones que quieren tomar reservas internacionales a préstamo para el comercio?

10. ¿Qué provocó el problema internacional de la deuda de los países en desarrollo en la década de los ochenta? ¿El problema de la deuda por qué representó una amenaza para la estabilidad del sistema bancario internacional?

11. ¿Qué es un eurodólar? ¿Cómo se desarrolló el mercado de los eurodólares?

12. ¿Qué riesgos asumen los bancos cuando facilitan préstamos a los prestatarios extranjeros?

13. ¿Cuál es la diferencia entre la razón de la deuda y las exportaciones y la razón del servicio de la deuda respecto a las exportaciones?

14. ¿Qué opciones tiene a su alcance una nación que tiene problemas para pagar el servicio de su deuda? ¿Qué limitaciones tiene cada opción?

15. ¿Qué métodos usan los bancos para reducir su exposición ante la deuda de los países en desarrollo?

16. ¿Cómo ayuda a los banqueros un canje de deuda por acciones de capital para reducir sus pérdidas por los préstamos a los países en desarrollo?

Glosario

A

acreedor neto. Estatus de una nación cuando los cobros de esa nación a los extranjeros exceden los cobros extranjeros a ese país en un momento en particular.

activos de reserva oficial. Posesión de monedas extranjeras clave, derechos especiales de giros y posiciones de reserva en el FMI por parte de instituciones monetarias oficiales.

acuerdo comercial regional. Acuerdo por el que las naciones miembros convienen imponer barreras comerciales más bajas a los miembros del grupo que al comercio con los países no miembros.

Acuerdo de Multifibra (MFA). Un sistema de reglas pactado entre Estados Unidos y Europa para restringir la competencia de los países exportadores en desarrollo que tienen mano de obra de bajo costo.

Acuerdo General de Aranceles y Comercio (GATT). Firmado en 1947, el GATT fue diseñado como un acuerdo entre las partes contratantes, los países miembros, para reducir las barreras comerciales y ubicar a todos los países sobre bases similares en las relaciones comerciales; el GATT nunca tuvo la intención de convertirse en una organización; en lugar de eso, era un conjunto de acuerdos bilaterales entre países de todo el mundo para reducir las barreras comerciales.

acuerdos internacionales de mercancías. Acuerdos entre los países líderes de producción y consumo de mercancías en torno a diversos asuntos como: estabilización de precios, estrategias para asegurar a los consumidores una oferta adecuada y promoción del desarrollo económico de los productores.

acuerdos *swap*. Acuerdos bilaterales entre bancos centrales donde cada gobierno proporciona un intercambio de monedas para ayudar a financiar desequilibrios temporales de pagos.

ajuste automático. (del proceso de la balanza de pagos). Mecanismo que funciona para regresar la balanza de pagos a un equilibrio de forma automática a través de ajustes en las variables económicas.

ajuste gradual del tipo de cambio. Sistema en el que una nación hace cambios pequeños y frecuentes en el valor nominal de su moneda para corregir el desequilibrio en la balanza de pagos.

análisis de los fundamentos. Lo opuesto del análisis técnico; incluye la consideración de variables económicas que tienen probabilidad de afectar el valor de una moneda.

análisis del riesgo país. Proceso que realizan las corporaciones multinacionales y los bancos para ayudarles en la decisión de hacer negocios en el extranjero.

análisis técnico. Método de pronóstico del tipo de cambio que incluye el uso de datos de tipos de cambio históricos para estimar los valores futuros.

apreciación. (aplicada a los mercados de divisas) Ocurre cuando, en un periodo determinado, se requieren menos unidades de moneda de una nación para comprar una unidad de cierta divisa extranjera.

arancel. Impuesto aplicado a un producto cuando cruza las fronteras nacionales.

arancel *ad valorem*. Arancel expresado como porcentaje fijo del valor del producto importado.

arancel científico.   Arancel que elimina las ventajas del costo extranjero sobre las empresas nacionales.

arancel como mecanismo recaudatorio.   Arancel impuesto con el fin de generar ingresos fiscales que puede gravarse en las exportaciones o las importaciones.

arancel compuesto.   Arancel que es una combinación de un arancel específico y un arancel *ad valorem*.

arancel específico.   Arancel expresado en términos de una cantidad fija de dinero por unidad del producto importado.

arancel óptimo.   Tasa arancelaria en la que se maximiza la diferencia positiva entre la ganancia de mejorar los términos de intercambio y la pérdida de declinar el volumen de importación.

arancel proteccionista.   Arancel diseñado para proteger de la competencia extranjera a los productores que compiten con las importaciones.

arbitraje bilateral.   Compra y venta simultánea de una moneda en dos mercados de cambio extranjeros con el fin de obtener utilidades de las diferencias en el tipo de cambio en las distintas ubicaciones.

arbitraje de divisas.   Compra y venta simultánea de una moneda en distintos mercados cambiarios extranjeros con el fin de obtener utilidades de los diferenciales en el tipo de cambio en las dos ubicaciones.

arbitraje de intereses.   Proceso de mover fondos hacia monedas extranjeras para aprovechar los rendimientos más altos de inversiones en el extranjero.

arbitraje de intereses cubierto.   Proceso de mover fondos hacia monedas extranjeras para aprovechar los rendimientos de inversión más altos en el extranjero, al tiempo que se evita el riesgo del tipo de cambio.

arbitraje de intereses sin cobertura.   Cuando un inversionista no obtiene cobertura del mercado cambiario para proteger sus operaciones de inversión de las fluctuaciones de las monedas extranjeras.

arbitraje trilateral.   Una forma más intricada de arbitraje que involucra tres monedas y tres centros financieros; también llamado *arbitraje triangular*.

área de libre comercio.   Asociación de naciones que comercian cuyos miembros están de acuerdo en remover todas las barreras arancelarias y no arancelarias entre ellos mismos.

argumento de la industria incipiente.   Arancel que temporalmente protege de la competencia extranjera a las nuevas industrias en desarrollo.

argumento del libre comercio.   Si cada nación produce lo que hace mejor y permite el comercio, a largo plazo cada parte disfrutará de precios más bajos y niveles más altos de producción, ingreso y consumo de lo que se podría lograr en aislamiento.

asignación de licencia bajo demanda.   Sistema en el que se requiere que las licencias importen dentro del arancel de cuota.

asistencia para ajustarse al comercio.   Asistencia gubernamental otorgada a los trabajadores nacionales desplazados por mayores importaciones.

ataque especulativo.   Vea *crisis monetaria*.

autarquía.   Un caso de autosuficiencia nacional o ausencia de comercio.

B

balanza comercial.   Derivada por el cálculo de las exportaciones (importaciones) netas en las cuentas de mercancías; también llamada *balanza comercial de mercancías*.

balanza comercial de mercancías.   Resultado de combinar el valor del dólar de las exportaciones de mercancías registrado como un más (crédito) y el valor del dólar de las importaciones de mercancías registrado como un menos (débito).

balanza de bienes y servicios.   Resultado de combinar la balanza comercial de servicios y la balanza comercial de mercancías.

balanza de ingresos.   Ingreso de la inversión neta más compensaciones netas a los trabajadores.

balanza de la deuda internacional.   Informe que resume la existencia de activos y adeudos de un país frente al resto del mundo en un punto determinado en el tiempo.

balanza de pagos.   Registro del flujo de transacciones económicas entre los residentes de un país y el resto del mundo.

Banco Mundial.   Organización internacional que proporciona préstamos a los países en desarrollo que buscan una reducción de la pobreza y el desarrollo económico.

barreras a la salida.   Condiciones de costos que hacen que una salida prolongada de la industria sea una respuesta racional de las empresas.

barreras no arancelarias al comercio (BNA).   Políticas distintas a los aranceles que restringen el comercio internacional.

base del comercio.   Por qué las naciones exportan e importan ciertos productos.

Benelux.   Unión aduanera formada en 1948 que incluye a Bélgica, Holanda y Luxemburgo.

C

caídas de la moneda.   Crisis financieras que con frecuencia terminan con devaluaciones de moneda o depreciaciones aceleradas.

campo de juego nivelado.   Condición en la que los productores nacionales y los extranjeros pueden competir en los mismos términos.

cártel.   Grupo de empresas o naciones que intentan respaldar los precios a un nivel más alto del que existiría bajo condiciones más competitivas.

cláusula de ensamble en el extranjero (OAP).   Cuando los impuestos de importación se aplican sólo al valor agregado en el proceso de ensamble extranjero, siempre y cuando los componentes hechos de forma nacional sean utilizados por empresas en el extranjero en sus operaciones de ensamble.

cláusula de extinción.   Permite al presidente terminar de forma temporal o hacer modificaciones a las concesiones comerciales otorgadas a las naciones extranjeras e imponer restricciones temporales en las importaciones emergentes.

cláusula de la nación más favorecida (MFN).   Acuerdo entre dos naciones para aplicar aranceles entre sí a tasas tan bajas como las aplicadas a cualquier otra nación.

cobertura cambiaria.   Proceso de evitar o cubrir un riesgo de cambio de moneda.

comercio interindustrial.   Intercambio entre dos naciones de productos de distintas industrias.

comercio intraindustrial.   Comercio de dos vías de una mercancía similar.

***Commodity Credit Corporation* (CCC).**   Corporación que es propiedad del gobierno de EUA y está administrada por el Departamento de Agricultura.

Condición de Marshall-Lerner.   Regla general que establece: *1)* Una depreciación mejorará la balanza comercial si la elasticidad de demanda por las importaciones de la nación que deprecia su moneda, más la elasticidad de demanda extranjera por las exportaciones de la nación excede 1. *2)* Si la suma de las elasticidades de la demanda es menor que 1, la depreciación empeorará la balanza comercial. *3)* La balanza comercial no mejora ni empeora si la suma de las elasticidades de la demanda es igual a 1.

condicionalidad.   Estándares impuestos por el FMI sobre los países solicitantes para recibir la aprobación de un prés-
tamo, que pueden incluir requisitos específicos como que los solicitantes inicien programas para corregir dificultades económicas, adopten programas de austeridad para apoyar sus economías y ordenen sus finanzas desordenadas.

condonación de la deuda.   Cualquier arreglo que reduzca el valor de las obligaciones contractuales de la nación deudora.

consejo monetario.   Autoridad monetaria que emite billetes y monedas convertibles a una moneda extranjera anclada a un tipo de cambio fijo.

contabilidad de partida doble.   Sistema contable en el que cada asiento de crédito es balanceado por un asiento de débito y a la inversa, con el fin de que el registro de cualquier transacción lleve a dos asientos que se compensan.

contratos multilaterales.   Contratos que estipulan un precio mínimo al que los importadores comprarán cantidades garantizadas de los países productores y un precio máximo en el que los países productores venderán las cantidades garantizadas a los importadores.

controles a las exportaciones.   Impuestos para estabilizar los ingresos de exportación, estas medidas contrarrestan una disminución en la demanda del mercado del artículo de consumo primario al asignar recortes en la oferta del mercado.

controles de cambio.   Barreras impuestas por el gobierno a los ahorradores extranjeros que invierten en activos nacionales (por ejemplo, garantías gubernamentales, acciones o depósitos bancarios) o a los ahorradores nacionales que invierten en los activos extranjeros.

controles de capital.   Barreras impuestas por el gobierno a los ahorradores extranjeros que invierten en activos nacionales o a los ahorradores nacionales que invierten en activos extranjeros; también conocidos como *controles de tipo de cambio*.

controles de precios y salarios.   Intervención por parte del gobierno para establecer los niveles de precios y salarios.

controles de producción y exportación.   Restricciones a la producción que buscan elevar el precio de un producto.

controles directos.   Consisten en restricciones gubernamentales en la economía de mercado.

Convenios Generales de Crédito.   Se implementaron en 1962, cuando 10 naciones industrializadas líderes, llamadas el Grupo de los Diez, acordaron originalmente prestar a un fondo un máximo de 6,000 millones de dólares. En 1964 el Grupo de los Diez expandió el fondo cuando Suiza se unió al grupo; al servir como un intermediario y garante, el fondo podía usar estar reservas para ofrecer ayuda financiera compensatoria a uno o más de los países participantes.

Cooperación Económica Asia-Pacífico (APEC). Incluye a Australia, Brunéi, Canadá, Chile, China, Indonesia, Japón, Malasia, México, Nueva Zelanda, Papúa Nueva Guinea, Filipinas, Singapur, Corea del Sur, Taiwán, Tailandia y Estados Unidos; en 1993 los líderes de los países de la APEC plantearon su visión de una comunidad económica Asia-Pacífico en la que se eliminarían las barreras comerciales y de inversión en la región para el año 2020.

coordinación de la política económica internacional. Intención de coordinar las políticas nacionales (monetaria, fiscal o política de tipo de cambio) en reconocimiento de la interdependencia económica internacional.

costos de oportunidad constantes. Costo de oportunidad constante de un producto por otro, al tiempo que el país se mueve hacia su curva de posibilidades de producción.

costos de oportunidad crecientes. Cuando cada unidad adicional de un artículo producido requiere del sacrificio de aumentar las cantidades de otro producto.

costos de transporte. Costos de mover productos de un país a otro.

crecimiento basado en las exportaciones. Política orientada a las exportaciones que promueve el crecimiento económico a través de la exportación de productos manufacturados; los controles comerciales son inexistentes o muy bajos, en el sentido de que cualquier desincentivo a la exportación debido a barreras de importación es contrarrestado por subsidios de exportación.

crisis monetaria. Situación en la que una moneda débil experimenta una fuerte presión de venta, también llamado *ataque especulativo*.

criterio de convergencia. Estándares económicos requeridos de todas las naciones en una unión monetaria; en el caso del Tratado de Maastricht estos estándares incluyen estabilidad de precios, bajas tasas de interés a largo plazo, tipos de cambio estables y finanzas públicas firmes.

cuenta corriente. Valor neto de los flujos monetarios asociados con las transacciones en productos y servicios, ingreso de inversión, compensación de empleados y transferencias unilaterales.

cuenta de capital y financiera. El resultado neto de las transacciones de capital y finanzas del sector privado y del sector público.

cuota absoluta. Restricción física en la cantidad de productos que pueden ser importados durante un periodo específico.

cuota arancelaria. Dispositivo que permite que un número específico de productos sea importado a una tasa arancelaria (la tasa dentro de la cuota) y cualquier importación por encima de ese número específico será realizada con una tasa arancelaria más alta (tasa por encima de la cuota).

cuota global. Técnica que permite la importación de un número específico de productos cada año, pero no especifica desde dónde se embarca el producto o quién tiene autorización de importar.

cuota selectiva. Cuota de importación asignada a países específicos.

cuotas de exportación. Limitaciones en las ventas de exportación manejadas por una o más naciones o industrias exportadoras.

frontera de posibilidades de producción. Curva que muestra diversas combinaciones alternas de los dos productos que una nación puede fabricar cuando todos sus factores de producción se utilizan en su forma más eficiente.

D

definición basada en el costo. Método para calcular el valor del mercado justo de un producto en casos de *dumping*; el Departamento de Comercio de Estados Unidos "construye" un valor justo del mercado, igual a la suma de: *1)* el costo de fabricación de la mercancía, *2)* los gastos generales, *3)* utilidad en las ventas del mercado local y *4)* el costo de empacar la mercancía para embarque hacia Estados Unidos.

definición basada en el precio. Método para calcular el valor del mercado justo en los casos de *dumping*; el *dumping* ocurre cuando una empresa vende un producto en su mercado de origen a un precio superior al que el mismo producto se vende en el mercado extranjero.

demanda de reservas internacionales. Requisito de reservas internacionales; depende de dos factores relacionados: *1)* el valor monetario de las transacciones internacionales y *2)* el desequilibrio que puede surgir en las posiciones de la balanza de pagos; los requisitos para reservas internacionales incluyen activos como monedas extranjeras clave, derechos especiales de giro y giros del Fondo Monetario Internacional.

depreciación. Se aplica a los mercados de divisas cuando, en un periodo específico, se requieren más unidades de la moneda de una nación para comprar una unidad de moneda extranjera.

derecho compensatorio. Arancel impuesto por los países importadores para compensar los subsidios extranjeros de exportación; el monto del impuesto está limitado a la cantidad del subsidio de exportación.

derechos de propiedad intelectual (DPI). Derechos exclusivos para usar una invención, idea, producto o proceso durante un tiempo determinado, otorgados al inventor (o autor) a través de un registro con el gobierno de esa invención, idea, producto o proceso.

derechos especiales de giro (DEG). Unidad de moneda artificial basada en una canasta de cuatro monedas establecidas por el FMI.

descuento. Valuación de una moneda cuando vale menos en el mercado de futuros que en el mercado *spot*.

desequilibrio fundamental. Cuando el tipo de cambio oficial y el tipo de cambio del mercado pueden alejarse, al reflejar cambios en las condiciones económicas fundamentales, niveles de ingresos, gustos y preferencias y factores tecnológicos.

desmonetización del oro. Ocurrió en la década de los setenta cuando el precio oficial del oro fue abolido como unidad de cuenta para el sistema monetario internacional.

deuda/acciones de capital. Cuando un banco comercial vende sus préstamos con descuento al gobierno de una nación deudora por moneda local, que luego utiliza para financiar una inversión de acciones de capital en la nación deudora.

deudor neto. Estatus de una nación cuando los cobros extranjeros en un país exceden los cobros de ese país a los extranjeros en un momento en particular.

devaluación. Cambio oficial en el valor nominal de una moneda, que ocasiona que el valor de cambio de la moneda se deprecie.

discrepancia estadística. Asiento de corrección insertado en el estado de la balanza de pagos para igualar la suma de los créditos y los débitos.

divisa clave. Moneda que se comercia ampliamente en los mercados mundiales de divisas, que ha demostrado mantener valores relativamente estables con el paso del tiempo y que es aceptada ampliamente como forma de pago a nivel internacional.

doctrina del flujo de las mercancías-precios. Teoría de David Hume de que una balanza comercial favorable era posible sólo a corto plazo y que con el paso del tiempo, automáticamente, sería eliminada por medio de cambios en los precios de los productos.

dólar comercial ponderado. Promedio ponderado de los tipos de cambio entre una moneda nacional y las monedas de los más importantes socios comerciales de la nación con pesos determinados por la importancia relativa del comercio de la nación con cada socio comercial.

dolarización. Ocurre cuando los residentes de un país extranjero utilizan el dólar estadunidense al mismo tiempo o en lugar de su moneda nacional.

dumping. Cuando, después de considerar costos de transporte y aranceles, a los compradores extranjeros se les cobran precios menores que a los compradores nacionales por un producto idéntico.

dumping **depredador.** Cuando un productor reduce de forma temporal los precios que cobra en el extranjero para expulsar del negocio a los productores extranjeros.

dumping **esporádico (***dumping* **de angustia).** Cuando una empresa dispone de inventarios excesivos en mercados extranjeros al vender en el extranjero a precios menores que en casa.

dumping **persistente.** Cuando un productor vende de forma consistente productos en el extranjero a precios más bajos que en el mercado de origen.

E

economías de aglomeración. Un país rico se especializa en nichos de manufactura y gana en productividad a través de grupos aglutinados de empresas; algunos fabrican el mismo producto y otros están conectados por vínculos verticales.

economías de escala. Cuando el aumento de todos los insumos en la misma proporción resulta en una mayor proporción de la producción total.

economías de escala externas. Reducciones en los costos de una empresa que ocurren como consecuencia del crecimiento de la producción industrial.

economías de escala internas. Reducciones en el costo total promedio en la manufactura de un producto conforme una empresa aumenta el tamaño de su planta a largo plazo.

efecto consumo. Pérdida del bienestar de restricción comercial que ocurre debido a precios más altos y un menor consumo.

efecto de creación del comercio. Ganancia de bienestar que resulta del aumento del comercio ocasionado por la formación de un bloque comercial regional.

efecto de desviación del comercio. Pérdida de bienestar que resulta de la formación de un bloque comercial regional; ocurre cuando las importaciones de un proveedor de bajo costo fuera del bloque comercial se ven reemplazadas por compras de un proveedor de costo superior dentro del bloque comercial.

efecto de la curva J. Descripción popular de la senda temporal de flujos comerciales que sugiere que, a muy corto plazo, una depreciación de moneda llevará a un deterioro de la balanza comercial de una nación pero, conforme el tiempo pase, es probable que mejore dicha balanza.

efecto de magnificación. Extensión del teorema Stolper-Samuelson, que sugiere que el cambio en el precio de un recurso es mayor que el cambio en el precio del producto que utiliza el recurso de forma relativamente intensiva en su proceso de producción.

efecto de repercusión en el exterior. Impacto que tienen los cambios en los gastos nacionales y los niveles de ingreso en las economías extranjeras; un aumento en el ingreso nacional estimula las importaciones, ocasiona una expansión extranjera que a su vez incrementa la demanda de exportaciones nacionales.

efecto de términos de intercambio. Ingreso del arancel extraído de los productores extranjeros en forma de un precio de oferta más bajo.

efecto del mercado interno. Los países se especializarán en productos para los que hay una demanda nacional grande.

efecto ingreso. Representa los cobros del gobierno del ingreso de un arancel; se determina al multiplicar el número de importaciones por el arancel.

efecto ingreso nacional. Cantidad de ingreso arancelario que se traslada de los consumidores nacionales al gobierno que impone los aranceles.

efecto proteccionista. Pérdida de un arancel para la economía nacional, que resulta de recursos desperdiciados cuando una producción nacional menos eficiente es sustituida por una producción extranjera más eficiente.

efecto redistribución. Con un arancel, la transferencia del excedente del consumidor, en términos monetarios, a los fabricantes nacionales del producto que compiten con las importaciones.

efectos dinámicos de la integración económica. Efectos que se relacionan con las tasas de crecimiento a largo plazo de los países miembros, que incluyen economías de escala, mayor competencia y estímulo de inversión.

efectos estáticos de la integración económica. Incluyen el efecto de la creación comercial y el efecto desviación comercial.

elusión de aranceles. Utilización legal del sistema arancelario para la ventaja personal con el fin de reducir la cantidad del arancel que es pagadero por medios que están dentro de la ley.

empresa multinacional (EMN). Empresa que rebasa las fronteras nacionales y, con frecuencia, es dirigida por un centro de planeación de la empresa que se ubica a distancia del país anfitrión.

empresas conjuntas internacionales. Ejemplo de empresa multinacional en el que una organización de negocios establecida por dos o más empresas combina sus habilidades y sus activos.

empresas trasplantadas. Conjunto de plantas de ensamble de empresas japonesas que producen automóviles en Estados Unidos.

enfoque de la absorción. Enfoque de la depreciación de la moneda que se ocupa de los efectos del ingreso de la depreciación; según el enfoque de la absorción, debe ocurrir una disminución en los gastos nacionales en relación con el ingreso para que la depreciación promueva un equilibrio de pagos.

enfoque de la elasticidad. Enfoque de la depreciación de una moneda que enfatiza los efectos relativos del precio de la depreciación y sugiere que la depreciación funciona mejor cuando las elasticidades de la demanda de las importaciones y las exportaciones de una nación son altas.

enfoque del mercado de activos financieros. Método para determinar los tipos de cambio a corto plazo donde los inversionistas consideran dos factores clave al decidir entre las inversiones nacionales y las extranjeras: niveles relativos de tasas de interés y tipos de cambios esperados en el mismo tipo de cambio al término de la inversión.

enfoque monetarista. Enfoque de la depreciación de la moneda que enfatiza los efectos que tiene la depreciación en el poder de compra del dinero y el impacto resultante en los niveles nacionales de gasto.

equilibrio externo. Cuando una nación no obtiene déficits ni excedentes en su balanza de pagos.

equilibrio global. Cuando una economía logra un equilibrio interno y un equilibrio externo.

equilibrio interno. Meta de la estabilidad económica en pleno empleo.

escalada arancelaria. Ocurre cuando las estructuras arancelarias de los países industrializados se caracterizan por tasas en aumento que dan una protección a los productos intermedios y terminados mayor que a los productos primarios.

especialización completa. Situación en la que un país fabrica sólo un producto.

especialización interindustrial. Cuando cada nación se especializa en una industria en particular en la que disfruta de una ventaja comparativa.

especialización intraindustrial.   Enfoque en la producción de productos o grupos de productos específicos dentro de una industria determinada.

especialización parcial.   Cuando un país se especializa sólo de manera parcial en la fabricación del producto en el que tiene una ventaja comparativa.

especulación.   Intento por obtener una utilidad al comerciar a partir de expectativas de los precios en el futuro.

especulación desestabilizadora.   Ocurre cuando los especuladores esperan que una tendencia actual en los tipos de cambio continúe y sus transacciones aceleran el aumento o la caída del valor de la moneda en cuestión.

especulación estabilizadora.   Ocurre cuando los especuladores esperan que cambie una tendencia actual en un movimiento del tipo de cambio y su compra o venta de la moneda modera los movimientos del tipo de cambio.

euro.   Moneda oficial de la Unión Monetaria Europea.

evasión de aranceles.   Cuando los individuos o las empresas evaden los aranceles por medios ilegales, como el contrabando de productos importados hacia un país.

excedente del consumidor.   Diferencia entre la cantidad que los compradores tendrían la capacidad y la disposición de pagar por un producto y la cantidad real que pagan.

excedente del productor.   Ingreso que los productores reciben por encima de la cantidad mínima requerida para inducirlos a ofrecer el producto.

existencias reguladas.   Existencias de un producto financiadas y mantenidas por una asociación de productores; se utilizan para limitar los cambios súbitos de precios de dicho producto.

expectativas del mercado.   Algunos ejemplos incluyen: las noticias sobre fundamentos del mercado futuro y opiniones de quienes comercian sobre los tipos de cambio futuros.

Export-Import Bank (Eximbank).   Agencia gubernamental estadunidense independiente, creada para fomentar las exportaciones de las empresas de EUA.

F

facultad para la promoción del comercio.   Ideada en 1974, esta provisión compromete al Congreso a considerar los acuerdos comerciales sin enmienda; a su vez, el presidente se debe adherir a un programa específico y a varios otros procedimientos.

facultades de vía rápida (*fast track authority*).   Vea *facultad para la promoción del comercio.*

fijación de precios de transferencia.   Técnica en la que una empresa multinacional reporta la mayor parte de sus utilidades en un país de impuestos bajos, aún cuando las utilidades sean ganadas en un país de impuestos altos.

flotación limpia.   Cuando se permite que las fuerzas del libre mercado de oferta y demanda determinen el valor del tipo de cambio de una moneda.

flotación sucia.   Condición bajo un sistema de flotación administrado cuando no se permite que las fuerzas del libre mercado de oferta y demanda alcancen su función de equilibrio; los países pueden manejar sus tipos de cambio para mejorar la competitividad de sus productores.

fondo de estabilización del tipo de cambio.   Entidad gubernamental que intenta asegurar que el tipo de cambio del mercado no se mueva por encima o por debajo del tipo de cambio oficial a través de la compra y venta de monedas extranjeras.

Fondo Monetario Internacional (FMI).   Con sede en Washington, está formado por 184 naciones; el FMI puede pensarse como el banco de los bancos centrales de los países miembros.

frontera sin comercio.   Límite de términos de intercambio al que un país dejará de exportar un producto.

fuga de cerebros.   Migración de personas altamente educadas y capacitadas de los países en desarrollo hacia los países avanzados.

fundamentos del mercado.   Variables económicas como productividad, tasas de inflación, tasas de interés reales, preferencias del consumidor y política comercial gubernamental.

G

ganancias de producción.   Aumentos en la producción resultante de la especialización en el producto de ventaja comparativa.

ganancias de consumo.   Puntos de consumo después del comercio fuera de la curva de posibilidades de producción de una nación.

ganancias del comercio internacional.   Las ganancias que los socios comerciales disfrutan de manera simultánea debido a la especialización y a la división del trabajo.

ganancias dinámicas del comercio internacional.   Efecto del comercio en la tasa de crecimiento del país y por tanto, en el volumen de recursos adicionales disponibles o utilizados por el país que comercia.

giros del FMI.   Transacciones por las que el FMI hace disponibles préstamos en moneda extranjera.

globalización. Proceso de una mayor interdependencia entre los países y sus ciudadanos.

grado de apertura. Razón de las exportaciones e importaciones de una nación como porcentaje de su producto interno bruto (PIB).

gravámenes variables. Arancel de importación que aumenta o disminuye conforme cambian los precios nacionales o mundiales para garantizar que el precio del producto importado después del pago de impuestos iguale un precio predeterminado.

Grupo de los Cinco (G-5). Cinco naciones industrializadas (Estados Unidos, Japón, Alemania, Reino Unido y Francia) que enviaron representantes a una reunión comercial mundial en el Hotel Plaza de Nueva York, en 1985, para tratar de corregir el dólar sobrevaluado y los déficits dobles estadunidenses.

Grupo de los Siete (G-7). Siete naciones industrializadas (Estados Unidos, Canadá, Japón, Reino Unido, Alemania, Francia e Italia) que lanzaron compras coordinadas del euro para impulsar su valor.

I

importancia de no ser importante. Cuando una nación que comercia es significativamente más grande que la otra, la nación más grande obtiene menos ganancias del comercio mientras que la nación más pequeña obtiene la mayor parte de las ganancias del comercio.

impuesto *antidumping*. Impuesto aplicado en contra de productos que el país local cree que son introducidos a su mercado mediante *dumping* en sus mercados desde el extranjero.

índice de tipos de cambio. Promedio ponderado de los tipos de cambio entre una moneda nacional y los socios comerciales más importantes de esa nación, con pesos dados por la importancia relativa del comercio de la nación con cada socio comercial.

índice de tipos de cambio nominales. Valor promedio de una moneda, no ajustado para cambios en los niveles de precios de ese país y sus socios comerciales.

índice de tipos de cambio reales. Valor promedio de una moneda basado en tipos de cambio reales.

inflación por demanda. Cuando se ha alcanzado la capacidad de producción de una nación y los aumentos posteriores de demanda agregada impulsan los precios a la alza.

integración de conglomerado. En el caso de una empresa multinacional, diversificación hacia mercados no relacionados.

integración económica. Proceso de eliminación de restricciones en el comercio, pagos y factor de movilidad internacional.

integración horizontal. En el caso de una empresa multinacional extranjera (EMN), ocurre cuando una empresa principal que produce un artículo de consumo en el país de origen establece una subsidiaria para producir el artículo idéntico en el país anfitrión.

integración vertical. En el caso de una empresa multinacional, ocurre cuando la empresa multinacional matriz decide establecer filiales extranjeras para fabricar productos o insumos intermedios que van a la fabricación del producto terminado.

interdependencia económica. Todos los aspectos de la economía de una nación están vinculados a las economías de sus socios comerciales.

inversión extranjera directa. Adquisición de una parte de capital que da el control en una empresa o instalación en el extranjero.

inversión extranjera neta. En la contabilidad nacional de ingresos, es sinónimo de la balanza de cuenta corriente.

L

Ley de Acuerdos Comerciales Recíprocos. Ley aprobada en el Congreso de Estados Unidos en 1934, que estableció el escenario para una ola de liberalización comercial a través de una autoridad negociadora y reducciones generalizadas.

ley de la ventaja comparativa. Cuando cada nación se especializa en la fabricación del producto en el que tiene una ventaja comparativa relativa, la fabricación total de cada producto aumenta; así, todos los países pueden obtener ganancias de bienestar.

ley del precio único. Parte del enfoque de paridad del poder de compra para determinar los tipos de cambio; sostiene que productos idénticos deben costar lo mismo en todas las naciones, al suponer que no tiene costo el embarque de productos entre las naciones y que no hay barreras al comercio.

Ley Smoot-Hawley. Ley aprobada en 1930 bajo la cual los aranceles promedio de Estados Unidos fueron aumentados a 53 por ciento en las importaciones protegidas.

leyes correctivas de recursos comerciales. Leyes diseñadas para producir un ambiente comercial justo para todas las partes que participan en negocios internacionales; estas leyes incluyen la cláusula de extinción, derechos compensatorios, impuestos *antidumping* y prácticas comerciales injustas.

libre comercio. Sistema de mercados abiertos entre países en el que las naciones concentran su producción en artículos que pueden fabricar de forma más barata, con todos los beneficios consecuentes de la división del trabajo.

licencia de importación. Utilizada para administrar una cuota de importación; licencia que especifica el volumen permitido de las importaciones.

límites externos para los términos de intercambio de equilibrio. Definidos por las razones de costos nacionales de los países que comercian.

línea de posibilidades de comercio. Línea de posibilidades de producción que representa la razón de los términos de intercambio de equilibrio.

M

margen (*spread*). Diferencia entre los tipos de cambio de compra y venta.

margen de *dumping*. Cantidad por la que el precio nacional del producto de una empresa excede su precio extranjero o la cantidad por la que el precio extranjero del producto de una empresa es menor que el costo de producirlo.

mecanismo de ajuste. Mecanismo que funciona para restaurar una balanza de pagos al equilibrio, después de que el equilibrio inicial ha sido desestabilizado; el proceso asume dos formas distintas: automática (procesos económicos) y discrecional (políticas gubernamentales).

mecanismo de ajuste de precios. Vea *teoría cuantitativa del dinero*.

mecanismo de ajuste del ingreso. Teoría desarrollada por John Maynard Keynes en la década de los treinta, que enfatiza la influencia de los cambios automáticos en el ingreso para ajustar la cuenta corriente de una nación.

mercado a futuro (*forward*). Donde el cambio de divisas extranjeras puede ser negociado para una entrega futura.

mercado común. Grupo de naciones que comercian entre sí, que permite el libre movimiento de productos y servicios entre los países miembros, la implantación de restricciones comerciales externas comunes en contra de los países no miembros y el libre movimiento de factores de producción a través de las fronteras nacionales dentro del bloque económico.

mercado de divisas. Entorno organizacional dentro del cual los individuos, las empresas, los gobiernos y los bancos compran y venden monedas extranjeras y otros instrumentos de débito.

mercado de eurodólares. Mercado que opera como intermediario financiero, reúne a prestamistas y solicitantes de préstamos; también llamado mercado de moneda europea.

mercado de futuros. Mercado en el que las partes contratantes acuerdan intercambios futuros de monedas y establecen con anticipación los tipos de cambio aplicables; se distingue del mercado a futuro en que sólo se comercia un número limitado de monedas líderes; el comercio se realiza en cantidades contractuales estandarizadas y en una ubicación geográfica específica.

Mercado Monetario Internacional (MMI). Una suerte de extensión de los mercados futuros de productos básicos (en los que se compran y venden cantidades específicas de trigo, maíz y otros productos para entrega futura, en fechas específicas). El MMI ofrece instalaciones comerciales para la compra y venta de instrumentos financieros (tales como monedas extranjeras) y metales preciosos (como el oro) para su entrega futura.

mercado *spot*. Donde el tipo de cambio de moneda puede ser comerciado para entrega inmediata.

mercantilistas. Defensores o practicantes del mercantilismo; sistema económico nacional en el que una nación podría regular sus asuntos nacionales e internacionales con el fin de promover sus propios intereses a través de un sector de comercio exterior fuerte.

meses al vencimiento. Meses de un año determinado cuando el contrato de futuros alcanza su vencimiento.

migración. Mudarse de un país para establecerse en otro.

Ministerio de Economía, Comercio e Industria (MECI). Creado por el gobierno japonés para implementar sus políticas industriales en manufactura.

movilidad de los trabajadores. Medición de cómo la migración del trabajo responde a los diferenciales salariales.

N

nación grande. Nación importadora que es lo suficientemente grande para que los cambios en la cantidad de sus importaciones, por medio de políticas arancelarias, influyan en el precio internacional del producto.

nación pequeña. Nación cuyos importes constituyen una porción muy pequeña de la oferta del mercado mundial.

nivelación de los precios de los factores. Tendencia del libre comercio a ocasionar que los factores de producción de bajo costo se vuelvan más caros y que los factores de producción más caros se vuelvan más baratos.

Normas de Ahorro Promedio de Combustible (CAFÉ). Normas de consumo de combustible impuestas por el gobierno de Estados Unidos sobre los fabricantes de automóvil.

O

oferta de reservas internacionales.   Incluye la propiedad de reservas, como monedas clave y derechos especiales de giro y reservas prestadas, que pueden provenir del FMI y de otros acuerdos oficiales o las que pueden obtenerse de bancos comerciales importantes.

opción.   Acuerdo entre el titular (comprador) y un emisor (vendedor) que da al titular el derecho, pero no la obligación de comprar o vender instrumentos financieros en cualquier momento durante una fecha específica.

opción de compra.   Da al titular el derecho de comprar moneda extranjera a un precio específico.

opción de venta.   Da al titular el derecho de vender moneda extranjera a un precio específico.

opciones de divisas.   Otorgan al titular de las opciones el derecho de comprar o vender una cantidad fija de moneda extranjera a un precio previamente establecido, en un lapso de pocos días o varios años.

Organización de Países Exportadores de Petróleo (OPEP).   Grupo de naciones que vende petróleo en el mercado mundial e intenta respaldar precios más altos de lo que serían bajo condiciones más competitivas para maximizar las utilidades de los países miembros.

Organización Mundial de Comercio (OMC).   Organización que abarca las principales provisiones del GATT, pero cuyo papel también incluye un mecanismo que tiene la intención de mejorar el proceso del GATT para resolver las disputas comerciales entre los países miembros.

P

países avanzados.   Incluyen América del Norte y Europa Occidental, más Australia, Nueva Zelanda y Japón.

países en desarrollo.   La mayoría de las naciones en África, Asia, América Latina y Medio Oriente.

paradoja de Leontief.   El fenómeno por el cual las exportaciones pueden ser menos intensivas en capital que los productos que compiten con las importaciones.

patrón de cambio del oro.   Sistema de tipos de cambio fijos, con el oro como principal activo de reserva; las naciones miembros oficialmente acordaron establecer los valores nominales de sus monedas en términos de oro o, de forma alterna, en términos del contenido de oro del dólar estadunidense.

patrón de crecimiento económico de "vuelo de gansos".   Consiste en que los países se muevan gradualmente de forma ascendente en el desarrollo tecnológico al seguir el patrón de países delante de ellos en el proceso de desarrollo.

patrón oro.   Sistema monetario en el que el suministro de dinero de cada nación miembro consistía en oro o papel moneda respaldado por oro, donde cada nación miembro definió el precio oficial del oro en términos de su moneda nacional y estaba preparada para comprar y vender oro a ese precio; se permitía la libre importación y exportación del oro por parte de los países miembros.

pérdida de peso muerto.   Pérdida neta de los beneficios económicos por una economía nacional debido al efecto proteccionista y al efecto consumo de una barrera comercial.

política agrícola común.   Los miembros de la Unión Europea están de acuerdo en mantener políticas agrícolas gubernamentales idénticas para apoyar a los agricultores.

política comercial estratégica.   Política de que el gobierno puede ayudar a las empresas nacionales a captar utilidades económicas de los competidores extranjeros.

política de empobrecimiento al vecino.   La práctica de imponer políticas proteccionistas para alcanzar ganancias de comercio a costa de otras naciones.

política fiscal.   Se refiere a cambios en el gasto e impuestos del gobierno.

política industrial.   Política del gobierno que participa activamente en la creación de una ventaja comparativa.

política monetaria.   Se refiere a los cambios en la oferta de dinero por parte del banco central de un país.

política orientada a las exportaciones.   Vea *crecimiento basado en las exportaciones*.

políticas de compras de productos nacionales.   Cuando el gobierno local, a través de leyes explícitas, discrimina abiertamente en contra de proveedores extranjeros en sus decisiones de compra.

políticas para modificar el gasto.   Políticas que alteran el nivel de demanda agregada de productos y servicios, incluidos los producidos de forma nacional y los importados.

políticas para reorientar el gasto.   Políticas que modifican la dirección de la demanda, la cambian entre la producción nacional y las importaciones.

posición corta.   Vender una divisa (que no se posee) a un alto precio y luego comprarla de vuelta a un bajo precio.

posición larga.   Compra de una divisa a precio bajo para venderla luego a un precio más alto.

precio de ejercicio (*strike price*).   Precio al que una opción se puede ejercer.

prima.   Valuación de una moneda cuando vale más en el mercado futuro que en el mercado actual.

principio de la ventaja absoluta.   En un mundo de dos naciones y dos productos, la especialización internacional y el comercio serán benéficos cuando una nación tenga una ventaja de costos absoluta en un producto y la otra nación tenga una ventaja de costos absoluta en el otro producto.

principio de la ventaja comparativa.   Capacidad de fabricar un producto o servicio a un costo de oportunidad menor de lo que otros pueden producirlo.

problema de liquidez.   Cuando un gobierno o banco central queda corto de las reservas internacionales necesarias.

productos primarios.   Productos agrícolas, materias primas y combustibles.

pronóstico de tipos de cambio.   Intento por pronosticar los tipos de cambio futuros.

pronósticos basados en juicios de opinión.   Pronósticos subjetivos (o de sentido común) del tipo de cambio con base en datos económicos, políticos (o de otro tipo) de un país.

R

razón capital/trabajo.   Razón de los insumos de capital de un país en relación con el insumo del trabajo.

razón del pago de servicio/exportaciones.   Pagos programados de intereses y de capital como porcentaje de los ingresos de exportaciones.

reacción exagerada (*overshooting*).   Cuando la respuesta a corto plazo de un tipo de cambio a una modificación en los fundamentos del mercado es mayor que su respuesta a largo plazo.

recinto fiscal.   Instalación de almacenamiento operada bajo el cuidado y la vigilancia del servicio aduanal.

reducción de la deuda.   Cualquier esquema voluntario que disminuya la carga en la nación deudora para mantener su deuda externa.

región del comercio mutuamente benéfico.   Área que está limitada por las razones de costos de los dos países que comercian.

regulación social.   Intentos gubernamentales por corregir una diversidad de efectos colaterales indeseables en una economía, que se relacionan con la salud, la seguridad y el ambiente.

relaciones comerciales normales.   Reemplazo del término nación más favorecida por parte del gobierno estadunidense.

repercusión del traslado cambiario.   Grado al que los valores cambiantes de la moneda llevan a cambios en los precios de importación y de exportación.

requerimientos de contenido nacional.   Requerimientos que estipulan el porcentaje mínimo del valor total de un producto que debe fabricarse de forma nacional si se pretende que el producto califique para una tasa arancelaria cero.

reservas internacionales.   Activos que se salvaguardan para permitir a las naciones financiar el desequilibrio en sus posiciones de la balanza de pagos.

revaluación.   Cambio oficial en el valor nominal de una moneda, que ocasiona una apreciación del valor del tipo de cambio de la moneda.

riesgo cambiario.   Riesgo de inversión asociado con depreciaciones y apreciaciones de moneda, así como controles de cambio.

riesgo crediticio.   La probabilidad de que parte o todo el interés o el capital de un préstamo no sean pagados.

riesgo país.   Riesgo asociado con los acontecimientos políticos en un país, en especial los puntos de vista del gobierno en relación con las inversiones y préstamos internacionales.

Ronda Doha.   La reunión más reciente de negociaciones comerciales multilaterales, organizada por la Organización Mundial de Comercio.

Ronda Kennedy.   Ronda de negociaciones comerciales entre los miembros del GATT durante el período de 1964-1967; nombrada en honor al presidente John F. Kennedy.

Ronda Tokio.   Ronda de conversaciones entre los miembros del GATT de 1973-1979, en la que las naciones firmantes acordaron recortes arancelarios generalizados que iniciaron en la Ronda Kennedy.

Ronda Uruguay.   Ronda de conversaciones entre los miembros del GATT de 1986-1993 en la que los recortes generalizados de aranceles para los países industrializados promediaron 40 por ciento.

S

salvaguardas.   Alivio brindado por la cláusula de extinción a las empresas estadunidenses y los trabajadores que son dañados de forma significativa por los surgimientos en las importaciones que son comerciadas de forma justa.

sanciones económicas.   Limitaciones ordenadas por el gobierno, impuestas al comercio tradicional o a las relaciones financieras entre las naciones.

Sección 301.   Sección de la Ley Comercial de 1974 de EUA que da autoridad al representante comercial estadunidense (USTR), sujeta a la aprobación del presidente, y los medios para responder a las prácticas comerciales injustas por parte de las naciones extranjeras.

sector sesgado hacia el libre comercio.   Por lo general comprende empresas exportadoras y sus trabajadores y proveedores; también incluye a los consumidores y mayoristas y minoristas de productos importados.

sector sesgado hacia el proteccionismo.   Por lo general está formado por las empresas que compiten en importaciones, los sindicatos que representan a los trabajadores en esa industria y los proveedores de las empresas en la industria.

señoreje.   Ganancias por la emisión de dinero.

sistema Bretton Woods.   Sistema monetario internacional creado en 1944 por delegados de 44 países miembros de las Naciones Unidas que se reunieron en Bretton Woods, New Hampshire.

sistema de tipos de cambio flotantes controlados.   Sistema de tipo de cambio en el que por lo general se permite que el tipo de cambio sea determinado por las fuerzas de oferta y demanda de libre mercado, pero en ocasiones permite cierto grado de intervención gubernamental (banco central).

sistema generalizado de preferencias (GSP).   Sistema en el que los países industrializados intentan promover el desarrollo económico en los países en desarrollo, a través de aranceles más bajos y un mayor comercio, en lugar de con ayuda extranjera.

subcontratación (*outsourcing*).   Cuando ciertos fases de la manufactura de un producto se realizan en más de un país.

subsidio a la producción nacional.   Subsidio que en ocasiones se otorga a los fabricantes de productos que compiten con las importaciones.

subsidios.   Otorgados por los gobiernos a los productores nacionales para mejorar su competitividad comercial; incluyen desembolsos directos de efectivo, concesiones fiscales, arreglos de seguros y préstamos a tasas de interés por debajo del mercado.

subsidios a la exportación.   Subsidios pagados a los exportadores para que puedan vender productos en el extranjero al

precio más bajo del mundo, pero aún así recibir el precio de respaldo más alto.

sustitución de importaciones.   Política que incluye un amplio uso de barreras comerciales para proteger a las industrias nacionales de la competencia extranjera.

swap **de divisas.**   Conversión de una moneda a otra en un determinado momento, con un acuerdo para reconvertirla a la moneda original en un tiempo específico en el futuro.

T

tasa arancelaria efectiva.   Mide el aumento total en la producción nacional que, en comparación con el libre comercio, un arancel hace posible.

tasa arancelaria nominal.   Tasa arancelaria publicada en el esquema arancelario de un país.

tasa de interés nominal.   Tasa de rendimiento en los activos que se puede ganar en un país en particular, no ajustada por la tasa de inflación.

tasa de interés real.   Tasa de interés nominal menos la tasa de inflación.

tasa marginal de transformación (TMT).   Pendiente de la curva de posibilidades de producción que muestra la cantidad de un producto que una nación debe sacrificar para obtener una unidad adicional del otro producto.

teorema de Stolper-Samuelson.   Extensión de la teoría de la igualación del precio de los factores, que afirma que la exportación del producto que abarca grandes cantidades del recurso relativamente barato y abundante hace que este recurso sea más escaso en el mercado nacional.

teoría cuantitativa del dinero.   Afirma que los aumentos en la oferta de dinero llevan directamente a un aumento en los precios generales y una disminución en la oferta de dinero ocasiona una caída en los precios generales.

teoría de los factores específicos.   Considera los efectos de la distribución de ingreso del comercio, cuando los factores de insumos son inmóviles entre las industrias a corto plazo.

teoría de la demanda recíproca.   Las condiciones de demanda relativa determinan cuáles serán los términos de intercambio reales dentro de los límites externos de los términos de intercambio.

teoría de la dotación de factores.   Sostiene que un país exporta los productos que utilizan su factor abundante de forma más intensiva.

teoría de la paridad del poder adquisitivo. Método para determinar el tipo de cambio de equilibrio por medio de los niveles de precios y sus variaciones en distintas naciones.

teoría de las demandas coincidentes. Naciones con ingresos similares per cápita tendrán estructuras de demanda coincidentes y es probable que consuman tipos similares de productos manufacturados; es posible que las naciones ricas comercien con otras naciones ricas y es probable que las naciones pobres comercien con otras naciones pobres.

teoría del ciclo de vida del producto. Muchos productos manufacturados pasan por un ciclo comercial predecible; durante el mismo, el país de origen inicialmente es un exportador, luego pierde su ventaja competitiva frente a sus socios comerciales y eventualmente puede convertirse en importador de la mercancía.

teoría del valor del trabajo. El costo o el precio de un artículo depende, de forma exclusiva, de la cantidad de trabajo requerida para producirlo.

teoría Heckscher-Ohlin. Diferencias en la dotación relativa de factores entre naciones subyacentes en la base del comercio.

términos de intercambio. Precios relativos a los que se comercian dos productos en el mercado.

términos de intercambio de productos. Miden la relación entre los precios que una nación obtiene por sus exportaciones y los precios que paga por sus importaciones.

tipo de cambio. Precio de una moneda en términos de otra.

tipo de cambio a futuro. Tipo de cambio utilizado en el pago de transacciones futuras.

tipo de cambio cruzado. Tasa resultante que se obtiene cuando el tipo de cambio entre dos monedas se puede derivar de los tipos de cambio de estas dos monedas en términos de una tercera moneda.

tipo de cambio de compra. Precio que el banco está dispuesto a pagar por una unidad de divisa.

tipo de cambio de venta. Precio al que el banco está dispuesto a vender una unidad de moneda extranjera.

tipo de cambio efectivo. Promedio ponderado de los tipos de cambio entre una moneda nacional y los socios comerciales más importantes de esa nación, con los pesos dados por la importancia relativa del comercio de la nación con cada socio comercial.

tipo de cambio nominal. Cuotas de tipo de cambio publicadas en periódicos que no son ajustadas por tasas de inflación en los socios comerciales.

tipo de cambio oficial. Tipo de cambio determinado al comparar los valores nominales de las dos monedas.

tipo de cambio real. Tipo de cambio nominal ajustado por cambios en los niveles de precio relativos.

tipos de cambio flotantes. Cuando una nación permite que su moneda fluctúe con base en las fuerzas de libre mercado de oferta y demanda.

tipos de cambio indexados ajustables. Sistema de tipo de cambio semifijos, donde se entiende que el valor nominal de la moneda se cambiará de forma ocasional en respuesta a las condiciones económicas cambiantes.

tipos de cambio meta. Tipos de cambio deseados para una moneda, establecidos por el país anfitrión y respaldados por la intervención.

tipos de cambio relativamente fijos. Sistema utilizado sobre todo por pequeñas naciones en desarrollo cuyas monedas están ancladas a una moneda clave, como el dólar estadunidense.

trabajadores invitados. Trabajadores extranjeros a los que se les permite emigrar de forma temporal, cuando se les necesita.

transacción a futuro. Compra y venta directa de una divisa a un tipo de cambio fijo establecido pero con el pago o la entrega de la divisa en una fecha futura.

transacción de abono. Transacción de la balanza de pagos que lleva a un pago a extranjeros.

transacción de cargo. Transacción en la balanza de pagos que resulta en la recepción de un pago por parte de los extranjeros.

transacción *spot*. Compra y venta directa de moneda extranjera para pago en efectivo, no más de dos días hábiles después de la fecha de la transacción.

transacciones oficiales de liquidación. Movimiento de activos financieros entre titulares oficiales; estos activos financieros caen en dos categorías: activos de reserva oficial y pasivos con agencias oficiales extranjeras.

transferencia de tecnología. Transferencia a otras naciones del conocimiento y habilidades aplicadas a la forma en que se fabrican los productos.

transferencias unilaterales. Incluyen transferencias de productos y servicios (regalos en especie) o activos financieros (regalos en dinero) entre Estados Unidos y el resto del mundo.

Tratado de Libre Comercio de América del Norte (TLCAN). Acuerdo comercial entre Canadá, México y Estados Unidos, que empezó su vigencia en 1994.

Tratado de Maastricht. Firmado en 1991, este acuerdo estableció 2002 como el año para completar el proceso de reemplazar los bancos centrales de los países de la Unión Europea con un Banco Central Europeo y sustituir sus monedas nacionales con una sola moneda europea.

triángulo del comercio. Área en la curva de posibilidades de producción que muestra las exportaciones, las importaciones y los términos de equilibrio del comercio.

trinidad imposible. Restricción en la que un país puede mantener sólo dos de las siguientes tres políticas: flujos de capital libres, tipo de cambio fijo y una política monetaria independiente.

U

unión aduanera. Acuerdo entre dos o más socios comerciales para retirar todas las barreras comerciales arancelarias y no arancelarias entre ellos mismos; cada nación miembro impone restricciones comerciales idénticas en contra de los no participantes.

unión económica. Ocurre donde una institución supranacional armonizada y administra las políticas nacionales, sociales y fiscales.

Unión Europea (UE). Bloque comercial que reemplazó a la Comunidad Europea después de la ratificación del Tratado de Maastricht por los 12 países miembros de la Comunidad Europea.

unión monetaria. Unificación de políticas monetarias nacionales y la aceptación de una moneda común administrada por una autoridad monetaria supranacional.

Unión Monetaria Europea (UME). Países de Europa que en 1999 abolieron sus monedas nacionales y bancos centrales y los reemplazaron con el euro y el Banco Central Europeo.

V

valor par. Valor central en términos de una moneda clave al que los gobiernos que participan en un sistema de tipo de cambio fijo establecen su moneda.

valoración aduanal. Es el proceso para determinar el valor de un producto importado.

valoración costo-seguro-flete (CIF). Se aplica en la implementación de aranceles *ad valorem* como un porcentaje del valor total del artículo de consumo importado hasta que llega a su destino final.

valoración libre a bordo (FOB). Valoración cuando un arancel se aplica al valor de un producto cuando deja el país exportador.

ventaja comparativa dinámica. Patrón cambiante en la ventaja comparativa; los gobiernos pueden establecer políticas para promover oportunidades de cambios en la ventaja comparativa con el paso del tiempo.

volar en contra del viento. Intervenir para reducir las fluctuaciones a corto plazo en los tipos de cambio, sin intentar apegarse a alguna tasa específica a largo plazo.

Z

zona de libre comercio (FTZ). Zonas especiales que amplían los beneficios de un recinto fiscal al eliminar los aspectos restrictivos de la vigilancia aduanal y al ofrecer instalaciones de manufactura más adecuadas; las FTZ tienen la intención de estimular el comercio internacional, atraer a la industria y crear empleos al proporcionar un área que dé a los usuarios alivio de aranceles e impuestos.

zona monetaria óptima. Región en la que es preferible económicamente tener una sola moneda oficial en lugar de múltiples monedas oficiales.

Índice

A

ABC *Electronics* Co., 116
Abe, Shinzo, 366, 386
Cuota absoluta, 149-154
Enfoque de la absorción, 433, 441–442
Tipos de cambio indexados ajustables, 452
Mecanismo de ajuste, 419
Arancel *ad valorem*, 109
Países avanzados, 227
Economías de aglomeration, 5
Airbus, 8, 97–98, 218
Allende, Salvador, 315
Amazon Kindle, 19
American Auto Company of the United States, 309–310
American Feed Co., 432
American Iron and Steel Institute, 100
American Standard Brands, 64
Anheuser-Busch (A-B), 299–302
Antidumping, 166-171
Apple Inc., 19, 60–61, 63, 96, 252, 342
Apreciación, 365, 430-432, 452, 459
Argentina, 250, 474–475
Enfoque del mercado de activos financieros, 404–410.
AT&T, 59
Autarquía, 36
Ajuste automático, 419–420

B

Balanza de pagos, 329–355
Balanza de la deuda internacional, 348–350
Banco Delta Asia, 222
Bangladesh, 6, 235–236
Bankers Trust Company, 385

Bank of America, 357–358, 362, 375, 378, 388, 412
Bank of Canada, 482, 485
Bank of England, 495
Bank of Japan, 461, 463, 491
Base del comercio, 29
Bastiat, Frederic, 142
Bechtel, 307
Política de empobrecimiento al vecino, 129, 139
Benelux, 269
Tipo de cambio de compra, 362
Boeing Co., 8, 97–99, 210, 214–215, 369
Recinto fiscal, 119
Boston Red Sox, 39
Fuga de cerebros, 320–321
Brasil, 250–252, 263–264
Sistema Bretton Woods, 452, 503–504
British Airways, 262
Buchanan, Patrick, 192
Budweiser, 299–301
Existencias reguladas, 237–238
Burger King, 280
Bush, George W., 19–20
Business Week, 141
Políticas de compra de productos nacionales, 172

C

Cage, Nicolas, 389
Caldwell, James, 52
Opción de compra, 368
Calvin Klein, 137, 440
Canadá
    PIB de, 482–486
    trabajadores del ferrocarril en, 311–312
    recesión en, 487

comercio y, 18, 50

    regulaciones del sistema de camioneros, 288–289

    productores de manzanas de Wasshington y, 169

Canadian Auto Workers (CAW), 311

Canadian Business, 141

Cuenta de capital y financiera, 332, 423

Controles de capital, 470–472

Razón capital/trabajo, 70

Captain Kangaroo, 16

Cártel, 240–242

Casio (de Japón), 95

Caterpillar Inc., 63, 99, 120, 133, 173

Cato Institute, 345

Center for Global Development, 248

Central Intelligence Agency, 409

Charles Schwab, 388

Chase Manhattan Bank, 303

Chevrolet, 92

Chicago Bulls, 490

China

    producción de aeronaves en, 71

    Boeing y, 313–314

    manipulación de la moneda en, 464–465

    retos a la economía de, 258–260

    futuro ambiental de, 259

    exportaciones de, 196, 260–261

    dotación de factores en, 71

    productos forestales de, 114

    General Electric y, 313

    finanzas globales en, 260

    PIB de, 409

    Home Depot y, 260

    infraestructura de, 258–259

    derechos de propiedad intelectual en, 208, 211

    gasto de inversión en, 259

    costos de mano de obra en, 258

    manufactura en, 5, 74–75, 260–261

    comercio de mercancías y, 74

    tasas arancelarias nominalies y efectivas de, 114

    subcontratación y, 7

    privatización de la industria en, 258

    metales de las tierras raras en, 195–197

    materias primas de, 196

    piratería de *software* en, 210–212

    Target y, 260

    aranceles contra, 130–131

    producción textil en, 71, 200–201

    políticas comerciales de, 257–261

    salarios en, 74–75

    Organización Mundial del Comercio y, 20

    yuan de, 74–75, 260

Chiquita Brands International, 208

Chrysler, 75, 87

    normas CAFÉ y, 174

    crisis económica global y, 466

Cia.Vale do Rio Doce, 232

Citibank, 362–363, 375, 388

Citigroup Inc., 412

Flotación limpia, 457

Cline, William, 83

Clinton, Bill, 20, 80

Coca-Cola, 296, 299, 399

Colombia, 18

Commercial Aircraft Corporation of China (Comac), 314

Commodity Credit Corporation (CCC), 214

términos de intercambio de productos, 42, 43

Política agrícola común, 276

Mercado común, 269

Companhia Suzano del Papel e Celulose, 508

Especialización completa, 40

Arancel compuesto, 109

Condicionalidad, 507–508

Integración de conglomerado, 297

Costos de oportunidad constantes, 35–37

Consumer Product Safety Commission, 99, 101

Excedente del consumidor, 122, 122–125

Efecto consumo, 125, 127, 151, 272

Ganancias de consumo, 38, 50

Controladora Comercial Mexicana SAB (Comercial Mexicana), 415

Criterio de convergencia, 276

Cooper Tire and Rubber Co., 130

Coppola, Francis Ford, 389

Coppola, Marc, 389

Normas de Ahorrro Promedio de Combustible (CAFÉ), 174

    definición basada en el costo, 166

Valoración costo-seguro-flete (CIF), 110–111

Derecho compensatorio, 201–202

Riesgo país, 506

Análisis del riesgo país, 302–305

Arbitraje de intereses cubierto, 383, 384

Deslizamiento, 462

Riesgo crediticio, 505

Transacción de cargo, 329

Tipo de cambio cruzado, 365

Consejo monetario, 472

Choques monetarios, 467

Crisis monetaria, 462–470

Riesgo monetario, 381–384, 506

Swap de divisas, 360

Cuenta corriente

    ajuste de la, 421–422

    equilibrio de la, 340

    superávit de la, 340

    déficit de la, 339–348

Unión aduanera, 269, 271

Valoración aduanal, 110

D

Dalton, Georgia, 88

Datsun, 298

Pérdida de peso muerto, 126, 151
Transacción de abono, 329
Deuda/acciones de capital, 508, 509
Condonación de la deuda, 509
Reducción de la deuda, 508–509
Razón del pago de servicio/exportaciones, 507
Dell Inc., 61, 111–114
Delta Airlines, 214–215
Demanda de reservas internacionales, 496, 497
Inflación por demanda, 488
Desmonetización del oro, 502
Depreciación, 452
    definición de, 365
    del dólar, 378, 437
    de la libra, 434
    del yen, 366
Especulación desestabilizadora, 387
Deutsche Bank, 389
Devaluación, 452
Países en desarrollo
    tensiones entre los países desarrollados y los, 229
    ayuda a los, 244–250
    banca en los, 508–509
    precios de mercancías y los, 232
    definición de, 227
    inestabilidad de los precios de exportación para los, 231
    sistema generalizado de preferencias y, 247–248
    globalización en los, 5–6
    crecimiento económico de los, 248
    Fondo Monetario Internacional y los, 246–247
    economía liberal en los, 248–250
    acceso limitado de los, 233–235
    dependencia sobre productos básicos en los, 230
    maquiladoras en los, 235–236
    aranceles de los, 115, 234
    políticas comerciales de los, 227–265
    comercio con los, 227–236
    inestabilidad de los, 230–231
Dickens, Charles, 208
Diesel, Rudolf, 8
Controles directos, 480
Flotación sucia, 457
Descuento, 375
Disney, 260
Ronda Doha, 189, 197
Dole Food Co., 208
Dolarización, 475–476
Requerimientos de contenido nacional, 158–159
Efecto ingreso nacional, 128
Contabilidad de partida doble, 329–331
Dubrinski, Ivan, 118
Dumping, 163–166. See also Anti-dumping
    costo variable promedio y el, 170–171
    definición del, 163
    capacidad excesiva y, 170
    extranjero, 202–207

    tipos de, 163–164
    remedios contra importaciones con, 204–206
    de las importaciones, 205
    margen del, 159, 166
    persistente, 164
    depredador, 164
    esporádico, 164
Ventaja comparativa dinámica, 96–97
Efectos dinámicos de la integración económica, 270
Ganancias dinámicas del comercio internacional, 43–45

E

Asia Oriental
    especulación de divisas en, 469–470
    tasa de crecimiento económico de, 254
    economía de, 254–256
    PIB de, 254
    políticas comerciales en, 254–256
Eastman, George, 15
Eastman Kodak Company, 15, 380
Interdependencia económica, 1–2, 4
Sanciones económicas, 219
Unión económica, 269
Integración económica, 268–270
Economías de scala, 85–88, 92, 273, 286
Ecuador, 475–476
Eddie Bauer, 260
Tipo de cambio efectivo, 371
Tasa arancelaria efectiva, 111–114
E-Ink Co., 19
Enfoque de la elasticidad, 433–436
Element Electronics Inc., 15, 17–18
Emerson Electric Co., 104
Environmental Protection Agency (EPA), 99–100, 191
Claúsula de extinción, 199–201
Euro, 1, 275, 358
Mercado de eurodólares, 510
Banco Central Europeo, 275, 280, 283, 491
Unión Monetaria Europea (UME)
    retos para la, 281–283
    moneda común en la, 280–284
    definición de, 275
    desunión en la, 282
    zona monetaria óptima en la, 280–281
    problemas de la, 281–283
    supervivencia de la, 283–284
Unión Europea (UE), 267
    política agrícola de la, 276–278
    como mercado común, 278–280
    definición de la, 269
    integración económica en la, 275–276
    subsidios a las exportaciones de la, 278
    conformación de la, 1
    organización económica internacional y la, 498
    acuerdos comerciales regionales y la, 274–280

aranceles y la, 233
  sistema de recaudación variable y la, 277–278
Eurozone, 276
Arbitraje de divisasa, 374
Controles de cambio, 470
Tipo de cambio, 363–364, 393–418
Repercusión de traslado cambiario, 438, 439
Índice de tipos de cambio, 371–373
Fondo de estabilización del tipo de cambio, 450
Barreras a la salida, 55–56
Políticas para modificar el gasto, 480
Políticas para reorientar el gasto, 480
Crecimiento basado en exportaciones, 250-253
Política orientada a las exportaciones, 252
Controles a las exportaciones, 237
Cuotas de exportación, 156–158
Subsidios a la exportación, 161, 276
Equilibrio externo, 479
Economías de escala externas, 87–88
ExxonMobil, 47, 120, 243, 297, 380

F

Teoría de la dotación de factores, 72
  en China, 71
  como ventaja comparativa, 69–83
  definición de la, 70
  para el comercio entre Estados Unidos y China, 71, 73–74
  visualización de la, 72–73
Nivelación de los precios de los factores, 76–78
Facultades de vía rápida, 198
Federal Deposit Insurance Corporation, 510
Federal Reserve Bank of Dallas, 136
Federal Reserve Bank of New York, 345
Política fiscal
  en una economía cerrada, 481–483
  definición de, 480
  eficacia de la, 484
  PIB y, 483
  en una economía abierta, 483–486
  recesión y, 487
Tipos de cambio relativamente fijos, 448–453
Tipos de cambio flotantes, 453–456
Patrón de crecimiento económico de "vuelo de gansos", 255
Folgers, 240
Ford, Henry, 183
Ford Motor Company, 6, 51, 60, 63, 75, 87, 92
Pronóstico de tipos de cambio, 412–413
Opciones de divisas, 368–369
Inversión extranjera directa, 300, 302
Mercado de divisas, 357–359
Efecto de repercusión en el exterior, 424
Zona de libre comercio (FTZ), 119–120
Forex Capital Markets (FXCM), 389
Mercado a futuro, 366–368, 374–381
  tipo de cambio a futuro, 375

Transacción a futuro, 360
Valoración libre a bordo (FOB), 110
Libre comercio, 9, 19–20, 30
Área de libre comercio, 269
Argument del libre comercio, 135
Sector sesgado hacia el libre comercio, 143
Fuji Photo Film Co., 15
Análisis de los fundamentos, 414
Desequilibrio fundamental, 451, 453
Mercado de futuros, 366–368, 374–381
FX Solutions, 389

G

Gain Capital Group, 389
Ganacias del comercio internacional, 29
Gehrig, Lou, 39
Geithner, Timothy, 464
Acuerdo General de Aranceles y Comercio (GATT),
  185–189, 267
Convenios Generales de Crédito, 504–505
General Electric Co., 63, 120, 210, 312–313
Sistema Generalizado de Preferencias (GSP), 247
General Motors (GM), 13, 75, 87, 92, 312
  normas CAFÉ para, 174
  economías de escala y, 286
  inversión extranjera y, 422
  crisis económica global y, 466
  subsidios de, 298
Globalización
  ventajas de la, 23
  reacción en contra de la, 22–23
  ventaja comparativa y, 52–53
  competencia y, 15–18
  definición de, 2
  en los países en desarrollo, 5–6
  máquinas diesel y turbinas de gas como impulsores de la, 8
  desventajas de la, 23
  de la economía, 2–3
  fuerzas que impulsan la, 3
  importancia de la, 12–15
  derechos de propiedad intelectual y la, 210
  banca internacional y, 12
  industria automotriz estadunidense y la, 75
  olas de, 3–8
Cuota global, 150
Patrón de cambio del oro, 501–502
Goldman Sachs, 263, 412
Patrón oro, 420, 463, 500–501
Golub, Stephen, 56
Balanza de bienes y servicios, 331, 338
Goodyear Tire and Rubber Co., 130
Google, 63
Grupo de los Cinco (G–5), 491
Grupo de los Siete (G–7), 492
Trabajadores invitados, 321

H

Hamilton, Alexander, 181
Heckscher, Eli, 70
Teoría Heckscher-Ohlin, 70, 261
Cobertura cambiaria, 377, 382–384
Hewlett-Packard (HP), 6–7, 61, 95
Hitachi de Japón, 90, 430
Home Depot, 260, 359
Efecto del mercado interno, 87
Honda Motor Company, 51, 59, 75, 92–93, 117, 158, 366
Honeywell, Inc., 307
Hoover, President, 183
Integración horizaontal, 296
Hume, David, 30, 420
Hungría, 6

I

IKEA, 63, 279
Giros del FMI, 504
Importancia de no ser importante, 42
Licencia de importación, 150
Sustitución de importaciones, 250–254
Trinidad imposible, 447
Mecanismo de ajuste del ingreso, 423–424
Balanza de ingresos, 332
Costos de oportunidad crecientes, 46, 50
India
    General Electric y la, 262
    industria manufacturerea en la, 5
    subcontrataciçón y la, 6–7
    políticas comerciales de la, 261–263
Indonesia, 6
Política industrial, 96–97
    de China, 215–216
    definición de, 96
    de Japón, 216
    de Estados Unidos, 212–216
Argumento de la industria incipiente, 140
Intel, 7, 46, 95
Derechos de propiedad intelectual (DPI), 208–212
Arbitraje de intereses, 382–384
Especialización interindustrial, 90
Comercio interindustrial, 90
Equilibrio interno, 479
Economías de escala internas, 86–87
International Bank for Reconstruction and Development, 245
International Business Machines (IBM), 61, 90, 120, 330
International Center for Settlement of Investment Disputes, 245
Acuerdos internacionales de mercancías, 237
International Country Risk Guide, 304–305
Coordinación de la política económica internacional, 488–492
Empresas conjuntas internacionales International joint ventures, 307–310

Fondo Monetario Internacional (FMI), 335
    balanza de pagos y, 495
    condicionalidad y, 507–508
    deslizamiento y, 462
    definición de, 246
    fundación del, 245
    política cambiaria y, 445–446
    tipos de cambio fijos y, 501
    reservas de divisas y, 449
    crisis financiera mundial y, 466
    coordinación de la política económica internacional y, 489
    paridad del poder adquisitivo y, 409
    derechos especiales de giro y, 503–504
Reservas internacionales, 496
    reservas de crédito y, 504–505
    demanda de, 496–499, 497
    flexibilidad del tipo de cambio de las, 496–498
    naturaleza de las, 495–496
    oferta de, 499
Especialización intraindustrial, 90
Comercio intraindustrial, 14

J

Japón
    industria automotriz y, 157–158
    ventaja comparativa de, 54
    industria electrónica y, 95–96
    exportaciones de, 57
    crisis financiera mundial y, 466
    política industrial de, 216
    costo de mano de obra en, 57
    manufactura en, 430–432
    comercio multilateral en, 55
    subcontratación en, 432
    y la industria automotriz estadunidense, 305–307
    apreciación del yen de, 430–432
J.C. Penny, 236
Efecto de la curva J, 436–438
Jefferson, Thomas, 38
John Deere, 99, 380
Johnson, Lyndon, 117
J.P. Morgan Chase & Co., 357–358, 359, 388, 412, 415
Pronósticos de juicios de opinión, 412–413

K

Kellogg Co., 279
Kellwood Co., 440
Kennedy Round, 187
Kentucky Fried Chicken, 301
KitchenAid, 168
Kohler Co., 64
Krieger, Andy, 385

L

Movilidada de los trabajadores of, 319
Teoría del valor del trabajo, 30–31
País grande, 126–129
Ley de la ventaja comparativa, 13
Ley del precio único, 399–400
Lawrence, Robert, 83
Volar en contra del viento, 457
Lenin, Vladimir, 15
Lenovo, 63
Leontief, Wassily, 84
Paradoja de Leontief, 84
Campo de juego nivelado, 139, 169
Lever Style Inc., 74–75
Levi Strauss and Co., 137
LG, 168–169
Asignación de licencia bajo demanda, 155
Linder, Staffan, 88–90
Problema de liquidez, 500
Posición a largo plazo, 385

M

Tratadao de Maastricht, 275, 276
MacDougall, G.D.A., 56
Macintosh, 60, 252
Maclean's, 141
Macys, 378
Efecto de magnificación, 79
Mahathir, Prime Minister, 471
Malasia, 6
Sistema de tipos de cambio flotantes controlados, 456–461
Mansfield Plumbing Co., 64
Manufacturers Hanover Trust, 508–509
Tasa marginal de transformación (TMT), 36
Markel Corporation, 379
Expectativas del mercado, 394
Fundamentos del mercado, 393
Condición de Marshall-Lerner, 433, 435, 436
Mattel, 260
Meses al vencimiento, 367
Maxwell, 240
Maytag, 137, 168
McCain, John, 167
McDonald's, 280, 399
Medicare, 350
Mercantilistas, 29–30
Merck and Co., 380–381
Merrill Lynch, 388
Messerschmitt–Boelkow–Bolhm, 307
Mexico
    crisis cambiaria en, 467
    tratado de libre comercio con, 285
    PIB de, 285
    sustitución de importaciones en, 250
    industria manufacturera en, 6
    migración desde, 319
    industria del jitomate en, 289–290
    regulaciones del sistema de camioneros en, 288–289
Microsoft Corporation, 312, 351, 378
Migración, 316–323.
Mill, John Stuart, 29, 41
Ministerio de Economía, Comercio e Industria (MECI), 216
Minnesota Mining & Manufacturing Co. (3M), 380
Misasi, Enrico, 251
Mitsubishi, 313
Mitsubishi Office Machinery Company de Japón, 307
Enfoque monetarista, 425, 433, 442–443
Política cambiaria
    en una economía cerrada, 481–483
    contraccionista, 459
    definición de, 480
    eficacia de la, 484
    estabilización cambiaria y, 459
    expansionista, 459
    PIB y, 483
    en una economía abierta, 483–486
    recesión y, 487
Unión monetaria, 269
Moore, Michael, 249
Morgan Stanley, 366
Cláusula de la nación más favorecida (MFN), 109, 185
Motorola, 46
Acuerdo MultiFibra (MFA), 200, 236
Contratos multilaterales, 239
Multilateral Investment Guarantee Agency, 245
Empresa multinacional (EMN), 295–297
    balanza de pagos y, 315
    Caterpillar, Inc. y la, 311–312
    y conflictos, 310–316
    definición de, 295
    empleo y, 310–311
    teoría del comercio internacional y, 305
    soberanía nacional y, 314–315
    transferencia de tecnología y, 312–314
    precios de transferencia y, 316
Munich Polytechnic, 8

N

Nader, Ralph, 192
NASDAQ Currency Converter, 365
National currencies, 499
National government, relationships between, 489
National Iranian Oil, 307
National security, 140
Natural gas, 47
Negotiable order of withdrawal (NOW), 334
Net debtor, 349
Net financial inflows, 422
Net financial outflows, 422

Net foreign investment, 340
Net transfer of resources, 331
Newell Corporation, 53
New York Yankees, 39
Nintendo Co., 379–380
Nissan Motor Company, 117, 158, 366, 432
Nixon, Richard, 502
Nominal exchange rates, 372
Nominal interest rate, 405–406
Nominal tariff rates, 112, 114
Noneconomic arguments, 140–141
Barreras no arancelarias al comercio (BNA), 149–179.
Nordstrom, 134
Relaciones comerciales normales, 185
Tratado de Libre Comercio de América del Norte (TLCAN), 44,
    80, 198, 267, 284–291
    benficios del, 285–288
    Canadá y el, 285–286
    costos del, 285–288
    definición del, 284
    área de libre comercio y, 269
    México y, 285–286
    zona monetaria óptima y, 290–291
    aranceles y, 233
    Estadops Unidos y el, 286–288
Corea del Norte, 221–222
frontera sin comercio, 41
Nucor, 428–429

O

Obama, Barack, 130–131, 173, 216, 274, 317, 487
Occupational Safety and Health Administration, 99, 101
Tipo de cambio de venta, 362
Tipo de cambio oficial, 450
Activos de reserva oficial, 335
Transacciones oficiales de liquidación, 334
Cláusula de ensamble en el extranjero (OAP), 115–116
Ohlin, Bertil, 70
Opel (GM Germany), 298
Apertura, 9
Zona monetaria óptima, 280–281
Arancel óptimo, 128–130
Opción, 368
Organización de Países Exportadores de Petróleo (OPEP), 1,
    108, 240–244
Límites externos para los términos del intercambio de
    equilibrio, 40
Subcontratación (*outsourcing*), 6–8
    ventajas de la, 59–60
    Apple Inc. y la, 6, 60–61
    por parte de Boeing, 61–63
    definición de la, 58
    desventajas de la, 59–60
    Japón y la, 432
    ensamble en el extranjero y, 115–116

aranceles y la, 115–116
    la industria automotriz estadunidense y la, 60
Equilibtio general, 479
Reacción exagerada, 410–411

P

Pacific Cycle Company, 17
Panasonic, 95
Especialización parcial, 50–51
Paul, Ron, 503
Payne–Aldrich Tariff, 182
People's Bank of China, 464
Pepsi-Cola, 122, 296, 299
Peso, 415, 449, 470
Filipinas, 6
PNC Financial Services Group, 379
Libra, 2, 358, 365, 374, 499
    depreciaciòn de la, 434
    tipo de cambio de, 404
Pratt y Whitney, 314
Prima, 375
Definición basada en el precio, 166
Ajuste de precios, 420–422
Doctrina del flujo de las mercancías precios, 30
Productos primarios, 227–228, 230
Principio de la ventaja absoluta, 31
Principio de la ventaja comparativa, 32
Excedente del productor, 122–123, 162
Controles de producción y exportación, 237
Ganancias de producción, 37–38, 44–45, 50, 308–309
Teoría del ciclo de vida del producto, 93
Frontera de posibilidades de producción, 35–36, 48–50
Sector sesgado hacia el proteccionismo, 143
Efecto proteccionista, 125, 127, 151, 162
Arancel proteccionista, 108
Teoría de la paridad del poder adquisitivo, 398–403

Q

Quanta Computer Inc., 6
Quantity theory of money, 420
Quota Law of 1921, 323
Quota rent, 151
Quotations, foreign exchange, 363–366

R

Ralph Lauren, 134
Rayburn, Sam, 184
Reagan, Ronald, 16
Tipo de cambio real, 371–373
Tasa de interés real, 406
Ley de Acuerdo Comerciales Recíprocos,
    184–185
Efecto redistribución, 125, 127, 151

Acuerdos comerciales regionales, 267–293
  efectos de los, 270–274
    Unión Monetaria Europea y, 280–284
    Unión Europea y, 274–280
    ímpetu en pro de los, 270
    mutilateralismo e integración, 267–268
    Tratado de Libre Comercio de América del Norte y los, 284–291
    tipos de, 268–269
Región del comercio mutuamente benéfico, 41
Revaluación, 452
Efecto ingreso, 125, 127–128, 151
Arancel como mecanismo recaudatorio, 108
Ricardo, David, 29, 31–35, 89
Rolls Royce, 314
Roosevelt, Franklin, 184
Rubbermaid, 52–53
Rusia, 7, 467
Ruth, George Herman "Babe," 39

S

Salvaguardas, 199–201
Samsung, 95, 168–169
Saxo Bank (Danish), 388
Schwinn Bicycles, 15–17
Arancel científico, 140, 183
Sealand Commerce, 175
Sears, 236
Seattle Coffee Co., 240
Sección 301 de la Ley de Comercio de 1974, 207–208
Señoraje, 476
Cuota selectiva, 150
Sharp, 95
Posición a corto plazo, 385
Siemens, 313
Sipco Molding Technologies, 432
Nación pequeña, 123–126
Smith, Adam, 29–34
Ley Smoot-Hawley, 183–184
Regulación social, 174
Solyndra Inc., 216
Sony, 16, 61, 95, 113
Sony Auto Company de Japón, 309
Soros, George, 385–386, 468
Corea del Sur, 274
South Korean Steel Inc. (SKS), 164–166
Southwest Air, 59, 214
Derechos especiales de giro (DEG), 335, 352–353, 499
Teoría de los factores específicos, 81
Arancel específico, 109
Especulación, 384, 386
Ataque especulativo, 465
Dumping esporádico, 164
Sports Illustrated, 141

Mercado *spot*, 366
Transacción *spot*, 359–360
Margen (*spread*), 362
Sri Lanka, 6
Especulación estabilizadora, 386
Starbuck's Coffee Co., 240, 399
Efectos estáticos de los acuerdos comerciales regionales, 270–272
Discrepancia estadística, 336
Stiglitz, Joseph, 248–249
Teorema de Stolper-Samuelson, 78–79
Política comercial estratégica, 217–219
Precio de ejercicio (*strike price*), 368
Subsidios, 161–163
Subsidio a la producción nacional161–162
Sucre, 475
Sunlock Comptometer, 94
Acuerdos *swap*, 505
Swap de divisas, 360
Suiza, 504–505

T

Tipo de cambio meta, 457
Cuota arancelaria, 154–156
Aranceles, 107–147.
Elusión de aranceles, 116
Escalada arancelaria, 114–115
Evasión de aranceles, 116
Análisis técnico, 413–414
Transferencia de tecnología, 312
Tenneco, 297
Términos del intercambio, 29, 38, 126
Efecto de términos de intercambio, 128
Texas Instruments, 7, 46, 95, 252
Thilandia, 6, 469–470
Teoría de las demandas coincidentes, 88
Teoría de la demanda recíproca 41
Arbitraje trilateral, 374
Ronda Tokio, 173, 188
Toyota Motor Corporation, 59, 75, 86, 92–93, 94, 117, 120–121, 158–160, 298, 303, 366, 431
Asistencia para ajustarse al comercio, 212
Balanza comercial, 337
Efecto de creación del comercio, 272
Facultad para la promoción del comercio, 198
Leyes correctivas de recursos comerciales, 199
Triángulo de comercio, 40, 50
Empresas trasplantadas, 305
Costos de transportación, 91, 101–104
Tratado de Roma, 275
Turquía, 6, 467
Tweedy, Browne Co., 381
Arbitraje bilateral, 374

U

Arbitraje de intereses sin cobertura, 382
Transferencias unilaterales, 332
United Auto Workers (UAW), 75, 99, 143, 158, 306
Reino Unido
   paridad del poder adquisitivo del, 403
   comercio y, 434
Organización de las Naciones Unidas, 232–233
U.S. Customs and Border Protection, 149, 155
Dólar de EUA, 358, 374
   apreciación del, 2, 378, 428–429, 437
   compensación en el, 137
   costos y, 428–430
   depreciación del, 378, 437
   surgimiento del, 500
   tipo de cambio del, 372, 396–397, 404–405
   caída del, 388
   valor de tipo de cambio del, 371–373
   importaciones y, 440
   como divisa de reserva, 351–353
   fortalecimiento del, 371
   comercial ponderado, 371
   Estados Unidos y el, 351–352
   debilitamiento del, 371
Reserva Federal de EUA (Fed), 4, 405, 425, 447, 458, 460,
   472–473, 475, 487, 497, 505
U.S. Internal Revenue Service (IRS), 316
U.S. International Trade Commission (ITC), 118, 166–167,
   201, 204, 206
U.S. Steel Corp., 173
Tesoro de EUA, 214, 335, 345, 351, 501, 502–503
   letras, 382, 384, 408
   bonos, 4
   certificados, 463
Esatdos Unidos (EU, EUA)
   ventaja absoluta en, 34
   producción de aeronaves en, 71
   industria de navegación aérea en, 214–215
   industria automotriz en, 75, 157–158, 160, 305–307
   balanza de pagos en, 337–339
   solicitud de préstamos de, 344–345
   cuenta de capital de, 423
   capital y, 11–12
   ventaja comparativa para, 34, 54
   compensación en, 137, 138
   como nación deudora, 349–350
   inversión directa y, 297
   sanciones económicas de, 219
   empleo en, 345–346
   exportaciones de, 57, 91
   dotación de factores en, 71
   cuenta financiera de, 423
   estímulos fiscales de, 173
   pasivos extranjeros de, 336
   valores negociables extranjeros y, 346

   tratado de libre comercio y, 274, 285
   inmigración en, 6, 318, 322–323
   importaciones de, 85, 91, 186
   políticas industriales de, 212–216
   innovación en, 19
   inversión internacional en, 349
   mano de obra en, 11–12, 57, 138
   manufactura en, 323, 432
   comercio de mercancías y, 74
   como unión monetaria, 269
   comercio multilateral en, 55
   explotación multinacional de trabajdores extranjeros,
     303
   como una economía abierta, 9–12
   subcontratación y, 8
   antes de 1930, 181–183
   producción en, reubicación de la producción hacia,
     63–64
   productividad en, 138
   paridad del poder adquisitivo de, 403
   activos de reserva de, 335
   industria de la energía solar de, 215–216
   industria del acero en, 2, 117–119, 206–207, 428–429
   cuotas arancelarias de, 155
   aranceles y, 110, 130–132, 135, 182
   producción textil en, 71
   comercio con, 9–11, 50, 437
   regulaciones del sistema de camioneros en,
     288–289
United Steelworkers of America, 56
United Steelworkers (USW), 130
Upton, Lou, 168
Ronda Uruguay, 189, 278

V

Gravámenes variables, 276–277
Venezuela, 170
Integración vertical, 296
Volkswagen, 298, 379

W

The Wall Street Journal, 368, 395, 410
Walmart, 17
   Bangladesh y, 236
   China y, 260
   calzado en, 131
   divisas y, 375
   Rubbermaid y, 53
   aranceles y, 134
Warner–Lambert Drug Co., 209
The Wealth of Nations, (Smith), 30–32
Westinghouse Electric Co., 214, 313
Whirlpool Corporation, 63–64, 168–169
Whitener, Catherine, 88

Whittle, Frank, 8
Wooster, Ohio, 52–53
Banco Mundial, 233
   definición de, 245
   establecimiento del, 245
   crisis financiera mundial y el, 466
   préstamos del, 246
   paridad del poder adquisitivo y, 409
   maquilas y, 22
Organización Mundial del Comercio (OMC), 130, 150, 154,
   189–198, 267
Primera Guerra Mundial, 4, 182, 347, 349

Segunda Guerra Mundial, 5, 10, 94, 150, 267, 274, 448, 487,
   499, 501, 502
Wright, Wilbur and Orville, 8

Y

Yen, 357–358
   appreciation of, 2, 431–432
   depreciation of, 366
   exchange rate of, 395, 414
   technical analysis of, 414
Yuan (renminbi), 260, 346